林慶彰教授近照
（攝於二〇一八年九月）

林慶彰教授榮退特輯

車行健 策畫
政治大學中國文學系教授

關於特輯

林慶彰教授於今年十一月一日從服務已逾四分之一世紀的中央研究院中國文哲研究所退休下來。對這位畢生以經學研究與推廣為己任，且對目前海內外經學研究呈現蓬勃開花，欣欣向榮態勢，貢獻卓著的學者，受其沾溉的學界晚進們，該會有什麼反應呢？

今年八月下旬，日本京都大學舉辦了一場規模盛大的「經學史研究的回顧與展望──林慶彰先生榮退紀念」研討會，率是放了第一響的禮炮。緊接著，中研院文哲所經學文獻研究室和萬卷樓圖書公司又於十月二十五日晚假古亭彩園餐廳，為其舉辦榮退暨新書發表會，是為第二響的禮炮。鑑於林教授與《國文天地》有著深厚緊密的關係，本刊既從林教授諸師友門生的角度，來另闢一個有別於學術研討會嚴謹理性論述的感性話語的天地，此即為本特輯策畫的構想，希望能夠在聲勢上接續前面的活動，而成為第三響禮炮。

這片感性話語的天地主要藉由林慶彰教授既廣闊又綿密的師友門生交遊關係來呈現，邀請林教授同蒙好友彰化師範大學的黃文吉教授、與其共事多年的文哲所同仁蔣秋華教授，以及林教授數十年來主要任教學校的弟子，包括東吳大學的陳恆嵩教授、中央大學的郵惠芳教授、臺北大學的陳赤伶女士、臺北市立大學的何銘鴻老師、及受其薰陶留學日本與韓國的學生，分別為畢業於日本九州大學的金培懿教授和現正就讀於韓國高麗大學的陳赤伶同學（身兼二種身分），各為文以紀之。此外，為顯示林教授與海外學者的聯繫，又邀請了中國社會科學院的汪注學教授和香港浸會大學的盧鳴東教授共襄盛舉，最後，則商請中興大學的林淑貞教授撰寫京都會議紀要一篇，以紀錄會議盛況。

情雖文約，特輯文章所述雖道不能涵蓋整體情貌，然仍盼藉以此特輯表心祝頌林教授自此能悠遊學林，享受愉快自在的退休生活。

▲二○一○年七月二十四、二十五日參加德國慕尼黑大學漢學系舉辦的「正統與流派──歷代儒家經典之轉變」經學會議，會後和與會學者合影。

◀二○一五年十一月一日，林老師從中央研究院中國文哲研究所退休，車行健教授在《國文天地》第三十一卷第六期策畫了〈林慶彰教授榮退特輯〉。▼

獎 狀

尊敬的林慶彰先生：

　　經推薦專家委員會實名推薦，評審專家委員會實名表決，尊著《中國經學研究的新視野》榮獲“第二屆全球華人國學成果獎”特發此狀，用表敬忱。

嶽麓書院 鳳凰網 鳳凰衛視 敦和基金會
“致敬國學：第二屆全球華人國學大典”組委會
二零一六年十月二十九日

▲二〇一六年十月湖南嶽麓書院頒發第二屆全球華人國學成果獎給林老師。

◀二〇一八年五月二十八日，林老師捐贈圖書一萬多冊給佛光大學圖書館，佛光校長致贈的感謝狀。

佛光大學
感謝狀

(107)佛光圖資感字第001號

承蒙　林慶彰教授致贈圖書，至深感篆。本校將整理編目珍藏，以嘉惠學子，特此敬申謝忱。

校長　楊朝祥

中華民國 107 年 05 月 28 日

一九九八年在日本訪問研究時，全家於五月三日遊柳州，
在北原白秋〈歸去來〉詩碑前合影。

二〇〇〇年九月遊北海道登別市，住クラント飯店，和家人用餐時合影。

二〇一五年八月赴京都參加「中國經學史的回顧與展望」學術研討會，
會後遊京都高山寺，與夫人陳美雪教授合影。

學術論文集叢書

林慶彰教授七秩華誕壽慶論文集

蔡長林　主編

《林慶彰教授七秩華誕壽慶論文集》
編輯委員會

緣起

　　吾師林慶彰教授自中央研究院中國文哲研究所退休已滿三年，縱然身體有恙，仍堅持究心學術，推廣經學事業；若自一九六九年，求學東吳大學中國文學系為起點，則初心不改，悠悠已近五十載。其間筆耕不輟，編輯經學目錄、整理典籍、翻譯域外漢學著作、重新詮釋經學史，研究成果問世蓋有百種，蔚為大觀；復為國際經學研討會之籌辦，自一九九二年以降，三年一盛會，提供學人交流平臺，奠定經學研究規模，功莫大焉。慶彰師譽滿士林，為臺灣、香港、大陸、日本、韓國、歐美各地學者許為經學、文獻學之領軍人物，豈是偶然！

　　慶彰師已達達人，向以作育英才、獎勵後進為己任；為人慷慨大氣，不吝金針度人，學界直接、間接受其嘉惠者無數。今值老師七秩壽辰大喜之時，門生弟子，同道友朋，各自貢獻文稿，敘情論道，藉此向慶彰師表達最崇高的敬意和最誠摯的感謝。

　　書中所錄，包含論文三十一篇，以及慶彰師的簡歷和著作目錄，希望有助讀者了解慶彰師的治學歷程。書前序文四篇，出自葉國良教授、張高評教授、黃文吉教授、鍾彩鈞教授手筆，光耀篇幅，銘感無已。最後，感謝萬卷樓圖書公司梁錦興總經理、副總編輯張晏瑞先生、編輯楊婉慈女史的大力協助，玉成是書，可為慶賀禮物，謹代表同仁向他們致以由衷的謝意。

　　簡述是書編纂緣起如上。謹此祝願慶彰師福壽康寧，澤潤學壇！

受業　蔡長林謹記

二〇一八年九月

葉序

　　民國六十四年，我和慶彰兄都蒙屈翼鵬（萬里）師收為碩士研究生，彼此結識，開啟了我們四十餘年的君子之交。我們為什麼能彼此相識呢？因為當時臺大、東吳兩校中國文學研究所在東吳徐可燒教授的大力促成下，臺大一些著名教授在東吳大學中文所開設了不少課程，有的課在臺大教授家中或研究室上課，因而兩校研究生遂有了交流的機會，我在鄭因百（騫）、張清徽（敬）兩師的課上便結認了一些日後的好友。但因翼鵬師的課在東吳校區上，所以我和慶彰兄反而不很熟悉。初時僅知道彼此都研究經學，他是明代，我是宋代，後來他全力研究明清經學，我則先金石學後三禮，彼此的學術交集並不大。我們的友誼是日後在中研院文哲所斷斷續續的往來中建立起來的。

　　民國七十八年，中研院文哲所成立。翌年，慶彰兄與楊晉龍、蔣秋華兩兄陸續受聘進入文哲所經學組，在慶彰兄的規劃領導之下，短期間內即展開日後成果令人目不暇給的研究工作。

　　根據民國一〇四年胡楚生教授在《經學研究四十年》的〈序〉中的統計，慶彰兄在六十五歲時，僅前四十年中在經學研究的成就，計有十項，完成的各類研究成果多達數百種（篇、本），蔚為大觀。除了第一項原發性的論文二百餘篇外，最令人感動的，我個人認為乃是第二項「各類經學目錄的編纂」，此項工作的學術意義，乃是將曾經備受打壓、污衊、埋沒的經學著作發掘出來，以清楚完整的面貌堂堂的重新展現在世人的面前，這成就比什麼都大。

　　長期孜孜不倦的寫作、編輯，是非常容易令人厭倦的，但是慶彰兄和他的團隊卻能在很短的期間中不斷拿出令人敬佩的成果，真是近代的大貢獻。慶彰兄真是辛苦了！作為師兄弟，我以慶彰兄為榮。不過，每次看到慶彰兄的身影，想到他大量的付出，我總是有些許不捨的心情。慶彰兄長我一歲，值此七

秩華誕的前夕，謹以小文為慶彰祝壽，願慶彰永遠安康愉快。

葉國良

張序

　　圖書館，是知識的寶庫，也是情感的交誼廳。一九八六年暑假，我任職成功大學歷史語言研究所，帶領研究生前往中央圖書館搜集論文資料。恰巧，慶彰兄也帶領一批東吳大學研究生訪書，不期而遇。他來自臺南七股，洋溢著南國的熱忱與親切；我來自屏東恆春，散發著南島的土氣和天真。從此一拍即合，相見恨晚。

　　在士林雨農橋附近，慶彰兄早期住宅，和文吉兄比鄰而居。慶彰兄再三邀約，請我出差臺北時，去住他家。文吉兄也邀我到他家投宿，算是左右逢源。每當我們三人湊在一起，抬眼夏夜的星空，閒坐文吉兄家五樓陽臺瓜棚下，從時事談到文風，自人物言及學術，高談闊論，不覺月已西斜；壯懷激烈，無奈意猶未盡。這三人行，從此結了不解之緣。

　　後來，慶彰兄接掌《國文天地》社長，我追隨他東奔西跑。首先，入股成為社員。為了推廣業務，慶彰兄御駕親征，從臺中、彰化以南，直到高雄、屏東，深入到各高中國中，主要在行銷《國文天地》及其出版品。我和劉昭明一路跟他上山下海，感受到他的使命感、活躍度、親和力，以及必勝心。接著，在他率領下，又夥同《國文天地》同仁，出征到北京、上海，挑選購買大陸圖書。所得圖書，堆積如小山，汗牛充棟不足以形容，為公司資產創造不少盈餘。當年不畏溽暑，不辭塵灰，於書架倉庫挑書之場景，猶歷歷在目。凡事身先士卒，大家一起來；沒有最好，只有更好，就是慶彰兄的行事風格；做什麼像什麼，體現負責務實態度，就是他成功的要領。

　　為了推廣學術，發揚理念，慶彰兄帶領學生編纂許多工具書，並創立《經學研究論叢》，自任主編。這時，我正在籌編臺灣版《全宋詩》。宋詩和經學一般，很重要，但投入心力開發者不多，需要呼籲和提倡。於是在慶彰兄鼓舞之

下，我編纂了《宋詩論文選輯》三冊、《宋詩綜論叢編》，也創立了《宋代文學研究叢刊》，自任主編。前後發行了十五期，刊登兩岸三地有關宋代文學之論文，近三〇〇多篇，多為前瞻之議題，新創之成果。《宋代文學研究叢刊》，與日本《橄欖》、四川大學《宋代文化研究》、復旦大學《新宋學》，並駕爭馳。如果曾經對學術生發若干影響，這得拜慶彰兄之建言，指出可大可久之向上一路。

　　書籍，作為知識傳播之媒介，必須流通才得以傳播；有傳播流通，大眾才有機緣可以閱讀，才可能衍生接受與反應諸問題。這道理，慶彰兄即知即行，學界受惠良多。以為文哲所出版品，與其庫藏閒置，不如贈閱流傳。書必須有人閱讀，才能反饋出它的價值與能量；好比貨幣貴乎化通有無，經濟效益才可能滋長壯大。我常獲慶彰兄贈閱圖書，當下感動莫名。兩岸三地，乃至世界漢學界，若此之傳播，如是而閱讀、接受，進而反應回饋於著述之中者，豈在少眾？以文會友，廣結學術善緣。眼界有多遠大，成效也隨之發用無窮。讀書種子之培育，慶彰兄可謂德澤廣被，豈止惠我良多而已？

　　才、學、識，劉知幾以為史家三長。筆者以為，一流之通儒於才華、學養、識見，亦多兼重齊備。三長之中，卓識慧見最為難能可貴。既要宏觀遠視，以見高明廣大；又得微觀近視，以盡中庸精微。自一九九二年十二月，文哲所舉辦「清代經學國際研討會」；從此以後，每兩年主辦一場經學研究之盛會，由清代、而明、元，而宋、唐、六朝，而兩漢、先秦。此一宏觀系統之經學史論述講會，正出於慶彰大師之規劃與設計，帶領全組同仁群策群力完成。由此輻湊過來，於是而有乾嘉經學家之實地考察，香港經學家之發掘，清代、近代經籍、文集之整理點校工程，以及《晚清四部叢刊》、《民國學術論叢》之編纂出版。論其學術貢獻，何止功在儒林而已。星巴克（Starbucks）創始者霍德華・舒茲（Howard D. Schultz）說：「領導者需要能將焦點放大，以觀全貌；還能將焦點縮小，以窺細節。」慶彰兄睿智的學術眼光，同時具備放大視野，且能縮小焦點，傑出的領導者和經營者不過如此。

　　研治《春秋》、《左傳》，原本就是我的學術專攻。由於主纂《全宋詩》，遂步入歧路，投注於宋詩特色之系列研究，差一點迷航而不知返。自一九九二

年，慶彰兄規劃歷代經學之學術研討，力邀參與清代、明代、元代、宋代、唐代之經學國際會議。而且，還發蹤指示，欽定論題，希望能闡發《春秋》、《左傳》學之精微。為不辜負期待，於是追隨慶彰兄指揮棒的節奏，進行大跨度的上下求索：於清代，探討方苞《左傳義法舉要》；於明代，考察高攀龍《春秋孔義》；於元代，闡揚趙汸《春秋師說》；於宋代，研發蘇轍《春秋集傳》；於唐代，勾勒劉知幾《史通》之《左傳》詩學。有此難得之機緣，於是拓展了學術之視野，發現了嶄新的學術生長點，頗有利於爾後學科整合之研究。我現身說法，見證經學研究室前瞻性議題的受益實況。同時相信，這絕對不只是一個特殊的個案。

使命感太強、責任心太重、企圖心太盛，濟天下之襟抱太切，是慶彰兄過人之處。當然是其優長，也是缺失。如是，而以發揚文化為志業，以振興經學為己任，負荷不可謂不大，動心忍性不可謂不足。然百憂感其心，萬物勞其形，於是金石之質難敵憂勞之戕賊。賴天眷顧，醫施仁術，今已否極泰來，老當益壯矣。經學研究因慶彰兄無我無私之推廣，大抵已開枝散葉，甚至附庸蔚為大國。兩岸三地乃至世界漢學界，得其沾溉觸發者不計其數，多視慶彰如父如兄。大抵多能繼志述事，如《禮記·學記》所謂克紹箕裘，《尚書·大誥》所云肯堂肯構。由此觀之，傳鉢傳法，既有其人，慶彰兄真可以息肩、釋懷、解頤矣。多多休息，是為了走更長久的路，這是學界共同的期待。

經學界得之於慶彰兄玉成者，實在不勝枚舉。雖心存感激，然大恩往往不言謝。二〇一五年八月二十日、二十一日，假日本京都大學文學研究科，舉辦「經學史研究的回顧與展望──林慶彰先生榮退紀念」國際學術研討會，地不分東南西北，人不分男女老少，一百多人，從世界各地飛來，有志一同，齊聚京都大學。見證學侶友生，以學術研討之方式，為慶彰兄之退官，心香一瓣，獻上祝福。場面溫馨，典禮隆重。余承乏上庠近四十年，參加學術研討會不下一百六十場，未見有如是之盛大、莊嚴、歡喜、融洽者。盛況空前，蓋絕無而僅有，其難能且可貴，有如此者。

文哲所經學研究室，成員雖不多，然同心協力，締造許多經學研究之傳奇，卻是蜚聲國際，有口皆碑。不落京都大學之後，文哲所最近亦主辦「林慶

彰教授七秩壽慶學術研討會」，發表三十一篇論文。參加學者，分別來自美國、日本、大陸、香港、臺灣。研討之課題，有《詩經》、《尚書》、《春秋》、《公羊傳》、《四書》、《孝經》、出土文獻等。其中兩篇論文，鎖定慶彰兄之學術成就，作為研討課題。慶彰兄之學術著作，守先待後，頗見創發開拓之功。至於穿之鑿之，求索瑰寶；繼聲繼志，發揚斯學，正有待乎後學之張皇。

　　不知何人何時，戲稱慶彰兄與我，為臺灣學界南北兩頭牛。天生二牛，相知相惜，莫逆於心，從來不相鬥。夫所謂文人相輕，同行相忌，卻不曾有過。今承經學組同仁雅意，南牛三生有幸，能為北牛撰寫壽慶論集之序文，何樂如之。於是乃就往來所知，略述慶彰兄之人格與典範如上。同時，謹藉此文，敬祝牛哥哥嵩壽康寧，長樂未央。

張高評序於府城鹽水溪畔

二〇一八年八月十八日

黃序

藏書兩萬冊，學富豈五車
——賀慶彰兄七秩華誕

在圖書文獻數位化之前，想了解一位學者，只要進入他的書房，環顧一下他所擁有的圖書，其學問大概可思過半了。慶彰兄平日嗜學如命，愛書成癖，所以他擴充書房空間永遠比不上購書速度。

記得民國六十四年念碩士班時，因同學關係與慶彰兄初識，即被他的博學所震撼。有一次到他借住的社子姨媽家，看到房間被各式各樣的圖書佔滿，慶彰兄說：「擁有資料就是權威」，這句話讓我深切了解學問與圖書是密不可分的。

慶彰兄從大學到碩士班都住姨媽家，民國六十八年讀博士班時才以搭會方式在附近買了舊公寓房子，大約二十多坪，對一個研究生而言，算是不小的居住空間。但他很照顧親人，弟弟來臺北補習，大姊女兒來臺北念大學，都住在他的房子，所以客廳和臥室，很快又被圖書攻佔了。我們來自鄉下，讀碩、博士階段，生活都很拮据，慶彰兄為了購書，採取「以書養書」的策略，就是拼命寫稿，賺取稿費，再以稿費購買圖書。慶彰兄發表的文章越來越多，所擁有的圖書也隨著時間快速成長，這也讓我見識到著作與圖書的數量是成正比的。

慶彰兄因為表現優異，民國七十年修完博士學分就被母校聘為專任講師，七十二年獲得國家文學博士，升為副教授繼續留在東吳大學任教，有了穩定的薪水收入，加上編書寫文章的稿費，購書更不手軟。社子的舊房子經過不斷地進書，早已不敷使用，他在民國七十四年看中芝山岩附近福志路的新建五樓公寓，四房兩廳，有四十五坪，當時他手頭並無餘錢，為了成家及貯存圖書，四處借貸，還是將這間公寓房子買下，可說是大手筆。他規劃了一間大書房，請木工到家裝潢，除了窗戶外，所有的牆面都製作了書架與資料櫃。而且書架深

度可以擺兩本書，這樣內外兩層的空間，貯存圖書就可以加倍了。進入書房，看到他坐擁書城讀書寫作的歡愉神情，或與學生一起編纂目錄的勤奮態度，人生的樂趣似乎盡在此，從落地窗可以眺望的陽明山，對他好像沒有什麼吸引力。

書房越大，慶彰兄的學問越做越大，不僅如此，民國七十七年還受到幾位中文界教授之託，承接即將停刊的《國文天地》雜誌，擔任發行人兼社長。他除了重新打造《國文天地》，增加訂戶之外，也擬訂「以書養雜誌」的策略，成立萬卷樓圖書公司，一方面出版圖書，一方面販售從中國進口的圖書。當時剛解除戒嚴，大家仍在觀望，慶彰兄就當開路先鋒，大量進口中國圖書，造成學界的騷動，爭相到萬卷樓購書，利潤也成為《國文天地》雜誌社的重要支柱。慶彰兄編雜誌兼賣書，也趁到中國購書、交流之便，大量購買自己所需要的圖書，所以他的書房很快又變得擁擠不堪了。

慶彰兄在東吳大學教學認真，受到學生愛戴，而他的學術成果及辦事能力，也備受學界肯定。民國七十九年中央研究院中國文哲研究所籌備之初，他即被網羅擔任副研究員，參與硬體建設、圖書購置、制度建立等等重大事項，奉獻不少心力。文哲所的大樓建築完成後，慶彰兄也分配了一間寬廣的研究室，正好解決了書房圖書氾濫的問題。

慶彰兄的研究室約有八坪，門及窗戶之外的兩面牆都裝設了書架，擺上了圖書非常壯觀。他將研究所需的書籍，從家裡轉移到研究室，所以到他家的書房感覺清爽多了。但好景不長，隨著研究成果不斷累積，學術交流不斷擴大，他的書房又被圖書及學術刊物攻佔。偶而到他的研究室，發現空間也越來越窄迫，圖書的增加速度實在太驚人了。慶彰兄因為主持多項研究計畫，約聘了幾位研究助理，因此文哲所另外給他一間研究室，兩面牆的書架也都擺滿了他的書。

隨著時間推移，慶彰兄搬到五樓公寓才誕生的兩男一女逐漸長大，書房的圖書期刊也不斷溢滿流竄到客廳，他後悔沒有像我在樓頂加蓋「合法的違建」，當年只要經過建築師設計，向建管處申報，樓頂是可以加蓋九坪建物而不被拆除。我和慶彰兄請同一位建築師設計，慶彰兄卻因為手頭拮据，錯過可

以加蓋的期限，如今房間不夠用，徒呼負負也無可奈何。但問題總是要解決，他和太太到處尋覓較大的房子，民國九十年終於在礦溪街找到一間三層樓的透天厝，還附有小花園、水池，環境清幽，在都會中算是很不錯的住宅。當然房價也不便宜，慶彰兄將原來五樓公寓的房子賣掉，還負債一千多萬，他為了安頓家人及圖書的購屋行為，實非常人所能及。

礦溪街的新家三層樓，共八十坪，空間夠大，這次慶彰兄為圖書有更長遠的思考，他除了一間可以容納兩張書桌的大書房外，還特別規劃一間書庫，全部擺設書架，一排排的書架僅留容人的通道，和圖書館並沒兩樣。過去年輕時擁有一間書房就很幸福了，沒想到書越來越多，這樣的書庫確實有其需要，但臺北房價貴，我也只有羨慕的份。慶彰兄做學問喜歡與人交流，國內外的學者常慕名拜訪，記得有一回陪中國學者去他家，這位學者出來跟我說：「在都市有這樣的房子，我們那邊稱為小『布爾喬亞』（資產階級）了。」但他如果知道慶彰兄負債的情況，恐怕也要昏倒。

慶彰兄住福志路時和我是可以相望的鄰居，喬遷之後，因有段距離就比較無法隨時串門子了。看到他的居住空間改善，不再被書壓迫，也為他高興。慶彰兄在文哲所工作，非常忙碌，他的研究成績相當亮眼，每一年的所內評比，經常名列前茅。他也將一手打造的經學組，透過許許多多的學術活動，使它儼然成為世界研究經學的中心。加上他重視經學文獻，經常整理經學家文集，如出版《姚際恆著作集》六冊、《張壽林著作集》八冊等，主編《經義考新校》十冊，也幫出版社編纂《民國時期經學叢書》（已出版六輯、三六〇冊）、《民國文集叢刊》（第一編、一五〇冊）、《晚清四部叢刊》（經部，第一編到第十編，共三〇四冊）等等，林林總總加起來超過千冊，單他自己的著作和編纂的圖書，就可以佔據一大面牆，加上自己買來參考的圖書或學術友人的贈書，更不斷地攻佔他的研究室和家中的書房、書庫。

有一回小女兒因申請國外研究所要撰寫研究計畫，慶彰兄特別介紹他的同事給予指導。內人陪女兒到文哲所，她們先到慶彰兄的研究室，發現他的研究室已經被書淹沒，連找個坐的地方都不可得，聽了她們的描述，覺得太誇張了！後來我到慶彰兄家，看到客廳、餐廳常堆著一些書，剛開始以為是剛買進

或寄到還沒上架的書，可是隔了一段時間再去時，書卻越來越多。有一次跟他上樓到書房，樓梯轉彎處堆滿了書，書房和書庫更不得了，被書擠壓得連一點迴旋的空間都沒有，難怪書會沿著樓梯流竄，氾濫到客廳，以至於餐廳來。

慶彰兄於民國一〇四年從文哲所退休，研究室也要交還，他正為這些書的去處苦惱，所幸有位他指導的研究生，住在天母的房子有地下室可供他存放，適時解決了燃眉之急。我覺得現在許多圖書都已數位化，紙本所佔的空間不是現代人所能負荷，因此我退休時將大部頭的書，如《全宋文》、《全宋詩》、《宋詩話全編》、《明詩話全編》等都捐給系圖書室，既可供學生使用，也減少自己書房空間的壓力。我經常以自己為例，勸慶彰兄及早處理這些藏書。但臺北各大學的圖書館也有空間不足的困境，對於捐書還是有選擇性，不但要求新書，也要捐書者自行編目，並負擔運費。想起當年省吃節用，買下這些所費不貲的圖書，如今落得如此下場，真是無言啊！

讀書人愛書，對自己曾經擁有的圖書含有感情，如果賣給二手書店讓它流落各地，是捨不得的，何況當廢紙賣給資源回收，更情何以堪？慶彰兄在民國一〇〇年，曾應位於宜蘭的佛光大學邀請，協助鑑定該校雲五圖書室數百種善本書，驚見許多從未見過的珍貴收藏。有這一段因緣，他想到佛光大學成立未久，圖書館仍有空間，也有待充實，於是選擇該校為他所有藏書的落腳處。

慶彰兄的藏書計二萬餘冊，佛光大學獲得捐贈，為創校以來最大宗。總括這些藏書約有六項特色：一、經學著作，遍及十三經，尤其《周易》和《詩經》的著作最為完整。二、國際漢學著作，涵蓋世界各國，以日本、美國的漢學著作最多。三、佛教哲學著作。四、早期的中國出版品數百種，臺灣過去因戒嚴不能進口，這些出版品頗為珍貴。五、戒嚴時期的禁書和偽書數百種。六、中國「以書代刊」的著作六百種。

從這些藏書，對照慶彰兄在經學研究的成果，以及帶動全球各地經學研究的貢獻，若合符節。尤其過去國共對峙，學術遭到扭曲，出版品常被改頭換面，出現了變亂時代的新偽書，慶彰兄廣為蒐集，也曾寫過許多撥亂反正的文章，這正是研究學術實事求是的態度。

慶彰兄搬到磺溪街的住家後，得了帕金森氏症，後來又因腰椎、頸椎關節

凹陷，壓迫神經，動了幾次手術。一些親友學生關心之餘，也開始從風水的角度對房子指指點點，並提供解方。我不願「鐵齒」而否定這些人對慶彰兄的好意，但個人深深覺得，慶彰兄最大的病因，應該來自長期為學術的鞠躬盡瘁。試想以一個人的血肉之軀，腦神經及頸椎、腰椎，怎麼負荷得了兩萬多冊圖書所構成的壓力？他的書庫、書房及研究室都爆炸了，生活其中的人怎麼不會出問題呢？

　　如今慶彰兄已捐出首批四百箱一萬多本的圖書給佛光大學，等他寫完經學史，準備再將其餘圖書捐出。看到他現在的書房和書庫，像洩過洪一樣，不再飽和氾濫，客廳餐廳也寬敞整潔多了，而他走起路來，也平穩輕快許多。今年十月，正逢慶彰兄七秩華誕，其學術界友人及學生特別為他出版祝壽論文集，熱誠感人。也邀我為論文集寫一篇書前文字，我因與慶彰兄相知相交四十多年，誼不敢辭，謹記下慶彰兄書房空間的變遷，以凸顯他平生為學術奉獻的精神。並希望他七十才開始的新人生，迎著晨曦從容完成經學史的偉大志業，踩著晚霞陪太太欣賞美麗的大自然風光，身強體健，萬壽無疆！

黃文吉謹序於芝山岩不厭齋

民國一○七年八月

鍾序

本年十月，欣逢林慶彰教授七十華誕，群弟子有撰寫論文彙集成編，以誌先生教育之恩與嚮往之忱，以為先生賀壽之議。我與慶彰兄於一九九〇年共同進入中央研究院中國文哲研究所籌備處，共事逾二十五年，誼屬兄弟，因此群弟子又邀我撰序。我於慶彰兄之治學為人，私心嚮往而未能及，本當謙退不遑，唯鑑於群弟子之熱情而不敢辭。謹乘此機會記述文哲所草創時期一些見聞，略補遺佚，或者也符合慶彰兄重視材料搜集的精神吧！不過四分之一世紀以前的往事，只能略述梗概，而且不能免於錯誤，若有知其詳者，還望能匡正吾之闕漏。

中國文哲研究所於一九八九年八月開始籌備，只有主任吳宏一老師一人，帶著一位秘書、一位工友，召開設所諮詢委員會，規劃研究方向並聘任研究人員。一九九〇年八月開始進用人員，第一批研究人員僅四人，除了吳老師，還有慶彰兄、我、與周純一。我報到時才第一次見到慶彰兄，然而和我的無所事事不同，慶彰兄和吳老師已經忙著討論出版問題。原來吳老師希望一開張就有成績，便請慶彰兄先做一兩個月的義工，整理《蔡元培張元濟往來書札》作為開幕獻禮。那是銅版紙精印的書札原稿，有文獻整理與書法欣賞的價值，而其所屬的「近代文哲學人論著叢刊」也成為文哲所籌備以來第一種系列。這是慶彰兄進文哲所的第一個事業，也有其象徵意義，就是他除了個人研究外，又以出版與圖書的專業為文哲所扛起半邊天。

吳老師的性格謹慎而容易緊張，一年半後即因眼疾請假，又半年便辭職赴香港教書。他不像具有領導才能，提到他的功績的人也不多。然而回想起來，他積極任事，勇於有為，文哲所籌備工作從零開始，兩年中建設出文哲所的雛形，極為不易，後來的發展基本上是循著當初的規模繼續前進的。他最初聘任

三人，就由我負責學術與國際交流，慶彰兄負責圖書與出版，周純一負責田野調查與搜集之意。除了規劃研究方向與聘任研究人員的權責屬於設所諮詢委員會之外，其餘的規模都在我們幾人手裡草創。我是比較糊塗散漫的人，有愧吳老師的託負，慶彰兄富於創業的才具與幹勁，正好獲得發揮的舞臺。如果文哲所的學術研究是建房子，我們那兩年更像在打地基或準備建材，是隱性的事業。特別是慶彰兄的貢獻要趕快記下來，留給後人知道。

文哲所大樓是一九九五年十月落成的，在此之前，籌備處在第一年借用蔡元培館一樓辦公，二樓仍是宿舍，住了幾位資深的研究員，王叔岷老師是其中一人。其後四年則借用舊動物所。蔡元培館一樓的西邊一半是大廳，擺上兩排大桌作會議室，東邊一半原是一間間的宿舍，便充當主任室、行政室、研究室、藏書室等。在蔡元培館時是我們最忙碌的一年，而且辦事遠多於讀書。我覺得蔡元培館的一年可稱為大雜院時期，大家對門而居，研究人員房內擠進了助理，而且常被叫出來辦事。記得一天中午，吳老師要大家籌辦集刊，飯後我們就進了主任室，參考其他刊物來設計集刊稿約、體例，又為了擦亮招牌而向各位諮詢委員邀稿，種種構想，一談就是一兩天，其他如籌辦通訊的情況也類似。籌辦期刊是大家參與，慶彰兄創見獨多，至於採購圖書、接受贈書，就是慶彰兄帶著林耀椿辦理了。記得一次他們兩人出差，載回一大批霧峰林家的贈書。又有一次大貨車送來一套讓售的四庫全書，慶彰兄把大家都叫出房間一起清點。後來圖書愈來愈多，就借用總辦事處的地下室堆放，直到第二年借到獨棟二層的舊動物所，才有獨立的圖書館、研究室等。進用的助理、職員漸多，大雜院時期才逐漸進入尾聲。

文哲所建地的獲得也是一大困難、一大奇蹟。文哲所籌備時，中央研究院在南港已經經營了近四十年，本來幅員就不廣，就算還有空地，也已劃為既成立的老所的發展預定地。院方要我們向各所協調索地，當時吳老師已因眼疾請假，慶彰兄先做了幾個月的代理主任，然後戴璉璋先生接第二任主任，這段過渡期間，慶彰兄展現了他的能力與對文哲所最大的貢獻。他為了建地四處奔走，從事與虎謀皮的無效談判。他先去向各所要地，四處碰壁後，轉而向院方吵鬧，宣稱文哲所不打算辦了。院方只好出面撥出一塊地給文哲所。這塊原先是片竹林的空地，因為早期的測量不準確，在地圖上被畫得很小，大概院方希

望因此能減少原主的反彈，文哲所卻獲得一塊事實上不算小的基地。更值一提的是，文哲所是中研院最後一個擁有透天厝的研究所，在文哲所之後成立的新所，都只能在後來興建的人文社會研究大樓中分到兩三樓層了。

籌備處初期的學術活動此處也可做些介紹。在一個研究人員與助理合起來不超過十人的環境裡，雖然學術研究還是個人的，但所有的學術活動都是集體的，凡有活動必然共同規劃、共同參與。創辦《中國文哲研究通訊》後，因為定位為研究推廣期刊，為符合從研究生到文史愛好者的需要，規劃了一連串學術活動，將成果刊載於《通訊》之上。例如「學人介紹」專欄，就從設所學術諮詢委員開始介紹。除了尋找合適的作者外，連我們也被分派撰寫。此外又舉辦過以重要教科書為主題的座談會，邀請學者共同討論，包括劉大杰、葉慶炳的中國文學史，牟宗三、勞思光的中國哲學史類著作等等，整理出來的成果多以「書刊評介」專欄刊載。又舉辦過「國內人文期刊與人文推廣期刊相關問題座談會」、「中國文哲相關系所師生座談會」，成果也都整理發表。此外，籌備處最早的學術會議為「中國文哲研究生論文發表會」、「中國文哲研究的回顧與前瞻學術研討會」、「中國文哲研究的發展國際學術研討會」。這些主題今天看來似太寬泛，但文哲所的研究剛剛開始，各種專門學科尚待發展，而當時臺灣的高等教育正在大幅度擴充，文哲所雖然只有幾個研究人員，能夠乘勢提倡研究風氣，並提出一些標竿來激勵來學，比起今天的高深研究更能接上地氣，也未始不是一種優點。這些地方，慶彰兄的貢獻就不必細述了，我總覺得他無一事不參與，也無一事不感興趣。

在蔡元培館時代，我時常與住在二樓的王叔岷老師閒聊，有次他提到慶彰兄，說：「林慶彰和他老師屈萬里先生一樣，能做學問也能辦事。」此語可作為慶彰兄的定論。慶彰兄是領袖人才，做他的學生與朋友不會太輕鬆。不過正如《易經》〈師卦〉〈象傳〉所講的：「以此毒天下，而民從之。」創建事業不能不勞師動眾，但是有眼光與領導力，能夠創造出成果，則人民自然甘心於眼前的辛苦。慶彰兄欣逢七十華誕，尚無告老之意，我謹賀其嵩壽，也為臺灣學術前途慶賀！

鍾彩鈞

目　次

段玉裁《詩經小學》全本
與節本對比研究

李雄溪

（香港）嶺南大學

摘要

段玉裁《詩經小學》有《拜經堂叢書》三十卷全本及臧鏞堂刪纂而成的《抱經堂叢書》四卷節本。《詩經小學》從語言文字的角度去探討《詩經》，當中涉及異文、引申義、籀文、古今文、假借等等。本文透過對比全本與節本，透過分析具體例子，指出兩者相異之處，以見臧氏刪節全本之內在理路，並突顯《詩經小學》的其中兩大重點：（一）說明通假；（二）指出前人之誤。

關鍵詞：段玉裁　《詩經》　小學　通假

　　段玉裁（1735-1815）《詩經小學》為研究《詩經》詞義之專著。《詩經小學》有全本與節本，分別為四卷本（以下或簡稱「節本」）和三十卷本（以下或簡稱「全本」）兩種。四卷本乃臧鏞堂（1766-1834）據三十卷本刪纂而成，又稱作《詩經小學錄》，二者分別見於《拜經堂叢書》和《抱經堂叢書》[1]。兩版本不僅詳略不同，在內容上亦有差異。本文擬對比兩者，分析相異之處，由此可見臧氏刪削原著之理路。

　　臧氏〈刻《詩經小學錄》序〉指出「《詩經小學》數十卷，亦段君所授讀，鏞堂善之，為刪繁纂要，國風、大小雅、頌各錄成一卷，以自省覽。後段君來，喜曰：『精華盡在此矣！』當即以此付梓，時乾隆辛亥孟秋也，竊以讀此而六書假借之誼乃明，庶免穿鑿傅會之談。段君所著《尚書撰異》、《詩學之學》、《儀禮漢讀考》，皆不自付梓，有代為開雕者，又不果，而此編出鏞堂手錄，卷帙無多，復念十年知己之德，遂典裘以畀剞劂。」[2]由於可知，段玉裁曾親閱刪節本，並給予充分的讚譽和肯定，謂「精華盡在此矣」。節本所保留的內容，正是《詩經小學》之重要部分。

　　全本和節本有明顯的差異，首先在於卷數。原本共三十卷：分別為〈國風〉佔十五卷（十五〈國風〉各一卷）、〈小雅〉十六卷至廿二卷（〈鹿鳴之什〉、〈南嘉有魚之什〉、〈鴻鴈之什〉、〈節南山之什〉、〈谷風之什〉、〈甫田之什〉、〈魚藻之什〉各一卷）、〈大雅〉二十三卷至二十五卷（〈文王之什〉、〈生民之什〉、〈蕩之什〉各一卷）、〈頌〉二十六卷至三十卷（〈周頌〉四卷、〈魯頌〉一卷、〈商頌〉一卷）；節本則〈風〉、〈小雅〉、〈大雅〉、〈頌〉各一卷，合共四卷。

　　其次在條目方面，全本合共約一千二百五十條，節本大幅度減為四百一十多條。換句話說，節本於全本刪去三分之二。以「〈風〉之始」〈關雎〉為例，三十卷本共九條，包括「關關」、「雎」、「在河之洲」、「君子好逑」、「參差荇菜」、「荇菜」、「輾轉」、「左右芼之」、「鐘鼓」；四卷本僅四條「關關雎鳩」、「在河之洲」、「君子好逑」、「輾轉反側」。又如「〈小雅〉之始」〈鹿鳴〉，原本錄「呦呦」、「示我周行」、「視」、「視民不恌」、「湛」五條，節本一條不錄。

---

[1]　詳略兩版本皆收錄於《段玉裁遺書》（臺北市：大化書局，1986年），頁437-628。

[2]　《段玉裁遺書》，頁581。

「〈大雅〉之始」〈文王〉原本收「亹亹」、「陳錫哉周」、「祼」、「尋」、「宜鑒于殷，駿命不易」、「上天之載」、「萬邦作孚」七條，節本僅錄「亹亹文王」一條。「〈頌〉之始」〈清廟〉收「駿奔走」一條，節本一條不錄，上舉「四始」為例，於此可見其餘梗概。

以《詩經小學》為題作專門研究的，早期有虞萬里的〈段玉裁《詩經小學》研究〉[3]；臺灣的學者孫劍秋〈段玉裁《詩經小學》研究〉[4]、蔡根祥〈段玉裁《詩經小學》蠡探〉[5]、王兆娟〈段玉裁《詩經小學》研究〉[6]等論文都注意《詩經小學》的研究。其中虞文認為道光本與臧節本的異同和關係，包括「（一）簡　指書名用簡稱……（二）並　指將二條併為一條……（三）補　指補出《詩經》完整句子……（四）刪　首先是刪條目……其次是刪句子……（五）改　指依《小學》全書的體例調整某些句子……（六）按　這是臧本的一個重要方面。」[7]王兆娟論文的第四章〈《詩經小學》析論〉指出節本條例九點：重謄、補句、簡稱、刪煩、併整、改序、纂要、失當、異文。[8]第七節有〈抱經堂藏板《詩經小學》與拜經堂雕《詩經小學》的關係〉，又具體討論抱經堂藏板《詩經小學》與臧節本的關係，共有八點：（一）《小學》無此條例，《臧節本》列出；（二）《臧節本》所列條例已修正改訂；（三）《臧節本》所列條例少數例外，其字較多於《小學》。臧氏為刪煩纂要成《臧節本》，大多數條例字數皆少於《小學》條例；（四）《小學》列有江沅按；（五）《小學》有小字注；（六）《臧節本》有小字注；（七）《小學》有玉裁按二次以上條例甚多；（八）《小學》有段氏後來增入者。[9]

3　虞萬里的〈段玉裁《詩經小學》研究〉（上篇見《辭書研究》1985年第5期，頁47-48，又頁81；下篇見《辭書研究》1985年第6期，頁88-94，又頁24）。是文後來收入虞萬里：《榆枋齋學術論集》（南京市：江蘇古籍出版社，2001年8月），頁760-779

4　孫劍秋：〈段玉裁《詩經小學》研究〉，《第三屆中國文字學國際學術研討會論文集》（臺北縣：輔仁大學出版社，1992年6月），頁417-426。

5　蔡根祥：〈段玉裁《詩經小學》蠡探〉，《中興大學中文學報》第28期（2010年12月），頁77-103。

6　王兆娟：〈段玉裁《詩經小學》研究〉國立高雄師範大學經學研究所碩士論文，2012年1月。

7　虞萬里：〈段玉裁《詩經小學》研究〉下，《辭書研究》1985年第6期，頁92。

8　王兆娟：〈段玉裁《詩經小學》研究〉，頁88-93。

9　同上，頁99-100。

虞、王二文，比較全本和節本，對兩者之條例差異，所論甚詳。本文的切入點則有所不同，旨在對比兩者條目之內容，以見《詩經小學》的精華所在。事實上，保留在節本中的條目內容。有兩點十分明顯和突出，其一是假借的論述，其二為指出前人之誤。以下舉例加以說明。

一　注重古文假借

《毛詩》為古文，通假字甚多，清人因聲求義，特別注意古籍中的通假現象。段玉裁《說文解字注》：「大氐假借之始，始於本無其字，及其後也，既有其字矣，而多為叚借；又其後也，且至後代譌字亦得自冒於叚借。」[10]後於段玉裁的王引之（1766-1834）、馬瑞辰（1782-1853）就有更清楚的說明。王引之《經義述聞・經文假借》：「許氏《說文》論六書假借曰：『本無其字，依聲託事。令、長是也。』蓋無本字而後假借他字，此謂造作文字之始也。至於經典古字，聲近而通，則有不限於無字之假借者，往往本字見存，而古本則不用本字而用同聲之字。學者改本字讀之，則怡然理順；依借字解之，則以文害辭。」[11]馬瑞辰《毛詩傳箋通釋》：「《毛詩》為古文，其經字類多假借。《毛傳》釋《詩》，有知其為某字之假借，因以所假借之正字釋之，有不以正字釋之，而即以所釋正字之義釋之者。說《詩》者必先通假借，而經義始明。」[12]段氏、王氏、馬氏皆十分重視古籍中的通假。

《詩經小學》中討論假借的條目比比皆是，而節本亦多保留。以下用〈周南・葛覃〉、〈召南・摽有梅〉、〈邶風・柏舟〉三篇為例，作對比和說明。

（一）〈周南・葛覃〉

〈葛覃〉全本共錄七條，分別為「葛之覃兮」、「灌木」、「是刈是濩」、「服之無斁」、「澣」、「害澣害否」、「歸寧父母」，節本僅三條，分別為「服之無

---

10 《說文解字注》（南京市：鳳凰出版社，2007年），下冊，頁1311上。
11 《經義述聞》（南京市：江蘇古籍出版社，1985年），頁756。
12 《毛詩傳箋通釋》（北京市：中華書局，1992年2月），上冊，頁23。

斁」、「薄澣我衣」、「害澣害否」。而其中兩條所論，皆與假借有關。

	原本	節本
服之無斁	《禮記・緇衣》篇引《詩》「服之無射」。王逸《招魂・注》：「射，猒也。《詩》曰：『服之無射』」。按「斁」為本字，「射」為同部假借。[13]	《禮記・緇衣》、王逸《招魂・注》皆引《詩》「服之無射」。按「斁」為本字，「射」為同部假借。[14]
害澣害否／害澣害否	《傳》：「曷，何也。」玉裁按：古「害」讀如「曷」，同在弟十五部。〈葛覃〉借「害」為「曷」。〈長發〉「則莫我敢曷。」《毛傳》：「曷，害也。」是又借「曷」為「害」，於六書為假借也。[15]	《傳》：「曷，何也。」按：古「害」讀如「曷」，同在第十五部，六書為假借也。〈葛覃〉借「害」為「曷」。〈長發〉「則莫我敢曷。」《傳》：「曷，害也。」是又借「曷」為「害」。[16]

按：《詩經小學》以《禮記・緇衣》和王逸《招魂・注》引《詩》，皆作「服之無射」，證「斁」、「射」二字可通。「斁」字古音餘母鐸部，「射」字船母鐸部，二字旁紐雙聲。《詩經》中「斁」釋作「猒」者凡四見，有「服之無斁」（〈周南・葛覃〉）、「古之人無斁」（〈大雅・思齊〉）、「在此無斁」（〈周頌・振鷺〉）、「思無斁」（〈魯頌・駉〉）。《禮記》和《招魂・注》引「服之無射」，作「射」解，文意不通，「射」明顯為「斁」之借，《詩經》中以「射」通「斁」者，有「好爾無射」〈小雅・車舝〉、「無射於人斯」〈周頌・清廟〉等等，可見兩字通用。

又「害」本義為「傷也」[17]，此句不用本義，「害澣害否」即「何澣何否」。「害」、「曷」兩字古音同為匣母月部，為同音通假。段氏對比〈葛覃〉

---

13 《詩經小學》，頁440上。

14 《詩經小學錄》，頁581下。

15 《詩經小學》，頁440上-下。

16 《詩經小學錄》，頁582上。

17 《說文解字》卷七下宀部：「害，傷也。」見《說文解字》（香港：中華書局，1985年），頁151。

「害澣害否」和〈長發〉「則莫我敢曷」二句，「害」和「曷」皆為疑問代詞，作「何」解，可證兩字於《詩經》可通。陳奐（1786-1863）《詩毛氏傳疏》與段說相合：「古害、曷聲同，故曷謂之何，害亦謂之何矣。曷者本字，害者假借字」[18]，說得更清楚明白。

（二）〈召南・摽有梅〉

〈摽有梅〉全本四收條：「摽」、「梅」、「頃筐墍之」、「謂」，節本共三條：「摽」、「梅」、「迨其謂之」。其中「摽」、「梅」兩條合為一條，皆論及假借。

	原本	節本
摽／梅 摽有梅	《廣韻》引《字統》云：「合作莩，落也。」玉裁按：當作受。《說文》有受無莩，「物落，上下相付也。」「摽，擊也。」同部假借。趙岐注《孟子》曰：「莩，零落也。《詩》曰：『莩有梅。』」《漢書》：「野有餓莩而不知發。」鄭氏曰：『莩音『藨有梅』之藨。」[19] 玉裁按：〈終南・傳〉：「梅，柟也。」〈墓門・傳〉：「梅，柟也。」與《爾雅》、《說文》合。《說文》：「梅，柟也。」「某，酸果也。」凡梅杏當作「某」，毛公於「摽有梅」無《傳》，蓋當毛時字作「某」，後乃借「梅」為「某」，二木相溷也。《釋文》	《廣韻》引《字統》云：「合作莩，落也。」趙岐注《孟子》曰：「莩，零落也。《詩》曰：『莩有梅。』」《漢書》：「野有餓莩而不知發。」鄭氏曰：「莩，音『藨有梅』之藨。」按《說文》有受無莩，「物落，上下相付也。」「摽，擊也。」同部假借。作莩，俗。又按：〈終南・傳〉：「梅，柟也。」〈墓門・傳〉：「梅，柟也。」與《爾雅》、《說文》合。《說文》：「梅，柟也。」「某，酸果也。」凡梅杏當作「某」，毛於此無《傳》，蓋當毛時字作某，後乃借「梅」為「某」，二木相溷也。《韓詩》作「楳」。《說文》「楳」亦「梅」字。[21]

---

[18] 《詩毛氏傳疏》（北京市：中國書店，1984年），上冊，卷1，頁11。

[19] 《詩經小學》，頁448上。

	原本	節本
	曰：「《韓詩》作『楳』。」《說文》「楳」亦「梅」字。[20]	

按：「摽」通「受」、「藁」。王先謙（1842-1917）《詩三家義集疏》：「《魯》、《韓》『摽』作『芰』，《齊》作『藁』」[22]，可知「摽」、「芰」、「藁」三字通用。

又「梅」的本義為「楠木」，《詩經》中即有用其本義，如〈秦風・終南〉「有條有梅」、〈陳風・墓門〉「墓門有梅」之下，《毛傳》曰：「梅，枏也。」[23] 於〈摽有梅〉中，「梅」應通假作「某」，解作「酸果」，方能詩意暢達，怡然理順。「梅」、「某」兩字古音同為明母之韻。段氏援引《說文》，正要說明〈摽有梅〉中「梅」為假借字。

（三）〈邶風・柏舟〉

〈邶風・柏舟〉全本錄八條，為「如有隱憂」、「匪鑒」、「威儀棣棣」、「不可選也」、「覯閔既多」、「寤辟有摽」、「日居月諸」、「胡迭而微」，節本錄三條，為「我心匪鑒」、「威儀棣棣」、「不可選也」。其中「我心匪鑒」、「不可選也」兩條皆言假借。

	原本	節本
匪鑒 我心匪鑒	「匪」本「匚」，「匪」字《詩》多借「匪」為「非」。[24]	「匪」本「匚」，「匪」字《詩》多借「匪」為「非」。[25]
不可選也	《毛傳》：「物有其容，不可數也。」「選」字作「數」字解。	《毛傳》：「物有其容，不可數也。」「選」字作「數」字解。〈車

---

21 《詩經小學錄》，頁584下-585上。

20 《詩經小學》，頁448上。

22 《詩三家義集疏》（臺北市：世界書局，1957年），上冊，頁43。

23 十三經注疏整理委員會《十三經注疏》（北京市：北京大學出版社，2000年12月），冊4，頁497，又冊4，頁525。

24 《詩經小學》，頁450上。

25 《詩經小學錄》，頁585下。

	原本	節本
	〈車攻・序〉曰：「因田獵選車徒。」《傳》曰：「選徒嘽嘽。嘽嘽，聲也。維數車徒者，為有聲也。」「選」字皆「算」字之假借。《漢書》引《詩》「威儀棣棣，不可算也。」《說文解字》：「算，數也。」鄭注《論語》「何足算也」，曰：「算，數也。」「算」、「選」同部音近。又〈夏官司馬〉：「群吏撰車徒。」《鄭注》：「撰讀曰算，算車徒謂數擇之也。」「撰」亦「算」字之假借。鄭氏箋《詩》不言選讀曰算者，義具《毛傳》中矣。[26]	攻・序〉：「因田獵選車徒。」《傳》「選徒嘽嘽」：「嘽嘽，聲也。維數車徒者，為有聲也。」按「選」字皆「算」字之假借。《漢書》引《詩》「威儀棣棣，不可算也。」《說文》：「算，數也。」鄭注《論語》「何足算也」云：「算，數也。」「算」、「選」同部音近。又〈夏官司馬〉：「群吏撰車徒。」《注》：「撰讀曰算，算車徒謂數擇之也。」「撰」亦「算」字之假借。《詩箋》不云選讀曰算者，義具《毛傳》中矣。[27]

按：《說文》卷十二下匚部：「匪，器，似竹筐。從匚非聲。《逸周書》曰：『實玄黃於匪。』」[28]「匪」的本義是竹器的一種。「非」、「匪」兩字古音同在幫母微部，而《詩》中以「匪」假借作「非」者，確是多不勝數，如「匪雞則鳴」（〈齊風・雞鳴〉）、「匪陽則晞」（〈小雅・湛露〉）、「先祖匪人」（〈小雅・四月〉）、「匪兕匪虎」（〈小雅・何草不黃〉）、「匪言不能」（〈大雅・桑柔〉）等等皆是，可證段說甚確。

又「選」、「算」二字古音同為心母元部，為同音通假，作「數」解。陳奐《詩毛氏傳疏》謂：「言己之容貌美備，不可說數也。」[29]馬瑞辰《毛詩傳箋通釋》：「《說文》：『算，數也。』訓數者為算之本義。《毛傳》訓數者，以選為算之假借。」[30]可以補充段玉裁的說法。《尚書・盤庚》「世選爾勞，予不掩爾

---

[26] 《詩經小學》，頁450上。

[27] 《詩經小學錄》，頁585下。

[28] 《說文解字》，頁268上。

[29] 《詩毛氏傳疏》，上冊，卷3，頁4。

[30] 《毛詩傳箋通釋》（北京市：中華書局，1992年2月），上冊，頁109。

善。」[31]孔安國《傳》:「選,數也。」[32]《孔疏》:「選即算也,故訓為數。」[33]《論語‧子路》「何足算也」[34],《漢書‧公孫劉田王楊蔡陳鄭傳‧贊》引作「何足選也」[35]及桓寬(?-?)《鹽鐵論‧雜事》引作「何足選哉」[36],亦「選」通「算」之例。

二 指出前人之誤

學術研究往往後出轉精。後學者既尚友古人,亦能提出一得之見,正古人之訛誤。《詩經小學》全本有不少條目正前人之非,在節本中多得以保留,段氏本人也應視該等條目為精彩的部分。下舉數例,以作說明。

(一)《邶風‧終風》「願言則嚏」

《詩經小學錄》:「傳:『寁,劫也。』《疏》引王肅云:『寁劫不行。』按:毛本同〈豳風‧狼跋〉作『寁』。《箋》作『嚏』。《說文》、《石經》並同。《廣韻》十二霽嚏,鼻氣也。《玉篇》口部『嚏,噴鼻也。《詩》曰:「願言則嚏。」』鼻部嚔齂二同都計切,鼻噴氣本作嚔,嚏字從口者,口鼻氣同出也。《說文》:『嚔,悟解氣也』。引此詩《釋文》載崔說與《說文》合而非毛鄭意。考〈月令〉『民多鼽嚔』鼽謂病寒鼻塞。〈內則〉:『不敢噦噫、嚏咳、欠伸、跛倚。』嚏,鼻氣也;久,張口氣悟也。若以嚏為欠欬,是《內則》嚏、欠複矣。《說文》『悟解氣』之說未當。」[37]

按:此條《詩經小學錄》於全本差不多原文照錄,借論「願言則嚏」中「嚏」的解釋,提出許慎(約西元58-147年)《說文解字》釋義之誤。段玉裁

---

[31] 《十三經注疏》冊2,頁275。

[32] 同上。

[33] 同上,頁276。

[34] 《十三經注疏》冊23,頁202。

[35] 班固:《漢書》(北京市:中華書局,1975年),冊9,頁2914。

[36] 桓寬著,王利器校注:《鹽鐵論校注》(北京市:中華書局,1996年),下冊,頁614。

[37] 《詩經小學錄》,頁585-586。

精研《說文》，但並不盲從，段氏這否定許慎的看法，在《說文解字注》中作了更清晰的說明：「悟解氣也者，欠字下云『張口氣悟』是也。悟，覺也。解，散也。《通俗文》曰：『張口運氣之欠欬。』鄭注《周易》『百果艸木皆甲坼』曰：『皆讀為人倦解之解。』郭注《方言》『蛤解』曰：『解讀「解悟聲」之解。』皆是。許意嚏與欠異音同義。玉裁按，許說嚏義非是。不必曲徇。嚏之見於〈月令〉、〈內則〉者各一，鄭氏〈終風〉《箋》曰：『疐讀當為不敢嚏咳之嚏。今俗人嚏云人道我，此古之遺語也。』……〈素問〉說五氣所病，腎為欠、為嚏，亦分二事。倘云嚏即是欠，則〈內則〉、〈素問〉皆不可通矣。」[38] 段氏認為「嚏」、「欠」兩二字義不應混同。「欠」是張口出氣，「嚏」為鼻出氣，引〈內則〉、〈素問〉作反證，論證詳密，可從。

（二）《曹風·下泉》「冽彼下泉」

《詩經小學錄》：「《傳》：『冽，寒也。』〈大東·傳〉：『冽，寒意也。』《唐石經》誤作洌，《詩本音》從之。考《易·井》洌字從水列聲，清也。《詩》『冽彼下泉』『有冽氿泉』字從仌列聲，寒也。〈東京賦〉：『元泉洌清。』《薛注》：『洌，澄清貌。』《善注》引『洌彼下泉』，誤。」[39]

按：《詩》「冽彼下泉」，後世有作「洌彼下泉」，「冽」訛作「洌」。段氏指出從仌之冽為「寒意」，從水之洌為「清」，二字迥然有別，指出由《唐石經》始，至《文選》李善注，以至《詩本音》，皆誤。《詩經小學》點出訛誤，足正視聽。

（三）《豳風·東山》「烝在栗薪」

《詩經小學錄》：「《箋》云：『栗，析也。』古者聲栗、裂同也。按栗在十二部，裂在十五部，異部而相通近也。《韓詩》作『烝在蓼新』。《廣韻》『蓼』同『蓼蕭』、『蓼莪』之『蓼』。《傳》云：『敦，猶專專（案：略「也」字）。烝，眾也。言我心苦，事又苦也。』毛意此二句於六詩為比，內而心苦，外而

---

38 《說文解字注》，上冊，頁98下。

39 《詩經小學錄》，頁上595下-596上。

事苦，正如眾苦瓜之繫於栗薪，合之《韓詩》亦無析薪之意。《鄭箋》以瓜苦為比，析薪為賦，失毛意而非詩意矣。軍士在師中，至苦而不見其室者三年，故光武之冊陰後亦曰『我不見，於今三年』矣。」[40]

　　按：《毛傳》云：「敦，猶專專也。烝，眾也。言我心苦，事又苦也。」[41]《鄭箋》：「此又言婦人思其君子之居處。專專如瓜之繫綴焉。瓜之瓣有苦者，以喻其心苦也。烝，塵。栗，析也。言君子又久見使析薪，於事尤苦也。」[42]段氏批評《鄭箋》誤解詩意，指不應視「析薪」為賦。細味詩意，此章是詩人想像妻子在家盼望丈夫歸家的情景。「有敦瓜苦、烝在栗薪」二句寫家中的苦瓜、苦菜。段氏反對《鄭箋》，同意《毛傳》，認為「有敦苦瓜，烝在栗薪」二句皆有比意，實較為切合詩意。段氏引《韓詩》，謂「栗」作「蓼」。馬瑞辰（1782-1853）《毛詩傳箋通釋》對《毛傳》作了十分可信的解釋：「蓼，辛苦之菜也。《毛傳》蓋以栗為蓼之假借，以苦瓜而乃在苦蓼之上，猶我之心苦而事又苦也。」[43]可作《毛傳》之注腳。段氏指出《鄭箋》之誤釋《毛傳》，並曲解詩意，其說可從。

（四）《小雅・車攻》「薄狩于敖」

　　《詩經小學錄》：「《後漢・安帝紀》《注》引《詩》『薄狩于敖』，俗刻今改為『搏』，而『狩』字不改。毛刻作『薄狩』。《冊府元龜》王氏《詩考》引作『薄狩』。《水經注・濟水篇》『濟水又東逕敖山。《詩》所謂「薄狩于敖」者也』，作『薄狩』。〈東京賦〉『薄狩于敖』作『薄狩』。薛注引《詩》『薄獸于敖』。『薄』字不誤，『獸』字係妄改。後見惠定宇《九經古義》引徐堅《初學記》作『搏狩』，又引何休《公羊注》、高誘《淮南子注》、漢《石門頌》，證『狩』即『獸』字。故《箋》云：『田獵搏獸也』，若《經》作『搏獸』，《箋》不已贅乎？玉裁始曉然於經文本作『薄狩』，鄭訓『狩』為『搏獸』。《釋文》

---

[40] 同上，頁597。

[41] 《十三經注疏》，冊5，頁612。

[42] 同上。

[43] 《毛詩傳箋通釋》，上冊，頁481。

云：『搏獸音博，舊音傅』，乃為《鄭箋》作音義，非釋《經》也。《初學記》意主對偶，故以『薄狩』『大蒐』為儷，猶上文『三驅』『一面』，下文『晉鼓』『虞旗』皆是也。今本作『搏』，乃淺人妄改，《初學記》云：『獵亦曰狩。狩，獸也。』《鄭箋》言『田獵搏獸也』，此《經》作『薄狩』之確證。惠君尚未考明『薄』字。」[44]

按：薛綜（西元？-243年）注〈東京賦〉妄改「狩」為「獸」，惠棟（1697-1785）《九經古義》指出「『狩』本古『獸』字」[45]改為「搏獸」，段氏認為皆後人誤改。段氏謂「惠君尚未考明『薄』字。」，然《詩經小學》沒有說明「薄」應作何解，由其行文，可知段氏以「薄」為發語詞，是篇中之「薄」亦當作如是解。「薄」為虛字，《詩》中屢見，如「薄汙我私」（〈周南・葛覃〉）、「薄伐玁狁」（〈小雅・六月〉）、「薄采其芹」（〈魯頌・泮水〉）等皆可以為例。段氏在《毛詩故訓傳定本小箋》本句下亦明言「薄，辭也。」[46]其說甚為可信。

（五）〈大雅・蕩〉「侯作侯祝」

《詩經小學錄》：「按：《毛傳》：『作祝詛也』，四字一句，言『侯作侯祝』，謂作祝詛之事也。詛是祝之類，故兼云詛，經文三字不成句，故作字之下益侯字以成之，《詩》中如此句法甚多，如『迺慰迺止』，《箋》云：『乃安隱其居』。『迺宣迺畝』，《箋》云：『時耕曰宣』、『乃時耕其田畝』。『爰始爰謀』，《箋》云：『是始與豳人之從己者謀』。陸、孔以《毛傳》作字為逗，祝詛也為句。甚矣，離經之難也。陸云作本或作詛，此臆改經文俗本也。」[47]

按：段氏討論《毛傳》的斷句問題，慨嘆「甚矣，離經之難也」。段氏認為陸德明（約西元550-630年）、孔穎達（西元574-648年）皆誤釋《毛傳》。《毛傳》此處應四字句，乃串講「侯作侯祝」，而非為「作」釋詞，深得《毛傳》之旨。

---

44 《詩經小學錄》，頁601。
45 《九經古義》（上海市：商務印書館，1937年），冊254，頁60。
46 《毛詩故訓傳定本小箋》，見《段玉裁遺書》，頁378。
47 《詩經小學錄》，頁618。

三　小結

　　段玉裁是小學家、也是經學家。《詩經小學》重點在文字訓詁、考釋詞義，而不在闡發義理，當中有談及的包括異文、引申義、籀文、古今字、假借義等等。臧氏所刪纂的節本，深得段玉裁讚譽，謂「精華盡在此矣」，可見節本正正保留《詩經小學》之精華。透過對比《詩經小學》的全本和節本，我們可以發現，保留在節本的內容，以說明通假和指出前人之誤為最突出。這是《詩經小學》最精彩的部分，同時也顯示段玉裁研治《詩經》的其中重要方向。

演繹、轉化與運用
——民國詩話中的《詩經》學闡釋

林淑貞

中興大學

摘要

　　探究詩學應歸本於《詩經》，然而，目前研究詩話與《詩經》各自為政，互不相涉，研究者極少，目前關注民國詩話研究者，尚屬少數，或各自進行單一詩話論述，或進行某一詩家詩學理論研究[1]，鮮少觀照民國詩話與《詩經》之關涉，究竟在歷經二千年層累與論述之後，民國時期（1912-1949）《詩經》學在詩學上的運用與應用究竟開發出什麼樣的向度？頗值得探勘。

　　職是之故，本文旨在論述民國詩話對《詩經》學演繹、轉化與運用的情形，以詩話文本分析為主，兼涉《詩經》義理詮釋展演，以知脈絡衍化與流變。蓋民國時期在新文化運動之下，傳統詩話仍然形成一股潛流，隱伏在文學史的底層，一群文人以詩話作為發聲利器，並援用《詩經》作為論述根基，《詩經》學在極亂的世代中，被民國詩話作者展演情形大抵有四路徑：其一，從《詩經》與時代的關涉觀之，傳統文人藉由《詩經》表述對文化、文學的承接與衍義。其二，從傳統文人對《詩經》的演述觀之，重在對《詩經》學的鉤稽連結與承衍論述。其三，從民國詩話作者的寫作意圖觀之，群體詩話作者擬運用詩教提振日益疲弊的人心。其四，從言志與緣情雙軌對立與融攝觀之，援

---

[1] 例如論述單一詩話者以陳衍《石遺室詩話》討論最多，其餘者有汪辟疆《光宣詩壇點將錄》、魯迅《魯迅詩話》、袁嘉穀《臥雪詩話》等；論述單一詩論家者有陳衍、錢鍾書、林庚白、黃節等。以上皆鮮少宏觀整體民國詩話與《詩經》之關聯論述。

借《詩經》經典地位以對治處在中西文化衝擊、新文化運動崛起之際，迂迴幽折的作意，藉由沿承舊說以開發新局。

　　歸結言之，民國詩話對傳統《詩經》之承繼運用，可得：一、從沿承與新變脈絡考察，以宣闡詩教，順時應變為主；二、從論述與實踐考察，以闡發詩用、賡續主文譎諫、昭揭善讀之美刺深意，進而衍化詩旨達致以詩存史、以詩證史之效能。三、從轉化與運用考察，旨在詮解詩歌美感驗，揭櫫讀《詩》作詩應略文詞重義理，創作法則以梯接賦比興三義為尚。四、從對《詩經》意義之再生與開發考察，開衍三種知識分子典型以抒生平臆氣，以與新舊交陳時代相摩相盪、相激相生、相開相發。

關鍵詞：《詩經》　詩教　詩論　詩用學　教化觀

一　導論

　　《詩經》，是中國文學的源頭，也是詩學的開端，歷經二千年的演繹之後，形成體系龐大的《詩經》闡釋學。自漢迄唐，主流以古文《毛詩》為主，鄭玄作《箋》流傳甚廣，形成「《詩經》漢學」；宋初疑經風潮起，迄朱熹《集傳》之後，成「《詩經》宋學」代表；至於清代，兼採漢宋，道咸之後，今文三家一度復興，乾嘉期間以考據為主，嘉道年間《詩經》學又自成流派，造詣宏深，超越漢宋，是為「《詩經》清學」；民國因西學影響，繼以疑古風潮興起，《詩經》研究由經典轉向民俗、文化與文學化的研究，呈示多元豐富的研究向度。[2]

　　研究中國詩學向以「詩話」為大宗，但是，研究《詩經》與詩話似乎被截成二段，互不相涉，其一、攸關《詩經》學研究，歷來開出經學與文學二個面向，在歷經漢學訓詁名物、宋學疑古風潮、清學考據、民國時期多元闡釋等視角殊異，有從《詩經》學史建構縱向的歷史脈絡[3]，亦有橫向專論某時代之專人專書研究[4]；雖然，民國初期的《詩經》研究有所轉向，將《詩經》去經典化，從經典的地位拉下來[5]，將之視為歌謠，並且從社會史、民俗史、文化史的視域重新檢視其成就[6]，或如聞一多則從原型（archetype）闡述之外[7]，並未

2　見洪湛侯：《詩經學史》，〈自序〉（北京市：中華書局，2002年5月）頁3-9。

3　跨越朝代進行宏觀紹介詩經者有林葉連《中國歷代詩經學》、洪湛侯有《詩經學史》、寧宇《古代詩經接受史》、朱孟庭《詩經的多元闡釋》等；以一朝一代為主者有何海燕《清代詩經學研究》。

4　以一家一書為論者，例如歐陽修《詩本義》、王質《詩總聞》、朱熹《詩集傳》、嚴粲《詩緝》等皆有所論述。

5　不僅是經學去經典化，甚至文學亦有將《詩經》去經典化的情形出現，例如明代王世貞《藝苑卮言・卷一》云：「詩不能無疵，雖三百篇亦有之，人自敢摘耳」，甚至舉例評其有太拙、太直、太足、太鄙、太迫、太粗者。見丁福保：《歷代詩話續編》（北京市：中華書局，1983年8月），頁964-965。

6　洪湛侯：《詩經學史》第五編〈現代詩學〉除了揭示研究《詩經》處理基本問題，分論采詩、刪詩、詩樂、六義、詩序、詩譜、時代、地域、篇名等諸多課題之外，多元開展研究路向，分從歷史、文字、語言、音韻、民俗、史料、樂曲、曆法、植物、輯佚學等方面展示成果。呈現《詩經》研究面向開拓至其他人文學領域，不僅在訓詁名物解經而已。

7　攸關聞一多之《詩經》研究，夏傳才在《二十世紀的詩經學》第四章〈聞一多的詩經新詮釋

開展與詩話有關之探討。其二、攸關民國詩話研究，民國時期（1912-1949）仍有許多文人撰寫傳統詩話，數量龐大，但是討論者鮮少，遑論與《詩經》之關聯性論述。例如，《詩話概說》除緒論之外，將中國詩話分作宋、金元、明、清等時期，未及於民國詩話[8]。而蔡鎮楚《中國詩話史》雖有〈現代詩話〉專章談民國，卻僅及《魯迅詩話》、《沫若詩話》，更多的民國詩話未及評介[9]，遑論與詩經作鉤連探論。

　　盱衡中國近代詩學史之流派紛呈，有維新派之康、梁、黃、曾等人，有宋詩派同光體陳三立、陳衍諸人，有六朝派王闓運，有中唐派易順鼎、樊增祥等人，以及革命南社之柳亞子、馬君武諸人，有新派詩話之魯迅、郭沫若等人。對於民國詩話之群體作者，詩學史往往闕而弗論，除了關注幾位耳熟能詳的重要近現代詩話作家包括陳衍、王國維、魯迅諸人之外，甚至在文學史亦鮮少論及。[10]

　　民國詩話之數量據劉夢芙考訂，可能有百餘種之多，然而散落各地，蒐集

學〉指出聞一多主要著作為《詩經通義》一書，昭揭讀《詩經》有三原則：一是讀懂文字，二是帶讀者到《詩經》時代，三是用文學眼光看《詩經》，並以原型研究和文化人類學研究開拓新路，頁157-163。朱孟庭：《詩經的多元闡釋》在〈聞一多論詩經的原型闡釋〉指出聞氏引用西方人類學及社會學進行《詩經》研究，主要表現在二個面向，其一指出具體表象文化生活對禮俗的文化闡釋，其二是隱微的、深層的原型的文化層面，頁177-179。

8　劉德重、張寅彭：《詩話概說》（北京市：中華書局，1990年）僅止於清代。

9　蔡鎮楚：《中國詩話史》（長沙市：湖南文藝出版社，1989年），卷7〈現代詩話〉共分三章，第一章談詩話的歷史轉變，第二章談詩話史的新里程碑，提及魯迅及郭沫若之詩話，第三章談現代詩話發展新趨勢，取樣少，皆不及民國時期更多的詩話。

10　例如于潤琦主編插圖本：《百年中國文學史》（成都市：四川人民出社，2002年6月）第七章〈古典詩文流派的衰微與終結〉談同光體從「力破餘地」走向「荒寒之路」；談中晚唐詩派從「八面受敵」到「側艷頹放」，所談僅止於詩歌不及詩話。再如孔範今主編：《二十世紀中國文學史》（濟南市：山東文藝出版社，1997年6月）上編1898-1917第六章〈與新文學並存的舊體文學〉，詩歌的部分談及詩界革命梁黃諸人，同光體陳三立諸人，六朝派王闓運，中晚唐派易順鼎、樊增祥諸人；再則中編1917-1976第三十章〈仍占有一席之地的舊體詩文〉，舊派文人談及朱右白、廖仲愷、黃炎培、于右任、許壽裳、吳芳吉、陶行知等人；新派文人舊式詩文談及郭沫若、魯迅等人，以上亦不及於民國時期之古典詩話，顯見是被文學史遮蔽的一環。再如朱棟霖、丁帆、朱曉進主編之《二十世紀中國文學史》（臺北市：文史哲出版社，2000年9月）包括：思潮、小說、新詩、散文、戲劇、香港文學諸區段，亦未及民國傳統詩話。再如司馬長風主編之《中國新文學史》（臺北市：駱駝出版社，1987年），名為新文學史，自然不會收編敘寫傳統詩文，焉及傳統詩話。

不易[11]。復次，彭繼媛蒐編一九一二至一九四九年期間的詩話約有一七四種，未明者有二十三種[12]，可知民國時期之詩話存量甚多。目前處理民國時期詩話的著作有張寅彭編校《民國詩話叢編》六冊，凡二十六位作者，三十七種詩話，在散落各地不易蒐集之下，《民國詩話叢編》一書彌足珍貴。無論選取標準如何，至少為民國詩話留下彙編與蒐集的線索。

詩話一直是中國討論詩學重要的典籍與材料庫，談詩學一定歸本於《詩經》，而《詩經》學的內容，有哪些是詩學必定用來闡述與演繹的部分呢？

民國時期，世局紛亂之際，一群詩話作者如何承接傳統《詩經》學以對應於新舊文化衝擊？本文選擇民國詩話入手，主要是因為傳統詩人接受積澱的傳統文化，在易代之際的感受會更強烈，透過跨越帝國與民國之際，知識分子如何觀看時代變化？如何藉用《詩經》進行詩學論述？如何書寫、存錄這一段歷史？而《詩經》在紛亂世代之中，又起了什麼樣的影響力？目的有四，其一，爬梳《詩經》與時代的關涉，旨在探論民國時期群體詩話作者如何運用詩教提振日益疲弊的人心，其效能功用如何；其二，民國詩話作者如何藉由《詩經》表述傳統文人在民國時期對政治文化認同與拒斥的寫作意圖；其三，闡發傳統文人對《詩經》學的演述，釐析現代進程中，知識分子對詩話與《詩經》學的連結論述；其四，探勘言志緣情的對立與融攝，旨在探討詩話論述，對《詩經》學的轉化與運用情形，藉以抉發處在中西文化衝擊、新文化運動崛起之際，詩話群體作者如何援借《詩經》對治新文化運動，民國時期的詩學論述，對《詩經》闡述學是沿承舊說或開發新局？《詩經》學流衍迄民國時，如何被群體詩話作者援引化用？如何對治時局變化？透過民國詩話來觀察群體詩話作者對《詩經》學的闡述，觀察其間的承接與流轉，釐析民國詩話如何演繹《詩

---

[11] 不僅是詩話量數眾多，連古典詩詞亦存量甚多。劉夢芙撰：《近百年名家舊體詩詞及其流變研究》（北京市：學苑出版社，2013年11月）一書即在處理二十世紀古典詩詞之發展歷程、成就與存在之問題。相對的，民國詩話之輯錄亦賴有者志者發皇推展。

[12] 彭繼媛：《西學東漸中的民國舊體詩話研究》（湖南師範大學博士論文，2012年5月），〈附錄一：民國舊體詩話的目錄及版本演變〉輯有：一九一二至一九一七年輯有三十九種詩話；一九一八至一九二七年輯有四十二種；一九二八至一九三七年輯有六十二種；一九三八至一九四九年輯有三十一種，共有一七四種，而未明者有二十三種。頁393-405。

經》學,《詩經》學在詩話論述中如何被開展論述,進而探勘群體詩話作者選撰《詩經》學之詩學圖像的意向性,以豁顯身處世變之際,感蕩身世的潛意流轉。

二 沿承與新變:《民國詩話叢編》對《詩經》學的擇取與運用

《詩經》一書,具有多重文化意義與價值,不僅是中國文學的源頭,更是後世的經學典範,研究《詩經》,大抵有二個路線,其一是以經學解詩,其二是以文學解詩。經學解詩,重視的是學術傳統,在漢代與政治教化結合,提出詩序言教,宋代疑經／尊經、反／去／尊詩序並行不悖,自是尊經疑經雙軌進行各有脈流[13]。民國初期以經解詩之研究,大抵分從音韻、訓詁、校勘、辨偽、輯佚、考訂版本等項進行廣輯佚文、考證家數、比對異同、鉤稽遺說、闡述大義等研究,此皆有豐碩成果;以文解經則有歌謠、詩史、起興、專篇專書之研究,或探討藝術手法,或針對《詩經》篇章進行主題研究,成果斐然。[14]

《詩經》學研究,在詩學論述中大抵可鉤稽要旨流變如下:

一、先秦《詩經》學重在詩用學與賦詩;《尚書》揭示詩言志之說[15];孟子開發讀詩之法及世變說;《禮記・經解》昭揭「溫柔敦厚」之說。

---

[13] 疑經不始於宋,據林葉連云,疑經改經漢儒已有,唐代啖助、趙匡、陸質已開其端。見《歷代詩經學》第七章〈宋朝詩經學・第二節宋朝經學之發展趨勢〉,頁230-246。復云,北宋治經多信守注疏,慶曆以後,輕忽章句注疏注重義理。頁231-232。據此可知,宋代在此基礎發衍形成風潮。

[14] 夏傳才:《二十世紀的詩經學》(北京市:學苑出版社,2005年7月)第二章〈從傳統向現代的過渡〉、第一節清末民初傳統詩經學的衰頹和革新趨勢,揭示了龔自珍、魏源、康有為、章太炎、劉師培、梁啟超、廖平、魯迅、王國維諸人對詩經學的論述,豐富了詩經學的詮釋層累。朱孟庭也在《詩經的多元闡釋》(臺北市:文津出版社,2012年1月)第六部分,指出民國初期的《詩經》民俗文化的研究發展,有去聖經化、視為歌謠、視為社會文化史料等民俗研究內容。

[15] 攸關詩旨之說,方玉潤認為以《尚書・堯典》(虞書):「詩言志,歌永言,聲依永,律和聲」為千古說詩之祖。見《詩經原始》(北京市:中華書局,1986年2月)冊上,卷首下,〈詩旨〉,頁42。

二、《詩經》漢學重訓詁名物，另有大小序轉成政治教化之說，重譎諫風人
　　之旨。

三、魏晉迄唐之《詩經》學，主要從解經到義疏之學。

四、宋人疑經，有反序／去序／存序之爭，並開發《詩經》之文學論述。[16]

五、元明承宋學遺緒，另開展古音學及評點學；清代收攝前人研究，開展
　　多元富盛研究。[17]

　　對《詩經》詮釋異同，基本存在「以經解經」或「以文解經」立場分殊[18]。
蓋經學與文學並非截然分劃而不相涉，經學亦有文學成分，文學亦能視為經典
閱讀。大抵宋朝之前皆將《詩經》視為經典來詮解，而宋人開發以文學來解
《詩》，據龔鵬程先生所云其立場迥異在於「經學」重在倫理涵養，而文學則
重在辭章學習。[19]

　　承上，歷代解詩，撮其主要內容可擘分為：一、本質論：溫柔敦厚、詩無
邪、詩教說、興觀群怨等項；二、世變論：王者之跡熄而詩亡之說；三、功能
論：主文譎諫、情信辭巧、言文行遠、辭達而已；四、詮解論：知人論世、以
意逆志等說。細目請參見附錄一〈先秦暨詩序論詩要旨一覽表〉。《詩經》鮮少
談論創作，作為歌詩源頭的《詩經》焉可對創作論缺乏論述，於是有「賦、

---

[16] 據寧宇所云，南宋廢序三大家為王質、鄭樵、朱熹。見《古代詩經接受史》（濟南市：齊魯書
　　社，2014年12月），頁145。吾人認為宋人對〈詩序〉之論述，並非截然二元對反，亦有相反相
　　成之勢，反序或去序皆有解讀詩經的立場與觀點，對詩經之文學義理具有相當程度的開發。

[17] 洪湛侯：《詩經學史》第四篇〈詩經清學〉第六章呈示紛繁的專題研究成果，包括：名物、制
　　度、天文、地理、人物、緯詩、詩譜、翼氏學等，不僅以經論詩者之研究成果豐碩，以文論
　　詩者亦所在多有，其在第七章〈清代運用文學觀點論詩的學者和詩人〉有王夫之、金聖嘆、
　　方苞、袁枚、方玉潤等人。

[18] 劉毓慶：《從經學到文學：明代詩經學史》（北京市：商務印書館，2001年6月）即是發衍明代
　　《詩經》學從經學到文學的論述，下編談《詩經》由經學向文學轉變有孫鑛以格調觀論之，
　　著有《批評詩經》，是將《詩經》文學研究推向高潮第一人；徐光啟有「詩在言外說」與《詩
　　經六帖》；戴君恩有「格法說」《讀風臆評》；鍾惺有「詩活物」與《詩經評點》；下編〈詩經
　　研究的崛起與繁榮〉論述詩文學研究高潮的興起與名家的出現，對「以文解經」路徑指出煌
　　燦成果。

[19] 龔鵬程先生揭示：把《詩經》當作詩讀，注重文學性；讀《詩經》以「溫柔敦厚，詩之教
　　也」則重在倫理涵養而非辭章之學。見氏著：《中國文學十五講》（臺北市：臺灣學生書局，
　　2013年8月），〈第四講文學與經學〉，頁55。復次，《詩史本色與妙悟》（臺北市：臺灣學生書
　　局，1986年4月）〈論詩史〉亦所論，詳後。

比、興」對創作拈出三種作法。後世詩學論述多援用上面諸說或變本加厲，或精深邃密。那麼，到了新舊文化變革之際、白話文興起的民國詩學，對於《詩經》學的論述如何？又當如何取用其方法運用於詩學論述呢？《詩經》與詩學論述之間的關涉如何呢？是否在後世的演繹之中，既有沿承，更有開發呢？

（一）宣闡：溫柔敦厚之詩教

《禮記‧經解》云：「孔子曰：『入其國，其教可知也。其為人也，溫柔敦厚，《詩》教也。』」[20]揭示「詩教」可改變人的氣質，這樣的說法，發衍到民國詩話之中，如何演繹此說呢？有回歸「溫柔敦厚」釋詞作用者，例如：

> 「國風好色而不淫，小雅怨誹而不亂」，「不淫」溫柔也；「不亂」敦厚也，二語足包括《詩經》全旨。舍溫柔則乏風情，失敦厚則欠含蘊。詩而說理易染頭巾氣，蓋詩與道學自是兩途。……[21]

沈其光闡釋「溫柔敦厚」以「不淫」、「不亂」作為解釋，旨在說明「溫柔」以「不淫」則能包蘊「風情」；「敦厚」以「不亂」則能包蘊「含蓄」。「溫柔敦厚」原是劉安用來稱讚離騷之作能兼合二者，後來《史記‧屈賈列傳》取為成說。沈其光進而揭示《詩經》不可用來說理，若用來說理，易有儒者迂腐之氣息，詩歌與道學原本即是兩個不同的軌轍，硬將詩歌用來宣說道理，是缺乏「風情與含蓄」。然而道學與文學本即雙軌並進，重道學者輕文學，重文學者輕道學，在沈其光的衍義裡，已脫漢唐教化之說，不從涵養入手，而從文學風格表現立說。

開發不同路向之論述者尚有《民權素詩話‧願無盡廬詩話》，不僅將詩教視為改變閱讀者受詩歌薰陶的功能，亦發揮《詩經》教化，宣闡獨立思想，鼓

---

[20] 見《禮記正義》（上海市：上海古籍出版社，2008年12月），十三經注疏本，卷第58，經解第26，冊下，頁1903。

[21] 《民國詩話叢編》，沈其光：《瓶粟齋詩話》，冊5，頁633。據洪湛侯所云，《史記‧屈賈列傳》之「國風好色而不淫，小雅怨誹而不亂……」是有所本的，出自《荀子‧大略篇》：國風好色也。見《詩經學史》，頁95。

吹人權、排斥專制之用，可以增進種族觀念。是將詩歌之作用，由對閱讀者薰染作用擴大到成為宣揚思想理念的工具，此一說法當然是背離《禮記・經解》「詩教」之「溫柔敦厚」的陶染作用，而具實成為「詩教」之「教化」宣揚、鼓吹之作用。其云：

> 「發乎情，止乎禮義。」記曰：「溫柔敦厚，詩教。」蓋詩之為道，不特自矜風雅而已。然所謂發乎情者，非如昔時之個人私情而已；所謂止乎禮義者，亦指其大者、遠者而言。如有人作為歌詩，鼓吹人權，排斥專制，喚起人民獨立思想，增進人民種族觀念，其所謂止乎禮義未嘗過也。……可知孔子所以不刪者，正以為有合詩教耳。夫「溫柔敦厚」四字，豈可專於其詞而決之乎？決之於詩人之心而已。……[22]

題為「鈍劍」之《願無盡廬詩話》昭揭「溫柔敦厚」不再僅指性情之發用，而是可以決定於詩人之心，亦即原本從對讀者之薰染轉化成創作者之創作初心。且創作不取決於文詞，而是取決於創作者的動機與目的作用了。此一說法溢出原來《禮記・經解》之意義，具有現實意義，順應時代遷變所形成的說法，以「詩教」功能性為說，擴大闡釋，應合時局，宣揚詩教可達「鼓吹人權，排斥專制，喚起人民獨立思想」的作用。

再如《石遺室詩話》卷三云：「後世詩話汗牛充棟，說詩焉耳；知作詩之人，論作詩之人之世者，十不得一焉。不論其世，不知其人，漫曰：『溫柔敦厚，詩教也』，幾何不以受辛為天王聖明，姬昌為臣罪當誅，嚴將軍頭、嵇侍

22　《民國詩話叢編》，《民權素詩話・願無盡廬詩話》，〈小敘〉（當為〈大序〉），冊5，頁198。蓋《民權素詩話》為蔣抱玄所輯，當時蔣抱玄編《民權素》月刊，起一九一四年迄一九一六年，共出十七期，後擇優彙輯為《民權素粹編》，第二卷第三集乙種為詩話。見〈編校說明〉冊5，頁192。《民權素詩話》共輯錄《願無盡廬詩話》、《秋夬齋詩話》、《清芬室詩話》、《夫須詩話》、《澹園詩話》、《摭懷齋詩話》、《綺霞軒詩話》、《集雋詩話》、《燕子龕詩話》、《洪武佳話》、《唐宋詩別說》、《谿龕詩話》、《護園詩話》、《日日詩話》等十四種詩話。據筆者檢索《民權素》一一比對考察，並非十四種，尚有《鳴劍廎詩話》、《莊莊詩話》……等九種詩話未被收錄《民國詩話叢編》之中。

中血，舉以為天地正氣耶？[23]」批評時人妄言溫柔敦厚之說，而未能知人論世，其重視知人論世之說於焉可知，如是，方能知各代情變遷移，進而以溫柔敦厚說明詩教，並舉實例為證。

《石遺室詩話續編》卷六亦云：「溫柔敦厚，詩教也。而風則有『胡不遄死』、『人之無良』等語，雅則有『投畀豺虎』、『相爾矛矣』等語。」[24]亦是承繼詩教而立說，所不同者，舉《詩經》之例為證，重在原有敘寫教化作用，進而達致對讀者薰陶。這種由《詩經》詩教薰染讀者之教化說，到作者運用詩歌內容思想來影響讀者之宣闡作用，是對「詩教」的重新詮釋與開發。

由上可知諸家說法，《民權素詩話‧願無盡廬詩話》之說，重在功能性，亦與時代順合；而沈其光《瓶粟齋詩話》則重在詩歌原來的陶染作用；陳衍則重在知人論世方能進言溫柔敦厚。三者分別闡釋「溫柔敦厚」四字詞之義，卻有相反的論說引用，可知，《詩經》之闡釋學，往往因解讀者之目的與功能性而有殊異取用視角及宣闡的目的性。沈其光揭示詩歌與道學截然不同，若說理易有迂腐之氣，而《民權素詩話》則重在推闡詩歌的作用性，二者相反相對，一個是堅持詩歌之溫柔敦厚本質，一個是轉化原義以應合時代之所需，在同為民國時期，如此相反之意見，存乎其中，端視闡釋者之援用立場而設說。

（二）應用：知人論世之衍義

知人論世之說為詩學重要觀點，《孟子‧萬章下》云：「孟子謂萬章曰：『一鄉之善士，斯友一鄉之善士；一國之善士，斯友一國之善士；天下之善士，斯友天下之善士。以友天下之善士為未足，又尚論古之人。頌其詩，讀其書，不知其人可乎？是以論其世也，是尚友也。』」[25]

孟子此一說法，成為後世不刊之教，後世論詩者莫不取用。孟子原意在知人論世，但是後世衍義，卻更多元化，而衍義最多的是范罕的《蝸牛舍說詩新語》，既名為「說詩新語」，當然多有新義闡發，拈出「因世作詩」之說：

---

[23] 《民國詩話叢編》，《石遺室詩話》，冊1，頁46，第1條。

[24] 《民國詩話叢編》，冊1，頁661。

[25] 見《孟子注疏》（十三經注疏本，北京市：北京大學出版社，1999年12月），卷第10下，頁291。

所謂誦其詩讀其書不知其人不可者，已將詩之一藝借重於作詩之人。必
如是而後詩道始尊，詩學乃可得而論。魏晉後著名詩家，大都出於學
者，其人其學足式，不僅其藝足稱也。故有因藝而其人傳，亦因人而其
藝乃傳。我國詩教之轉移如是，否則玩物喪志，亦學者所深戒矣。[26]

孟子原意是讀詩者必須逆知創作者其人其世，方能解其意、知其隱。此乃從閱
讀者的視角出發，以尚友古人為要，然而范罕更進而揭示，魏晉以後的詩家多
為學者，其為人足可範式，故而知人論世，衍義成不僅其詩藝可堪範式，連其
為人亦可範式，甚至提出詩教之轉移如是，不如此則是玩物喪志的說法。

如是衍義，則學者兼詩人者，是後人可以學習的楷模，如果僅是深於詩
藝，則是玩物喪志。范罕此說，是提高了創作者的地位，須德藝雙兼，不可僅
是操作詩歌的創作者而已。事實上，詩人未必兼有學者之涵養，李白、杜甫即
是詩人而非學者，然而范罕以此為說之目的何在？意在闡發詩人必須有為而
作，且其人不以玩弄詩歌技巧而已，必深於人格，使後人可為範式。此乃藉孟
子知人論世之說提舉詩人的角色扮演，並且期待歌詩創作者，必須有德足範，
以應合時代之需。范罕又進一步云：

誦其詩，讀其書，不可不知其人。顧人乃因世而著，陶在晉宋易代之
交，始成為陶；杜際亂離窮困之時，始成為杜；蘇李以武人高唱，卒成
漢產；元陸在宋金變歌調，方是國魂，假使今人為詩，盡作唐音，甯非
怪事？由是以言，詩人而不識時務，又豈可哉！[27]

揭示詩人之創作，因時代遷變而以時代為書寫內容，遂能獨標一幟而傳世，例
如陶淵明在晉宋易代之際，寫出個人的感慨；杜甫身處安史之亂寫出憂憫亂危
之詩歌，蘇武、李陵因個人遭逢身世之變而成為漢代獨特的詩歌成就，這些詩
人皆因個人親身經歷，書寫當下遭遇而能成就詩名，豈可人人模仿他人之作盡

---

[26] 《民國詩話叢編》，冊2，頁557。
[27] 《民國詩話叢編》，冊2，頁569。

作唐音呢？也就是說，詩人之偉大，以書寫時代內容為要，不可不理解時代之
變而盡學他人做一些與當下時代無關之作品。這是范罕賦予詩人應有的職志，
也轉化了孟子從讀者視角須知人論世、尚友古人的說法，一轉而成為創作者必
須知世、寫世、論世。

　　范罕《蝸牛舍說詩新語》對於知人論世之說的發闡，不僅重視詩人須應合
時代書寫，而且也指出一時有一時之詩歌風格與形式要件，其云：

> 周詩時代，同時有大家庭禮教制度，而詩亦成為禮教時代之詩。秦漢
> 時，諸子百家大騁辭說，詩亦變而為楚詞。漢人辭賦宗之，乃於詩外別
> 成一系，而同時詩亦帶楚聲。……[28]

指出詩歌內容與形式隨時代而有遷變，以切合時代不同作用與功能性。范罕舉
例說明周朝詩歌，是大家庭禮教制度，故而詩歌也成為禮教之詩，秦漢之際，
百家爭鳴，各騁其說，詩歌也一轉而變成楚辭，漢代辭賦家也學楚辭別成一
系，成為漢賦。這種「辭變」也是衍發知人論世之說，轉化成為詩歌形式流變
的要件。取徑《詩經》，以音樂譬風格也是范罕《蝸牛舍說詩新語》的另一新
說，其云：

> 鄭康成曰：詩者，絃歌諷誦之聲。謂三百篇也。漢魏去古未遠，尚有遺
> 音。後世詩人八音並奏，杜甫獨多簫管之音，韓愈多木土音，元遺山多
> 匏音，興化劉先生謂陸士衡樂府有金石之音，予謂陸劍南有金革之音。
> 雖未盡然，要之為相近。然絃歌實乃最上。

范罕藉鄭玄之說，為歷代詩家風格以音樂為譬，揭示各有獨到之處，詩風不同
譬諸樂音，是情性分殊，風格自異。再者，《蝸牛舍說詩新語》又云：「先生
曰：詩言志，孟子文辭志之說所本也。思無邪，子夏發乎情、止乎禮義之說所

---

[28] 《民國詩話叢編》，冊2，頁569。

本也」。[29]此說亦是想上承孔子、子夏、孟子之說，闡述幽意，使詩歌可以充份發揮禮教說法，以與世變作一結合。

綜上所述，范罕極力發揮知人論世之說，從原義的讀者之立場，轉化成作者的立場，其層次有三，一是作者必須德藝雙兼，以其人足範，其詩可讀；其二是賦予作者必須書寫時代內容的責任；其三是詩人性情殊異，風格迥然，譬諸樂音自有異同，則詩風必與個人情性及時代相結合。

三　論述與實踐：詩歌本質的發用與效能之闡述

作詩與言詩，何者為難？根據《石遺室詩話》卷三所云：「工詩難，言詩尤不易。在孔門惟賜與商可與言詩，而文學之子游不與焉。子貢穎悟，故〈淇澳〉之切磋琢磨，自知取譬。」[30]何以《石遺室》如此說詩？蓋「作詩」是一種表述，而「言詩」則必須通透作詩之意，有時內蘊隱諷之意，有時賦詩必須符合當下情境之「斷章取義」，故而，非穎悟者，不易言詩。此乃《石遺室》之說法。事實上，《詩經》之賦詩往往斷章取義，故而必須知引詩、賦詩之意，方能會通，故而《石遺室》有此一說，強化言詩之重要性。詩歌原有作者之意、文本之意、讀者之意，《石遺室詩話》此說是重在讀者說詩、用詩的層次。蓋「作詩」僅須運用技巧表述情志，而「言詩」除理解表層文字之意，尚須深透作者之意，時而因解說者時代之異而有個人詮釋內蘊其中，故而陳衍盛稱「言詩」難於「作詩」。

（一）本質：〈詩序〉情志說的賡續

對於詩歌本質立說，多沿襲〈詩序〉的情志說，然而這種情志說仍有所

---

[29] 《民國詩話叢編》，冊2，頁572。此一說，原出自《論語・學而》：「子貢曰：『貧而無諂，富而無驕』，何如？」子曰：「可也，未若貧而樂，富而好禮者也。」子貢曰：「詩云『如切如磋，如琢如磨』，其斯之謂與？……」。見《論語注疏》（十三經注疏本，北京市：北京大學出版社，1999年12月），頁12。再則《論語・八佾》：「子夏問曰：『巧笑倩兮，美目盼兮，素以為絢兮』，何謂也？子曰：繪事后素。曰：禮後乎？子曰：起予者商也！始可與言詩已矣」頁33。

[30] 《民國詩話叢編》，冊1，頁47。賜與商可言詩，同前注所引《論語》學而、八佾篇。

本，最早提出來的是《荀子・儒效》，其云：「聖人也者，道之管也：天下之道
管是矣。百王之道一是矣。故《詩》、《書》、《禮》、《樂》之歸是矣。《詩》言
是其志也，《書》言是其事也，《禮》言是其行也，《樂》言是其和也，《春秋》
言是其微也。」[31]揭示詩以言其志，而〈詩序〉繼續闡發，〈毛詩序〉云：「詩
者，志之所之也，在心為志，發言為詩」，自此，後世不斷藉此說明詩言志。
民國詩話亦有衍其說者，例如范罕《蝸牛舍說詩新語》云：

> 詩者志也，持也。此音訓也，即子夏「在心謂志」之謂。「志」必賴於
> 持，故又可訓為「持」。予為補訓之曰：「詩，事也，誓也。」詩必有為
> 而作，無事不必有詩，故曰「事」也；詩中之言即其人之言，根於心，
> 發於情，成於聲，不啻其人之自誓，故曰「誓」也。世間之誓在信他，
> 詩人之誓在信己，信而有誓，非持志而何？[32]

此說揭示詩歌創作是情志所發，必須根於心、發於情，並舉例說明世間發誓是
「信他」亦即取信他人，而詩歌創作則是自抒性情，是「信己」；信而有誓即
是一種情志的表現。也就是作詩必因事而作，且根於情志，不僅「信他」亦在
「信己」，真情實感創作必有情志表抒。同此說法，另有一則，范罕云：「詩之
聲出於辭，辭發於意，意根於心，故詩者心聲也。」[33]亦是以此為說，指出詩
歌是人之心聲表抒，以辭表意，意是出於內心，故詩是心聲的具象表述，與詩
序「在心為志，發言為詩」同具表述心志的用法。

據此，《蝸牛舍說詩新語》又自發衍，具體說明詩歌是一種情志表抒，包
括了自厲、自傷、自警等項，其云：

> 《詩》自樂是一種「衡門之下」是也。自厲是一種「坎坎伐檀」是也。

---

[31] 據李滌生所釋，「管」即樞要、動力所在，言聖人是大道樞要，百王大道寄於聖人身上。見
　　《荀子集釋》（臺北市：臺灣學生書局，1991年），頁143。
[32] 《民國詩話叢編》，冊2，頁561。
[33] 《民國詩話叢編》，冊2，頁557。

自傷,「出自北門」是也。自嘲,「簡兮簡兮」是也。自警,「抑抑威儀
是也」。[34]

即是以《詩經》實例說明詩歌言志的具體內容。《孟子·萬章上》:「故說詩
者,不以文害辭,不以辭害志,以意逆志,是為得之。」[35]故而解詩者,以意
逆志,自有詮說方式。此即范罕對《詩經》另作釋意,勃發衍意。

(二)功能:〈詩序〉教化說的譎諫

〈毛詩序〉:「上以風化下,下以風刺上,主文而譎諫,言之者無罪,聞之
者足以戒」[36],後世衍為風人之旨,意指「主文譎諫,言者無罪,聞者足
戒」,由於是勸誡,故而風人之旨亦與詩教「溫柔敦厚」相連,目的在勸誡,
而態度與用心當以溫柔敦厚為主。

民國詩話頗多運用「風人之旨」。尤以由雲龍《今傳是樓詩話》解讀詩歌
常以風人之旨作為標準。第二一二則云:「風人之旨,以敦厚為主,慧心仁
術,每於字裡行間見之。唐張祜〈贈內人〉詩云:『斜拔玉釵燈影畔,剔開紅
燄救飛蛾。』[37]即是以「慧心仁術」來解張祜之詩。」再如二二二則揭示《隨
園詩話》盛稱文良之詩,王逸塘讀其詩亦云:「……今觀其詩,則靜穆溫潤,
妙出天成,間托諷刺,亦深得風人之旨。所養者深,固應如此,宜隨園之傾倒
也。」[38]稱讚文良詩歌,間含諷刺卻能有溫潤之語,是以「風人之旨」來稱
譽。由雲龍指稱詩人創作以溫柔敦厚為主,王逸塘進而從諷刺譎諫立說,二者
皆以達致風人之旨為要。復次,《定庵詩話續編上》又進一步宣闡:

> ……詩固實有所指,詞婉而意深,不媿風人之旨。余與周君交親三十
> 年,相知甚深,尚非強附解人。然不揭明詩旨,數十年後,益無有知其

---

34 《民國詩話叢編》,冊2,頁572。
35 見《孟子注疏》(十三注疏本,北京市:北京大學出版社,1999年12月),頁253。
36 見《毛詩正義》(十三注疏本,北京市:北京大學出版社,1999年12月),頁13。
37 《民國詩話叢編》,冊3,頁342。
38 《民國詩話叢編》,冊3,頁346-7。

本事者矣。[39]

亦以詞深意婉為風人之旨解說詩義。再如魏元曠《詩話後編》卷七〈去燕〉云：

> 「來去無端事總非，此行辛苦逐鴉飛。盧家梁冷窺殘月，關盼樓空倚落
> 暉。海下音疏雲斷續，江南花發夢依稀。尋常百姓家原好，忍復搴簾待
> 汝歸。」此送吳妓隨夫南歸，一結深得風人之旨。[40]

敘寫吳妓隨夫南歸幽微心意，頗與李白〈鸕鶿詞〉相發明。意在詮其幽情潛
意，非復直白平敘，此以風人之旨解說詩歌，兼採譎諫方式，可達言者無罪，
聽者足誡效能。

（三）美刺：委婉深意的善讀

風人之旨，即含有譎諫之意，《孟子·告子下》曾云：「〈凱風〉，親之過小
者也。〈小弁〉親之過大者也。親之過大而不怨，是愈疏也。親之過小而怨，
是不可磯也。愈疏，不孝也。不可磯，亦不孝也。」[41]以〈凱風〉為例，說明
「過小而怨」與「過大而不怨」的親疏以及孝不孝之由。此一釋詩，後世不斷
演繹。

清方玉潤《詩經原始·卷首下·詩旨》在孟子「說詩者不以文害辭，不以
辭害意，以意逆志，是為得之。」條下釋其意云：「詩辭與文辭迥異，文辭多
明白顯易，故即辭可以得意。詩辭多隱約微婉，不肯明言，或寄託以寓意，或
甚言而驚人，皆非其志之所在。若徒泥辭以求，鮮有不害志者，孟子斯言，可
謂善讀詩矣！然而自古至今，能以己意逆詩人志者，誰哉？」[42]揭示善讀詩
歌，是在隱約微婉之外，能知道寄託之寓意，此是作者譎諫不肯明說之能，而

---

[39] 《民國詩話叢編》，冊3，頁615。

[40] 《民國詩話叢編》，冊2，頁61。

[41] 見《孟子正義》（北京市：中華書局，1989年）〔清〕焦循撰，沈文倬點校。卷24，冊下，頁
820。

[42] 見方玉潤：《詩經原始》（北京市：中華書局，1986年2月），冊上，頁44-45。

讀者若能於微意探其旨趣誠屬難能可貴。而民國詩話亦能衍示其說，例如范罕《蝸牛舍說詩新語》云：

> 可以政治言詩乎？曰：否。作詩說到政治，但寓遠惜，假一事而若美刺，俱無不可。如以政治智識眼光入詩，則反累詩矣。曰：何也？曰：政治無善者，無善可言，則詩不託諷。曰：古人亦多以詩諫者，曷為不可？曰：古人之行政也以教，政教未分離也。今世之行政也以政，則教義離也。教必有一貫之正義為之終始，詩志寓之以盡其善善惡惡之義趣。[43]

范罕指出古人以政治入詩，因有美刺深意寓寄其中，是政、教相合，宜乎其可，今人是政治與詩歌相離，若以政治入詩，乏善可陳，不僅詩歌無味，且亦無法達到教化意義。復次，《名山詩話》亦云：

> 「小子何莫學夫詩」，詩是儒家事也。唐宋名家多以釋老語入之，後世遂以為儒家語不宜入詩，而儒者遂有謂詩可不作者矣。三代聖王無不用樂，詩則儒之樂也。世人以儒家語入詩雖難工，此儒未通于樂也。用儒之意，而以開元聲韻唱之，何不可乎？唐人惟退之不屑雜釋老語，何嘗不是好詩。宋朱子詩不惡，惜少唐音。求其義正而詞工，不得不數放翁。[44]

揭示學詩、作詩、入樂、用樂，皆是儒家本有之事，然而唐宋詩人以釋老入詩，後世遂以為儒家不宜入詩，《名山詩話》用以糾其謬，並揭示韓愈不雜佛老亦能有好詩，而陸游詩「義正詞工」為佳，亦是能展示有義理內容者與詞工並不相違逆，用以說明佛老入詩固有好詩，以儒入詩亦能有好詩。又闡釋「以詩為樂」之說重在禮樂教化功能，可以梯接《論語・陽貨》：「詩可以興，可以

---

[43] 《民國詩話叢編》，冊2，頁564。

[44] 《民國詩話叢編》，冊2，頁660。

觀，可以群，可以怨」，從作者到讀者的脫衍轉化之說。今人洪湛侯甚至提
出：「《論語》中記載的這種引申、附會、引詩證言、斷章取義的說詩方式，自
不足取，應該說這是受了春秋時代『賦詩斷章』風氣的影響，它又轉而影響到
漢代乃至漢以後的『《詩經》學』研究。」[45]揭櫫後世釋詩，大抵受斷章賦詩
影響，而在本義上不斷發明衍義，形成繁複多元、相逆相成的對蹠詮釋。事實
上，《詩經》意義不斷經由後人衍義，將詩與樂合觀或分觀皆是論述者觀察的
視角，因為詩可以興觀群怨，斷章取義的解經方式，自古即不曾中輟，故而洪
湛侯有此昭揭。林庚白《子樓詩詞話》亦云：「詩始於民間之歌謠。歌謠皆有
韻，故詩為韻文，百世不易。蓋必有韻而後可以歌唱，而後可通於音樂也。苟
其廢韻，是文而非詩。」揭示詩為韻文學，始自歌謠，與音樂相通，昭揭詩可
入樂，若無韻則非詩，深蘊詩經采風之意而與《名山詩話》相發相應。

（四）詩旨：以詩存史、以詩證史

《孟子·離婁下》曾云：「王者之跡熄而《詩》亡，《詩》亡然後《春秋》
作。晉之《乘》，楚之《檮杌》，魯之《春秋》，一也。其事則齊桓、晉文，其
文則史。孔子曰：『其義則丘竊取之！』」[46]後世遂據此說明詩歌具有歷史之作
用，號為「詩史」。然而，詩與史畢竟不同，從形式而言，詩是韻文，史是以
駢文或散文方式呈現；從表述手法觀之，詩歌文字精鍊，以重意象、抒情為
主，而歷史則重在表述或鋪陳事理為主。二者大不相同，何以孟子以之為說，
而後世又如何加以演繹呢？蓋孟子乃不得已而言之，揭示詩歌原為采詩，可反
映人民與社會狀況，詩亡之後，有《春秋》之作，可視為接續詩之作用而作，
故而鉤連成為詩可以和歷史相通，後世遂轉化成「詩史」之說。[47]

---

[45] 參洪湛侯：《《詩經》學史》（北京市：中華書局，2002年5月）第1編〈先秦詩學〉、第7章〈孔
　子是《詩》學研究的第一人〉，冊1，頁75。

[46] 見《孟子注疏》（十三注疏本，北京市：北京大學出版社，1999年12月），頁236。

[47] 龔鵬程先生揭示歷史來自建構，是指陳意義，而不是敘述事實。見《文學散步·文學與歷史》
　（臺北市：臺灣學生書局，2003年10月），頁149-156。詩史是對歷史興發與判斷，則是另一層
　轉義。復次，在〈論詩史〉云：「這種詩、這種史，顯然含有甚多作者的價值判斷在，既非主
　觀地抒情，亦非客觀地載史，而是透過作者的文化意識與歷史情感展現歷史與時代的意義提
　示歷史的評判。」見《詩史本色與妙悟》（臺北市：臺灣學生書局，1986年4月），頁26。

民國詩話之中，對於詩、史闡釋最多並加以發揮者，以《十朝詩乘》為最，該書凡二十四卷，序言即云：「託體雖仍詩話，實為補史而作。」[48]昭揭作意。同樣是記載清朝之詩話，《雪橋詩話》重在傳人，掌故博瞻，以事為緯，取材特善，而《十朝詩乘》則重在紀事，取義別於一般詩話備載作者遺事，非僅繫一人而是十朝之史事典故。俞陛雲之序言亦云《十朝詩乘》有四善：存微、糾舛、表微、蒐軼，其用心可知。對於詩史闡發，郭則澐曾自於《十朝詩乘·後序》昭揭：

> 嗟夫！詩之為史也，由來久矣。《詩》三百篇，大抵王者之跡之所存也。孟子曰：「王者之跡熄而《詩》亡，《詩》亡然後《春秋》作。」蓋古者道人采詩，進於王朝，以考風俗之美惡，驗政教之得失。詩人之以詩諫者，雖發端比興，而纏綿悱惻、忠愛無已之情，皆可以感觀興起，故詩之道尊。[49]

上接孟子進而承衍〈詩序〉之說，揭示詩歌可以考察風俗美惡，可以驗證政教得失，亦可用以諷諫，再承《論語》之說興發觀感，提舉、尊崇詩歌地位，遂將詩歌這種作用與功能性與史籍之作用相鉤連，故而有詩與史等同相論，此即是負載個人的情志於歷史判斷之中。郭則澐的《十朝詩乘》亦秉承這樣的精神，採錄清代十朝之詩歌，目的即在存詩以證史，其在《十朝詩乘·跋》又云：

> 三代以前，詩書皆史也。而采風掌於太史，以覘政教之隆污民俗之醇漓，故詩與史尤切。……比歲退居，痛國史之不足傳信，始有《十朝詩乘》之輯，其體猶之詩話，而所錄皆有關朝章國故，間及閭巷節行，則歷代以來所創見者。……

郭則澐言詩書皆史，主要依據采風之詩掌之太史，可觀政教風俗隆污醇

---

48 夏孫桐：〈序〉《民國詩話叢編》，冊4，頁3。
49 《民國詩話叢編》，冊2，頁848。

漓，故而詩與史可通。又在《十朝詩乘》卷四揭示：「古者詩掌於太史，詩亦史也。且若武丁之伐荊楚，周宣之平玁狁，削亂定傾，為國大政，乃《尚書》失紀，遷《史》亦闕，微雅頌宣闡，則鴻烈幾於不彰。……」[50]明白指出歷史端賴雅頌存之，故而自作《十朝詩乘》亦有此用意，不僅承《詩經》，且以詩史自負，用以梯接六義。其相關論見如下：

- ・《十朝詩乘》卷一：雅頌之作，嗣音殆希，惟唐虞世南、陳子昂輩，詠揚君德，為後世傳誦。蓋由時逢貞觀，其盛業足以副之，非苟諛也。昭代系出金源，自……[51]

- ・《十朝詩乘・後序》：嗟夫！詩之為史也，由來久矣。詩三百篇，大抵王者之跡之所存也。

- ・《十朝詩乘・跋》：古人集眾史以為史，君則集眾詩以為史，徵引滿千家，裒輯逾廿卷，列朝文獻，粲然具備，何其致力勤而用志摶也。[52]

以上諸說，旨趣明確，皆用以說明詩歌與歷史之關涉，主要是因為《十朝詩乘》創作即以此為目的，故而所述雖為十朝之詩歌本事，實則欲藉此表述詩歌蘊含歷史的價值。

夏孫桐亦知其意，故而在《十朝詩乘・序》更強化了詩與史之關涉，其云：

> 詩亡跡熄，《春秋》迺作。詩與史之關繫大矣。蓋政教之興替、風俗之醇漓，史冊所未能備者，徵之歌謠而可見。而人事蕃變、是非得失，亦往往於學士大夫諷詠所及，有以得其委折始末之真。此論世知人，尤所賴以考證者也。自來從事於斯者，略分二途：一則以史證詩，就作者出處、時事，以求寄託之所在，然後興、觀、群、怨之旨明。以詩為主，箋註家之也。一則以詩證史，藉當時見聞輿論，以闡紀載之所隱，然後褒貶、美刺之義顯。……惟是詩人諷諭，言隱志微，雖非盡據事直書，或感時述志，或引古譬今，其足以補佚聞而資定論，視他紀載，轉多可據。

---

50 《民國詩話叢編》，冊4，頁7。
51 《民國詩話叢編》，冊4，頁7。
52 《民國詩話叢編》，冊4，頁848。

　　將詩與史的關係分作二類，其一是以史證詩，其二是以詩證史。以史證詩，是以詩為主體，歷史是用來佐證詩歌之內容或揭示詩歌寄託之所在；至於以詩證史，是以歷史為主體，詩歌是用來補苴佚聞，或揭示歷史褒貶、美刺之義。這樣互證的關係，使詩與史的關聯性更密合了，此乃立基於孟子之所云「王者之跡熄」的說法。

　　承上，這種隱而未顯的歷史諷諫作用，亦被論者取來用以詮評歌詩，例如錢仲聯《夢苕庵詩話》云：

> 復辟一役，曇花一現。湘鄉曾重伯有〈紇干山歌〉紀之，以美人香草之詞，寓隱諷喻之義，蓋詩史也。歌曰：「紇干山頭凍殺雀，生處何如此間樂？冰井銀閑五月秋，肯向華嚴覓樓閣。……」[53]

對於詩歌借香草美人來寓寄隱諷之義，也視之為詩史的表現。這樣的說法，成為宣闡詩與史的方式之一。此說亦密合龔鵬程闡釋「詩史」所云，詩史是對歷史的興發與判斷，是指陳意義，不敘述事實。[54]

　　若能具體以詩為證者尚有《魯民讀詩話》，其云：

> 變雅而還讀楚騷，暮天涼月朔風號。一緘碧血千秋在，淚洒貞元見汝曹。
>
> 綵筆當年氣象干，江湖散髮雪漫漫，體裁未始無台閣，安得留將諫疏看。
>
> 王風熄絕有遺氓，新室爭埋舊策名。唱渭漁歌仍散見，他年詩案不平。……

以詩為例，說明詩人之作是讀變雅如讀楚騷，體裁與諫疏等同看待，甚至王風熄絕而有遺氓，可知詩與史之關涉如斯。如此，以詩論詩，脫離以詩話論詩的格局，更具有詩歌的美感可觀。

---

[53] 《民國詩話叢編》，冊6，頁237。
[54] 見《詩史本色與妙悟・論詩史》（臺北市：臺灣學生書局，1986年4月），頁26。

四　轉化與運用：《詩經》學的詩歌美感經驗

詩歌的創作法則為何？歷來詩格、詩話論之甚多[55]，則民國詩話又如何運用《詩經》闡發創作矩範？如何取用作為論述之源、取徑之本呢？

（一）作詩讀經

范罕《蝸牛舍說詩新語》提出「作詩讀經」的說法：「三百篇是經，後世之百家是人，經在則傳者自有規模矩矱之可言。縱狂狷殊途，治亂異世，言文異軌，學行異方，而用情之豐嗇，構思之邪正，發音之純雜，當力辨而遵循之。……至於召物呼名，屬辭比事，時各有當，固無用逼似古人也。作詩者安可不先讀經乎！」[56]昭揭讀經是作詩的基本法門。何以如此？如何可能呢？蓋創作欲性情之正，必學詩以知治亂異世之用，而屬辭比事，各有所當，不必求肖古人，然而情之豐嗇、行之端正、思之正邪由經傳之規模學之，方能避免狂狷殊途，言文異軌。

復次，劉衍文《雕蟲詩話》亦云：

> 「不學《詩》，無以言。」不讀《詩經》，不知詩有繁複之源匯。顧僅誦《詩經》，仍不能寫好詩也。或曰：「《詩經》之作者，又何嘗讀詩，何以能寫好詩也？」曰：「時不同也，巢樹穴居，弓刀禦敵，天造草昧，誰曰不宜；今欲守茲古拙，以有機械必有機心立說，寧不慮災及其身耶，故藝之漸趨於巧，亦必然之勢也。

昭揭讀經可豐富才學，但是，若僅是讀詩亦不能寫好詩歌，因為時代不同，仍要因時因地而有所變化，不可不知寫詩技巧，因為時代趨勢所尚，詩藝亦漸流於巧妙，因勢立體，因體創作，是能順合詩歌流變軌轍而有所創發。但是，過

---

[55] 詩話或詩格論創作，有總攝一篇之意，亦有分論：構思、興會、法、篇法、起結、煉句、用字、押韻、聲律、用事……等。為例甚夥，茲不贅舉。

[56] 《民國詩話叢編》，冊2，頁569。

度尊經亦前人所不允，例如王船山等人以《詩經》為後之詩人所不可及，實為過於尊經之說，此乃未可信從。

《石遺室詩話》卷三亦揭示善讀書之法：「《詩論》又云：『詩之鑄鍊云何？曰：善讀書，縱遊山水，周知天下之故而養心氣，其本乎！感變云何？曰：有可以言言者，辭可以不言言者；其可以不言言者，亦有不能言者也；其可以言言者，則又不必言者也。」夫可以不言，而亦有不能言者，則不言固矣；若可以言，而又不必，不幾於無言矣乎？當云其可以言言者，又有其不必言者也。」[57]善讀書者可養心氣，放之為言，有可言有不可言，而能言其所當言，不言其所不能言者，鑄鍊得宜，而有所變化，不會拘泥而能有所建言。此說立基在善讀善遊而能善養氣的基礎上，自能收放自如，無拘不滯。

以上諸說構築在讀經磐石上而能情豐意正，順時而作，因情立體，當言而言，遂能變化得宜。

（二）創作法則

范罕揭示今人作詩當學古之義理而略其文詞，其在《蝸牛舍說詩新語》云：

> 三百篇句句事實，句句性情。後人之詩，題目也，意境也，文辭也，格調也，如是而已。然後世詩固有優於前人者。非優勝也，時代思想由單純日趨複雜，非古人單辭片義所能表示其接物之情也。所以學古人當學其性情義理，而略其文辭。即做今詩，亦應從性情義理入手。誇多鬥靡，非法也。[58]

明示古今詩歌有所不同，古代詩歌單純而重性情，後世詩歌轉向複雜與技巧變化，創作手法亦多變化，然而創作宜學習古人從性情義理入手，不可只求技巧，因為後世標榜意境、文辭、格調，皆是複雜於古人。從詩歌流變史觀之，《詩經》四言，兩漢五言，其後衍為七言、雜言，又有古體、近體之分，近體

---

57 《民國詩話叢編》，冊1，頁49。
58 《民國詩話叢編》，冊2，頁569。

又有絕律排之別，是知，後世日益變化體勢，則靈活運用字詞，遂能變化多端不可控捉，若執一法以為創作必扞格不入，若能從性情義理入手，變化體勢，則能操持變化之端而有所成就，超邁古人，如若誇浮飾巧，則非善學、善詩。

（三）運用六義之賦比興手法

《聽雨樓詩話》揭示孔子教小子學詩，曰：「多識於鳥獸草木之名。及屈宋降而為騷，猶必以香草美人為詞。則風花雪月，形諸詩歌，固不始隋唐也。然而綠竹思君子，棠棣懷兄弟，古人多託諸比興未有專以此為賦者。……」是知創作必效離騷以比興為詞，以知婉轉含蓄之法。民國詩話作者亦有續衍此義者，對詩歌創作手法亦多言賦比興，例如《石遺室詩話》卷八：「習為駢體文者，往往詩情不足，以在六義中，賦、比多而興少，頌、大雅多而風、小雅少也。」[59] 揭示駢文之缺失，在詩情不足，而創作手法又興義偏少。又指出陳沆《詩比興箋》之作，所指稱的詩歌作法略有可議者，其在《石遺室詩話》卷三云：「詩比興箋亦間有可議者……皆賦體，而非比興也。」[60] 多用賦體而非比興。再如《石遺室詩話》卷三：「詩有六義，興居一焉，興、觀、群、怨皆是也。後世謂之『詩情』。其鄰於樂者曰『興趣』、曰『興會』；鄰於哀者曰『感觸』，故工詩者多不能忘情之人也。任公有〈臘不盡二日遣懷〉云：『淚眼看雲又一年，倚樓何事不淒然？獨無兄弟將誰懟？長負君親只自憐。……』」[61] 指出梁啟超詩歌有「詩情」讀之能令人淒然相對。再如《石遺室詩話》卷三：「學古集四卷，嘉慶間仁和宋左彝大樽著，後附《詩論》一卷，世之有志於古者盛稱之。……《詩論》云：『太白有云：『將復世道，非我而誰？』古道必何如而復也？《三百》後有《補亡》，《離騷》後有《廣騷》……擬議以成其變化也。」[62] 是知騷雅多所變化，非僅止於離騷之作，後世變化轉精，是不可不知。

對於前人論述《詩經》皆從正面立說，唯劉衍文《雕蟲詩話》則揭示詩歌

---

[59] 《民國詩話叢編》，冊1，頁115。

[60] 《民國詩話叢編》，冊1，頁47。

[61] 《民國詩話叢編》，冊1，頁51。

[62] 《民國詩話叢編》，冊1，頁48。

必須因應時代變化而有新的內容與思維，其云：

> 然《詩經》實為四言詩之極詣。後有作者，縱陶元亮亦未能及之。但苦
> 繁意少。就成熟而言，其詩雖具社會性與地方性，而無我之個性在焉。
> 故《詩經》雖為源匯，而不能不有待於進化矣。[63]

揭示《詩經》雖然具有社會性與地方性，卻不能如實呈示作者的個性，而且四言詩之表述方式，後世詩家難達極詣，必須有待後世進化，故知詩歌必須隨時代更易表述形式及內容。這種說法頗合後世詩歌進化之說。梁朝鍾嶸《詩品·序》早有此說，其云：「夫四言，文約意廣，取效風騷，便可多得。每苦文繁而意少，故世罕習焉。五言居文詞之要，是眾作之有滋味者也。」[64]指出四言詩因文字簡約，不易表述，取效風騷方能有得，而五言因文句變化多端，宜乎後世多習而有得。劉衍文之說當然有所承傳，且在歷來被詩經詮釋系統籠罩下能有所開脫，站在時代的後設視角指出詩歌創作的個性化，是不容忽視的，不能一味強調整體的社會性而忽視詩家風格的獨特性。

五　再生與開發：歷史更迭中的詩學意義與價值

　　民國詩話群體作者當中，有傳統文人、有留學歸國學人、有積極參與革命之知識分子，這些相反相成的文人或知識分子，在民國時期共同援用《詩經》義理內容藉詩話來傳述個人對時代家國變異的看法與見解，其中，有黃節曾參與革命，後變轉以著述救國。夏敬觀則以疏解古代詩歌作為自己感蕩身世的代言，至若吳宓是留學歸國學人，以《吳宓詩話》闡述白璧德的人文主義思想，作為東西碰撞過程中力挽狂瀾的中流砥柱。三種對蹠相激的類型，如何各自以詩話形式來表述對時代的感發摩盪？以下分論之。

63　《民國詩話叢編》，冊6，頁415。
64　見鍾嶸著、汪中注：《詩品注》（臺北市：正中書局，1982年），頁15。

（一）教化與救國：黃節以詩教救國

　　黃節（1873-1935）[65]對詩歌教化特重於他人，尤其以詩救國之志顯著，吳宓《空軒詩話》曾昭揭其師黃節說法：「天若命余重振救之，舍明詩莫繇」，宣稱黃節以明詩救國擔負自任，有若孟子千萬人我獨往的氣概，且昭揭黃節說詩之法，本於孟子，其云：「於其事不敢妄附，於其志則務欲求明。」此即孟子「不以文害辭，不以辭害志，以意逆志，是為得之」之意。復云：「顧黃師之說詩與其作詩，乃一事而非二事，所謂相成其美也。」[66]揭示黃節以詩教救國的使命感，且說詩與創作詩歌是相輔相成。

　　黃節著有《詩論》一卷，以詩歌流變史方式暢言歷代詩歌演變，兼論詩歌旨趣及異同。《詩學》鉤稽《詩經》以降迄明代之詩歌流衍的概況，既有「史觀」，又能品銓詩家優劣，標舉風格典範，更能糾舉名家名篇，是能宏觀，亦能微觀，呈示體大思維的綿密系統[67]。詩論有何重要？為何黃節歷經東渡日本、從事革命、組織國學保存會、創《國粹學報》、參與南社等事功，在繁華落盡之後，回歸北大教書時，以《詩學》作為上課講義，同時，也將《詩學》視為重要的理論，其論詩意見為何？其云：

　　　〈詩序〉：「〈小雅〉盡廢，則四夷交侵，中國微矣。」夫「詩教」之
　　　大，關於國之興微。[68]

借歷史取鏡，將周朝四夷相侵與清末民初西力東漸相比附，直陳詩教與國政興微相涉，續言：「而今之論詩者，以為不急，或則沉吟乎斯矣，而又放敖於江湖裙屐間，借以為揄提贈答者有之。詩之衰也，詩義之不明也。」評騭當時論

---

[65] 黃節生平可參看陳希：《嶺南詩宗：黃節》（廣州市：廣東出版社，2008年10月）；陳慶煌：《黃節及其兼葭樓詩》（臺北市：里仁書局，2001年）。

[66] 《民國詩話叢編》，冊6，頁18。

[67] 相關論述可參拙著〈黃節「論詩存史」與「注詩寫志」的書寫策略與意義。見《國學集刊》（成都市：四川社會科學院，2015年）第3集。

[68] 黃節開章明義揭示詩義，由是可知，其論詩意見上承〈詩序〉而來，重視詩義的教化功能。

詩者,以沉吟為務,或嘯放山水之間,或揄揚酬酢贈答,致詩義不明,歌詩衰微不舉,復言:

> 〈詩序〉:自〈鹿鳴〉以至〈菁菁者莪〉,述文武成康之治。治之以生人之道,所謂義者而已。《記》曰:詩以理性情。人之情時藉詩以伸其義,義寄於,而俗行於國,故義廢則國微,奈何今之論詩者以為不急乎!。

黃節重視「詩教」,是「關於國之興微」,何以如此重視詩歌之功能教化,並將之視為國家興盛衰微之憑藉?此一說法秉承〈詩序〉政教說而來,揭示詩歌除了可以宣洩人之性情之外,最重要的是「義寄於詩,而俗行於國,故義廢則國微」,如此立論,將詩歌的重要性與國家興廢相涉,其意寄在詩「義」之中,此「義」指詩歌的義理內容,此一內容必定有政教功能者,才能負載風俗國教之義。也正因為承自〈詩序〉的教化功能,對詩的重視,自是不言而喻。而今人論詩卻只在沉吟之間,忽視其對家國、風俗移易的效能,致詩義不明,是詩衰之原因。

然而,詩歌果真可移風易俗?如何可能?蓋詩歌可具現時代之風與詩人情志,若持「上以風化下,下以風諫上,主文而譎諫,言之者無罪,聞者足以戒」的說法,仍陷落在情性移易之薰染,注重社會性卻與當時局勢蜩螗相悖不侔,如此用心回歸到詩歌本質,其用心雖深,而其難能可知,致無以復詩國風威,亦無能救國勢日頹。

(二)情志之抒發:吳宓以溫柔敦厚感發生平

吳宓(1894-1978)古典詩歌受學於姑丈陳伯瀾[69],後入清華就讀又受學於黃節,曾留學美(1917-1921),歸國又曾任職東南大學、東北大學、清華大學

---

[69] 陳伯瀾是吳宓姑丈,有《審安齋詩集》,詩學盛唐,取法杜甫。吳宓《空軒詩話》云:「予學詩於陳伯瀾姑丈,久擬為丈詩作箋註,詳敘當時情事,即陳寅恪君所謂『今典』,以貽後人,終未能也。」見《民國詩話叢刊》,冊6,頁12。

等校[70]，復籌辦《學衡雜誌》，在時局飄搖之中找到屬於自己貞定的定位，以新人文主義發揚中國文化與文學，是位詩人，也是一位學者，並期許自己成為文化導師，更是一位介於傳統與現代轉接過程中的凝視者，對於傳統詩學不僅是他知識資糧，更是其情志託寄之所，吳宓書寫《空軒詩話》作為存錄時人師友之佳篇雋構，又以評詩作為發皇自己詩學理論之根據，主要深受梁啟超影響，第三則云：「幼讀梁任公《飲冰室詩話》：『我生愛朋友，又愛文學。每於師友之所作，芳馨悱惻，輒錄誦之。』予亦同此感。學生時代所喜誦者，已入《餘生隨筆》。遊美回國以還，充任學衡雜誌及大公報文學副刊凡十二年，所得師友之佳詩佳詞，隨時刊登，與世同賞。」明示存詩共賞之雅願，然而果真只在存錄師友佳篇雋構？事實不然，內容包蘊對新人文主義與中國文化相接融攝、釐析對傳統詩學詮解，潛隱個人痴戀海倫女士（即毛彥文）深情婉意，詩話不僅是存錄佳篇，更是情志託寓所在[71]。

吳宓的詩學論述，主要是以闡發其師黃節以詩救世為說，並且與白璧德的人文主義相結合。何以吳宓在學術上最風華的歲月，以詩歌創作來表述自己，並以詩話來呼應存在的立場？其意圖是在傳承詩學傳統藉以感寓身世之痛，蓋身處新舊文學交接之際，他承繼梁啟超的「詩界革命」，以新內容入舊格律，並且揭示唯有保留舊體詩才能承接文化傳統與命脈，否則漢文字銷亡，則民族命脈焉繫？故而以學衡及大公報刊載當時重要詩人的作品，在二種刊物解職之後，再以《空軒詩話》存錄時人重要詩作，這種意圖，明顯是用來回應世局變態。在西方留學時，因為接觸了白璧德新人文主義，才恢復對傳統文化的信心，也找到能與西方接軌的榫頭。從此新人文主義成為他對抗新文學與西方浪潮的利器。

復次，對於時事有所關心，亦輯錄相關詩歌，其云：「而國難既起，中經上海及熱河戰役，南北志士名賢，感憤興發，尤多精湛光輝之作……」自注

---

[70] 吳宓一九一七至一九二一年留學美國維吉尼亞州就讀文學，經施元濟認識梅光迪，入哈佛大學就讀比較文學，以白璧德為導師。懂英法德諸國語言。與陳寅恪、湯用彤合稱哈佛三傑。

[71] 見拙著：〈凝視歷史分界點的選擇：吳宓對傳統詩學擇取與承繼之意義〉；輯入《東亞漢學研究》第6集，頁189-201。

云：「蓋以舊詩受眾排斥，報章雜誌皆不肯刊登。」對於舊體詩在這種媒體式微之下，擬自編《近世中國詩選》，繫以作者小傳，並將所寓時事，「詳加註釋，既光國詩，尤裨史乘。」這就是吳宓在面對舊詩困境時，擬自行編輯詩選的意圖，為時代留存佳作，這是功能也是效果。如是，顯見吳宓與其師黃節皆重視傳統詩學，黃節欲以詩義救國，吳宓以刊、編詩選等同史乘著作，二人取徑容或有異，卻共同擔負挽救傳統文化於頹勢之意圖。

（三）夏敬觀以注疏抒發個人感蕩臆氣

夏敬觀（1875-1953）為清末民國之學者、詩人、藝術家，其一生充滿傳奇色彩，創辦各種文人社團[72]，主撰涵芬樓，亦曾出任復旦公學、中國公學監督，並任浙江省教育廳長，晚年，避居上海鬻畫為生，對照前期之作為、與後期之隱退上海以著述為志，顯示夏敬觀面對帝國與民國交接之際，選擇以書寫傳統詩歌、詩話形式、校注各家詩歌作為自己論述、發聲的基石，以面對傳統文化與現代文化的衝擊。[73]

夏敬觀生平逡巡在士人與學人之間，早年以習經為務，後轉向事功之政治施為，再反轉回歸著述為務，在學術、政治、藝術、社會關懷之間流轉。其詩話之作有《忍古樓詩話》、《學山詩話》二種，意在以詩存人、以詩存史。

夏敬觀在面對新文學運動時，仍然堅持以傳統校注及撰寫詩話的方式，表述自己的文化立場，如此著述，果真是用來傷弔古代詩人？蓋解讀詩家，以己意己情解詩、注詩、論詩，意在藉詩人生平遭逢，迂迴宛轉地暗寓個人的情志；疏通被誤解的詩人，實際上也是用來疏通自己的情志。藉由抉發詩人情志以寓寄個人別有心眼的情志，是夏敬觀特有的生命態度。如此回叩生平，從早期積進從事公職，後期以著述為志，其心路歷程的迂曲迴轉，是在世變之下「常」／「變」、「保守派」／「革新派」之悖逆與衝突的一種婉曲表述，表現出「似直而迂」的心意流轉。職是之故，詩話論述及詮評唐人詩、選校宋人詩

---

[72] 曾創辦漚社、康橋畫社、聲社、午社等文人社團。

[73] 見拙著：〈傳記情境的表述：夏敬觀評注詩歌與生命境遇之交迭演繹〉，輯入山口大學東亞研究科編：《東亞之承繼與交流》，2016年3月，頁167-188。

集之學術成就，意在透過論述前人詩作的過程來呈示詩人情志並回應、反饋個人感蕩生平的意向性以與前人相承相應。

以上三位不同型範的詩話作者，代表了不同知識分子的類型，取徑容或殊異，護衛傳統之心卻昭著顯見，共同在民國時期以詩話作為發聲利器，援用、衍化《詩經》學，已超越了字句的詮解與梳理，直接昭揭詩教功能以跨越時代藩籬，抵抗中西衝擊之際的浪潮。

六　結論

《詩經》學，在中國形成一個龐大的研究與詮釋系統，自漢迄唐，形成「《詩經》漢學」；宋初疑經成「《詩經》宋學」代表；清代，兼採漢宋，超越漢宋，是為「《詩經》清學」[74]；民國《詩經》研究由經典轉向文化多元研究。

《詩經》學在極亂的世代中，被民國詩話作者演繹、轉化與運用的情形大抵有四：其一，沿承與新變，對《詩經》學的擇取與運用，以宣闡溫柔敦厚之詩教為主，進而應用《孟子·萬章篇》「知人論世」之說以應合時代遷變。

其二，論述與實踐，以闡述詩歌本質之發用與效能為主，賡續〈詩序〉情志說的本質意義，進而從功能衍述教化說的主文譎諫之說，三則從美刺揭示委婉深意之善讀機制，四則從詩旨論述「以詩存史、以詩證史」之說。

其三，轉化與運用，闡述《詩經》學的詩歌美感經驗為主，一則昭揭作詩讀經的進路，二則揭示創作法則，在於作詩當學古之義理而略其文詞，因後世漸趨繁複與技巧化。三則梯接六義賦比興手法作為創作津筏。

其四，再生與開發，分從三個典型知識分子揭示歷史更迭中的詩學意義與價值，一是教化與救國，申明黃節以詩教救國為論，國之興微繫乎詩義。二是情志之抒發，探賾吳宓溫柔敦厚感發生平之作意，既存師友佳篇，並涵融新人文主義以與傳統文化合攝。三是夏敬觀以注疏詩歌，借古喻今地抒發個人感蕩臆氣，以回叩時移世變。

---

[74] 見洪湛侯：《《詩經》學史》，〈自序〉（北京市：中華書局，2002年5月），頁3-9。

　　處在舊傳統仍未消歇而新思潮迭起的衝擊下，傳統與現代、中國與西方交接之際，民國詩話群體作者以古典詩話記錄時代，其間迂迴幽折的心路歷程，透過運用、承轉、脫衍、演變《詩經》學的論述達致回應、承接傳統文化並對治新舊文化衝擊的作意，不僅豐富當時人對《詩經》學詮釋系統的增衍時義，更新增時代意義於傳統詩話的脈流之中，頗值得關注。

附錄一　〈先秦暨詩序論詩要旨一覽表〉

出處	論詩要旨內容	後世發衍
尚　　書	舜典：詩言志，歌永言，聲依永，律和聲，八音克諧，無相奪倫，神人以和。	情志說
禮　　記	經解篇：溫柔敦厚，詩教也。	詩教說
論　　語	為政篇：詩三百，一言以蔽之，曰思無邪。	無邪說
	子路篇：誦詩三百，授之以政，不達，使于四方，不能專對，雖多，亦奚以為？	功能說
	陽貨篇：詩可以興，可以觀，可以群，可以怨。邇之事父，遠之事君，多識於鳥獸草木之名。	興發說　功能說
	陽貨篇：子謂伯魚曰：女為周南、召南矣乎？人而不為周南、召南，其猶正牆面而立也歟？	讀詩重要
	子罕篇：吾自衛反魯，然後樂正，雅頌各得其所。	孔子著述說　孔門重詩說
孟　　子	萬章上：說詩者，不以文害辭，不以辭害志，以意逆志，是為得之。	以意逆志
	萬章下頌其詩，讀其書，不知其人可乎？是以論其世也，是尚友也。	知人論世
	離婁下：王者之跡熄而詩亡，詩亡然後春秋作。蓋古者道人采詩，進於王朝，以考風俗之美惡，驗政教之得失。	詩史說
莊　　子	天下篇：《詩》以道志，《書》以道事，《禮》以道行，《樂》以道和，《易》以道陰陽，《春秋》以道名分。	詩言志說
荀　　子	儒效篇：詩言是其志也	詩言志說
	大略篇：國風之好色也	疾今說
左　　傳	襄公二十五年：仲尼曰：《志》有之：言以足志，文以足言，不信，誰知其志？言之無文，行而不遠。	言文行遠說　功能說
詩大序	・詩者，志之所之也，在心為志，發言為詩。	情志說
	・治世之音安以樂，其正和；亂世之音怨以怒，其政乖。……	世音說

出處	論詩要旨內容	後世發衍
	‧先王以是經夫婦，成孝敬，厚人倫，美教化，移風俗。	教化說
	‧詩有六義焉，一曰風，二曰賦，三曰比，四曰興，五曰雅，六曰頌。	六義說
	‧國史明乎得失之跡，傷人倫之變，哀刑政之苛，吟詠性情，以風其上，達於事變而懷其舊俗者也。	采風說 詩史說

附錄二　〈詩話論詩要旨與《詩經》承衍關涉舉隅一覽表〉

《詩經》要旨	作者	詩話	論詩要旨之發衍
詩教說	陳　衍	石遺室詩話	・闡發詩教薰染讀者之教化說
	沈其光	瓶粟齋詩話	・溫柔敦厚以釋不淫不亂 ・重詩歌陶染作用
	鈍　劍	願無盡盧詩話	・以詩教宣闡教化 ・詩教須應合時局
	范　罕	蝸牛舍說詩新語	・詩歌發揮禮教情志
	黃　節	詩學	・詩教之大，關乎國之興微
知人論世說	陳　衍	石遺室詩話	・宣闡知人論世以知其詩
	范　罕	蝸牛舍說詩新語	・誦其詩必知作詩之人 ・因世作詩 ・詩人識時務而著作 ・詩歌因時代而遷變 ・詩人撰寫時代風格 ・創作詩歌須合時代之需
情志說	范　罕	蝸牛舍說詩新語	・詩中之言即其人之言 ・詩歌功用在抒情表志
	黃　節	詩學	・藉詩伸義，而俗行於國，義廢國微
	林庚白	子樓詩詞話	・詩始自民間之歌，歌謠與音樂相通
功能說	由雲龍	定庵詩話	・主風人之旨
	王逸塘	今傳是樓詩話	・諷刺能有溫潤之語
	魏元曠	詩話後編	・主風人之旨
	范　罕	蝸牛舍說詩新語	・美刺寄意
	錢仲聯	夢苕菴詩話	・香草美人隱謔之義
	錢振鍠	名山詩話	・詩樂相通，儒家語可入詩
	吳　宓	空軒詩話	・以新人文主義與傳統詩話接軌，以對抗新文學及西學 ・以詩話存詩

《詩經》要旨	作者	詩話	論詩要旨之發衍
詩史說	郭則澐	十朝詩乘	・詩話為補史而作 ・詩之為史，由來久矣 ・以詩證史，以史證詩 ・詩書皆史也
	夏敬觀	忍古樓詩話 學山詩話	・以詩存人，以詩存史
		魯民讀詩話	・以詩為例，說明詩與史之關涉
創作說	陳　衍	石遺室詩話	・古之詩歌比興多而賦少 ・興觀群怨是「詩情」
	范　罕	蝸牛舍說詩新語	・作詩先讀《詩經》 ・作詩從性情義理入手
	劉衍文	雕蟲詩話	・學詩讀經，詩藝漸巧 ・詩經為四言詩極詣
	蔣抱玄	聽雨樓詩話	・託比興以賦詩

附錄三　〈民國詩話作者暨著作一覽表〉[75]

作者	生平	著作	著作時間
陳　衍 （1856-1937）	福建侯官人，光緒八年舉人，張之洞幕僚，官學部主事、京師大學堂教習，辛亥後任教廈門大學、無錫國學專修學校	石遺室詩話三十二卷	1. 民國元年至三年刊庸言雜誌，十三卷； 2. 民國三年刊東方雜誌，十八卷
		石遺室詩話續編六卷	
		陳石遺先生談藝錄	
魏元曠 （1855-1927在世）	江西南昌人，光緒二十一年進士，官刑部浙江司正主稿	蕉庵詩話四卷續一卷	民國二十二年魏氏全書‧潛園統編本
		詩話後編八卷	
陳　銳 （1860-1922）	湖南武陵人，早年就讀於長沙校經堂，師從鄧輔綸、王闓運。光緒十九年鄉試中式，以知縣發江蘇試用	裛碧齋詩話一卷	民國十九年裛碧齋集本
陳　詩 （1864-1942）	安徽廬江人（合肥）諸生，宣統二年入甘肅提學使俞明震幕。民國後居上海，以鬻文為生	尊瓠室詩話三卷補一卷	原載青鶴雜誌第三四五卷各期，今有中和月刊社鉛印本
孫　雄 （1866-1935）	江蘇昭文人，光緒二十年進士，曾任吏部主事、京師大學堂文科監督	詩史閣詩話不分卷	中國社科院文學所稿本校點
趙　熙 （1867-1948）	四川榮縣人，光緒十七年進士，授翰林院編修，官江西	香宋雜記一卷	民國二十一年成都美學林鉛印本

---

[75] 本表參照張寅彭編：《民國詩話叢編》（上海市：上海書店出版社，2002年12月）編製而成。

作者	生平	著作	著作時間
	道監察御史。民國後歸里，以遺民自居		
趙元禮 （1868-？）	天津人，光緒間五試不第，後返津任教職，民國間任國會議員	藏齋詩話二卷	二十六年鉛印本
袁嘉穀 （1872-1937）	光緒二十九年進士，同年中經濟特科第一。歷官翰林院編修，浙江提學使，民國後，任參議院議員、清史館協修、雲南鹽運使等職	臥雪詩話八卷	十三年雲南崇文印書館石印本
黃　節 （1873-1935）	廣東順德人，與章炳麟劉師培創辦國學保存會，又曾辦國粹學報等。民國後，任教北京、清華大學，又任廣東省教育廳長	詩學一卷	十一年北京大學鉛印本
趙炳麟 （1873-？）	廣西全州人，光緒二十一年進士，擢翰林，後官御使，民國後選為國會議員	柏巖感舊詩話三卷	據民國間刊趙柏巖集本
范　罕 （1875-1938）	范當世之子，江蘇通州人	蝸牛舍說詩新語一卷	二十五年鉛印本
錢振鍠 （1875-1944）	江蘇陽湖人，光緒二十九年進士，官刑部主事，未幾辭歸，居鄉教學，熱心公益，晚年流寓上海	謫星說詩二卷	民國間刊本
		名山詩話六卷	
海納川 （不詳）	生平不詳。曾與康有為唱和，在西北游宦較久	冷禪室詩話一卷	據民國上海瑞文樓石印本
夏敬觀 （1875-1953）	江西新建人，光緒二十一年舉人，曾任三江師範學堂等校監督，民國後，任浙江省教育廳長，後隱居上海	忍古樓詩話	原訂十一篇，連載青鶴雜誌第四卷各期

作者	生平	著作	著作時間
		學山詩話	
丁　儀 （不詳）	廣東人，生平不詳	詩學淵源八卷	民國十九年鉛印本
王逸塘 （1877-1948）	安徽合肥人，光緒三十年進士，曾留學日本，官兵部主事等職，民國後在袁世凱、段祺瑞、汪精衛政府任要職	今傳是樓詩話	原於民國十六年連載於天津國聞周報，達數年之久，今有民國二十二年大公報鉛印本
由雲龍 （1877-1961）	雲南姚安人，光緒二十三年舉人，光緒三十年赴會試未第，後畢業於京師大學堂，官候補學部主事，民國後，任雲南都督府秘書長，雲南教育司長，清史館協修，曾參與反袁世凱護國一役之謀畫	定庵詩話二卷	民國二十三年雲南智公司排印本
		定庵詩話續編二卷	
楊香池 （不詳）	雲南順寧人	偷閒廬詩話二卷	民國二十三年鉛印本
郭則澐 （1882-1946） 字嘯麓，號蟄園，別號龍顧山人	福建侯官人，光緒二十九年進士，授翰林院編修，簡任浙江溫處兵備道，署浙江提學使。民國後，任北洋政府政事堂參議、銓敘局局長等職，曾編讀翰林秘籍，又選清詩。晚年避居天津，著述以終	十朝詩乘二十四卷	北京大學有稿本，民國二十四年郭氏栩樓刊本
王蘊章 （1884-1942）	江蘇無錫人，光緒二十八年舉人，官直隸州州判，尋出游南洋，曾入商務印書館編	然脂餘韻六卷	原載涵芬樓月各月刊，民國七年成書。民國九年

作者	生平	著作	著作時間
	輯小說月報，又曾為新聞報編輯。曾在上海辦中國文學院，自任院長，南社成員		商務印書館鉛印本
蔣抱玄輯（1886-1937?）	浙江紹興人，曾為民權報編輯	民權素詩話十四種	上海民權素月刊，編輯為民權素粹編
蔣抱玄		聽雨樓詩話一卷	據民國十年上海民權出版部著超叢刊
胡懷琛（1886-1938）	安徽涇縣人，諸生，曾任教上海南方大學，上海大學、滬江大學，曾編小說世界等，南社成員	海天詩話一卷	據民國二年廣益書局刊古今文藝叢書
汪國垣（1887-1966）	江西彭澤人，民國元年畢業北京大學，長期為中央大學、南京大學教授	光宣詩壇點將錄	原載十四年甲寅週刊，民國二十二年再刊於青鶴雜誌
		光宣以來詩壇旁記	約作於抗日期間
沈其光（1888-1970）	江蘇青浦人，光緒三十一年末科秀才，干年肄業於上海震旦學院，曾任教青浦中學，後任江蘇省文史館、上海市文史館館員	瓶粟齋詩話五編二十四卷餘瀋一卷	前編於民國二十九年刊行，有民國三十七年雲間印刷鉛印本
吳　宓（1894-1978）	陝西涇陽人，早年就讀清華大學，留學美國獲碩士學位，民國十年歸國，任教清華大學、西南師範大學等所院校	空軒詩話	民國二十四年中華書局刊吳宓詩集
林庚白（1897-1941）	字學衡，福建福州人，民國初曾任眾議院議員，非常國會秘書長，後又任民國政府	孑樓詩詞話不分卷	民國二十六年七至十一月晨報

作者	生平	著作	著作時間
	立法委員，南社成員，太平洋戰爭爆發，歿於香港		
		麗白樓詩話二卷	民國三十五年開明書局
錢仲聯（1908-）	江蘇常熟人，早年任教無錫國學專修學校，後為江蘇師範學院、蘇州大學教授	夢苕盦詩話不分卷	原連載於中央時周報、國專月刊等，迄一九八三年始結集
劉衍文（1920-）	浙江龍游人，早年入浙江省通志館為館刊編輯，後為上海教育學院中文系教授，上海市文史研究館館員，上海詩詞學會顧問	雕蟲詩話不分卷	未刊稿本

黃淬伯《詩經覈詁》研究

黃智明

元智大學

摘要

　　黃淬伯（1899-1970）為近代著名音韻學者，所著《詩經覈詁》，強調「從語文之觀點，以疏通字義；從古代社會之觀點，以解釋詩之背景」，在民國時期《詩經》學研究中頗具新義。本文的目的，即欲從字義的解詁，及《詩》義的詮解，對《詩經覈詁》一書進行探究。在字義的解詁部分，《詩經覈詁》對於《詩》、《書》中成語的用例，及古字母的通借、通轉、通假諸例，著墨頗多，可以看出黃氏在繼承清代樸學家「讀九經自考文始，考文自知音始」的考據傳統外，還受到王國維將古語與古史研究結合觀點的影響。在《詩》義的詮解部分，黃氏承繼宋儒之革新精神及民初以來疑古之思潮，認為《序》說多與《詩》之本義不合，故不用〈小序〉，強調應從古代社會之觀點以解釋詩的背景。雖然《詩經覈詁》中點明與古代社會相關的詩篇並不多見，然而黃氏指出日後《詩經》研究的基本方向，在於古語研究、古史左證及文學意味，亦有啟發後學、導夫先路的貢獻。

關鍵詞：黃淬伯　詩經覈詁　詩經學　民國經學

一　前言

　　黃淬伯，江蘇南通人。一九二五年，錄取清華大學國學研究院，為清華國學院首屆新生。師事王國維（1877-1927）、梁啟超（1873-1929）諸先生。當年同時錄取清華國學院的有：劉盼遂（1899-1966）、吳其昌（1904-1944）、徐中舒（1898-1991）、余永梁（1904-？）、關文瑛（1903-？）、杜鋼百（1903-1983）、周傳儒（1900-1988）、楊筠如（1903-1946）、高亨（1900-1986）、裴學海（1899-1970）、姚名達（1905-1942）、何士驥（1893-1984）等三十人。

　　畢業後，先後任職於中央研究院歷史語言研究所、山東青島大學、南京政治大學、重慶中央大學、四川白沙女子師範大學、上海大夏大學、南京臨時大學、徐州江蘇學院、南京東方語言專科學校。一九五二年起，擔任南京大學中文系教授，主講漢語音韻學、文字學、漢語史和詩經學等課程。著有《慧琳一切經音義反切考》、《唐代關中方言音系》、《詩經覈詁》、《文字學講義》。[1]

　　二十世紀初以來，《詩經》學研究出現多角度的解釋觀點，如歌謠的觀點、史料的觀點、禮樂的觀點、社會學的觀點、歷史唯物論的觀點[2]，其門類之龐雜，正如聶崇岐（1903-1962）〈毛詩引得序〉所說：

> 晚近以來，樸學以受新思潮之激盪而益盛，於是《詩》之研究，遂轉趨新的方面：或用以考證古代史實，或用以解釋春秋以前之社會風俗，或旁徵博引以改舊日說《詩》之謬，或綜合排比以求一字一詞之義，其精

---

[1] 《文字學講義》為黃淬伯在國立青島大學中文系任教（1929-1932）時，所編寫的授課教材。全書分為上、中、下三編。上編為概論，介紹文字學的命名、任務、研究範圍和文字學的沿革。中編為本論，論述文字的起源、六書、《說文》中的反文和疊體文、先秦文字的體制及其由來，以及《說文》部首小篆和殷周古文的比較詮釋。下編為〈說文解字序〉及參考引用書目。《文字學講義》尚未刊行，稿藏山東大學圖書館，詳見張云：〈新見黃淬伯文字學講義述評〉，《東方論壇》2015年第2期（2015年4月），頁43-47。

[2] 參見陳文采：《清末民初詩經學史論》（臺北市：東吳大學中國文學研究所博士論文，2003年），頁364。

到之處，每有非昔儒所能幾及者。[3]

然而不論標舉何種觀點，無不強調必須從語言文字等基礎學科，對《詩經》的語源與字義重新進行檢視。其中具體提出結合新出土材料與科學實證方法以考證《詩經》本義的學者有王國維、林義光、高本漢（1889-1978）、傅斯年（1896-1950）、聞一多（1899-1946）、于省吾（1896-1984）等。黃淬伯身為王國維高第弟子，其學術門徑與治學方法，自然深受王氏的影響。而黃氏於《詩經叢詁‧卷首》論研究《詩經》之態度與途徑，云：

> 今日治《詩》：
> 不必黨甲非乙，是丹非素。
> 熟玩本文，參驗《傳》、《注》，唯求其義之確當。捨傳求經。
> 以《序》說多與《詩》之本義不合，故不用「小序」。鄭樵、朱子。
> 知音考文，為治《詩》之必要工具。
> 通觀歷代《詩經》學之沿變，治《詩》之態度應如是耳。

又云：

> 清儒治《詩》之方面，疏釋、聲韻、異文、輯佚，既卓然有成業矣。將謂更無探討之餘地邪？是又不然。姑分數端言之：甲、古語之研究……乙、古史之左證……丙、文學之意味。……
> 余講《詩》之要旨，務在斟酌舊說，擇善而從，以明《詩》之本義。名物制度，各有專門，未便多及。[4]

黃氏觀察歷代《詩經》學之沿革，指出自清顧炎武（1613-1682）提出「讀九經自考文始，考文自知音始」，由此之後，說經者漸知以《蒼》、《雅》為本，

3　聶崇岐：〈毛詩引得序〉，《毛詩引得》（北平：燕京大學圖書館，1934年），頁1。
4　黃淬伯：《詩經叢詁》，〈卷首〉（北京市：中華書局，2012年9月），頁13-15。

不空談義理。休寧戴震（1724-1777）繼而張之，從學之士，聞其言而悅之，咸能鉤沉發覆，闡明古意。故清代之經術，論者稱為復興時代。[5]而清儒治《詩》，卓然可觀者，在於疏釋、聲韻、異文、輯佚諸類。至於今日，尚且可以補苴清儒不足的，便在於古語之研究、古史之左證、文學之意味三個方面。

黃氏的觀察，適好與傅斯年《詩經講義稿》所說研究《詩經》的三個態度，若合符節。傅氏云：

> 我們去研究《詩經》，應當有三個態度：一、欣賞它的文辭；二、拿它當一堆極有價值的歷史材料去整理；三、拿它當一部極有價值的古代語言學材料書。但欣賞文辭之先，總要先去搜尋它究竟是怎樣一部書。所以，語言學、考證學的工夫，乃是基本工夫。我們承受近代大師給我們訓詁學上的解決，充分的用朱文公等就本文以求本義之態度，於《毛序》、《毛傳》、鄭《箋》中尋求今本《詩經》之原始，於《三家詩》之遺說遺文中得知早年《詩經》學之面目，探出些有價值的早年傳說來，而一切以本文為斷，只拿它當古代遺留的文辭，既不涉倫理，也不談政治，這樣似乎才可以濟事。[6]

洪湛侯《詩經學史》列舉近代流傳較廣、影響較大的《詩經》著作，按「概論」、「訓詁」、「音韻」、「語言文字」、「名物」、「今注」、「今譯」、「鑑賞」、「詩史」、「書評」十類敘列，均未提及黃淬伯《詩經覈詁》，原因是此書晚出，外間尚無版本流傳。然而至於今日，研究黃氏《詩經》學的篇章，也僅僅只有范建華、徐燕合撰的〈黃淬伯詩經覈詁的語義學成就〉一文[7]，顯見黃氏的生平事跡與學術成就，長期為人忽略。本文的目的，即欲就《詩經覈詁》一書，略述黃氏從語文及古代社會觀點，對《詩經》的詮解。

---

[5] 《詩經覈詁》，〈卷首〉，頁11-12。

[6] 傅斯年：《詩經講義稿》，《傅斯年全集》（臺北市：聯經出版事業公司，1980年），頁199-203。

[7] 范建華、徐燕：〈黃淬伯詩經覈詁的語義學成就〉，《中國典籍與文化》2012年第3期（2012年），頁145-149。

二 《詩經覈詁》對字義的解詁

《詩經覈詁》完成於一九四四年，直至二〇一二年，方由北京中華書局出版。黃氏另有《詩傳箋商兌》，為本稿之發凡[8]，惜未見。

《詩經覈詁》全書七卷，卷一自〈周南・關雎〉至〈衛風・木瓜〉，卷二自〈王風・黍離〉至〈豳風・狼跋〉，卷三自〈小雅・鹿鳴〉至〈小雅・巷伯〉，卷四自〈小雅・谷風〉至〈小雅・何草不黃〉，卷五自〈大雅・文王〉至〈大雅・板〉，卷六自〈大雅・蕩〉至〈大雅・召旻〉，卷七自〈周頌・清廟〉至〈商頌・殷武〉。卷首獨立成篇，分論「詩之本質」、「詩之起源及《詩經》之時代」、「《詩》之分類」、「《詩》之體例」、「《詩序》之作者」、「《詩經》學之沿革」等關於《詩經》所應注意之問題。

《詩》在諸經之中，最為難讀。其原因在於文字的晦澀及注解的紛繁。黃氏在疏解《詩經》本體之前，曾撮舉歷代《詩經》研究的特色及弊病，其大要如下：

(一) 兩漢《詩經》學之派別及《毛詩》之傳世

根據《漢書・藝文志》，西漢傳《詩》者，有齊、魯、韓、毛四家。齊、魯、韓三家為今文，皆官學；毛氏為古文，出世較晚，為今文家所排擯，故為私學。四家解《詩》的異同，黃氏認為：《齊詩》頗雜陰陽家言，好言災異；韓嬰說詩，「或取春秋雜說」，不合《詩》的本義。《魯詩》較嚴謹，其遺說見於兩《漢書》及劉向（西元前77-前6年）所著《說苑》、《新序》、《列女傳》中。《毛詩》所言義理，本諸儒說，故能傳世。若就訓詁言，則韓、魯、齊三家，與《毛詩》固有短長。[9]

---

8 黃淬伯：《詩經覈詁》（北京市：中華書局，2012年9月），書前〈題識〉，頁1。

9 黃氏在《詩經覈詁・卷首》對四家詩之評論，錄如下：

按四家治《詩》之精神，《齊詩》頗雜陰陽家言，好言災異。韓嬰推詩人之意，作《內》、《外》傳》數萬言，今所存者，惟《韓詩外傳》六卷。觀其說詩，誠所謂「或取春秋雜說」，不合《詩》之本義也。後漢薛漢，「世習《韓詩》，尤善說災異讖緯」（《後漢書・儒林傳》）。則其

（二）宋人治詩之精神

黃氏認為：南北朝諸儒生，承漢、魏之緒，義疏之學甚盛。其體例在疏解傳注，故其末流，有「寧道孔、孟誤，毋言鄭、服非」，舍本之失。至唐氏，啖助（西元724-770年）、趙匡輩出，遂開舍傳求經之途。宋儒受其影響，不信注疏，馴至疑經，至是經學之風大變。

朱子（1130-1200）作《詩集傳》，疑《序》之非古，解釋《詩》義，雖雜採毛、鄭，而出以己意者甚多。此書傳世久遠，後之學者，幾不識毛、鄭之面目矣。[10]

（三）清儒治《詩》之成績

黃氏認為：清代之經術，皮錫瑞（1850-1908）稱為「復興時代」，洵非過言。清儒治《詩》之卓然可觀者，如胡承珙（1776-1832）《毛詩後箋》三十卷，專宗毛義，凡鄭《箋》之失毛旨者，必求諸本經，博稽他籍，以還其舊。稿凡數易而後定，是書徵引極博，斷制亦謹嚴。馬瑞辰（1782-1853）《毛詩傳

習染，與《齊詩》相同。《魯詩》較嚴謹，其遺說見於兩《漢書》及劉向所著《說苑》、《新序》、《列女傳》中。荀子說《詩》，大都為魯訓所本，其與《齊韓》異趣可知。

今文家之治經，好言微言大義，遠離本宗。古文家則不然，觀後漢之治古文學者，如桓譚、鄭興、劉陶、馬融輩，專明訓詁大義，不廢《蒼》、《雅》，所謂「古文讀應《爾雅》，故解古今語而可知也」（《藝文志‧六藝略‧尚書序略》）。即古文家治經之精神也。而毛氏《詩傳》之特質亦在此。（古文家所言義理，本諸儒說，故能傳世。若就訓詁言，韓、魯、齊三家，與《毛詩》固有短長也。）

自漢以降，《齊詩》魏代已亡，《魯詩》亡於西晉，《韓詩》之亡略後。隋、唐時，惟《毛詩》、鄭《箋》傳世。論者以鄭玄（西元127-200年）為經學大師，負盛譽，《毛詩》之所以不亡者，正以鄭氏申明毛義，以難三家之故。此說是也。然《毛詩》本身，自有其存傳之價值在焉。

以上見《詩經彙詁》，〈卷首〉，頁9-10。黃氏疏解字義，雖大抵以《傳》、《箋》為依歸，但也時時指出三家詩之勝處，如〈小雅‧沔水〉「莫肯念亂，誰無父母」，《毛傳》云：「京師者，諸侯之父母也。」黃氏注云：「陳、馬俱曲徇《傳》義而曲為之說。淬伯祇取陳《疏》引《潛夫論‧釋難篇》『且夫一國盡亂，無有安身。《詩》云「莫肯念亂，誰無父母」，言將皆為害，然有親者，憂將深也。』此蓋三家詩之說，而勝於《毛傳》者多矣。」《詩經彙詁》，卷3，頁257。

10 《詩經彙詁》，〈卷首〉，頁10。

箋通釋》，通釋《傳》、《箋》，以糾孔穎達（西元574-648年）《正義》之失。精通聲訓，時有鑿空之見。陳奐（1786-1863）《詩毛氏傳疏》，明訓詁，詳典制，條理縝密，惟時為《序》義所牽掣。顧炎武（1613-1682）之《詩本音》、孔廣森（1751-1786）之《詩聲類》、段玉裁（1735-1815）之《詩經韻》、王念孫（1744-1832）之《詩經韻譜》，專在探討《詩》之用韻，以明古韻之部類。陳喬樅（1809-1869）《四家詩異文考》、李富孫（1764-1843）《詩經異文釋》，研究《詩》之異文，以明聲義之通借，俱可讀之書。陳壽祺（1771-1834）《三家詩遺說考》、丁晏（1794-1875）《三家詩補注》、馮登府（1783-1841）《三家詩異文疏證》，采集三家佚文，最為緊要。[11]

綜而言之，黃氏認為在歷代《詩經》注疏中，以「《毛傳》、鄭《箋》最為完備，自漢至唐，經生咸遵用之」，但「鄭《箋》與《毛傳》頗多異同，《箋》多有可議處，而《毛傳》之可議處亦多」[12]，「宋儒治經，破陳言之虛妄，其精神至可佩。逞私臆以立說，其牽合附會，亦不能盡愜人意也」。[13]因此，黃淬伯在通觀歷代《詩經》學之沿革後，特別指出「熟玩本文，參驗《傳》、《注》」[14]，及「從語文之觀點，以疏通字義；從古代社會之觀點，以解釋《詩》之背景」[15]等治《詩》之原則。

關於詩文之晦澀難解，林義光《詩經通解》曾說：

> 秦、漢以降，語言文字寖以變易，古書傳寫屢失本真，由是詩無達詁，董生嘆之。其中艱深之文，比之盤誥聱牙，曾不少異。即其號為淺易者，亦或狃於誤解，蘊疑義而不知。蓋三百篇中，傳讀而通曉者，未逮什一，自餘皆晻昧忽荒，莫與洞究。不思而學，祇為面牆，欲有所感發興起，不亦難哉！[16]

11 《詩經叢詁》，〈卷首〉，頁11-13。
12 《詩經叢詁》，〈卷首〉，頁13。
13 《詩經叢詁》，〈卷首〉，頁11。
14 《詩經叢詁》，〈卷首〉，頁13。
15 《詩經叢詁》，〈題識〉，頁1。
16 林義光：〈詩經通解序〉，《詩經通解》（上海市：中西書局，2012年9月），卷首，頁1。

王國維〈與友人論詩書中成語書〉也說：

> 《詩》、《書》為人人頌習之書，然於六藝中最難讀，以弟之愚闇，於
> 《書》所不能解者，殆十之五，於《詩》亦十之一二。此非獨弟所不能
> 解也，漢魏以來諸大師，未嘗不強為之說，然其說終不可通。以是知先
> 儒亦不能解也。[17]

黃淬伯古語、古史研究，受王國維影響甚深。王國維強調，古器物之學與經史
之學相為表裡，藉由字形、字音、字義的推求，及典籍的參互比較，更能夠取
得科學的考據結果。王氏嘗云：

> 書契文字之學，……此新出之史料，在在與舊史料相需。故古文字、古
> 器物之學，與經史之學，實相表裡。惟能達觀二者之際，不屈舊以就
> 新，亦不紬新以從舊，然後能得古人之真，而其言乃可信於後世。[18]

又云：

> 今日通行文字，人人能讀之、能解之。《詩》、《書》、彝器，亦古之通行
> 文字，今日所以難讀者，由今人之知古代，不如知現代之深故也。苟考
> 之史事與制度文物以知其時代之情狀，本之《詩》、《書》以求其文之義
> 例，考之古音以通其義之假借，參之彝器以驗其文字之變化，由此而之
> 彼，即甲以推乙，則於字之不可釋，義之不可通者，必間有獲焉。然後
> 闕其不可知者，以俟後之君子，則庶乎其近之矣。[19]

《詩經嶷詁》中雖然甚少引用新出古文字、古器物等資料，但對於《詩》、

---

[17] 王國維：〈與友人論詩書中成語書〉《觀堂別集》，收入彭林整理：《觀堂集林（外二種）》（石
家莊市：河北教育出版社，2003年11月），卷2，頁32。

[18] 王國維：〈殷墟文字類編序〉，《觀堂別集》，卷4，頁697。

[19] 王國維：〈毛公鼎考釋序〉，《觀堂集林》，卷6，頁145。

《書》中成語的用例，及古字母的通借、通轉、通假諸例，著墨頗多。如〈周南・葛覃〉「葛之覃兮，施于中谷」，黃氏首先徵引馬瑞辰《毛詩傳箋通釋》：「凡《詩》言『中』字在上者，皆語詞。」次引陳奐《詩毛氏傳疏》：「中谷，谷中。此倒句法。『中谷有蓷』同。」而後歸納《詩經》當中，與此句法相同的例句：

> （句法相同例）
> 施于中逵、施于中林
>
> （中字語詞例）
> 中心有違、中心好之、中心藏之、瞻彼中原、于彼中澤、中田有廬[20]

句式相同，則字義解釋也應當一致。黃氏利用此法考察字義，例證甚多。又如〈周南・葛覃〉「言告師氏，言告言歸」，黃氏認為：「『言歸』之『言』，與『言告』之『言』不同義。言告，我告也。言歸，曰歸也。全《詩》『言』字，有在句首為發聲者，有在句中者，為語助，皆不作『我』解。」《詩經》當中的其他例證有：

> （言字在句首例）
> 言告師氏、言刈其楚
>
> （言字在句中例）
> 靜言思之
>
> （言字疊用例）
> 言告言歸
>
> （言與薄並為助句例）
> 薄言采之

---

20 《詩經夒詁》，卷1，頁21。

（我字為助詞例）

我疆我理、我任我輦、我車我牛[21]

〈周南・兔罝〉「肅肅兔罝，施于中林」，馬瑞辰《毛詩傳箋通釋》據《爾雅》
「牧外謂之野，野外謂之林」，因謂「中林」猶云「中野」，與上章「中逵」為
一類。黃氏補充馬氏之說，指出：

（林、野對言例）

林有樸樕，野有死麕（野也死麕）

說于株野，說于株林（株林）[22]

〈邶風・谷風〉「宴爾新婚，不我屑以」，《毛傳》：「屑，絜也。」《箋》：「以，
用也。」馬瑞辰《毛詩傳箋通釋》：「以，猶與也。不我屑以，謂不我肯與，猶
云『莫我肯穀』。此不屑，通為不肯之義。」黃氏則從古代典籍中，歸納「屑」
字有振動、清潔、不安、絜束等義；而「不屑」則有不忍、不肯、不受諸義。

（屑有數義）

振動義　《說文》：「屑，動作切切也。（動作聲）屑聲。」矞，振矞
也。《玉篇》作「振肸」。《說文》：「肸蠁，布也。」振肸者，蓋謂振動
布寫也。通作「偰」，《說文》：「偰，讀若屑。」

清潔義　屑、潔雙聲。

不安義　《方言》：「屑屑，不安也。」又勞也、獪也。

絜束義　〈君子偕老〉：「不屑髢也」。

（不屑有數義）

不忍不能義　《說文》：「忍，能也。」因謂不能、不肯通曰不屑。《孟
子》伯夷「不受也者，是亦不屑就已」，柳下惠「援而止之而止者，是

---

[21] 《詩經叢詁》，卷1，頁22-23。

[22] 《詩經叢詁》，卷1，頁22-23。

亦不屑去已」。伯夷「橫政之所出，橫民之所止，不忍居也」，柳下惠
「與鄉人處，由由然不忍去也」。《史記》「廉頗曰：吾羞，不忍為之
下」，〈蘇秦列傳〉「韓王曰：寡人雖不肖，必不能事秦」。

不肯義　《莊子‧則陽》篇《釋文》：「屑，本亦作肯。」

不受義　《孟子》「蹴爾而與之，乞人不屑也」，不屑即不受。「欲得不
屑不潔之士而與之」即不受不潔之士。[23]

除了重視《詩經》詞語的用例之外，黃氏對於字義的通假也特別關注。《詩經
叢詁》中，時常可見「通」、「通假」、「通借」、「通轉」等字義考證。

1 「通」例

如〈周南‧葛覃〉「薄汙我私」，黃氏注云：

薄，〈芣苢〉「薄言采之」，《傳》：「辭也。」《後漢書‧李固傳》「薄言震
之」，《注》引《韓詩》亦曰「薄，辭也」。

《爾雅》：「魄，間也。」馬氏云：「謂間助之詞。魄即薄字假借。」

《詩‧時邁箋》云：「薄，甫也。甫，始也。」

《太玄注》：「旁薄猶彭魄。」

《文選》李《注》以「旁魄」為「旁礴」。[24]

又如〈周南‧漢廣〉「江之永矣」，黃氏注云：

永、羕、養，通。《傳》：「永，長也。」〈齊侯鎛鐘銘〉「羕保其身」、
「羕保用享」。〈陳逆簠銘〉「子子孫森羕保用」。《夏小正》「時有養
日」、「時有養夜」。[25]

23　《詩經叢詁》，卷1，頁69-70。

24　《詩經叢詁》，卷1，頁23。

25　《詩經叢詁》，卷1，頁33。

2 「通假」例

如〈周南・汝墳〉「惄如調飢」，黃氏注云：

> 惄、懇、愵、㥃
> 《釋文》：「惄，本又作懇。《韓詩》作愵。」《說文》：「愵，憂皃。讀與
> 惄同。」《文選・洞簫賦》李《注》引《蒼頡篇》曰：「㥃憂皃」，《玉
> 篇》引「奴的切」，《一切經音義》十六云：「愵，古文惄、㥃二形。」
> 是也。[26]

又如〈召南・摽有梅〉「摽」字，黃氏注云：

> 作蔈，《漢書・食貨志注》。
> 作莩，趙岐《孟子注》引《詩》。
> 作受，《說文》：「受，物落，上下相付也。讀若《詩》『摽有梅』。」[27]

〈召南・摽有梅〉「迨其謂之」，黃氏注云：

> 謂、會通假。《傳》本《周禮・媒氏》「仲春，令會男女」，以「謂」為
> 「會」之假。「彙」與「謂」，同從胃聲，故「謂」可訓「彙」（見《爾
> 雅・釋木》）。「彙」、「會」義近，故亦相假。[28]

3 「通借」例

如〈周南・汝墳〉「遵彼汝墳」，黃氏注云：

---

26 《詩經叢詁》，卷1，頁35。
27 《詩經叢詁》，卷1，頁48。
28 《詩經叢詁》，卷1，頁49。

墳、坋、濆

《說文》:「墳,墓也。」「坋,一曰大防也。」《方言》:「墳,地大也。青、幽之間,凡土而高且大者謂之墳。」李巡《爾雅注》:「濆謂崖岸,狀如墳墓,名大防也。」是知水厓之濆,與大防之墳為一。汝墳,猶淮濆也。[29]

又如〈召南·野有死麕〉「舒而脫脫兮」,黃氏注云:

舒、舍、虛。《孟子》「舍皆取諸其宮中而用之」,舍亦語詞。《爾雅》:「虛,間也。」間即語詞。「虛」即「舒」之假借,〈北風〉「其虛其邪」,假「虛」為「舒徐」之「舒」。[30]

又如〈召南·何彼襛矣〉「襛」字,黃氏注云:

襛,《傳》:「襛,猶戎戎也。」从農之字,多有厚義。農,《玉篇》:「農,厚也。」襛,《說文》:「衣厚貌。」醲,《說文》:「酒厚貌。」濃,《說文》:「露之厚也。」

戎戎、茸茸、芮芮。《左傳》「狐裘尨戎」,即《詩》「狐裘蒙戎」。《說文》:「茸,草茸茸皃。」《說文》:「芮芮,草生貌。」段玉裁云:「芮芮與茷茷雙聲,柔細之狀。」[31]

4 「通轉」例

如〈召南·采蘩〉「于以采蘩」,黃氏注云:

蘩,《傳》:「皤蒿也。」馬氏云:「白蒿曰蘩,猶白鼠謂之鼵,馬之白臇

---

[29] 《詩經叢詁》,卷1,頁34。
[30] 《詩經叢詁》,卷1,頁52。
[31] 《詩經叢詁》,卷1,頁52。

謂之繁鬵也。蘩一名由胡，一名蘩母，一名旁勃。《夏小正傳》：『蘩，由胡。由胡者，蘩母也。蘩母者，旁勃也。』（喉唇轉紐。）

《廣雅》：「蘩母，荺勃也。」《疏證》云：「蘩、母疊韻也。荺、勃雙聲也。」淬伯以為「蘩母」、「荺勃」，一聲之轉，亦作「彭勃」。《太平御覽》引《神仙服食經》：「十一月採彭勃。」彭勃，白蒿也。[32]

又如〈召南・燕燕〉「以勗寡人」，黃氏注云：

勗，《傳》：「勉也。」

《禮記・坊記》引《詩》「以畜寡人」。勗，《毛詩》。畜，《韓詩》、《列女傳》引。

孝，《禮記・祭統》：「孝者，畜也。」《韓詩》：「畜，孝也。」

好，《孟子》：「畜君者，好君也。」《釋名》：「孝，好也。」善事父母曰孝，通言善亦曰孝。[33]

又如〈邶風・谷風〉「凡民有喪，匍匐救之」，黃氏注云：

匍匐，《傳》：「言盡力也。」《說文》「匍，手行也」、「匐，伏地也」。

扶服，〈檀弓〉引《詩》、《漢書・谷永傳》。

蒲服，昭十三年《左氏傳》「奉壺飲冰以蒲服焉」，《史記・蘇秦傳》「嫂委蛇蒲服」，〈范睢傳〉「膝行蒲服」。

蒲伏，《史記・淮陰侯傳》「俛出袴下蒲伏」。

扶伏，昭二十一年《左氏傳》「射之折肱扶伏而擊之」。

匍百，〈秦和鐘銘〉「匍百四方」。[34]

---

32 《詩經叢詁》，卷1，頁39。
33 《詩經叢詁》，卷1，頁60。
34 《詩經叢詁》，卷1，頁70。

林尹《文字學概說》云：「古文及經典古字，因為聲近義通的緣故，往往本字現存，偏不用本字，而用同音的假借字。學者改本字讀它，就怡然理順。照借字讀它，卻以文害辭。」[35]前引林義光《詩經通解》說：「秦、漢以降，語言文字寖以變易，古書傳寫屢失本真，由是詩無達詁，董生嘆之。其中艱深之文，比之盤誥聱牙，曾不少異。」很大的原因，便是通假的情況太多所造成。黃氏能關注到文字的通假，並特別加以標注闡釋，是《詩經覈詁》最大的特點。唯一的問題是分類過細，反而使得讀者無法理解。

一般來說，假借大致可分為同音通假，雙聲通假和疊韻通假。黃氏區分為「通」、「通假」、「通借」、「通轉」數類，各類之中的介域，欠缺嚴謹的說明，有些例子甚至彼此混雜。如〈召南・采蘩〉「蘩母」、「蒡葧」，一聲之轉（喉唇轉紐），亦作「彭勃」，列為「通轉」；而〈周南・葛覃〉「旁魄」猶「旁礴」，同為一聲之轉（喉唇轉紐），卻歸入「通」例。

又如〈召南・鵲巢〉「維鳩居之」，黃氏注云：

> 鳩，《傳》：「鳲鳩，秸鞠也。」
> （通假）
> 鞹、乾、䳒
> 「乾鵲，知來而不知往」，《淮南子》。「䳒鵲知來」，鄭注〈大射儀〉引。「鷽，鞹鷽，山鵲，知來事鳥也」，《說文》。
> 鳲鳩，《爾雅》：「鳲鳩，鴶鵴。」郭《注》：「今之布穀也。」焦循《毛詩補疏》云：「崔豹《古今注》云：鳲鳩，一名尸鳩。」鳲鳩，今之八哥。
> 鳲鳩，一名秸鞠。
> 鴶鵴，《爾雅》。
> 鴶鵴，《說文》。
> 結誥，《方言》：「自關而東，西梁楚之間，謂之結誥。」

---

35 林尹：《文字學概說》（臺北市：正中書局，1990年7月），頁184。

擊穀，《方言》：「周魏之間，謂之擊穀。」

秸鵴，《爾雅》邢《疏》引《義疏》。

穫穀，《爾雅》郭《注》。

搏穀，〈月令〉鄭《注》。

喉、唇聲轉

秸鞠之轉為布穀，鞠合口之影，秸鞠作擊穀，尾由 t 而 k，暗性頗強。

（通轉）

鳲鳩，鵠鵴。崔豹以鳲鳩為鳲鳩，與《爾雅》、《毛傳》以鳲鳩為鵠鵴

合。[36]

此例「通假」與「通轉」的介域也難以分判，這部分將留待日後再進行討論。

三 《詩經覈詁》對《詩》義的詮解

（一）關於《詩序》的作者

民國初年以來，《詩序》的地位受到空前的質疑，張西堂（1901-1960）
〈詩辨妄序〉總結諸家論《詩序》在詩旨闡釋上的疑誤，共計十大缺點，證明
《詩序》為村野妄人所作，包括：雜取傳記、傅會書史、不合情理、妄生美
刺、強立分別、自相矛盾、曲解詩意、誤用傳說、望文生義、疊見重複。[37]當
此之時，雖仍有堅持《毛詩》之序，具有淵源，斷不可廢的觀點，但在《詩
序》作者的問題上，幾乎一致主張為東漢衛宏所作。其中，顧頡剛在《責善》
半月刊二卷十一期「學術通訊」欄中的識語，最具代表性。顧氏指出：

> 毛公作《詩故訓傳》，而於《序》獨無注，是其書無《序》之證也。《史
> 記》不載有《毛詩》，遑論《毛詩序》。《漢書・藝文志》於向、歆《七

---

[36] 《詩經覈詁》，卷1，頁38-39。

[37] 張西堂：〈詩辨妄序〉，載顧頡剛輯點：《詩辨妄》（北平市：樸社，1933年），卷首，頁8-11。

略》有《毛詩》及《毛詩故訓傳》，亦不謂有《毛詩序》。是西漢時，
《毛詩》無《序》之證也。《後漢書・衛宏傳》曰：「九江謝曼卿善《毛
詩》，……宏從曼卿受學，因作《毛詩序》，善得風雅之旨，於今傳於
世。」謂為「作《毛詩序》」，是《序》固作於衛宏也；謂為「於今傳於
世」，是宏《序》即東漢以來共見共讀之《序》也。漢代史文不謂有他
人作《毛詩序》，而獨指為衛宏作，且謂衛宏即傳世之本，其言明白如
此。顧皆不肯信，而必索之於冥茫之中，是歷代經師之蔽也。[38]

黃氏亦主張《詩序》為衛宏所作，云：「按《詩》學之傳統，自子夏五傳至孫
卿，孫卿授毛亨，毛亨授毛萇，此〈大〉、〈小序〉指名子夏作、毛公作之所據
也。其果為二人所做，則不能認為實證。《後漢書・儒林傳》謂衛宏作《毛詩
序》，事實可信耳。」[39]黃氏所根據的論點，和上述顧頡剛引《後漢書・衛宏
傳》「九江謝曼卿善《毛詩》，……宏從曼卿受學，因作《毛詩序》，善得風雅
之旨，於今傳於世」，同出一轍。

（二）《詩經覈詁》對詩旨的詮釋

既然《詩序》出自東漢衛宏之手，則《序》說與《詩》之間應如何看待？
黃氏認為：

衛宏生東漢之初，各篇之序，指明《詩》之本事與作者，乃漢儒影射之
說，寧能與《詩》之本旨相契，故朱子作《詩集傳》，即廢《序》不
用，蓋謂「讀者轉相尊信，無敢擬議，至於有不通，則必為之委曲遷
就，穿鑿而附合之，寧使經之本文繚戾破碎，不成文理」。（《詩序辯
說》。）是據《序》以釋《詩》，轉使《詩》之本義不明，則《序》者適
為治《詩》之障也。

---

38 見〈學術通訊：（二）論詩序之作者〉，《責善》第2卷11期（1941年8月），頁24。
39 《詩經覈詁》，卷首，頁8。

《序》說乃漢儒影射之說，解《詩》時自不可承用。黃氏廢《序》的立場，十分鮮明。拋棄《詩序》的障礙之後，如何正確理解詩義？黃氏主張從古代社會之觀點，以解釋詩之背景。《詩經蘦詁》中，明確標舉以社會觀點解說詩義的，略有以下數例：

一、〈周南‧樛木〉「樂只君子，福履將之」。

　　黃氏認為此句與後代士族有關，並指出君子在社會上的身分，須以研究。本詩代表貴族之詩。[40]

二、〈周南‧螽斯〉「螽斯羽，薨薨兮，宜爾子孫繩繩兮」。

　　黃氏注云：「宗法社會代表多子的封建意識。」[41]

三、〈周南‧漢廣〉三章「翹翹錯薪，言刈其蔞。之子于歸，言秣其駒。漢之廣矣，不可泳思。江之永矣，不可方思。」

　　黃氏注云：「此詩與〈關雎〉合看，恐皆出於小所有之自由階層者之作。淬伯細讀此詩，當從社會之階級性認辨，較《傳》、《箋》本貞淫之觀點以解釋者，親切多多。」[42]

四、〈周南‧麟之趾〉序「〈麟之趾〉，〈關雎〉之應也。關雎之化行，則天下無犯非禮，雖衰世之公子，皆信厚如麟趾之時也。」

　　黃氏注云：「此詩與〈螽斯〉同義，亦代表封建貴族之詩。」[43]

五、〈邶風‧靜女〉三章「彤管有煒，說懌女美」。

　　《毛傳》：「古者后夫人必有女史彤管之法。……后妃群妾以禮御於君所，女史書其日月，授之以環，以進退之。生子月辰，則以金環退之。當御者，以銀環進之，著於左手。既御，著於右手。事無大小，記以成法。」

　　鄭《箋》：「彤管，筆赤管也。」

　　黃氏注云：「淬伯以為彤管從丹，有赤義。管讀為菅，菅與次章荑，蓋同

---

[40] 《詩經蘦詁》，卷1，頁26。

[41] 《詩經蘦詁》，卷1，頁28。

[42] 《詩經蘦詁》，卷1，頁34。

[43] 《詩經蘦詁》，卷1，頁36。

物而異名。是詩以平民社會為背景，毛說彤管之義，與此詩無涉。」[44]

六、〈秦風・黃鳥〉序「哀三良也。國人刺穆公以人從死，而作是詩也。」

鄭《箋》：「三良，……謂奄息、仲行、鍼虎。從死，自殺以從死。」

黃氏注云：「《左》文六年《傳》：『秦伯任好卒，以子車氏之三子奄息、仲行、鍼虎為殉，皆秦之良人也。國人哀之，為之賦《黃鳥》。』南美洲土人並無宗教信仰，他們也用一些東西去伴葬。這就說明靈魂信仰是普遍的。」[45]

七、〈小雅・斯干〉序「宣王考室也」。

鄭箋：「考，成也。德行國富，人民殷眾，而皆佼好，骨肉和親。宣王於是築宮廟群寢，既成而釁之，歌〈斯干〉之詩以落之，此之謂成室。宗廟成，則又祭祀先祖。」

黃氏注云：「宗法社會之特性，在承先紹後，宗系綿延。」[46]

八、〈小雅・無羊〉序「宣王考牧也」。

陳疏：「〈斯干〉營室，〈無羊〉畜牧，皆是宣王遭亂中興，國家殷富也。」

黃氏注云：「農牧社會生活之一面。」[47]

黃氏並非是從社會學觀點詮釋詩義的第一人，對於社會學理論的闡述也並不深入，但黃氏在運用社會學角度詮釋詩義時，是相對縝密的。如〈周南・關雎〉「窈窕叔女，琴瑟友之」，胡適在〈論野有死麕書〉一文中曾說：

〈野有死麕〉一詩，最有社會學上的意味。初民社會中，男子求婚于女子，往往獵取野獸與女子，女子若收其所獻，即是允許的表示。此俗至今猶存于亞洲、美洲的一部分民族之中。此詩第一、第二章，說那用白茅包著的死鹿，正是吉士誘佳人的贄禮也。又南歐民族中，男子愛上了

---

44 《詩經覈詁》，卷1，頁81。

45 《詩經覈詁》，卷2，頁180。

46 《詩經覈詁》，卷3，頁263。

47 《詩經覈詁》，卷3，頁266。

女子，往往攜一大提琴，至女子的窗下，彈琴唱歌以挑之。吾國南方民族中，亦有此風。我以為〈關雎〉一詩的「琴瑟友之」、「鐘鼓樂之」，亦當作「琴挑」解。舊說固謬，作新婚詩解，亦未為得也。「流之」、「求之」、「芼之」等話，皆足助證此說。[48]

胡適根據南歐民族中，男子追求女子，往往彈琴唱歌以挑之，認為〈關雎〉詩中的「琴瑟友之」、「鐘鼓樂之」，也應該當作「琴挑」解。黃氏不表贊同，反駁說：

> 胡適論〈野有死麕〉及〈關雎〉，據民俗學以解「琴瑟友之」等句，有「琴挑」的用意。君子、淑女、琴瑟、鐘鼓諸詞，與平民生活式樣不合——曲解。[49]

由此可見，黃氏對於以民俗學來詮解《詩經》的態度，比起胡適更為審慎嚴謹。

除了上述諸例之外，鮮少再能見到所謂「從古代社會之觀點，以解釋詩之背景」。事實上，《詩經叢詁》對三百五篇的篇義，並沒有清楚的說明。近代疏解《詩經》的著作，一般都會在詩題之下，或者詩文之後，注明篇旨。《詩經叢詁》標注篇旨，沒有固定的位置，有的在詩題之下，有的在篇章之中，有些在全詩之末，雜亂無序。

列在詩題之下的有：

一、〈周南·葛覃〉

《序》：「后妃之本也。后妃在父母家，則志在於女功之事，躬儉節用，服澣濯之衣，尊敬師傅，則可以歸安父母，化天下以婦道也。」[50]

---

[48] 胡適：〈論野有死麕書〉，《古史辨》（臺北市：藍燈文化事業公司，1993年），第3冊下編，頁442-443。

[49] 《詩經叢詁》，卷1，頁20。

[50] 《詩經叢詁》，卷1，頁20。

二、〈邶風‧燕燕〉

《序》:「衛莊姜送歸妾也。」《箋》:「莊姜無子,陳女戴媯生子名完,莊姜以為己子。莊公薨,完立,而州吁殺之。戴媯於是大歸,莊姜遠送之于野,作詩見己志。」[51]

三、〈召南‧鵲巢〉

《序》:「夫人之德也。國君積行累功以致爵位,夫人起家而居有之,德如鳲鳩,乃可以配焉。」陳《疏》:「古人嫁娶,在霜降後,冰泮前,故詩人以鵲巢設喻。」[52]

四、〈周南‧芣苢〉

《序》:「后妃之美也。和平則婦人樂有子矣。」《列女傳‧貞順篇》:「蔡人之妻者,宋人之女也。既嫁於蔡,而夫有惡疾,其母將改嫁之,……女終不聽,其母乃作〈芣苢〉之詩。」(此詩可視為勞動者勞作時之歌詞。)[53]

五、〈邶風‧二子乘舟〉

《序》:「思伋、壽也。衛宣公之二子,爭相為死,國人傷而思之,作是詩也。」《新序》所記之事,與《傳》異。(是詩或送人之作。)[54]

六、〈周南‧汝墳〉

《序》:「道化行也。文王之化,行乎汝墳之國,婦人能閔其君子,猶勉之以正也。」淬伯按:參合《列女傳》所言,《毛傳》與之合。《列女傳》本之《韓詩》,此今古文說《詩》意之相同處。(崔述以為指驪山亂亡之事。)[55]

七、〈召南‧何彼襛矣〉

《序》:「美王姬也。雖則王姬,亦下嫁於諸侯,車服不繫其夫,下王后一等,猶執婦道,以成肅雝之德也。」此為桓王以後之詩。據《魯詩說》,則此詩作於東周初年。陳《疏》:「賈公彥《儀禮疏》引鄭《箋膏肓》『齊侯嫁女,乘其母王姬始嫁時車送之。』《鄭志》答張逸以為《魯詩》。是《魯詩》以此為

---

[51] 《詩經藁詁》,卷1,頁58。
[52] 《詩經藁詁》,卷1,頁38。
[53] 《詩經藁詁》,卷1,頁30。
[54] 《詩經藁詁》,卷1,頁83。
[55] 《詩經藁詁》,卷1,頁34。

齊侯嫁女之詩。然詩何以得編於〈召南〉歟？」[56]

列於篇中的有：

一、〈檜風‧素冠〉「庶見素冠兮，棘人欒欒兮，勞心慱慱兮」。

《傳》：「慱慱，憂勞也。」

黃氏注云：「素冠、素衣、素韠決非喪服之意，細審詩意，當是在野者所衣之服。詩人憫政不能舉賢而用之，故為慱慱也。」[57]

二、〈曹風‧蜉蝣〉一章「蜉蝣之羽，衣裳楚楚。心之憂矣，於我歸處」。

黃氏注云：「此亦失時之賢人，感傷而作也。」[58]

列於全篇之末的有：

一、〈周南‧卷耳〉「我僕痡矣，云何吁矣」。

黃氏注云：「此詩為武士出征，其眷屬懷念其夫之詩。」[59]

二、〈召南‧騶虞〉「彼茁者蓬，壹發五豵，于嗟乎騶虞」。

黃氏注云：「淬伯取三家詩說，以騶虞為掌鳥獸之官，詩意贊嘆此虞人田獵獲獸之多耳。」[60]

三、〈王風‧大車〉「縠則異室，死則同穴。謂予不信，有如噭日」。

黃氏注云：「按此詩亦為女性愛戀武士之作。……淬伯細味此詩作意，《毛序》之說，出於附會，不可依信。如從詩之末章四語，用《列女傳》之釋義解釋之，則為閨人望夫之作，所謂衣毳衣者，即其丈夫也。《衛風‧伯兮》『伯兮執殳，為王前趨』，與〈大車〉衣毳衣之人，同為服公役之武士。此種武士，久役不歸，在〈伯兮〉篇二、三、四章，僅道其思念之殷，而至於痛心疾首。在〈大車〉，則出以怨望之情，而切望其夫在積威之下，潛奔來歸，生時異處，不如死時同穴也。」[61]

四、〈鄭風‧將仲子〉末章「將仲子兮，無逾我園，無折我樹檀。豈敢愛之？畏人之多言。仲可懷也，人之多言，亦可畏也。」

---

[56] 《詩經疊詁》，卷1，頁52。

[57] 《詩經疊詁》，卷2，頁195。

[58] 《詩經疊詁》，卷2，頁197。

[59] 《詩經疊詁》，卷1，頁25。

[60] 《詩經疊詁》，卷1，頁54。

[61] 《詩經疊詁》，卷2，頁122。

黃氏引馬瑞辰《毛詩傳箋通釋》云：「首章取興於杞者，蓋以杞木之本，大而難伐，喻段之大而難制。二章《傳》云：『桑，木之眾也。』蓋以喻段之得眾。三章檀為彊韌之木，以喻段之恃彊。」自注云：「淬伯甚佩馬氏疏解滯義，每多創見，而釋詩之意，仍未免為毛說所蒙，舊說之未易破除也如此。」[62]

從上述所引篇義出現的位置，及引文的形式來看，黃淬伯對於各篇詩旨的詮解，大致有以下幾種方式和看法：

一、贊同《詩序》

如〈齊風・敝笱〉，《詩經叢詁》在詩題之後，首先徵引《序》說：「刺文姜也。齊人惡魯桓公微弱，不能防閑文姜，使至淫亂，為二國患焉。」接著黃氏自注云：「主《序》說。」並引陳奐《詩毛氏傳疏》：「〈南山〉、〈載驅〉，皆以齊子為文姜。……考桓三十年《春秋》書，齊侯送姜氏于讙。齊侯，僖公也。桓以弒兄篡國，求昏于齊，而文姜又為僖公寵女，親送之讙，嫁從之盛，驕伉難制。魯為齊弱，由來者漸。及至桓十八年文姜如齊，與襄公通，桓即斃於彭生之手。」[63]

又如〈陳風・株林〉，《詩經叢詁》引《詩序》說：「刺靈公也。淫乎夏姬，驅馳而往，朝夕不休息焉。」而後接引朱熹的說法：「〈陳風〉獨此篇為有據。」[64]

類似這樣直接注明「主《序》說」、「獨此篇為有據」的例子，《詩經叢詁》中實不多見。《詩經叢詁》最常見的，是在詩題後直接鈔錄《詩序》原文，且不加任何說明。這種情況，是否意味著黃氏認同《毛詩序》？實在難以判定。

二、援引他書補苴《詩序》之說

如〈邶風・式微〉，《詩序》云：「黎侯寓于衛，其臣勸以歸也。」《詩經叢詁》引陳奐《詩毛氏傳疏》「衛宣公之世，黎遭狄人迫逐，出寓於衛，衛即置諸東地為寓公。中露、泥中，是即所寓二邑也」[65]，補充說明黎侯寓於衛時，

---

[62] 《詩經叢詁》，卷2，頁124。

[63] 《詩經叢詁》，卷2，頁146。

[64] 《詩經叢詁》，卷2，頁191。

[65] 《詩經叢詁》，卷1，頁72。

所居之地為中露、泥中二邑。

又如〈秦風‧車鄰〉，《詩序》云：「美秦仲也。秦仲始大，有車馬、禮樂、侍御之好焉。」秦仲，《傳》、《箋》無釋。《史記‧秦本紀》載：「秦仲立三年，周厲王無道，諸侯或叛之。西戎反王室，滅犬丘大駱之族。周宣王即位，乃以秦仲為大夫，誅西戎，西戎殺秦仲。秦仲立二十三年，死於戎。」陳奐《詩毛氏傳疏》引《史記》此文，黃氏又引陳《疏》以申釋《序》說。[66]

又如〈秦風‧黃鳥〉，《詩序》云：「哀三良也。國人刺穆公以人從死，而作是詩也。」黃氏引鄭《箋》「三良，謂奄息、仲行、鍼虎也。從死，自殺以從死」，說明三良指的是奄息、仲行、鍼虎三人。又引《左傳》文公六年「秦伯任好卒，以子車氏之三子奄息、仲行、鍼虎為殉，皆秦之良人也，國人哀之，為之賦〈黃鳥〉」，為《詩序》之說尋得史料記載之證明。[67]

三、不從《詩序》，另採他說

如〈邶風‧雄雉〉，《序》云：「刺衛宣公也。淫亂不恤國事，軍旅數起，大夫久役，男女怨曠，國人患之，而作是詩。」黃氏注云：「《集傳》以為婦人思其君子久役於外而作。」[68]

又如〈邶風‧靜女〉，《序》云：「刺時也。衛君無道，夫人無德。」黃氏注云：「朱子以此詩為淫奔期會之詩。」[69]

又如〈齊風‧雞鳴〉，《序》云：「思賢妃也。哀公荒淫怠慢，故陳賢妃貞女夙夜警戒相成之道焉。」黃氏注云：「《韓說》：『雞鳴，刺讒人也。』〈小雅‧青蠅〉『營營青蠅，止于樊。豈弟君子，無信讒言。』」[70]

又如〈齊風‧東方之日〉，《序》云：「刺衰也。君臣失道，男女淫奔，不能以禮化也。」黃氏注云：「朱子說男女淫奔之詩。」[71]

又如〈唐風‧綢繆〉，《序》云：「刺晉亂也。國亂，則昏姻不得其時

---

[66] 《詩經叢詁》，卷2，頁172。

[67] 《詩經叢詁》，卷2，頁180。

[68] 《詩經叢詁》，卷1，頁65。

[69] 《詩經叢詁》，卷1，頁80。

[70] 《詩經叢詁》，卷2，頁139。

[71] 《詩經叢詁》，卷2，頁142。

焉。」黃氏注云:「魏源說:此蓋亂世憂昏姻之難常聚,而非刺昏姻之不得時。若曰:此何世何時,而乃相逢相聚首乎?」[72]

又如〈鄭風・羔裘〉,《序》云:「刺時也。晉人刺其在位,不恤其民也。」黃氏注云:「王質謂此詩朋友切責之辭。」[73]

又如〈秦風・蒹葭〉,《序》云:「刺襄公也。未能用周禮,將無以固其國焉。」黃氏注云:「朱子攻序之鑿,甚是。」[74]

又如〈陳風・東門之楊〉,《序》云:「刺時也。昏姻失時,男女多違。親迎,女猶有不至者也。」黃氏注云:「朱子云:此亦男女期會,而有負約者。」[75]

又如〈陳風・防有鵲巢〉,《序》云:「憂讒賊也。宣公多信讒,君子憂懼焉。」黃氏注云:「朱子謂此男女有私,而憂或間之之辭。」[76]

又如〈陳風・月出〉,《序》云:「刺好色也。在位不好德,而說美色焉。」黃氏注云:「朱子云:此亦男女相悅而相念之辭。」[77]

又如〈檜風・隰有萇楚〉,《序》云:「疾恣也。國人疾其君之淫恣,而思無情慾者也。」黃氏注云:「朱子謂政煩賦重,不堪其苦,歎其不如草入之無知也。」[78]

又如〈豳風・九罭〉,《序》云:「美周公也。周大夫刺朝廷之不知也。」黃氏注云:「朱子謂〈伐柯〉、〈九罭〉二詩,東人喜周公之至,而願其留之也。《序》說皆非。」[79]

四、不主一家,自下己意

如〈邶風・匏有苦葉〉,《序》云:「刺衛宣公也。公與夫人,並為淫亂。」黃氏注云:「淬伯以為,此詩在禮教森嚴之時,婚姻不能自由,作此以

[72] 《詩經叢詁》,卷2,頁164。
[73] 《詩經叢詁》,卷2,頁166。
[74] 《詩經叢詁》,卷2,頁177。
[75] 《詩經叢詁》,卷2,頁188。
[76] 《詩經叢詁》,卷2,頁189。
[77] 《詩經叢詁》,卷2,頁190。
[78] 《詩經叢詁》,卷2,頁195。
[79] 《詩經叢詁》,卷2,頁215。

訴說如何以求婚配耳。」[80]

又如〈邶風‧谷風〉，《序》云：「刺夫婦失道也。」黃氏注云：「淬伯以為，此與後世棄婦吟之類也。」[81]

又如〈邶風‧二子乘舟〉，《序》云：「思伋、壽也。衛宣公之二子，爭相為死，國人傷而思之，作是詩也。」黃氏注云：「《新序》所記之事，與《傳》異。是詩或送人之作。」[82]

又如〈衛風‧碩人〉，《序》云：「閔莊姜也。莊公惑於嬖妾，使驕上僭，莊姜賢而不答，終以無子，國人閔而憂之。」黃氏注云：「淬伯以為，此詩描寫一貴族女子出嫁之盛，及其色之美麗。碩人，猶淑人。」[83]

又如〈魏風‧伐檀〉，《序》云：「刺貪也。在位貪鄙，無功而受祿，君子不得進仕爾。」黃氏注云：「伐檀，傷賢者之退隱，小人在位，而德澤無聞。」[84]

又如〈秦風‧駟驖〉，《序》云：「美襄公也。始命，有田狩之事，園囿之樂焉。」黃氏注云：「田獵園囿之樂，乃秦之風俗如此，不必曰美襄公也。」[85]

又如〈豳風‧七月〉，《序》云：「陳王業也周公遭變故陳后稷先公風化之所由致王業之艱難也。」黃氏注云：「〈七月〉，描寫豳地公田之農奴生活。此詩須參考《國語‧周語二》定王使單襄公聘于宋節。」[86]

又如〈小雅‧鴻雁〉，《序》云：「美宣王也。萬民離散，不安其居，而能勞來還安定集之，至於矜寡，無不得其所焉。」黃氏注云：「有司振恤窮民，劬勞在野，而詩人歌之。」[87]

又如〈小雅‧庭燎〉，《序》云：「美宣王也，因以箴之。」黃氏注云：「歌

---

[80] 《詩經疊詁》，卷1，頁66。
[81] 《詩經疊詁》，卷1，頁68。
[82] 《詩經疊詁》，卷1，頁83。
[83] 《詩經疊詁》，卷1，頁103。
[84] 《詩經疊詁》，卷2，頁157。
[85] 《詩經疊詁》，卷2，頁173。
[86] 《詩經疊詁》，卷2，頁203。
[87] 《詩經疊詁》，卷3，頁255。

咏君王之視朝勤政。」[88]

又如〈小雅・沔水〉，《序》云：「規宣王也。」黃氏注云：「憫亂之詩。」[89]

又如〈小雅・鶴鳴〉，《序》云：「誨宣王也。」黃氏注云：「求賢輔政之作。」[90]

又如〈小雅・祈父〉，《序》云：「刺宣王也。」黃氏注云：「傷戰亂之詩。」[91]

又如〈小雅・白駒〉，《序》云：「大夫刺宣王也。」黃氏注云：「時亂政危，賢者遠遁。」[92]

又如〈小雅・黃鳥〉，《序》云：「刺宣王也。」黃氏注云：「傷時之作。」[93]

又如〈小雅・我行其野〉，《序》云：「刺宣王也。」黃氏注云：「社會之綱紀隳積，夫婦失道。」[94]

黃氏對於詩義的詮解，大抵略如上述。有些篇章，眾說紛紜，無法判定詩義究竟是何所指。黃氏的做法，是將各家說法逐一列舉，不加說明。如〈王風・黍離〉，《詩序》云：「閔宗周也。周大夫行役，至于宗周，過故宗廟宮室，盡為禾黍。閔周室之顛覆，徬徨不忍去，而作是詩也。」三家詩與《毛詩序》說迥異，於是黃氏在《詩序》下，又分別徵引各家的說法：

陳《疏》：「此詩以為伯封作。」——《韓詩》說，見《太平御覽》。

「昔尹吉甫信後妻之讒，而殺孝子伯奇，其弟伯封求而不得，作〈黍離〉之詩」——同上。

「魏文侯封大子擊於中山，趙倉唐見文侯，文侯曰：『子之君何業？』倉唐曰：『業《詩》。』文侯曰：『於詩何好？』倉唐曰：『好〈晨風〉、

---

[88] 《詩經嫠詁》，卷3，頁256。

[89] 《詩經嫠詁》，卷3，頁257。

[90] 《詩經嫠詁》，卷3，頁258。

[91] 《詩經嫠詁》，卷3，頁259。

[92] 《詩經嫠詁》，卷3，頁260。

[93] 《詩經嫠詁》，卷3，頁261。

[94] 《詩經嫠詁》，卷3，頁262。

〈黍離〉。』」——劉向《說苑・奉使篇》。
《新序・節士篇》又以為衛宣公子壽閔其兄見害而作。[95]

有些篇章，《詩序》所說詩旨沒有疑義，有疑義的是，當中指射的人物，難以
確定。黃氏便會根據史料，逐一檢視考證。如〈召南・甘棠〉，《詩序》云：
「美召伯也。召伯之教，明於南國。」舊說皆以召伯為召康公奭，陸侃如則定
為宣王時征南淮夷之召穆公虎。黃氏認為，《詩》所稱召伯，必非武王所封之
召伯，且以《詩》之本體觀之，亦非周初之作品。其考證如下：

> 《漢書・王吉傳》、《說苑・貴德篇》、《法言・先知篇》、《白虎通義・對
> 公侯篇》及〈巡守篇〉並引此詩，為召公作，二伯分陝，述職，聽斷獄
> 訟，後世思而歌詠之，則〈甘棠〉作於武王之世矣。此三家說。
> 左昭二年《傳》：「晉韓宣子來聘，武子（季）遂賦〈甘棠〉。」襄十四
> 年《傳》：「晉士鞅曰：武子之德在民，如周人之思召公焉。」此皆
> 《傳》義之所出也。《傳》：「國人被其德，說其化，思其人，敬其樹。」
> 《箋》：「召伯，姬姓，名奭，食采於召，作上公，為二伯，後封于燕。
> 此美其為伯之功，故言伯云。」《穀梁傳》：「燕，周之分子也。」皇甫
> 謐以《詩》召伯為文王之庶子，蓋本於此。
> 《史記・燕世家》：「武王滅紂，封召伯於北燕。」此與《毛序》所稱南
> 國，實風馬牛不相及也。《詩》所稱召伯，必非武王所封之召伯，且以
> 《詩》之本體觀之，亦非周初之作品。[96]

皮錫瑞（1850-1908）〈論詩比他經尤難明其難明者有八〉一文中說：

> 詩本諷喻，非同質言。前人既不質言，後人何從推測？就詩而論，有作
> 詩之意，有賦詩之意。鄭君云：「賦者，或造篇，或述古。」故詩有正

---

[95] 《詩經叢詁》，卷2，頁114。
[96] 《詩經叢詁》，卷2，頁43。

義，有旁義，有斷章取義。以旁義為正義則誤，以斷章取義為本義尤
誤。是其義雖並出於古，亦宜審擇，難盡遵從，此詩之難明者一也。[97]

《詩經叢詁》中，也有類似的慨嘆。如〈鄭風・溱洧〉，《詩序》云：「刺亂
也。兵革不息，男女相棄，淫風大行，莫之能救焉。」而《呂氏春秋・本生
篇》高誘《注》則云：「鄭國淫辟，男女私會於溱洧之上，有絢盼之樂，勺藥
之和。」高誘的說法，認為〈溱洧〉反映了鄭國男女於水濱遊觀相悅之習俗，
而《詩序》之說，根據范處義《詩補傳》的看法，詩旨主要在於刺時代和兵革
之亂，而非刺風俗之淫亂。范氏云：

> 〈出其東門〉、〈野有蔓草〉、〈溱洧〉三詩之序，皆明言男女或相棄，或
> 失時，由於兵革，而〈溱洧〉謂莫之能救。然則欲救鄭之亂者，當以偃
> 兵息民為先，不可誣也。[98]

高《注》與《詩序》的觀點迥然不同。黃氏同時徵引了《詩序》及《呂氏春
秋・本生篇》高誘《注》的說法，而後自注云：「讀詩之困難，作者與詩之本
事，茫然難知，雖涵咏咀味，知其大略，而曲隱之處，終不易通曉。」[99]黃氏
此言，可與皮錫瑞〈論詩比他經尤難明其難明者有八〉一文相互參驗。

四　結語

　　《詩經叢詁》完成於一九四四年，直至二○一二年，才得以印行出版。斯
文未喪，幸何如之。范建華、徐燕在〈黃淬伯詩經叢詁的語義學成就〉一文
中，評論說：「黃淬伯的《詩經叢詁》，繼承了《詩經》傳統訓詁中經過檢驗證

---

[97] 皮錫瑞：〈論詩比他經尤難明其難明者有八〉，《經學通論》（北京市：中華書局，1954年10
月），頁1。

[98] 范處義：《詩補傳》（臺北市：臺灣商務印書館，1986年影印《文淵閣四庫全書》本），卷7，
頁27-28。

[99] 《詩經叢詁》，卷2，頁138。

明是正確的內容，繼承了樸學求真求實、無徵不信、博徵求通的優良傳統，借助豐富的古文獻資料、考古資料，研究古文字音義演變及通假，在二十世紀前期提高了傳統訓詁學的水平，為《詩經》學的發展作出了重大的貢獻。」[100]大抵上能夠反映黃氏撰作《詩經疊詁》的基本方法及特點。

本文從黃氏治詩的態度與途徑，及其對詩義的詮解方式進行觀察，經過分析，可以得到以下數點結論：

（一）黃淬伯擅長從語言文字的角度解讀《詩經》，他繼承清代樸學家「讀九經自考文始，考文自知音始」的考據傳統，並指出日後《詩經》研究的基本方向，在於古語研究、古史左證及文學意味。

（二）《詩經疊詁》以扼要的文字解釋，將歷代繁複的解詩資料，排比成簡明的注文，頗便讀者參閱。

（三）民國以降，隨著學術分科與新史料的出現，《詩經》學研究呈現迥異於前代的新面貌。《詩經》作為中國最早的詩歌總集，儘管褪下了「不刊之鴻教」的崇高光環，卻也成為研究古代歷史、語言及社會文明的重要材料。黃氏師從王國維，於古文字學造詣最深，因此其解說字義，頗有可觀之處。根據《詩經疊詁》書前題識，黃氏尚有《詩傳箋商兌》，此書至今未能得見，實為可惜。

（四）《詩經》字義艱深，義旨紛繁。而《詩序》的存廢問題，向為歷代《詩經》研究的重點。黃氏認為，《詩序》為東漢衛宏所作，乃漢儒影射之說，不能與詩的本旨相契。因此主張不用〈小序〉，純取諸家之說，並下己意，方能求得作詩者的本義。

（五）黃氏強調，應從古代社會之觀點，以解釋詩之背景。然而《詩經疊詁》中點明與古代社會相關的詩篇並不多見，范建華、徐燕〈黃淬伯詩經疊詁的語義學成就〉一文說：「淬伯先生撰寫《疊詁》正值抗戰時期，時代動蕩，資料匱乏，許多問題不易更深入地研究和驗證。」洵為的評。

---

[100] 范建華、徐燕：〈黃淬伯詩經疊詁的語義學成就〉，《中國典籍與文化》2012年第3期（2012年），頁149。

倪元璐及其《尚書》經筵講章

陳恆嵩

東吳大學

摘要

　　經筵是為皇帝講授經史而特設的御前講席，既是一種教育制度，也是一種特殊的政治制度，而經筵講義即是當時經筵講官們為皇帝講授經史時的講稿。《尚書》內容雖然主要是政府誥命公文檔案，卻彙編虞、夏、商、周四代歷史文獻，記錄古代聖君賢王治國理政的事蹟，古人認為「二帝三王治天下之大經大法皆載此書」，可藉以疏通知遠，適於執政者處理政事，歷代君王培育儲君時皆列為必讀的典籍。

　　從現存的倪元璐《尚書》經筵講章，可以看到倪元璐藉《尚書》經文講述，鑒於崇禎遇挫易退縮，改變既有原則的毛病，就建議崇禎處理國政應從問題的根本去解決，控制四方之方法，在「克己省躬、進賢去邪、審謀慎慮、收拾民心」四點，才是解決國家問題的根本長久之計。崇禎間，流寇叛變，後金的騷擾，內憂外患交逼，為弭平變亂，籌措軍費，頻繁加派稅賦，倪元璐藉經筵提出省刑薄斂為國家圖治之道。

關鍵詞：明代　倪元璐　尚書　經筵

一　前言

　　《尚書》是一部彙編虞、夏、商、周四代歷史文獻的古代典籍，內容主要皆為政府誥命公文檔案，記錄古代聖君賢王治國理政的事蹟，古人因為「二帝三王治天下之大經大法皆載此書」[1]，「二帝三王之治本於道，二帝三王之道本於心，得其心則道與治固可得而言矣」[2]，以為古聖帝王其治道理法可藉以疏通知遠，適於執政者處理政事，因而受歷代君王及聖賢所重視。《尚書》文字雖因時代久遠，後世閱讀起來，辭句艱澀古奧，解讀惟艱，然仍被列為儒家五經之一，不僅為科舉考試時士子選考的重要科目，也是歷代君王培育儲君時所必讀的典籍。

　　明朝的開國君主朱元璋（1328-1398）出身民間，幼年貧困失學，憑藉機遇及個人的努力學習，師儒的輔佐，終獲成功，他深感教育對帝王的領導統御的密切關聯。由於皇儲貴冑或功臣子弟，將來負有保家衛國之重責大任，格外對皇儲教育極為重視。[3]他親自規定「儒臣進講《四書》，以《大學》為先；《五經》以《尚書》為先」[4]，足見他對帝王或皇儲教育的重視，也多麼看重《尚書》裡所蘊涵的治國理念與方略。

　　經筵是為皇帝講授經史而特設的御前講席，既是一種教育制度，也是一種特殊的政治制度，影響後世相當深遠。經筵講義即是當時經筵講官們為皇帝講

---

[1] （宋）蔡沈（1167-1230）撰，王豐先點校：《書集傳》（北京市：中華書局，2018年2月），〈九峰蔡先生書集傳序〉，頁13。

[2] （宋）蔡沈撰，王豐先點校：《書集傳》（北京市：中華書局，2018年2月），〈九峰蔡先生書集傳序〉，頁13。

[3] 朱元璋於洪武二年四月命教官授諸子經，而功臣子弟亦令入學，且說：「人有積金，必求良冶而範之；有美玉，必求良工而琢之。至於子弟有美質，不求明師而教之，豈愛子弟不如金玉也？蓋師所以模範學者，使之成器，因其材力，各俾造就。朕諸子將有天下國家之責，功臣子弟將有職任之寄。教之道，當以正心為本，心正則萬事皆理矣。苟道之不以其正，為眾欲所攻，其害不可勝言。卿等宜輔以實學，毋徒效文士記誦辭章而已。」參見（明）余繼登撰：《典故紀聞》（北京市：中華書局，1997年12月），卷2，頁30-31。

[4] （明）黃佐撰：〈講讀合用書籍〉，《翰林記》（臺北市：臺灣商務印書館，影印文淵閣《四庫全書》本，1986年3月），卷9，頁7上。

授經史時的講稿，歷來大半都亡佚，未能留存。即使有部分經筵講官們將講義收錄進個人文集中，為數也相當少，以致未受到應有的重視。近年來，經筵制度逐漸受到兩岸學界的關注，然學術界研究經筵者雖然為數頗多，且已有不少成果[5]，卻大多數著重在制度的形成與其對政治影響的關係的論述，較缺乏從經筵講官講讀時所撰寫的經書講義的內容，去作文獻實際的分析，以致易造成制度理論方面的論述，無法深入瞭解實際執行經筵教育的真正內容所在，實為美中不足之處。

倪元璐（1593-1644）為明末崇禎朝重要的政治家，其書法成就與黃道周（1585-1646）、王鐸（1592-1652）並稱晚明書法三大家，後代學者大都推崇其書法的成就，探究其書法成就及其書風形成的原因，缺乏探討倪元璐的學術思想及其他方面的內容。歷代經筵制度的研究，近年頗為興盛，然研究者幾乎都著重在經筵制度的形成，與其對政治影響的層面上作論述，較缺乏對實際經

5　近年來有關研究明朝經筵制度的碩士論文，計有孟蓉撰：《明代經筵日講制度述論》（上海市：上海大學碩士論文，2005年5月）；蕭宇青撰：《明代的經筵制度》（廣州市：華南師範大學歷史文化學院碩士論文，2007年5月）；徐婷撰：《明代經筵講史與帝王歷史教育研究》（曲阜市：曲阜師範大學碩士論文，2013年4月）；宋興家撰：《明代經筵日講中的聖王期待》（長春市：東北師範大學碩士論文，2015年5月）。單篇期刊論文有楊業敬撰：〈明代經筵制度與內閣〉，《故宮博物院院刊》1990年第2期（1990年7月），頁79-87；張英聘撰：〈略述明代的經筵日講官〉，《邢臺師專學報（綜合版）》1995年第4期（1995年11月），頁14-16轉45；張英聘撰：〈試論明代的經筵制度〉，《明史研究》第5輯（1997年5月），頁139-148；朱子彥撰：〈明萬曆朝經筵制度述論〉，《社會科學戰線》2007年第2期（2007年2月），頁122-128；朱鴻林撰：〈高拱與明穆宗的經筵講讀初探〉，《中國史研究》2009年第1期（2009年2月），頁131-147；晁中辰撰：〈明「經筵」與「日講」制度考異〉，《東岳論叢》2012年第7期（2012年7月），頁95-99；文琦：〈明代經筵制度新論〉，《廣東技術師範學院學報》2012年第5期（2012年8月），頁40-43；陳時龍撰：〈天啟皇帝日講考實〉，《故宮學刊》2013年第2期（2013年6月），頁155-166；廖峰撰：〈顧鼎臣中庸首章經筵解讀〉，《唐山師範學院學報》第32卷第3期（2010年5月），頁66-68；許靜撰：〈明清經筵制度特點研究〉，《聊城大學學報(社會科學版)》2013年第2期（2013年3月），頁78-87；許靜撰：〈試論明清經筵制度的發展演變〉，《明清論叢》2014年第1期（2014年4月），頁143-156；廖峰撰：〈洪範經筵的政治性思考——以大禮議後期「汪佃事件」為中心〉，《貴州大學學報（社會科學版）》2014年第3期（2014年5月），頁15-18；唐華榮撰：〈明代經筵制度化成因新論〉，《現代企業教育》2015年1月下期（2015年1月），頁479-480；謝貴安撰：〈明熹宗經筵日講述論〉，《學習與探索》2015年第10期（總第243期；2015年10月），頁145-152；謝貴安撰：〈明代經筵和日講講官的選任條件〉，《明清論叢》第15輯（2015年12月），頁25-52；潘婧瑋撰：〈約束與反約束——明朝經筵特點分析〉，《黃岡職業技術學院學報》第18卷第3期（2016年6月），頁64-66等。

筵講義內容的分析，職是之故，本文嘗試以倪元璐《尚書》經筵講義為例，探討倪元璐存留之《尚書》經筵講義內容，以說明經筵講章的實際內容、闡釋經文要義的形式，以及對崇禎皇帝施政的評議及殷殷勸戒之義，藉此以清楚瞭解其講授《尚書》時偏重的篇章，及《尚書》學對帝王教育試圖達成「德成而教尊，教尊而官正，官正而國治」的深刻意義，以呈顯《尚書》在經筵發揮其經世致用方面的真實面貌。

二 倪元璐與崇禎帝經筵講讀

倪元璐，字玉汝，別號鴻寶，又號園客，浙江上虞人。為明末崇禎朝相當重要的政治家與書法家。生於明神宗萬曆二十一年（1593），幼時即聰慧穎異，異於常人。五歲時隨曹太夫人習《毛詩》，嫻熟成誦。其父倪涷隨事命對，倪元璐皆能不假思索，應聲立就，表現其傑出聰慧的才華。

明熹宗天啟二年（1622）中壬戌科進士，受到太史韓日纘（1578-1636）賞識，與黃道周同出於韓日纘門下。[6] 韓日纘治學嚴謹，講求氣節，為官又剛正不阿，在天啟年間，宦官魏忠賢獨攬權勢，在政壇上廣結黨羽，結黨營私，排斥異己，滿朝文武大臣為求貴顯，紛紛獻媚歌頌其德，韓日纘卻不屑與之為伍，以道德術業為天下人所稱仰。韓日纘崇高的氣節德業也深深影響著倪元璐的為人。

倪元璐後授翰林院庶吉士，任翰林院編修，充經筵展書官。崇禎元年（1628），元璐請求毀去《三朝要典》，驅逐來宗道（萬曆32年進士）、楊景辰（1580-1629）等閹黨。崇禎六年（1633），遷左諭德，充日講官，進右庶子。崇禎七年（1634），以制實制虛各八策上疏，指陳時政得失，為溫體仁（1573-1639）所忌。崇禎八年（1635），遷國子監祭酒。崇禎九年（1636），溫體仁授意劉孔昭藉封典事訐發元璐之私，因而遭到罷職，去官閒住。在家賦閒六年，

---

6 （清）計六奇撰：〈倪元璐〉，《明季北略》卷21〈殉難文臣〉，引自（清）倪會鼎撰、李尚英點校：《倪元璐年譜》（北京市：中華書局，1994年3月），附錄，頁92。

悠遊田園生活。爾後因李自成（1606-1645）、張獻忠（1606-1647）等流寇侵擾中原，而北方滿清大舉進兵叩關。崇禎十五年（1644），重新任命元璐為兵部右侍郎，兼翰林院侍讀學士。次年至京，面陳制敵機宜。五月，破格提拔為戶部尚書，兼翰林院學士，仍充任日講官。崇禎十七年（1644年）三月，李自成攻陷京師，倪元璐面對國家殘破局勢，深感孤臣無力回天，於是整肅冠服束帶拜闕，大書案上曰：「南都尚可為。死，吾分也，勿以衣衾斂。暴我屍，聊志吾痛。」遂南向坐，取帛自縊而死。以死殉國，保全其名節。享年五十二歲。

　　倪元璐先後兩次擔任經筵日講官，第一次於崇禎六年（1633），元璐時年四十一歲，遷左諭德，充日講官。元璐初值講筵，依當時的慣例，進講的經筵講章，由講官自己撰寫，寫完後預先送給內閣審議，內閣大臣若有修改意見，講官通常都會照改。倪元璐講讀《孟子‧梁惠王上》「派彼奪其民時」三節，講章後循例會針對該段經文闡發其蘊涵之義理，對朝廷施政有所規諫評議。講章中提及：「因考成而吏急催科，則非省刑；以兵荒死徙而賦額如初，則非薄斂。」溫體仁認為文章太長，抨擊到當時的朝政，欲加以刪除，又以不渾成命修改。倪元璐堅持不改，講章往返數次爭辯，元璐不得已說：

> 啟沃自講官事，此後不渾成，更有甚于此者，設有進規中堂之言，中堂亦命改乎？必欲改者，惟有自陳求罷耳。[7]

經筵講章闡述經典的意義及其引申闡發的義理，倪元璐堅持應由講官自己撰寫，內容的優劣得失也是由講官自己負責。而在經筵進講時，連帶直言進諫規勸以啟沃君德智慧，為歷來經筵講官的職責所在，其講章不容許他人干涉改動。倪元璐公然反抗溫體仁的意見，溫體仁表面上雖未惱羞成怒，也未明白劾參倪元璐，卻對倪元璐銜恨在心，始終隱忍，以俟機報復。經過幾年的等待，終於在崇禎九年（1636）找到機會唆使劉孔昭予以參劾，致此倪元璐終遭到罷免。

7　（清）倪會鼎撰、李尚英點校：《倪元璐年譜》，卷1，頁20。

倪元璐最後一次擔任經筵講官在崇禎十五年（1642），倪元璐入宮進講
《尚書》，為明思宗講解《尚書》的內容與義理，試圖提供君主經書中治國理
民的統治綱領與方法。崇禎十七年（1644）時，倪元璐以大司農充日講講官，
講《孟子》「生財有大道」一節，極力敷陳加派聚斂之害，崇禎疑其諷刺，質
問元璐說：「書講得好，但今邊餉匱絀，虧欠最多，生之者眾，作何理會？君
德成就責經筵，不宜奪漫。」元璐回答說：「聖明御世，不妨經權互用。臣儒
者，惟知守道之誠，藏富于國耳。」崇禎不懌而罷。[8]倪元璐對於朝廷中所出
現的弊端，均能秉持其耿直個性、忠君報國的信念，確實指陳施政缺失，絕不
懷利以事君，得崇禎不以為忤，甚至獲得嘉許。然因晚明國家窮亂衰頹，社會
動盪不安，倪元璐雖「持論侃侃，中立不阿」，終究與世齟齬而不能獲得大
用，加上時局壞亂已極，始被任職，然當世貪吏橫行，嚴刑賦斂，益以崇禎急
功近利，疑忌成性，啟告密紛紜之害，致倪元璐無所措其手，最後僅能「以身
殉國，以忠烈傳于世」。

三 倪元璐《尚書》經筵講章內容分析

宋代程頤（1033-1107）曾說：「人主居崇高之位，持威福之柄，百官畏
懼，莫敢仰視，萬方承奉，所欲隨得。苟非知道畏義，所養如此，其惑可
知。」[9]他又說：「天下重任，惟宰相與經筵，天下治亂係宰相，君德成就責經
筵。」[10]人君居至高之位，掌威福之柄，若恣意肆虐，百姓將生靈塗炭，民不
聊生。唯有賴經筵對君德的養成與教導，作用與重要性，可見它與國家社稷的
關係相當密切。

倪元璐年少時的啟蒙老師為鄒元標（1551-1624），長大後又從游於劉宗周
（1578-1645）、黃道周諸名儒。從學均以古人相期許，而尤留心於經濟。擘畫

8　（清）倪會鼎撰、李尚英點校：《倪元璐年譜》，卷4，頁70。

9　（宋）程頤撰：〈上經筵劄子〉，收入（宋）程顥、程頤撰：《河南程氏文集》，收入《二程集》
　　（北京市：中華書局，2006年9月），卷6，頁539-540。

10　（宋）程顥、程頤撰：《河南程氏文集》，《二程集》，卷6，頁539-540。又參見（清）畢沅等編
　　撰：《續資治通鑑》（臺北市：洪氏出版社，1981年5月），卷79，〈宋紀〉79，頁1994。

設施，皆可見諸施行，非經生空談浮議者可比。其詩文奏疏所論多軍國大計、興亡治亂之所關。然當天啟、崇禎之時，朝廷君子小人並進，黨派恩怨相尋，置君國不顧而致力爭門戶。倪元璐於崇禎六年，入宮進講《尚書》，為君主明思宗講解《尚書》的內容與義理，提供經書中治國理民的統治綱領與方法。從倪元璐講義觀之，認為廟堂之務在端本澄源，平政刑，脩教化。其提綱挈領，企求君王能「辨別賢奸」知人之策，及制治就亂之道，「無以喜怒混淆吏治，銓衡無以愛憎顛倒人才」。然因時局已亂，齟齬不得大用，最後僅能以身殉國。

倪元璐擔任經筵講官的時間並不長，因受奸佞干擾而去職，以致淵博學識無法有效的獲得發揮，講讀期間所存世的講章並不多，今可見者僅《倪文貞講編》三卷，含經筵及日講講章兩部分，觀其內容均為《尚書》及《孟子》》講章。其《尚書》講義今僅存〈皋陶謨〉、〈大禹謨〉、〈無逸〉及〈說命〉數篇而已。至於前面提及的講題內容，均未見於《倪文貞講編》之中，可見所保存的講章並不完整，相當可惜。

綜觀全卷《尚書》講義內容，各篇講章的寫作體例相同，先摘錄《尚書》篇章經文，次則約略解釋經文字辭意義，再次則講述經文大旨，闡釋所蘊涵之大義，最後作者據文義加以推衍，引申啟沃君主德智之語，表達講筵官對皇帝施政的關心與期望。倪元璐與當時名儒遊，從學均以古人相期許，而尤留心於經濟，其詩文奏疏所論多軍國大計、興亡治亂之所關，非經生空談浮議者可比。為確實瞭解其《尚書》經筵講章呈顯的思想義涵，以下詳細分析其內容。

（一）人君治道之綱領在知人與安民

書籍為古人一生智慧的結晶，世人要增進個人的智慧，最快的方法就是閱讀書籍。後世專門研究經學的學者，大都將眼光聚焦於文獻目錄中收錄的經學典籍及歷代知名經學家，很少會去關注歷代經筵講章的資料，推測其原因，不外乎兩點，首先是經筵講官很多不是經學史著作所講述的經學家，其次是經筵講章大都零散分布在經筵講官的個人文集中，資料蒐集起來，既費力又費時，一般經學研究者不願從事此種吃力不討好的事。然而經筵講官與經學家不同，

經筵講章與經學典籍所闡釋的經義所差異。經生學士博覽子史，刻苦惕勵，讀
書的目的在參加科舉考試以獲取功名利祿。而經筵講官講授對象為君主或未來
儲君，讀書的目的與經生不同。君主或未來儲君，生長於富貴之家，掌握威福
群臣之權柄，無須涉獵經籍以取功名。兩者讀書的方向目的迥然不同，學習的
內容方法自然也應有所差異。宋代范祖禹（1041-1098）就指出兩者的不同之
處，他說：

> 人君讀書學堯、舜之道，務知其大指，必可舉而措之天下之民，此之謂
> 學也。非若人析章句、考異同、專記誦、講應對而已。[11]

為君者讀書目的在「學堯、舜之道」，深刻理解典籍要旨，學習掌握治國理民
的技巧及處理的政事能力，並將此道理實際運用在治理國家百姓，而非耗費精
力在無謂「析章句、考異同、專記誦、講應對」上面。程頤亦云：

> 帝王之學與儒士異尚。儒生從事章句文義，帝王務得其要，措之事業。
> 蓋聖人經世大法，備在方策，苟得其要，舉而行之，無難也。[12]

同樣以為帝王所學非如儒生的注重章句文義，而是在書中所保存的經世大法，
並且需將其施治於民。明代王鏊（1450-1524）也有類似觀點，他說：

> 或謂貴為天子矣，尚何事於學？殊不知庶人之學與不學，係一家之興
> 廢。人主之學與不學，係天下之安危。夫天人性命之理，古今治亂是非
> 得失成敗，皆具于書，未有不讀而能知者，自古聖帝明王，未有不由學
> 者也。[13]

---

[11] （宋）范祖禹撰：《帝學》（臺北市：臺灣商務印書館，影印文淵閣《四庫全書》本，1986年3
月），卷3，頁3下。

[12] （明）胡廣等撰：〈聖學〉，《性理大全》（京都市：中文出版社，1981年），卷65，頁19下引。

[13] （明）王鏊撰：〈時事疏〉，《震澤集》（臺北市：臺灣商務印書館，影印文淵閣《四庫全書》
本，1986年3月），卷19，頁12上-下。

天人性命之理，古今治亂是非得失成敗之由，皆具於書，難怪不讀書就無法獲得足夠的治國知識技能。薛瑄（1389-1464）也認為選擇「有學術純正、持己端方、謀慮深遠、才識超卓、通達古今、明練治體者」，值經筵，進講《四書》、《尚書》等經史典籍，「務要詳細陳說聖賢修己治人之要，懇切開告帝王端心出治之方。以至唐、虞、三代、漢、唐、宋以來人君行何道而天下治安，為何事而天下乖亂，與夫賞善罰惡之典，任賢去邪之道，莫不畢陳于前」。[14] 經書中雖有「聖賢修己治人之要」、「帝王端心出治之方」，但是要如何擷取其精華，使皇帝能夠有「朝夕緝熙啟沃之力」，進而能達到「正心以正朝廷，正朝廷以正百官，正百官以正萬民」的功效，是經筵講官們時刻存心以思的問題所在。

倪元璐在經筵為崇禎帝講述帝王為治的綱領時，舉《尚書‧皋陶謨》篇所說「知人安民」一段為例，說明帝王為治綱領的關鍵所在，他說：

> 人君治道多端，其大者只有兩件，一在知人，一在安民。蓋人之才品不同，心術各別，若知之不明，如何得舉措民服，所以要知人。萬邦黎庶皆仰賴大君為主，若安之無道，如何得本固邦寧，所以要安民。[15]

倪元璐要言不繁的講明，由於每個人的才能品行不同，心術也有所差異，人君若要施政舉措使百姓心悅誠服，關鍵在舉用對的人，而要舉用對的人就必須能「知人」，而想要本固邦寧，首要就在「安民」。但如何做才能達到「知人安民」呢？倪元璐進一步解釋說：

> 蓋知不是淺淺的知，直把這個人的肺肝伎倆，分毫俱鑑別不差，何等明哲，以是而用人，則大小得宜。舉天下極不齊的人品，偏是他安頓妥

---

14 （明）薛瑄撰：〈上講學章〉，《薛瑄全集‧文集》（太原市：山西人民出版社，1990年），卷24，頁951。

15 （明）倪元璐撰：〈經筵〉，《倪文貞講編》（臺北市：臺灣商務印書館，1986年3月），卷1，頁1下-2下。

當，這叫做「能官人」。安不是小小的安，直把民間所苦水旱盜賊等事，一一替他消弭無害，何等恩惠。由是萬邦黎庶，心生愛戴。若人人有個聖明天子在其胸中，這叫做「黎民懷之」。既哲且惠，智仁兼盡，此時眾賢集於朝，百姓和於野，人心丕變，邦本輯寧，雖有黨惡如驩兜者，亦皆改行從善矣，何足憂乎？有昏迷如有苗者，亦皆感化歸服矣，何必遷乎？有好言善色大包藏姦惡的人，亦皆變狡詐而為誠實矣，又何足畏乎？蓋本計不失，則萬化俱臻。帝王所謂「得一以為天下貞」者，道固如此。以臣觀之，二者之間，尤是知人一件最為綱領。今皇上惕屬憂勤，切切然以剔蠹、懲貪、籌兵、詰餉為憂，這都為安民之計。但安民的事業件件是要好臣子做的。若不得其人而用之，雖念念憂民，何益於治？若用人而知之不真，或誤收匪類，或用違其長，雖日日用之，何益於民？所以臣言知人是第一綱領。然在皇上的知人，第一要知輔臣，而輔臣第一要知六部大臣。[16]

倪氏詳細解說〈皋陶謨〉篇內容，認為君主治理國家的方法雖多，最主要僅有知人與安民兩項。知人在知輔臣，能知人自然能分辨明哲奸佞，用人大小得宜。君主舉措得宜，自然獲得萬邦黎庶的心生愛戴。倪氏又說：

帝王制治之法最為簡要，只是認定一個宰相，宰相得人，自然正己率屬，同心集事，賢才輩出，治理日隆矣。然而百僚之中，意見不齊，議論紛錯，若要相臣一一與之同心，誠有甚難。臣謂惟在相臣以虛公之心，審別邪正而已。蓋其人是個正人，雖或才有不逮，可以忠義激之。力有未盡，可以功令儡之，黽勉同心，無不可者。若其人是個邪人，或敗名喪節，不顧廉隅；或附逆保奸，敢犯公論者，如此之徒，雖欲與之同心，而彼之所志必不在君父，所營必不在職業，勢必至于欺君賣友，亂政殃民，豈可概示休容？惟有決計去之耳。昔舜相堯，一日而除四

16　（明）倪元璐撰：〈經筵〉，《倪文貞講編》，卷1，頁1下-2下。

凶，孔子相魯，七日而誅少正卯。今日執政大臣必須有這等手段，然後可以救時致治。臣愚敢以知人善任望之皇上，以抑邪扶正望之二三大臣。每蒙皇上申誡諸臣勿徇情面，勿持兩可，惟於邪人不徇情面，斯於正人有同心之功，惟於邪正不持兩可，斯於君德有匡正之益。二三大臣果能始終敬承明命，追踪傅說，又何難哉？[17]

倪元璐再三強調人君為治綱領首要在知人，能知人自然「能官人」。而「能官人」最簡要的做法，首先就是任用正人為宰相，充分授權，分層負責，如此才能君臣同心，黽勉戮力為國。

倪元璐為何會在經筵進講時，特別針對知人與任用宰相兩點，不厭其煩的詳細解說，其故何在？揆其因蓋當晚明之時，黨爭傾軋嚴重，先有東林黨、閹黨相攻訐，稍後更有浙黨、秦黨、齊黨、楚黨、昆黨、宣黨等彼此輪流上臺主政，卻為把持朝政，操縱人事大權，扶持勢力，彼此互相攻訐，擾亂朝政，激烈鬥爭。[18]天啟、崇禎之際，朝廷君子小人並進，黨派恩怨相尋，置君國不顧而致力爭門戶。崇禎即位於危難之際，隨時處在內憂外患之中，造成其性格猜忌多疑，用人不專，內閣大臣更替頻繁，崇禎一朝十七年，據孫承澤（1592-1676）《春明夢餘錄》所載錄崇禎帝任用的內閣大臣有五十人之多[19]，「更換閣臣殆無虛日，致使中樞政事紊亂和敗壞。沒有一個穩定的中樞機構又怎能統率百官？又怎能君臣協心？」[20]從倪元璐講義觀之，可知他認為廟堂要務在端本澄源，平政刑，脩教化。提綱挈領，主在企求君王能「辨別賢奸」的知人之策，專心不疑，才能使國家本固安寧。

17 （明）倪元璐撰：〈日講〉，《倪文貞講編》，卷3，頁2下-3下。

18 有關明代黨爭的詳細情形及其原因，可參閱朱子彥撰：《中國朋黨史》（上海市：東方出版中心，2016年8月），第八章〈明朝中樞機構的黨爭〉，頁393-478。

19 （清）孫承澤撰、王劍英點校：《春明夢餘錄》（北京市：北京古籍出版社，1992年12月），卷23，〈內閣一〉，頁334。

20 秦愛叔撰：〈崇禎皇帝的性格缺陷與帝國的滅亡〉，《內蒙古農業大學學報（社會科學版）》2010年第2期（總第50期，2010年4月），頁333。

（二）制治救亂之道，在強固根本，榮其枝葉

〈大禹謨〉一篇，漢代伏生所傳《今文尚書》二十九篇中無此篇，被收入孔壁所出《古文尚書》內。漢代流傳的各家今文、古文《尚書》，在經歷過西晉永嘉喪亂後，全部亡佚。現今所流傳的〈大禹謨〉，是東晉初年豫章內史梅賾所獻上五十八篇《古文尚書》的本子。梅賾獻本的五十八篇《古文尚書》，自宋代以來，吳棫（約1100-1154）、朱熹（1130-1200）等學者已開始懷疑其係偽《古文尚書》。倪元璐並不視為偽《古文尚書》，反而將〈大禹謨〉的內容視為「分明是一篇保邦制勝的韜略」，他講說〈大禹謨〉「益曰：吁！戒哉！儆戒無虞」至「無怠無荒，四夷來王」一段文句時，他說「此一節書是虞廷憂盛危明之言，乃千古帝王惕勵保邦、戰勝廟堂的本務」，他認為帝王要保邦儆戒所應當注意的事項有「罔失法度」、「罔游于逸」、「罔淫于樂」、「任賢勿貳」、「去邪勿疑」、「疑謀勿成」、「百志惟熙」、「罔違道以干百姓之譽」、「罔咈百姓以從己之欲」八件事，這八件事君主「若能時時儆戒，無怠于心，無荒于事，則治道益隆，太平可保。」[21]緊接著他又說這八件事：

> 伯益此說分明是一篇保邦制勝的韜略，然卻不曾一言說及如何講武，如何詰戎，全在提挈廟堂上的精神，故其立言極有次第，先在克己省躬，次之進賢去邪，又次之審謀慎慮，終之以收拾民心，而控制四方之術已盡于是矣。[22]

倪元璐認為伯益所言極有層次，言談間雖不曾提及如何講武？如何詰戎？卻提出君主如果想要控制四方的方法，主要在「克己省躬、進賢去邪、審謀慎慮、收拾民心」四點上面。倪元璐鑒於崇禎皇帝的為人，平日雖然「清心寡慾，視民如傷，又復宵旰孜孜，效法帝舜的治天下」，但當時天下的局勢卻是「秦、

---

[21] （明）倪元璐撰：〈經筵〉，《倪文貞講編》，卷1，頁4上-5下。

[22] （明）倪元璐撰：〈經筵〉，《倪文貞講編》，卷1，頁5下-6上。

豫盜賊揭竿披猖，財盡民窮，兵驕將懦」[23]，國家社稷面臨如此危急艱難情勢，崇禎卻往往遇事挫折後就容易猶豫退縮，召集閣臣儆戒咨嗟一番，即聽任其改變既有的原則與政策，無法堅定處事方針。倪元璐建議崇禎凡事應該從問題的根本方向去解決，而不可因驚懼張皇，以致一切苟且權宜，失去處理國政應有的原則，他說：

> 蓋臣聞制治救亂之道，有根本，有枝葉。何謂根本？振挈紀綱，激勵志氣，辨別賢奸，宣布德澤，昭明公道，此是根本。何謂枝葉？缺兵求兵，缺餉求餉，以兵治兵，以餉治餉，此是枝葉。枝葉雖不可廢，卻須本根強固，則枝葉自榮。[24]

倪元璐認為國家要尋求制治救亂之道，可分為「根本」與「枝葉」兩種方案。「根本」應該是指治本的解決方法，而「枝葉」應該是指暫時性的治標方法。倪元璐認為鑒於當時內憂外患兩相交逼的局面，若是單純尋求「缺兵求兵，缺餉求餉，以兵治兵，以餉治餉」，這只是頭痛醫頭，腳痛醫腳的權宜之計，僅能治標，不能治本，並非治理國家的長久之計。要想徹底解決朝廷的問題，應該要「振挈紀綱，激勵志氣，辨別賢奸，宣布德澤，昭明公道」，才是根本之策。倪元璐又勸告崇禎帝要事事以堯舜為師法對象，學習其治國理政的方法：

> 伏願皇上事事以堯舜為師，誠如《書》所稱，遵守成法，簡飭身心，好生為德，主善為師。不以君子之無速效而參用小人，不以邪人之有小能而流毒善類，不以小恩小善而傷國家之大體，不以私喜私怒而逆天下之公心，如此則廟堂精神提挈於上，施之刑政，自有條理，而又守之以恆，持之以慎，何憂不治平乎！[25]

---

23 （明）倪元璐撰：〈經筵〉，《倪文貞講編》，卷1，頁6上。
24 （明）倪元璐撰：〈經筵〉，《倪文貞講編》，卷1，頁6上-6下。
25 （明）倪元璐撰：〈經筵〉，《倪文貞講編》，卷1，頁6下。

倪元璐殷切叮嚀崇禎帝「遵守成法，簡飭身心」，朝廷用人要舉用君子而不可參用小人。處理政事不可因短期看不到成效，就因急於求成果速效而參用小人。也絕不可因小人有些微才能就投機任用。不可因個人的喜怒愛憎等私欲情緒而妨害天下之公心，「無以喜怒混淆吏治，銓衡無以愛憎顛倒人才」[26]，這樣「小臣不敢萌攀附之心，大臣不能施要結之術」[27]，端本澄源，平政刑，脩教化，這樣對國家社稷才是根本解決的制治救亂之道。

（三）致亂之源在加派，圖治之道在省刑薄斂

明代自中期以後，由於明武宗正德「好逸樂」，「嗜酒而荒其志，好勇而輕其身」[28]，不問政事，導致大權落入宦官之手，政治腐敗。楊廷和（1459-1529）就批評說：「各處地方，水旱相仍，災異迭見，歲賦錢糧，小民拖欠。各邊軍士奏請餉需，殆無虛日，欲徵之于民而脂膏已竭，欲取之于官而帑藏已空。其畿內州縣及山東、河南、陝西等處盜賊，千百成群，白晝劫掠。」[29]稍後明世宗嘉靖篤信方術，而萬曆自十四年以後，怠于政事，「不肯上朝、接見大學士及面見大臣商討國事，不親行時享太廟，不搞經筵日講，不及時處理大臣奏疏」[30]，又好聚斂貪財，以榷稅、開礦、進奏等名義進行搜括聚斂，窖藏私蓄內帑，導致遼東努爾哈赤（1559-1626）起兵叛明時，朝廷欲徵調大軍前往征討，大臣卻苦於無處籌措糧餉，萬曆亦置之不理。當時御史張銓（1577-1621）就批評明神宗窖藏金銀不用之舉措：

> 辟之一身，遼東肩背也，天下腹心也。肩背有患，猶藉腹心之血脈滋灌；若腹心先潰，危亡可立待。竭天下以救遼，遼未必安而天下已危。今宜聯人心以固根本，豈可以腹削無已，驅之使亂。且陛下內廷，積金如山，以有用之物，置無用之地，與瓦礫糞土何異！乃發帑之請，叫閽

---

[26] （明）倪元璐撰：〈日講〉，《倪文貞講編》，卷3，頁7上。

[27] （明）倪元璐撰：〈日講〉，《倪文貞講編》，卷3，頁6上-6下。

[28] （清）夏燮（1800-1875）撰：《明通鑑》（臺北市：宏業書局，1974年9月），卷45，頁1703。

[29] （清）夏燮撰：《明通鑑》，卷49，頁1829。

[30] 參見湯綱、南炳文撰：《明史》（上海市：上海人民出版社，2014年12月），下冊，頁647-652。

不應，加派之議，朝奏夕可，臣殊不得其解。[31]

張銓質疑明神宗貪財聚斂，堆積如山，卻不顧國家社稷的安危，不知其搜括聚斂，讓金錢這種「有用之物，置無用之地」，對此現象張誠也是百思不得其解。其實早在萬曆十七年大理事評事雒于仁（萬曆十一年進士）就所上的〈酒色財氣四箴〉批評明神宗有「貪財」、「嗜酒」、戀色」、「尚氣」四種毛病。[32]明朝經過萬曆數十年的蹂躪摧殘，國家千瘡百孔，問題層出不窮。等到明思宗崇禎繼位，為挽救明朝危亡的頹弱局勢，勵精圖治，刷新吏治，整飭朝政。吳應箕（1594-1644）就評論崇禎帝曰：「求治之心甚亟，綜覈名實，虛己受言，凡在朝之士有所指陳時事者，往往朝奏疏而夕報行。」[33]然當時「二患交劇，海內困敝，人材替落」[34]，兼且黨爭內訌不斷，造成施政經常搖擺不定，無法達到預期的成績。

崇禎時期，由於外有後金騷擾，內有流寇叛變，當此內憂外患之際，為求弭平變亂，軍費糧餉支出自然增多。崇禎為籌措軍費，增加人民的稅賦，導致百姓無法負荷，叛變時起。倪元璐有鑒於此，經常在經筵講章中，透過對《尚書》經文的解讀，提出對當時施政的批評，他說：

> 皇上好生洽民，勵精宵旰，如傷若保，未或過之，而適當多事，民窮盜起，推其禍亂之源，總起于加派。[35]

又說：

31　（明）夏燮撰：《明通鑑》（臺北市：宏業書局，1974年9月），卷76，頁2953。

32　（明）夏燮撰：《明通鑑》（臺北市：宏業書局，1974年9月），卷69，頁2696-2697。

33　（明）吳應箕（1594-1644）撰，章建文校點：《樓山堂遺文》，收入《吳應箕文集》（合肥市：黃山書社，2017年2月），卷5，〈上冀按臺書〉，頁639。

34　（明）吳應箕（1594-1644）撰，章建文校點：《樓山堂遺文》，收入《吳應箕文集》（合肥市：黃山書社，2017年2月），卷2，〈壽鄭玄岳冢宰序〉，頁572。

35　（明）倪元璐撰：〈經筵〉，《倪文貞講編》，卷1，頁8上。

而今海內之民，日窮且亂者，其故總由于有司之不肖。夫不肖非僅貪吏也，如催科有常法，而惟事嚴刑；正賦有常供，而又加橫取。[36]

崇禎年間民窮盜起，倪氏認為根源起於朝廷加派。崇禎年間加派主要有三大項：一為遼餉之續增，二為剿餉之開征，三為練餉之開征。三項加派數額巨大，搜括殆盡，使得百姓無力負擔。再加上官吏藉催科之便，貪污橫取，更使吏治敗壞。倪元璐藉機勸說崇禎要針對國家的「內治外寧」作改革，他說：

內治必責之有司，有司之賢者，無事自能撫綏，有事自能守禦。上有德意，必能宣布。上有苛令，必能調停。保甲農桑，自然興舉，而風勵有司之道在明賞罰。今貪吏未盡懲治，誠使內責銓衡，外責撫按，嚴甄別懲勸之法，而絕包苴竿牘之私，以墨敗官者，立與糾劾，果有循卓異等者，加以殊擢，如此則民受吏之福，不受吏之患矣。外寧者守邊，宜合數路連為首尾，而勿聽其畫界自全，禦寇宜責巡撫，各保一方，而勿咎其隣國為壑。蓋互相援，則聲以有所倚而壯，故守易為功。各自守則賊以無所歸而窮，故勦易為力。因之廣屯鑄勤募練，既可寬省調運，又以安集流亡。至于馭將之法，尤貴明其賞罰，責其致力于戰，而不敢縱暴于民，如此則民被兵之利，不被兵之害矣，此目前切要之政也。惟在皇上振紀綱，修教化，信詔令，一事權，求大奸而赦小過，惠京師，以綏四方。[37]

他提出「內治必責之有司之賢者」，而「外寧者守邊，宜合數路連為首尾，而勿聽其畫界自全，禦寇宜責巡撫，各保一方，而勿咎其隣國為壑」，明賞罰，使將領致力于戰爭，而不敢施暴於良民，如此才能大小諸臣齊盡心力，各盡其職。並勸告崇禎要愛惜人才，不要「急考成而沒治行」。

---

[36]（明）倪元璐撰：〈日講〉，《倪文貞講編》，卷3，頁5上。

[37]（明）倪元璐撰：〈經筵〉，《倪文貞講編》，卷1，頁8下-9下。

四　結論

綜合前面各節的論述，有關倪元璐與明崇禎帝的經筵講讀活動，及其《尚書》經筵講章內容之分析，可得到以下幾點的結論：

其一，倪元璐自幼時即聰慧穎異，參加科舉考試時受到太史韓日纘賞識，與黃道周同出韓氏門下。倪元璐少時從師鄒元標，長大後又與劉宗周、黃道周諸名儒遊，諸人均以古人相期許。厭棄當世阿諛附勢之風，注重氣節。讀書博聞強記，留心經濟，對於軍國大計、興亡治亂之學尤所關注。最後面對大明國破家亡的局面，倪元璐深感無力回天，選擇殉國以明其心志，以保全其名節，成為後世讀書人的典範。

其二，倪元璐認為控制四方之術在「克己省躬、進賢去邪、審謀慎慮、收拾民心」四點。倪元璐鑑於崇禎遇挫易退縮，改變既有原則，就建議崇禎處理國政應從問題的根本去解決，不可驚懼張皇，致一切苟且權宜之計，僅能治標不能治本，而應「振挈紀綱，激勵志氣，辨別賢奸，宣布德澤，昭明公道」，才是解決國家問題的根本長久之計。

其三，崇禎年間，北方有後金的騷擾，國內有流寇叛變，內憂外患交逼，為弭平變亂，加派人民的稅賦，以籌措軍費，官吏藉機混水摸魚，貪污橫生，導致百姓叛變時起。倪元璐有鑑於此，藉經筵講章對《尚書》經文的解讀，提出對當時施政的批評，省刑薄斂為國家圖治之道，並提出「內治必責之有司之賢者」，「外寧者守邊，宜合數路連為首尾，而勿聽其畫界自全，禦寇宜責巡撫，各保一方，而勿咎其隣國為壑」，明賞罰，使大小諸臣齊一心力，各盡其職。

參考文獻

一　專書

（宋）蔡沈撰、朱傑人編　《書集傳》　《朱子全書外編》　上海市　華東師範大學出版社　2010年9月

（宋）蔡沈撰、王豐先點校　《書集傳》　北京市　中華書局　2018年2月

（清）畢沅等編撰　《續資治通鑑》　臺北市　洪氏出版社　1981年5月

（清）夏燮撰　《明通鑑》　臺北市　宏業書局　1974年9月

（清）孫承澤撰、王劍英點校　《春明夢餘錄》　北京市　北京古籍出版社　1992年12月

（明）黃佐撰　《翰林記》　影印文淵閣《四庫全書》本　臺北市　臺灣商務印書館　1986年3月

（清）倪會鼎撰、李尚英點校《倪元璐年譜》　北京市　中華書局　1994年3月

（宋）范祖禹撰　《帝學》　影印文淵閣《四庫全書》本　臺北市　臺灣商務印書館　1986年3月

（宋）程顥、程頤撰　《二程集》　北京市　中華書局　2006年9月

（明）胡廣等撰　《性理大全》　京都市　中文出版社　1981年

（明）余繼登撰　《典故紀聞》　北京市　中華書局　1997年12月

（明）薛瑄撰　《薛瑄全集》　太原市　山西人民出版社　1990年

（明）王鏊撰　《震澤集》影印文淵閣《四庫全書》本　臺北市　臺灣商務印書館　1986年3月

（明）倪元璐撰　《倪文貞講編》　影印文淵閣《四庫全書》本　臺北市　臺灣商務印書館　1986年3月

（明）吳應箕撰、章建文校點　《吳應箕文集》　合肥市　黃山書社　2017年2月

朱子彥撰　《中國朋黨史》　上海市　東方出版中心　2016年8月

二　學位論文

孟蓉撰　《明代經筵日講制度述論》　上海市　上海大學碩士論文　2005年5月

蕭宇青撰　《明代的經筵制度》　廣州市　華南師範大學歷史文化學院碩士論文　2007年5月

徐婷撰　《明代經筵講史與帝王歷史教育研究》　曲阜市　曲阜師範大學碩士論文　2013年4月

宋興家撰　《明代經筵日講中的聖王期待》　長春市　東北師範大學碩士論文　2015年5月

三　單篇論文

楊業敬撰　〈明代經筵制度與內閣〉　《故宮博物院院刊》1990年第2期　1990年7月

張英聘撰　〈略述明代的經筵日講官〉　《邢臺師專學報（綜合版）》1995年第4期　1995年11月

張英聘撰　〈試論明代的經筵制度〉　《明史研究》第5輯　1997年5月

朱子彥撰　〈明萬曆朝經筵制度述論〉　《社會科學戰線》2007年第2期　2007年2月

朱鴻林撰　〈高拱與明穆宗的經筵講讀初探〉　《中國史研究》2009年第1期　2009年1月

晁中辰撰　〈明「經筵」與「日講」制度考異〉　《東岳論叢》2012年第7期　2012年7月

文琦撰　〈明代經筵制度新論〉　《廣東技術師範學院學報》2012年第5期　2012年8月

陳時龍撰　〈天啟皇帝日講考實〉　《故宮學刊》2013年第2期　2013年6月

秦愛叔撰　〈崇禎皇帝的性格缺陷與帝國的滅亡〉　《內蒙古農業大學學報（社會科學版）》2010年第2期（總第50期）　2010年4月

廖峰撰　〈顧鼎臣中庸首章經筵解讀〉　《唐山師範學院學報》2010年第3期　2010年5月。

許靜撰　〈明清經筵制度特點研究〉　《聊城大學學報(社會科學版)》2013年第2期　2013年3月

許靜撰　〈試論明清經筵制度的發展演變〉　《明清論叢》2014年第1期　2014年4月

廖峰撰　〈洪範經筵的政治性思考──以大禮議後期「汪佃事件」為中心〉　《貴州大學學報（社會科學版）》2014年第3期　2014年5月

唐華榮撰　〈明代經筵制度化成因新論〉　《現代企業教育》2015年1月下期　2015年1月

謝貴安撰　〈明熹宗經筵日講述論〉　《學習與探索》2015年第10期（總第243期）　2015年10月

謝貴安撰　〈明代經筵和日講講官的選任條件〉　《明清論叢》第15輯　2015年12月

潘婧瑋撰　〈約束與反約束──明朝經筵特點分析〉　《黃岡職業技術學院學報》第18卷第3期　2016年6月

俞樾《群經平議‧尚書》辨正二題[*]

郭鵬飛

（香港）香港城市大學

摘要

　　德清俞樾（1821-1907），[1]字蔭甫，號曲園，晚清樸學大家，徐世昌（1855-1939）《清儒學案‧曲園學案》曰：「曲園之學，以高郵王氏為宗。發明故訓，是正文字而務為廣博，旁及百家，著述閎富，同、光之間，蔚然為東南大師。」[2]《群經平議》一書，是俞樾的代表作，可說是經學訓釋的鉅著。是書仿效王引之（1766-1834）《經義述聞》而補其未及，識力之高，涉獵之廣，為《述聞》之後，從事經學者不可或缺的典籍。然而，智者千慮，容或有失，今就俞氏《群經平議‧尚書》部分，檢其可議之處，略陳己見，以就正於方家。

關鍵詞：俞樾　《群經平議》　《尚書》　經學　訓詁學

---

[*]　本論文為「俞樾《群經平議》斠正」研究計畫部分成果，計畫得到香港政府研究資助局優配研究金資助（UGC GRF，編號：11404214），謹此致謝。

[1]　筆者案：徐世昌等根據《清史稿》、尤瑩《俞曲園先生年譜》與繆荃孫《俞先生行狀》所記，定俞氏卒於光緒三十二年十二月二十三日。詳見（清）徐世昌等編，沈芝盈，梁運華點校：《清儒學案》（北京市：中華書局，2008年10月），卷183，〈曲園學案〉，頁7034。由此可以推算俞氏卒年當在西元1907年2月5日。

[2]　同前注，卷183，〈曲園學案〉，頁7033。

一　鞭作官刑

俞樾曰：

《傳》曰：「以鞭為治官事之刑。」

樾謹按：《史記集解》引《馬注》曰：「為辨治官事者為刑。」《姚傳》正用《馬注》。惟「官」字之義，自來未得。今按：官、館古同字。《說文・食部》：「館，客舍也，從食，官聲。」《自部》：「官，吏事君也，從宀、自，自猶眾也，此與師同意。」夫以宀覆眾，正合客舍之義。「官」即古「館」字，明矣。許君分「官」、「館」為二，誤也。《漢書・賈誼傳》：「學者所學之官也。」《文翁傳》：「修起學官於成都市中。」字竝作「官」，不作「館」。《漢書》多古字也，說詳余所著《字義載疑》。原官之始，蓋專為庶人在官者而設，彼皆從田閒來，不有以舍之，何以從事于公乎？在國曰市井之臣，在野曰草莽之臣，故在官者即謂之官。其後遂相承以為吏事君者之名，而官之本義反為所奪，乃更製「館」字以為客舍之名。館所以從食者，以庶人在官皆得食祿故也。此《經》「鞭作官刑」，蓋以警庶人在官之游惰者。若以今字書之，當云「鞭作館刑」，《馬》、《姚》之義均有未盡。[3]

案：本篇原文出自《堯典》，曰：

象以典刑。流宥五刑。鞭作官刑，扑作教刑，金作贖刑，眚災肆赦，怙終賊刑。「欽哉，欽哉！惟刑之恤哉！」[4]

---

[3]　俞樾：《群經平議》，《續修四庫全書》（上海市：上海古籍出版社，據清光緒25年〔1899〕刻《春在堂全書》本影印，2002年），經部・群經總義類，第178冊，卷3，頁41。

[4]　孔安國注，孔穎達疏：《尚書注疏》，阮元等校：《十三經注疏：附校勘記》（臺北市：藝文印書館，影印嘉慶20年〔1815〕南昌府學本，1981年）第1冊，頁40下。

「鞭作官刑」，偽《孔傳》釋為「以作為治官事之刑。」[5]孔穎達（西元574-648年）曰：

> 治官事之刑者，言若於官事不治則鞭之。[6]

俞氏反對馬融（西元79-166年）「為辨治官事者為刑」之說，而從「官」、「館」二字淵源立說，認為「官」為「館」之本字，指如以今字書之，當作「鞭作館刑」，其意是「警庶人在官之游惰者」。

歷來針對「鞭作官刑」一語的解說，主要探討「鞭刑」之義，而鮮辨「官」與「館」的關係，如蔡沈（1167-1230）曰：

> 「鞭作官刑」者，木末垂革，官府之刑也。[7]

郝敬（1558-1639）曰：

> 鞭刑，垂革條于木末，官府拷訊之刑。[8]

劉毓崧（1818-1867）曰：

> 《傳》云：「以鞭為治官事之刑。」《正義》曰：「此有鞭刑，則用鞭久矣。」《周禮・滌狼氏》「誓大夫曰敢不關，鞭五百。」《左傳》有鞭徒人費、圉人犖是也。子玉使鞭七人，魏侯鞭師曹三百。日來皆施用。大隨造律，方使廢之。「治官事之刑」者，言若於官事不治則鞭之，蓋量狀加之，未必有定數也。

5　《十三經注疏：附校勘記》第1冊《尚書注疏》，頁40下。

6　《十三經注疏：附校勘記》第1冊《尚書注疏》，頁41下。

7　蔡沈注，錢宗武、錢忠弼整理：《書集傳》（南京市：鳳凰出版社，2010年1月），頁13。

8　郝敬：《尚書辨解》，《尚書類聚初集》（臺北市：新文豐出版公司，1984年10月）第2冊，頁15。

毓崧案:《隋書·刑法志》云:「高祖既受周禪,開皇元年,乃詔尚書左僕射勃海公高熲,上柱國沛公鄭譯,上柱國清河郡公楊素,大理前少卿平源縣公常明,刑部侍郎保城縣公韓濬,比部侍郎李諤,兼考功侍郎柳雄亮等,更定新律,奏上之。其刑名有五:一曰死刑二,二曰流刑三,三曰徒刑五,四曰杖刑五,五曰笞刑五。而蠲除前代鞭刑。」《志》又載高祖詔曰:「鞭之為用,殘剝膚體,徹骨侵肌,酷均劓切。雖云遠古之式,事乖仁者之刑。」此隋人始廢鞭刑之證。但《尚書正義》作於貞觀十二年,刪定者皆係唐臣,其時隋亡已久,稱述隋代之事不當仍云大隋,此疏必隋人之筆,非唐人之筆也。王氏鳴盛云:「此經疏名雖繫孔穎達,其實皆取之顧彪、劉焯、劉炫。三人皆隋人,故未經刪淨處,元文猶有存者。」其說最確。[9]

至於「官刑」,學者大都依循馬融之說,如戴震(1724-1777)曰:

《史記集解》馬融曰:「官刑,為辨治官事者為刑。」蘇氏軾曰:「官刑,以治庶人在官慢於事而未入於刑者。」[10]

焦循(1763-1820)曰:

【傳】以鞭為治官事之刑。
循按:舜思小懲而大戒之,作鞭、扑、贖三刑,懲之於罪未成之先,使之知恥知改,不致罪大惡極,則五刑雖不廢,而犯者寡矣。必小懲之而不大戒,至於怙終,而後以五刑施之。舜不廢五刑而作鞭、扑、贖三刑,以刑免天下之刑。[11]

---

9 劉毓崧:《尚書舊疏考正》,《續經解尚書類彙編》(臺北市:藝文印書館,1986年6月)第1冊,頁545。

10 戴震:《尚書義考》,《尚書類聚初集》第2冊,頁150。

11 焦循:《尚書補疏》,《皇清經解尚書類彙編》(臺北市:藝文印書館,1986年6月)第2冊,頁1236-1237。

朱駿聲（1788-1858）曰：

> 鞭，笞也。官刑，辦治官事者，不如法，則用此刑也。[12]

陳喬樅（1809-1869）曰：

> 《後漢書・章帝紀》元和元年詔曰：「鈷鑽之屬，慘苦無極。念其痛
> 毒，怵然動心。鞭作官刑，豈云若此？」《三國志・魏明帝紀》詔曰：
> 「鞭作官刑，所以糾慢怠也。」[13]

王先謙（1842-1917）曰：

> 以鞭為治官事之刑。《三國志・魏明帝紀》詔曰：「鞭作官刑，所以糾怠
> 慢也。」《史記集解》引馬云：「為辦治官事者為刑。」孫云：「《魯語》
> 『薄刑用鞭扑』注：『鞭，官刑。』案：庶人在官有祿者，過則加之鞭
> 笞。」[14]

屈萬里（1907-1979）曰：

> 鞭，鞭笞。作，為。官刑，官府之刑。衛獻公鞭師曹三百（見襄公十四
> 年《左傳》），是其例也。[15]

從各家論證可知，此「鞭作官刑」是官府所用鞭笞之刑。按本文「鞭作官刑，
扑作教刑」，官、校並舉，「官刑」為治官事之刑，文意清楚。俞樾謂此句應作

---

12 朱駿聲：《尚書古注便讀》（臺北市：廣文書局，1977年1月），頁13。
13 陳喬樅：《今文尚書經說考》，《續經解尚書類彙編》第2冊，頁861。
14 王先謙：《尚書孔傳參正》（北京市：中華書局，2011年），頁106。
15 屈萬里：《尚書集釋》（臺北市：聯經出版事業公司，2010年），頁22。

「鞭作館刑」，其意反而迂曲不明。顧頡剛（1893-1980）、劉起釪（1917-2012）亦指俞說無據。[16]

二　黎民阻飢

俞樾曰：

《傳》曰：「阻，難。眾人之難在於飢。」

樾謹按：《詩・思文》篇《正義》引《鄭注》曰：「阻，阸也。」姚義與鄭相近。《釋文》曰：「馬融注《尚書》作『祖，始也。』」《漢書・食貨志》「舜命后稷，以黎民祖飢。」孟康曰：「祖，始也，古文言阻。」是作「阻」者古文，作「祖」者今文，馬用今文說耳。竊謂「阻」、「祖」皆「且」之叚字，古字祖、阻皆與且通。商祖庚卣、祖乙卣，其祖字皆作「且」，《儀禮・大射禮》曰：「且左還。」《鄭注》曰：「古文且為阻。」是其證也。《說文・且部》「且，薦也。」然則「黎民且飢」，猶云「黎民薦飢。」《詩・雲漢》篇：「飢饉薦臻」，《毛傳》曰：「薦，重也。」《正義》引《爾雅・釋天》「仍飢為荐」，謂薦、荐字異義同。黎民薦飢，正仍飢之義也。「且」字古文作「𠀠」，几在地上，有薦籍之意，故訓為薦。作「祖」作「阻」，均其叚字。因其作「祖」而訓為「始」，因其作「阻」而訓為「阸」，俱未免望文生訓矣。[17]

案：本篇原文出自《堯典》，曰：

帝曰：「棄！黎民阻飢，汝后稷播時百穀。」[18]

---

[16] 顧頡剛、劉起釪：《尚書校釋譯論》（北京市：中華書局，2005年4月）第1冊，頁171。

[17] 俞樾：《群經平議》，頁41-42。

[18] 《十三經注疏：附校勘記》第1冊《尚書注疏》，頁44下。

「黎民阻飢」之「阻」，向有爭議。俞樾既反對偽《孔傳》釋「阻」為「難」之說，亦不接受馬融訓「祖」作「始」之說，而謂「阻」、「祖」皆與「且」通，解作「薦」，有「重」、「仍」之義。考「黎民阻飢」一語，傳本有作「黎民祖飢」與「黎民俎飢」。作「祖飢」者，見《漢書‧食貨志》，[19] 以及《經典釋文‧毛詩音義》引馬融說。[20] 作「俎飢」者，見《詩經‧周頌‧思文》《孔疏》，其曰：

> 《舜典》云：「帝曰：『棄！黎民俎飢。汝后稷播時百穀。』」《注》云：「俎讀曰阻。阻，厄也。」[21]

學者對這兩種傳本有不同的解說。「黎民阻飢」，鄭玄所見本為「俎飢」，他讀「俎」為「阻」，釋作「厄」，陸德明（西元556-627年）曰：

> 阻，莊呂反。王云：「難也。」[22]

王肅訓「阻」為「難」，應緣自《鄭注》之「厄」義。偽《孔傳》申述為「眾人之難在於飢。」《爾雅‧釋詁》曰：

> 阻、艱，難也。[23]

---

[19] 班固撰，顏師古注：《漢書》（北京市：中華書局，1962年6月），卷24上，〈食貨志第四上〉，頁1117。

[20] 陸氏曰：「阻，莊呂反，難也。馬融注《尚書》作祖，云始也。」見毛亨（？-？）傳，鄭玄箋，孔穎達疏：《毛詩注疏》，阮元等校：《十三經注疏：附校勘記》第2冊，頁721上。黃焯曰：「寫本『阻』作『俎』。《注》云：『本又作阻，難也。』下出『馬本作祖，云始也』七字。」見氏著：《經典釋文彙校》（北京市：中華書局，2006年7月），頁82下。

[21] 《十三經注疏：附校勘記》第2冊《毛詩注疏》，頁721下。阮元《校勘記》曰：「閩本、明監本、毛本俎、阻字互誤。按此條可證古本《尚書》十行本最佳處。」見同書頁727下。

[22] 黃焯：《經典釋文彙校》，頁77上。

[23] 周祖謨：《爾雅校箋》（合肥市：江蘇教育出版社，1984年12月），頁20。

蔡沈、[24]戴震、[25]曾運乾（1884-1945）[26]、屈萬里[27]從鄭說。

　　「祖飢」者，除《漢書》及馬融《尚書》注的記載外，《史記・五帝本紀》有如下述說：

　　　　舜曰：「棄！黎民始飢，汝后稷播時百穀。」[28]

司馬遷所見的《尚書》傳本很可能是作「黎民祖飢」，因此他將之寫成「黎民始飢」，這可從《爾雅》找到根據，〈釋詁〉曰：

　　　　初、哉、首、基、肇、祖、元、胎、俶、落、權輿，始也。[29]

「祖」有「始」義，史遷或從此著墨。

　　至於「俎飢」，鄭玄的說法，讀「俎」為「阻」，本來是假借問題，其中論述，以段玉裁最為詳盡，其曰：

　　　　《周頌・思文》鄭箋云：「昔堯遭洪水，黎民阻飢，后稷播殖百穀，烝民乃粒，萬邦作乂。」《正義》引《舜典》「黎民阻飢，后稷播時百穀。」《注》曰：「阻讀曰俎。阻，厄也。」……古「且」與「俎」音同義同。且，薦也。俎，所以薦肉也。孔壁與伏壁當是皆本作「且」，伏讀「且」為「祖」，訓「始」。孔安國本則或通以今字作「俎」，而說之者仍多依今文讀為「祖」，訓「始」，如馬季長注是也。至鄭乃讀為「阻」，鄭意以九載績墮，黎民久飢，不得云「始飢」，故易字作

---

[24] 蔡沈注，錢宗武、錢忠弼整理：《書集傳》，頁13。

[25] 戴震：《尚書義考》，《尚書類聚初集》第2冊，頁154。

[26] 曾運乾：《尚書正讀》（香港：中華書局香港分局，1972年2月），頁24。

[27] 屈萬里：《尚書集釋》（臺北市：聯經出版事業公司，2010年5月），頁26。

[28] 司馬遷撰，裴駰集解，司馬貞索隱，張守節正義：《史記》（北京市：中華書局，2013年）第1冊，頁46。

[29] 周祖謨：《爾雅校箋》，頁3。

「阻」，云「厄也」。王子雝從之云「難也」，姚方興採王注亦云「難
也」，鄭君《周頌箋》、《毛詩譜》及孟康注《漢書》引《尚書》皆依所
易之字作「阻」。此引經常例，而方興徑用鄭說，易《尚書》經文本字
作「阻」。不作「俎」，亦如偽《孔》用鄭說易經文作「昧谷」，不作
「丣谷」。《釋文》本簡略，且開寶改竄之後，原委尤不可考也。若今文
《尚書》作「祖飢」，則其證有五：《五帝本紀》曰：「黎民始飢」，一
也；《漢書・食貨志》曰「舜命后稷，以黎民祖饑」，二也；孟康注《漢
書》曰：「祖，始也。古文言阻」，三也；徐廣《史記音義》曰：「今文
《尚書》作『祖飢』，祖，始也」，四也；《毛詩》《釋文》曰：「馬融注
《尚書》作祖，云：始也」，此馬氏用今文讀「俎」為「祖」，五也。宋
本《毛詩正義》「黎民俎飢」，「俎」讀曰「阻」，蘇州袁廷檮所藏本如
是，與日本《七經考文》合。[30]

鄭玄讀「俎」為「阻」，「祖飢」與「阻飢」是為今古文之異，歷來學者多並存
二說，不下斷語，如江聲（1721-1799）、[31]王鳴盛、戴祖啟[32]、[33]孫星衍（1752-
1786）、[34]劉逢祿（1776-1829）、[35]王先謙、[36]皮錫瑞（1850-1908）[37]等皆如
是。然而，俞樾另立新說，指「阻」、「祖」是「且」之假字，解「且」為
「薦」，楊筠如（1903-1946)亦從其說。[38]

　　案：「且」，甲骨文作（甲二四九）、（甲四一四），[39]金文作（且乙
尊）、（且戊鼎）。[40]孫海波（1911-1972）釋曰：

30 段玉裁：《古文尚書撰異》，《皇清經解尚書類彙編》第2冊，頁2231-2232。

31 江聲：《尚書集註音疏》，《皇清經解尚書類彙編》第1冊，頁267。

32 戴祖啟：《尚書協異》，《尚書類聚初集》第2冊，頁175-176。

33 王鳴盛：《尚書後案》，《皇清經解尚書類彙編》第1冊，頁557-558。

34 孫星衍：《尚書今古文註疏》（北京市：中華書局，1986年12月），頁63。

35 劉逢祿：《尚書今古文集解》，《續經解尚書類彙編》第1冊，頁272。

36 王先謙：《尚書孔傳參正》，頁121。

37 皮錫瑞：《今文尚書考證》（北京市：中華書局，1989年12月），頁75。

38 楊筠如：《尚書覈詁》（西安市：陝西人民出版社，2005年12月），頁39。

39 孫海波：《甲骨文編》（北京市：中華書局，1965年9月），頁527。

40 容庚編著，張振林、馬國權摹補：《金文編》（北京市：中華書局，1985年7月），頁923。

神主之主，因且之形為之，故葶乳為祖始，父之父以上為得偶焉。[41]

孫氏所言可以接受。李孝定（1918-1997）亦認為「且」象神主之形，並謂「甲骨金文均以且為祖妣字。」[42]「俎」字作甲文▨（前六.二.三）、▨（前七.二〇.三）[43]，金文作▨（三年癭壺）。[44]李孝定指「且」、「俎」於契文金文截然有別。[45]「且」為「祖」之初文，俞樾謂「祖」是「且」之假字，並不確切。此外，俞氏以本文是「黎民且飢」，並引《說文》「且，薦也」之說，解「且飢」為仍飢。此說亦可商榷。《說文》曰：

且，薦也。从几，足有二橫。一，其下地也。[46]

段玉裁《說文解字注》曰：

薦，當作荐。薦訓「獸有食艸」，荐訓「薦席」。薦席謂艸席也，艸席可為藉謂之荐。故凡言藉，當曰荐，而經傳薦、荐不分。[47]

《說文》又曰：

俎，禮俎也。从半肉且上。[48]

「俎」為盛禮俎之器。由此可知許慎以「且」為墊物器具。文獻用「薦」為

---

[41] 孫海波：《甲骨金文研究》，李圃主編：《古文字詁林》（上海市：上海教育出版社，2004年12月）第10冊，頁625。

[42] 李孝定：《甲骨文字集釋》（臺北市：中央研究院歷史語言研究所，1982年），頁4079。李氏釋「祖」字亦有相關說明，見是書頁71-73。

[43] 孫海波：《甲骨文編》，頁529。

[44] 容庚編著，張振林、馬國權摹補：《金文編》，頁925。

[45] 李孝定：《甲骨文字集釋》，頁4079-4089。

[46] 丁福保：《說文解字詁林》（北京市：中華書局，2014年11月）第15冊，頁13704下。

[47] 丁福保：《說文解字詁林》第15冊，頁13705。

[48] 丁福保：《說文解字詁林》第15冊，頁13712下。

「重」、「仍」義者，除俞樾所舉《詩・雲漢》「飢饉薦臻」外，《左傳》僖公十三年「冬，晉薦饑」，[49]此「薦」有「再」義。[50]然而，《說文》「且，薦也」只是解釋「且」的形構義，而「薦」的「重」義是語用義，二者不能互相替代。先秦文獻亦不見「且」作「薦」的文例，如「晉薦饑」不可解作「晉且饑」。俞氏之說缺乏有力的根據。

俞氏之外，于省吾（1896-1984）亦有新的見解，他說：

> 「阻」，徐廣作「祖」，《史記》作「始」，馬融云：「祖，始也。」鄭康成云：「阻，讀曰俎，厄也。」偽《傳》訓「阻」為「難」。按：今文「且」即「祖」。「俎」作𔖖，與「祖」通。《大豐殷》「王鄉大𔖖」可證。《儀禮・大射儀》「且左還」，注古文「且」為「阻」。是「阻飢」即「且飢」。《呂覽・音律》「陽氣且泄」，注：「且，將也。」「黎民阻飢」者，黎民將飢也。[51]

于氏定「且」為本字，卻不從「始」、「厄」舊訓，而釋為副詞之「將」。但「將飢」是未來之事，似與本文語境不合。

考本篇上下文曰：

> 帝曰：「棄！黎民阻飢。汝后稷，播時百穀。」帝曰：「契！百姓不親，五品不遜。汝作司徒，敬敷五教，在寬。」帝曰：「皋陶！蠻夷猾夏，寇賊姦宄。汝作士，五刑有服，五服三就；五流有宅，五宅三居。惟明克允。」[52]

鄭玄曰：

---

[49] 杜預注，孔穎達疏：《春秋左傳注疏》，阮元等校：《十三經注疏：附校勘記》第6冊，頁223下。

[50] 《爾雅・釋言》曰：「荐，再也。」見周祖謨：《爾雅校箋》，頁24。

[51] 于省吾：《尚書新證》（北京市：中華書局，2009年4月），頁48。

[52] 《十三經注疏：附校勘記》第1冊《尚書注疏》，頁44下-45上。

> 俎讀曰阻。阻，厄也。始者洪水時，眾民厄于飢，汝居稷官，種薛百
> 穀，以救活之。[53]

按文意，舜因社會「百姓不親，五品不遜」，故命契作司徒，推行五教以改善
倫理關係。因「蠻夷猾夏，寇賊姦宄」，而命皋陶作士，行五刑五流，以維護
國家安全。這都是舜帝因應國家長期問題所作的措施。因此，舜命棄為后稷，
領導農耕，亦應為了解決人民久陷飢饉的情況。鄭玄謂「眾民厄于飢」，與上
下文意配合。《史記》作「黎民始飢」，雖亦通順，卻不比鄭說深刻。

　　「黎民阻飢」與「黎民祖飢」，兩者皆有早期文獻所本，實不宜必捨其中
一說。就文理而言，筆者寧取鄭玄「阻飢」之說。

---

[53] 《十三經注疏：附校勘記》第2冊《毛詩注疏》，頁721下。

「王正月」解讀視角的轉變及其意義

蔡長林、陳顥哲

中央研究院

摘要

　　《春秋》素有「文成數萬，其指數千」的評價，僅就經文首句「王正月」，便已是議論蠭起，古今漢宋學者聚訟於此，更無慮千百之數。本文據此對「王正月」諸說進行歷時性考察，從漢代《公羊》、《左氏》，降至胡《傳》、下至明清，統合諸家說解，可歸納出「王正月」之說解，有以《公羊》為首，主張「夏正」的義理詮釋；亦有取《左氏》為根柢，論證以為「周正」的事實理解；其後學者更雜以曆法詮解，試圖折衷二者，圓融《春秋》的事實與學理。至於晚清《公羊》家，則又各據其理念而對「王正月」有不同的解讀。眾經說透過歷時性的排比，可以拈出《春秋》學由重義理的經學立場逐漸轉向重事實的史學傾向。

關鍵詞：春秋　王正月　夏正　周正　夏時冠周月

一　前言

　　儒家傳統典籍中，《春秋》向以難解著稱。太史公曾述董生之言，贊《春秋》「文成數萬，其指數千」，足見去古未遠的漢代，已有《春秋》微言隱奧、大義夥頤的認知。以今日所見，董子之語並非言過其實，回顧《春秋》詮釋史，歷代學者莫不窮通所學，欲以殫精竭慮之智，溯返聖人筆削之大義。即如對《春秋》首書「元年春王正月」六字之說解，已是萬千之數，遑論其他所謂「貶天子、退諸侯、討大夫」之類的「非常異議可怪之論」，此亦無怪儒門早得「累世不能通其學」之嘆。《春秋》既號難曉，又兼以有今古之爭，復有漢宋之別，學者莫衷一是，未有達辭。然觀其聚訟，仍有犖犖大端可見，若「紀侯大去齊國」、「許世子進藥弒君」、「尹氏君氏」之類，撮其旨要，則「九世復讎」、「原心定罪」與「譏世卿」之義而已。後人於二百四十二年記事，或以對經首「元年春王正月」之論最為紛呈，蓋《公羊》一系依此述「五始」、「三統」，推「三科九旨」之法；《左氏》之裔則據文闡明史例、源本舊章，立成紹述周孔之志；宋儒緣此而有尊王之義，乃至有以「夏時冠周月」之說；清儒則推此而立考曆之學，以為「周正」、「夏正」，不過曆法之殊致。緣《春秋》一語而致如是分歧者，未有若此而甚者。須知對「王正月」作「周正」、「夏正」等連結曆法之解釋，雖在兩宋之際已有之，然論述之主力，則主要落實在明清之際重考據的學者身上，彼輩雖從客觀知識層面出發，從曆法的角度對「王正月」作出較合理的判讀，卻也對歷代學者異論紛呈的「王正月」解釋內涵，產生遮蔽。換言之，清儒爭論《春秋》「夏正」或「周正」，多從追溯古史角度以談上古曆法之建構，佐以《春秋》史事之記載，冀以達到史學求真之目的。然而此種追求客觀知識建構的作法，並非古已行之，早期關於夏曆、周曆之爭，並非純由追求知識所致，其論爭出現的深層原因，反與經學理論之建構有關；而且《公羊》、《左氏》體系雖有圍繞「王正月」的夏曆、周曆之辯，其問題意識亦與兩宋以降不同。是以本文以「王正月」為主軸，除了嘗試說明「王正月」三字諸家說解之背後因素外，更欲藉此考察《春秋》解釋焦點之變遷，以

及此中所產生之意義。

二　理論與事實視域中的「王正月」

在《春秋》的詮釋領域中，無論學者主張今古、學宗漢宋，要皆難棄三《傳》；而《公羊》、《左傳》之說，尤常為學者所援用。以下分述《春秋經》書「元年春王正月」，二《傳》體系之釋義。

（一）「王正月」者，大一統之詞也

在經學的發展過程中，兩漢必是一個極為關鍵的時代。於西漢早期獨領風騷者，則首推《公羊傳》，此是《春秋》學中各項議題開展的原點，論《春秋》者，必不可輕忽《公羊傳》。而《公羊傳》之釋「王正月」，並非將其視為個別獨行的概念，而是合「元年春王正月」以為釋，其云：

> 元年者何？君之始年也。春者何？歲之始也。王者孰謂？謂文王也。曷為先言王而後言正月？王正月也。何言乎王正月？大一統也。[1]

《公羊傳》從對這六個字的解釋中，提煉出「大一統」的核心命題。根據這個核心概念，推展出《春秋》經之所以如此書寫的理由：元年，為受命者即位之年；春，是一年之始；王者，乃假文王受命建制以為王法；正月，即王者受命布政施教所制之月。再加上何休對經文「元年春王正月」之後，在《公羊傳》「公何以不言即位」之下，所做出對「公即位」的訓解，由是公羊家據此推衍出一套具有強大涵攝力量的政治學說，此即公羊學的根本理論—《春秋》「大一統」。這些經由董仲舒、何休等學者歸納演繹所建構的儒家政治學說，已非《公羊傳》文字記載所能限，在漢代形成了一套相當縝密的論述體系，即所謂的「五始」之說，分別由「元年」、「春」、「王」、「正月」、「公即位」構成一套

---

[1] 〔漢〕何休解詁、〔唐〕徐彥疏：《春秋公羊傳》（臺北市：藝文印書館，2001年），頁8-9。

環環相扣的新王受命建制之政治術語。何休釋「即位」云：

> 即位者，一國之始。政莫大於正始，故《春秋》以元之氣正天之端，以
> 天之端正王之政，以王之政正諸侯之即位，以諸侯之即位正竟內之治。
> 諸侯不上奉王之政則不得即位，故先言正月而後言即位；政不由王出則
> 不得為政，故先言王而後言正月也；王者不承天以制號令則無法，故先
> 言元而後言春。五者同日而並見，相須成體，乃天人之大本、萬物之所
> 繫，不可不察也。[2]

何休之說旨在於藉由「五始」的理論，為《春秋》所託新王之即位，提出理論
之根據。伴隨「五始」理論而來的，則是「王者改制」這個命題：所謂王者
「承天以制號令」，因此王者必有布教施政之責；又因其受命於天，故須「徙
居處、改正朔、易服色、殊徽號、變犧牲、異器械，明受之於天，不受之於
人」。[3]依此解釋，則《春秋》「王正月」所指，即是意味著新王受命於天，故
頒其所奉之正朔，示為新王朝施政之始。因此「王」必須聯繫著「正月」，顯
示著天下所奉法度為一。故《公羊傳》曰：「何言乎王正月？大一統也。」[4]

然而《春秋》經文中卻同時存有許多「王二月」、「王三月」的用法，例如
隱公三年、莊公六年皆有如此書法[5]，何休對此解釋為：

> 二月、三月皆有王者。二月，殷之正月也；三月，夏之正月也。王者存
> 二王之後，使統其正朔、服其服色、行其禮樂，所以尊先聖、通三統，

2　同前註，頁10。又楊士勛云：「何休注《公羊》，取《春秋緯》『黃帝受圖，立五始』，以為元
　　者氣之始，春者四時之始，王者受命之始，正月者政教之始，公即位者一國之始，五者同日
　　並見，相須而成。」〔晉〕范甯集解、〔唐〕楊士勛疏：《春秋穀梁傳》（臺北：藝文印書館，
　　2001年），頁1。

3　同前註，頁9。

4　同前註，頁9-10。

5　隱公三年條云：「三年，春，王二月」；莊公六年條則云：「六年，春，王三月，王人子突救
　　衛。」同前註，頁26、79。

師法之義、恭讓之禮，於是可得而觀之。[6]

在何休的解釋框架中，既有「王正月」新王改制的「政教之始」，又有「王二月」、「王三月」的「王者存二王之後」，此係指退封新王之前的兩個王朝，使其在各自的屬地中「服其服色、行其禮樂」，透過保留舊王朝的典章制度，表示對過往王朝的尊重，也就是徐彥所云「各使以其當代之正朔為始」之意[7]；而這種使舊王朝的正朔禮樂依舊行於前代王朝子孫封國之內的政治設計，更是明示天下以非一姓所有的謙讓態度。此種「王者新興，存二王之法而改制」的理念，便是兩漢《公羊》學中「通三統」的具體內涵。

當然，這樣的說法也不是由何休首創，早在西漢時期，董仲舒於《春秋繁露·三代改制質文》中已提及。其言：

> 王者之法，必正號，絀王謂之帝，封其後以小國，使奉祀之；下存二王之後以大國，使服其服，行其禮樂，稱客而朝。[8]

這種「存二王之後」的概念，雖與新王朝之建制、或與五帝三王的排序有關[9]，然而對董、何等《公羊》學者而言，其措意實在於「新王改制」一事。綜觀《春秋繁露》及何休《解詁》，凡提及「三統」處，雖立論萬千，要皆歸於

6　同前註，頁26。按：定公元年，有王無正月，《公羊傳》以為定公即位後也，而發其「定哀多微辭」之嘆，此又別為一例，當另文探討。

7　同前註，頁26。

8　〔漢〕董仲舒撰、〔清〕蘇輿注：《春秋繁露義證》（北京市：中華書局，2007年），頁198。

9　由於新王僅存二王之後，故二代之前的王朝則絀退之，雖為《公羊》家所主張，但亦成為後世王朝有意法古時所會從事的行為。誠如蘇輿所舉例：「漢自為一代，上封殷、周，不及夏后，正用此絀夏、故宋、新周之意。」又舉清康熙三十八年，康熙致奠明陵所下之詔令：「今本朝四十八旗蒙古，亦皆元之子孫，朕仍沛恩施，依然撫育；明之後世，應酌授一官，俾司陵寢。」於漢而言，是絀夏、親周、故宋；於清而言，則是絀宋、親明、故元。這種制度，彰明了天命循環、不主一家的理論，同時亦是新王「紀典禮」之用；又因王朝會不斷遞嬗，與前王朝的親疏遠近會不斷變動，因此二王之前的王者，會被退為帝、皇。所以如皮錫瑞就認為「古時二帝三王，並無一定，猶親廟之祧邊。」詳見〔清〕皮錫瑞：〈論存三統明見董子書並不始於何休據其說足知古時二帝三王本無一定〉，載《經學通論·春秋》（北京市：中華書局，2008年），頁6。

「以《春秋》當新王」上。

孟子言「《詩》亡而後《春秋》作」及「《春秋》，天子之事」，「新王」之說於此稍見端倪，其後如董仲舒、司馬遷等人的推闡，早已成為漢代早期《春秋》學的先行論斷。如董仲舒云：

> 下存禹之後于杞，存湯之後于宋，以方百里爵號公，皆使服其服，行其禮樂，稱先王客而朝。《春秋》作新王之事，變周之制，當正黑統。而殷、周為王者之後，絀夏改號禹謂之帝，錄其後以小國，故曰：絀夏、存周，以《春秋》當新王。[10]

另外，向董仲舒學《春秋》的司馬遷，亦同論其事，其論《春秋》之作意為：

> 貶天子，退諸侯，討大夫，以達王事而已矣。[11]

因《春秋》可以「撥亂世反之正」，又可行褒貶之義，故「《春秋》之義行，則天下亂臣賊子懼焉」[12]，是故《春秋》乃為「王道之大者」。司馬遷此說雖強調《春秋》之褒貶，但同樣寓有「《春秋》當新王」之意。

至於在對《公羊傳》的說解中，何休也同樣一再的強調，《春秋》為新受命之王。如莊公二十七年《春秋》經云：「杞伯來朝。」何休《解詁》：

> 杞，夏後。不稱公者，《春秋》黜杞新周而故宋，以《春秋》當新王。[13]

又宣公十六年《春秋》經云：「夏，成周宣謝災。」何休《解詁》：

> 新周，故分別有災，不與宋同也。孔子以《春秋》當新王，上黜杞下新

---

10 董仲舒撰、蘇輿注：《春秋繁露義證》，頁199。

11 〔漢〕司馬遷：《史記‧太史公自序》（北京市：中華書局，1963年），頁3297。

12 司馬遷：《史記‧孔子世家》，頁1943。

13 何休解詁、徐彥疏：《春秋公羊傳》，頁105。

周而故宋。因天災中興之樂器，示周不復興，故繫宣謝於成周，使若國文。黜而新之，從為王者後記災也。[14]

從董仲舒、司馬遷以至於何休，《公羊》家有一貫的「以《春秋》當新王」的說法，認為《春秋》經孔子「加乎王心」所筆削，為一新王之法。但是《春秋》本身既是一虛擬的王朝，其本源乃據魯史修訂而來，是以得透過魯國國史上所記錄的史事進行褒貶取棄，方可為後世之法。因此這就出現概念上的歧異：按說「以《春秋》當新王」，依字面索解，則當理解為《春秋》乃是一新受命之王朝；若是新王朝，則如何處理與周天子的關係，《春秋》新王的「王法」如何展現，是《公羊》家必須面對的問題。是以董仲舒將其落實於魯，由《春秋》託辭於魯史的「當新王」，一變為「《春秋》王魯」[15]：

> 《春秋》應天，作新王之事，時正黑統，王魯尚黑，絀夏新周故宋。[16]

只是在《春秋繁露》中，明確提及「王魯」二字的，僅有上文所引的〈三代改制質文〉一篇，但到了何休撰著《公羊解詁》及徐彥疏《公羊》時，「王魯」變成一個可以與「以《春秋》當新王」並行的概念，而且「王魯」畢竟在解釋經文上具有更佳的操作性，僅以隱公元年論，如「元年春王正月」徐《疏》云：

---

[14] 同前註，頁209。

[15] 或有云「《春秋》託王於魯」。但《春秋》為何以魯為新王，歷來有不同的解釋。如楊朝明先生總結數說，歸納云：「對於這個問題（託王於魯），人們有不同的分析，如有的以為魯為姬姓，又為周公之後，孔子常常『夢見周公』，故因親周而託王於魯；有的以為託魯以見王義，乃因孔子畏時遠害，他不直宣王法，是為了使主人於史文中習其句讀而不知己有罪；還有的以為《春秋》託王於魯是『因魯史之文，避制作之僭』。……蔣慶所說《春秋》託王於魯的原因主要有二：一是魯國資料比較完整；一是孔子熟悉魯國史料，運用起來名正言順。」而楊先生自己的意見則是：「魯乃周文薈萃之地，尚可一變而至於道，正是『《春秋》王魯』的根本原因所在。」但不論各家意見為何，大抵都承認「王魯」是「假魯史之文而竊取其義，是假魯為有道而說明王義。」詳見楊朝明：〈公羊學派「《春秋》王魯」說平議〉，收入《出土文獻與儒家學術研究》（臺北市：臺灣古籍出版，2007年）頁98-99。

[16] 董仲舒撰、蘇輿義證：《春秋繁露》，頁187。

> 若《左氏》之義，不問天子、諸侯，皆得稱元年。若《公羊》之義，唯
> 天子乃得稱元年，諸侯不得稱元年。此魯隱公諸侯也，而得稱元年者，
> 《春秋》託王於魯，以隱公為受命之王，故得稱元年。[17]

此處將隱公諸侯而得稱元年之故進行說明，即《春秋》託王於魯，以隱公為受
命之之王，故得稱元年。又如「君之始年也」，何《詁》云：

> 不言公，言君之始年者，王者諸侯皆稱君，所以通其義於王者。惟王者
> 然後改元立號，《春秋》託新王受命於魯，故因以錄即位，明王者當繼
> 天奉元，養成萬物。[18]

此處使諸侯藉由稱君，作概念上的轉換，通其義於王，而得改元立號之依據。
又「因其可襃而襃之」，何《詁》云：

> 《春秋》王魯，記隱公以為始受命王，因儀父先與隱公盟，可假以見襃
> 賞之法，故云爾。[19]

又「天王使宰咺來歸惠公仲子之賵」，何《詁》云：

> 所傳聞之世，外小惡不書。書者〔指歸賵不及時〕，來接內也。《春秋》
> 王魯，以魯為天下化首，明親來被王化，漸漬禮義者，在可備責之域，
> 故從內小惡舉也。[20]

其他如隱公七年《經》「滕侯卒」條下注云：「《春秋》王魯，託隱公為始受命

---

[17] 何休解詁、徐彥疏：《春秋公羊傳》，頁8。
[18] 同前註。
[19] 同前註，頁12。
[20] 同前註，頁15。

王，藤子先朝隱公，《春秋》褒之。」[21]至於隱公九年《經》：「春，天王使南季來聘。」《穀梁傳》曰：「聘，問也。聘諸侯非正也。」晚清俞樾撰〈聘諸侯非正說〉，先駁范甯之說，其後釋曰：

> 聘諸侯非正，則《春秋》何以書聘？蓋《春秋》固託王於魯者也。《春秋》託王於魯，故於天王書來聘，於小國書來朝，隱然以魯當新王矣。公羊子深知《春秋》之義者也。《春秋》之義，以魯當新王，則上受天子之聘，下受小國之朝，固其分之所當然矣，故《公羊傳》無說也。穀梁子未達此義，乃據周公之典，以律《春秋》，……斷之曰「聘諸侯非正也」。穀梁子蓋淺於《春秋》而深於禮矣，故謂穀梁子未達《春秋》託王於魯之義則可，謂穀梁子不考禮經則不可。……《公》、《穀》皆與聞聖門之緒論，各有師承，《公羊》不發傳，以《春秋》託王於魯，聘固禮所當然也；然非穀梁子特發聘諸侯非正之說，又誰知《春秋》書來聘之以新王待魯哉！然則二傳正互相成也。[22]

依《周禮》，天子於諸侯曰問，諸侯於天子曰聘。然經文卻書「天王使南季來聘」，《穀梁傳》故有聘諸侯非正一說。俞樾認為書來聘者，是以魯當新王之故。《公羊傳》認為書王使來聘是理所當然，所以並未發傳以釋之。至於《穀梁》傳發聘諸侯非正之說，正所以證明書來聘是以新王待魯，所以他認為《公》、《穀》可互相成，《穀梁》淺於《春秋》而深於禮，《公羊》則是淺於禮而深於《春秋》。

綜上所述，其中或言王魯、或言託新王受命於魯云云，皆是將魯國視為一個新的王朝，將魯國國君視為王者的「託王於魯」，這樣的解讀更是透過文字將「據魯、親周、故殷」之說具體落實的作法。

然而，也因為從「以《春秋》當新王」到「《春秋》王魯」，這兩組概念在

---

21 同前註，頁38。

22 〔清〕俞樾：〈聘諸侯非正說〉，《經課續編》，收入《春在堂全書》（南京市：鳳凰出版社，2010年），冊7，卷6，頁29-30。

何休《解詁》中是並行的用法，因此在過往的詮釋傳統中經常被混同而論。[23]
首先將這兩個概念區分陳述的，當屬蔣慶先生，其於《公羊學引論》中提及：

> 二說所當王法的主體不同：一是以《春秋》這部經當王，一是以魯國這
> 個諸侯國當王，並且二說所要說明的對象也不同：一是要說明孔子作經
> 的目的是以《春秋》當新王，一是要說明孔子作經的方法是以魯國當
> 王。[24]

按諸實際，魯國乃周之封國，且其始封之君亦不是前二王朝之後，故魯國當奉
周之正朔；然而無論是「《春秋》王魯」或「《春秋》託新王於魯」，推而闡
之，則周所封之魯國一變為新王朝，則當有新王朝所奉之正朔，按照三正循環
的理解，則《春秋》所載而為魯國所用之「正月」，應當是夏正。至於「以
《春秋》當新王」，一樣很容易推導出「《春秋》是一個新的王朝」[25]的概念，
那麼公羊家對《春秋》中所言「正月」之認定，同以三正為據，亦應當是夏
正。此三者指涉範圍雖微有區別，不過漢代經學家選擇的是理論上最圓融的說
詞，亦即「《春秋》託王於魯」，因而認為：《春秋》乃託王於魯，故云「王
魯」。既已假魯為新王，則魯應當改正朔、易服色而為新王之法。因此，董仲
舒才會將「《春秋》應天作新王之事，時正黑統」與「王魯，尚黑」二者聯繫
起來。[26]同樣的，何休於《解詁》中也說：「河陽，冬言狩；獲麟，春言狩

---

[23] 像是錢大昕就直接將二者等同起來，其謂：「王者存二代之後，周監于夏殷，繼周者，當紲杞
而存周，以備三統，故曰：『據魯、親周、故殷，運之三代』。據魯，謂以《春秋》當新王
也。」見錢大昕：《二十二史考異·孔子世家》，收於〔清〕錢大昕撰、陳文和主編：《嘉定錢
大昕全集》（南京市：江蘇古籍出版社，1997年），第2冊，頁70。

[24] 蔣慶：《公羊學引論》（瀋陽市：遼寧教育出版社，1995年），頁101。除此之外，亦可參蔡長
林：〈從「以《春秋》當新王」到「《春秋》託王於魯」——《公羊》學「三統」說及其歷史
際遇〉，《中國文哲研究通訊》，第17卷第3期（2007.09），頁179-199。

[25] 如《淮南子·氾論訓》云：「夫殷變夏，周變殷，《春秋》變周，三代之禮不同。」〔漢〕劉安
撰、何寧集釋：《淮南子》（北京市：中華書局，1998年），頁931。

[26] 董仲舒撰、蘇輿義證：《春秋繁露》，頁187。按照蘇輿的說法，也可逆推董仲舒等漢人，是將
《春秋》視為一個王朝，且等同於魯。其注云：「魯為侯國，漢承帝統，以侯擬帝，嫌於不
恭，故有託王之說。云黑統則託秦尤顯，蓋漢承秦統，學者恥言，故奪黑統歸《春秋》，以為
繼《春秋》，非繼秦也。」頁187-188。

者，蓋據魯，變周之春以為冬，去周之正而行夏之時。」[27]而徐彥之疏，則又說得更清楚：「案僖二十八年冬，天王狩于河陽之時，乃冬言狩；今獲麟之經，春言狩者，蓋據魯為王而改正朔，方欲改周之春以為冬，去周之正月而行夏之時，由此之故，春而言狩矣。」[28]要之，皆是將周視為過往的王朝，而《春秋》或魯國，才是新的受命之王朝。

在理解公羊家依三統原則定《春秋》託王於魯，乃至以魯當新王，故其所言正月非周正而為夏正的同時，有必要對傳文一些易產生誤解之處，進行說明。如「王者孰謂？謂文王也」，何《詁》云：「文王，周始受命之王。天之所命，故上繫天端，方陳受命，制正月，故假以為王法。」[29]徐《疏》云：「『問曰：《春秋》之道，今有三王之法，所以通天三統。是以《春秋》說云：『王者孰謂？謂文王也。』疑三代不專謂文王〔按：原作「疑三代謂疑文王」，依校勘記改〕，而《傳》專謂文王，不取三代何？答曰：大勢《春秋》之道，實兼三王，是以《元命包》上文摠而疑之，而此《傳》專云『謂文王』者，以見孔子作新王之法，當周之世，理應權假文王之法，故偏道之矣。故彼宋氏注云『雖大略據三代，其要主於文王者』是也。」[30]徐氏又云：「孔子方陳新王受命制正月之事，故假取文王創始受命制正朔者，將來以為法，其實為漢矣。」[31]由以上何《詁》、徐《疏》所述可知，公羊家以孔子當周之世，乃假取文王創始受命以制正朔。故何《詁》釋「王正月也」云：「以上繫於王，知王者受命，布政施教所制月也。王者受命，必徙居處、改正朔、易服色、殊徽號、變犧牲、異器械，明受之於天，不受之於人。」[32]又何《詁》「大一統也」云：「統者，始也，摠繫之辭。夫王者始受命改制，布政施教於天下，自公侯至於庶人，自山川至於草木昆蟲，莫不一一繫於正月，故云政教之始。」[33]皆

---

27 何休解詁、徐彥疏：《春秋公羊傳》，卷28，頁8。

28 同前註。

29 同前註，頁9。

30 同前註。

31 同前註。

32 同前註。

33 同前註。

所以假文王創始受命制正朔之概念，行新王之法，而不是行周之正朔。如此，則隱公元年及七年所載的「記隱公為始受命王」或「託隱公為始受命王」，方具意義。而所謂「王正月」者，在概念或理論層次上非依循周正亦可明矣。

進一步言之，不論是「《春秋》當新王」或者是「王魯」的說法，都有一個相當重要的共通點，即是這些今文學者都將《春秋》視為「萬世之王法」。換言之，《春秋》所載錄之文，皆是「王法」之表徵；這樣的認知模式，是將《春秋》高度符號化、象徵化的認知。所以《春秋》之文，雖云「王正月」，但其所喻，乃是天下共遵新王之法的「大一統」，是新王頒新正朔的表徵；而既是新王的正朔，則當是《白虎通》中說的：「孔子承周之弊，行夏之時，知繼十一月正者，當用十三月也」的「夏正」無疑。[34] 既然對公羊家而言，所重者在「三統」政治理論之建構，則此「王正月」之正月，其概念實為三統循環之新王所建之正月，亦即為公羊家所虛擬之「夏正」，非周正明矣。

（二）「王正月」者，周之正月也

凡對經學史稍有認識的人，大抵都會認同《公羊》、《左氏》二傳，分別代表今、古文家所主張的《春秋》傳，且其中解讀《春秋》之義多有相左，自劉歆作〈移讓太常博士書〉後，今、古文家幾若水火之勢，直至相攻若讎。

今、古二家於諸經說解多有別異，則《春秋》自不免於外。今案《左氏》於經文雖亦作「元年春王正月」，然傳文在「惠公元妃孟子」一段後，即接以「元年春王周正月」，較之《公羊》，於「王」及「正月」中多增一「周」字。其下雖亦釋隱公之不言即位，然經文的一字之差，代表的卻是經學理念的巨大差異。杜預於隱公元年《經》「王正月」後釋云：

> 隱公之始年，周王之正月也。凡人君即位，欲其體元以居正，故不言一年一月也。隱雖不即位，然攝行君事，故亦朝廟告朔也。[35]

---

34 〔漢〕班固撰、〔清〕陳立疏：《白虎通》（北京市：中華書局，2007年），頁364。

35 〔晉〕杜預注、〔唐〕孔穎達疏：《春秋左氏傳》（臺北市：藝文印書館，2001年），卷2，頁5。另外，范甯集解《穀梁傳》於「元年春王正月」下云：「隱公之始年，周王之正月也。杜

依杜預之解釋，已可得見《左傳》於傳文之中多增添一「周」字之寓意，杜氏釋之為「言周以別夏、殷也」。[36] 再則，《左傳》並沒有如《公羊》對「元年」、「春」、「王」、「正月」諸概念進行解釋，杜預也沒有在解釋「不書即位」之前，對「即位」進行類似何休建構「五始」的理論闡述，僅是指出隱公以攝政之故，不脩即位之禮，故史不書於策，而傳所以見異於常。[37]

問題在於，周王朝自然是有別於夏、商，又何必於此贅言「周王之正月」？又「王正月」前添一「周」字，何以後見的「王二月」、「王三月」不添「周」字？前一問題，或可由杜預所主張的「言周以別夏、殷也」推其心意，以表明正朔在周；後一問題，則由於《左傳》於「王二月」、「王三月」經文後無傳，故無法得知杜預之看法。幸而孔穎達對這些問題做出了詳細的回應：

> 《釋詁》云「元，始也」、「正，長也」。此公之始年，故稱元年；此年之長月，故稱正月。言「王正月」者，王者革前代、馭天下，必改正朔、易服色，以變人視聽。夏以建寅之月為正，殷以建丑之月為正，周以建子之月為正。三代異制，正朔不同，故《禮記·檀弓》云：「夏后氏尚黑，殷人尚白，周人尚赤。」鄭康成依據緯候以「正朔三而改，自古皆相變」。如孔安國以自古皆用建寅為正，唯殷革夏命而用建丑，周革殷命而用建子。杜無明說，未知所從。正是時王所建，故以王字冠之，言是今王之正月也。[38]

孔氏可謂用相同的材料，對何休之說操入室之矛。他首先回答為何《左傳》要

預曰：『凡人君即位，欲其體元以居正，故不言一年一月也。』楊《疏》：「何休注《公羊》，……言既不經，故范所不信。元年實是一年，正月實是一月，而別為立名，故范引杜預之言以解之。元者，氣之本、善之長，人君當執大本，長庶物，欲其與元同體，故年稱元也；其常居正道，故月稱正也。以其君之始年，歲之始月，故特立此名以示義。其餘皆即從其數，不復改也。」亦即范注《穀梁》於「元年春王正月」之解釋，基本上同於杜《注》，可一併討論。范甯集解、楊士勛疏：《春秋穀梁傳》，卷1，頁1。

36 杜預注、孔穎達疏：《春秋左氏傳》，卷2，頁13。

37 同前註。

38 同前註，卷2，頁5-6。

書「王周正月」，其論述雖亦援引三正改正朔、易服色之概念以釋「王正月」，然與公羊家的虛化或符號化「王正月」之「王」不同，以為不過是周革殷命而用建子所建之正月，是以《左傳》所言「王周正月」者，正因是時王所建正朔，故以王字冠之，言是今王之正月也。而彼時王是周王，當然是「周王之正月」。

孔氏進一步指出：經所以書「王二月」、「王三月」，在於周之二月、三月皆是前世之正月，故有「於春每月書王」的書法：「王二月者，言是我王之二月，乃殷之正月也；王三月者，言是我王之三月，乃夏之正月也。」而所以每月書王之故，在於「既有正朔之異，故每月稱王以別之」。此所稱之王乃我周之王，非夏之大禹、殷之成湯，他批評何休、服虔通三統的統三王之正之說，是「周室之臣民尊夏、殷之舊主，每月書王敬奉前代，揆之人情未見其可」。換個角度來看，二王後的杞、宋，亦只是各行己祖正朔，所謂「宋不行夏、杞不行殷」，至於「使天下諸侯徧視二代，考諸典籍，未之或聞。其故在於若使杞、宋不奉周正，周人悉尊夏、殷，則是重過去而忽當今，尊亡國而慢時主，其為顛倒，不亦甚乎」？更何況「《經》之所言王二月、王三月，若是夏、殷之王，當自皆言正月，何以言王二月、王三月乎？謂之二月、三月，其王必是周王，安得以為夏、殷王也」？所以他批評道：「若如《公羊》之說，《春秋》黜周王魯，則杞非王後，夏無可尊，復通夏正何也？」最後，孔氏再回到經所以書「王二月」、「王三月」的問題上，以為「春之三月，不必皆有事，若入年已有王正月者，則二月不復書王；若已有王二月者，則三月不復書王，以其上月已是此王之月，則下月從而可知，故每年之春唯一言王耳，《春秋》之例，竟時無事，乃書首月以記時」。[39] 其意蓋謂正月有事則書王正月，則二月不重複書王，依此類推。若竟時無事，則書首月以紀時，如是而已。並無《公羊》體系所言存二王後的大道理，有的只是別二王後的強調自家王朝之正朔。

依孔氏之說，大致可以推演或歸結出三個重點：一是《春秋》必用周之正月，因其乃時王所建。且因王者才有制作之權柄，不論魯國抑或是孔子，皆當

---

39 同前註。

臣屬周王朝，因此必奉周之正朔；其二是《公羊》家說的「通三統」不可信，若存二王之法於其封國，則天下不為一統而淆亂；即使以《公羊》三統之說為可信，則夏代當為所黜退之王朝，所謂「王魯、新周、故宋」而已，何須錄其三月而王？其三則是《春秋》於春季言王的「筆法」，僅是周公所遺之法，舊史計時之例，並無大義。[40]孔氏反對《公羊》家之說自無疑義，對於《春秋》的看法，自然也不似《公羊》家所說的如此「異議可怪」。其不認為《春秋》為孔子所制之法，因此「王正月」，必是時王之正月，即周王之正月；同樣的，《春秋》乃據魯史而成，自然會保留史官記事之法，因此無事之月即不書月，而一年之首書月處則增一「王」字以示紀時，此間並寓有朝廟告朔，以遵奉時王之意。

如此，則杜、孔之《春秋》觀點亦可知：孔子並非時王，故其無權柄以制法，自然一切須依周制之舊章，既不存「《春秋》當新王」、「王魯」之意，則更遑論「通三統」或「張三世」之說。覈諸《春秋左傳正義·序》，所持正是如此觀點。杜預明言：「所書之王，即平王也；所用之麻，即周正也；所稱之公，即魯隱也。安在其黜周而王魯乎？子曰：『如有用我者，吾其為東周乎！』此其義也。」[41]而孔穎達對杜預之說，又進一步闡述：「經書『春王正月』，王即周平王也，月即周正也。『公及邾儀父』，公即魯隱公也。魯用周正，則魯事周矣。天子稱王，諸侯稱公，魯尚稱公，則號不改矣。《春秋》之文，安在黜周王魯乎？若黜周王魯，則魯宜稱王，周宜稱公。此言周王而魯公，知非黜周而王魯也。孔子之作《春秋》，本欲興周，非黜周也，故引《論語》以明之。」[42]當然，杜預、孔穎達之所以有如此看法，與其對孔子欲興周道而不得，故雖記前事，冀得垂法將來的理解息息相關。如孔氏言：

---

40 依杜預之說，《春秋》之作，乃孔子嘆周德衰微，官失其守，始「因魯史冊書成文，考其真偽而志其典禮，上以遵周公之遺志，下以明將來之法。其教之所存、文之所害，則刊而正之，以示勸戒，餘則皆即用舊史。史有文質，辭有詳略，不必改也。」杜預注、孔穎達疏：《春秋左氏傳》，卷1，頁12。

41 同前註，卷1，頁26。

42 同前註。

本乎其始,則周公之祚胤也,魯承周公之後,是其福祚之胤也。若使平王能撫養下民,求天長命,紹先王之烈,開中興之功;隱公能大宣聖祖之業,光啟周王之室,君臣同心,照臨天下,如是則西周之美,猶或可尋;文武之迹,不墜於地。而平王、隱公居得致之地,有得致之資,而竟不能然,只為無法故也。仲尼愍其如是,為之作法,其意言:若能用我道,豈致此乎?是故因其年月之厤數,附其時人之行事,采周公之舊典,以會合成一王之大義,雖前事已往不可復追,冀得垂法將來,使後人放習以是之,故作此《春秋》。[43]

杜《注》、孔《疏》一再的強調孔子矢志回復西周之美盛、周室之舊法,其所詮解的孔子形象,亦只能是「信而好古,述而不作」,有志於三代治世的先師,決非「有德無位」卻行「制法」之事的素王。此即杜預〈序〉駁說者「素王」、「素臣」之問所言:「仲尼曰:『文王既沒,文不在茲乎!』此制作之本意也;歎曰:『鳳鳥不至,河不出圖,吾已矣夫!』蓋傷時王之政也。」[44]如果能理解自東漢以降《左氏》學者有著如此的觀點,那麼他們強烈主張的「王正月」必然是周王之正月一事,也在合乎情理之中。

正如陳槃先生所言:「《春秋》,魯史也,非聖經也。其書法皆舊文史所習用者,此固無可否認者也。」[45]故《春秋》所用曆,為周時周月,至少《公》、《穀》二傳及孔安國、劉向並無異議,甚至何休在《公羊解詁》中,亦有明言。[46]陳槃指出,周改時與月,蓋早在武王之世,前人曾以〈周語〉與《周書‧武成》及〈泰誓〉互校以證明之。[47]陳槃又對典籍裡有周代行夏曆之

---

[43] 同前註,頁25。

[44] 同前註,頁23。

[45] 陳槃:《左氏春秋義例辨》(臺北市:中央研究院史語所,1993年),上冊,頁11。

[46] 何休解詁、徐彥疏:《春秋公羊傳》,頁9。

[47] 如朱朝瑛云:「〈周語〉云:『武王伐紂』、『日在析木之津,辰在斗柄。』以曆推,當時南至,日纏牽牛,則伐紂之舉,尚在南至之前,而〈武成〉稱一月伐商,〈泰誓〉稱春會孟津,則改月改時,自武王始也。」〔清〕朱朝瑛:《讀春秋畧記》(臺北市:台北商務印書館,1983年影印文淵閣四庫全書本,1983年),第171冊,卷1,頁1。陳氏又言前人有以前漢〈律曆志〉與〈武成〉、〈泰誓〉互校者,如李廉《春秋諸傳會通》卷一引前漢〈律曆志〉「周師初發以殷

記載進行辨析，他說：

> 或曰：「周時月並改，已有徵矣。」然《詩》「七月流火，九月授衣」，仍本夏正。孔子嘗言：「行夏之時。」汲塚《周書》稱：「我周王致伐於商，改正異械，以垂三統。至於敬授民時、巡狩祭享，猶自夏焉。是謂周月以紀於政。」^{周月}《禮記》建寅、建子並用。《大戴禮》載夏小正、《左傳》采列國策書，有用夏正者，則安知《春秋》必從周正？曰：不然。《禮・雜記》記孟獻子之言曰：「正月日至，可以有事於上帝。七月日至，可以有事於祖。」正月日至，夏曆十一月冬至也；七月日至，夏曆五月夏至也。魯人用當代正朔，此已自言之矣。至《春秋》記事，尤歷歷不爽。⁴⁸

的確，孔子有言「行夏之時」，而且《詩》「七月流火，九月授衣」，仍本夏正。汲塚《周書》稱周雖改元，然敬授民時、巡狩祭享，猶自夏焉。又《禮記》建寅、建子並用，而《大戴禮》有夏小正之載，至於《左傳》採列國策書，有用夏正者。故問者曰：「安知《春秋》必從周正？」陳槃則以《禮記》所載孟獻子之言駁之，既言「正月日至，可以有事於上帝；七月日至，可以有事於祖」，可推冬至在周之正月，則夏之十一月可知矣；夏至在周之七月，則夏之五月可知矣。陳槃故曰：「魯人用當代正朔，此已自言之矣。」證諸《春秋》紀事，尤歷歷不爽。在諸如蟲災、無麥禾、物異、冰變、霜變、雨雪與雷電之變、廟祭、雩祭、社祭、蒐狩等相關經文之下，陳槃皆以實例解之，可得經文所載為周月之證。⁴⁹復次，陳槃由晉之用夏正，亦可以反證魯用周正。其

十一月戊子」、「後三日，得周正月辛卯朔」、「明日壬辰」至「戊武渡孟津」、「明日己未冬至」、「庚申二月朔」、「四日癸亥，至牧野」，此與〈武成〉、〈泰誓〉日月時皆合，亦足以見武王滅商之日即改月，而史就書為「春」也。陳槃：《左氏春秋義例辨》，上冊，頁89-90。

48 同前註，頁90。

49 同前註，頁90-94。如宣公十五年經：「秋，蟲。冬，蝝生。」孫覺《春秋經解》云：「《春秋》之秋，夏時之夏也；《春秋》之冬，夏時之秋也。《左氏》、《公羊》皆曰：『幸之。』以蝝生於冬，物皆已收而不為害也。按：秋乃五穀大成之時，安得曰不為災乎？」又如：桓公十四年經：「春正月，無冰。」《公羊》：「記異也。」何休《解詁》云：「周之正月，夏之十一月。法

言曰：

> 張洽《春秋集傳》。如晉之史，獻、惠之間見於《左氏》者，與《經》
> 常差兩月。大子申生之死，《經》書於僖六年之春，而《傳》以為五年
> 之冬。韓之戰，《經》書十一月壬戌，而《傳》以為九月壬戌。以至奚
> 齊、卓子之弒、里克、丕鄭之殺，皆《傳》先而《經》後。蓋是時晉之
> 國史不用周正而用夏正，是以差也。[50]

從陳槃以上的論證可知，魯用宗周正朔，斷無疑矣。陳槃又言：「《春秋》多闕
文，如隱、莊、閔、僖四公不書『即位』之類，是其例也。」[51]又言：「《春秋》
無事不書，小事亦不書。今《經》中有無正月、無二月、無三月、無四月之
等，即此故也。」[52]他批評「《公羊》家不明此義，於隱元年『春王正月』下
文闕，不知是文闕，妄謂《春秋》雖無事，必舉正月，大一統也」。[53]又謂：

> 實則王月與否，春秋之世，各國視此，不關輕重。現有之吳、徐、盧、
> 郘、江、蔡、許、蘇、陳等國之金文紀年皆不王月，而越與楚、齊、
> 黃、邾等國，則時而用、時或不用。……然則王月與否，無關宏旨，可
> 以知矣。而《穀梁》及何休之注《公羊》，乃斤斤焉以此為聖人義法，

當堅冰，無冰者，溫也。」又如：桓公八年經：「冬十月，雨雪。」《公羊》：「記異也。」《解
詁》：「周之十月，夏之八月，未當雨雪。」又如：定公元年經：「冬十月，隕霜殺菽。」《公
羊》：「記異也。」《解詁》：「周十月，夏八月，微霜用事，未可殺菽。」又如僖公十年經：
「冬，大雨雪。」湛若水《春秋正傳》：「《公羊》以為記異也。周之冬即夏之八、九、十月也。
於此亦見周時之不同矣。若夏之冬，正雨雪之時，何以為異。」從以上數例可知，《公羊》是
基於以周之月令看四季時序，故有反常之記異。而何休之解詁《公羊》，亦非不知《公羊》所
載，乃周正。然而，對公羊家而言，《春秋經》或《公羊傳》之依周正，並無妨於其對「三
統」理論之設想與建構，反公羊家之說如孔氏義疏所駁者，與公羊家之設想，並無法交集。
50 同前註，頁94。陳槃又舉顧炎武《日知錄》之說及《竹書紀年》之載以證晉用夏正，以建寅
　 為歲首。以文長不錄，讀者可覆按。
51 同前註，頁95。
52 同前註，頁843。
53 同前註，頁845。

不亦大可笑乎。[54]

總上所述，吾人已可歸納出關於「王正月」的幾項說詞，其一是《左氏》學者所主張的立場：孔子述文、武、周公之舊制，因此「王正月」乃周正；其一則為《公羊》等今文學者的立場，孔子為改制之素王，是以「王正月」乃是「加乎王心」之正月，故當為「夏正」。公羊學者所重視的是將孔子視為素王、將《春秋》視為萬世之法的理論，因此皆以「為新王制法」的前見進行理論上的建構，所重視的自然是理論上的應然；但《左氏》學者，則更著眼於歷史事實上之實然，對於《公羊》學者的應然之說，自不能與之枘鑿。但兩造相較之下，可見《左氏》之說，至少杜《注》、孔《疏》實乃針對《公羊》而發，且以入室操戈之論，定「正月」之解釋為周之正月。至於陳槃先生從文獻實際出發，指出周之改時與月，蓋早在武王之世，故《春秋》所行乃周正。又證以諸國金文紀年，以為或不書王月，或有時而用，有時不用，故認為王月與否，在《春秋》的書寫上，無關宏旨，進而批評《公羊》、《穀梁》斤斤以之為聖人義法之可笑。其說或然，不過對公羊學者而言，他們看重的是藉由《公羊傳》對《春秋》經文的解釋所引發的新王改制之各種聯想，以及由此而建構的「五始」、「三統」等諸多理論；至於《春秋》經文所載時月是否有誤，抑或者真是周正而非夏正，都不是他們關心之所在。

三　應然與實然折衷後的「王正月」

若云《公羊》與《左傳》為兩漢至於隋唐間學《春秋》者所不能避，那麼降至兩宋以迄明清，習《春秋》者必當熟習之書，還須增添上一本胡安國的《春秋傳》。胡《傳》成書於宋室南渡之際，其後於元、明二朝，更為科舉功

---

[54] 同前註，頁871-873。按：所謂《穀梁》斤斤焉以王月與否為聖人義法者，陳槃云：「《春秋》一年始月，必冠以『王』，如『春王正月』、『春王二月』或『春王三月』是也。唯桓公之世，獨不出王月者十事，或係原書如此，或係闕文，或為後人所塗改，均不可知。但《穀梁》以為係對於魯桓之貶辭，則不通也。」

令之書,因此得儕三《傳》,並立為《春秋》之傳。對於胡《傳》,皮錫瑞評
之云:

> 大義本孟子,一字褒貶本《公》、《穀》,皆不得謂其非。而求之過深,
> 務出《公》、《穀》兩家之外;鍛鍊太刻,多存託諷時事之心。[55]

皮錫瑞的批評自有其個人體會與見地,綜觀今日胡《傳》之研究,大抵亦不出
皮氏之說。撮胡《傳》之旨要,大抵不出五義:尊君父、討亂賊、重復仇、存
三綱、攘夷狄。[56]其中又因胡氏存有「託諷時事之心」,因此胡《傳》中對於
尊天子、討夷狄之事特為重視,此因宋之時勢所立言者。

如果依照《左傳》、杜《注》、孔《疏》的思路,胡安國這種推尊天子、推
重時王的立論基礎,應當是會走上如《左傳》學者所主張的「王正月為周正
月」之說。但胡安國並不贊同這樣的說法,乃別有「以夏時冠周月」之說。其
言云:

> 按《左氏》曰:「王周正月。」周人以建子為歲首,則冬十有一月是
> 也。前乎周者以丑為正,其書始即位曰:「惟元祀十有二月。」則知月
> 不易也。後乎周者以亥為正,其書始建國曰:「元年冬十月。」則知時
> 不易也。建子非春亦明矣,乃以夏時冠周月。何哉?聖人語顏回以為
> 邦,則曰:「行夏之時」,作《春秋》以經世,則曰「春王正月」,此見
> 諸行事之驗也。[57]

胡氏所論,同是基於傳承已久的三正說而別出新解。所謂建寅、建丑、建子,
乃斗柄之所向。三代以夏最早,既以建寅之月為歲首,則殷、周之改正朔,自

---

[55] 皮錫瑞:《經學歷史》(臺北市:藝文印書館,2004年),頁272。

[56] 相關研究,可參宋鼎宗:《春秋胡氏學》(臺北市:萬卷樓圖書公司,2000年)、康凱淋:《胡
安國春秋傳研究》,國立中央大學中文系博士論文,2012年。

[57] 〔宋〕胡安國著、錢偉彊:《春秋胡氏傳》(杭州市:浙江古籍出版社,2010年),頁2。

不會依夏之建寅，而有建丑、建子之異，以示天命之更易。問題在於，殷、周之改正朔，究竟只是改年而不改月，抑或是年月俱改？同時，改正朔的書寫方式，還牽涉到一個更複雜的改時或不改時的問題。換言之，改正朔包括了年、時、月三個部分的更易問題。新王改元例稱元年，故改年無可議。然改月與改時，依照胡氏所舉前乎周者以丑為正，其書始即位曰：「惟元祀十有二月」，則是月不易也；後乎周者以亥為正，其書始建國曰：「元年（漢承秦制，此為高帝元年）冬十月。」則知時不易也。既然周前之殷改年未改月、周後之秦時月皆未改，則周既建子，依例應書「元年冬十一月」，何以書寫成既改時又改月的「元年春王正月」？《春秋》以周正記事，自無異議，那麼改時改月的周正，出於何人之手？又是出於什麼樣的目的？胡氏以為周正改時改月出於孔子，其目的在於作《春秋》以經世，乃「以夏時冠周月」，而書曰「春王正月」。

換言之，「以夏時冠周月」，亦即按照夏曆安排季節，但又按照周曆以建子為正月的次第排序月份。所謂的以夏曆之季節為序，是指以夏曆的正、二、三月為春季，四、五、六為夏季等次序；而建子之月若比參夏曆，則為十一月，但既名為建子之月，則是以夏曆之十一月為正月，因此周曆與夏曆便相差兩個月。然胡安國既援《左氏》之論，明示《春秋》所書為周正，那又何來「夏時冠周月」之論？且依胡氏所舉建丑、建亥之例推之，新王只有建歲首一事為新制，而月、時之次第、稱謂皆不易，那麼《春秋》首書的「元年春王正月」，或當錄為夏正的「元年冬十有一月」、或者是殷正的「元年冬十有二月」，則胡安國何以確知「元年春王正月」之書寫，採用的是夏正之時？換言之，由夏曆之「冬十有一月」變為周曆的「春正月」，為何要說成是「以夏時冠周月」？安國釋之云：

> 春之為夏正，何也？夫斗指寅然後謂之春，建巳然後謂之夏，故《易》曰：「兌，正秋也。」以兌為正秋則坎為正冬必矣。今以冬為春，則四時易其位，《春秋》正名之書，豈其若是哉？故程氏謂「周正月，非春也，假天時以立義耳。」商人以建丑革夏正而不能行之於周，周人以建子革商正而不能行之於秦，秦人以建亥為正，固不可行矣。自漢氏改用

夏時，經歷千載以至於今，卒不能易，謂為為百王不易之大法，指此一
事可知矣！仲尼豈以欺後世哉！[58]

時至清末，劉鶚《老殘遊記》講春天到來，仍曰「斗杓東指」[59]，表示春夏秋
冬四時，乃依斗柄所指而定，自有其物候特徵，不因人為曆書改十二月或十一
月為正月而有變動。既然四季不因曆法月正之變化而有所改易，那麼孔子修
《春秋》，卻大書「春王正月」，不但將十一月改成正月，而原本屬「冬」的天
時亦改寫而成「春」。程子以為這樣的書寫變化，必蘊藏有孔子的深意在焉。
故其《春秋傳》乃云：「春王正月，周正月非春也，假天時以立義耳。」[60]在
程子的理解裡，孔子並非改易四時之序，將「冬」變為「春」，「春」字其實是
虛加的，他背後真正的動機是欲假借天時，作為立義之據，所謂行夏之時也。
胡氏借程子之口，明言「周正月」之春，實「非春也」，乃是孔子透過對季節
之改動，彰明制作之深意。胡氏並依此思路，假借夏曆之時冠於周曆正月之
上。所以「王正月」的「正月」，雖然仍然是周正建子的正月，然「王正月」
前之「春」，實質上是被替換成夏曆中正月所對應的春季。如果用更直白的話
來說，即是取夏正的四季劃分的帽子，套在周正制定月份的頭上。又為了強調
孔子使用「夏時冠周月」的高瞻遠矚，更說「夏時，千載至今不易」，如此劃
分四季才可謂「百王不易之法」。

　　但孔子既言「知我罪我，其在《春秋》」，則《春秋》行天子之事可知矣，
何必如此繳繞，進行這種「偷換概念」的文字遊戲？對此胡安國也有一番見解：

非天子不議禮，仲尼有聖德無其位，而改正朔，可乎？曰：有是言也。
不曰：「《春秋》天子之事」乎？以夏時冠月，垂法後世；以周正紀事，
示無其位不敢自專也，其旨微矣。[61]

---

[58] 胡安國著、錢偉彊點校：《春秋胡氏傳》，頁38。
[59] 〔清〕劉鶚：《老殘遊記》（香港：香港商務印書館，1961年），頁114。
[60] 〔宋〕程頤：《程氏經說・春秋》，（臺北市：臺灣商務印書館，1983年影印文淵閣四庫全書本），
　　第183冊，頁92。
[61] 胡安國著、錢偉彊點校：《春秋胡氏傳》，頁2。

趙伯雄梳理了胡安國的見解，並加以論斷。以為：「孔子空有聖人之德，並無聖人之位，他是無權也無力『改正朔』的，於是孔子就在修《春秋》時，『用周正紀事』，以示服從周王的正統，『不敢自專』；同時通過『改時』的方法，『以夏時冠周月』，這樣來達到『垂法後世』的目的。表面上看，『行夏時』只是一個曆法問題，孔子要推行一種萬世通行的曆法；但這卻是一個象徵，象徵著《春秋》裡所體現的原則、法度、精神、價值，一句話，《春秋》裡的『大義』，是可以傳之萬代而不廢的，這就是孔子『假天時以立義』的『義』。」[62]

　　無可諱言，胡安國這般近乎苛察繳繞的說法，欲言孔子採夏時冠周月進行改制以垂法將來的苦心，卻又論其無位不敢自專的謙退，相較於之前《公羊》家倡言素王改制之說的氣勢磅礴，或比諸《左氏》學所謂復周代典章以俟後王仿習的理直氣壯，胡《傳》似乎是欲採兩相折衷之說卻又顯得欲言又止。此當然是與其「託諷時事之心」有關，設若不能承認孔子有制作之實，則《春秋》之法不必為人主所當奉行；但若將《春秋》、孔子抬高至「新王」之位，則當時之天子可貶、諸侯可黜、大夫可退，又不符合其所強調的「天無二日，土無二王，家無二主，尊無二上，道無二致，政無二門」[63]的「尊時王」之心意。[64]此種背反心理，胡氏於〈進春秋傳表〉中亦曾流露：謂「〔《春秋》〕其義以尊周為名」，卻又說「祖述憲章，上循堯、舜、文、武之道；改法創制，不襲虞、夏、商、周之跡」。[65]既要抬高孔子、卻又要尊時王；既云孔子作王法，卻又謂孔子實無創作之權。這樣的情結，最具體的展現，即是其對「王正月」的說解：孔子申明新王有改制之責，亦藉《春秋》顯示改制之法，但站在周時人須尊周天子之原則下，不得如此直白的對周制上下其手，因此需要透過如此隱微的方式呈現。換言之，這是孔子的特筆，有其微旨在焉。

---

[62] 趙伯雄：〈夏時冠周月解〉，《古籍整理研究學刊》，頁50。

[63] 胡安國著、錢偉彊點校：《春秋胡氏傳》，頁38。

[64] 從立法以垂後世的理念落實到具體現實的操作〔採夏時〕，這中間的聯繫，趙伯雄先生論之甚詳，要之在於胡氏尊程頤之說，而程頤以《論語・衛靈公》中「行夏之時，乘殷之輅，服周之冕，樂則韶舞」之語為「萬世制法所折衷」，亦為《春秋》制作的根本之義，是以胡氏對此深信不疑。又兼以其採《公羊》家「為後世制法」之論，遂合其理念，統程頤之論據，致使有「夏時冠周月」之說。詳見趙伯雄：〈夏時冠周月解〉，《古籍整理研究學刊》，頁50-51。

[65] 胡安國著、錢偉彊點校：《春秋胡氏傳》，頁6。

　　若從《公羊》、《左傳》以至於胡《傳》對「王正月」的說解變遷，大抵可以理出一條脈絡：持《公羊傳》為論據的公羊學者，對「正月」之說解，是將之理解為「新王」所制之新法，為一理論性質而非實質性的闡發；而《左氏》學者，則將其限定於周曆之正月，不僅於實質上具有合理性，於理論上亦合乎古文學者所主張之邏輯。此二家之爭論，實根源於不同的經典價值觀和聖人觀，遂各以堅定的態度來認定「王正月」是為「周正」抑或「夏正」；但到胡《傳》，既試圖統合經典從理論建構以至於孔子其人於實質上之邏輯，遂又將曆法的問題帶入此經文的詮解之中，以一種隱晦的方式將「聖人制法」（理論）、「孔子從周」（實質）以及《春秋》微言大義（經典解讀）統合起來。

　　對於胡氏以「夏時冠周月」之說，從之者有之[66]，疑之者有之[67]，否定者更大有人在。[68]然自此說面世之後，論「王正月」者，更多的是著眼於曆法上

---

[66] 如陳深《讀春秋編》卷一云：「元年，魯隱公之始年也，是為周平王之四十九年。書春於王正月之上，聖筆也。夫子行夏時之志，為萬世立法也。周以十一月為歲首，但以其朝會大事僭號施令自此月始，未嘗改月也。夏正以寅，商更以丑，先一月也。周以子，秦以亥，皆先一月也。使無夫子行夏時之論，一代之更，必先一月，何有已也。《周禮》天官布治於正月之吉，始和正歲。十有二月令斬冰，可見當時不改月也。經傳引證甚多，別有論辨，此不欲殫舉。《左氏》以十一月為周正月，聖人何故加春之一字？十一月謂之春可乎？何聖人春冬之不知邪？此必無是理也。或曰：夫子周人也，何肯更周正朔，而用夏時？吁！夫子不云乎？知我罪我，其惟春秋！知我者，知為立萬世百王之大法；罪我者，以匹夫而擅天子之權也。然不曰春正月，而曰春王正月，示正朔必出於王也。其時王政不行，諸侯不復知有王，禮樂征伐不稟命於天子，而正朔之大，亦國自為曆。夫子特書王之一字，示正朔必出於王，而天下之大，不可無所統也。所以誅其無君之心也，其意深矣遠矣！」〔宋〕陳深：《讀春秋編》，（臺北市：臺灣商務印書館，1983年影印文淵閣四庫全書本），第158冊，頁510-511。

[67] 如車若水《腳氣集》上卷云：「春王正月天統是春之說，予嘗以語華翁，華翁亦以為未穩。謂亦嘗疑之，其書云集註，可取處多未可以一條傷巧而悉棄之也。春王正月，伊川謂假天時以立義，亦不能無可疑。曰假、曰立，是夫子獨見援筆以改之也。名曰春秋，畢竟具四時。以春為首，不應如秦史以冬為首也。若夫子假春以立義，則魯史舊文宜如何寫？七月之詩曰七月、八月、九月，皆夏正，見得殷以前未嘗改也。一之日、二之日、三之日，皆周正，改月之證多於周書見之，安知周家之曆不以子月為春正月，如春秋之文耶？」〔宋〕車若水：《腳氣集》（北京市：中華書局，1991年），頁13。

[68] 如黃仲炎云：「孔子雖因顏淵之問，有取於夏時，不應修《春秋》而遽有所改定也。胡安國氏謂《春秋》以夏時冠月，而朱熹氏非之，當矣。孔子之於《春秋》，述舊禮者也，如惡諸侯之強而尊天子，疾大夫之偪而存諸侯，憤荊蠻之橫而貴中國，此皆臣子所得為者，孔子不敢辭焉。若夫更革當代之王制，如所謂夏時冠月，竊用天子之賞爵，如所謂予奪諸侯大夫之爵氏者，決非孔子意也。夫孔子修《春秋》方將以律當世之僭，其可自為僭哉！」〔宋〕黃仲炎：

的現實性質及經典文字解讀的邏輯性上，反而疏離了爭論「正月」背後的理論思維與經學意識。例如，首先對胡《傳》「夏時冠周月」提出反駁的楊時，其反駁即從曆法角度入手：

> 周據天統，以時言也；商據地統，以辰言也；夏據人統，以人事言也。故三代之時，惟夏為正，謂《春秋》以周正紀事是也。正朔必自天子出，改正朔孔聖人不為也。若謂以夏時冠月，如定公十年「冬十月，隕霜殺菽」，若以夏時，當曰「秋十月」也。正朔如用子丑是也，雖用夏時，月不可謂改正朔。鄙意如此，公試思之如何。如未中理，更稀疏示，以開未悟。[69]

在楊時看來，正朔必由天子而定，周代既已據周正紀事，則聖人既無天子之位，自不可能僭竊其位，自亦無改正朔之理。且若依胡氏邏輯，以夏時冠周月，則經文中如「冬十月，隕霜殺菽」之載，又無法得到合理解釋。因為周之冬十月，實夏之秋八月，既不足為災異，於紀法亦有誤。楊時之所以不同意胡安國之說，就在於楊時堅持聖人無改正朔之理，又對夏時冠周月乃實言之，而胡安國的夏時冠周月之說，則是帶有聖人創制理想與理論色彩的虛解之。這種無法交集的對立情況，既出現在《公羊》與《左傳》對「王正月」的理解與詮釋上，也同樣出現在胡安國及以朱熹為代表的眾多學者對「以夏時冠周月」理解與詮釋上。

朱熹就有不少反對以夏時冠周月的言論，其探討的重心主要也是放在經文解讀的邏輯性上。如《朱子語類》裡提到：

> 某親見文定家說，文定《春秋》說夫子以夏時冠周月，以周正紀事，謂

《春秋通說》（臺北市：臺灣商務印書館，1983年影印文淵閣四庫全書本），第156冊，頁293-294。

[69] 〔宋〕楊時：〈答胡康侯書其四〉，《楊龜山先生全集》（臺北市：臺灣學生書局，1974年），卷20，頁869-870。

如「公即位」依舊是十一月，只是孔子改正作「春正月」，某便不敢
信。憑地二百四十二年，夫子只證得「行夏之時」四箇字。據今《周
禮》，有正月，有正歲，則周實是元改作「春正月」。夫子所謂「行夏之
時」，只是為他不順，欲改從建寅，如孟子說「七八月之間旱」，這斷然
是五六月；「十一月徒杠成，十二月輿梁成」，這分明是九月、十月。若
真是十一月、十二月時，寒自過了，何用更造橋樑？古人只是寒時造橋
度人，若暖時又只時教他自從水裡過。[70]

依朱熹之語意推之，胡氏認為周人雖用周正，記事書時則不改月，元本應書
「元年冬十一月」，然今日所見《春秋》之「春正月」，乃孔子所改。這是朱子
批評的重點，以為周代已經改月，魯史本身就這麼記載，實不需透過夫子之
手。朱子所以舉《周禮》、《孟子》之說，皆意在說明改為「春正月」的並不是
孔子，而是載籍本如此。朱子又云：

周家記年，必首十一月。而《春秋》乃書「春正月」，又云未嘗改月
號，以冬為春，假夏月而亂周典，則未知《春秋》所謂春正月者，其下
所書之事為建子月之事耶？建寅月之事耶？若云建子月事，則春正月
者，豈非改月號、而以冬為春？若云建寅月事，則是用夏正月而亂周典
矣！安得云未嘗云云如是耶？前人蓋已見此不通，故為胡氏之學者為之
說曰：「春正月者，夫子意在行夏之時，而以建寅之月為歲首也；其下
所書之事，即建子月之事，無其位而不敢自專也。」如此則或可以不
礙，然《春秋》所書之月逐與月下之事常差兩月，則恐聖人作經，又不
若是之紛更多事也。[71]

朱熹從夏時冠周月說的內在矛盾出發，以為若依建子紀事，則書「春正月」自

---

[70] 〔宋〕黎靖德編、王星賢點校：《朱子語類》（北京市：中華書局，1986年），卷283，頁2159。

[71] 〔宋〕朱熹：〈答胡平一〉，《晦庵集》，載朱傑人、嚴佐之、劉永翔主編：《朱子全書》（上海
市：上海古籍出版社，2010年），第23冊，頁2762-2763。

是改月號，並且以冬為春，如此則與胡《傳》言周人未改月號之主張相矛盾？若依建寅紀事，則書「春正月」自是用夏正月而亂周典，如何否認未嘗有此企圖？他雖然理解治胡氏之學者對胡氏之說的修正，以為夫子意在行夏之時，故以建寅之月為歲首；又以無其位不敢自專，乃於其下書建子月之事。然如此「改月」之更動，於理論上或許說得通，但朱熹以為，這會造成《春秋》所書之月逐與月下之事常差兩月。他批評說：「則恐聖人作經，又不若是之紛更多事也。」朱子對胡安國之說的批判，雖著眼處在於經文解讀的邏輯性上，但至少對胡氏以夏時冠周月之有所寄託，還是能有同情的理解。所以，雖然對胡氏周人「不改月」之說提出否定的意見，但對胡氏所言周人未「改時」的意見，還是給予肯定。如言：

> 孟子所謂七八月，乃今之五六月；所謂十一月十二月，乃今之九月十月。是周固已改月矣。但天時則不可改。故《書》云：「秋大熟未穫。」此即是今時之秋，蓋非酉、戌之月，則未有以見歲之大熟而未穫也。以此考之，今《春秋》月數，乃魯史之舊文；而四時之序，則孔子之微意。伊川所謂假天時以立義者，正謂此也。[72]

正如趙伯雄所言：「四時反映的是自然規律，每一時都有其質的規定性，本來就不應該是可以隨意改變的，這一點與純屬人為劃分的歲首及人為確定的月分名稱有所不同。設想秦人以建亥之月（夏曆十月）為歲首，如果建亥之月也改稱春，則此『春』恰包含夏曆之冬三月，顛倒天時如此之甚，那麼四季的劃分還有什麼意義。」[73]所以，朱子修正胡氏周人「不改月」之說，以為今《春秋》月數，乃魯史之舊文，非孔子所更易；然四時之序，則具孔子之微意，如

---

[72] 朱熹：〈答吳晦叔〉，《晦庵先生朱文公文集》，《朱子全書》，第22冊，頁1908-1909。又王應麟引朱子之說：「朱文公謂以《書》考之，凡書月皆不著時，疑古史記事例如此。至孔子作《春秋》，然後以天時加王月，以明上奉天時，下正王朔之義；而加春於建子之月，則行夏時之意，亦在其中。」王應麟：《困學紀聞》（臺北市：中國子學名著集成編印基金會，1978年），頁374。

[73] 趙伯雄：〈夏時冠周月解〉，《古籍整理研究學刊》，頁50。

伊川所謂假天時以立義者。

在朱熹以後，能夠像朱熹這樣批評中帶有同情理解的，似乎越來越少，反倒是糾結於胡氏「以夏時冠周月」強調不改時導致天時紊亂、經文難解者，越來越多。換言之，對胡氏「以夏時冠周月」之說的批判，更多的是來自於從曆法矛盾的角度立論。如時代稍晚的黃震，於其《黃氏日鈔》云：

> 文定公胡康侯講《春秋》，始謂……以夏時冠月，垂法萬世；以周正紀事，示無其位，不敢自專也。然文定以春為夏正之春，建寅而非建子可也；以月為周之月，則時與月異，又存疑而未決也。……近世惟岷隱戴氏溪在東宮講《春秋》，常以夏正為說，於時事亦未見其甚背，竊意三代雖有改正朔之事，而天時恐無可改遷之理，今所抄集姑依戴氏。[74]

黃震所著眼者，即在經文的解讀上。這似乎有一個現象，亦即時代越往後，對「王正月」的討論，就會越直返文本本身，文本自身能否得到一個妥善且圓滿的解釋，成為討論的重心；至於先行於文本的概念，或是拿來詮解文本的理論，已不是第一義。

這種重視經文詮解的作法，便會使得經學的發展走向兩個方面，其一是對經典文字的確認，即是所謂「考據」；其一則是對於文字所指涉追求一個正確的理解，此則通向「博物」。如果理解了此時所發生的詮解重心轉移，則就能理解為何南宋降至明清學者對於「王正月」之興趣，既不在改制、法古之類的經典理論，亦不甚在意孔子是以「周人」或是「素王」的身分去撰寫經典，而是更在意於用「夏正」或是「周正」來解釋經典哪個比較圓滿。對於這個現象，清人毛奇齡將其歸咎於胡安國所提出的學說有誤：「胡氏不知何據，逞其武斷，謂以夏時冠周月，致有明以來數百年盡為所惑。」[75]毛氏說「數百年來

---

74 〔宋〕黃震：《黃氏日鈔・讀春秋・春王正月》（臺北市：大化書局，1984年影印日本立命館大學圖書館藏本），頁66。

75 〔清〕毛奇齡：《春秋毛氏傳》（臺北市：藝文印書館，1986年影印學海堂《皇清經解》本），卷36，頁59。

盡為所惑」，換個話頭來講，就是數百年來盡為胡氏之說籠罩，從南宋王應麟的《六經天文編》，黃仲炎的《春秋通說》，呂大圭的《春秋五論》、《春秋或問》，車若水的《腳氣集》，到明代湛若水的《春秋正傳》，陸粲的《春秋胡氏傳辨疑》，袁仁的《春秋胡氏傳考誤》，高拱的《問辨錄》、《春秋正旨》，楊於庭的《春秋質疑》，黃道周的《榕壇問業》、《博物典匯》，朱朝瑛的《讀春秋畧記》，乃至如清初儒臣的《御纂春秋直解》，朱彝尊的《曝書亭集》，俞汝言的《春秋平議》，徐廷垣的《春秋管窺》，毛奇齡的《春秋毛氏傳》，朱景英的《畬經堂詩文集》，閻若璩的《尚書古文疏證》與《四書釋地》，清中葉如方苞的《春秋直解》，戴震的《經考》，朱駿聲的《春秋平議》，以及郝懿行的《春秋說略》等，於「王正月」一語，多纏繞於「夏時」、「周正」這個議題中而各抒己見。不過，這似乎也反映了自中古以降，《春秋》學者似乎對於「王正月」背後的古典義涵不再有太大的興趣，反而對於其中蘊含著曆學、天文學、以至於考據學的知識建構更感興趣。因此雖然說數百年來學者都為此命題提出辨駁，但卻也造就了一番與專談受命改制、假天時以立義的經術論述不同的光景。

　　例如萬曆年間的楊於庭，所著《春秋質疑》，於卷一有「春王正月」上中下三篇，於胡氏夏時冠周月、程子假天時以立義，以及春正月而繫王之義，皆詳為討論。如上篇開首即批評胡氏建子非春，乃以夏時冠周月之說，而云：「藉令建子、建丑而遂以子、丑之月為春，則胡氏之說非也；若但以子、丑之月為歲首，而仍以寅為春，則胡氏之說亦非也。」接著他分別解釋為何胡氏以子、丑之月為春之說，以及以寅為春之說為非。前者之誤在於對「時」之義的理解有誤，所謂：「時者，兼春夏秋冬而言之者也。既有所謂夏之時，則必有所謂商之時、周之時矣。夏之時以建寅之月為春，則周之時必以建子之月為春矣。若周之時春亦建寅，無異於夏，則又何必曰行夏之時哉！」楊於庭認為，若以上邏輯無誤，「則是周人建子，即以子為春，而所謂春王正月者，乃孔子從周而不變。而杜預所謂所用之曆即周正者此也，安在其行夏之時而見諸行事之驗乎！故曰建子、建丑而遂以子、丑之月為春，則胡氏之說非也。」楊於庭接著解釋何以胡氏以寅為春之說為非，他指出不論蔡沉甚至胡安國自己，從〈伊訓〉的「惟元祀十有二月」都推出，三代雖正朔不同，然至於紀月之數皆

以寅為首的結論。所以，「周人雖以子為歲首，而至於春夏秋冬則未嘗不以寅
為序，初非以冬為春、春為夏、夏為秋、秋為冬也。至仲尼作《春秋》，乃冠
夏時於周月之上，而以冬為春，是本欲行夏之時而反紊亂天地四時之序，大不
若建子、建丑而仍以寅為春者之為妥矣。故曰：『以寅為春，而胡氏之說亦非
也。』」[76]楊氏所駁，即是典型的立足於時令曆法，從建子、建丑或建寅為是
否合於春月的角度，對胡氏「以夏時冠周月」之說，提出批判。這樣的例子，
所在多有。如晚明黃道周的《榕壇問業》，載其答問云：

> 吳雲赤問：「春王正月，胡《傳》以姬氏不改時月，程、朱以姬氏改月
> 不改時，陽明則謂時月俱改，此是如何？」某云：「某在山中，亦有人
> 問過，前賢辨之甚詳，只緣前賢不解曆象，空爭口頭理語耳。《春秋》
> 三十六日食，以郭守敬曆推之，皆周月非夏時也。螫蟲不伏，知司曆之
> 失閏；子月無冰，知秋至之必災，是非寅、亥之月明矣。……」唐伯玉
> 云：「周孔學問自是同源，夫子何以不主周公之說？且如周公豈有不知
> 建寅之是，而固指冬仲以為初春？」某云：「周公制作極是精微，豈有
> 周公不曉建寅之是？周公立歲以日行為主，凡日行天中，南北各二十四
> 度，董子所謂兩中緣二十四度，極南而復，《易》所謂〈復〉；所謂南至
> 緣二十四度，極北而反，《易》所謂〈姤〉，所謂北至也。此四十八度，
> 著法所生，一南一北，平分其半以為春秋。周公作《易》、夫子作《春
> 秋》。子、午、卯、酉微著，折衷其義一也。[77]

黃道周認為直接以《春秋》中所載的日蝕去推算其所記載的曆法，已可確認
《春秋》所使用乃是周曆。亦即從太陽曆的角度去說明為何孔子和周公都不採
用夏曆，這已牽涉到天文學的領域，非純然停留在經典文字的訓釋上，而是透

---

76 〔明〕楊於庭：《春秋質疑》，（臺北市：臺灣商務印書館，1983年影印文淵閣四庫全書本），
　 第169冊，頁983。
77 〔明〕黃道周：《榕壇問業》，（臺北市：臺灣商務印書館，1983年影印文淵閣四庫全書本），
　 第717冊，頁312-313。

過經典文字去建構更寬宏的知識結構。

從上之舉例，可以見後胡《傳》時代，學者於「王正月」一事，確實已非所謂微言大義所能限，而是試圖從不同的角度出發，探索文本的確解，故其尋找事實根據的興趣，顯然高於大義之闡發。這一點，可以從朱朝瑛（1605-1670）《讀春秋略記》的討論中，再度得到證明：

> 正月為建子之月，不必復辨，即周文。安辨之？……改月改時自武王始矣。周以前三正迭建，未嘗改時與月，自武王改之，當時亦覺其未安，故周公作《周禮》仍從夏正，然後世卒莫之行者，蓋其書未成而身歿與？至于分至啟閉，夏時終不可易，故汲冢《周書》有參用夏時之說，士君子尋常論議，稱夏時者多矣，未有稱夏月不稱周月者，孟獻子之稱正月日至七月日至、孟子之稱七八月旱而苗槁，此其較然顯白者也。況于紀國事、陳時政，何得不遵昭代之典？誓誥所述、雅頌所歌，皆周時周月也。……他如十月之交，辛卯日食，不合于夏正而合于周正。〈六月〉、〈四月〉、〈小明〉、〈臣工〉等篇以周正解之，無不合者。詳讀《詩署》，記東遷而後，正朔不頒，諸侯有用夏正者：晉獻公以十二月滅虢，而卜偃稱九月、十月之交是也。《左氏》多採晉史，故卓之弒在僖十年正月，而《傳》稱九年十一月；韓之戰在僖十五年十一月，而《傳》稱九月。此類往往而有不加辨正而記載參錯，與經牴迕，蓋有由矣。[78]

朱朝瑛的作法，又與黃道周不同，朱氏試圖從其他文本的證據去證明周代確有並行夏時的作法，但是於國史、冊書、赴告之與他國往來或典藏之文獻，都還是使用周正，以示尊奉周室之義。若瀏覽朱朝瑛此篇文字，其徵引《詩》、《書》、《周禮》、《左傳》、《竹書紀年》等文獻以佐《春秋》用周正，旁徵博引，讀來已幾為清代考據之文。

另外，閻若璩在其《尚書古文疏證》與《四書釋地》中，亦有不少關於

---

[78] 朱朝瑛：《讀春秋畧記》，卷1，頁1-2。

「以夏時冠周月」的討論，此處取其《四書釋地》中的一段文字為例，以見清初重考據之學者的治經思維。其言曰：

> 然則春王正月固周正歟？曰：何為其非周正也？曰：胡氏謂以夏時冠周月，而引顏淵問為邦，孔子答以行夏之時為證，似亦有據也。然非歟？曰：孔子之答顏淵也以議道，以立法，故斟酌四代禮樂，無不可者，蓋孔子之私言也。《春秋》，魯國紀事之書也，紀事而用夏正，則其所紀者夏事歟？周事歟？用前代之正朔，以紀當代之事，則不可以成文；改當代之正朔，以紀當代之事，則不可以成史。聖莫盛於孔子，孔子之事莫大乎《春秋》，《春秋》之事莫大乎正朔，而乃任意為之，以為國史，將為私言乎？將為公言乎？且《左傳》僖公五年正月辛亥朔，日南至，使用夏正，則正月安得日南至也？《經》書二月無冰，使用夏正，則二月雨水，舟楫既通矣，何以書無冰也？秋大水無麥苗，使用夏正，則秋安得有麥也？十月隕霜殺菽，使用夏正，則十月安得有菽隕霜？猶謂遲也。冬大雨雪，使用夏正，則冬正雨雪之侯，而何以為災也？諸若此者，昔人曾辨之，世儒亦多稱述之者，其理自明，斷非夏正無疑也。[79]

與朱朝瑛相同，閻若璩一樣從正面來回應孔子行夏之時的說法。不過朱朝瑛是從現實面出發，承認分至啟閉，夏時終不可易；閻若璩則以孔子之答顏淵以行夏之時，其思維設準在於議道、立法，故斟酌四代禮樂，無不可者，此蓋孔子之私言。至於《春秋》之紀事，若用前代之正朔，以紀當代之事，則不可以成文；若改當代之正朔，以紀當代之事，則不可以成史。他認為孔子必無任意更動正朔以亂國史的行事。閻氏進一步又從經傳所載歷象進行分析，指出《春秋》無用夏正之可能。

　　總之，自胡《傳》提出了「夏時冠周月」的解讀之後，關於「王正月」的解讀便再也不是停留在經學理論上的爭議，而更見著重於知識層面建構這一面

---

[79] 〔清〕閻若璩：《四書釋地》三續（臺北市：漢京文化，1980年影印重編本皇清經解本），冊17，頁12474-12476。

向，這樣的結果，想來已遠非胡安國作《傳》時所能夢見，卻又是知識面累積擴充後自然且必然的展現。[80]

四 「王正月」的歧解

眾所周知，在《春秋》學的發展歷程中，晚清《公羊》之學絕對是不可忽視的一環，其中以常州學派最為關鍵，此間名儒輩出，諸如莊存與、劉逢祿、宋翔鳳、龔自珍、魏源、康有為，皆為箇中名家。

然而在晚清這些同屬今文學陣營的學者中，對於「王正月」卻有不同的看法。前文指出，「王正月」至少有著「周正」與「夏正」乃至「夏時冠周月」三種不同的解釋。若依立法改制的設計以發論，則所虛擬之「夏正」無疑為其理論之重要基礎；若從文本解讀與事實當然來看，則會較為接受時王所建的「周正」。至於以夏時冠月，以周正紀事的「夏時冠周月」之說，或可謂前兩說之折衷。有趣的是，雖然今文學者〔或更精準的稱《公羊》學者〕一向以來是較為重視思想上的「應然」，但他們對於「王正月」卻也有著不同解讀，造成差異之理由亦是出於他們所追求的「應然」，即經學理念不同有以致之。

例如晚清公羊學開山莊存與，對「王正月」的解釋，就值得提出討論。在《春秋正辭》中，有〈通三統・春王正月春王二月春王三月〉一段文字：

> 何休曰：「夏以斗建寅之月為正，平旦為朔，法物見，色尚黑。殷以斗建丑之月為正，雞鳴為朔，法物芽，色尚白。周以斗建子之月為正，夜半為朔，法物萌，色尚赤。」「二月、三月皆有王者，二月，殷之正月也，三月，夏之正月也。王者存二王之後，使統其正朔，服其服色，行其禮樂，所以尊先聖、通三統，師法之義、恭讓之禮，於是可得而觀之。」子曰：「殷因於夏禮，所損益可知也；周因於殷禮，所損益可知也，周監於二代，郁郁乎文哉！」子曰：「行夏之時，乘殷之輅，服周

---

80 關於明中葉之後對於經典知識的重視之討論，可參林慶彰：《明代考據學研究》（臺北市：學生書局，1983年）。

之冕，樂則韶舞。」〈召誥〉曰：「相古先民有夏，天尚從子保，面稽天
若，今時既墜厥命。今相有殷，天迪格保；面稽天若，今時既墜厥
命。」劉向曰：「王者必通三統，明天命所授者博，非獨一姓也。」按
日月星辰之行，始於日至；陰陽風雨之氣，徵於丑仲；王政民事之序，
揆於寅正，三正並行而不悖，尚矣！〈夏書〉曰：「怠棄三正。」子丑
非春，其諸後儒之惑與？[81]

莊存與在這一段文字中，藏有大量的訊息，值得一一推敲。首先，他引何休之
說，附以〈召誥〉、劉向之說，意在強調三統循環，天命不專，此乃公羊學政
治思想之重要發明。然而，從兩引「子曰」之言可知，此三統的意義與概念，
被莊存與定格在夏、商、周的三正，而非商、周、《春秋》新王的三統之上。
他強調《春秋》所行為周正，其「王二月、王三月」之詞，乃周監於二代，存
二王之法。換言之，莊存與在敘述中，以隱晦的方式把「以《春秋》當新王」
這一非常異議可怪之論給消解了。邴積意提到：「《春秋正辭》的一些解釋與漢
代《公羊》學的立場有根本的分歧。……三統說是《公羊》學區別《穀梁傳》
與《左傳》的標誌之一。莊存與雖然也提到『通三統』，但他的主要例證在
於：『春王正月，春王二月，春王三月。』根據他的解釋，『二月、三月，皆有
王者。二月，殷之正月也。三月，夏之正月也。王者存二王之後，使統其正
朔，服其服色，行其禮樂，所以尊先聖，通三統。師法之義，恭讓之禮，於是
可得而觀之。』此種解釋恰恰忽略了漢代《公羊》學三統說的特殊內涵：以
《春秋》當新王、新周、故宋。只有把《公羊傳》的『新周』理解為『以《春
秋》當新王、新周、故宋』的『新周』，才能體現三統中的親、故、黜的含
義。莊存與雖然也提到『王者存二王之後，使統其正朔，服其服色』的三統思
想，可在此例中並沒有指出『新周』乃三統說中的『新周』，只是簡單地提到
『成周者，天子之下都也』，更為重要的是，莊氏羅列《左傳》、《穀梁》的觀
點，實際上已表明『新周』不具備三統之義。因此，以災異說來說明『成周宣

謝災』，可以說與漢代《公羊》說的觀念相去甚遠。」[82]

同時，在莊存與的概念中，三正關涉天文運行、時令節氣與王政民事之序。此一以子、丑、寅三正分別代表天道、地氣、王政之生成與運作的原始氣化宇宙次序，是一個自然完整的循環模式，表明王者施政須取法天道，而天象曆數、寒暑節候乃至政務民事，則是王者施政的三大面向，各有取法的典範，三者皆當在一年之始的春季發布推行。最後，他隱晦的批評《胡傳》「以夏時冠周月」引發了子丑非春的疑慮與爭論。在他看來，子、丑、寅之月建所代表的政教理念，乃王者施政的理論基礎，卻成為南宋《胡傳》以來爭論不絕的學術難題，他為此感到十分的疑惑。

莊存與對古典公羊家三統說的改造，或有其出於自身對經典之理解的考慮，但與古典公羊學三統理念之間有不合拍之處，自無可疑。倒是他的兩個外孫劉逢祿與宋翔鳳，在對古典公羊學理念的繼承上，較莊存與更為激進，亦各有特色。如劉逢祿《公羊春秋何氏解詁箋》在「王者孰謂文王也」條下云：

> 《春秋》應天作新王之事，時正黑統，王魯尚黑。絀夏、親周、故宋，改號禹謂之「帝」，樂宜親韶舞，故以虞錄親，樂至宜商。《傳》曰謂文王者託始，猶以天正終麟，方明夏時。[83]

又在「何言乎王正月大一統也」條下云：

> 《箋》曰：「大一統者，通三統為一統。」周監夏商而建天統，教以文，制尚文；《春秋》監商周而建人統，教以忠，制尚質也。[84]

劉逢祿此處所言，可謂對何休三統說的公開宣示。不論是「《春秋》應天作新王之事」、「《春秋》監商周而建人統」，抑或是「王魯尚黑」、「文王託始」，都

---

[82] 郜積意：〈論莊存與的《公羊》學〉，《孔子研究》，2003年第5期，頁59-60。

[83] 〔清〕劉逢祿：《公羊春秋何氏解詁箋》（臺北市：漢京文化，1980年影印《皇清經解》本），第13冊，卷1290，頁1。

[84] 同前註，頁2。

是古典公羊學三統說的鮮明標誌，故其敘述雖簡短，其立場卻鮮明，誠可謂何休之堅定追隨者。

至於莊存與另一外孫宋翔鳳，或以受過漢學薰陶之故，雖基本立場仍是今文家言，然其文字則充滿考據張力，在旁徵博引以證成公羊之說的同時，亦提出自身的見解。如其《過庭錄》有「元年春王周正月」條，宋翔鳳從「四時不隨正朔變」的角度立論，為何休詁《公羊》之說，依曆法學提出修正。按《公羊春秋》義：「元年為君之始；春為歲之始；王謂文王，為王之始；正月，月之始；公即位，為一國之始，是為五始。」何休說曰：「變一為元。元者，氣也，無形以起，有形以分，造起天地，天地之始也，故上無所繫而使春繫之也。惟王者然後改元立號，以繼天奉元、養成萬物。」在何休的解釋中，牽涉到歲年的定義，以及定四時之序與月建依據之區隔，但何休對此並未有系統的說明。宋翔鳳依據《周禮》鄭《注》等文獻記載為之補充，並展開討論。按《周禮·春官》有「大史正歲年以敘事」之載，鄭《注》：「中數曰歲，朔數曰年，中、朔大小不齊，正之以閏。」[85]孫詒讓《正義》：「〈月令〉孔《疏》云：『中數者，謂十二月中氣一周，總三百六十五日四分日之一，謂之歲；朔數者，十二月朔一周，總三百五十四日，謂之年。』」[86]依孫氏《正義》可知，此處的歲、年相對，指的是太陽曆與太陰曆日數之不同，故有朔數、中數之別。宋翔鳳說：「中數者日，數凡十二，月之中氣，於是乎出；朔數，月數也，晦、朔、望於是乎成。春夏秋冬之序，以日所次為紀。」表示四季的時序是由日所至的中數決定；而十二月數的晦、朔、望，則由朔數來決定。換言之，月正依朔數而建，然四時之序，由日次來決定，不隨朔數而改變。兩種曆法的不同，造成四時與月建的落差。翔鳳引班固述博士義謂：「四時不隨正朔變。」又引《周書·周月》云：「萬物春生夏長、秋收冬藏，天地之正，四時之極。夏數得天，百王所同。」又云：「我周致伐於商，改正異械，以垂三統，至於敬授民時、巡守祭享，猶自夏焉。」宋翔鳳之意，蓋謂古人知道中數依日次而四時有序，所以朝代更替雖有月建之異，然而萬物的春生夏長、秋收

---

[85] 〔漢〕鄭玄注、〔唐〕賈公彥疏：《周禮》（臺北市：藝文印書館，2001年），頁401。

[86] 〔清〕孫詒讓：《周禮正義》（北京市：中華書局，1987年），第8冊，卷51，頁2083。

冬藏，都是依中數決定，而夏正建寅之月與中數相合，故可謂得天地之正。回到《周禮》的「大史正歲年以敘事」，正歲年即是以中數正朔數；事者，則授時巡守祭享之事也。宋翔鳳批評：

> 秦漢以後太史正歲年之法廢，故或以秋為冬、以冬為春、以春為夏、以夏為秋，而生長收藏，舊訓咸戾，始於風謠及於紀載，并訛於儒者之說經，由太史之失官也。既有元有春而後有王，董仲舒言王者上承天之所為，下以正其所為，正王道之端云爾。《春秋》以王上承天，故繫王於春，而繫正於王。《春秋》之名，即太史正歲年之法，孔子之所竊取。則《春秋》之義，天法也，其不隨正朔而變，所謂天不變也。正月以下皆王之所為，故有三統，而史之文用之。[87]

宋翔鳳這段文字可以歸納出三個重點。首先，自秦漢以後太史正歲年之法廢，後人不知中數、朔數之異，於是四季之序紊亂，使生長收藏之舊訓，咸戾於現實之目見。其誤始於風謠及於紀載，其後并訛於儒者之說經。導致失誤之故，皆由太史之失官也。其次，《春秋》之書「元年春王正月」，可分兩段次解之。其一，既有元有春而後有王，翔鳳依董生之解，王者上以承天而下正其所為，以正王道之端。故所云「《春秋》以王上承天，故繫王於春，而繫正於王」者，蓋謂《春秋》依中數定四時以行王政，翔鳳云：「此即太史正歲年之法，而為孔子之所竊取。」翔鳳言《春秋》之義，天法也，其不隨正朔而變，所謂天不變也，其出發點都在強調《春秋》是依天時以行王政。至於「正月以下皆王之所為，故有三統，而史之文用之」，則是時王依朔數之月建行事，月建不同，故有三統，而為史之文所載。簡言之，宋翔鳳以為《春秋》之時乃夏正，因其得其「天數」，故百代不易；而王冠於月、日之上，則是代表月、日為時王所定。翔鳳所論，乍看頗類「夏時冠周月」之說，然其用心不同，以其敀言新王改元之說也，故謂「正月以下皆王之所為，故有三統」。[88]

---

87 〔清〕宋翔鳳：《過庭錄》（臺北市：廣文書局，1971年），卷4，頁67-70。
88 按：宋翔鳳依新王三統改元之論，尚可見於《論語說義》。如卷八「子曰周監於二代郁郁乎文

　　當然，晚清最後的今文學大師康有為[89]，可以說是將《公羊》學中「素王改制」說發揮到淋漓盡致的學者，故「三統」之說，早已成為其基本論述。如《孔子改制考》卷九論「孔子創儒教改制」釋董生「三代改制質文」，即云：「孔子作《春秋》改制之說，雖雜見他書，而最精詳可信據者，莫如此篇。稱《春秋》當新王者凡五稱，變周之制以周為王者之後，與王降為風、周道亡於幽屬同義，故以《春秋》繼周為一代，至於親周、故宋、王魯三統之說，亦著焉，皆為《公羊》大義。」[90]所以康氏對於「王正月」的看法，便如同董仲舒一般，認為「正月」必是夏正無疑：

　　　　孔子承周之弊，行夏之時，知繼十一月正者當用十三月也。[91]

康有為於孔子改制一事自信於心，言之鑿鑿，他的思考根基自然是「孔子乃受命之王者」：

　　　　天閔振救，不救一世而救百世，乃生神明聖王，不為人主，而為制法主。天下從之，民萌歸之。自戰國至後漢八百年間，天下學者無不以孔

[　　]哉吾從周」條云：謹案：《春秋》：「王者繼文王之體，守文王之法度。」隱公元年，春，王正月，《傳》曰：「王者孰謂？謂文王也。」何休說：「以上繫王於春，知謂文王也。文王，周始受命之王。天之所命，故上繫天端，方陳受命制正月，故假以為王法。不言謚者，法其生不法其死。與後王共之，人道之始也。」按此知《春秋》雖據魯新周，然必託始於文王。故孔子曰：「文王既沒，文不在茲乎？」以是知「周監於二代，郁郁乎文哉。」謂文王之法度也。又同卷「顏淵問為邦」條云：曰「行夏之時」者，春、夏、秋、冬謂之四時。《春秋》先言春，後言王正月。「正月」者，不脩《春秋》也；曰「春」曰「王」，孔子之脩《春秋》也。……則凡言春、夏、秋、冬，皆主夏數，不隨三正而易。《春秋》託新王，將以夏正變周正，故冠之以春。董生有言：「春者，天之所為也。正者，王之所為也。上承天之所為，下以正其所為，正王道之端云爾。」此「行夏之時」之義也。宋翔鳳：《論語說義》，收於孫欽善等編：《儒藏》（北京：北京大學出版社，2008年），第105冊，頁528、頁608-609

[89] 語見周予同著《中國經學史講義》，其云：「康有為是清今文學的最後大師，以後就沒有大師了，作為經學，至此完結。」見周予同著：《中國經學史講義》，收於朱維錚編校：《周予同經學史論》（上海市：上海古籍出版社，2010年），頁628。

[90] 〔清〕康有為：《孔子改制考》（北京市：中華書局，1958年），頁5。

[91] 同前註，頁276。

子為王者，靡有異論也。……天下義理、制度皆從孔子……孔子有歸往
之實，即有王之實……然大聖不得已而行權，猶謙遜曰假其位號，託之
先王，託之魯君，為寓王為素王云爾。[92]

康氏對孔子的觀感，大致與漢時崇孔、創造神話般孔子的心態並無二致，因此
他論證孔子改制之事，常帶有一種想當然耳的情感色彩。這也導致康氏之論正
月為夏正時，並無試圖去論證於《春秋》中明顯矛盾之處。這樣的態度，使康
有為的說法常有情感上的說服力，卻無邏輯上的合理性。例如對學《春秋》者
而言，《春秋》為一「借事明義」之經，既然要借事以明大義，那麼事情的始
末經過以至於時間，都必須達到某種程度的清晰，否則如《經》文中記「春，
公狩於郎」，是譏其狩非時，而「冬，天王狩於河陽」才是狩之正時，但
「春，西狩獲麟」卻又被解釋為此欲用夏正之冬而去此周正之春。諸如此類的
矛盾，康有為並無解釋，只是用「應然」去解釋孔子有改制之事，這就遠不如
稍早的皮錫瑞之說來得完滿。皮氏在處理這個纏訟千年的問題時，其實已顧慮
到這些情況，因此皮錫瑞雖然支持今文學、認同改制之說，但他卻堅持「王正
月」之正月為周正無疑。其云：

《春秋》「王正月」，三《傳》及三《傳》之注，皆云周正，建子之月。
《左氏傳》加一周字，云「元年春王周正月」，孔《疏》言：「王正月
者，王者革前代，馭天下，必改正朔、易服色，以變人視聽。夏以建寅
之月為正，殷以建丑之月為正，周以建子之月為正，三代異制，正朔不
同。」正是時王所建，故以王字冠之，言是時王之正月也。《左氏》之
增一字，可謂一字千金。[93]

皮錫瑞仍然是以三《傳》之說為準，認為正月當是周正，其立場雖認為《左
氏》是史非經、不傳《春秋》，但於《左氏》此處解釋「王正月」為周正一

---

92 同前註，頁225-226。
93 皮錫瑞：〈論王正月是周正胡安國夏時冠周月之說朱子已駁正之〉，《經學通論・春秋》，頁87。

事，褒以一字千金之譽。但皮錫瑞也是相信孔子有改制一事，卻又不願意如同董仲舒一般將《春秋》用曆解釋為夏正，甚至要說「《春秋》雖為後王立法，不能擅改時王正朔」，[94] 這確實啟人疑竇。此或可說是皮錫瑞也顧慮到了「實然」層面的問題：

> 素王改制之義不必疑矣。《春秋》有素王之義，本為改法而設，後人疑孔子不應稱王，不知素王本屬《春秋》，而不屬孔子。……不知孔子無改制之權，而不妨為改制之言。……孔子周人，平日行事，必從時王之制，至於著書立說，不妨損益前代。[95]

皮氏這裡提出了一個很明確的觀點，所謂的「素王」，是屬於《春秋》，而不屬於孔子。所以孔子雖然有損益三代為後世制法之心，但仍屬周人，自當從周法用周制。所以當新王者，乃《春秋》也，非孔子也。但《春秋》既當新王，那為何不改時？曰：因《春秋》託事而明義而已，何氏明言「惟王者改元立號，《春秋》王魯，故得改元，託王非真，故雖得改元，不得改正朔」，而後人讀《春秋》常有史的觀念，不知「義本假託，而誤執為實事，是以所見拘滯」。[96] 所以說，《春秋》筆削自魯史，則當以周正為正朔，但孔子會透過不同的筆法，建立後王所需依循之法則；亦即「王正月」仍然是「周正月」，只是託於正月，言三代有正朔不同之事，從而明「王者有改制」之義而已，不必是實然用夏正改制，此之謂「託事明義」者。但皮錫瑞這樣的說法，已隱然包含了經中文字皆只是孔子託義之喻的符碼，也無怪乎後來者如康有為等激進者，會將一切經典視為孔子託古改制之手段或隱喻，甚且開啟古史辨派以解構典籍為號召的時代狂潮。

總之，晚清以降的這些《公羊》學者，或因學術有日進月異之積、或因目見《左傳》攻《公羊》之非是，也多少會顧慮到於文本解釋時，並不是只有理

---

94 同前註，頁88。

95 皮錫瑞：〈論春秋改制猶今人變法損益四代孔子以告顏淵其作春秋亦即此意〉，頁12-13。

96 皮錫瑞：〈春秋·論三統三世是借事明義黜周王魯亦是借事名義〉，頁22-23。

論上的圓滿才是一切，而是理論與文本必須能合乎邏輯；或者就像皮錫瑞一樣，文本與理論衝突時，只好將文本之解讀交付給「實然」，而義理自有義理之「應然」；不能再像漢時的學者，抓緊經文中的一兩句話，就將文字之實然等同義理之必然。顯著的例證，則像是蔣慶先生的說解，其雖同樣接受孔子作《春秋》乃「行夏之時」，但其云：

> 《春秋》所書元年春王正月之正月非周王之正月，而為孔子之正月，即為孔子所改之夏時制之正月。……因為當時列國都行周制，故孔子《春秋》借事考慮到好讓人們理解，又不得不按周之時制記事。這樣就形成了一個矛盾：孔子改制要在《春秋》行夏之時，又要顧及人們的理解而採周正。……孔子以一布衣在周命未改時私改如此重要的周制，就像現代一公民以私人身分改現行憲法而另立一私定的憲法一樣，必然驚世駭俗，時人定不能理解而怪罪。因此，在《春秋》改周之時制為夏之時制只能用非常隱晦曲折的方式暗示出來……若《春秋》純為記事之書，只可書「王正月」，不可書「王三月」，因以月繫王只可用正月繫王表明王道一統之義。但《春秋》非記事之書，而是託事明義之書，此處書「王三月」雖是周之三月，但其所借以明義即是夏之正月。[97]

蔣氏認為孔子的身分地位都不是一個能夠實質進行改制的人，又加上必須讓人理解《春秋》大義，因此在名目上仍必須尊崇周正，至於孔子所欲行夏時的理念，就只能從「王三月」的特殊筆法彰明，因此「王正月」是周正月、「王三月」才是夏正月，這也是孔子所屬意之制。這裡說法雖然顯得曲折，但其說法既兼顧到了孔子的身分、也顧及了《公羊》學改制的理論，更周及《春秋》經文詮釋的一致性。此較之漢時學者以至於康氏之說，更具有理論上的說服力，也更為周全。

---

[97] 蔣慶：《公羊學引論》，頁157。

五　結語

自兩漢建構經學理論體系伊始，以至於對經典客觀知識追求的轉變，顯示出經學家在追求的「理論上之應然」有逐漸淡出的傾向，取而代之的是對於「經文理解之實然」的取向。從今日追求客觀、獨立知識的價值觀看來，這樣的學術取向無疑是值得讚許的，但尚不能武斷的認定前人已是有意識的追求客觀學術；因這種追求經典價值觀的行為淡化，更可能意謂著經學價值觀成為主流的大傳統。像是「經世致用」這個經學的前見，在後代不成為爭論的焦點，並不代表著這個概念不再重要，反而代表其成為一種不證自明的預設立場；對後來的學者來說，爭論這種概念已無甚意義，反倒是該去辯證孔子須以何種具體的方式來為萬世制法，這才會發生從理論建構的興趣轉向對文本知識的理解。同樣的，「王正月」的解讀亦是如此：兩漢時期，是以理論的應然性去解讀文本，使其符合理論之邏輯，因此出現「夏正」、「周正」的理解；但兩宋以降，則一變而直接由知識、文本分析出發，試圖去驗證《春秋》在實際上究竟是使用「夏正」或「周正」。因此，同樣是「夏正」、「周正」之爭，但其所側重的焦點是完全不同的。

另一方面，從兩漢至今，關於「王正月」的解釋，大致上歸屬於「周正」或「夏正」。且不論是何種解釋，其背後都各有偏重，甚至是關乎說者認定孔子為何等身分、《春秋》為何種著作。如隨「夏正」而來的新王云云諸說，所呈顯者，即是以《春秋》為經，據史事以敷陳一套孔子制法的歷史哲學。其後出現的「周正」之說，則是立基於史而對往古史事在「求真」意義上的建構。會有如此紛雜的說解，究源其實，乃因《春秋》經的性質游移於經史之間，而「周正」、「夏正」之詮解理路，恰好是經史二學所追尋的不同目的所導致。「史」之貴在於實，直筆以存往事之真實為第一義；「經」之貴則於義，筆削以寓善惡棄取為首諦。標誌著新王改制的「夏正」，正是以價值評判為宗的經學說解，而據史直書的「周正」，則是求史以存真的史學信念，以此觀之，則「夏時冠周月」的說法，則又可視為是經史互相交融的結果。

　　吾嘗以為，歷史哲學係根據歷史現象而抽繹其原則的哲理思考，但此種哲思，亦往往無法成其所謂通則，即往往扞隔於歷史實際情狀。如本文之「王正月」，若堅持「夏正」為說，學者欲明《春秋》所載事端，則如陷迷山霧海之中；但反過來說，假用「周正」為解，則夫子知我罪我的微言大義，又成渺茫難徵之空言。雖然《春秋》性質亦經亦史，若純以為史冊載籍，則公羊家素王制法、《春秋》新王以至於夏正、尚黑之說，自然是不合歷史真實的「異義可怪之論」，也難以通過史學求真眼光的檢視；然若站在經學視野所側重之價值判斷而言，從經典中體會孔子垂法後世的苦心，才是《春秋》的價值所在，亦為歷代治經者所共同信賴的語言，甚且這些論述，不必盡皆合於歷史過往的真相，而要成為指向美好未來的指針。

　　圍繞著「王正月」所開展出來的議題甚多，緣此而來的理論甚夥，筆者據此而管窺《春秋》學解讀方法之轉變，囿於時間精力有限，僅能略舉其大端，以概其梗括，其中必有所黷疏不足，還待方家斧正。

《春秋》魯隱公「矢魚于棠」
三《傳》通義述要

許子濱

（香港）嶺南大學

摘要

　　《春秋》記魯隱公五年「矢魚于棠」，《左傳》用「公將如棠觀魚者」與「遂往陳魚而觀之」載此事之本末。漢唐注家於是解「矢」為「陳」、「魚」為「漁」，「矢魚」、「陳魚」，亦即陳漁而觀。《公羊》、《穀梁》二傳經文皆作「觀魚」。自宋至今，有說「矢」為弓矢，魚讀如字，釋「矢魚」為射魚。說者有謂今文之「觀魚」，實指貫魚，若其說可信，則矢魚與觀魚同指射魚。隱公此舉的目的，有謂是為了戲樂，也有說是如魯宣公濫於泗淵，是貪利之舉。漢代今文家皆曾指隱公觀魚，「與民爭利」，而傳《左傳》的劉歆，也有相似的看法。而且，三《傳》都站在正名的角度，表明君主不應親漁，隱公不合於禮。因此，在藉魯隱公矢魚闡明《春秋》大義上，三《傳》可謂相得而益彰。

關鍵詞：《春秋》　《左傳》　《公羊傳》　《穀梁傳》　矢魚　觀魚　射魚
　　　　正名

一 引言

《春秋經》隱公五年（西元前718年）云：

公矢魚于棠。

《左傳》云：

五年春，公將如棠觀魚者。臧僖伯諫曰：「凡物不足以講大事，其材不足以備器用，則君不舉焉。君，將納民于軌物者也。故講事以度軌量謂之軌，取材以章物采謂之物。不軌不物謂之亂政。亂政亟行，所以敗也。故春蒐夏苗、秋獮冬狩，皆于農隙以講事也。三年而治兵，入而振旅，歸而飲至，以數軍實。昭文章，明貴賤，辨等列，順少長，習威儀也。鳥獸之肉不登於俎，皮革齒牙、骨角毛羽不登于器，則公不射，古之制也。若夫山林川澤之實，器用之資，皂隸之事，官司之守，非君所及也。」公曰：「吾將略地焉。」遂往，陳魚而觀之，僖伯稱疾不從。書曰：「公矢魚于棠」，非禮也，且言遠地也。[1]

《春秋》記魯隱公「矢魚于棠」，《左傳》載其事之始末曰：「公將如棠觀魚者」、「遂往陳魚而觀之」。經文之「矢」，《公羊傳》、《穀梁傳》作「觀」。漢唐《左傳》學者明確指出「矢魚」就是「陳魚而觀之」，「矢」、「陳」互訓，「觀魚者」與「陳魚而觀之」同義。古今文三個「魚」字，皆借為「漁」字，讀去聲，如相語之語，皆表示捕魚。這點可以《穀梁傳》「魚，卑者之事也」一語為證。[2]「魚」當指捕魚，否則不能說是卑賤者所從事。然而，自宋至今，有不少學者都主張「矢」即弓矢，「魚」讀如字，矢魚意謂射魚。影響所及，也

---

[1] 楊伯峻：《春秋左傳注》（北京市：中華書局，1990年），頁41。
[2] 鍾文烝：《春秋穀梁經傳補注》（北京市：中華書局，1996年7月），頁41。

有學者認為《公羊》、《穀梁》經文之「觀」，取義與《左傳》不別。魯隱公到遠地（棠）「矢魚」或「觀魚」，招致三《傳》非議。隱公此舉的目的，有謂是出於戲樂，亦有說是像魯宣公濫於泗淵般與民爭利。若然如此，則在魯隱公矢魚一事上，三《傳》大義相通。本文所論，旨在探討三《傳》藉「矢魚」或「觀魚」所發明之《春秋》大義，以就正於大雅方家。

二　《左傳》經文之「矢魚」與《公羊》、《穀梁》二傳之「觀魚」皆為射魚說

（一）《左傳》「矢魚」為射魚說──補充訂正近人相關說法

《左傳》所傳《春秋經》作「矢魚」，傳文用「陳魚而觀之」作解。杜預、孔穎達以「陳」訓「矢」，而馬融則在辭章上用上「矢魚陳罟」之語。據《後漢書·馬融列傳》，永初四年，「鄧太后臨朝，驚兄弟輔政。而俗儒世士，以為文德可興，武功宜廢，遂寢蒐狩之禮，息戰陳之法，故猾賊從橫，乘此無備。」元初二年，馬融乃上〈廣成頌〉以諷諫，寫水獵說：「川衡澤虞，矢魚陳罟。」[3]（漢畫像石之「罟魚」圖，見圖一）唐李賢等即引《左傳》魯隱公矢魚于棠及《國語》魯宣公濫於泗淵為之注解，並云：「矢亦陳也」。[4]馬融著有《春秋三傳異同說》[5]，惜已亡佚，但其文之出處則甚清楚。

宋儒之間普遍流行著一種說法，主張「矢」即弓矢，矢魚意謂射魚。[6]其中最值得注意的是葉夢得的想法。他不但主張「矢魚」即「射魚」，還認為隱公當時是為了祭祀才有這種舉動。只是由於朱熹在學術上的崇高地位，一般持

---

[3]　范曄：《後漢書》（北京市：中華書局，1982年），頁1964。

[4]　范曄：《後漢書》，1964年。

[5]　李威熊：《馬融之經學》（臺北市：政治大學中國文學研究所博士論文，1975年6月），頁606。

[6]　大陸近年出版的主要《左傳》新注本，皆不取矢魚為射魚說。如陳戍國：《春秋左傳校注》（長沙市：岳麓書社，2006年）：「《爾雅·釋詁》：『矢，陳也。』」（頁19）趙生群《春秋左傳新注》（西安市：陝西人民出版社，2008年）：「矢魚：陳魚而觀之。矢：陳。」（頁21）李夢生：《左傳譯注》（上海市：上海古籍出版社，2013年1月）：「矢：陳列。魚：此指捕魚的器具。」（頁21）。

射魚說者大多引用他的話，而忽略了葉氏之說。宋儒主射魚說者還有孫弈，其《履齋示兒編卷四・矢魚觀社》云：「隱公矢魚于棠，莊公如齊觀社，《春秋》皆書，云譏其舉動之非也。矢者，射也。矢魚乃有司之事，於己所不當射而射，齊社乃他國之事，於我所不當觀而觀，二者胥失之，《春秋》書以示貶，益知人君不當親舉者也。」[7]孫氏雖然沒有對射魚多作說明，卻以為射魚乃有司之事，與隱公無關。近人陳槃庵、陳夢家、孫玄常諸位先生先後不約而同地倡儀「射魚說」。陳夢家更首創「陳漁示威」之說。經過陳槃庵等人的申述，「矢魚」為「射魚」幾成定論。後來，楊希枚駁難此說，認為矢魚是藉觀漁向山戎示威。在觀漁示威這點上，楊、陳兩位先生是不謀而合的；不同的是，陳先生主張射魚而楊先生則極力排斥其說。[8]陳槃庵所列清人持射魚說者，其實遺漏了公羊大師孔廣森。《公羊通義》解釋「百金之魚公張之」云：

> 張者，張弓矢以射也。《淮南子・時則訓》曰：「季冬命漁師始漁，天子親往射魚。」左氏《經》「觀魚」作「矢魚」，朱文公曰：「據《左傳》言『則君不射』，是以弓矢射之。如漢武親射蛟江中之類。」[9]

孔氏也注意到《淮南子》「天子親往射魚」的記載，為朱熹說提供另一個依據。最近，張其昀先生發表題為〈左氏《春秋經》「矢魚」辯論〉一文，認為矢魚即謂射魚，《春秋》經文「當以左氏為是，公、穀為非。左氏《傳》文之作『觀魚』，當是受公、穀《經》文之影響所致。」[10]張先生文中未提及上述近人的類近說法，或於諸文未曾寓目。

---

[7] 《宋人劄記八種》（臺北市：世界書局，1963年4月），頁37。

[8] 筆者自二十年前至今，多次撰文討論魯隱公矢魚于棠，初稿（約六萬字）發表於1996年9月在山東淄博舉辦的「《春秋》經傳國際學術討論會」。關於「射魚說」的辨析，參拙著：〈魯隱公矢魚于棠考辨〉，《管子學刊增刊》，1998年，頁45-49。關於楊伯峻《春秋左傳注》相關注文的辨析，參拙著：《楊伯峻〈春秋左傳注〉禮說斠證》（香港：中華書局，2017年1月），頁72-85。

[9] 阮元編：《清經解》（上海市：上海書店，1988年），冊4，頁706。

[10] 張其昀：〈左氏《春秋經》「矢魚」辯論〉，《揚州大學學報》（人文社會科學版）第20卷第4期（2016年），頁102。各文著眼點不同，讀者合看，始得拙文全璧。

　　據筆者所考，古今文獻或民族風俗所見射魚之事，除陳槃庵等先生所舉者外，還有可以補充或訂正之處。射魚之見於唐詩者，如張籍〈寒塘曲〉詩云：「寒塘沈沈柳葉疏，水暗人語驚棲梟。舟中少年醉不起，持燭照水射游魚。」[11]陸龜蒙〈漁具詩〉序曰：「天隨子漁于海山之顏有年矣，矢魚之具，莫不窮極其趣。大凡結繩持網者，總謂之網罟……鏃而綸之曰射。……其他或以招之，或藥而盡之，皆出於詩書雜傳，及今之聞見。可考而驗之，不誣也。今擇其任詠者，作十五題以諷。噫。矢魚之具也如此，予既歌之矣，矢民之具也如彼，誰其嗣之？」其〈射魚〉詩曰：「彎弓注碧潯，掉尾行涼泚。青楓下晚照，正在澄明裡。抨弦斷荷扇，濺血殷菱蕊。若使禽荒聞，移之暴煙水。」[12]皮日休〈奉和魯望漁具十五詠‧射魚〉云：「注矢寂不動，澄潭晴轉烘。下窺見魚樂，怳若翔在空。驚羽決凝碧，傷鱗浮殷紅。堪將指杯術，授與太湖公。」[13]至於近代射魚風俗可補者有：劉如仲、苗學孟〈清代臺灣高山族的狩獵與捕魚〉及《清代臺灣高山族社會生活》對清代高山族的射魚風俗的詳細描述[14]，不但可補前人資料的不足，還能訂正某些說法。（清人繪〈東寧陳氏番俗圖‧捕魚〉及高山族捕魚圖，見圖二、三）比如陳槃庵沒有說明射魚到底用什麼工具，只說「叉魚與射魚皆利用鐵尖殺魚，所不同者，一用弓或弩，一則不用。」[15]這就與高山族實際射魚用的箭不同。劉、苗兩位說：「弓箭。種類較多，射魚時多使用平弓。平弓為單杆平弓、鐵梢平弓、增強平弓三種。材料多為為竹、木二種，竹尤多。『弓無弰，背密纏以藤，苧繩為弦，漬以鹿血，堅韌過絲革，射，搭射于左。』箭一般長九十五釐米左右，分有羽箭與無羽箭兩種，射魚大多用三竹鏃無羽箭與四竹鏃無羽箭，很少用鐵鏃有羽箭。」[16]可見射魚主要用竹箭，一般都不套上鐵尖（見圖四）。又，陳先生所附錄的清人繪

11　《張籍詩集》（北京市：中華書局，1959年）頁80。

12　《唐詩百家全集（聶夷中、杜荀鶴、陸龜蒙、皮日休）》（海南市：海南出版社，1992年），頁108-109。

13　《唐詩百家全集（聶夷中、杜荀鶴、陸龜蒙、皮日休）》，頁220。

14　劉如仲、苗學孟：〈清代臺灣高山族的狩獵與捕魚〉，《農業考古》1986年第2期。劉如仲、苗學孟：《清代臺灣高山族社會生活》（福州市：福建人民出版社，1992年）。

15　陳槃：《左氏春秋義例辨》（臺北市：中央研究院歷史語言研究所，1993年5月），卷7，頁16。

16　《清代臺灣高山族社會生活》，頁114。

畫的《臺灣風俗圖・捕魚》，畫面上題記云：「社番（高山族）頗精于射，又善用鏢槍。上鏃兩刃，杆長四尺餘。十餘步取物如携。嘗集社眾，操鏢挾矢，循水畔窺游魚噞呴浮沫或揚鬐搖曳尾，輒射之，應手而得，無虛發。」[17]這無疑就是高山族射魚風俗的真實寫照。

（二）《公羊》、《穀梁》之觀魚說

趙坦《春秋異文箋》分析三家《經》文出現異文的情況說：「《左氏傳》以陳釋矢，與觀魚義通。古方音支真部有通轉者，真諄臻文欣元魂痕寒桓刪山先仙同為一部，則觀之通矢，亦無足異。」[18]今按：「矢」與「陳」，聲母相近，皆為舌音，就韻部而言，矢屬脂部，陳歸真部，脂真對轉。觀屬見母、桓部。正如段玉裁《六書音均表》所言，上古真臻先、諄文欣魂痕、元寒桓刪山仙合韻[19]，而在陳新雄《古音學發微》古韻分部中，採用江永之說，設立了以《廣韻》寒桓為代表的「元部」[20]，元真兩部常常出現「旁轉」的現象。這是因為元、真二韻，韻尾既同，主要元音又密近。[21]「陳」、「觀」相通有音韻學上的根據，但不能因此而說「矢」與「觀」也可對轉。趙坦說的「古方音支真部有通轉者」，謂之「古方音」可能像段玉裁所說，不明合韻為方音的緣故。[22]古音支脂之不同部，「矢」屬脂部，而非「支部」。趙氏「觀之通矢」的論據恐怕也不能成立。陳新雄《春秋異文考・序言》批評趙氏「古韻分部，猶未精密」[23]，觀乎趙氏此段《箋》文，陳說信然。陳氏於古音韻之學造詣極深，也只說這裡三《傳》相異的原因是「義近」而已。據陳氏《春秋異文表》，三《傳》《經》文產生歧異的原因，以同音通假為主，音近相轉及形音俱近次之。至於字異義通的，在全部異文中極罕見。除這條有可能外，又見於桓公十四年左氏《經》

---

17 《清代臺灣高山族社會生活》，頁117。

18 趙坦：《春秋異文箋》，《清經解》，冊7，頁463。

19 王力：《清代古音學》（北京市：中華書局，1992年），頁66。

20 陳新雄：《古音學發微》（臺北市：嘉新水泥公司，1972年1月），頁950。

21 王力：《漢語史稿》（北京市：中華書局，1982年6月），頁95-96。

22 王力：《清代古音學》，頁81-82。

23 陳新雄：《春秋異文考》，《國文研究所集刊》第7輯，1963年，頁2。

「公會齊侯于艾。」「艾」，《公羊》作「鄑」，《穀梁》作「蒿」。[24]蓋艾蒿義近，而鄑與蒿同音，故艾亦轉鄑。焦廷琥《三傳辨疑》說：「矢觀不同音。《左傳》云：『遂往陳魚而觀之』，杜《注》云：『書陳魚，以示非禮也。』《正義》云：『陳魚者，獸獵之類，謂捕魚之人陳設取魚之備，觀其取魚以為戲樂。』是以矢魚為陳魚也。《詩·大雅》『矢於牧野』、『無矢我陵』、『以矢我音』，《傳》皆訓為陳，《爾雅·釋詁》『尸，陳也。』《釋文》本作『矢』，同。『陳魚而觀之』即『觀魚』也。《公羊》云：『百金之魚公張之』，張亦陳義。」[25]這裡焦氏指出三《傳》出現異文的現象，究其原因，並非由於同音通假，而是「字異義通」。至於說「張亦陳義」，用的是何休之說。何休注云：「張，張罔罟障谷之屬也。」[26]張也有陳設捕魚之備（罔罟障谷）之意。

劉操南主張《公羊》、《穀梁》經文之「觀」，實即「貫」，這樣「矢」與「觀」都指射。其《史記春秋十二諸侯史事輯證》云：

> 趙翼《陔餘叢考》卷二曰：「矢魚于棠，諸家皆以為陳魚而觀之。宋人《鶯雪雜說》獨引《周禮》矢其魚鼈而食之之義，以為矢者，射也。按：秦始皇以連弩候大魚出射之。漢武亦有巡海射蛟之事，以矢取魚，本是古法。援以說經，最為典切。」南按：趙說甚是，惟趙紹祖《讀書偶記》卷二，不以為然，苦少理證。左隱五年《傳》云：「公矢魚于棠，非禮也。」矢，杜注亦陳也，《左》作矢，《公》、《穀》作觀。《史記·十二諸侯年表》云：「公觀魚于棠，君子譏之」，貫觀同聲。朱駿聲以為觀假借又為貫。《易·剝》：「貫魚以宮人」，《詩·猗嗟》：「射則貫兮」，則觀魚猶言貫魚，亦矢魚也。杜注失其訓矣。[27]

古層冰〈與陳槃書三〉也有類似的看法，說：

24 楊伯峻：《春秋左傳注》，頁142。

25 董金榜輯：《邃雅齋叢書·三傳辨疑》（北平市：邃雅齋，1934年），頁9a。

26 陳立：《公羊義疏》（臺北市：臺灣商務印書館，1982年），頁152。

27 劉操南：《史記十二諸侯史表輯證》（天津市：天津古籍出版社，1992年9月），頁35。

「陳」本「陣」字,「觀」為「貫」之假借字。……「觀」古玩切,
「貫」亦古玩切,音同,故通用矣。……《小雅‧吉日》:「漆沮之從,
天子之所」,毛《傳》:「驅禽而至天子之所」。又曰:「悉率左右,以燕
天子。」毛《傳》:「驅禽之左右,以安待天子之射。」據此則古時天子
田獵,虞人必驅禽獸以待射。射禽如此,射魚亦當如此。陳魚而觀,猶
之驅禽而射矣。[28]

這種說法是先把「矢魚」看成「射魚」,又由於「觀」與「貫」同音,據此就
說「觀魚」即「貫魚」。「貫」從毌貝,許慎《說文》云:「毌,穿物持之
也。」貫有射意,段玉裁、朱駿聲等人皆有此說。[29]問題是,《公羊》、《穀
梁》以至《左傳》都只作「觀魚」,並不寫作「貫魚」。

三 「棠」為遠地

「棠」,《公羊傳》謂是濟上之邑[30],而賈逵指明屬於「魯地」[31],但語焉
不詳。隱公二年《春秋》記「公及戎盟于唐。」杜預注云:「高平方與縣北有
武唐亭。」[32]又注此「公矢魚于棠」云:「書棠,譏遠地也。今高平方與縣北
有武唐亭、魯侯觀魚臺。」[33]看來在杜預時,觀魚臺遺址尚存,故能清楚指明
其所在。此觀魚臺不知建於何時。屈萬里先生說過:「棠邑在魚臺境之北部,
與兩城密邇,今縣境尚有魯隱公觀魚臺,距兩城不及三十里。」[34]楊伯峻注也
說:「今山東省魚臺新縣治西南有觀魚臺址。」[35]似乎這臺址尚未塌毀。唐即
棠,在方與縣北。後來酈道元《水經注‧濟水》云:「菏水又東逕武棠亭北。

---

[28] 陳槃:〈古社會田狩與祭祀之關係〉,《中央研究院歷史語言研究所集刊》,第21冊,1949年。

[29] 丁福保:《說文解字詁林》(北京市:中華書局,1982年),頁7030。

[30] 陳立:《公羊義疏》(臺北市:臺灣商務印書館,1982年),頁154。

[31] 司馬遷:《史記》(北京市:中華書局,1982年11月),頁1529。

[32] 杜預:《春秋經傳集解》(上海市:上海古籍出版社,1988年),頁14。

[33] 杜預:《春秋經傳集解》,頁29。

[34] 陳槃:〈古社會田獵與祭祀之關係〉,《中央研究院歷史語言研究所集刊》,第21卷,頁16引。

[35] 楊伯峻:《春秋左傳注》,頁41。

《公羊》以為濟上之邑也。城有臺，高二丈許，其下臨水，昔魯侯觀魚于棠，謂此也。在方與縣故城北十里。《經》所謂菏水也。」楊守敬《疏》云：「濟水遶武棠，則是已到方與，故稱菏水。酈氏特引《公羊》濟上之邑者，仍明菏、濟同流也。」[36] 觀魚臺下臨菏水，《公羊》稱濟上，這是因為菏水與濟水同流的緣故。據程發軔《春秋左氏傳地名圖考》，棠大致處於魯、宋之邊界上。[37]

四　觀魚不足以講大事

臧僖伯的諫辭，可視為一篇通論古代田獵軍禮的重要文獻。他慷慨地為居君位者正分說：凡是物品不足以講習國家大事（即祭祀與兵戎），而它的材料又不能用於製作大事的器具（禮器或軍備），君主就不能有所舉動。以春秋時期為例，當時的大蒐禮，為的是通過田獵進行軍事演習。《左傳》僖公二十七年記晉子犯答晉文公其民可否用時就說：「民未知禮，未生其共。」於是乎大蒐以示之以禮。《穀梁傳》昭公八年也說：「因蒐狩以習用武事，禮之大者也。」[38] 但四時大蒐似乎只在陸地上舉行，無一言提及捕魚之事，也就是說，捕魚不足以講武事。秦蕙田《五禮通考・軍禮田獵》云：「澤中之獵不見于〈大司馬〉，《春秋》內外傳所載如棠觀魚、濫于泗淵之類皆失禮之事居多。然〈地官〉山虞、澤虞並有大田獵之文，則其事，可以意會，其從略者殆以《周官》之時舟師未備，故講武亦詳山而略澤歟？」[39] 可以推想，自殷周至春秋水軍還沒有發展到完備的階段。

五　「鳥獸之肉不登於俎，皮革齒牙、骨角毛羽不登於器，則公不射」釋義

「鳥獸之肉不登於俎，皮革齒牙、骨角毛羽不登於器，則公不射，古之制

---

36 楊守敬、熊會貞疏：《水經注疏》（南京市：江蘇古籍出版社，1989年6月），頁774。
37 程發軔：《春秋左氏傳地名圖考》（臺北市：廣文書局，1967年11月），頁108-109。
38 鍾文烝：《春秋穀梁經傳補注》（北京市：中華書局，1996年7月），頁613。
39 秦蕙田：《五禮通考》（臺北市：聖環圖書公司，1994年5月），卷242，頁10。

也。若夫山林川澤之實，器用之資，皁隸之事，官司之守，非君所及也」與
「凡物不足以講大事，其材不足以備器用，則君不舉焉」，是一脈相承、一意
連貫的，都是就田獵時所獵獲的鳥獸而言的。杜注謂「俎」為祭宗廟器。孔穎
達則云：「饗燕之饌，莫不用俎，獨言宗廟器者，明田獵取禽主為祭祀，若止
共燕食則公亦不為。」[40]孔氏認為這個「俎」專指祭祀之俎。縱然饗燕也設俎
實，但只為燕飲之樂而大舉田獵卻不合法度，亦即臧氏說的「不軌」。另一方
面，如果為祭祀而田獵，連及享燕，在孔氏看來是合禮的。《周禮・夏官・大
司馬》說明了大蒐禮後將所獲鳥獸用作祭祀的用途，春蒐「獻禽以祭社」、夏
苗「致禽以享礿」、秋獮「致禽以祀祊」、冬狩「獻禽以享烝」，所言除有社祭、
四方之祭外，還有宗廟之祭。《穀梁傳》記魯桓公四年春狩於郎時說：「四時之
田，皆為宗廟之事也。」[41]固然大蒐後一般都會舉行獻禽祭廟或祭社之禮，而
用所獲鳥獸作為宴賓之俎實，也是自然的事。如《詩・大雅・吉日》寫道：

> 吉日維戊，既伯既禱。田車既好，四牡孔阜。升彼大阜，從其群醜。吉
> 日庚午，既差我馬。獸之所同，麀鹿麌麌。漆沮之從，天子之所。瞻彼
> 中原，其祁孔有。儦儦俟俟，或群或友。悉率左右，以燕天子。既張我
> 弓，既挾我矢。發彼小豝，殪此大兕。以御賓客，且以酌醴。

《毛序》以為此時「美宣王田也」。[42]寫周王在戊日出獵於一處無名的大阜，
又在庚日出獵漆沮之間，都發現獸群，於是由臣僕驅逐以待天子之射。結尾數
句，描述了獵獲的獸類，並在獵後把這些禽獸用來大宴賓客，舉行了饗燕之
禮。《公羊傳》設問道：「諸侯曷為必田狩？」何休解釋提問的理由是「據有囿
也」。《公羊傳》意謂諸侯有囿可取禽獸，足供祭祀饗燕之用，何必勞師動眾到
外去狩獵？據《春秋》、《左傳》，春秋時至少魯、衛、鄭、秦諸國都建築獸
囿，魯就有鹿囿、蛇淵囿。然後《公羊傳》答云：「一曰乾豆，二曰賓客，三

---

[40] 《十三經注疏・左傳注疏》（臺北市：藝文印書館，1989年），頁60。

[41] 鍾文烝：《春秋穀梁經傳補注》，頁90。

[42] 陳子展：《詩經直解》（上海市：復旦大學出版社，1985年7月），頁598。

曰充君之庖。」[43]〈車攻〉毛《傳》、《穀梁》桓公四年傳及〈王制〉皆言「田之用三」。[44]〈車攻〉「大庖不盈」，毛《傳》云：

> 一曰乾豆，二曰賓客，三曰充君之庖。故自左膘而射之，達於右腢，為上殺；射右耳本，次之；射左髀達於右腢，為下殺。面傷不獻，踐毛不獻，不成禽不獻，禽雖多，擇取三十焉。其餘以與大夫士，以習射於澤宮。[45]

詩文中只說禽獸非常豐富，大廚野物豈不充裕？《毛傳》把這些禽獸的用途延伸到乾豆及賓客。那些貫心而死，即死疾而較為鮮潔的禽獸，都會被製成腊，作為祭祀的豆實，這叫做「乾豆」；那些較遲死的，其肉已不及上殺之鮮潔，便作為宴請賓客之用；被射中腸胃污泡而最遲死的，就只能作君子平時食用。沈欽韓及劉文淇曾用「三殺」解說「則公不射」，沈氏《春秋左氏傳補注》「則公不射」條云：「惠云：此指祭祀射牲。按：此謂田獵上殺也。詳《王制》及《毛詩傳》。」[46]沈氏不贊同惠棟的「射牲說」（說詳下文），卻簡單地提出了「上殺說」。直到劉文淇《春秋左氏傳舊注疏證》，才有較詳細的論述，其文云：

> 洪亮吉云：「公當作君」。此節杜無注。《正義》於上節引「獻人，凡祭祀共其魚之鱐蔬」（引者按：以下引孔《疏》，此從略。）按：僖伯諫辭，自因觀魚而通論田獵，《正義》必引獻人鱐蔬少牢魚俎為說，未免太泥。惠棟（引者按：惠說見本文射牲部分，此從略。）按：朱子弓矢射魚之說，係誤仞矢魚之矢為弓矢之矢，惠氏駁之，是也。但上文明言蒐苗獮狩，自是田獵上殺之禮。雖田獵亦以供祭，然不得遽指為祭祀射牲。《王制》天子諸侯無事則歲三田，一為乾豆，二為賓客，三為充君

---

43 陳立：《公羊義疏》，頁288-289。
44 皮錫瑞：《王制箋全卷》（光緒戊申歲思賢書局刊），頁22a。
45 陳奐：《詩毛氏傳疏》（北京市：中國書店，1984年），頁594。
46 王先謙：《清經解續編》（上海市：上海書店，1988年10月），冊3，頁24。

之庖。《正義》指乾豆為上殺，賓客為中殺，充君之庖為下殺。《穀梁》桓四年，范甯《解》云：「上殺中心，死速，乾之以為豆實；次殺射髀髂，死遲，故為賓客；下殺中腸污泡，死最遲，故充庖廚。〈車攻〉《毛傳》云：「自左膘而射之，達於右腢，為上殺；射右耳本，次之；射左髀達於右䯜，為下殺，乾豆即俎實，不登於俎，公所不射也。」[47]

劉氏自言沈書十分之六已採入其書[48]，此或是其中一條。「則公不射」的確是就君主在蒐苗獮狩時而言，但不可以就說此為「田獵上殺之禮」，因為此句實承「鳥獸之肉不登於俎，皮革齒牙、骨角毛羽不登於器」，不過是說那些肉可作俎實、身體其他部分又不足飾器的鳥獸，君主就不用射殺。這樣看來，《毛傳》及《王制》所言，不必視為臧僖伯的原意。依「三殺」之說，獵物要視乎本身被殺的方式，而有乾豆、賓客與充君之庖的不同用途。所關涉者不過是如何區分所獲鳥獸的用途，很難與臧僖伯之語扯上關係。

劉文淇引用惠棟解釋「則公不射」之文原見《春秋左傳補注》，惠氏云：

此指祭祀射牲。《夏官・射人》云：「祭祀則贊射牲。」〈司弓矢〉「共射牲之弓矢」。《外傳》（引者按：指《國語》）「左史倚相曰：『天子禘郊之事必自射其牲，諸侯宗廟之事必自射其牛，刲羊、擊豕』」，是也。朱子據《傳》曰：「則君不射」，是以弓矢射魚如漢武親射蛟江中之類，恐未然。[49]

惠氏懷疑朱子等人的射魚說，而將「則君不射」說成是射牲。推本窮源，可知宋人葉夢得《春秋考》始發其說，云：

蓋古者祭必親射牲，故各因四時之田而取之。〈大司馬〉所謂「遂以蒐

---

[47] 劉文淇：《春秋左氏傳舊注疏證》（香港：太平書局，1966年），頁32-33。

[48] 劉文淇：《春秋左氏傳舊注疏證》，〈整理後記〉，頁3。

[49] 惠棟：《春秋左傳補注》，《清經解》，冊2，頁712。

田」、「獻禽以祭社」之類，是也。而臧僖伯諫隱公，始言「春蒐、夏
苗、秋獮、各狩皆于農隙以講武事」，末言「鳥獸之肉，不登於俎，皮
革、齒牙、骨角、毛羽不登於器，則公不射。」「射」之為言蓋矢也。
豈隱公本以觀魚，不因于狩，而假射牲以為之名乎？則「觀」正當作
「矢」，不當言「陳」，是于義雖無大利害，然亦以見先儒不曉經旨而以
意揣量者每如此，微僖伯之言，則無以攷也。

又云：

> 《周官・射人》「祭祀則贊射牲，相孤卿大夫之法儀。」〈司弓矢〉「共
> 射牲之弓矢」。《外傳》載楚觀射父之言曰：「天子郊禘之事，必自射其
> 牲。諸侯宗廟之事，必自射其牛。」所謂法儀者，于禮無見，獨《公
> 羊》、《穀梁》載四時之田有上殺、次殺、下殺之辨，以為「惟所先得，
> 一為乾豆，二為賓客，三為充君之庖」。田獵之獲亦以共宗廟，則凡祭
> 而射牲，宜皆若是也。蓋祭祀之牲，充人掌之，皆繫于牢，所謂「執其
> 鸞刀，以啟其毛，取其血膋」者，已殺之事也。將祭，必先射而殺之，
> 取其身自為，猶王后、夫人之春粢盛也。「矢魚于棠」，吾證僖伯之言，
> 以「矢」為射，蓋以是知古之牲必射也。[50]

惠氏引述的有關射牲的紀錄不出葉文之外，但兩人觀點卻有明顯的落差。葉氏
力主「射」為射魚，而惠氏則不然。葉氏透過臧僖伯的話，試圖推原隱公觀魚
的情狀，以為他託辭為祭祀而射魚。又根據《公》、《穀》二傳，認為田獵無非
為獲取祭祀的犧牲。廖平《穀梁春秋經傳古義疏》解釋「惟所先得」云：「按
此三事皆得先者為之，三事之外，其餘以與士眾。《傳》曰：禽雖多，天子取

---

50 陳槃：《左氏春秋義例辨》，中央研究院歷史語言研究所專刊，上海市：商務印書館，1947年，
卷7，頁10a-11b引。沈玉成、劉寧：《春秋左傳學史稿》（南京市：江蘇古籍出版社，1992年6
月）引葉說並云：「孔疏釋矢魚為陳設取魚之備，終覺過於曲折，不如此說明快。」（頁227）

三十焉，其餘以與士眾是也。」[51]所引《傳》文見《穀梁傳》昭公八年「蒐於紅」下。天子狩不外是為了祭祀，那麼很自然地，凡舉行祭祀，君主必親自射牲。君主為祭祀而射牲，跟王后夫人親自舂粢盛一樣，都是為了表現主祭者對所祭者的尊重及虔誠。這種禮俗源遠流長，可追溯到殷商時代。甲骨文中不乏殷王祭祀射牲的記載，楊樹達先生早就發現了這種現象，在《卜辭瑣記・射牢》說：

> 《戩壽堂殷虛文字》九葉二版云：「其射二牢，叀伊。」王靜安《考釋》無說。余謂此因祭伊尹而射牲也。《周禮・夏官・射人》云：「祭祀則贊射牲。」又《司弓矢》云：「凡祭祀，共射牲之弓矢。」《國語・楚語》云：「觀射父曰：天子禘郊之事，必自射其牲；諸侯宗廟之事，必自射其牛，刲羊，擊豕。」據甲骨文有射牢之文，知周之射牲亦因於殷禮也。《史記・封禪書》云：「上與公卿諸生議封禪，封禪用希，曠絕，莫知其儀禮，而群儒采封禪《尚書》、《周官》、〈王制〉之望祀射牛事。」《續漢書・禮儀志》云：「立秋之日，自郊禮畢，斬牲於郊東門，以薦陵廟。其儀：乘輿御戎路，白馬朱鬣，躬執弩射牲，斬牲之儀，名曰貙劉。」又《祭祀志》云：「立秋之日，天子入圃，射牲以祭宗廟，名曰貙劉。」據此三文，知漢世尚行此禮矣。[52]

楊先生結合文獻資料及甲骨刻辭，勾畫出射牲禮的發展軌跡。說明了射牲之禮源起殷代，而盛於周代，至兩漢仍然流傳這種禮典。楊先生又在《卜辭求義・鐸部第二射》多舉三片記錄射牲的甲骨刻辭，分別見於《粹編》三一四片「于祖丁△牢，于父己牢，于父甲牢，其射？」八九二片「王其射，叀翌日戊，亡巛？禽，吉。」以及三二九片「△△卜，即貞，兄庚歲，其射？」[53]後來，金

---

[51] 廖平：《穀梁春秋經傳古義疏》，馬小梅主編：《國學集要》二編（臺北市：文海出版社，1967年），頁128。

[52] 楊樹達：《積微居甲文說・耐林廎甲文說・卜辭瑣記・卜辭求義》（上海市：上海古籍出版社，1986年12月），《卜辭瑣記》，頁4。

[53] 楊樹達：《卜辭求義》，頁18。

祥恆發表《甲骨文躲牲圖說》（見圖五），又為殷代射牲禮提供多一條例證。金氏解讀這幅圖文說：

> 本片之圖繪文字，真可說明「射牲」之禮。中上之斋，宗廟之象。圓頂重屋，覆之以茅。……宗廟門外陳以鱉，乃象兩角之牲，抑或羊也，身被毛，首戴角。《國語‧楚語》「觀射父曰：天子禘郊之事，必自射其牛，刲羊，擊豕。」故本片乃象祭祀射牲之圖畫文字。以〈楚語〉言「天子禘郊」，故射牛刲羊以祭之。然出獵以還，亦祭祀於宗廟。《周禮‧大司馬》：「中春，教振旅，司馬以旗致民，……遂以蒐田，有司表貉，誓民，鼓，遂圍禁，火弊。獻禽以祭社……中夏……遂以苗田，如蒐之法，事弊，獻禽以享祠。中秋……遂以獼田，如蒐之法，羅弊。致禽以祀，中冬……致禽獸于郊，入獻禽以享烝。」《淮南子‧時則訓》：「季秋之月，天子乃屬服厲飾，執弓操矢以射，命主祠祭禽四方。」《禮祀‧月令》：「季秋之月……天子乃屬飾，執弓挾矢以獵，命主祠祭禽于四方。」雖然《國語》、《周禮》、《禮記》等書所載，未必完全合乎殷周禮俗，然以古代社會田狩與祭祀，關係異常密切。俗先于禮，禮基于俗。約定俗成，稱情立文，然後制定，于是始有所謂禮。殷之射牲，原於田狩。而後相沿，遂成為禮。[54]

蔡哲茂又在楊、金二氏二文的基礎上，補苴罅漏，對射牲禮作了綜合性的研究，大大推衍了乃師金祥恆之說。蔡氏在《殷禮叢考‧射牲之禮》裡分析射牲禮形成原因說：「古人田狩與祭祀，有相當密切之關係，大抵舉行田狩，將所獲之物以供祭祀，祭而後食，……而卜辭中有射牲以祭之禮，而所用之牲則為田狩之所得，與一般祭祀不同，殷代此種射牲以祭之禮俗，大抵行之於宗廟之內，殷王或助祭者親行射牲之禮儀，將所供奉之野牲射殺之，再獻而祭之。」[55] 蔡氏此文說明了祭祀所射之牲是從田獵得來的野生動物，如兕一類，並不是原來

---

54 《中國文字》，第20輯，頁1。

55 蔡哲茂：《殷禮叢考》（臺北市：國立臺灣大學中國文學研究所，1978年），頁39。

畜養的。而透過觀射父射牛、刲羊、擊豕之說,可見後來這種禮典有了改變,於此足見古代禮制因時遞嬗的痕跡。日人安井衡《左傳輯釋》批評惠棟之說云:

> 或因公不射之文,有為以弓矢射魚如漢武親射魚蛟江中之類者,是因妄說,惠因駁之,以為祭祀射牲。然臧僖伯專論田獵之法,此文又承鳥獸之肉,而忽說宗廟射牲,不倫甚矣。況獸畜自別,古人未嘗紊其名,惠混而一之,非也。僖伯意蓋謂:公雖田獵,所射亦有定法,不敢妄說,況觀魚,其不可甚矣,故下以山林川澤之實承之也。[56]

安井衡既不贊同「則公不射」為射魚,亦反對惠氏視之為射牲。據安井衡之見,「則公不射」顯然緊接「鳥獸之肉」諸句而來,如指射牲,上下文理就不能銜接,讀來會產生不倫不類之感。況且這句話本來是談獵射的「定法」——「鳥獸之肉不登於俎,皮革齒牙、骨角毛羽不登於器,則公不射」。安井衡之說似乎比較切合原文的意思。且據陸德明《經典釋文》,當時流傳本中有的把「鳥獸之肉」寫作「其肉」。[57]王引之《經義述聞》云:「《釋文》:『鳥獸之肉,一本作其肉』。引之謹案:一本是也。此以『鳥獸』二字絕句,『其』字下屬為義。言鳥獸固畋獵時所射,若其肉不登於俎,皮革齒牙、骨角毛羽不登於器,則公不射此鳥獸也。文義甚明。」[58]至於認為射牲只用畜養的牛羊,倒未必符合實際情況。姑且不說殷商射牲射的是野獸,就是《韓詩內傳》也說:「春曰畋,夏曰搜,秋曰獼,冬曰狩。天子抗大綏,諸侯抗小綏。辟小獻禽其下,天子親射之於門。」[59]可見田獵後所獻的禽,天子也親自射之。

劉文淇曾指斥孔穎達有關「則公不射」的說法「太泥」,而未有進一步分析其「泥」在什麼地方。細味孔《疏》,可見其說更可能接近原文意思。孔穎達原文云:

---

[56] 安井衡:《左傳輯釋》(臺北市:廣文書局,1967年),卷1,頁29。

[57] 陸德明:《經典釋文》(上海市:上海古籍出版社,1984年),頁876。

[58] 王引之:《經義述聞》(南京市:江蘇古籍出版社,1985年),頁397。

[59] 胡培翬:《儀禮正義》(南京市:江蘇古籍出版社,1993年7月),頁2023、1760。

《周禮・獻人》：「凡祭祀共其魚之鱐鱅」，〈特牲〉、〈少牢〉祭祀之禮皆有魚為俎實，肉登於俎，公則射之，而以觀魚為非禮者，此言不登於俎者，謂妄出遊獵，雖取鳥獸，元不為祭祀，不登於器，亦謂盤遊，元不為取材以飾器物，今公觀魚乃是遊戲，故以非之。然登俎登器之物，雖君所親，至於庶羞雜物細小之倫，雖為祭祀，君亦不射。[60]

要分析這段文字，還得結合另一節《疏》文。杜預注「若夫山林川澤之實」數句云：「士臣皁，皁臣輿，輿臣隸。言取此雜猥之物以資器備，是小臣有司之職，非諸侯之所親也。」孔《疏》云：

山林之實謂材木樵薪之類，川澤之實謂菱芡魚蟹之屬，此皆器用之所資，須賤人之所守掌，非人君所宜親及之也。此雖意諫觀魚而廣言小事，故《注》云：「取此雜猥之物，以資器備，非諸侯所親也。」雜猥謂諸雜猥碎也。資謂器之資財待此而備，器之所用及所盛皆是也。《穀梁傳》曰：「禮，尊不親小事，卑不尸大功，魚，卑者之事也，公觀之，非正。」與此同也。若然，〈月令〉「季冬命漁師始漁，天子親往嘗魚，先薦寢廟。」彼禮，天子親往，此譏公者，彼以時魚絜美，取之以薦宗廟，特重其事，天子親行，意在敬事鬼神，非欲以為戲樂，隱公觀魚，志在遊戲，故譏之也。[61]

從這兩段文字，孔氏清楚說明魚原為俎實，本來公可觀漁，但必須符合一個條件——為祭祀而漁。魚為俎實，《儀禮》有明文，正如孔氏所言，〈特牲饋食禮〉及〈少牢饋食禮〉諸俎中魚皆居其一。所用的魚都是鱄鮒，〈士虞禮・記〉云：「升魚鱄鮒九，實于鼎中。」又〈士喪禮〉亦云：「魚鱄鮒九。」[62] 段

---

[60] 孔穎達：《左傳注疏》，頁60。
[61] 孔穎達：《左傳注疏》，頁60。
[62] 胡培翬：《儀禮正義》（南京市：江蘇古籍出版社，1993年7月），頁2023、1760。

玉裁注《說文》「鱄」字云：「鱄鮒皆常用之魚也。故春秋有名鱄字子魚。」[63]
所以王國維談及《儀禮・士昏禮・記》「魚十有四」之「魚」也說：「古人用
魚，類皆鯽屬。」[64]《國語・楚語》敘述楚昭王問祀於觀射父，觀射父云：
「祀加於舉。天子舉以大牢，祀以會；諸侯舉以特牛，祀以大牢；卿舉以少
牢，祀以特牛；大夫舉以特牲，祀以少牢；士食魚炙，祀以特牲；庶人食菜，
祀以魚。」[65]這裡並不是說只有庶人才祀以魚，因為觀射父所舉自天子至庶人
的祭牲都是最貴重者，而省略了其他。事實上，天子以降各級貴族的祭牲中都
有魚。就上文所及而言，〈特牲饋食禮〉是士禮，而〈少牢饋食禮〉是大夫
禮。上至天子也用魚牲，《周禮》人便是專司其事的官員，「凡祭祀、賓客、喪
紀，共其魚之鱻薧。」又，大司馬的其中一項職能就是「大祭祀、饗食，羞牲
魚，授其祭。」[66]《詩・大雅・潛》更是專用魚類獻祭宗廟之詩。詩文云：
「猗與漆沮，潛有多魚。有鱣有鮪，鰷鱨鰋鯉。以享以祀，以介景福。」《毛
序》云：「季冬薦魚，春獻鮪也。」陳奐《疏》云：「《禮記・月令》云：『季冬
命漁師始漁，天子親往，乃嘗魚，先薦寢廟。』此冬薦魚也。〈月令〉『季春薦
鮪于寢廟』，又《周禮・獻人》：『春獻王鮪』，《夏小正》：『二月祭鮪』，此春獻
鮪也。〈魯語〉：『古者大寒降，土蟄發，水虞於是乎講眾罶，取名魚，而嘗之
廟，行之國。』案：冬春之際皆取魚嘗廟正與《序》義合。」[67]凡此皆足證古
代確以魚為祭牲。陳子展《詩經直解》說：「我國近古東北少數民族於冬春之
間亦有取魚為祭設宴之禮俗。」[68]很可能是上古王者冬春獻鮪的遺留。

　　竹添光鴻云：「僖伯意蓋謂：鳥獸固畋獵時所射，然所射亦有定法，若其
肉不登於俎，皮革齒牙、骨肉羽毛不登於器，則公不射此鳥獸也。」[69]此說甚
確。僖伯認為山川物產及一般器物之物資，譬如漁獵之事，不足以講大事，與

---

[63] 段玉裁：《說文解字注》（上海市：上海古籍出版社，1988年10月），頁576。

[64] 王國維：《古史新證》（北京市：清華大學出版社，1994年12月），頁312。

[65] 董立章：《國語譯注辨析》，頁667。

[66] 孫詒讓：《周禮正義》，頁303。

[67] 陳奐：《詩毛氏傳疏》，卷27，頁12a。

[68] 陳子展：《詩經直解》，頁1102。

[69] 竹添光鴻：《左傳會箋》（臺北市：鳳凰出版社，1978年10月），頁58。

四時田獵之攸關國家大事者迥別，不過是皁隸賤者的職分，根本不是君主名位者的分內事。

六 觀漁志在戲樂說

孔氏為臧氏立義云：「天子親行，意在敬事鬼神，非欲以為戲樂，隱公觀魚，志在遊戲。」從宋代到現代，都有學者提出「隱公觀魚，志在遊戲」，很可能是受孔《疏》的影響。宋人趙鵬飛《春秋經筌》評論隱公觀魚云：

> 隱公千乘之君而不以禮自閑，輕千乘之尊而觀魚于棠，魚何物也？其品不足以充乾豆，則無補於宗廟；其材不足以備器用，則無益於國家。而命駕踰境以越遠地為耳目之玩而已，何有於禮哉？四時之田，講武以捍，牧圉備物，以薦宗廟，動而非時、獵而非地，君子猶且譏之，況非田非狩而遊蕩無度乎？天子非展義不狩，諸侯非民事不舉，古之制也。矢魚于棠果民事乎？以目前之玩，輕千乘之尊，愚見隱公之不君矣。《春秋》禮義之書也，貴禮，所以示諸侯度焉。矢，陳也。魚，微物也。于棠，遠地也。陳微物而踐遠地為隱公者，其亦念宗廟社稷乎？愚竊為公危之。[70]

趙氏之說雖有未安處，如謂魚不足以放到祭器裡去，把它擯除在宗廟祭品之外，又誤解「陳魚而觀之」中「魚」的含意，把「陳魚」當作陳列魚種。但其謂隱公輕千乘之尊而赴遠地，為的只是耳目之玩，承用孔《疏》「遊戲」之說。元程端學《春秋或問》亦云：「大義則在魯隱棄國政而遠事耳目之娛而已。」[71]說同趙鵬飛。至今仍有學者認為隱公捕魚是為了娛樂。陳煒湛〈捕魚雜談——說「漁」〉說：「《左傳》隱公五年敘魯隱公想在棠地觀看漁者捕魚，

---

70 納蘭性德編：《通志堂經解》（揚州市：廣陵古籍刻印社，1993年），冊9，頁7。
71 納蘭性德編：《通志堂經解》，冊10，頁570。

以為娛樂。被臧僖伯拿大道理『諫』了一頓。隱公只好說『吾將略地焉』——以巡視為名，跑去觀賞捕魚盛舉，這實在是諸侯關心漁事的一例，只是從儒家的眼光看，似乎有失身分，所以臣下不支持他，孔老夫子也譏諷他。」[72]陳先生基本上沿用了孔穎達的看法，「關心漁事」則是他的新解。至於臧僖伯之所以諫阻隱公，恐怕不能說是「從儒家的眼光看」。從儒家「正名」思想的角度來說，為娛樂而漁獵的話，肯定是違背了君主原來的名分。君主「關心漁事」，文獻確有記載。如《遼史・太祖紀一》記「冬十月戊申，鉤魚於鴨綠江」，張元濟據〈營衛志〉及厲鶚《遼史拾遺》云：「知『鉤魚』為遼主遊畋之禮；鑿冰取魚，可鉤而不可釣。」[73]此或如古藉田禮般，有勸漁之用意。當然，以漁為戲樂之事，古來可能還一直存在著。比如說女真族的統治者就有親漁的習俗，鄭天挺〈滿州入關前後幾種禮俗之變遷〉記述了清太宗屢次同他的群臣到渾河上游漁捕，既不是純粹的經濟活動，更遑論為祭而漁了，可能只是一種娛樂同消遣罷了。[74]

　　春秋時人倡議天子諸侯每個舉動都必須合禮，《春秋》莊公二十三年記：「夏，公如齊觀社。」《左傳》載曹劌諫阻說：「不可。夫禮，所以整民也。故會以訓上下之則，制財用之節；朝以正班爵之義，帥長幼之序；征伐以討其不然。諸侯有王，王有巡守，以大習之。非是，君不舉矣。君舉必書。書而不法，后嗣何觀。」[75]曹劌這段話簡潔地闡述了天子諸侯之所以舉行會、朝、觀及巡狩，是因為都有其禮義在乎其中，如今莊公到異國觀社，只為耳目之娛，顯然是不合禮的舉動。在《公羊》、《穀梁》二家中，整部《春秋經》只有兩處書「觀」，無怪乎說者大多喜歡把「公如齊觀社」與「公觀魚于棠」相提並論，謂是出於同一義例。

---

[72] 陳煒湛：《漢字古今談續編》（北京市：語文出版社，1993年10月），頁28。

[73] 羅繼祖：《遼史校勘記》（上海市：上海人民出版社，1958年）云：「史亦間作叉魚，義與鉤魚同。」頁6。

[74] 鄭天挺：《清史探微》（南京市：獨立出版社，1947年），頁35。

[75] 楊伯峻：《春秋左傳注》，頁225。

七　親漁為「與民爭利」──三《傳》通義

《白虎通》有云：「王者不親取魚。」陳立《疏證》云：

> 《左傳》隱五年：「公矢魚于棠。臧僖伯諫曰：『若夫山林川澤之實，器
> 用之資，皂隸之事，官司之守，非君所及也。』」又云：「《書》曰：『公
> 矢魚于棠，非禮也。』」是諸侯且不得親取魚，則王者不親可知矣。《禮
> 記·月令》：「季冬，乃命漁師始漁。」《周禮·漁師》云：「掌以時漁，
> 春獻王鮪。」《國語·魯語》云：「古者大寒降，土蟄發，水虞于是講罛
> 罶，取名魚。」《禮記·月令》：「天子始乘舟，薦鮪于寢廟。」明薦廟
> 始親行也。蓋王者田獵必躬親之，本為講武治兵，若親自取魚，嫌與下
> 民爭利也。[76]

陳說簡括明快，在薦廟始親漁這一點上與孔《疏》一致，而「嫌與下民爭利」
則是《公羊》家對此事的一貫看法。

　　無獨有偶，魯君除隱公外，宣公也曾親自捕魚。按照《春秋》常事不書義
例，可以推想，當時魯君可能都會為祭祀而捕魚。而隱公、宣公卻遭到臣下的
規諫，箇中原因值得深究。據孔《疏》，隱公觀魚是「志在娛樂」，宣公則是漁
非其時，貪無藝也」。《國語·魯語》云：

> 宣公夏濫於泗淵，里革斷其罟而棄之，曰：「古者大寒降，土蟄發，水
> 虞於是乎講罛罶，取名魚，登川禽，而嘗之寢廟，行諸國，助宣氣也。
> 鳥獸孕，水蟲成，獸虞於是乎禁罝羅，魚鱉以為夏犒，助生阜也。鳥獸
> 成，水蟲孕，水虞於是禁罜䍟，設阱鄂，以實廟庖，畜功用也。且夫山
> 不槎蘖，澤不伐夭，魚禁鯤鮞，獸長麑䴢，鳥翼鷇卵，蟲舍蚳蝝，蕃庶

物也。——古之訓也。今魚方別孕，不教魚長，又行網罟，貪無藝也。[77]

里革之辭，說明古人為了促進水產的生長繁殖，對捕獵水產有嚴格的季節限制，反映保護生態的環保意識，作用猶如現代的休魚期。董增齡《國語正義》考證出洙泗二水交於魯曲阜城北。[78]「濫於泗淵」是說在泗水的深處張網捕魚。里革的言辭中，清楚地表明宣公違反了古來的成規，不讓魚類自然生長就大肆捕撈，純粹出於貪利。如果隱公矢魚于棠就像《公羊》家說的那樣，宣公濫於泗淵與隱公矢魚于棠，可能都是基於經濟利益的考慮，都是與民爭利，而不是出於祭祀的需要。宣公漁非其時，所以遭到里革的阻止。賈公彥《周禮注疏》敘述捕魚時節的安排說：

> 取魚之法，歲有五。案：〈月令〉孟春云：「獺祭魚」，此時得取矣，一也。季春云：「薦鮪於寢廟」，二也。又案：〈獻人〉「秋獻龜魚」，三也。〈王制〉獺祭魚，然後虞人入澤梁，與《孝經援神契》云：「陰用事，木葉落，獺祭魚。」同時，是十月取魚，四也。獺則春冬二時祭魚也。案：〈潛〉詩云：「季冬薦魚」（引者案：當作〈序〉），與〈月令〉季冬漁人始魚同，五也。是一歲三時五取魚，唯夏不取。[79]

「唯夏不取」，與里革諫宣公夏漁合。孫詒讓《正義》也談到這個問題：

> 〈魯語〉云：「宣公夏濫於泗淵」，以其非時，里革諫之，乃止。……竊謂賈一歲三時五取魚之說雜摭舊文言之。實則四時賓祭，隨月皆可取魚。惟夏濫之禁，《國語》有明文。《周書‧大聚篇》云：「禹之禁，夏三月，川澤不入網罟，以成魚鱉之長。」亦可證夏不取魚之說。然大祭

---

[77] 董立章：《國語譯注辨析》（廣州市：暨南大學出版社，1993年5月），頁193。

[78] 董增齡：《國語正義》（成都市：巴蜀書社，1985年4月），卷4，頁32a。

[79] 孫詒讓：《周禮正義》（北京市：中華書局，1987年12月）引，頁301。

祀、賓客俎實有鮮魚，則亦自有特取魚之法，固不在禁例矣。[80]

孫氏不贊成賈說，認為夏漁的確被禁，但為賓祭而取魚則不受此限。跟其他禽獸一樣，有的魚會被製成乾肉，〈䱷人〉云：「辨魚物，為鱻薧，以共王膳羞。凡祭祀、賓客、喪紀，共其魯之鱻薧。」[81]里革也說「蔞魚鱉以為夏犒」，即用矛刺取魚鱉製成肉乾以備夏天之用。而就《儀禮》等書所載，舉行賓祭之時也往往要用上鮮魚，所以即使遇上夏天，也不得不取魚。里革提到管理捕獵水產品的官員叫做「水虞」，正好像臧僖伯說的「山林川澤之實，器用之資，皂隸之事，官司之守」。在《左傳》、《國語》及《周禮》等書中也都可以找到這方面的材料。負責捕魚的官員，《周禮》稱「䱷人」，其官僚架構包括「中士二人、下士四人、府二人、史四人、胥三十人、徒三百人」，總人數竟達三百四十二人。馬融《周官傳》解釋人數眾多的原因說：「徒亦三百人者，池塞苑囿取魚處多故也。」[82]至於這個官名，〈月令〉稱「漁師」，而《左傳》襄公二十五年記齊國申蒯，為「侍漁者」。這個官職未見錄於其他古書，梁履繩《補釋》說其職能云：「齊擅魚鹽之利，侍魚之官蓋監收魚稅者。《初學記・人部上》引劉向《新序》云：『申蒯漁於海』是也。」[83]其實，「侍漁者」無論從字面解釋或依劉向說，都可能是負責捕魚事宜的官吏。《左傳》昭公二十年記晏嬰對齊景公說：「山林之木，衡鹿守之；澤之萑蒲，舟鮫守之；藪之薪蒸，虞侯守之；海之鹽蜃，祈望守之。」[84]列舉好一些專責「山林川澤之實，器用之資」的官司，堪為臧僖伯語的注腳。但名稱就與《周禮》山虞、林衡、川衡、澤虞不大一致。《周禮》分記諸官的職能範圍說：「山虞掌山林之政，物為之厲，而為之守禁。仲冬斬陽木。仲夏斬陰木。凡服耜，斬季材，以時入之。令萬民時斬材，有期日。凡邦工入山林而掄材，不禁。春秋之斬木，不入禁。」林衡「掌巡林麓之禁令而平其守，以時計林麓而賞罰之。若斬木材，則受法於

---

80 孫詒讓：《周禮正義》，頁301。
81 孫詒讓：《周禮正義》，頁301。
82 馬國翰輯：《玉函山房輯佚書》（揚州市：江蘇廣陵古籍刻印社影印，1990年），冊2，頁230。
83 王先謙：《清經解續編》，冊2，頁111。
84 楊伯峻：《春秋左傳注》，頁1417。

山虞，而掌其政令。」而川衡則「掌巡川澤之禁令而平其守，以時舍其守，犯禁者，執而誅罰之，祭祀、賓客，共川奠。」鄭《注》云：「川奠，籩豆之實，魚鱐蜃蛤之屬。」還有澤虞「掌國澤之政，為屬禁。使其地之人守其財物，以時入之于玉府，頒其餘于萬民。凡祭祀、賓客，共澤物之奠；喪紀，共其葦蒲之事。」這些官員的職責或多或少體現了生態保護的意識，獸人也負責「禁麛卵與其毒矢射者」。[85]《呂氏春秋・十二紀》中也有類似的規定。先秦時代的這種規定到了秦漢還一直沿用著。睡虎地竹簡秦律《田律》有一條說：「春二月，毋敢伐林木山林，及雍堤水。不夏月，毋敢夜草為灰，取生荔麛卵。毋……毒魚鼈，置井網，到七月而縱之。」張家山竹簡漢律也有類似的一條說：「禁諸民吏徒隸，春夏毋敢伐材木山林，及進堤水泉，燔草為灰，取產麛卵。毋殺其繩重者，毋毒魚……。」[86]比對這兩條律文，可見字面上彼此都有些錯訛，但漢因秦律則可以無疑。

《左傳》記臧僖伯語：「皁隸之事，官司之守，非君所及也。」《穀梁傳》亦云：「魚，卑者之事也」。兩義相通。簡言之，《左傳》所載臧僖伯的諫辭，反映了「名分」的思想，而《公羊》、《穀梁》二傳同樣藉此事發揮《春秋》「正名分」的大義。《穀梁傳》原文云：

> 常事曰視，非常曰觀。禮，尊不親小事，卑不尸大功。魚，卑者之事也，公觀之，非正也。[87]

《穀梁》認為「常事」二句揭示了《春秋》的筆法大義。依《春秋》屬辭比事的書法原則，「視朔」書「視」，表示常事，而「觀魚」與「觀社」皆書「觀」，表示非常，故寓有譏貶。「禮」以下數句，同於臧僖伯說的「若夫山林川澤之實，器用之資，皁隸之事，官司之守，非君所及也。」「非正」，鍾文烝《補注》說即非禮。蔣元慶〈柳興恩穀梁述禮補缺〉解「禮，尊不親小事，卑

---

[85] 以上引《周禮》文，分別見孫詒讓：《周禮正義》，頁1198、1204、1205、1206、1211、1213。

[86] 李學勤：《簡帛佚籍與學術史》（臺北市：時報文化出版社，1994年12月），頁121-122。

[87] 鍾文烝：《春秋穀梁經傳補注》，頁41。

不尸大功」云：

> 襄十九年《傳》：「君不尸小事，臣不專大名。」與此同義。《漢書》董
> 仲舒對策曰：「受大者不得取小。」《春秋繁露‧離合根篇》曰：「人主
> 法天，不自勞於事，所以為尊。」即尊不親小事也。又曰：「人臣法
> 地，主上得而器使之。」待主上器使，即不尸大功矣。[88]

蔣氏說明《公》《穀》在君主的名位與職分相稱上看法一致。

綜上所論，射魚也好，觀漁也好，都是非禮，這是三《傳》的通義。隱公到遠地觀漁，有失本分。三《傳》在隱公觀魚這件事上的態度，體現了孔子思想中「正名」的精義。《莊子‧天下篇》曰：「《春秋》以道名分」[89]。同時，從臧僖伯的諫辭裡也發現孔子學說的淵源。《論語‧子路》記載子路問孔子為政於衛，將以何者為先，孔子曰「必也正名乎。」[90]劉正浩認為孔子這一番議論，根源於前人師服的話。[91]《左傳》桓公二年載：「初，晉穆侯之夫人姜氏，以條之役生太子，命之曰仇，其弟以千畝之戰生，命之曰成師。師服曰：『異哉，君之名子也！夫名以制義，義以出禮，禮以體政，政以正民。是以政成而民聽，易則生亂。嘉耦曰妃，怨耦曰仇，古之命也。今君命太子曰仇，弟曰成師，始兆亂矣，兄其替乎？』」[92]師服所謂「名以制義應兼有命名和下定義兩種意義。劉氏指出孔子的正名思想源於前人，確有見地。實際上，《左傳》有兩處記載了孔子正名的言論。一見成公二年載衛孫良夫等率師與齊人打仗，「新築人仲叔于奚救孫桓子，桓子是以免。既，衛人賞之以邑，辭，請曲縣、繁纓以朝。許之。仲尼聞之曰：『惜也，不如多與之邑。唯器與名，不可以假人，君之所司也。名以出信，信以守器，器以藏禮，禮以行義，義以生利，利以平民，政之大節也。若以假人，與人政也。政亡，則國家從之，弗可

---

88 蔣元慶：〈柳興恩穀梁述禮補缺〉，《學海》（南京），第1卷第4期（1944年）。

89 郭慶藩：《莊子集釋》（北京市：中華書局，1989年），頁1067。

90 劉寶楠：《論語正義》（北京市：中華書局，1990年3月），頁517-523。

91 劉正浩：〈孔子「正名」考〉，《孔孟學報》，第36期（1978年），頁162。

92 楊伯峻：《春秋左傳注》，頁91-92。

止也已。』」[93]細看之下，孔子議論「器」與「名」，足與師服所言互相發明。「器以藏禮」，說明禮器是體現身分的媒介，象徵每人的階級與角色。《左傳》莊公十八年載虢公、晉侯朝王，王「皆賜玉五穀，馬三匹，非禮也。王命諸侯，名位不同，禮亦異數，不以禮假人。」名位不同，禮亦異數，不以假人。就是孔子說的「唯器與名，不可假人」。而此語蓋古人語，晉太史史墨也說過這句話。[94]禮器代表身分「階級」等於社會學的「地位」，而把地位與角色混合一起，稱之為「身分」，則有別於一般社會學者的做法。每個人在政治上、社會上或者宗教上都有他或她的位置，自然也有與此相應的義務與權利。這反映孔子正名說貫穿於政治、社會、宗族倫理。這種嚴格劃分階級名分的制度，是為了維持政治社會的秩序，所以才依照每個人的身分制定了一套與之相應的禮器。即此而言，「正名」是禮的基本概念，所謂「禮以別異」，沒有名分的確立，禮也蕩然無存了。孔子正名的言論又見於哀公十六年，《左傳》記：「孔丘卒。公誄之曰：『旻天不弔，不憖遺一老，俾屏余一人以在位，煢煢余在疚。嗚呼哀哉尼父！無自律。』子贛曰：『君其不沒於魯乎？夫子之言曰：『禮失則昏，名失則愆。』失志為昏，失所為愆。生不能用，死而誄之，非禮也；稱一人，非名也。君兩失之。』」[95]「一人」為「余一人」的省稱，為當時天子之自稱詞，含有普天之下唯我獨尊之意。如今魯哀公竟然以諸侯僭稱「余一人」，這就是「非名」。據胡厚宣先生〈重論「余一人」問題〉的考證，卜辭中殷王自稱「一人」或「余一人」非常普遍，自早期盤庚、小辛、小乙、武丁至晚期帝乙、帝辛，除廩辛、康丁時期外，各個時期都有，周王也自稱「余一人」或「我一人」。自商周至春秋時期，天子皆自稱「余一人」。只是春秋之時，周室衰微，諸侯爭霸，甚而稱王，所以也僭稱「余一人」或「我一人」。銅器銘文即有其例。見於《左傳》的，除魯哀公外，還有秦穆公及楚康王。[96]哀公不居其位而僭稱其名，所以受到子貢的斥責。

---

[93] 楊伯峻：《春秋左傳注》，頁788。

[94] 楊伯峻：《春秋左傳注》，頁1520。

[95] 楊伯峻：《春秋左傳注》，頁1698。

[96] 胡厚宣：〈重論「余一人」問題〉，《古文字研究》第6輯。

　　按照社會學的分析角度來看，春秋時期，社會混亂，陷入了失範的狀態。歸根究柢，是由於人人不安其位，不再承認既定的社會疆界，自然不再按照自己所屬地位的規範去做，這些越軌行為造成社會混亂。社會失去了規範，人與人之間的凝聚因素也同時失去，只能以利益互相交往。孔子為重建社會秩序，指出為政者的當前急務就是劃清社會疆界，即「正名」。同時倡議「義以生利」，這無疑是正本清源的做法。

　　先說「正名」，「名」等同於社會學術語中的「地位」，而廣義的「禮」則等於規範。名之於禮，猶如地位之於角色，是一體兩面。根據現代社會學的界說，每個人在所處的社會體系（social system）中都有其地位（status），整個社會體系裡又包括了無數層次不同、大小不一的社會體系。每個人在不同社會體系可能會有不同的地位，每個地位都有相應的規範，包括應盡的義務、該享的權利。一個地位的規範的總和叫做角色（role）。所以角色與地位是一體兩面。林登（Ralph Linton）曾說過，角色是地位的動態表現，而地位是角色的靜態描述，二者二而一、一而二。[97]孔子說的君君、臣臣、父父、子子這四對疊字詞，前面一字是靜態的地位，後面一字是動態的角色。君君是說居君主地位的人，必須履行該地位的職分，同時不可超越自己職分的範圍。美國學者唐納德‧J‧蒙羅（Donald J. Munro）《早期中國「人」的觀念》裡分析儒家的「正名」思想說：

　　儒家的「正名」原則就是社會職責的一個方面，在中國它同時具有倫理的和邏輯的含義。起先它的意義是倫理的，以這樣一個信念為基礎：名稱一旦有了固定的含義，就會魔術般地被用作有效的行為標準……而且，一個合法君主就會被迫按照理想的規定從事，這對其他人來說同樣如此。如能有效地實行「正名」，那麼會建立穩固的社會秩序。[98]

---

[97] 張德勝：《儒家倫理與秩序情結——中國思想的社會學詮釋》（臺北市：巨流圖書公司，1989年9月），頁75引。

[98] 唐納德‧J‧蒙羅著，莊國雄等譯：《早期中國「人」的觀念》，頁24。

一個人的行為應當同自己的職能相符這一觀念，似乎也意味著一個人不應在自己的地位範圍之外活動，或者說不應侵犯其他地位的人的職能。以隱公矢魚于棠這件事來看，他明顯違反了「正名」的原則，做了些與他的地不相稱的行為。禮等於規範，此說見於張德勝《儒家倫理與秩序情結——中國思想的社會學詮釋》，他說：「禮的意義，其實有狹義與廣義兩解。狹義的禮，專指儀式節文（rite）；廣義的禮，則等同於社會學所說的規範（norm），亦即是行為的準則、指南。無論是廣義的禮，還是狹義的禮，都與社會秩序有密切的關係。」[99]

禮與名是一體兩面，行為上違背了某名位所規定的準則，就可以叫做非禮。隱公親漁也當然是非禮了。

再看「義以出利」。師服說「名以制義」，義也就是名之實。從政治社會層面來說，居於某個地位，就該做這個地位應當做的事。〈楚語上〉記范無宇的話說：「地有高下，天有晦明，民有君臣，國有都鄙，古之制也。先王懼其不帥，故制之以義，旌之以服，行之以禮，辨之以名，書之以文，道之以言。」[100]這裡談到禮制的生成，說明了禮的制定完全是仿效宇宙的自然規律。既有了貴賤等級的劃分，也賦予了與之相應的職能、器服、名號等等。看來，在孔子或他以前的春秋時代，「義」之與「利」是相涵而不相斥的。必須強調的是，「義利論」是我國哲學史上的重大問題。從先秦儒墨道諸家的爭辯，到漢宋諸儒的立言旨要，莫不以此為焦點。張國鈞《中華民族價值導向的選擇——先秦義利論及其現代意義》，旨在從民族價值導向的選擇與確立角度，在先秦倫理學乃至整個中國傳統倫理學的大系統中，對先秦義利論的發生發展、理論型態、總體特徵、文化地位等方面進行考察。可是，通覽全書，竟發現作者沒有一言提及《左傳》、《國語》諸書所記春秋時人的「義利論」。[101]《左傳》、《國語》記載了很多春秋時人議論義利的寶貴材料，值得審視。如襄公九年記魯穆姜云：「利，義之和也。」楊伯峻注云：「宣十五年《傳》：『信載義而行之為

---

[99]　張德勝：《儒家倫理與秩序情結——中國思想的社會學詮釋》，頁74。

[100]　董立章：《國語譯注辨析》，頁643。

[101]　張國鈞：《中華民族價值導向的選擇——先秦義利論及其現代意義》（北京市：中國人民大學出版社，1995年），頁。

利。』《大戴禮・四代篇》：『義，利之本也。』……大致古人義利之辨，行公利為義，行私利為利。利之和為公利，故穆姜以為義。」穆姜又說「利物足以和義」，楊注云：「利物猶有利於人，利人即義之總體表現，故云和義。」又如僖公二十七年記趙衰云：「《詩》、《書》，義之府也。禮樂，德之則也。德義，利之本也。」[102]〈周語中〉記周襄王將以狄伐鄭，富辰諫曰：「且夫兄弟之怨，不征於他；征於他，利乃外矣。章怨外利，不義；棄親即狄，不祥；以怨報德，不仁。夫義，所以生利也。祥所以事神也，仁所以保民也，不義則利不阜。」〈周語下〉載單襄公云：「且夫長翟之人利而不義，其利淫矣，流之若何？」又云：「愛人能仁，利制能義。」〈晉語二〉載里克云：「克聞之：『夫義者，利之足也；貪者，怨之本也。廢義則利不立，厚貪則怨生。……今殺君而賴其富，貪且反義，貪則民怨，反義則富不為賴。』」[103]至於孔子論義利，見於《論語》的也不少。〈里仁〉載孔子說：「君子喻於義，小人喻於利。」〈憲問〉：「見利思義。」又〈衛靈公〉「君子義以為質，禮以行之，孫以出之，信以成之，君子哉。」〈述而〉「不義而富且貴，於我如浮雲。」所言與里克「反義則富不為賴」是何等相似。孔子的義利論在繼承前人的同時，又有所創新，把「義」看成是人內在的道德意識，有此內在意識才能做出符合義理的行為。方穎嫻〈先秦的「義」、「利」觀與中國思想的發展方向〉，對春秋時人的義利觀做了些探討。據作者分析，「義」之內涵為：

> 「禮」是指謂一名分下之外在具體之合理表現，「義」是使「禮」成其為「禮」的內實質的根據。一名分之「義」即一名分所當履行之職權，是權利與職分、義務兼言。其所行者若非其名位之職守所當行，或其所享用者非其分位之所應有，則謂之「不義」或「非義」。「不義」與「非禮」為同義語。故「禮義」合度之表現，則是人其具體分位之特定時空下種種內外相稱、表裡得當的表現。有此表現，稱之為「禮也」，此即

---

[102] 楊伯峻：《春秋左傳注》，頁445。
[103] 上引《國語》諸文，分別見董立章：《國語譯注辨析》，頁46、89、370。

等同於「善」或「宜」。[104]

如果把這段文字跟上面從社會學角度分析「正名」的觀念比較，不難發現，「名分下之外在具體之合理表現」等於「規範」，「義即一名分所當履行之職權」則近於「角色」。在政治社會上，人人都各盡其分、各盡其力，這樣就能夠為社會國家創造利益，建立一個理想的國度。這就是孔子及春秋時人所倡議的。《左傳》隱公三年記石碏云：「臣聞愛子，教之以義方，弗納於邪；……君義，臣行；父慈，子孝；兄愛，弟敬；所謂六順也。」又，文公十八年述五教云：父義、母慈、兄友、弟共、子孝。」昭公二十六年晏嬰對景公曰：「禮之可以為國也久矣，與天地並。君令臣共，父慈子孝，兄愛弟敬，夫和妻柔，姑慈婦聽，禮也。」[105]跟著「君臣父子兄弟」政治、宗族倫理等級後面的一字，規範了這個地位所應有的「義」。唐納德‧J‧蒙羅說：

> 嚴格的職能劃分觀念可能出自原始部落的習俗，使這一觀念理論化的不僅僅是早期中國的思想家。柏拉圖《國家篇》中描寫的「理想國」，以一套獨特的社會職能而著名，每職能即是一個特殊的社會地位的職責。……柏拉圖的理想社會主要劃分為三個等級：哲學王、行政官和生產者。正義就在於讓那些處於各自職業地位的人僅僅克盡自己的職守，這樣做正是為了整體的利益。[106]

在柏拉圖的理想國裡，國家的整體利益就是要謀求每一階層的人的全體福祉。鄔昆如〈柏拉圖理想國的「正義」概念及其現代意義〉指出「除了這『整體』意義的『正義』之外，每一層的『正義』；這就是：『各司其職』，各人盡各人

---

[104] 方穎嫻：〈先秦的義利觀與中國思想的發展方向〉，《先秦之仁義禮說》（臺北市：文津出版社，1996年5月），頁35-56。

[105] 以上《左傳》引文，分別見楊伯峻：《春秋左傳注》，頁32-33、638、1480。

[106] 唐納德‧J‧蒙羅著，莊國雄等譯：《早期中國「人」的觀念》，頁24。

的本分，各人守自己的分位，就是『正義』。」[107]可見孔子同時或其前的春秋時賢的義利觀，與西方的哲學有相通之處。

春秋時人認為「義」與「利」是互相包容的，所以孔子說「義以出利」。其所謂「利」，乃是眾人之「公利」，而非一己之「私利」。《國語・周語上》載周厲王任用榮夷公為卿士，推行「專利」的政策，周室大夫芮良夫云：

> 王室其將卑乎！夫榮公好專利而不知大難。夫利，百物之所生也，天地之所載也。而或專之，其害多矣！天地百物，皆將取焉，胡可專也？……夫王人者，將導利而布之上下者也，使神人百物無不得其極。……今王學專利，其可乎？匹夫專利，猶謂之盜，王而行之，其歸鮮矣！榮公若用，周必敗。[108]

周厲王所專之利，〈周語下〉說是「專山澤之利」。山林川澤的自然資源，本為天下萬民生存之所資，王者的職分在於疏通這些利源，使神民各得所需。就像在《國語・魯語》所載里革的話裡，不過是說明對於山林川澤之利來說的，君人者採取的政策，限制了捕獲水產品的時節，但這種做法絕不是為了專有其利，而是要讓獸水蟲自然生長，這樣人民才能得到最豐富的物資。「助宣氣」、「助生阜」、「畜功用」、「蕃庶物」這些都是「導利」的實際行動。如今厲王未能履行職分，反而任用聚斂之人，壟斷了山澤之利，人民無以為生，周室亦必敗亡。〈大學〉卒章載孟獻子云：

> 百乘之家，不畜聚斂之臣，與其有聚斂之臣，寧有盜臣，此謂國不以利為利，以義為利也。長國家而務財用者，必自小人矣。彼為善之，小人之使為國家，菑害並至，雖有善者，亦無如之何矣。此謂國不以利為

---

107 戴華等編：《正義及其相關問題》（臺北市：中央研究院中山人文社會科學研究所，1991年），頁16。

108 董立章：《國語譯注辨析》（廣州市：暨南大學出版社，1993年5月），頁14。

利，以義為利也。[109]

錢大昕〈讀大學〉闡述其意云：

> 夫天地之財祇有此數，皆聚斂之小人也……有小丈夫焉，懼上用之不足
> 而巧為聚斂之術，奪士農工賈之利而致之於君，人君樂聞其言，謂其不
> 可加賦而足用也。由是棄仁義，違忠信，任好惡，長驕暴，而壹其心力
> 於財用之間。民力日以竭，人心日以壞，國脈日以促，而災害日至，以
> 即於亡……故《大學》終篇深惡聚斂之臣，極陳以利為利之害，為下下
> 萬世慮，至深且遠。[110]

錢氏〈大學論下〉於此還有所申論。錢氏所謂正可移以說周厲王與榮夷公，堪
為芮良夫話的注腳。又，《左傳》襄公九年記晉悼公歸國，向魏絳詢問令人民休
養生息的計謀，「魏絳請施舍，輸積聚以貸。自公以下，苟有積者，盡出之。
國無滯積，亦無困人，公無禁利。」杜注「公無禁利」云：「與民共。」[111]楊
伯峻注更明白地說「川澤山林之利與民共之」[112]。晉悼公採取的經濟措施——
「與民共利」正好與周厲王的「專利」形成鮮明的對比。「與民爭利」更成為
《公羊傳》、《穀梁傳》批評魯隱公觀魚一事的焦點。

《公羊傳》云：

> 春，公觀魚于棠。何以書？譏。何譏爾？遠也。公曷為遠而觀魚？登來
> 之也。百金之魚公張之。登來之者何？美大之之辭也。棠者何？濟上之
> 邑也。

---

[109] 《四書五經‧大學章句》（宋元人注）（北京市：北京中國書店，1987年），頁7-8。

[110] 錢大昕撰，呂友仁校點：《潛研堂集》（上海市：上海古籍出版社，1989年），頁286。

[111] 杜預：《春秋經傳集解》（上海市：上海古籍出版社，1988年），頁860。

[112] 楊伯峻：《春秋左傳注》，頁972。

「公曷為遠而觀魚？」的提問，何休注說是「據浚洙也」。浚洙水事見莊公九
年。國都附近自有洙水，何必遠至棠地觀漁呢？何休謂「登來」一詞是「齊人
語」，即齊地方言，意為得來。《戰國策·楚策二》記載楚頃襄王為太子時，為
質於齊，後來自齊歸楚，遂即王位。「上柱國子良入見，王（指楚襄王）曰：
『寡人之得來反王墳墓、復群臣、歸社稷也，以東地百里許齊，齊今使來求
也，為之奈何？』」[113]「得來」就是「登來」，可見楚王用的是齊語。何休解釋
「百金之魚」說：「百金猶百萬也。古者以金重一斤，若今萬錢矣。」陳立
《義疏》說：「何邵公以百金當百萬錢，實漢法也。然魚價貴不至此。」此說
極有理。今按《漢書·食貨志》，「黃金重一斤，直萬錢」。顏師古注云：「諸賜
言黃金者，皆與之金；不言黃金者，一金為萬錢也。」[114]又〈文帝紀〉記：
「百金，中人十家之產也。」[115]則是中家之產為十金，即十萬。然則一魚抵中
人十家之總產值，想無是理。陳氏別為之作解道：「凡物以斤計，亦通言金。
百金之魚，蓋大魚重百斤者與？」雖然這種說法苦無佐證，但魚重百斤本是平
常事，所以也不失為合理的揣測。何休解「美大之辭也」云：「其言大而急
者，美大多得利之辭也。實譏張魚，而言觀譏遠者，恥公去南面之位，下與百
姓爭利，匹夫無異。」與民爭利，是《公》、《穀》兩家的通義。《公羊》家大
師董仲舒《春秋繁露·玉英》云：

> 公觀魚于棠，何？惡也。凡人之性，莫不善義，然而不能義者，利敗之
> 也。故君子終日言不及利，欲以勿言愧之而已。愧之以塞其源也。夫處
> 位動風化者，徒言利之名爾，猶惡之，況求利乎？故天王使人求賻求
> 金，皆為大惡而書。今非直使人也，親自求之，是為甚惡。譏何故言觀
> 魚？猶言觀社也。皆諱大惡之辭也。[116]

---

113 諸祖耿：《戰國策集注彙考》（南京市：江蘇古籍出版社，1985年7月），頁790。

114 余少英：《漢書食貨志集釋》（北京市：中華書局，1986年10月），頁152。

115 班固：《漢書》（北京市：中華書局，1983年），頁134。

116 蘇輿：《春秋繁露義證》（北京市：中華書局，1992年），頁73。

這裡董子說的「義」純粹屬於道德範疇，殊非春秋時人所謂「義」。於此，「義」與「利」是絕對對立的兩個概念。這是從孟子一直發展下來的儒家「義利」思想。孟子對惠王說「王，何必曰利，亦有仁義而已矣。」董子也說：「正其誼不謀其利，明其道不計其功。反映董子的義利思想與孟子是一脈相承的。劉向《說苑・貴德》也認為隱公觀魚是貪利的表現，他說：

> 凡人之性，莫不欲善其德，然而不能為善德者，利敗之也。故君子羞言利名。言利名尚羞之，況居而求利者也？周天子使家父毛伯求金於諸侯。《春秋》譏之。故天子好利則諸侯貪，諸侯貪則大夫鄙，大夫鄙則庶人盜。上之變下，猶風之靡草也。故為人君者，明貴德而賤利，以道下，下之為惡尚不可止。今隱公貪利而身自漁濟上，而行八佾。以此化於國人，國人安得不解於義？解於義而縱其欲，則災害起而臣下僻矣！故其五年始書螟，言災將起，國家將亂云爾。[117]

又，《漢書・五行志》云：

> 隱公五年：秋，螟。董仲舒、劉向以為時公觀魚于棠，貪利之應也。劉歆以為又逆臧釐伯之諫，貪利區霿，以生羸蟲之孽也。[118]

章太炎《劉子政左氏說》引〈五行志〉之說，並云：

> 此是三《傳》皆以矢魚為貪利。子駿之說即本其父《穀梁》說。《左氏》、《穀梁》一義（引者按：下錄《說苑》文，此從略）。案：此論前半取《春秋繁露・玉英篇》，是為三家通義。[119]

---

[117] 向宗魯：《說苑校證》（北京市：中華書局，1987年），頁111。

[118] 班固：《漢書》，頁1445。

[119] 章念馳選：《章太炎先生學術論著手跡選》（北京市：北京師範大學出版社，1986年5月），頁17-18。

劉向初習《公羊傳》，繼治《穀梁》。向宗魯《說苑疏證》云：「本書取《左氏》文甚多，而涉及經義，則仍用今文，蓋取其事不取其義，本傳稱『猶自持其《穀梁》義』，不得以為誣也。」[120]廖平《穀梁春秋經傳古義疏》引班固語說：「王者不親取魚，田獵必身親，本以謹武治兵，若親自取魚，嫌與下民爭利也。」[121]可見《公羊》、《穀梁》二家都明顯地指出隱公觀魚為「與民爭利」。而劉歆傳《左傳》，同樣提出隱公觀魚只為「貪利」，然則，確如章氏所言，矢魚貪利為三家通義。

董仲舒《春秋繁露‧度制》云：

> 孔子曰：「君子不盡利以遺民。《詩》云：「彼有遺秉，此有不斂穧，伊寡婦之利」，故君子仕則不稼，田則不漁，食時不力珍，大夫不坐羊，士不坐犬。……以此防民，民猶忘義而爭利，以亡其身天不重與，有角不得有上齒。故已有大者，不得有小者，天數也。夫已有大者，又兼小者，天不能足之，況人乎？故明聖者象天所為，為制度，使諸有大奉祿亦皆不得兼小利，與民爭利業，乃天理也。[122]

《漢書‧董仲舒傳》也有相近的記載。[123]「君子仕則不稼」諸句表示了嚴格的職能劃分，處於各個地位的人必須克盡己責，不能做出與此地位不相稱之事。有大俸祿者怎能超越自己的本分，與下民爭利呢？臧僖伯所以說「若夫山林川澤之實，器用之資，皂隸之事，官司之守，非君所及也」，或許就是出於這種考慮吧。董仲舒這種反對「與民爭利」的經濟思想，在司馬遷那裡得到發揚。司馬遷據此而發展出自由經濟的學說。《史記‧貨殖列傳》指出，財富是人之情性，「雖戶說以眇論，終不能化。」故君主之為政也，「善者因之，其次利道之，其次教誨之，其次整齊之，最下者與之爭。」[124]「善者因之」，意為採取

---

120 向宗魯：《說苑校證‧敘例》，頁4。

121 廖平：《穀梁春秋古義疏》，頁66。

122 《春秋繁露義證》，頁230。

123 班固：《漢書》，頁1137。

124 司馬遷：《史記》，頁3253。

放任的經濟政策。一七七六年蘇格蘭經濟學家 Adam Smith 在 *The Wealth of Nations* 倡議「Laisser-faire」學說。「Laisser-faire」乃法語，英譯為「Leave alone」，正與司馬遷「善者因之」的經濟理論近似，而時間上要晚一千八百餘年。「最下者與之爭」乃〈平準書〉之血脈。此書歷敘漢武帝興利之事，張裕釗所舉者即有十三事。[125]司馬遷卒後不久，也就在漢昭帝始元六年（西元81年），詔使丞相、御史向所舉賢良、文學查詢民間疾苦，文學答說：「竊聞治人之道，防淫佚之原，廣道德之端，抑末利而開仁義，毋示以利，然後教化可興，而風俗可移也。今郡國有鹽、鐵、酒榷、均輸，與民爭利，散敦厚之樸，成貪鄙之化。」[126]在上者「與民爭利」，必定導致社會人人以私利相交往，公義不存。由是而知，孔子《春秋》之記事確有深義存乎其間。

八 結論

《春秋經》記魯隱公五年「公矢魚于棠」。《左傳》既曰「觀魚」，又言「陳魚而觀之」。《公羊》、《穀梁》二傳經文則作「觀魚」。說者大多認為，「陳魚」與「觀魚」「字異義通」。更有謂「觀」借為「貫」，「觀魚」取義與「矢魚」不別。《左傳》記臧僖伯說「皁隸之事，官司之守，非君所及也。」《穀梁傳》也說：「魚，卑者之事也。」在兩傳看來，君主是不當親漁的，那些只是皁隸賤役者所為，不是君主的分內事。臧氏的諫辭指出，舉行大蒐禮有著體政治民的重大意義，而捕魚與此無關，但他沒有提及如何看待君主為祭祀而親漁的舉動。隱公親漁，不管只為觀賞捕魚，以為戲樂，或是如《公羊》家所言，出於經濟利益的考慮，都不合禮。「戲樂」與「與民爭利」，蓋可兼容，並不衝突。《公羊》、《穀梁》二家都明顯指出隱公觀魚「與民爭利」。而傳《左傳》的劉歆也說隱公之漁只為「貪利」，然則，應如章太炎所言，矢魚貪利可視為三《傳》之通義。《左傳》所錄臧僖伯臧僖伯的諫辭，反映了「名分」的思想，

---

[125] 吳汝綸：《評點史記》（張昌張氏初刊原本眉批），1916年。

[126] 王利器：《鹽鐵論校注》（北京市：中華書局，1992年7月），〈本議第一〉，頁1。

而《公羊》、《穀梁》二傳同樣藉此事闡發《春秋》「正名分」的大義，此亦三
《傳》通義所在。

圖一

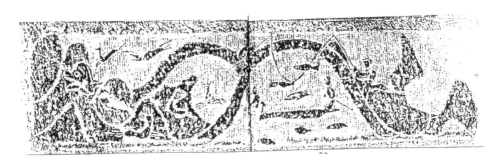

漢畫像石之「罟魚」圖

（王建中、閃修山：《南陽兩漢畫像石》北京市：文物出版社，1990年，圖版3）

圖二

清人繪〈東寧陳氏番俗圖・捕魚〉

（劉如仲、苗學孟：《清代臺灣高山族社會生活》，頁119）

圖三

高山族〈捕魚〉《諸羅縣志》

（見《清代臺灣高山族社會生活》，頁115）

圖四

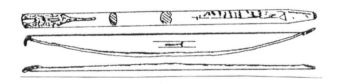

射魚平弓

（劉如仲、苗學孟：《清代臺灣高山族社會生活》，頁114）

圖五

甲骨文射牲圖

（金祥恆〈甲骨文躲牲圖〉，《中國文字》，第20輯，頁1）

《春秋‧文公二年》「躋僖公」
歷代詮解疏釋

張曉生

臺北市立大學

摘要

　　《春秋‧文公二年》「躋僖公」一事在歷來的《春秋》經解中，形成了難決的公案。自漢代以來，主張「躋僖公」為「昭穆之亂」或「位次之亂」的兩種意見爭論不斷，及至當代，仍有許多學者提出見解，但仍是仁智互見，未能一致。由於此一問題事關禮制、史實、葬祭文化、家族倫理、正統觀念，頭緒紛紜，欲以一方論據得其定論，確實不易。筆者認為這個問題有兩個面向，一個是「實然」的面向，也就是春秋時代魯國宗廟的實際排列情況，與昭穆制度的運作，必須透過歷史考證手段以趨近可能的真相；另一個是「應然」的面向，也就是歷代釋經家「認為閔公僖公應當如何排列」，這牽涉到價值觀的問題，而且與不同的時代文化也有密切關係。這個問題在經學上的意義與解決之道，可能不是考證手段即可完成。因此本文希望藉著梳理歷代解經家在這個問題上的主張及其思想、爭論雙方的價值思考，以呈現此一問題在經學視野下的發展。

關鍵詞：躋僖公　昭穆　逆祀　春秋　左傳　親親　尊尊　廟制

一　前言

　　《春秋‧文公二年》「躋僖公」一事在歷來的《春秋》經解中，形成了難決的公案。自漢代以來，主張「躋僖公」為「昭穆之亂」或「位次之亂」的兩種意見爭論不斷，及至當代，仍有許多學者或重釋原典，提出見解；[1]或利用考古資料，釐清古代廟制及昭穆實況；[2]或探究家族構成，以求妥適解釋；[3]或推考兩周貴族「昭」「穆」名號與宗廟順序關係，以求確立閔僖廟次，[4]不過似乎仍是仁智互見，未能一致。由於此一問題事關禮制、史實、葬祭文化、家族倫理、正統觀念、文獻解讀，頭緒紛紜，欲以一方論據得其定論，確實不易。筆者近年進行明代學者批評胡安國《春秋傳》研究時，注意到胡安國在此事的意見與明代學者頗有出入，乃產生溯源的想法，欲將由先秦至清代學者對此事的主要爭論疏理一過，一方面希望藉此明白問題發展之過程，其次則掌握論爭重點及主要學者意見，希望能對此問題有全面的掌握，以斷明儒與胡《傳》之

---

[1] 如陳筱芳〈春秋躋僖公新解〉在重讀經典之後，提出「躋僖公」是指夏父弗忌將僖公神主置於所有祖先之前的新解；而陳恩林〈春秋左傳注辨正六則〉中重新解讀文獻，認為「躋僖公」是閔僖位次逆反，不是昭穆之亂，反對楊伯峻《春秋左傳注》所主「亂昭穆」之說。見陳筱芳：〈春秋躋僖公新解〉，《西南民族大學學報》（人文社會科學版）2010年第3期，頁86-92；陳恩林：〈春秋左傳注辨正六則〉，《古籍整理研究學刊》2005年第5期，頁1-8。

[2] 此類文獻頗多，如許子濱〈春秋躋僖公解〉，考究殷周廟制，認為周代宗廟、魯國宗廟可能並不如後人想像的七廟、五廟的嚴整，故其昭穆之真實狀況難定。彭衛民〈昭穆制的歷史意義與功能〉則論述昭穆制度的起源以及在文化中產生的影響。李衡眉、于霞〈魯國昭穆制度蠡測〉則推考春秋時期魯國昭穆排序，認為閔僖同昭穆。見許子濱：〈春秋躋僖公解〉，《春秋左傳禮制研究》（上海市：上海古籍出版社，2012年6月），頁439-466；彭衛民：〈昭穆制的歷史意義與功能〉，《中華人文社會學報》第13期（2010年9月），頁124-147；李衡眉、于霞：〈魯國昭穆制度蠡測〉，《河南大學學報》（社會科學版）第40卷第4期（2000年7月），頁42-46。

[3] 如謝維揚《周代家庭型態》中對於周代宗法制度、繼承制、昭穆制度進行研究，認為周代的昭穆制度有表示繼承制原則的意義，因此，為了要維持繼承順序，所以會出現兄弟異昭穆的情形，其目的在表明這種繼承的合法性，春秋魯國閔公僖公即是代表。謝維揚：《周代家庭型態》（哈爾濱市：黑龍江人民出版社，2004年11月），頁309-325。

[4] 如周言〈古文獻所見兩周貴族昭穆名號考論〉一文，遍考先秦文獻中所記載貴族名號有「昭」「穆」之稱者，其廟次也往往與之對應，即稱「昭」者居「昭」廟，稱「穆」者居「穆」廟，並以此為基礎，反推春秋魯國世系，則閔公應居昭廟，僖公應居穆廟。見周言：〈古文獻所見兩周貴族昭穆名號考論〉，《淡江大學中文學報》第10期（2004年6月），頁127-154。

是非。但在整理過程中發現相關經解資料繁多之外，旁及關於古代廟制、昭穆制度，乃至帝王傳位及尊親大禮之爭亦皆與此相關，牽涉枝蔓，治絲益棼。筆者在閱讀大量文獻之後，認為這個問題有兩個面向，一個是「實然」的面向，也就是春秋時代魯國宗廟的實際排列情況，與昭穆制度的運作，必須透過歷史考證手段以趨近可能的真相；另一個是「應然」的面向，也就是歷代釋經家「認為閔公僖公應當如何排列」，這牽涉到價值觀的問題（親親為重抑或尊尊為重？），而且與不同的時代文化也有密切關係。我們看到明代大禮議中，對於世宗應不應該優尊其本生父興獻王的正反兩方議論中，都會引及「躋僖公」之事及其相關解釋，即可看到這個問題在經學上的意義，可能並非僅用考證手段即可完全解決，而是必須將此一發展歷程與歷史文化、政治環境的脈絡並觀，才能真正理解「何以如此」的原因。然而在嘗試解決此一問題之前，首先需要掌握的，則是在紛雜繁多的文獻中，整理出歷代學者對於這個問題的論述與爭議焦點，理清問題的發展脈絡，以建立討論的文獻基礎。因此本文撰作的目的，即在疏理歷代解經家在這個問題上的主張及其思想、爭論文獻，嘗試解析其論述及價值立場，以呈現此一問題在歷代的發展歷程。至於歷代經說與政治、文化的關涉與影響，因牽連更為複雜的歷史背景，將以本文之疏理為基礎，於另文加以探討。惟時間、能力有限，所得或未盡周延，尚祈先進不吝指正。

二 「躋僖公」歷代解釋的發展（一）
——先秦至明代

（一）問題的開始

《春秋‧文公二年》「躋僖公」本事的起因，來自魯閔公、僖公的關係。魯莊公三十二年（西元前662年）八月，莊公「薨于路寢」，公子般即位，但慶父利用圉人犖與公子般的舊怨，挑唆圉人犖賊殺公子般，閔公繼立。然誠如齊仲孫湫所言：「不去慶父，魯難未已」，[5]閔公二年（西元前660年）慶父又使卜

5　（晉）杜預集解，（唐）孔穎達正義，十三經注疏整理委員會整理：《春秋左傳正義》（北京市：北京大學出版社，2000年12月），頁347。

齮殺閔公於武闈，成季乃立僖公為君。在這一段魯君弒、立紛擾的亂局中，閔
公、僖公均為莊公之子，閔為弟而先立，僖為兄而後繼，[6]僖公在位三十三年而
卒，僖公子文公繼位，文公元年（西元前626年）夏四月葬僖公，二年（西元
前625年）八月於太廟舉行合祀之祭，發生「躋僖公」之事。《左傳》載此事：

> 秋，八月丁卯，大事於太廟，躋僖公，逆祀也。於是夏父弗忌為宗伯，
> 尊僖公，且明見曰：「吾見新鬼大，故鬼小。先大後小，順也。躋聖
> 賢，明也。明、順，禮也。」君子以為失禮。禮無不順。祀，國之大事
> 也，而逆之，可謂禮乎？子雖齊聖，不先父食久矣。故禹不先鯀，湯不
> 先契，文、武不先不窋。宋祖帝乙，鄭祖厲王，猶上祖也。[7]

傳文載夏父弗忌主張「新鬼大，故鬼小，先大後小」，意欲在此次祭祀中尊新
死之僖公而「先」之，我們可以在「君子」所發的批評中知道夏父此舉是破壞
倫序的「逆祀」，所以為失禮。不過《左傳》並沒有說明這個「先」對倫序產
生了如何的破壞？禮制上，諸侯在宗法體系中與倫序有關者為「廟次」與「世
次」，「廟次」是國君死後進入宗廟系統的順序，也就是昭、穆的定位；而「世
次」則是「生倫之序」，即是血緣倫輩的排行。[8]這兩者皆與宗統關係甚大，因
為「廟次」表示了政權傳承的統緒，而「世次」則表示了嫡庶親疏的關係，無
論何者遭到破壞，均將造成宗法體系的不安，因此引發君子的批評反對。我們
從《左傳》文中所引述的例證來看，君子以「禹不先鯀，湯不先契」為前例勸
誡夏父弗忌，所指皆為父子關係，若對應到宗廟昭穆制度，即是「父為昭，子
為穆」的關聯，「君子」用父子、昭穆作為比類以批評夏父弗忌的「逆祀」，即

6　閔僖的兄弟關係，《漢書・五行傳》、《左傳》杜注、《公羊》何注、《穀梁》范注及《國語》韋
　　昭注皆以閔為弟、僖為兄，但《史記・魯世家》則有閔為兄，僖為弟之異說。參楊伯峻：《春
　　秋左傳注》（臺北市：洪葉文化事業公司，1993年5月），頁523。
7　（晉）杜預集解，（唐）孔穎達正義，十三經注疏整理委員會整理：《春秋左傳正義》，頁568-
　　569。
8　參張壽安：《十八世紀禮學考證的思想活力——禮教論爭與禮秩重省》（北京市：北京大學出版
　　社，2005年12月），頁166。

是在意「子先父食」的失序。從《左傳》本文所透露的訊息，則「躋僖公」之「逆祀」，應指「昭穆順序」的紊亂。如此推論，在《國語‧魯語上》的記載似可得到印證：

> 夏父弗忌為宗，烝，將躋僖公。宗有司曰：「非昭穆也。」曰：「我為宗伯，明者為昭，其次為穆，何常之有！」有司曰：「夫宗廟之有昭穆也，以次世之長幼，而等胄之親疏也。夫祀，昭孝也。各致齊敬于其皇祖，昭孝之至也。故工、史書世，宗、祝書昭穆，猶恐其逾也。今將先明而後祖，自玄王以及主癸莫如湯，自稷以及王季莫如文、武，商、周之烝也，未嘗躋湯與文、武，為不逾也。魯未若商、周而改其常，無乃不可乎？」弗聽，遂躋之。[9]

《國語》記宗有司反對夏父弗忌的「躋僖公」之舉，其理由就是「非昭穆」——如此將混亂昭穆之序。《國語》並詳論商周二代儘管有湯及文武之賢明君主，仍然不可以其明哲及功業而躋升湯及文武在宗廟的昭穆位序，如此論述，正可作為對於《左傳》中夏父弗忌欲躋升僖公昭穆位置時所持「躋聖賢，明也」理由的回應。綜合《左傳》《國語》之紀事，我們應可以如此推論：僖公新死，其廟序當入子位、穆位，閔公因而遷至父位、昭位，但在本年祫祭之時，夏父弗忌為尊僖公，便將僖公升入父位，故造成原本的「子／僖公」先「父／閔公」而享祭的「逆祀」。《穀梁傳》「躋，升也，先親而後祖也，逆祀也。逆祀，則是無昭穆也。無昭穆，則是無祖也。無祖，則無天也。故曰：文無天。無天者，是無天而行也。君子不以親親害尊尊，此《春秋》之義也。」的解釋，也與《左》《國》一致。如此看來，則本段經文本事及其意義，至少在《左》、《穀》二傳中，大致皆認為「逆祀」之「逆」是「昭穆廟次的紊亂」。至於《公羊傳》：「躋者何？升也。何言乎升僖公？譏。何譏爾？逆祀也。其逆祀奈何？先禰而後祖也。」的解釋，如果順著上述《左》、《國》、

9　（吳）韋昭注，（清）董增齡正義：《國語正義》（成都市：巴蜀書社，1985年影印光緒6年章氏式訓堂刻本），卷4，頁27下-30上，總頁432-438。

《穀》的理路來理解，似乎也可以說得通，但《公羊》傳文中完全沒有提及此
次升躋僖公之舉，與昭穆之序發生如何的關係，其「先禰而後祖」的意思，固
然可以理解成「升僖公之『穆』為『昭』」，也可以單純理解為「先祭父再祭
祖」。如果升躋僖公只是產生祭祀先後的差異，除了「昭穆位次之異」的原因
之外，還有「調動閔僖神主的位序，置僖於閔前」的可能性。《公羊傳》的意
思究竟如何？傳文僅此於此，未有申論，留下了模糊的解釋空間。然而可能因
為這個模糊，開啟了經文解釋分歧的端緒。因為此事的確有可以議論者：閔僖
為兄弟，兄弟不是父子，再加上閔公為弟是先君，僖公為兄是繼任，如果將閔
弟—僖兄的順序直接視為兩代國君，則閔公居父之昭位，僖公居子之穆位，兄
弟不是父子而異昭穆，這在禮制上、人情倫理上是否可以安頓？因此歷代釋經
者對於此段經文及三傳的解釋發展出許多意見，企圖能在「兄弟關係」與「昭
穆廟次」的矛盾中到找圓滿的解釋。

（二）爭論的產生

前述先秦時代文獻及三傳解釋中，對於「躋僖公」的事件與意義，大致未
出現明顯歧異的情況，但是進入漢代以後，卻從董仲舒（西元前179-西元104
年）開始，提出了與《左》、《國》不同的觀點，開始了解釋的分途發展。由於
現存的漢代《春秋》經注，除何休《公羊解詁》之外並不多，且多殘編，故擇
取就此事所發而筆者可見者記於下，作為分析討論的基礎：

一、鄭玄（127-200）《駁五經異義》：「異義：《公羊》董仲舒說：『躋僖公。
　　逆祀，小惡也』，《左氏》說為大惡也。謹案：同《左氏》說。駁曰：
　　『兄弟無相後之道，登僖公主于閔公上，不順，為小惡也。』」[10]

二、何晏（196？-249）《論語集解》注《論語‧八佾篇》：「禘自既灌而往
　　者，吾不欲觀之矣。」引孔安國（？）說：「禘祫之禮，為序昭穆，故
　　毀廟之主及群廟之主皆合食於太祖。灌者，酌鬱鬯灌於太祖，以降神
　　也。既灌之後，列尊卑，序昭穆。而魯逆祀，躋僖公，亂昭穆，故不

---

[10] （清）皮錫瑞：《駁五經異義疏證》（臺南市：莊嚴文化事業公司，1997年，《續修四庫全書》
　　影印民國23年河間李氏重刻本），冊171，卷6，頁27下，總頁195。

欲觀之矣。」[11]

三、梅鼎祚（1549-1615）《東漢文紀》引周舉（西元105-149年）〈殤帝廟次議〉：「《春秋》魯閔公無子，庶兄僖公代立，其子文公遂躋僖於閔上，孔子譏之，書曰：『有事於太廟，躋僖公。』《傳》曰：『逆祀也。』及定公正其序，《經》曰：『從祀先公。』為萬世法也。今殤帝在先，於秩為父，順帝在後，於親為子，先後之義不可改，昭穆之序不可亂，呂勃議是也。」[12]

四、劉文淇（1789-1854）《春秋左氏傳舊注疏證》引服虔（約西元168年在世）注《左傳‧定公八年》「順祀先公而祈焉」之說：「自躋僖公以來，昭穆皆逆」。[13]

五、何休（129-182）《春秋公羊傳解詁》：「禮，昭穆指父子，近取法《春秋》，惠公與莊公當同南面西上，隱桓與閔僖亦當同北面西上，繼閔者在下，文公緣僖公於閔公為庶兄，置僖公於閔公上，失先後之義，故譏之。傳曰：『後祖』者，僖公以臣繼閔公，猶子繼父，故閔公於文公亦猶祖也。自先君言之，隱桓及閔僖各當為兄弟，顧有貴賤耳。自繼代言之，有父子君臣之道，此恩義逆順，各有所施也。」[14]

上述漢代諸儒意見中，孔安國解釋孔子不欲觀魯國禘祭的原因，是因為魯國宗廟的昭穆之序已因為「躋僖公」之舉而紊亂，則孔安國對於「躋僖公」的理解，也是「亂昭穆」。周舉所議，是由於漢沖帝時梁太后稱制臨朝，謀將年幼崩殂的殤帝廟次置於順帝之下，但周舉主張殤帝雖然早逝，在宗廟位次的級秩在先，居於「父」的地位，而順帝雖非其親子，在宗廟倫序中則居於「子」位，事關「先後之義」、「昭穆之序」，不宜更動。周舉議論中引文公二年躋僖

---

[11] （魏）何晏集解，（宋）邢昺疏，十三經注疏整理委員會整理：《論語注疏》（北京市：北京大學出版社，2000年），頁36-38。

[12] （明）梅鼎祚：《東漢文紀》（臺北市：臺灣商務印書館，1985年，影印文淵閣四庫全書本），卷15，頁19上-19下。

[13] （清）劉文淇：《春秋左氏傳舊注疏證》（臺南市：莊嚴文化事業公司，1997年，《續修四庫全書》影印清鈔本）冊126，頁267。

[14] （漢）何休解詁，（唐）徐彥疏，十三經注疏整理委員會整理：《春秋公羊傳注疏》（北京市：北京大學出版社，2000年），頁327。

公逆祀之事為證，用以類比梁太后「降殤帝」、「升順帝」的作為，可見他對於「躋僖公」的理解即是「紊亂昭穆」。許慎《五經異義》主張《左氏》的亂昭穆之說，所以認為躋僖公是「大惡」，服虔的意見雖主要在解釋定公八年傳文，但他認為定八年所以要「順祀先公」，其原因皆在於文二年「躋僖公」所造成的昭穆紊亂，基本觀點仍是《左氏》體系。值得注意的是鄭玄的意見。鄭玄在駁議中擇取了董仲舒《公羊》學的意見，認為文公二年的逆祀只是小惡，所持的理由：閔僖為兄弟，兄弟不相為後，亦即兄弟之間無父子之道，所以「躋僖公」只是將僖公神主置於閔公之前的「逆」，不是昭穆易位之「逆」。這種「神主位次之逆」的意見明顯的與《左》、《國》、《穀》不同，而且也出現在何休的論說，那麼它是屬於《公羊》家說的可能性很高。《公羊》系統的解釋相對於《左》、《國》而言，形成時間較晚，其論說之證據，或許因為文獻有闕，我們似乎也只看到「兄弟無相後之道」一項，相對於《左》、《國》事證之實，頗為不足，於是何休在其《解詁》中進行補充，並對後來的注家影響深遠。

何休的解釋有幾個重點：（一）他以昭穆指父子，而且遂將春秋以來魯國世系進行昭穆定位，把惠公和莊公歸於南面之昭位，隱公、桓公和僖公、閔公處北面之穆位。依諸侯五廟之制[15]，太廟之外，有二昭二穆，昭為父輩廟，穆為子輩廟，昭廟南面，穆廟北面。何休以惠公、莊公同列昭位，因惠公與莊公隔代為君，故分居二昭應無問題，可是隱、桓為前後兩代君主，是兄弟關係，閔、僖情況相同，卻被兩兩一組分居二穆位。何休這樣的昭穆定位，再對應他在注解中首言「昭穆指父子」，可見他有明確的立場──昭穆之別是對父子而言，兄弟不是父子，所以兄弟相繼為君，不能視為兩世國君，只可視為一世，同在一廟。（二）在這個立場之下，他認為「躋僖公」是「置僖公於閔公上，失先後之義」──此釋《公羊傳》「先禰」之義。（三）依照前述第一點的立

---

15 《禮記·王制》：「天子七廟，三昭三穆，與太祖之廟而七。諸侯五廟，二昭二穆，與太祖之廟而五。大夫三廟，一昭一穆，與太祖之廟而三。士一廟。庶人祭於寢。」（漢）鄭玄注，（唐）孔穎達正義，十三經注疏整理委員會整理：《禮記正義》（北京市：北京大學出版社，2000年），頁448。《禮記·祭法》：「諸侯立五廟，一壇一墠。曰考廟，曰王考廟，曰皇考廟，皆月祭之；顯考廟，祖考廟，享嘗乃止。」（漢）鄭玄注，（唐）孔穎達正義，十三經注疏整理委員會整理：《禮記正義》，頁1515-1516。

場，閔公在廟次和倫次上都不是文公的「祖」，傳文稱被置於僖公之下的閔公為祖，是因為僖公曾為閔公之臣，其後繼閔即位，是以臣繼君，這種前後相繼的關係，就好像「子繼父」一樣，所以閔公在如此關係下，「猶如」文公之祖，升僖公於閔公之上，即如置祖於後一般。在何休的解釋中，子、父、祖諸稱均是虛指，只是一種關係的形容詞，並不具有廟制身分的實質意義。值得注意的是，何休論述中這個主張：他用君臣關係「比喻」父子關係，既可以做到不違背《公羊》傳文「先禰後祖」的文字，又可以在解釋的邏輯上避免與《左傳》、《國語》「父昭／子穆」的意見相同，同時也可以說明為何應當閔先僖後。這個說法，應該可以視為何休取材自《公羊》學術系統的進一步闡發。《公羊傳‧僖公元年》解「元年春王正月」經文云：

> 公何以不言即位？繼弒君，子不言即位。此非子也，其稱子何？臣子一例也。[16]

《公羊傳》在這裡所說的「臣子一例」，是針對僖公繼閔公但是卻不書「即位」的問題而發。《公羊》認為依《春秋》經例，繼弒君之子不書即位，僖公非閔公之子，卻也如此處理，是因為僖公曾為閔公之臣，將僖公以臣子身分「比照」繼子，所以不書即位。在《公羊》的原本論述中，重點在「臣子也應視為繼子」，所以重在僖公「繼子」的身分，但是何休取用這樣的類比關係，用來解釋文公二年「繼僖公」時，卻排斥僖公的繼子身分，主張閔僖為兄弟，其神主位次應以君臣關係來定位。這樣的意見，我們似乎可以這樣來觀察其中的意義：將僖公視為「繼子」，是從「繼統」的政治倫序角度來定位，亦即只要是君位傳承，就是異世，則昭穆位置理當不同；至於如何休堅持兄弟不是父子，不能視為兩代國君，只為一世，在這個家族倫序的前提下，閔、僖的關係是君臣關係，是神主位次的不同。可以說他的判斷重點是家族倫理重於政治倫理。這樣論述雖然從《公羊傳》「先禰而後祖也」的說法開始隱啟其端緒，思

---

16 （漢）何休解詁，（唐）徐彥疏，十三經注疏整理委員會整理：《春秋公羊傳注疏》，頁232。

維的起點應該不起於何休,如果前引鄭玄駁議所述的董仲舒之言的確是前代
《公羊》家說,則其「兄弟無相後之道」論據及「登僖公主於閔公之上」結論
的價值思維已經出現,但是其中仍然有論述發展的空間,這便在何休的解釋中
得到了進一步發展。

「躋僖公」的詮釋問題,先秦及三傳時代,在解釋上並沒有明顯的不同,
但是進入漢代以後,《公羊》學家開始發展出歧義,到了東漢,在許慎、服虔、
鄭玄及何休的論說中,正式形成了兩種對立的立場與解釋。《左氏》、《國語》
代表「昭穆表示入廟次序」的主張,以「繼統」為著眼點,所以兄弟繼位也應
依序為昭穆,「躋僖公」就是紊亂昭穆次序;《公羊》代表「兄弟無相後之道,
兄弟同昭穆」的主張,強調兄弟與父子有別,兄弟為同昭穆,「躋僖公」就是
「登僖公主於閔公之上」。此後這個問題的發展,基本上是依這樣的對立格局
進行,雙方的主張者對於自己論述進行強化,也就對立見解之疑義提出質疑。

(三)爭論的發展

根據筆者的觀察,三國魏晉以至隋唐時代,關於「躋僖公」的解釋,《公
羊》家之說明顯站在上風,連杜預(西元222-284年)都受到影響,在注解
《左傳》時,竟然採取《公羊》家說。他在《春秋》經文「躋僖公」注曰:

> 躋,升也。僖公,閔公庶兄,繼閔而立,廟坐宜次閔下,今升在閔上,
> 故書而譏之。[17]

《左傳》「逆祀也」下注:

> 僖是閔兄,不得為父子,嘗為臣,位應在下,今居閔上,故曰逆祀。[18]

杜預所主張閔僖為兄弟,「不得為父子」的立場即是《公羊》家說,所以他認

---

[17] (晉)杜預集解,(唐)孔穎達正義,十三經注疏整理委員會整理:《春秋左傳正義》,頁564。
[18] (晉)杜預集解,(唐)孔穎達正義,十三經注疏整理委員會整理:《春秋左傳正義》,頁568。

為「躋僖公」的失禮，是在基於君臣之義的先後之序─閔先僖後─的廟中坐次
紊亂，使僖公為臣居上而閔公為君居下。這個說法完全是取用何休的意見，與
許慎、服虔的《左氏》學明顯不同。與杜預大致同時的韋昭（西元204-273
年）注《國語‧魯語上》「宗有司曰非昭穆也」則似是將何休的「臣子一例」
傾向於君臣關係的解釋給扭轉回來，使之納入父昭子穆的對應中：

> 宗有司，宗官司事臣也。非昭穆，謂非昭穆之次也。父為昭，子為穆，
> 僖為閔臣，臣子一例，而升閔上，故曰非昭穆也。[19]

我們可以看到，韋昭的解釋中是以「父為昭，子為穆」當作前提，則「臣子一
例」的意思，便是以臣當子，我們如果再推一步論，即是以閔為父、僖為子，
這才能回應他的論述前提。韋昭此論應是在《國語》本文下的發揮，與原文
相應。

至於《穀梁傳》的范甯（西元339-401年）集解：

> 舊說僖公閔公庶兄，故文公升僖公之主於閔公之上耳。僖公雖長，已為
> 臣矣，閔公雖小，已為君矣，臣不可以先君，猶子不可以先父，故以昭
> 穆父祖為喻。甯曰：即之於傳，則無以知其然。若引《左氏》以釋此傳，
> 則義雖有似，而於文不辨。高宗，殷之賢主，猶祭豐于禰，以致雊雉之
> 變，然後率脩常禮。文公顛倒祖考，固不足多怪矣。親謂僖，祖謂莊。[20]

范甯也是全取《公羊》之學。范甯在注解這段傳文時有一個明顯的錯誤：他對
傳文「先親而後祖也」的解釋：「親謂僖，祖謂莊」[21]，可是傳文所謂的
「祖」與「親」是對文公而言，在《穀梁》以閔僖為昭穆的前提下，「親」是

---

19 （吳）韋昭注，（清）董增齡正義：《國語正義》，卷4，頁29上，總頁435。

20 （晉）范甯集解，（唐）楊士勛疏，十三經注疏整理委員會整理：《春秋穀梁傳注疏》（北京
市：北京大學出版社，2000年），頁186

21 同前注。

指僖公,「祖」是指閔公,不是莊公。這個錯誤的原因是由於范甯接受了《公羊》的說法,不認為閔僖應為宗廟中的父子關係,因此對文公而言,閔公也不應為「祖」,則《穀梁傳》文中的這個「祖」,只能在真正血緣上找解釋的著落,那麼就是莊公。范甯用《公羊》家說來注解《穀梁》,才會以「祖」為莊公。范甯說「顛倒祖考」是「顛倒莊公與僖公」這個問題,楊士勛已經發現,但是他指出了這個錯誤,並沒有說明原因:

> 先親而後祖,親謂僖公,祖謂閔公也。僖繼閔而立,猶子之繼父,故傳以昭穆祖父為喻,此于傳文不失。而范氏謂莊公為祖,其理非也。何者?若范云文公俱倒祖考,則是僖在于莊上,謂之夷狄猶自不然,況乎有道之邦,豈其若是?明范說非也。[22]

楊士勛只以人倫責備范甯,卻沒有發現這是「系統」上的問題。

當時《公羊》此說在《春秋》學術間有相當的影響,甚至還旁及於其他經籍的解釋。

前引《論語‧八佾篇》:「禘自既灌而往者,吾不欲觀之矣。」的孔安國注中,曾以「躋僖公」「亂昭穆」為理由,解釋孔子不欲觀禘。但是皇侃(西元488-545年)《論語集解義疏》的疏文對於孔安國注的理解,卻將直接以神主之上下解釋昭穆之亂:

> 躋,升也。僖公、閔公俱是莊公之子,僖庶子而年長,閔嫡而幼,莊公薨而立閔公為君,則僖為臣事閔。閔薨而僖立為君,僖後雖為君,而昔是經閔臣,至僖薨,列主應在閔下,而魯之宗人夏父弗忌佞僖公之子文公,云吾聞新鬼大故鬼小,故升僖於閔上,逆祀亂昭穆,故孔子不欲觀之也。[23]

---

22 (晉)范甯集解,(唐)楊士勛疏,十三經注疏整理委員會整理:《春秋穀梁傳注疏》,頁186-1787。

23 (魏)何晏集解,(梁)皇侃義疏:《論語集解義疏》(上海市:商務印書館,1937年,《叢書集成初編》排印本),頁34。

在宗廟系統中，昭穆的位置有明顯區隔，以太廟居中，昭居左，穆居右，至於神主，則昭廟神主南向，穆廟神主北向。即使是合祀於太廟，各神主所居之位也與廟序一致，因此，若以昭穆分別論，閔公與僖公的相對位置只應有左右之分，不應有上下或先後之別。皇侃在這裡的解釋，就是用《公羊》家說來解釋孔安國注，我們仔細尋思，的確發現未能對應之處。

《公羊》家對「躋僖公」為「神主位次之逆，非昭穆之逆」的解釋，看似在魏晉時代頗為風行，但是《左傳》、《國語》文本中對於閔僖、昭穆的記載，卻又事實俱在，似乎不能僅以學派、學說有別即可忽視。何休雖然已經將先秦文獻中的「父子」、「昭穆」文字視為閔僖君臣關係的「譬喻」，但將實文當成虛指，仍有未安之處。《左氏》學者在這個問題上接受了《公羊》家之說，最後竟也為《公羊》未足之處提出補充。孔穎達（西元574-648年）《春秋左傳正義》云：

> 禮，父子異昭穆，兄弟昭穆同，故僖閔不得為父子，同為穆耳，當閔在僖上，今升僖先閔，故云逆祀。二公位次之逆，非昭穆亂也。魯語云：「將躋僖公，宗有司曰：非昭穆也。弗忌曰：我為宗伯，明者為昭，其次為穆，何常之有？」如彼所言，似閔僖異昭穆者。位次之逆，如昭穆之亂。假昭穆以言之，非謂異昭穆也。若兄弟相代即異昭穆，設令兄弟四人皆立為君，則祖父之廟即已從毀，知其禮必不然。故先儒無作此說。[24]

孔穎達在這段文字中很明顯的想解決《國語》記載給予他主張「閔僖為同昭穆，逆祀是位次之逆，非昭穆之逆」的威脅，他在文中除了重申《左傳》、《國語》之昭穆是一個假借之詞，用以比擬位次之亂，他還取用晉賀循、徐邈之議，提出一個推理的問題，反詰那些主張兄弟異昭穆者：如果兄弟相代視同父子相繼而依序進入昭穆，那麼假設有兄弟四人先後為君，依諸侯五廟之規定，

---

24 （晉）杜預集解，（唐）孔穎達正義，十三經注疏整理委員會整理：《春秋左傳正義》，頁568-569。

太廟之外僅有二昭二穆，若有一人在位，三人已故而在昭穆廟中，如此則僅能再容一父親之廟存在，其祖父則已因兄弟遞遷而祧入太廟，這將導致為孫者無法祭其祖父，孔穎達認為這在禮制上並不合理，[25]所以結論為「先儒無作此說」以否定之。我們如果深究孔穎達的推理，仍然只是「以理為據」，並無古禮之實證，故其用心雖巧，仍難以圓滿。又，賈公彥（？-？）在《周禮・春官・冢人》疏文裡曾就著冢人職本文的疏解，對「躋僖公」之亂是「昭穆之亂」而非「位次之亂」提出辯駁：

> 云「先王，造塋者」，但王者之都，有遷徙之法，若文王居豐，武王后鎬，平王居於洛邑，所都而葬，即是造塋者也。若文王在豐，葬於畢，子孫皆就而葬之，即以文王居中。文王第當穆，則武王為昭，居左；成王為穆，居右；康王為昭，居左；昭王為穆，居右，已下皆然。至平王東遷，死葬即又是造塋者，子孫據昭穆夾處東西。若然，兄死弟及，俱為君，則以兄弟為昭穆，以其弟已為臣，臣子一例，則如父子，故別昭穆也。必知義然者，案：文二年秋八月，大事於大廟，躋僖公。謂以惠公當昭，隱公為穆，桓公為昭，莊公為穆，閔公為昭，僖公為穆，今升僖公於閔公之上為昭，閔公為穆，故云逆祀也。知不以兄弟同昭位，升僖公於閔公之上為逆祀者，案：定公八年經云「從祀先公」，傳曰：「順祀先公而祈焉」，若本同倫，以僖公升於閔公之上，則以後諸公昭穆不亂，何因至定八年始云順祀乎？明本以僖閔昭穆倒，故於後皆亂也。若然，兄弟相事，後事兄為君，則昭穆易可知。[26]

疏文「子孫據昭穆夾處東西」以上，為釋「冢人掌公墓之地，辨其兆域而為之

---

[25] 古代祭祀禮制中，祖與孫的關係比父子關係要密切。除了在昭穆制度中，祖孫是昭穆相同外，祭禮中也只有孫可為祖父之尸。《禮記・曲禮》：「君子抱孫不抱子。此言可以為王父尸，子不可以為父尸。」孔穎達可能因此認為孫無法祭祖，已失去禮制中祖孫親密的用意，故不合理。

[26] （漢）鄭玄注，（唐）賈公彥疏，十三經注疏整理委員會整理：《周禮注疏》（北京市：北京大學出版社，2000年），頁667。

圖，先王之葬居中，以昭穆為左右」經文鄭注：「先王，造塋者。昭居左，穆
居右，夾處東西。」本文中原來只論先王在所居之都造塋，以及與子孫墓葬之
間的關係。但是賈公彥將關於昭穆的討論擴及「兄終弟及」，並且認為兄弟相
繼視同父子傳承，也應以昭穆別之，並以《春秋・定公八年》「從祀先公」為
證，論證此年所以要「從祀（順祀）先公」，即是因為文公二年的「逆祀」造
成昭穆紊亂，反推昭穆制度中兄弟相及也以昭穆別之，並不列在同位。賈公彥
所用的論據，在前述服虔的的意見中已經出現，我們不能確定賈公彥的這段論
述是否為孔穎達的《左傳正義》而發，但是就問題的核心而言，與孔穎達的說
法確是針鋒相對。[27]

　　「躋僖公」詮解所引發問題在此時間的發展仍然表現出對立的論爭態勢，
其主要活動在本身論據之強化，同時也對相反意見提出質疑。

（四）論爭的持續與反省

　　「躋僖公」到底是「昭穆之亂」還是「神主位次之易」的爭議對立格局在
隋唐以前形成，其後宋、元、明三代學者大致各有所主，其所持論據也大致
不出前賢範圍。例如劉敞（1019-1068）《春秋傳》：

> 躋者何？升也。何言乎升？升僖公。譏何？譏逆祀也。其逆祀奈何？先
> 禰而後祖也。夏父弗忌為宗伯，尊僖公，言於朝曰：「吾見新鬼大，故
> 鬼小。先大後小，順也；躋聖賢，明也；明、順，禮也。」諸大夫莫
> 禁，於是躋僖公。此非祖禰也，其謂之祖禰何？臣子一例也。[28]

劉敞之傳解結合了《左傳》、《公羊傳》的文字，論述所據及意見並無新說，而

---

27 同在唐代的楊士勛和徐彥在《穀梁傳注疏》與《公羊傳注疏》的意見非常簡單，《穀梁傳注
　 疏》：「先親而後祖，親謂僖公，祖謂閔公也。僖繼閔而立，猶子之繼父，故傳以昭穆祖父為
　 喻。」仍採《公羊》之說；而《公羊注疏》則對「躋僖公」完全不加疏解。見（晉）范甯集
　 解，（唐）楊士勛疏，十三經注疏整理委員會整理：《春秋穀梁傳注疏》，頁186；（漢）何休解
　 詁，（唐）徐彥疏，十三經注疏整理委員會整理：《春秋公羊傳注疏》，頁327。
28 （宋）劉敞：《春秋傳》（臺北市：臺灣商務印書館，1985年，影印文淵閣四庫全書本），卷
　 7，頁2下-3上。

且我們從他「此非祖禰也，其謂之祖禰何？臣子一例也。」的說法中，並不能明顯讀出他的意見傾向，究竟是主張「兄弟相及，昭穆不同」還是「兄弟相及，昭穆一致」？不過劉敞另一篇討論「為兄後」的文章，則藉《春秋經》及《左傳》《國語》的記載，主張兄弟可互相為後，且異昭穆。原文甚長，引述繁冗，謹約括其重點為：（一）天子諸侯，傳子為正，但若無子，則取兄弟之子為嗣，初期並不以兄弟相及。（二）及至後世，國家多故，出現傳兄或傳弟之情形，是不得已之事。但「既已受國家天下，則所傳者雖非子，亦猶子道也；傳之者雖非其父，亦猶父之道也。」這是因為君位之傳承要以天下國家為重。（三）僖公實閔公之兄，當閔公遭弒，僖公即位而《春秋》不書即位，即表示「繼弒君，子不言即位」的子道，這就是「臣子一例」。（四）《春秋》之義有常有變，有子則不取兄弟為常，無子而取兄弟，則正其禮，使從子例，是為變。故僖公以兄繼弟，《春秋》謂之子，是所謂「常用於常，變用於變」的作法。（五）既正子名，則不得不以閔公為昭，僖公為穆，而迭毀之次，亦不得不從禮之常而以一代一。[29]如此則原父所謂的「臣子一例」即是「臣如繼子」之義，而以閔為父，僖為子。又，胡安國（1074-1138）《春秋傳》：

> 閔、僖二公，親則兄弟，分則君臣。以為逆祀者，兄弟之不先君臣，禮也。君子不以親親害尊尊，故《左氏》則曰：「祀，國之大事，而逆之，可乎？子雖齊聖，不先父食久矣！」《公羊》則曰：「其逆祀，先禰而後祖也。」《穀梁》則曰：「逆祀，則是無昭穆也；無昭穆，則是無祖也。」閔、僖非祖禰，而謂之祖禰何？臣子一例也。夫有天下者事七世，諸侯五世，說禮者曰：「世指父子，非兄弟也」然三傳同以閔公為祖，而臣子一例，是以僖公父視閔公為禮，而父死子繼，兄亡弟及，名號雖不同，其為世一也。[30]

---

29 （宋）劉敞：〈為兄後議〉，（清）徐乾學編纂：《御選古文淵鑒》（臺北市：臺灣商務印書館，1985年，影印文淵閣四庫全書本），卷48，頁16上-17下。

30 （宋）胡安國著，錢偉強點校：《春秋傳》（杭州市：浙江古籍出版社，2010年4月），頁214-215。

胡安國的討論也是兼用三傳之文，但是他的立場很明確，即以兄亡弟及視同父子傳位，是兩世國君，故閔僖本當昭穆不同。

胡氏於論述有一點值得注意：他先指出閔僖二人既是兄弟，又是君臣，一個屬於血緣的倫理（親親），一個屬於政治的倫理（尊尊），但是《春秋》對於此事的義理原則是「不以親親害尊尊」，也就是政治倫理優先於血緣倫理。在這個前提下，他引述《左氏》、《公羊》、《穀梁》之說，將閔、僖的關係定位成「弟兄比照祖禰」，進而推出「諸侯之父死子繼與兄亡弟及，在政治倫理上的意義相同，應視為兩世國君」的結論。在這論述中，胡氏用「不以親親害尊尊」的義理原則，將何休詮解「臣子一例」偏向「僖為閔臣」的解釋，轉向為「僖同閔子」的側重，可以非常有力的支持「兄弟相繼為君則異昭穆」的主張。事實上，此一義理原則並非胡安國首倡，早在《穀梁傳》中已見，但是前於胡氏而同樣主張的釋經者，對於閔、僖關係應當如何，大多是固守《左》、《國》所述為據，或是用定公八年「從祀先公」逆推而論，甚少論及這個義理原則。胡安國在前人的紛紛議論中再度揭示「不以親親害尊尊」以釋經，可謂是經學義理的回歸。

胡安國《春秋傳》之後，為朱子學脈而其《春秋集注》在明初也曾短暫成為科考用書的張洽（1161-1237），其立場似也與胡安國相近：

> 躋，升也。僖公乃閔公之臣子，宜祔于閔公之下，今用宗人夏父弗忌非禮之言，升僖公於閔公之上，故三傳以為逆祀。蓋昭穆祖禰至是逆亂，故特書以譏之。[31]

張洽說閔僖位置時以「上下」理解，似與昭穆之南北相對不盡相符，但是其結論是「昭穆祖禰至是逆亂」，則與胡安國說法相近。

胡安國《春秋傳》在宋代即受重視，歷元至明，竟為科舉之《春秋》學標準，按理，其解「躋僖公」為昭穆之亂的說法應該在元、明時代有深刻影響，

---

31 （宋）張洽：《春秋集注》（臺北市：臺灣商務印書館，1985年，影印文淵閣四庫全書本），卷5，頁3上。

但細究其實,並不如此。元代汪克寬(1301-1372)在《春秋胡傳附錄纂疏》即提出不同意見:

> 今考文定此傳,用韋昭說,父為昭,子為穆,僖為閔臣,臣子一例,而以閔僖各為一世。襄公三年謂哀公以襄公為皇考,亦以昭、定各為一世,則是異昭穆矣;然于仲嬰齊後歸父,則引何休以為亂昭穆之序。朱子謂文王為昭,武王為穆,自其始祔而已然,管、蔡、郕、霍為文之昭,邘、晉、應、韓為武之穆,子孫亦以為序而不易,則昭穆不可易也。但其論天子廟制,謂周孝王時武王親盡,始立武世室,孝王乃共王之弟,而各為一世。又以宋太祖、太宗,哲、徽、欽、高皆兄為穆而弟為昭,皆兄弟對列,各為一室,則又紊昭穆矣。如何休、穎達並立廟而同昭穆,則齊之孝、昭、懿、惠兄弟四人相繼,衛之懿、戴、文公兄弟三人相繼,立廟將無所容;苟各為一世而異昭穆,則齊頃不得祭其祖,而衛成不得祭曾祖矣。古制不存,無復可考也。竊疑古者一君各為一廟,則兄弟同昭穆,共為一世。祫祭太廟,則魯當以僖公特設位於閔公之下。[32]

汪克寬這段議論的基本想法是:不贊成胡安國「兄弟相繼則異昭穆」的意見,但囿於他是為胡傳作疏的立場,不便直接反對胡傳,於是引述古今父子、兄弟相繼在廟制上與胡傳主張有合、有不合的情形為理由,提出古禮不存,無可考徵的實際困難,從側面削弱胡傳意見的有效性,再提出自己的主張:兄弟同昭穆,魯之祫祭太廟,當以僖公特設位於閔公之下,據其意,則「躋僖公」乃未能遵守閔上僖下之序,而使僖在閔上。汪克寬疏解的結論,完全不是胡傳原意。

而以筆者所見,明代學者也頗多不同意胡《傳》者,如湛若水(1466-1560)《春秋正傳》:「若父子相繼,異昭穆乃為異世,乃稱祖禰;閔僖兄弟,同世而稱祖禰,可乎?若如三傳、胡氏之言,以兄弟為異世,為祖為禰,則殷之兄弟

---

32 (元)汪克寬:《春秋胡傳附錄纂疏》(臺北市:臺灣商務印書館,1985年,影印文淵閣四庫全書本),卷14,頁20下-21上。

四人相繼，其長兄當為高祖矣。」[33]朱睦㮮（1518-1587）於《五經稽疑》用杜預說：「杜氏只以為位次之逆，不以為昭穆之異，胡氏辨『世』指『父』之義恐未至。」[34]姜寶（1514-？）《春秋事義全考》則引用西亭之說，指胡安國「其謂兄弟不先君臣則是也，謂坐次可也，謂世次不可也。」[35]高攀龍（1562-1626）於《春秋孔義》所說：「臣不可以先君，猶子不可以先父，故以昭穆父祖而喻，非謂僖公父視閔公也。」也是針對胡安國而發。這些反胡《傳》的意見，是一個可以觀察胡《傳》在元明時代實際影響的側面，同時，我們也可以看到諸儒所論，在論述及論據上均已然窮盡，也反映出此一爭論發展至此，各種主張皆難以周全的困惑與無奈。羅洪先（1504-1564）曾說：

> 古之昭穆，果以世耶？不拘子孫，相比為說耶？然世之言昭穆者，斷謂隔世相祔。考之商南庚而下至於小乙，五世俱兄弟繼，如果以世耶，則將廢諸帝之祀矣！然在位則其祀不可廢也，七世之廟不可越也，廟無二主，豈容一廟五主乎？既不可共，是始祖而下，止祀及父子兩世，而高曾祖俱祧，則於禮愈不通矣！制禮者必有定說，姑識所疑以俟詳考。[36]

念菴直陳當時討論昭穆制度的兩派主張的困難及不合理處，不得不識其所疑而待考，即可見論爭對立發展至此一階段已無可再進而引發的反省。

明代學者對於此一問題的議論中還有一種意見，論者雖然也根據前人之說為基礎，但是會加上一個判準——天倫人情所安——來支持他的主張。例如王鏊（1450-1524）：

33 （明）湛若水：《春秋正傳》（臺北市：臺灣商務印書館，1985年，影印文淵閣四庫全書本），卷17，頁14下。

34 （明）朱睦㮮：《五經稽疑》（臺北市：臺灣商務印書館，1985年，影印文淵閣四庫全書本，卷5，頁13下。

35 （明）姜寶：《春秋事義全考》（臺北市：臺灣商務印書館，1985年，影印文淵閣四庫全書本），卷7，頁6下-7上。

36 （明）羅洪先：〈昭穆辨〉，《念菴集》（臺北市：臺灣商務印書館，1985年，影印文淵閣四庫全書本），卷10，頁13下-14上。

然則《春秋》躋僖公，何以譏？《左傳》曰：「子雖齊聖，不先父食。」《公羊傳》曰：「譏其先禰而後祖」則是以兄弟為父子矣！《穀梁傳》曰：「逆祀，是無昭穆。」則是兄弟異昭穆矣！胡文定公因之謂「僖公父視閔公，父死子繼，兄亡弟及，名號不同，其世一也。」曰：不然！父子兄弟天屬也，人惡得而亂之？而君臣所在，乃或從而變焉。兄為君，弟為臣，弟可以臣兄，未聞父乎兄也；弟為君，兄為臣，兄可以臣弟，未聞子乎弟也。閔公弟也，僖公兄也，而僖嘗臣於閔，則君臣之分定，而兄弟之倫易矣。大事於太廟而躋僖於閔之上，是以臣而加君，故《春秋》書「躋」以譏之，而非父子昭穆之謂也。范甯曰：「以昭穆父祖為喻」，孔穎達曰：：「閔僖不得為父子，同為穆耳，今升僖先閔，是位次之逆，非昭穆亂也。」今謂閔祖而僖父，是以兄而父乎弟也。以兄父弟，途人且知其不可，而謂《春秋》為之乎？……禮，兄弟不相為後，弟不為兄後，子不為父孫，禮之正也。然而或為之，則亦不得已焉，亦循其次兄終弟及而已，倫不易也。何以知其然也？曰：兄弟一體，無父子之道，昭與昭齒，穆與穆齒，天秩之次也。[37]

王鏊支持范甯、孔穎達之說，主張閔僖關係是以兄弟關係為前提的君臣倫理，因為兄弟之倫是「天秩」，不可違背，他一再用「父子兄弟天屬也，人惡得而亂之」、「以兄父弟，途人且知其不可」、「兄弟一體，無父子之道，……天秩之次也。」作為論據，直接訴之於人心的直觀、直感。這樣的說法表現了屬於此一時代學風—理學興盛—的特質，我們也可從此看到，學者在面對這個問題時的思考，常常是「價值先行」，並不一定與事實考證相關。

（五）小結

我們在以上一段長文中梳理了「躋僖公」解釋爭議的發展，可知對於此一段經文的解釋，先秦文獻及三傳時代並無明顯異說，至漢代《公羊》學家開始

---

[37] （明）王鏊：〈昭穆對〉，《震澤集》（臺北市：臺灣商務印書館，1985年，影印文淵閣四庫全書本），卷33，頁30下-31下。

發展出歧義，在東漢時期正式形成對立的意見：主張《左傳》、《國語》、《穀梁》說的「於君位，兄弟相及，視同父子相繼，昭穆有別，躋僖公為紊亂昭穆」；以及主張何休《公羊》說的「於君位，兄弟相及，無父子之道，有君臣之義，昭穆相同，躋僖公為神主位次之失」。三國至隋唐時期，何休之《公羊》說勢力較盛，影響遍及三傳之學，然《左氏》、《國語》舊說並未消滅，賈公彥用服虔《左氏》解釋及《國語》記載力抗孔穎達，仍然維持對立之勢。宋、元、明三代論爭持續進行，胡安國《春秋傳》以回歸《春秋》「不以親親害尊尊」之義理原則力主兄弟相及則異世、別昭穆，胡氏雖為明代科舉所宗，仍然遭到許多對立意見的批評。惟論爭發展至此，所論及所據已無新事，至有論者訴之於「天秩」、「人情」，或兩陳其難而欲置其闕疑，均可見論爭之難以再進。清代學者承繼前人論難，復以宗經、考禮、徵史之學平情論之，於事實、義理均有所得。以下請述之。

三 「躋僖公」歷代解釋的發展（二）
──清儒的討論

　　清儒在這個問題上的討論，與前人明顯不同之處在於：他們常用考禮之所得觀照「躋僖公」的昭穆問題，不再只是重抄前代文獻，表示自己立場而已，儘管仍是各有所見，但徵實而論，所得平實。我們如果從前人的爭論分析，大致可以歸納為兩大問題：（一）對於國君來說「兄弟相及」是否等同「父子相繼」？（二）如果兄弟相及而異昭穆，若因此而本生父祖親盡而祧，不得祭祀，應當如何？對於第一個問題，毛奇齡（1623-1716）曾有一段非常精闢的議論：

　　嘗考廟次與世次不同，世次以倫敘言，而入廟之次，則一以傳位之先後準之。《國語》云：「工史書世」，世即世次，如曹為文昭，晉為武穆是也。又云：「宗祝書昭穆」，昭穆即廟次，如懿王姪而孝王叔，則孝之嗣懿，姪昭叔穆，以姪先入廟而叔繼之也；平王祖而桓王孫，則桓之嗣

平，祖昭孫穆，平不得有子在穆，則桓亦不得有父在昭也。蓋昭穆者，父子之別名，凡昭即是父，穆即是子，而祖禰者，則又祖廟、父廟之定位。凡先入禰廟即于新君為之父，而繼入祖廟則又于新君為之祖。是以就世次言，閔僖本兄弟，而就廟次言，則在閔僖為君臣、為父子；而在文公，則僖為禰而閔為祖，故宗有司曰：「子雖齊聖，不先父食久矣。」言僖未入廟時，閔踞父之廟，而先僖而食者且三十三年，僖在位之年皆祭禰之年不可為不久也。舊以父子喻君臣，謂君即父、臣即子，非是。[38]

毛奇齡認為古代天子、諸侯的「廟次」與「世次」不同，廟次是入廟之次，以傳位之先後為序，世次則為家族中的輩分，二者以何為重？就毛氏的意見理解，周家傳位有如懿王孝王之侄叔相繼，有如平王桓王之祖孫相繼，不論其家族倫輩如何，傳位先後即為入廟之次，也就是分居昭穆之位。這樣說來，就宗廟系統而言，政治權位傳承的統緒要優先於家族倫輩。所以，昭與穆所代表的意義不是血緣上的父子關係，而是政權的統緒。閔僖之兄弟相及，也當如此視之。閔為昭，僖為穆，對在位的文公言，僖為父而閔為祖，無可疑議。顧棟高（1679-1759）在《春秋大事表》所說：「父子君臣等大倫，生為君父死稱親。王公原不同黎庶，昭穆當從統緒伸。」即是毛氏所論之中心精神。[39]此外，皮錫瑞（1850-1908）則從《儀禮·喪服》「為人後者」傳文精神分析閔僖關係的定位：

> 古人廟制與後世異，天子諸侯廟制與大夫士又異，欲考古制，當據《儀
> 禮》及《春秋》三傳、《國語》之文。《儀禮·喪服》曰：「為人後者」
> 《傳》曰：「為所後者之祖父母、妻、妻之父母、昆弟、昆弟之子，若
> 子。」又曰：「大宗不可以絕」夫既不可絕，則必為立後，而為後者，

---

[38] （清）毛奇齡：《春秋毛氏傳》（臺北市：臺灣商務印書館，1985年，影印文淵閣四庫全書本），卷18，頁11下-12上。

[39] 顧氏此韻語即為春秋禮制所發，其下並引徐乾學、賈公彥、劉敞、高閌之說批評主張兄弟鄉及同昭穆之說。見（清）顧棟高：〈春秋五禮源流口號〉，《春秋大事表》（北京市：中華書局，1993年6月），頁1660。

不必皆倫序相當。故〈喪服〉但云「為人後」，不云「為何人後」，則必
有兄弟相後之事。兄弟相後，必異昭穆。若同昭穆，不得謂之相後，且
兄弟同昭穆，將有一有後，一無後，大宗已中絕矣，不顯與經傳相戾
乎？《春秋經》曰：「躋僖公。」又曰「從祀先公」，其後從祀，則其先
必逆祀，逆祀必昭穆皆亂……故三傳皆以祖禰父子為言。《穀梁傳》明
曰：「無昭穆。」《國語》亦曰：「非昭穆也。」《穀梁傳》今文說，《國
語》古文說，是今古文義同，皆謂兄弟是異昭穆，而當時昭穆倒易，非
止略移上下次序。乃漢人解三傳，皆以為兄弟不異昭穆，特以祖禰父子
為喻，非惟違傳，且背經矣！[40]

皮錫瑞以《儀禮》的「大宗不可絕」為基礎，推論大宗如果遇到無子不得其傳
時必定立後，而所立之後不一定倫序相當，必然會發生兄弟相後的情形，又根
據《儀禮・喪服傳》的精神，為人後者為所後者之親屬服喪，如同親子，[41]則
論斷兄弟相繼即視同父子，昭穆必異。準此以論閔僖之關係，則閔公繼莊公，
承大宗，無後而亡，僖公繼統，即是為後之義，故名分上如同親子，至宗廟而
分別昭穆，自屬天經地義。他用《儀禮》經傳為根據，結合《左傳》、《國
語》、《穀梁》記載，「據《春秋經》所書，逆祀確是亂昭穆」並批評漢儒主張
逆祀僅移易上下位次者為背經違傳。萬斯大則對於以《儀禮・喪服傳》此文解
釋「躋僖公」有不同意見。萬斯大（1633-1683）《讀春秋隨筆》：

所謂躋者，位次閔公之上也。僖嘗臣于閔，閔雖弟，不得加之。三傳取
祖禰昭穆為喻，以明躋之之失，非真謂閔昭僖穆、閔祖僖禰也。先儒援
為人後者為之子，謂僖繼閔君，必當禰閔，嗚呼！亦知《儀禮》此言為

---

40 （清）皮錫瑞：〈兄弟廟制異昭穆考〉，《經訓書院自課文》（光緒34年思賢書局刊《師伏堂叢
書》本），卷2，頁23上-24上。

41 《儀禮・喪服傳》：「為所後者之祖父母，妻、妻之父母、昆弟、昆弟之子，若子。」《儀禮》
在此所言之「為人後」，根據賈公彥的疏解，即是「後大宗者也」；又「若子」，鄭玄注：「若
子者，為所為後之親如親子。」見（漢）鄭玄注，（唐）賈公彥疏，十三經注疏整理委員會整
理：《儀禮注疏》（北京市：北京大學出版社，2000年），頁642。

支子之子為後于宗子者言，非謂天子諸侯之兄終弟及者，而直謂弟為子也。即如先儒之說，或以弟後兄猶可，兄而後弟，豈先有子而後有父乎？且閔公八歲而立，十歲而終，年在下殤，未冠未昏，豈有為人父之道，而可以兄為其後乎？故兄終弟及者，必同昭穆，斷斷無疑。[42]

萬斯大認為所謂「為人後者為子」只適用在家族宗子無後，以支子之子為後，不能適用於天子諸侯的「兄終弟及」。不過，萬氏批評中，不同意天子諸侯之兄弟相繼可以直接視之為子，接著譏諷「先儒之說」主張兄可以繼弟者是先有子後有父，這是將「血緣的身分」直接比附「禮制的身分」，有推導過度的問題。因為根據毛奇齡、顧棟高、皮錫瑞的看法，如果在君位繼承上接受了「為先君之後」的身分，即已取代其血緣身分，因此不應出現「先有子後有父」的理解。

徐乾學（1631-1694）則從僖公為閔公服三年之喪的角度議論此事：

或曰：「兄弟不可以為子而子之，是亂天倫之序也，而可乎？」曰：「王侯之禮與臣庶不同，王侯以承祧為重，承其祧則為之子矣。觀閔公之薨，僖公行三年之喪，是固子為父之服矣，既服子之服，而不正子之名，無是理也。」[43]

他除了申明王侯之禮必須以承統為優先考量，並認為僖公在繼閔之後為僖公行三年之喪，則在名分、禮制上都是人子、為後之義，所以閔僖分處昭穆是名正言順。

毛奇齡梳理廟次、世次之意義，而推重廟次，揭示宗廟制度重視政統，周家政權傳承以父死子繼為正統，故宗廟之昭穆便表現出父—子相繼的精神。雖然在傳位的實際情形上不一定是父子相繼，但是仍然將各世君主納入宗廟的昭

---

[42] （清）萬斯大：《讀春秋隨筆》（濟南市：齊魯書社，1997年，《四庫全書存目叢書》影印清乾隆26年萬福刻本），卷6，頁3上-3下。

[43] （清）徐乾學：《讀禮通考》（光緒7年江蘇書局刊本），卷19，頁19上-19下。

穆位序之中，以示大宗正統不絕；顧棟高則強調君王之昭穆定位要以統緒為重。而皮錫瑞則用《儀禮》經傳為論據，在大宗不可絕的前提下，繼承大宗者即是為人後，亦即承擔親子之責任，在名分上就是親子，故閔僖相繼，就是父子傳承，以昭穆別之，理所當然；徐乾學則以僖為閔行三年之喪，認定僖為閔後，昭穆當別。萬斯大的意見雖然不同，然也是據《禮》而論。清儒結合禮經、史實及回歸《春秋》經傳的考究，對於《公羊》家以來「兄弟相及不等於父子相繼」的主張，有非常明確的回應與討論。

至於第二個問題：如果兄弟相及視同父子相繼而以昭穆別之，兄弟數世為君，將會使父、祖親盡而祧入太廟，形成子不得祭父，孫不得祭祖的不合理情形。清代楊方達（雍正2年舉人，約乾隆間在世）《春秋義補註》即認為：父終子繼，父昭子穆是常態，兄弟相及是禮之變，不可以為經常至當之制：

> 父為昭，子為穆，此禮之正也；兄弟旁及，上繼先君，猶臣子也，此禮之變也。兄既可以為弟後，則子亦可以為父孫，故以文祖為喻。昭穆，廟制也，設有四人相承，同為一世，則七廟之神主將不止于七矣！所謂親盡則祧者，又當何以解乎？彼歷代禮官之說，或出于一時之迎合，或由于舊習之相沿，而未可以為情理之至當者也。然則宜何從？曰：論世統，則父子異世，天下之大義也；論常例，則昭穆同行，一家之私恩也，君子不以私廢公。[44]

他認為在非常制的情況下，應該回歸不以私廢公的天下大義。這個意見在皮錫瑞處，有更細膩的疏解與發揮：

> 古人廟制，漢時已昧其義，……賀循、徐邈又設為兄弟四人六人相代為君，不祀祖禰之疑，近人多惑其說，劉歆〈為兄後議〉已辨之，曰：「兄弟六人為君，亦六代祀祖禰矣。設非兄弟，廟亦當毀，不得故存

---

44 （清）楊方達：《春秋義補註》（濟南市：齊魯書社，1997年，《四庫全書存目叢書》影印清乾間隆復初堂刻本），卷6，頁8上-8下。

也。」此說極明辨。後之儒者,昧於古義,不知古五世後,無論父子相
繼、兄弟相代,廟皆迭毀,又不知毀廟之主入祧,禘祫壇墠仍與於祭,
誤以為廟一毀即不血食,天子何得不祀祖禰?嘵嘵致辨。推其意,必欲
每君一廟,廟皆不毀而後可,又疑廟制猥多,無以處兄弟同昭穆之說,
乃以東漢同廟異室之制上加古人,以為如是則視古人為厚矣。不知廟無
二主,惟一廟之士,祖禰共廟,若同堂異室,天子下同士制,不得專享
一廟之尊,何以為厚?且兄弟不相後,則先立無後,生為一代之君,歿
為無後之鬼,又何以為厚乎?[45]

皮氏在劉敞之說的基礎上,認為如果從整個宗廟禮制來看,廟之祧毀,本是常
道,先君不會因為廟毀即不享血食,因此,即使是兄弟四人、六人相繼為君,
分別昭穆,依序遷毀,其祖禰仍然依禮享祭。皮錫瑞進一步批評:如果以兄弟
同昭穆的原則處理相繼為君的問題,反而會出現一廟多主,無法獨尊,又只有
最後一君有後,而其他無後的難堪情形。皮氏此說可謂是楊方達之說的深入
說明。

清儒之辨議,雖仍在「兄弟相繼,重視宗統,則異昭穆」以及「兄弟相
繼,重視生倫,則同昭穆」的對立格局之下,但是諸儒議論,除以《春秋》及
三傳文本為據之外,能以考禮所得輔助詮釋,對於此一問題之理解,有實質之
助益。

四　結語

經過了如此漫長的疏理與論析,我們雖可以大致掌握「躋僖公」問題的發
展脈絡及爭論重點,不過本文主旨並非在如許的文字煙海中論斷是非,而希
望在對於歷代經說進行疏解之後,提出一些反省的想法,提供各位先進參考、
指正。

---

[45]（清）皮錫瑞:〈兄弟廟制異昭穆考〉,《經訓書院自課文》,卷2,頁24下-25上。

　　個人認為,「躋僖公」問題的爭議,如果從思想或價值觀層面論,是重視血親倫理(親親)與政治倫理(尊尊)兩種觀念的對抗。在宗法制度時代,天子、諸侯的政權傳承本是以「親親」為基礎而發展出「尊尊」之道,「親親」而「尊尊」,二者原本並不是對立的概念,但是隨著世系延續綿長、宗族擴大之後,親族意識隨著血緣疏遠而日益淡薄,當政統傳承出現問題時,為了維持政權統緒的傳承,「尊尊」的價值成為優先維護的重點,這一點,在《穀梁傳》對此事所做總結——「不以親親害尊尊」中,已然看到其間的義理抉擇。以此而論,「親親」與「尊尊」的內涵,已經由互相融攝而逐漸演變成對立格局,尤其在漢代集權政體確立以後,更顯現出兩者的緊張關係,我們從歷代諸儒對此事的看法,均不免掉落在這個價值抉擇困境中的現象可以窺見其端倪。那麼,如果這樣的一個問題在先秦至三傳時期都未發生理解與詮釋上的問題,直至漢代才出現,而且持續在歷代間不斷擺盪糾結,其原因可能不只是對於文本閱讀理解歧異,或是對於古制茫昧不明,而是與政治文化發展密切相關。徐乾學曾說:「文公逆祀之失,雖屬諸侯之事,而諸儒論天子繼統,引經以斷,必緣此為言。」[46]即以宋代英宗繼仁宗即位後欲尊本生父而引發的「濮議」,以及明世宗繼武宗而欲尊本生父興獻王的「大禮議」為例,正反陣營的意見都對《春秋》此事有所議論。宋、明諸儒在經典上的詮釋,與他們的政治立場有何關聯?這樣的關聯,是「通經致用」?還是「經為政用」?甚至是這樣的政治風雲對於經解意見的趨向是否有所影響?這些問題,就經學研究而言,應具有相當重要的意義。所以對應這個問題的方法,除了考訂古制的研究外,從經解與時代政治文化的對應研究著手,應可得到不同於「孰對孰錯」的見解。本文所關切的問題,尚多有值得深入者,請允期諸來日。

46　(清)徐乾學:《讀禮通考》,卷19,頁17下。

參考文獻

一　古籍

（漢）鄭玄注　（唐）賈公彥疏　十三經注疏整理委員會整理　《周禮注疏》
　　　　北京市：北京大學出版社　2000年

（漢）何休解詁　（唐）徐彥疏，十三經注疏整理委員會整理　《春秋公羊傳
　　　　注疏》　北京市：北京大學出版社　2000年

（吳）韋昭注　（清）董增齡正義　《國語正義》　成都市：巴蜀書社影印光
　　　　緒6年章氏式訓堂刻本　1985年

（魏）何晏集解　（梁）皇侃義疏　《論語集解義疏》　上海市：商務印書館
　　　　《叢書集成初編》排印本　1937年

（魏）何晏集解　（宋）邢昺疏　十三經注疏整理委員會整理　《論語注疏》
　　　　北京市：北京大學出版社　2000年

（晉）杜預集解　（唐）孔穎達正義　十三經注疏整理委員會整理　《春秋左
　　　　傳正義》　北京市：北京大學出版社　2000年

（晉）范甯集解　（唐）楊士勛疏　十三經注疏整理委員會整理　《春秋穀梁
　　　　傳注疏》　北京市：北京大學出版社　2000年

（宋）劉敞　《春秋傳》　臺北市：臺灣商務印書館影印文淵閣四庫全書本
　　　　1985年

（宋）劉敞：〈為兄後議〉　（清）徐乾學編纂　《御選古文淵鑒》　臺北
　　　　市：臺灣商務印書館影印文淵閣四庫全書本　1985年

（宋）胡安國著　錢偉強點校　《春秋傳》　杭州市：浙江古籍出版社　2010
　　　　年4月

（宋）張洽　《春秋集注》　臺北市：臺灣商務印書館影印文淵閣四庫全書本
　　　　1985年

（元）汪克寬　《春秋胡傳附錄纂疏》　臺北市：臺灣商務印書館影印文淵閣
　　　　四庫全書本　1985年

（明）湛若水　《春秋正傳》　臺北市：臺灣商務印書館影印文淵閣四庫全書
　　　本　1985年

（明）朱睦㮮　《五經稽疑》　臺北市：臺灣商務印書館影印文淵閣四庫全
　　　書本　1985年

（明）姜寶　《春秋事義全考》　臺北市：臺灣商務印書館影印文淵閣四庫全
　　　書本　1985年

（明）羅洪先　〈昭穆辨〉　《念菴集》　臺北市：臺灣商務印書館影印文淵
　　　閣四庫全書本　1985年

（明）王鏊　〈昭穆對〉　《震澤集》　臺北市：臺灣商務印書館影印文淵閣
　　　四庫全書本　1985年

（明）梅鼎祚　《東漢文紀》　臺北市：臺灣商務印書館影印文淵閣四庫全書
　　　本　1985年

（清）萬斯大　《讀春秋隨筆》　濟南市：齊魯書社　《四庫全書存目叢書》
　　　影印清清乾隆26年萬福刻本　1997年

（清）楊方達　《春秋義補註》　濟南市：齊魯書社　《四庫全書存目叢書》
　　　影印清乾間隆復初堂刻本　1997年

（清）毛奇齡　《春秋毛氏傳》　臺北市：臺灣商務印書館影印文淵閣四庫全
　　　書本　1985年

（清）顧棟高　《春秋大事表》　北京市：中華書局　1993年6月

（清）徐乾學　《讀禮通考》　光緒7年江蘇書局刊本年

（清）劉文淇　《春秋左氏傳舊注疏證》　臺南市：莊嚴文化事業公司　《續
　　　修四庫全書》影印清鈔本　1997年

（清）皮錫瑞　《經訓書院自課文》　光緒34年思賢書局刊《師伏堂叢書》
　　　本年

（清）皮錫瑞　《駁五經異義疏證》　臺南市：莊嚴文化事業公司　《續修四
　　　庫全書》影印民國23年河間李氏重刻本　1997年

二　近人論著

（一）專書

許子濱　《春秋左傳禮制研究》　上海市：上海古籍出版社　2012年6月

張壽安　《十八世紀禮學考證的思想活力──禮教論爭與禮秩重省》　北京市：北京大學出版社　2005年12月

楊伯駿　《春秋左傳注》　臺北市：洪葉文化事業公司　1993年5月

謝維揚　《周代家庭型態》　哈爾濱市：黑龍江人民出版社　2004年11月

（二）期刊論文

李衡眉、于霞　〈魯國昭穆制度蠡測〉　《河南大學學報》（社會科學版）第40卷第4期　2000年7月　頁42-46

周　言　〈古文獻所見兩周貴族昭穆名號考論〉　《淡江大學中文學報》第10期　2004年6月　頁127-154

陳筱芳　〈春秋躋僖公新解〉　《西南民族大學學報》（人文社會科學版）2010年第3期　頁86-92

陳恩林　〈春秋左傳注辨正六則〉　《古籍整理研究學刊》　2005年第5期　頁1-8。

彭衛民　〈昭穆制的歷史意義與功能〉　《中華人文社會學報》第13期　2010年9月　頁124-147

春秋公羊傳注疏卷一〈何休序〉校勘記

馮曉庭

嘉義大學

摘要

本「校勘記」以今存善本《春秋公羊經傳》、《春秋公羊經傳解詁》、《春秋公羊疏》、《經典釋文・春秋公羊音義》為底本，參酌斟儷唐代以來各式板本暨相關文獻三十四種，撰成「校記」一百一十九則。除訂正各本文字以外，並初步釐清各本《春秋公羊疏》形制。綜理歸納「校記」，則於下列數事或可得識一二：其一，春秋公羊「經」、「傳」、「注」、「疏」混編結構的歷史進程。其二，「春秋公羊經傳解詁」、「春秋公羊疏」各自單行時期文獻的實質面貌與其關聯性。其三，文獻的時代面貌與特色。其四，文獻之間的可能因襲關係與淵源。其五，文獻的優劣與可信程度。

關鍵詞：春秋公羊傳　春秋公羊解詁　春秋公羊疏　公羊音義　校勘記

勘校采徵文獻

一　經傳

（一）唐石經春秋公羊傳（唐石經）──《經》、《傳》文底本一

　　　唐文宗大和七年（西元833年）至開成二年（西元837年）刻石，民國十五年（1926）掖縣張氏皕忍堂摹刻本。

　　　北京市：中華書局，1997年10月（《景刊唐開成石經》）

（二）公羊春秋（宋刊本）

　　　宋刊本

　　　北京市：北京圖書館出版社，2003年2月（《中華再造善本・唐宋・經部》）

二　經傳解詁

（一）春秋公羊經傳解詁・公羊音義一卷坿書後（重修本）──《經》、《傳》文底本一，《解詁》文底本一

　　　宋孝宗淳熙年間（1174-1189）撫州公使庫刻，宋光宗紹熙癸丑（4年，1193）重修本

　　　北京市：北京圖書館出版社，2003年5月（《中華再造善本・唐宋・經部》）

（二）春秋公羊經傳解詁・公羊音義配入

　　　宋光宗紹熙辛亥二年（1191）建安余氏萬卷堂刊本（余刊本）

　　　北京市：北京圖書館出版社，2003年7月（《中華再造善本・唐宋・經部》）

　　　宋光宗紹熙癸丑四年（1193）建安余氏萬卷堂重校本（余校本）──《解詁》文底本二

　　　上海涵芬樓借常熟瞿氏鐵琴銅劍樓藏宋刊本景印

　　　臺北市：臺灣商務印書館，1965年5月（《四部叢刊・初編・經部》）

三 經典釋文・公羊音義

（一）春秋公羊經傳解詁・公羊音義一卷**坿**書後（重修本）──《音義》文底
本

（二）春秋公羊音義卷二十一（宋元本）
宋刻宋元遞修本
上海市：上海古籍出版社，2016年5月

（三）春秋公羊音義卷二十一（通志堂本）
清聖祖康熙十二年（1673）至康熙三十一年（1692）徐乾學、納蘭性德
輯刊《通志堂經解》本
上海涵芬樓以《通志堂》本景印別據葉石君校宋本撰劄記
臺北市：臺灣商務印書館，1965年5月（《四部叢刊・初編・經部》）

（四）春秋公羊音義卷二十一（抱經堂本）
清高宗乾隆年間（1736-1795）餘姚盧氏抱經堂刊本
上海市：商務印書館，1936年5月（《叢書集成・初編》）

（五）（清）盧文弨經典釋文考證（盧考證）
清高宗乾隆年間（1736-1795）餘姚盧氏抱經堂刊本
上海市：商務印書館，1935年12月（《叢書集成初編》）

（六）黃焯經典釋文彙校（彙校本）
北京市：中華書局，2011年3月

四 經傳解詁注疏

單疏本

（一）春秋公羊疏（鈔本）──《疏》文底本一
日本名古屋市蓬左文庫藏室町時期（1338-1573）鈔本

（二）春秋公羊疏（殘本）──《疏》文底本二
上海涵芬樓景印南海潘氏藏宋刊本（殘存卷一至七）
臺北市：鼎文書局，1972年8月

注疏合刊本

（一）監本附音春秋公羊註疏（明修本）──《疏》文底本三

　　○宋建刊明代修補十行本

　　○元刊明修本

　　○金刊明修本

　　修補至明武宗正德年間（1506-1521）

（二）春秋公羊傳註疏（閩本）

　　明世宗嘉靖年間（1522-1566）福建李元陽刊本

（三）春秋公羊傳註疏（監本）

　　明神宗萬曆十四年（1586）至二十一年（1593）北京國子監刊本

　　※中書門下牒板心作「萬曆二十年刊」，其餘皆作「萬曆二十一年刊」

（四）春秋公羊傳註疏（毛本）

　　明思宗崇禎七年（1634）海虞毛氏汲古閣刊本

（五）春秋公羊傳注疏・坿考證（武英殿本、殿本）

　　清高宗乾隆四年（1739）校刊、清穆宗同治十年（1871）重刊，武英殿刊本

（六）春秋公羊傳注疏・坿考證（薈要本）

　　清高宗乾隆三十八年（1773）至四十三年（1778）寫《欽定四庫全書薈要》本（《摛藻堂四庫全書》，武英殿本系統）

（七）春秋公羊傳注疏・坿考證（文淵閣本）

　　清高宗乾隆三十八年（1773）至四十七年（1782）寫《欽定四庫全書》本（《文淵閣四庫全書》，（武英殿本系統）

（八）監本附音春秋公羊傳注疏・坿阮元校勘記（阮本）

　　清仁宗嘉慶二十年（1815）至二十一年（1816）江西南昌府學刊本（重栞宋本《十三經注疏》）

五　歷代校勘

十三經注疏

（一）（清）浦鏜十三經注疏正誤（清沈廷芳十三經注疏正字）（正誤）

　　《文淵閣》本

（二）（清）阮元十三經注疏併經典釋文校勘記（校勘記）

　　○阮本

　　○《皇清經解》本（卷991-1001）

　　清文宗咸豐十年（1861）兩廣總督勞崇光等補刊本（庚申補刊本）

（三）（清）汪文臺十三經注疏校勘記識語（識語）

　　清德宗光緒三年（1877）丁丑春月江西書局刊本

（四）（清）何若瑤春秋公羊注疏質疑（質疑）

　　清德宗光緒二十年（1894）廣州廣雅書局刊《廣雅書局叢書》本，民國

　　九年（1920）番禺徐紹棨彙編重印

（五）（清）孫詒讓十三經注疏校記（校記）

　　北京市：中華書局，2009年1月（《孫詒讓全集》，雪克輯校）

相關文獻

（一）（唐）張參五經文字（五經文字）

　　唐文宗大和七年（西元833年）至開成二年（西元837年）刻石，民國十

　　五年（1926）掖縣張氏皕忍堂摹刻本

　　北京市：中華書局，1997年10月（《景刊唐開成石經》）

（二）（唐）唐玄度九經字樣（九經字樣）

　　唐文宗大和七年（西元833年）至開成二年（西元837年）刻石，民國十

　　五年（1926）掖縣張氏皕忍堂摹刻本

　　北京市：中華書局，1997年10月（《景刊唐開成石經》）

（三）（清）陳立公羊義疏（義疏）

○清德宗光緒十一年（1885）至十二年（1886）江蘇江陰縣南菁書院刊
《續皇清經解》本（卷1189-1264）

臺北市：鼎文書局，1973年5月

○劉尚慈點校本

北京市：中華書局，2017年11月

（四）（清）王引之經義述聞・第二十四春秋公羊傳五十四條（述聞）

清仁宗嘉慶二年（1797）三月二日王引之敍，嘉慶二十二年（1817）春
阮元序，清宣宗道光七年（1827）十二月京師西江米巷壽藤書屋刊本
（《高郵王氏四種》）

（五）（日本）杉浦豐治公羊疏校記（日校記）

日本愛知縣安城市：作者自刊本，昭和29年（1954）9月

（六）（日本）杉浦豐治公羊疏論考・攷文篇（日攷文）

○公羊疏校記

○春秋公羊經傳解詁校定本・隱公～莊公

日本愛知縣安城市：愛知縣立安城高等學校內校友會，昭和36年
（1961）11月

（七）題（宋）岳珂相臺書塾刊正九經三傳沿革例（沿革例）

清浙江金德興桐華館訂正本

《春秋公羊疏》各本形制

鈔本

（一）卷帙：三十

（二）中書門下牒

（三）卷一：何休〈序〉、〈隱公元年〉「正月」

卷首：春秋公羊疏卷第一　　　　　　　隱公一

　　　　　　　　　起序盡元年正月

卷末：春秋公羊疏卷第一

殘本

形制與鈔本完全一致

明修本

（一）卷帙：二十八

（二）中書門下牒

（三）何休〈序〉自起迄，不屬卷一

序首：監本附音春秋公羊註疏序

序末：監本附音春秋公羊註疏序終

（四）卷一〈隱公元年〉

卷首：監本附音春秋公羊註疏隱公卷第一（起元年盡元年）

春秋公羊經傳解詁隱公第一

何休學

卷尾：監本春秋公羊註疏隱公卷第一

閩本

（一）卷帙：二十八

（二）中書門下牒

（三）何休〈序〉自起迄，不屬卷一

序首：春秋公羊傳註疏

漢　何休學　■■■■■疏

明御史李元陽提學僉事江以達校勘[1]

序末：春秋公羊經傳解詁序終

（四）卷一〈隱公元年〉

卷首：春秋公羊註疏隱公卷第一（起元年盡元年）

---

[1] 今存閩本各卷卷首「■■■■■疏」、「明御史李元陽提學僉事江以達校勘」等字多見削去，
偶見殘存者。

漢　何　休　學　■■■■■疏

明御史李元陽提學僉事江以達校勘

春秋公羊經傳解詁隱公第一　　何休學

卷尾：春秋公羊註疏隱公卷第一

監本

（一）卷帙：二十八

（二）中書門下牒

（三）何休〈序〉自起迄，不屬卷一

序首：春秋公羊傳註疏

漢何休學

（四）卷一：〈隱公元年〉

卷首：春秋公羊註疏隱公卷第一（起元年盡元年）

漢何休學

春秋公羊經傳解詁隱公第一　　何休學

卷尾：春秋公羊註疏隱公卷第一

毛本

（一）卷帙：二十八

（二）何休〈序〉自起迄，不屬卷一

序首：春秋公羊傳註疏

序末：監本附音春秋公羊註疏序終

（三）卷一：〈隱公元年〉

卷首：春秋公羊註疏隱公卷第一（起元年盡元年）

漢何休學

春秋公羊經傳解詁隱公第一何休學

卷尾：監本春秋公羊註疏隱公卷第一終

武英殿本、殿本

（一）卷帙：二十八

（二）何休〈序〉自起迄，不屬卷一

序首：春秋公羊傳序

漢何休撰唐陸德明音義

春秋公羊傳序考證

（三）春秋公羊傳注疏

目錄

春秋公羊傳序

春秋公羊傳原目

卷一

隱公（起元年盡元年）

｜｜

卷二十八

哀公（起十一年盡十四年）

（四）春秋公羊傳原目

春秋公羊經傳解詁隱公第一　　何休學

桓公二

莊公三

閔公四

僖公五

文公六

宣公七

成公八

襄公九

昭公十

定公十一

　　　　哀公十二

　　　　春秋公羊傳原目考證

（五）卷一：〈隱公元年〉

　　　卷首：春秋公羊傳注疏卷一（起隱公元年盡元年）

　　　　　　　　漢何休學　　　　　　唐陸德明音義

　　　　　　　隱公

　　　卷尾：春秋公羊傳注疏卷一

　　　春秋公羊傳注疏卷一考證

薈要本

　　形制與武英殿本大體一致

（一）薈要本〈春秋公羊傳序〉、〈春秋公羊傳原目〉皆獨立成卷

（二）各卷首皆標錄「欽定四庫全書薈要卷一千二百三（經部）」類字樣

文淵閣本

　　形制與武英殿本、薈要本大體一致

（一）各卷首皆標錄「欽定四庫全書」字樣

阮本

（一）卷帙：二十八

（二）何休〈序〉自起迄，不屬卷一

　　　序首：監本附音春秋公羊注疏序

　　　序末：監本附音春秋公羊註疏序終

（三）中書門下牒

（四）卷一：〈隱公元年〉

　　　卷首：監本附音春秋公羊注疏隱公卷第一（起元年盡元年）

　　　　　春秋公羊經傳解詁隱公第一

　　　　　　　何休學

卷尾：監本春秋公羊注疏隱公卷第一

春秋公羊傳注疏校勘記序　　阮元撰盧宣旬敬錄

引據各本目錄

春秋公羊傳注疏序校勘記　　阮元撰盧宣旬敬錄

春秋公羊注疏序校勘記終

公羊注疏卷一校勘記　　阮元撰盧宣旬敬錄

公羊注疏卷一校勘記終

〈中書門下牒〉

中書門下牒[2、3、4]

公羊正義[5]

牒奉

　勑：國家欽崇儒術，啟迪化源，眷六籍之垂文，實百王之取法，著於緗素，皎若丹青。乃有前脩[6]詮其奧義，為之疏釋，播厥方來；頗索隱於微言，用擊蒙於後學。流傳既久，譌舛遂多，爰命校讎，俾從刊正。歷歲時而盡瘁，探簡策以惟精，載嘉稽古之功，允助好文之理，宜從雕印，以廣頒行。牒至准勑，故牒[7]。

景德二年六月　　日　牒[8、9、10]

工部侍郎參知政事馮[11]

兵部侍郎參知政事王

兵部侍郎平章事　寇

吏部侍郎平章事　畢[12]

〈何休序〉

卷一

監本附音春秋公羊注疏[13]序[14]

漢司空掾[15]任城樊何休序[16]▲掾[17]，弋絹反。▼[18]

8　明修本「景德二年六月」行低四格。

9　明修本「月」、「日」二字間空四格，閩本、監本、阮本皆空七格。

10　明修本、閩本、監本、阮本皆「日」、「牒」二字間皆不空。

11　明修本「工部侍郎參知政事馮」以下四行皆低三格。

12　監本此「牒」版心刊作「萬曆二十年」，其餘各卷版心皆作「萬曆二十一年」。

13　「春秋公羊注疏」，明修本、閩本、監本、毛本皆誤作「春秋公羊註疏」，全書標列皆然。

14　「監本附音春秋公羊注疏序」。
　《正誤》：案：馬氏《通考》云：《春秋公羊疏》，《崇文總目》不著撰人名氏，援證淺局，出於近世，或云徐彥撰。陳氏《書錄解題》云：「《廣川藏書志》云：『世傳徐彥，不知何代，意其在貞元、長慶後也。』」
　《挍勘記》：何煌挍宋監本，「公羊」下有「傳」字，是也，此脫。閩、監、毛本改此為「春秋公羊傳注疏」七字。閩本於此行下署「漢何休學」、「□□□□疏」，另行署「明御史李元陽提學僉事江以達挍刊。監本改署「皇明朝列大夫國子監祭酒曾朝節等奉勅重挍刊。毛本但存「漢何休學」四字，其實亦不當有也。

15　「司空掾」，閩本、監本、毛本皆誤作「司空椽」。
　《正誤》：「掾」誤從木旁作「椽」（【挍案】：原文「椽」字疑敚。），下同。

16　「漢司空掾任城樊何休序」。
　《挍勘記》：《唐石經》同。《釋文》祗作「春秋公羊序」五字。何挍本、閩本、監本、毛本此題及下〈序〉并《傳》皆低一格，惟《春秋》經文始頂格，通書並然，蓋後人以意為之，非也。此本從《唐石經》，題、〈序〉、《經》、《傳》皆頂格。「掾」字從手，《釋文》、《唐石經》、何挍本並同。閩、監、毛本改從木旁，非。《疏》中同。

17　「掾」，明修本、閩本、監本、毛本皆誤作「椽」。

18　余刊本、余挍本、明修本、閩本、監本、毛本、阮本刊錄《音義》，內容形制皆同，於文本文字或行簡省。殿本、薈要本、文淵閣本形制雖類同於明修本，而文字益行簡省，凡文本字之

（疏）

漢司空掾[19]

解云

漢者，巴漢之間地名[20]也。於秦二世元年諸侯叛秦，沛人共立劉季以為沛公。二年八月[21]，沛公入秦，秦相趙高殺二世，立二世兄子子嬰。冬十月，為漢元年，子嬰降。二年[22]春正月，項羽尊楚懷王以為義帝。其年二月，項羽自立為西楚霸王，分天下為十八國，更立沛公為漢王，王巴、漢之間四十一縣，都於南鄭。至漢王五年冬十二月，乃破項羽軍，斬之。六年正月[23]，乃稱皇帝，遂取漢為天下號，若夏、殷、周既克天下，乃取本受命之地為天下號云。司空

無關音義說解者，盡皆刪削。

【校案】：重修本後坿《公羊音義》一卷，為今見版本淵源最早且確實可據者。余刊本刊錄余仁仲何休〈序〉後「識語」，云「以家藏監本及江浙諸處官本參校，頗加釐正，惟是陸氏釋音字或與正文字不同……」，則諸本刊錄《音義》，此前或已是常態，而完卷坿後，抑文字分列《經》、《傳》、《解詁》之下，文獻不足，其淵源仍難考信。

【校案】：《隱公元年·經》：「元年，春，王正月」，重修本、宋元本皆作「元年正月，音征，又音政，後方此」，明修本作「正月，音征，又音政，後方此」，殿本作「正音征，又音政，後方此」，自宋以後，諸本刊錄《音義》簡省跡象顯然。

[19] 「漢司空掾」，明修本、閩本、監本、毛本皆誤作「漢司空椽」。

[20] 「地名」，明修本誤作「也名」。

《挍勘記》：補刊本「地」字誤作「也」，原刻及閩本、監本、毛本不誤。

[21] 「二年八月」。

《考證》：應作「三年八月」。

《挍勘記》：諸本同，誤也，「二」當作「三」。

[22] 「二年」，明修本、阮本皆作「○年」，閩本、監本、毛本、殿本、薈要本、文淵閣本皆作「其年」。

《挍勘記》：毛本「○」作「其」。

【校案】：漢初沿襲秦制，以十月為歲首，「冬十月，為漢元年」，《史記·高祖本紀》「尊懷王為義帝」，所繫仍在元年，準此，則作「其年」於義為宜。《疏》文或本作「二年」，不審漢初制度，以正月為歲首，意義雖與《史記》所錄事實扞格，而原作如是，疑者闕疑，不宜遽改。

[23] 「六年正月」。

《考證》：應作「其年二月」……舊本並同，未敢遽改。

《挍勘記》：《漢書·高皇紀》五年十二月斬羽，二月即皇帝位。此「六年正月」當本作「其年二月」，淺人未考秦以十月為歲首，故蒙上「五年十二月」之文，改此為「六年正月」也。據上文云「冬十月，為漢元年。其年春正月，項羽尊楚懷王以為義帝」，知《疏》文於此亦本作「其年」。

者，漢三公官名也，掾者[24]即其下屬官也，若今[25]之三府掾[26]是也。

任城樊何休序

解云

任城者，郡名；樊者，縣名。姓何名休，字邵公[27]。其《本傳》云：「休為人質朴訥口，而雅有心思，精研[28]《六經》，世儒無及者。大傅[29]陳蕃辟之，與參政事。蕃敗，休坐廢錮[30]，乃作《春秋公羊解詁》，覃思不闚門[31]十有七年。」是也。序者，舒也、敘也，舒展己意以次敘《經》、《傳》之義，述己作《注》[32]之意，故謂之序也。

昔者孔子有云：

（疏）

昔者孔子有云

解云

---

[24] 「掾者」，明修本、閩本、監本、毛本皆誤作「椽者」，阮本誤作「祿者」。

[25] 「若今」，殘本誤作「者今」。

[26] 「三府掾」，閩本、監本、毛本皆誤作「三府椽」。

[27] 「邵公」，明修本作「卲公」。
《校勘記》：閩、監、毛本同。補刊本「邵」作「卲」。○按：此字當作「卲」，從卩，高也，表德之字，無取於地名。
【校案】：《法言·修身》：「公儀子、董仲舒之才之邵也。」《說文解字·卩部》：「卲，高也。」《校勘記》得其實。

[28] 「精研」，毛本誤作「精妍」。
《正誤》：「研」，毛本誤「妍」。
《校勘記》：毛本「研」誤「妍」。

[29] 「大傅」，阮本誤作「大傳」。

[30] 「廢錮」，鈔本誤作「癈錮」，殘本字跡湮滅，無可檢覈。
【校案】：《漢書·遊俠傳·樓護》：「終身廢錮。」《後漢書·李固傳》：「邵遂廢錮終身。」則作「廢錮」為宜，且仕塗禁罷，不涉病疾，作「癈錮」，於義無據。

[31] 「闚門」，明修本誤作「闕門」。

[32] 「作《注》」，監本、毛本皆誤作「作《註》」，監本、毛本「注疏」、「注釋」之「注」皆誤作「註」。
《校勘記》：閩本同。監、毛本「注」作「註」，非，下並同。

昔者，古也、前也；故《孝經》云：「昔者明王。」鄭《注》云：「昔，古也。」《檀弓·上篇》云：「予疇昔[33]夜夢。」《注》云：「昔猶前也。」然則若對後言之即言前，若對今言之即言古，何氏言前古孔子有云云言也。

「吾志在《春秋》，行在《孝經》。」

（疏）

吾志在至《孝經》[34]

解云

案：《孝經鉤命決》[35]云：「孔子在庶，德無所施，功無所就，志在《春秋》，行在《孝經》。」是也。所以《春秋》言志在，《孝經》言行在者[36]；《春秋》者，賞善罰惡之書，見善能賞，見惡能罰，乃是王侯之事，非孔子[37]所能行，

---

[33] 「予疇昔」，明修本、閩本、監本、毛本皆誤作「子疇昔」。

　　《正誤》：「予」誤「子」。

　　《校勘記》：補刊本「予」誤「子」，閩、監、毛本承之。

[34] 「吾志在至《孝經》」，鈔本、殘本皆作「吾志在《春秋》，行在《孝經》」。

　　【校案】：鈔本、殘本《疏》文標列被釋《經》、《傳》、《解詁》文字，形制為四：

　　一·全錄其文：如文本作「治世之要務也（何休〈序〉）」，標示字錄作「治世之要務也」，全盤鈔錄。

　　二·全錄其文，尾坿「者」字：如文本作「欲言先王又無謚（《解詁》）」，標示字錄作「欲言先王又無謚者」，全盤鈔錄於尾末坿「者」字。

　　三·節錄啟首數字，尾坿「云云」二字：如文本作「國人謂國中凡人莫知者言惠公不早分別也（《解詁》）」，標示字錄作「國人謂國中凡云云」，節錄啟首數字，於其末坿「云云」二字。

　　四·○○至○○：如文本作「歲者揔號其成功之稱（《解詁》）」，標示字錄作「歲者至之稱」，節錄啟首二字暨尾末二字，當中廁「至」字。

　　一、二兩項，頗見於唐人敦煌手鈔經卷，或為唐或唐前謄錄文本常式；三項少見，較諸一、二，其簡省意圖暨痕跡明確；四項為今見各本《經》、《傳》、《注》、《疏》合刊常態，最為簡省。鈔本、殘本所錄，或可為致視經典鈔刊流傳格式之重要依據。

[35] 「《孝經鉤命決》」，明修本、阮本皆誤作「《孝經鉤命決》」。

　　《校勘記》：閩、監、毛本「決」改「決」，是也。

　　【校案】：「決」，「決」俗字。

[36] 「《孝經》言行在者」，明修本、閩本、監本、毛本、殿本、薈要本、文淵閣本、阮本皆敓「者」字，誤作《孝經》言行在」。

　　《正誤》：下當脫「何」字。

　　《校勘記》：下當脫「者」字。

[37] 「孔子」，明修本誤作「孟子」。

故但言志在而已；《孝經》者，尊祖愛親，勸子事父，勸臣事君，理關貴賤，臣子所宜行[38]，故曰行在《孝經》也。

此二學者，聖人之極致，

（疏）

此二至極致

解云

二學者，《春秋》、《孝經》也。極者，盡也；致之言至也。言聖人作此二經之時，盡己至誠而作之，故曰「聖人之極致」也。

治世之要務也[39]。▲治世，直吏反。▼

（疏）

治世至務也

解云

凡諸經藝[40]等，皆治世所須，但此經或是懲惡勸善，或是尊祖[41]愛親，有國家者最所急行，故云「治世之要務」也，言治世之精要急務矣。〈祭統〉云：「凡治人之道，莫急於禮[42]。」禮者，謂三王以來也[43]。若大道之時，禮於忠

---

[38] 「宜行」，鈔本、殘本皆作「宐行」，下《疏》文皆同。
　　【校案】：「宐」，「宜」俗字。
[39] 「治世之要務也」。
　　《挍勘記》：《唐石經》、諸本同。《疏》云：「考諸舊本，皆作也，若作『世』字，俗誤已行。」按：「也」作「世」，則屬下，讀曰「世傳《春秋》者非一」，俗本是。
　　【校案】：據《唐石經》，則讀作「聖人之極致，治世之要務也。傳《春秋》者非一」；據俗本，則讀作「聖人之極致，治世之要務。世傳《春秋》者非一」；據前後文理，則《挍勘記》所言，或為可信。
[40] 「經藝」，鈔本誤作「經藝」，監本、毛本、殿本、薈要本、文淵閣本皆誤作「經義」。
　　《挍勘記》：閩本同。監本、毛本「藝」改「義」，非。
[41] 「尊祖」，殘本誤作「等祖」。
[42] 「莫急於禮」，明修本誤作「莫盡於禮」。
[43] 「以來也」，閩本、監本、毛本皆敚「也」字，誤作「以來」。
　　《挍勘記》：何挍本同。閩、監、毛本脫「也」。

信為薄，正以孔子脩《春秋》[44]，祖述堯、舜，故言此[45]。考諸舊本皆作
「也」字，又且於理亦宜然，若有作[46]「世」字者，俗誤已行[47]。

傳《春秋》者非一，

（疏）

傳《春秋》者非一

解云

孔子至聖，卻觀無窮，知秦無道，將必燔書[48]，故《春秋》之說，口授[49]子
夏[50]，度秦至漢，乃著竹帛，故《說題辭》云：「傳我書者，公羊高也。」戴
宏〈序〉云：「子夏傳與公羊高，高傳與其子平，平傳與其子地，地傳與其子
敢，敢傳與其子壽。至漢景帝時，壽乃共弟子齊人胡毋子都[51]著於竹帛，與董
仲舒[52]皆見於圖讖[53]。」是也。故大史公[54]云：「董仲舒，廣川人也。以治《春
秋》，孝景時為博士，下帷[55]講誦，弟子傳以久次相受業，或莫見其面。董生

---

[44] 「孔子脩《春秋》」，毛本作，「孔子修《春秋》」，毛本「脩」作「修」，全書皆然。
　《挍勘記》：毛本「脩」改「修」，下並同。

[45] 「故言此」，閩本、監本、毛本皆衍「也」字，誤作「故言此也」。
　《挍勘記》：閩、監、毛本下有「也」。

[46] 「若有作」，明修本、閩本、監本、毛本、殿本、薈要本、文淵閣本、阮本皆敓「有」字，誤
　作「若作」。
　【校案】：據文理，則作「若有作」為宜。

[47] 「俗誤已行」，閩本、監本、毛本、殿本、薈要本、文淵閣本皆敓「行」字，誤作「俗誤已」。
　《挍勘記》：何挍本同。此本行字模糊，閩、監、毛本遂脫。

[48] 「燔書」，殘本誤作「燔萬」。

[49] 「口授」，明修本誤作「曰授」。

[50] 「子夏」，監本、毛本皆誤作「子貢」。
　《考證》：監本誤作「子貢」，今改正。
　《挍勘記》：閩本同。監本「夏」誤「貢」。
　【校案】：《考證》改正之說，或可為監本為殿本刊刻依據明證。

[51] 「胡毋子都」，監本誤作「胡母子都」，監本全書「胡毋」皆誤作「胡母」。

[52] 「董仲舒」，殘本誤作「董仲邵」。

[53] 「與董仲舒皆見於圖讖」。
　《正誤》：按：《通考》作「其後傳董仲舒，以公羊顯於朝」。

[54] 「大史公」，殘本誤作「大夫公」。

[55] 「下帷」，殘本誤作「下惟」。

相膠西王，疾免歸家，以脩學著書為事，終不治產業。」是也。又〈六藝論〉云：「治公羊者，胡毋生[56]、董仲舒，董仲舒弟子嬴公、嬴公弟子眭孟、眭孟弟子莊彭祖[57]及顏安樂，安樂弟子陰豐[58]、劉向、王彥[59]。」故曰「傳《春秋》者非一」。舊云：「『傳《春秋》者非一』者，謂本出孔子，而傳五家，故曰『非一』。」

本據亂而作，

（疏）

本據亂而作

解云

孔子本獲麟之後，得端門[60]之命，乃作《春秋》。公取十二，則天之數。是以不得取周公、成王之史，而取隱公以下，故曰「据亂而作」，謂據亂世之史而為《春秋》也。

其中多非常、異義、可怪之論，▲之論，盧困反，下持論同。▼

---

[56] 「胡毋生」，監本、毛本皆誤作「胡母生」。

《校勘記》：閩本同。監、毛本「毋」誤「母」。

[57] 「莊彭祖」。

《考證》：莊彭祖即嚴彭祖，後漢以明帝諱莊為嚴。

[58] 「陰豐」，明修本誤作「陰豐」。

《考證》：「陰豐」當作「冷豐」，《前（漢）書·儒林傳》：「顏安樂授淮陽令冷豐……由是顏家有冷、任之學。」是也。

《校勘記》：《漢書·儒林傳》云：「安樂授淮陽冷豐次君、淄川任公，公為少府、豐淄川太守。」〈六藝論〉之「陰豐」疑即《漢書》「冷豐」之誤。

[59] 「王彥」。

《考證》：《前（漢）書》無「王彥」而有「王亥」，即與尹更始、劉向、周慶、丁姓同以穀梁議石渠者。《後（漢）書》賈逵「兼通五家穀梁之說」，《注》云五謂尹更始等，又作「王彥」，未知孰是。

《校勘記》：〈六藝論〉言「劉向、王彥」，《漢書》但言「任公」蓋鄭君所聞，不必與班氏合也。

[60] 「端門」，明修本、阮本皆誤作「瑞門」。

《校勘記》：閩、監、毛本作「端」，是也。此誤。

（疏）

其中至之論

解云

由亂世之史，故有非常異義可怪之事也。非常異義者，即〈莊四年〉齊襄復九世之讎[61]而滅紀、〈僖二年〉[62]實與齊桓專封是也。此即是非常[63]之異義，言異於文武時，何者？若其常義，則諸侯不得擅滅[64]，諸侯不得專封，故曰「非常異義」也。其可怪之論者，即〈昭三十一年[65]〉邾婁叔術妻嫂[66]，而《春秋》善之是也。

說者疑惑，

（疏）

說者疑惑

解云

此說者謂胡毋子都、董仲舒之後，莊彭祖、顏安樂之徒，見《經》、《傳》與奪異於常理，故致疑惑。

至有倍《經》、任意、反《傳》違戾者，

---

61 「九世之讎」，毛本作「九世之讐」。

62 「〈僖二年〉」，阮本作「〈僖元缺年〉」，阮本所據底本文字原闕。
　《挍勘記》：「僖」下空闕一字。

63 「非常」，殘本誤作「非當」。

64 「擅滅」，殘本誤作「檀滅」。

65 「昭三十一年」，鈔本誤作「照三十一年」。

66 「妻嫂」，鈔本、殘本皆誤作「妻娷」，明修本作「妻姨」。
　《五經文字》：「嫂，隸省作姷，訛。」
　《挍勘記》：閩、監、毛本「姨」作「嫂」，「姨」者，南朝俗字。
　【校案】：《玉篇・女部》：「嫂，俗又作姨」；《五經文字・女部》：「嫂，隸省作姨，訛。」則「姨」，「嫂」俗字，南朝已行；鈔本、殘本作「娷」，或是因「姨」而誤。

（疏）

至有至戾者

解云

此倍讀如反背之背，非倍半[67]之倍也，言由疑惑之故，雖解《經》之理而反背於《經》；即〈成二年〉逢丑父代齊侯當左，以免其主，《春秋》不非，而說者非之，是背經也。任意者，《春秋》有三世異辭之言，顏安樂以為從襄二十一年之後、孔子生訖，即為所見之世，是任意。任意者，凡言見者，目覩其事，心識其理，乃可為見，故《演孔圖》云：「文宣成襄，所聞之世也。」而顏氏分張一公，而使兩屬，是其任意也。反傳違戾者，〈宣十七年[68]〉「六月癸卯，日有食之」，案〈隱三年‧傳〉云：「某月某日朔，日有食之者，食正朔也。其或日，或不日者，或失之前，或失之後。失之前者，朔在前也。」謂二日[69]乃食，失正朔[70]於前，是以但書其日而已；「失之後者，朔在後也。」謂晦日[71]食，失正朔於後，是以又不書日，但書其月而已。即〈莊十八年〉「三月，日有食之」是也；以此言之，則日食之道，不過晦朔與二日，即〈宣十七年〉言日不言朔者，是二日明矣，而顏氏以為十四日日食，是反《傳》違戾也。

其勢雖問，不得不廣，[72]

---

[67] 「倍半」，明修本、閩本、監本、毛本、殿本、薈要本、文淵閣本皆誤作「倍畔」。
《校勘記》：舊鈔本同。閩、監、毛本「半」改「畔」，非。

[68] 「宣十七年」，殘本誤作「宣十六年」。

[69] 「二日」，鈔本誤作「一日」，殘本誤作「之日」。

[70] 「正朔」，殘本誤作「夫朔」。

[71] 「晦日」，明修本誤作「晦日」。

[72] 「其勢雖問，不得不廣。」
《校勘記》：《唐石經》、諸本同。《疏》云：「一說其勢維適畏人問難，故曰『維問』，『維』誤為『雖』耳。」按：「維」當作「惟」，言其形勢惟問難者多，是以不得不廣為之說也，故下云「是以講誦師言，至於百萬」云云。

（疏）

其勢至不廣

解云

言說者疑惑，義雖不是，但其形勢已然，故曰「其勢雖」復致「問」；不得不廣引外文，望成其說，故曰「不得不廣」也。一說謂顏莊之徒，以說義疑惑，未能定其是非，致使倍《經》、任意、反《傳》違戾，是以何氏觀其形勢，故曰「其勢維」適畏人「問」難，故曰「維問[73]」；遂恐己說窮短，不得不廣引外文，望成己說，故曰「不得不廣」也；「維」誤為「雖」耳。

是以講誦師言[74]，至於百萬，猶有不解，

（疏）

是以至不解

解云

此師謂胡、董[75]之前，公羊氏之屬也。言由莊、顏之徒，解義不是，致他[76]問難，遂爾謬說至於百萬言，其言雖多，猶有合解[77]而不解者，故曰「猶有不解」矣。

時加釀嘲[78]辭，▲讓嘲[79]，陟交反。▼

---

[73] 「維問」。
　　《挍勘記》：何挍本「維」作「雖」，誤也。

[74] 「講誦師言」，鈔本敓「誦字」，誤作「講師言」。

[75] 「胡、董」，殿本、薈要本皆誤作「胡、黃」。

[76] 「致他」，明修本、阮本皆誤作「致地」。
　　《挍勘記》：鈔本同，誤也。閩、監、毛本「地」作「他」，為是。

[77] 「猶有合解」，明修本敓「有」字，誤作「猶合解」。

[78] 「釀嘲」，薈要本、文淵閣本皆作「讓嘲」。
　　《正誤》：「讓」誤「釀」，下同。
　　《挍勘記》：諸本同。《唐石經》缺。按：《釋文》作「讓嘲」；讓，相責讓也；嘲，嘲笑也；言時加誚讓嘲笑之辭。作「釀」，誤，當據正。

[79] 「讓嘲」，抱經堂本作「釀嘲」。

（疏）

時加[80]釀嘲辭

解云

顏安樂等[81]解此《公羊》，苟取頑曹之語，不顧理之是非，若世人云「雨雪其雱，臣助君虐」之類是也。

援引他經，失其句讀，

（疏）

援引至句讀

解云

《三傳》之理，不同多矣，群經之義，隨經自合。而顏氏之徒，既解《公羊》，乃取[82]他經為義，猶賊黨入門，主人錯亂，故曰「失其句讀」。

以無為有，

（疏）

以無為有

解云

公羊《經》、《傳》本無以周王為天囚之義[83]，而公羊說及莊、顏之徒以周王為天囚，故曰「以無為有」也。

《盧考證》：舊「釀」作「讓」，譌，今從「注疏本」正。

《黃彙校》：宋本同；盧依注疏本改「釀」作「讓」；阮云「釀」字蓋誤。如本作「釀」字，陸氏當有音。

【校案】：《音義》「釀嘲」作「讓嘲」，則唐人諸本錄何休〈序〉有或作「讓嘲」者。

80 「時加」，明修本誤作「時如」。

81 「顏安樂等」，明修本誤作「顏安樂善」。

82 「乃取」，明修本誤作「乃取」。

83 「天囚之義」，監本、毛本皆誤作「天囚之類」。

甚可閔笑[84]者，

（疏）

甚可閔笑者

解云

欲存[85]公羊者，閔其愚闇；欲毀公羊者，笑其謬通[86]也。

不可勝記也，

（疏）

不可勝記也

解云

言其可閔可笑[87]處多，不可勝負，不可[88]具記也。

是以治古學貴文章者，謂之俗儒，

（疏）

是以至俗儒

---

84 「閔笑」，《唐石經》、宋刊本、重修本、余刊本、余校本、明修本皆作「閔笑」。
　　《挍勘記》：《唐石經》同。閩、監、毛本「笑」改「笑」，非。
　　【校案】：《說文解字・竹部・笑・注》：「《干祿字書》云：『『咲』通、『笑』正。」《五經文字》，力
　　尊《說文》者也，亦作「笑，喜也。從竹，下犬」。《玉篇・竹部》亦作「笑」。《廣韻》因《唐韻》
　　之舊，亦作「笑」。此本無可疑者，自唐玄度《九經字撲》始先「笑」後「笑」，引楊承慶《字統》
　　異說云「從竹，從夭」，……蓋楊氏求從犬之故不得，是用改夭形聲。唐氏從之。自後徐楚金缺此
　　篆，鼎臣竟改《說文》「笑」作「笑」，而《集韻》、《類篇》乃有「笑」無「笑」，宋以後經籍無
　　「笑」字矣。
85 「欲存」，明修本誤作「欲存」。
86 「謬通」，閩本、監本、毛本、殿本、薈要本、文淵閣本皆作「謬妄」。
　　《挍勘記》：何挍本同，蓋誤。閩、監、毛本作「謬妄」。
　　【校案】：據文理，則作「謬通」、作「謬妄」，義皆可通。鈔本、殘本、明修本、阮本皆作
　　「謬通」，不宜遽改。
87 「可閔可笑」，殿本、薈要本、文淵閣本皆敚「可」字，誤作「可閔笑」。
88 「不可」，明修本誤作「不言」。

解云

左氏先著竹帛，故漢時謂之古學；公羊漢世乃興，故謂之今學。是以許慎作《五經異義》云：「古者《春秋左氏》說，今者《春秋公羊》說。」是也。「治古學」者，即鄭眾、賈逵之徒，貴文章矣[89]。謂之俗儒者，即《繁露》云：「能通一經曰儒生，博覽群書號曰洪儒。」則言乖典籍，辭理失所，名之為俗；教授於世，謂之儒。鄭、賈之徒謂公羊雖可教授於世，而辭理失所矣。至使賈逵緣隙[90]奮筆，以為《公羊》可奪，《左氏》可興，

（疏）

至使至可興

解云

賈逵者，即漢章帝時衛士令也。言緣隙奮筆者，莊、顏之徒，說義不是[91]，故使賈逵得緣其隙漏，奮筆而奪之，遂作《長義》四十一條，云公羊理短、左氏理長，意望奪去公羊而興左氏矣。鄭眾亦作《長義》十九條、十七事，專論公羊之短、左氏之長，在賈逵之前，何氏所以不言之者，正以鄭眾雖扶左氏而毀公羊，但不與讖合，帝王不信，毀公羊處少、興左氏不強，故不言之。豈如賈逵作《長義》四十一條[92]，奏御干帝，帝用嘉之，乃知古之為真也，賜布及衣，

---

[89] 「貴文章矣」。

《正誤》：上「者」字誤「矣」。

《校勘記》：浦鏜云：「矣」為「者」之誤。

【校案】：據文理，則作「矣」、作「者」，義皆可通。

[90] 「緣隙」，《唐石經》、閩本作「緣隟」，閩本《疏》文「隙」亦作「隟」。

《校勘記》：《唐石經》、閩本「隙」作「隟」。

【校案】：「隙」字原形從「小」，從「少」後起。

[91] 「不是」，明修本、閩本、監本、毛本、殿本、薈要本、文淵閣本、阮本皆誤作「不足」。

【校案】：據下《疏》文「何氏言先師解義，雖曰不是」，則作「不是」為宜。

[92] 「四十一條」，明修本、閩本、阮本皆誤作「四十二條」。

《校勘記》：閩本同。監、毛本「二」誤「一」。○按：〈春秋序〉《正義》云：「賈逵上《春秋》大義四十，以抵公羊。」《後漢書・本傳》則云：「出《左氏傳》大義長者，摘三十餘事以上。」《玉海》引《疏》亦作「四十一條」，是宋世本作「一」不作「二」也。○此本此《疏》上文「遂作《長義》四十一條」，是作「一」不作「二」。

將欲[93]存立，但未及而崩耳。然則賈逵幾廢公羊，故特言之。

恨先師觀聽[94]不決[95]，多隨二創，

疏

恨先至二創

解云

此先師，戴宏等也。凡論義之法，先觀前人之理，聽其辭之曲直，然以[96]正義[97]決之。今戴宏作〈解疑論〉而難左氏，不得左氏之理，不能以正義[98]決之[99]，故云「觀聽不決，多隨二創」者。上文云「至有背經任意，反傳違戾者」，與公羊為一創。又云「援引他經，失其句讀」者，又與公羊為一創。今戴宏作〈解疑論〉，多隨此二事，故曰「多隨二創」也[100]。而舊云公羊先師說公羊義不著，反與公羊為一創，賈逵緣隙奮筆奪之，與公羊為二創，非也。

此世之餘事，

疏

此世之餘事

93　「將欲」，阮本誤作「將然」，「然」或為「懋」之誤。
　　《校勘記》：閩、監、毛本「然」作「欲」，此當是「懋」之訛。
94　「觀聽」，《唐石經》作「觀聽」，宋刊本作「觀聽」，余刊本、余校本、明修本皆作「觀聽」。
　　【校案】：「聽」、「聽」、「聽」，皆「聽」俗字。
95　「不決」，殘本、明修本皆作「不決」，後《疏》文「決」亦皆作「決」。
　　《校勘記》：《唐石經》、諸本「決」作「決」，《疏》同。
96　「然以」，殿本、薈要本、文淵閣本皆有「後」字，作「然後以」。
　　《正誤》：「然」下疑脫「後」字。
　　【校案】：據文理，則作「然後以」為宜。然宋以來諸本皆作「然以」，理雖不暢，而原文如是，則不宜遽改。
97　「正義」，阮本誤倒作「義正」。
98　「正義」，監本誤作「止義」。
99　「決之」，明修本誤作「決也」。
100　「也」，明修本誤作「決」。

解云

何氏言先師解義雖曰不是，但有已在，公羊必存，故曰「此世之餘事」。餘，末也[101]；言戴氏專愚[102]，公羊未申，此正是世之末事，猶天下閑事[103]也。舊云何氏云前世之師說此公羊，不得聖人之本旨，而猶在世之末說，故曰「世之餘事」也。

斯豈非守文持論，敗績失據之過哉！

疏

斯豈至過哉

解云

守文者，守公羊之文；持論者，執持公羊之文以論左氏；即戴宏〈解疑論〉之流矣。敗績者，爭義似戰陳，故以敗績言之。失據者，凡戰陳之法，必須[104]据其險勢以自固，若失所据，即不免敗績，若似公羊先師，欲持公羊以論左氏，不閑[105]公羊、左氏之義[106]，反為所窮，已業破散，是失所依据，故以喻焉。

余竊悲之久矣。

疏

余竊悲之久矣

---

[101] 「餘，末也」，鈔本敚「餘」字，誤作「末也」。

[102] 「專愚」，閩本、監本、毛本、殿本、薈要本、文淵閣本皆誤作「專慮」。
《校勘記》：毛本「愚」作「慮」。

[103] 「閑事」，毛本作「閒事」。
《校勘記》：閩、監本同。毛本「閑」改「閒」。

[104] 「必須」，殿本、薈要本、文淵閣本皆作「必先」。
【校案】：據文理，則作「必須」、作「必先」，義皆可通。然宋以來諸本皆作「必須」，倘原本如是，則不宜遽改。

[105] 「不閑」，毛本誤作「不閒」。

[106] 「不閑公羊、左氏之義」。
《正誤》：「公羊」二字當衍文。「閑」，毛本誤「閒」。

解云

何邵公精學十五年[107]，專以公羊為己業，見公羊先師失据敗績，為他左氏先師所窮，但在室悲之而已，故謂之竊悲；非一朝一夕，故謂之久。後拜為議郎，一舉而起陵群儒之上，已業得申，乃得公然歎息。

往者略依胡毋生[108]條例，▲胡毋[109]，音無。▼多得其正，

疏

往者至其正

解云

胡毋生本雖以公羊《經》、《傳》傳授董氏[110]，猶自別作「條例」，故何氏取之以通公羊也。雖取以通《傳》意，猶謙未敢言已盡得胡毋之旨，故言略依而已。何氏本者作[111]《墨守》以距敵《長義》以強義[112]，為《癈疾》[113]以難《穀

---

[107] 「十五年」。
《正誤》：「七」誤「五」。
【校案】：《疏》文前引何休《本傳》云「覃思不闚門十有七年」，則此作「十五年」者，非是。

[108] 「胡毋生」，《唐石經》、余刊本、余校本、監本皆誤作「胡母生」。

[109] 「胡毋」，余刊本、余校本、監本皆誤作「胡母」。

[110] 「董氏」，明修本、閩本皆誤作「黃氏」。

[111] 「本者作」，阮本疑字體磨渙，誤作「木作者」。
《考證》：「本者」二字，理不可通，「者」字疑當作「著」字，與下句連讀。

[112] 「何氏本者作《墨守》以距敵《長義》以強義」。
《正誤》：「者」疑「著」，字在「敵」字下。
《挍勘記》：浦鏜云：「者」疑「著」之誤，當在「敵」字下。龔麗正云：何氏不聞著《長義》此言距敵《長義》，言與賈逵《長義》相距敵也。按：如龔說，則當讀「著作《墨守》以距敵《長義》」為句，下「以強敵」三字似衍。
《識語》：案：「本者」不誤，《疏》以釋往者也。「《長義》」疑「《漢議》」之誤，《後漢書·何休傳》：「休以《春秋》駁漢事六百餘條，妙得公羊本意。」《隋書·經籍志》：「《春秋漢議》十三卷，何休撰。」蓋申公羊之書。鄭、服皆有《駁何氏漢議》二卷，麋信有《理何氏漢議》二卷。

[113] 「癈疾」，閩本、監本、毛本、殿本、薈要本、文淵閣本、阮本皆誤作「廢疾」。
《五經文字》：癈，疾也。「癈疾」作此字，其餘「興廢」之「廢」，並不從「疒」。
《挍勘記》：閩、監、毛本「癈」誤「廢」。
【校案】：《左傳·昭公八年》：「（陳）哀公有癈疾。」則作「癈疾」為宜，且疾病之稱，宜皆從「疒」。今典籍「癈疾」多作「廢疾」，蓋或傳寫假借，或形近筆誤。

梁》，造《膏肓》以短[114]《左氏》。蓋在注《傳》之前，猶鄭君先作〈六藝論〉
訖，然後注書，故云「往者」也。何氏謙，不言盡得其正，故言「多」爾。
故遂隱括[115]，使就繩墨焉。▲隱括，古奪反，結也。▼

疏

故遂至墨焉

解云

隱謂隱審，括謂檢括[116]，繩墨猶規矩也。何氏言已隱審撿括公羊，使就規矩
也。然則何氏最存公羊也，而讖記[117]不見者，書不盡言故也。而舊云善射者隱
括，令審射必能中，何氏自言已隱括公羊，能中其義也。凡木受繩墨，其直必
矣，何氏自言規矩公羊，令歸正路也[118]。

監本附音春秋公羊注疏序終[119]

---

[114] 「以短」，明修本誤作「以舞」。

[115] 「隱括」，宋刊本作「隱括」。
【校案】：「隱」，「隱」俗字。

[116] 「檢括」，明修本、監本、毛本、阮本皆誤作「撿括」。

[117] 「讖記」，殘本誤作「識記」。

[118] 「正路也」，明修本、閩本、監本、毛本、殿本、薈要本、文淵閣本、阮本皆作「正路矣」。
【校案】：據文理，則作「也」、作「矣」，義皆可通，語尾助辭，不妨大旨。鈔本、殘本與
明修本以下用字不同，或所據傳本有別，或刊刻差池。

[119] 「監本附音春秋公羊注疏序終」。
《校勘記》：閩本作「春秋公羊經傳解詁序終」，監、毛本無此。

論龜井昭陽的《春秋》詮釋觀
——以《左傳纘考》之〈總論〉、〈武折〉、〈經傳大要〉為討論中心*

宋惠如

金門大學

摘要

　　日本《左傳》學在近現代的重大成就在竹添光鴻（1842-1917）《左氏會箋》，《左氏會箋》的經解與立論又大量的取自龜井昭陽（1773-1836）《左傳纘考》。然而對《左傳纘考》的治經內容與重要成就，今人的研究仍相當有限，其學湮沒已久，以致不明其於日本經學的重要價值，與其實際面目。本文說明龜井昭陽自述其總結《左傳纘考》治經取向，《春秋》學觀與解經方法之〈總論〉、〈武折〉、〈經傳大要〉等篇章，試窺昭陽《左傳》學堂奧，以為研究昭陽經學之重要參考。

關鍵詞：日本漢學　《春秋》　龜井昭陽

---

* 筆者近年因林慶彰教授與馮曉庭教授之指導，令筆者得以領略研究南冥、昭陽龜門學，窺其堂奧。謹以此文致意再三。

一 前言

　　龜井昭陽，名昱，字元鳳，通稱昱太郎，號昭陽、空石。其學奉行徂徠學，依從其父龜井南冥（1743-1814）經說，在日本漢學──特別是經學研究中，備受推崇。連清吉先生曾說明日本學者對昭陽經學的高度評價；如西村天囚（1865-1924）將昭陽與安井息軒（1799-1876）相較，以安井氏雖以經學為標榜，然識者多以文章家視之，認為真正為經學巨擘者，實乃龜井昭陽，且以昭陽經學在當時無人出其右，被視為「海內之一大儒也」。[1] 町田三郎亦指出，當時即使是朱子學者如楠本碩水（1832-1916）亦盛推昭陽，認為「其經說更遠勝於伊（伊藤仁齋，1627-1705）、物（荻生徂徠，1666-1728）」，只因其人僻處西陬，所以其學僅行於一方，未得普及天下。[2] 雖然昭陽學未能在當時普及天下，然昭陽經說在日本漢學中的地位，備受後世學者肯定與推崇，是可以確定的。

　　再從日本《左傳》學的發展來看，比較深入且在內容上有實質研究的文章非常少。首先，根據竹內航治《左氏会箋の基礎的研究》，指出竹添光鴻以《左傳輯釋》為基礎，增補日本漢學者和清朝考證學者的學說，完成了《左氏會箋》。[3] 青山大介作〈安井息軒《左傳輯釋》的解「傳」方法〉，探討安井息軒《左傳輯釋》的特點，指出安井息軒《左傳輯釋》和竹添光鴻（1842-1917）《左氏會箋》之間的特殊關聯。[4] 青山氏並指出息軒學派想要剗掉杜注這個魏晉時代的沉積層，重新發現賈逵或服虔等的漢儒學說；其研究初步提供近代日

---

[1] 連清吉：〈龜井昭陽及其《莊子瑣說》〉（《書目季刊》第25卷第1期（1991年6月），頁67，以及〈龜井昭陽：建立日本考證的方法──就《家學小言》而言〉（臺北市：臺灣學生書局，1998年12月），頁71。連先生兩篇文章對昭陽的經學成就有相當完整而深入的研究，敬請參看。

[2] 町田三郎著、金培懿譯：〈儒學家龜井南冥、昭陽父子〉（《中國文哲研通訊》第4卷第4期（1994年12月），頁46。

[3] 竹內航治：《左氏会箋の基礎的研究》（名古屋大學大學院文學研究科博士論文，2015年3月），頁97-99。

[4] 青山大介：〈安井息軒《左傳輯釋》的解「傳」方法〉，「2016漢學研究國際學術研討會」宣讀論文，2016年10月雲林科技大學應用漢學研究所。

本左傳學研究的樣貌。另一方面，竹添氏雖被認為繼承安井息軒《左傳》學，他在《左氏會箋・序》卻特別推崇龜井昭陽：

> 近儒之注《左氏》者，予所涉獵在皇朝則中井氏積德、增島氏固、太田氏元貞、古賀氏煜、龜井氏昱，安井氏衡、海保氏元備，皆有定說，而龜井氏最為詳備。[5]

在今人的研究中，亦曾指出《左氏會箋》大量的參考龜井昭陽的解釋。[6]由《左氏會箋》為近代日本《左傳》學之總成績來看，竹添光鴻所推崇的昭陽《左傳纘考》，為奠定日本《左傳》學的規模，具有開創之功，當不為過。

昭陽《左傳》學成就雖為日本漢學之翹楚，然而後人對它的研究甚少。對於《左傳纘考》一書，昭陽後嗣表示「曾大父心力所注，網羅群言，劃刈藤葛，摘伏發微，尤多創見。祇以卷帙浩繁，不易傳寫，海內學人寓目者蓋鮮矣。」[7]昭陽《左傳》學的重大成就，未能發揚，殊為日本漢學之一大憾事。

岡村繁〈龜井昭陽《左傳纘考》解說〉[8]，曾初步說明龜門學以鄭玄為法式，考證精博，以原典主義作為經學研究之方法。他並論述昭陽治學路向，乃是以《左傳》為孔門遺典，排斥《公羊》、《穀梁》及宋儒的《胡氏傳》，指出昭陽《左傳纘考》即在纘繼南冥遺著《左傳考義》，補其未盡之處，並提出新

5　竹添光鴻：〈自序〉，《左氏會箋》（成都市：巴蜀書社，2008年），頁2。

6　林慶彰先生認為竹添光鴻對諸家的承襲，有不必標示出處者的常識性問題。（氏撰：〈竹添光鴻《左傳會箋》的解經方法〉，《日本漢學研究初探》，臺北市：財團法人喜瑪拉雅研究發展基金會，2002年，頁69。）岡村繁列五十餘條例證，指《左氏會箋》剽竊龜井南冥《春秋左傳考義》。（氏撰：〈論竹添井井《左氏會箋》的剽竊行為〉，《日本漢文學論考》，上海市：上海古籍出版社，2009年6月，頁691-710。）竹內航治《左氏会箋の基礎の研究》亦特闢一章比對龜井昭陽與竹添光鴻的隱公元年的釋經內容，指出《左氏會箋》對南冥與昭陽說的接承（頁169-187）。筆者作〈試探日本古文辭學者龜井昭陽論《春秋》文相變〉（發表於2017年10月20日於東吳大學召開「第十屆「中國經學國際學術研討會」），對於昭陽說明「《春秋》文相變」的相關事例，《左氏會箋》幾乎全盤接受昭陽說異於前儒的解釋。

7　龜井千里：《左傳纘考・敘》，《龜井南冥・龜井昭陽全集》3（龜井南冥、龜井昭陽：《龜井南冥・龜井昭陽全集》，福岡市：葦書房，1978年），頁8。

8　岡村繁：〈《左傳纘考》解說〉，《龜井南冥・龜井昭陽全集》3，頁3-5。

見解。其次，馮曉庭〈龜井昭陽《左傳纘考》引述漢儒經說述略〉，指其書一、完全尊崇《左傳》，二、強烈反對孟子、宋儒之《春秋》說，說明龜井學分《三傳》為「孔門」、「儒說」、「雜說」三類，依一、徵引正例，指出《左傳纘考》徵引《毛傳》、《禮記》、《周禮》、《爾雅》、《說文解字》、《史記》、《漢書》等漢儒說法。二、徵引反例，說明昭陽以不滿《公羊》、《穀梁》之說，亦駁斥賈逵、服虔等儒說。如與他經經說相較，昭陽亦準以《左傳》，不同意《公羊》、《穀梁》與今文經學說，《三家詩》與《三家詩》說法，可見他尊奉《左傳》之堅定立場。[9]此文初步說明龜井一門治《左傳》之內容大要，以徵實其治學門徑，對了解龜井昭陽之左傳學，有開創性的貢獻。

由昭陽著作年譜可知，他在文政九年（1826年，年54歲）完成《語由述志》十冊後，隨即著手《左傳纘考》，並於文政十年作《春秋經例考》[10]，實際完成《左傳纘考》三十卷，《補遺》一卷，《附錄》一卷，全篇初稿成於文政十一年，五十六歲時。往後檢閱、補訂，書寫完成後通閱二回，於文政十四年，五十九歲時終於底定全稿，前後共歷時五年，可見其審慎與花費工夫之深。在昭陽之父南冥《春秋左傳考義》的基礎上，昭陽《左傳纘考》如注之疏，補充說明《春秋左傳考義》不明或未盡之處。昭陽詳盡地論述南冥之說，並清楚說明其解釋方式與判準，是以岡村繁推崇昭陽《左傳纘考》「該博精緻」，具有明暢確論之創見，亦以其解釋經傳能察照前後，具有此彼相通、呼應之洞見。[11]這樣的洞察又特別表現在昭陽《左傳纘考》的〈總論〉與〈附錄〉中。

昭陽於文政十一年六月撰成《左傳纘考》後，隨即動筆述寫〈附錄〉，於七月草作〈總論〉，可見二部分為昭陽《左傳纘考》完成後的總歸納，當中蘊

9　馮曉庭：〈龜井昭陽《左傳纘考》引述漢儒經說述略〉，「秦漢經學國際學術研討會」宣讀論文，2011年11月，中央研究院中國文哲研究所。

10　龜井南冥作《論語語由》，昭陽作《論語語由述志》。所謂「語由」，昭陽自謂「語由者，明聖語之所由出也。」（氏撰：《家學小言‧3章》，《龜井南冥‧龜井昭陽全集》6，頁467。）町田三郎解釋為正確的把握語言的原義，排除無益的空疏理論。（氏撰：〈儒學家龜井南冥、昭陽父子〉，頁45。）

11　岡村繁：〈《左傳纘考》解說〉，頁5。

有其《春秋》《左傳》的治經總要與心得。〈附錄〉包含四部分，一、關於《春秋》書「王人」「內大夫」「外大夫公子」的整理。二、諸國書葬與諸國書次之考釋。三、〈武折〉篇，總評歷代《春秋》學。四、〈經傳大要〉，說明詮釋經傳之法。是以〈總論〉與〈武折〉、〈經傳大要〉之論說、主張，可視為其《春秋》詮釋觀之最後定論。在昭陽卷帙繁重的《左傳》研究成果中，[12]本文先以其〈總論〉〈武折〉〈經傳大要〉為討論中心，以概見昭陽詮釋《春秋》、《左傳》的總體主張，作為掌握昭陽《左傳》學之初探，以下分述之。

二 昭陽治經取向與〈總論〉中的主張

首先，從昭陽對六經於孔子學的價值與重要性來看，他主張當從六經之古言古義解孔子學，是以如連先生所指出，昭陽對經傳成書的考察與意義的闡述極為詳密，甚至認為《周易》亦非孔門遺典，而謂：「《周易》為義之府，孔門所無。漢儒始引《易》如《詩》、《書》，此學變也。」[13]若此，則就六經徵求孔子學的重心，便在《詩》、《書》、《禮》、《春秋》，其中孔子親作的典籍為《春秋》，最可為孔子學的代表。

昭陽之父南冥曾提到：

> 故杜〈序〉已曰：「發凡以言例，皆經國之常制，周公之垂法，史書之舊章。仲尼從而修之，以成一經之通體。」是言仲尼作《春秋》之所本由也。[14]

肯定孔子作《春秋》乃取法先王之道。進一步，龜門學主張解孔子《春秋》，則唯有《左傳》，昭陽說：

---

12 龜井昭陽：《空石日記·戊子》，《龜井南冥·龜井昭陽全集》7，頁513、519。
13 連清吉：〈龜井昭陽：建立日本考證的方法——就《家學小言》而言〉，頁96-97。
14 龜井南冥：《春秋左傳考義》，《龜井南冥·龜井昭陽全集》1，頁240。

> 《春秋》之義，《左傳》與孔門合，不可他求。如《公》、《穀》，儒家者
> 流之言，如胡《傳》無稽之臆說，《春秋》豈可以程頤餘論立私乎？宜
> 稽之孔門，以知《左傳》之為古義焉。孟子者，儒家者流也。後世非
> 《左》、疑《左》者，皆儒家者流之見也。非孔門議論。[15]

以其徵實古義的立場，排除《公》《穀》之說，以胡《傳》、程頤等宋儒之說為
無稽之臆說或私說，亦不取孟子之說，而將《左傳》視為古義，為至要的「孔
門遺典」。

再者，對於《左傳》在孔子學的獨特地位，龜門學有其一貫立場解釋。連
清吉先生曾說明昭陽之治學主張；從方法來看，昭陽認同徂徠徵古義之學：以
古文言徵古義，物氏得之。從治學理念來看亦不同於朱子學者以論理則為治學
取向，而是依從徂徠先王之道以物不以理的觀念[16]。昭陽與其父南冥對《左
傳》的特殊看待，在於《左傳》以先王之道之「物」，與《論語》講述抽象之
理，適成表裡，因而主張「唯《左氏》論人論事符合《論語》，絕不以《孟
子》，所以為孔門遺典也。」[17]他們主張結合二書，藉以全面掌握孔子學。

從《論語》所載關於《左傳》作者問題的討論，亦可見昭陽的《春秋》學
詮釋基礎與方法。他根據《論語・公冶長》曾載孔子說「巧言、令色、足恭，
左丘明恥之，丘亦恥之。匿怨而友其人，左丘明恥之，丘亦恥之。」[18]據《史
記》與《嚴氏春秋》引〈觀周篇〉之述[19]，以左丘明為與孔子當世的《左傳》
作者，後世卻有許多質疑。對於歷來疑《左傳》作者之說，在昭陽《論語語由

---

[15] 龜井昭陽：《家學小言・26章》，《龜井南冥・龜井昭陽全集》6，頁471。

[16] 連清吉：〈龜井昭陽：建立日本考證的方法——就《家學小言》而言〉，《日本江戶時代的考證
學家及其學問》（臺北市：臺灣學生書局，1998年12月），頁89、90。

[17] 龜井昭陽：《左傳纘考》，《龜井南冥・龜井昭陽全集》3，頁8。

[18] 程樹德：《論語集釋》（北京市：中華書局，1990年8月），頁348。

[19] 司馬遷《史記・十二諸侯年表》：「魯君子左丘明懼弟子人人異端，各安其意，失其真，故因
孔子史記具論其語，成《左氏春秋》。」（氏撰：《史記》，北京市：中華書局，1959年9月，頁
509、510）《左傳正義》述「沈氏云：《嚴氏春秋》引〈觀周篇〉云：『孔子將脩《春秋》，
與左丘明乘如周，觀書於周史，歸而脩《春秋》之經，丘明為之傳，共為表裡。』」（《十三經
注疏》整理委員會：《左傳正義》北京市：北京大學出版社，2000年12月，頁14。）

述志》論「左丘明」條中清楚表明立場：

> 朱註古之聞人也，蓋竊比老彭之意。案：斷說也、臆說也；徵，破之確
> 矣。伊氏亦不知《左傳》，故漫然從宋說耳。「言」「謂」「曰」三字，先
> 考千古一□事也。經書自有一定法，而孟荀以後既變，以是論《左傳》
> 之為孔門時作，誠儼然大明徵也。[20]

認為就古語字例視之，《論語》稱「巧言」之「言」，其用字方式乃古語一貫使
用方式，是以可視此句之述全為真。是以以《論語》論及左丘明之言、事者，
即為其身世之明徵，後世當採信之，而不當在沒有其他根據下疑古言古義。

參看南冥《論語述由》中的說法，可以更清楚昭陽所言：

> 左丘明，漢儒以為魯太史傳《春秋》者，是必然矣。何以知其然？
> 「言」「謂」「曰」三字，字例大同而小異，自周季以降，無能辨之者。
> 凡載籍，除聖經之外，自秦漢晉名家，以至唐宋八大家、明七子莫一弗
> 錯誤，唯《左氏傳》未嘗謬一字，是魯太史而當夫子之世者之所作可
> 矣。余於是知漢儒之說是也。近頃見昱作《字例序志》上下卷，論證三
> 字異同，及轉訛所由來者。[21]

南冥同意漢儒以左丘明為傳《春秋》，且與孔子同世之說。他透過古字古語的
使用方式確定《左氏傳》所言皆真，甚至以其「未嘗謬一字」。再從《左傳》
的嚴謹書寫來看，唯有左丘明作為太史的身分、職能，與孔子當世，方足堪當
事，進而就《左傳》內容書寫，左丘明身分及其置身時代，並參諸漢人說法
時，方能取得一致的解釋。這段話值得關注的是，昭陽將古言古字之用法所形

---

20 龜井昭陽：《論語語由述志》，《龜井南冥・龜井昭陽全集》5，頁307。筆者案：據龜井南冥
　《論語述由》作「言謂曰」三字，昭陽錯以「言」為「書」字。（氏撰：《論語語由》，《龜井
　南冥・龜井昭陽全集》1，頁61。）文中「□」為龜井昭陽文章字體難以辨認者。以下引文體
　例亦同。
21 同前注南冥《論語語由》出處。

成的「字例」，曾下功夫勘察，據此形成檢驗《左傳》古語古義的基準，在後來成為昭陽從事古文辭研究法的具體操作與立論前提。

進入《左傳纘考》的內容書寫來看，昭陽在《左傳纘考》篇首作〈總論〉一篇，先述《左傳》為孔門遺典的治學理念，再述《春秋》始於隱公之意，以為詮釋《春秋》的總前提。

昭陽首先說明：

> 試以隱元年觀之，正月繫王而一統之義見矣。元年必書正月，而謹始之義見矣。[22]

以正月繫王見一統義，元年書正月，為謹始之義。

再論何以始於隱公？乃因隱公為《春秋》十二公最賢者，何以隱公為最賢？昭陽先盛美隱公讓德，再以隱公之賢對照當代，由周天子而下，各國之失禮、失序，透過六件《春秋》載事，認為一、隱公攝政，先與邾國會盟，友好以息民。二、由鄭伯克段，得見天子王卿失卻其道。三、由天子遣宰咺贈與惠公、仲子的送葬品，惠公之崩已久，仲子猶未亡逝，由此見周天子之失禮。稱周天子「天王」表示尊王室，直稱宰咺之名，表示王者之道見廢。四、隱公與宋盟于宿，可見隱公弭兵之美。一年二盟，可見當時盟誓之頻繁。五、祭伯來魯，竟是私出而不是奉天子之令。六、當時君子卿佐如公子益師卒，猶仍書見，而可見當時敬大臣之義。藉由元年書寫第一、四事件中，隱公力盟以求友、求成以息民的努力，在第二段事件中，見王卿之失道，在第三、五事件中，可見周天子之朝政失舉，失禮、失序之事一再出現。最後，第六事中，可見當代仍有敬臣之義的書法；也就是說，現實中的失序正在進行的同時，而由往常書法之中得見原來本有的敬臣之義，其中得失便在此今（失序）昔（敬臣書法）對比中窺見。換言之，周天子及其周圍卿士正在淪喪其為君、為臣之道，相襯之下，隱公猶見其愛民之美。

---

22 龜井昭陽：《左傳纘考・總論》，《龜井南冥・龜井昭陽全集》3，頁8、9。

　　此外，再由《春秋》書法的解析，昭陽認為：

　　　　唯隱之《經》變文不書日，而公之謙讓見矣。城郎、作南門不書，亦隱
　　　　之賢也。改葬惠公，衛侯來會葬，公子豫盟于翼而不書，亦皆隱之美也。

這一段話中，隱有昭陽對《春秋》書法的總體觀察。第一，唯《經》變文不書
日。主要在展現因隱公自居攝位，以召臣、用臣如「借」的態度，以不參與大
夫卒之小斂，以未達一般君王儀式規範的方式，還令當時作為太子、未來的桓
王親視小斂，表示謙退的行使君權，不以國君自視，並欲將王位奉還桓公一脈
的堅定立場。第二，城郎、作南門不書。記隱元年夏四月《傳》載「費伯帥師
城郎」指此事乃令出費伯，非隱公令，故《傳》續載「不書（城郎），非公命
也」[23]，以及隱元年冬十月《傳》載「新作南門，不書，亦非公命也。」意謂
兩者皆非令出隱公。第三，改葬惠公、衛侯來會葬。前事《傳》載「冬十月，
庚申，改葬惠公，公弗臨，故不書。」隱公未臨惠公之葬，表示不當喪主，不
居主人之位。同時「衛侯來會葬，不見公，亦不書。」諸侯大夫於會葬後欲見
新君，隱公不見，亦表示不以新君自居之態。第四，公子豫盟于翼而不書。隱
元年冬，《傳》載「盟于翼，不書，非公命也。」指公子豫與邾國之盟，竟是
隱公不許的情況下進行。第二、第四則顯示隱公在政治處境上的艱難。第三則
與第一則同，記載隱公自居攝位，在儀節上相應的舉措。

　　是以，《春秋》始於隱公，乃在賢隱公，昭陽之論與杜預〈春秋序〉中認
為「考乎其時則相接；言乎其位則列國。本乎其始則周公之祚胤也。」[24]實相
呼應，猶且更深入論析《春秋》之載事與書法，證呈其說，相當細緻深入而有
說服力，是為歷來論《春秋》始於隱公的種種說法中，最具系統性與內證說明
的論述。[25]

---

[23] 請參考楊伯峻：《春秋左傳注》，頁10，下引頁18-19。

[24] 杜預：〈春秋序〉，《左傳正義》，頁33。

[25] 關於始於隱公緣由的詳細論述，可參看筆者：〈日本古文辭學者龜井南冥詮釋「孔子作《春
　　秋》」〉，發表於二○一八年四月二十七日淡江大學中國文學系舉辦之「文獻與文學互涉的新詮

昭陽最後說明:

> 據《史記・年表》惠公以平王三年立。(在位四十六年也,《傳》曰「惠
> 之四十五年」,則《史記》可據。)周之興衰未可知,隱公以平王四十
> 九年立。(間一年而平王崩)王者之跡熄,正是時也。(鎬京之宗廟宮
> 室,盡為禾黍,而不知我者,謂我何求,是其荒墟既久而懷舊之人亦稀
> 也,《詩》之亡在此。《左氏》示《春秋》之始,在〈鄭語〉之末,宜就
> 而繹古義。)[26]

根據《左傳》桓二年「惠之四十五年」之語,對照《史記・年表》可確知《史
記》所載為實,而隱公立於四十九年,隔年平王崩,是以「王者之跡熄」亦為
符應當代歷史進程的實錄。對此「王者之跡熄」,正好對照《詩・王風・黍
離》中大夫之述,以鎬京之宗廟宮室,盡為禾黍,而憂思惆悵之情。再對照
《國語・鄭語》所言:

> 及平王末,而秦、晉、齊、楚代興,秦景、襄於是乎取周土,晉文侯於
> 是乎定天子,齊莊、僖於是乎小伯,楚蚡冒於是乎始啟濮。[27]

說明平王之末乃為政治之新局,是以《左氏》示《春秋》之始,亦即在此。
《左氏》與《詩經》、《國語》相應而一致的,以平王末為「王者之跡熄」,如
昭陽所釋「是其荒墟既久而懷舊之人亦稀也」,是以《詩》亡而《春秋》之作
的接始點在此。

　　昭陽從《春秋》正月繫王見一統義、元年書正月為謹始之徵,《左傳》載
隱公之賢之事蹟、《春秋》賢隱公之書法,再總觀東周天下大勢之轉折,對應

釋」學術研討會會議論文。歷代說法與今人持論,可參看李隆獻〈從敘事學角度論《春秋》
三《傳》中魯隱公的特殊形象〉(《東華漢學》第18期,2013年12月,頁87-134)、〈春秋始於魯
隱公探義〉(《中國學報》第36輯,1996年8月,頁67-87)。

[26] 龜井昭陽:《左傳纘考・總論》,《龜井南冥・龜井昭陽全集》3,頁8、9。

[27] 徐元誥:《國語集解・鄭語》(北京市:中華書局,2002年3月),頁477。

於《詩經》、《國語》等，皆專取先秦典籍之「古義」，作為其論證根據。其次，昭陽在〈總論〉所標舉的賢隱之立場，是一種推善，具以隱公之美作為示範的積極意義，昭陽雖亦提到「聖筆就緒，以範後史，所謂亂臣賊子懼者，於是乎在矣，豈唯字句之間而已哉。」[28]亂臣賊子懼則是消極的範世效果；推善則有可仿效善行的可能性，亂臣賊子懼的效果是止惡，不必定行善。昭陽顯然更從推善的角度掌握《春秋》、《左傳》，而不以孟子亂子賊子懼之說為足。

三 〈武折〉篇中的《春秋》學主張

如同昭陽在〈總論〉所提出的孟子後為儒者論的說法，〈武折〉篇首先解釋孔子《春秋》的最重要根據不在孟子說，而在《左傳》。他在〈武折〉篇〈自敘〉中提到：

> 後世多雜說皆已，又多讒說，坐其不知古道，則本不足辨，然三人成虎，我墼其驚吾蒙士，故且徒所見而戫論之，恭為古義禦侮，以附於《纘考》之後，因名曰〈武折篇〉。[29]

說明其特作〈武折〉，乃是對於古來立說多有謬妄，為恐三人成虎，是以透過明古義、古道，據理辨清其非。〈武折〉之「武折」意謂以武力折敗對方[30]，他根據〈四庫全書簡明目錄〉，「示余其中往往有議《左氏》者，摘抄以廓之。」批評《公羊》、《穀梁》、漢鄭玄，以及唐陸淳以下的宋代議論《春秋》

---

[28] 龜井昭陽：《左傳纘考·總論》，《龜井南冥·龜井昭陽全集》3，頁8、9。

[29] 龜井昭陽：《左傳纘考·附錄·武折》，《龜井南冥·龜井昭陽全集》4，頁506-512，以下同出此篇，不另標示。

[30] 筆者於一○五年度受林慶彰教授指導由科技部人文社會科學研究中心補助「青年學者學術輔導與諮詢」研究計畫，曾討論此問題。林老師對「武折」之意指出，據《漢書·卷二十七下·五行志第七》、《鹽鐵論·卷八·結和第四十三》與梁麗玲《《賢愚經》研究》中，論及「武折」時之詞意，為「可以用武力來讓對方屈服」之意。準此，配合昭陽論文一一批評歷代反《左傳》之說的內容，命為「武折」當有大力的摧折、打敗對方說法之意。

學或《左傳》學之說。

　　昭陽認為後人多以錯誤的觀念與詮釋方式釋經、釋傳，尤其是根據孟子後的儒說解經傳，反而誤解了古道，其謂：

> 《左氏》褒貶無不確，人不解耳。夫孟子以後儒說作，而古道乖，後儒皆孟子之末流，則其以孔門褒貶而不確，固其所也。唯《左氏》論人論事與《論語》合符，而有絕不似孟子者，此其所以為孔門遺文也。

認為孟子啟後儒末流之說，因此以之解孔子學是不確的，只有《左傳》所論，可較之《論語》，在論人論事上皆得合契。

　　此外，在方法上，他更強調：

> 「言」「謂」「曰」：三字經書之外，唯《左氏》存古法，而孟子則變，亦明徵也。

以「言」「謂」「曰」用法作為省察方式，只有《左傳》用語存有古法，特別是此用字古法在孟子有所變異，是以他批評孟子「〈丑〉〈章〉之章句，七篇開闢儒者小天地，而堯、舜、禹、湯、文、武、周公及仲尼之道以鞫矣。」鞫者，窮、末之意。[31]進一步，後儒詮釋《春秋》時，未據《左傳》古語、古法與古義，而採孟子以變異之法詮解《春秋》，那麼在釋經的立基點上便出現大問題。

　　因此，昭陽認為宋元以來釋經上的誤失主要在於：

> 了翁之去日月名氏之曲說，趙汸之戒刻削繁碎之弊，陸粲之昌言，糾正安國，童品之謂《公》《穀》經傳之傳聞，<u>汝言之謂經傳之失，不在淺</u>

---

[31] 在《詩經・大雅》「鞫」有三種用法：一、窮也，貧窮之意。「鞫哉庶正，疚哉冢宰。」（《詩・大雅・雲漢》）。二、水之外，即水涯的末端。「止旅乃密，芮鞫之即。」（《詩・大雅・公劉》）《十三經注疏》整理委員會：《詩經正義》（北京市：北京大學出版社，1999年），頁1202、1121。

而在於深，並似有特惠者，唯余未遇是好書也耳。然以《公》《穀》為
《左氏》匹者，猶以《孟子》耦《論語》，未知《左氏》唯孔門全璧
也，（妄稱孔孟、《論》《孟》者，算信夫子之未至也。孟子輩不能敢望
末塵者，此夫子也。《左氏》者，《論語》之舊章也；《公》《穀》者，孟
荀之末流也。）猶未也夫。

昭陽認為宋魏了翁削去《公》、《穀》二傳以日月名氏之例說解《春秋》，元趙
汸亦去刻削繁碎說《春秋》之弊，明陸粲亦指謫胡安國、童品以《公》、《穀》
說《春秋》之弊，因為《公》、《穀》與胡安國、童品等之失皆在求諸過深。第
二個問題在於，魏、趙與陸等人，仍以《公》、《穀》二傳的解經效用，堪比
《左傳》，如此比擬如同以《孟子》比《論語》，其實很不恰當。

昭陽如此評議三傳，實發中國《春秋》學所未見。特別是他對孔子之學、
孟子之學間的分判，以《孟子》以下凡皆孟學，屬儒學之流，《公》、《穀》二
傳皆然。《論語》、《左傳》特為孔子學，為夫子親授，皆屬先王六經之道之
學，是以昭陽尤謂《左傳》為《論語》之「舊章」。昭陽嚴格的追求所謂古
義、古法、古道，尤從「舊章」中，即更為接近先王先聖之道的六經上求，其
主要途徑，又在為其視為「舊章」的《左傳》，而推崇《左傳》為「孔門全
璧」。

特別是昭陽認為，後世學者以《公羊》、《穀梁》堪匹《左傳》，即已有根
本上的錯誤。他認為《公羊》與《穀梁》二傳皆孟子後之儒者意見，皆非古
意。《公羊》經六傳後，多瑣說深怪之談，《穀梁》更被昭陽視為是末造之雜
書。所以他反對「三傳」之稱，不以二傳當與《左傳》為匹。正確的做法，應
是離《孟子》之說，以《論語》判然之，可泯群疑。

昭陽的主張，實乃後人以經就經，以傳就傳的方法中，更為細緻深入的以
學術史的眼光進行的判別。他以《春秋》為六經之一，以《論語》、《左傳》作
為孔子學，以孟子學往後為儒學。若要以經解經，以傳解傳，也當在這樣的學
術史觀下，進行比擬、勘校。若如昭陽之說，試以《論語》比《公羊》、《穀
梁》之說，的確二傳有求諸過深，深削之行文與詮釋，不若《論語》之氣象恢

宏，意蘊深遠。昭陽此一比較，相當有意義，如當頭棒喝，斥破千年來糾結於三傳、以傳釋傳，或以傳釋經時的種種迷走；當以《論語》為據時，則《孟子》、《公羊》、《穀梁》之內涵，實不及《左傳》中孔子曰、時人賢者所論者之氣象深廣。

此外，昭陽不僅推崇《左傳》，也以其祖聽因、南冥與自身三代崇《左傳》的家學為傲，其謂：

> 祖考以來，崇戴《左氏》三世矣，深知其為孔門遺文，非孟荀以後所敢望也。魯君子左丘明成《左氏春秋》，太史公籍之。

表明對《左傳》的特崇，始自其祖，便以其為孔門遺文視之。是以龜門學以《左傳》為「孔門全壁」、「孔門遺文」乃其家學之治學理念。

在長年實際治經、具體經解注釋後，昭陽仍不改其見。他說明其多年的治經心得，與對《左傳》的總體觀察：

> 《左氏》不可淺觀，非背誦二十萬言者，何以融會一解之？不若《公》《穀》一見可曉。然其釋經，多在序事之中，而前後照應，一例旁通，難哉。窺其門乎，□徒見其舉經發義例者，乃曰事多而釋，寡稚兒之見耳。畢竟杜《注》孔《疏》之於《傳》例未精，故多速粗人之侮也。噫！舉一隅而使人以三隅反，孔門之規則也。乃煩說之而使人言下了然，是儒意也，曾謂《孟子》密於《論語》乎。

昭陽認為未能背誦《左傳》二十萬言，不能求其融會詳解。他進一步比較《公》、《穀》二傳的用字用語與傳經方式，與《左傳》大不相同，這部分眾人皆知。昭陽特別的意見在於，認為每字、每句問的問答，以求詳述、解說的體例並不是高明的傳經方式，乃「寡稚兒之見」。而《左傳》則在大量的記錄、序事中，近乎求全的保存當代史實、史蹟中，乃符孔門舉一反三的教學法。相較於《論語》的因材放教的點化式教導，一旦需要煩說，直截說解，以求確答

時，便近似孟子式的儒學。昭陽同樣以東周古語、古法的分判，辨明孔孟之異，《左傳》與《公》、《穀》之別，便得如此分界，實為一大學術發展上的大分判。

進一步，中國《春秋》學發展至唐宋，因三傳糾結，不得一致釋經之說，而有棄傳從經之風，昭陽亦深議其失：

> 曰以經求經，曰棄傳從經，皆狂舉也。啖助、孫復蓋亡論已，程頤《辨疑》、劉敞《權衡》，不知何以唐突《左氏》邪？其一二見於安國書中，叢殘不足辨也，宋儒不知分而管窺自聖，放言無所忌憚，趙、程之妄，頤、敞、安國不得不任其咎矣。

他批評自啖助以來至劉敞《春秋權衡》所謂以經求經，棄傳從經等治學主張，實為不尊重六經古籍而狂傲自聖之舉。

他批評如批元程端學之《春秋本義》，認為：

> 持論刻覈與孫復相類，如謂紀叔姬歸酅，為失節於季之類，則更甚於復，以頗能糾胡傳之失。而所採三傳以下一百七十六家之說，原書散佚，多賴是以傳，故姑存之。《春秋三傳辨疑》二十卷，排擊三傳謂無一字可信，併《左傳》事跡，皆以為偽造，其悍戾乃倍於孫復、劉敞、葉夢得。存此一編著，啖助等棄傳之弊，數百年後橫流至於此極，猶《周易》錄慈湖傳著王弼廢象之極弊也。

程氏雖然能糾舉胡安國《春秋》學之失，但他排擊三傳，以之無一字可信，更以《左傳》事跡為偽造，則為「悍戾」。程氏作法嚴重損傷古籍的可信度，而為啖助以來流弊之極。

另一唐宋以來《春秋》學流弊展現在胡安國《春秋》學上，昭陽對他的批評最多，尤其是胡《傳》在明洪武年間作為朝廷取士之書，成為《春秋》學的權威說法，一直到清朝康、乾時期始有改變，昭陽認為：

（其書於高宗紹興十年奏御，多借以託諷時事，於經義不盡相
符。……）康熙乾隆二帝不取安國，快矣。而我邦人猶汩沒於元明毒霧
中，何見之晚邪？《纘考》力排安國，今見此書，先獲我心者，我殆費
無用之精神矣。

以胡《傳》旨在藉以託諷時事，非解經釋傳，尤不可取。特別是當時日本《左
傳》學尤其胡安國《春秋傳》的籠罩以下，據以釋經解傳，如林羅山及其他學
者訓點《胡傳》，或如《春秋胡氏傳私考》或《筆記春秋胡氏傳》等。是以對
清學能破除胡《傳》之妄，昭陽表示相當欣賞。

他讚許乾隆《御纂春秋直解》，指出：

（自宋孫復以後，說《春秋》者名為棄傳從經，實則強經以從己，支離
迂謬於褒貶之旨，多乖是編，恪稟睿裁，一滌曲說，故名曰《直解》。
恭讀御製序文，闡尼山之本意，而揭胡安國之臆斷傅會，以詒天下信，
惟聖人能知聖人矣。）強經以從己，一言雷霆哉。我雖未涉群妄人之著
乎，安國之說，總是強經以從己者也，天下雷行，物與元妄。清代之經
業卓出前古，可知。

直指所謂名為棄傳從經，實乃強經以從己，乾隆《直解》在滌盪舊文，一新耳
目，重釋《春秋》本意。對胡安國之強經以從己，寓意於解經，終託以己意，
大加撻伐。

昭陽等堅持將《春秋》學之實理真義，限定在透過古文辭所尋索的古義、
古法與古道之中，實與清學詳考六經的路向較為契合。昭陽不滿唐宋《春秋》
學，從學術史觀來看，亦有其一致之處；當昭陽已不同意孟子以來解釋《春
秋》的種種意見，又何論唐宋儒以棄傳就己說之路向呢？

再從內容來看，昭陽認為以《公》、《穀》、程、胡之說解《春秋》，首先要
面對的，就是孔子自亂君臣綱紀者。其謂：

《春秋》誹謗先公，果如《公》、《穀》、程、胡諸雜說，是夫子首亂君臣大倫也。且三桓一炬灰之，亦可知《纘考》中目安國為亂道之說以是也。私匿倖免之言，信足以驚雜說之徒也。宋黃仲炎論孔子必不能私改正朔，而王不稱天，桓不書王之類，一切闢之。（出於〈目錄〉）於《左氏》為協矣。……《公》、《穀》、程、胡雜說罵君父如人奴。噫！夫子何不脩晉之「乘」，楚之「檮杌」，而揭出先公妣矣！為惡逆無道之監戒邪！此理在人目前而不自惜。我故曰：<u>郡縣時人，不知封建君臣之義耳。</u>黃徐之言協矣。

昭陽指出《纘考》批胡安國《春秋》說，首要關注便在此。首先，當如宋黃仲炎所論，孔子以其為平民之姿，必不能改正朔，竊用天子之賞罰，決非孔子意也。如此之論，唯《左傳》為協。因此《公》、《穀》之《春秋》當新王說，黜周、王魯之說，皆不合孔子意。昭陽再論，《公》、《穀》、程、胡之說罵君父如人奴，此不合禮亦不合體；若此，退一步來看，孔子大可就晉「乘」或楚之「檮杌」批駁君父，又何必自揭魯史之弊？因此，昭陽認為，此乃就秦漢郡縣制後人君在實際上的「價值」地位，不如以往封建制下聖王之體制與形象，是以有此輕議君父之語。

最後，他對自己家學三代以來研治《左傳》，深有信心，有謂：

百餘部雖盛乎，自有《左氏》以來，蓋未有深知而篤信之如我三世者也。則元凱、仲達其討論之者歟，其堪克脩飾之者，咄咄海外，獨有龜氏也夫！甚哉！宇宙之乏其人乎！我觀《四庫目錄》而驚其寥寥，訝其沒沒，悄然生自愛之心矣。因抄二十餘人，抑揚其妍媸，以弁於〈武折篇〉之首云爾。所謂潤色者，我俟之哉！誰居吁彼！啖助、趙匡、陸淳、孫復未足戮之，于兩觀之下，劉敞、程頤、胡安國是誠杏壇之少正卯，尸諸孔廟之庭而可也。我祝史之記曰：鄒軻多逆說，□天神國神覷焉，果然《春秋》復古者，其必不在海之西，而在海之東。實有其人哉。

以其篤信《左傳》，專據《左傳》以釋《春秋》，徹底未引《公》《穀》之說，更在杜預、孔穎達之上，而海外亦只龜氏一門而已，甚至自信為對《春秋》古義的了解與掌握，不必在中國，而盡在龜門。對於〈武折〉之摧折、所戮的對象，即為程、胡之「杏壇少正卯」，是以「尸諸孔廟之庭而可也」。

總上述，昭陽反唐宋明之以己意說經，甚或以理說經的釋經方式，但也未必傾向於清儒之說經。蓋因清儒之《春秋》學，猶在宗漢學，然在昭陽，他亦不願屈就漢學，而是就六經、《論語》、《左傳》原典，直探孔子學。昭陽檢視《四庫全書總目》，發現歷來竟無人篤信《左傳》之古文辭，而盡雜以孟子以來之說，或盡以從己之言釋《春秋》，海內外僅龜門專據《左傳》、六經古文古義詮釋《春秋》，為一異於古今中外的釋經路徑。他以古文辭為基據，是以具有此一強大自信與企圖心，展開其六經研治之學，試圖開創《春秋》、《左傳》學之新局。根據昭陽這樣的研經路向，完成《左傳纘考》三十卷的龐大工程後，他在〈經傳大要〉中歸納其治經心得，說明《春秋》《左傳》各項解讀原則。

四　詮釋經傳方法的提出：〈經傳大要〉

〈經傳大要〉為昭陽對如何詮解《春秋》、《左傳》義法的系統整理，主要是解經方法的提出。昭陽較之杜預、孔穎達之據《左傳》說經更為精進者，在於杜預猶參考《公羊》、《穀梁》與漢代儒說，龜井父子則嚴格的執守專據《左傳》為論，特別在書法義例的詮解上的不放過，是以岡村繁稱其為「嚴格的原典主義者」，更指出昭陽編有《左傳字法‧左傳文法》一卷，和門生一起抄錄《春秋經例考》，並命養子暘子抄錄《傳例》（皆亡佚），可知昭陽之重經傳書法、義例的說解。[32]同時，由昭陽論字法、文法與經例可知，他認為《春秋》筆法在「字」、在「文」（詞、句），亦在「例」。

了解上述之後，進一步檢視〈經傳大要〉中總有五十二項論解經（三十八

---

[32] 岡村繁：〈《左傳纘考》解說〉，頁5。

項)、釋傳之法（十四項），其法為其究經數十年之心得，極為簡練。

先論其解經法，以下列表格示其三十八項解經法[33]：

1	《春秋》文相變	11	日食	21	同盟赴名	31	戎狄
2	書法前後有別	12	卜郊	22	國遷	32	椒術札
3	史異辭	13	軍旅	23	王人	33	叔胗卒
4	內外異例	14	內邑	24	兵會不書王人	34	卒書地
5	特筆	15	取田	25	外大夫將	35	書葬
6	謹始	16	無冰	26	非卿而書	36	外葬
7	文有進退	17	諸國世系	27	進攝敗惰	37	莒葬不書
8	略可略	18	嗣君稱爵	28	楚大夫	38	弒例
9	盟會書日例	19	諸侯生名	29	秦		
10	祭日	20	未成君	30	吳越		

其中論《春秋》書法者，並不限於《左傳》之稱凡者。此部分當為昭陽所指為孔子新意者，特別是當中二十八、二十九、三十、三十一稱諸侯之名者，必為合乎當代史實之新意。如稱楚大夫，昭陽指出：

> 成二年前，楚卿不稱族（僖有屈完、宜申、得臣，文有椒、宜申，宣無楚大夫），唯屈完別例。此時楚子未見於《經》（僖廿一使宜、申獻捷，猶稱楚人，文九年始書楚子始椒來聘），故不稱使，亦別例也。夫召陵，天下公事，不可以我私賤其使槼說之。（杞伯稱子，內例也。諸侯知會，何曾貶爵？）[34]

《春秋》成公二年以前，對楚大夫不稱族，如僖公年間，宜申不稱其氏「鬭」（二十一年），得臣不稱「成」（二十八年），文公年間椒不稱「鬭」（九年），宜申仍舊不稱「鬭」（十年），宣公年間則無楚的記錄。到了成二年、六年、九年稱「楚公子嬰齊」，襄元年稱「楚公子壬夫」。其中特例，在成二年以前曾稱

---

[33] 龜井昭陽：《左傳纘考・附錄・經傳大要》，《龜井南冥・龜井昭陽全集》4，頁512-529。

[34] 龜井昭陽：《左傳纘考・附錄・武折》，《龜井南冥・龜井昭陽全集》4，頁518。

完之氏「屈」，昭陽認為此時仍稱「楚人」，故不稱使，是別例中的別例，而召陵之盟為屈完代表楚國與諸侯國訂盟，為天下之大事，不能以私心賤其使，故《春秋》稱完之氏「屈」。是以，對楚卿之稱，前後有別，這是過往史官凡例所不能及，而為當代之大變局者，無論是錄自史官之載或孔子自記，一旦為《春秋》所錄記，則皆視為孔子新意。竹添光鴻承昭陽說，亦主張成公前稱宜申、得臣、椒皆舍族。[35]

　　同樣的情況，在記秦的部分亦如此。昭陽謂：

> 秦之於《春秋》，龍頭蛇尾也。僖十五秦始見《經》，乃稱秦伯，書法侔列國，蓋為穆公故也（秦襄公勤王東周，又桓之《傳》，秦師與王師伐芮，則國體自與吳楚異），與楚大異（荊見《經》，凡四十六年而稱楚子）。然晉既命為侯伯，而秦獨背晉，可憎，襄公時秦楚頻伐宋（十一、十二），《經》書楚而不書秦，是例也（舊說未達）。秦止書其伐晉及晉戰，其伐諸夏不書，荀罃伐秦，書曰「晉師」（襄十年），亦外秦也（晉伐秦不書大夫將）。晉敗秦則書（僖卅三、文二年），秦敗晉則不書（襄十一）。且文九年歸襚，稱「秦人來」，宣十五年秦伯猶稱人（宣九年以後，楚子不復稱人）。成十四以後，卒不書名以訖《春秋》（始赴名而後不名者，唯秦一國，己陋而失禮）。昭五年以後必書秦葬者，秦晉成故也。[36]

首先，秦雖亦如吳楚位於邊陲，然因襄公之時輔平王東遷有功，是如司馬貞《史記索隱》所載：「襄公救周，始命列國」，是以昭陽謂「國體自與吳楚異」。《春秋》僖十五年始稱秦伯，蓋當時秦穆公頗富聲望，《春秋》許之。但是襄公年間，晉公為侯伯，《春秋》不滿秦背晉而處，是以十一、十二年時秦、楚頻伐宋，《經》僅書楚而不書秦，或如襄十年《經》載「晉師伐秦」；昭

---

[35] 竹添光鴻於僖二十一年謂「宜申舍族，與椒術札同。」（氏撰：《左氏會箋》，頁512。）僖二十九年謂：「得臣、宜申不稱族，略之也。楚入成公，書法與諸夏準。」（頁590）

[36] 同注34，頁518。

陽認為此皆《春秋》「外秦」之筆法。尤其,《春秋》在僖三十三年書「晉人及姜戎敗秦師于殽」,以及文二年「晉侯及秦師戰于彭衙,秦師敗績」,皆書晉敗秦之事蹟,然而襄十一年秦敗晉則不書,皆可見《春秋》對晉作為中原諸國的偏好,而外秦的筆法。再看文九年、宣十五年,稱「秦人」,甚至成十四年以後,不書名以至於《春秋》終,皆可見此外秦筆法。其中,昭五年以後書秦葬,則因秦晉結好的緣故。如此筆法,隨時局而變,亦不為作為恆例性質的「凡」例,而當為時史、孔子新意。竹添氏亦承昭陽以《春秋》有外秦之書法。[37]

再如對另二邊陲國吳、越,昭陽亦探討《春秋》對他們記載的變化:

> 吳自壽夢二年伐郯(成七年),絡繹見經(至獲麟前,年凡八十三歲),書法與狄同。夫差克越,爭盟中原,然《春秋》沒吳盟而不書。梁壞之後,六年越滅吳,越主而書之,皆稱「於越」(「於越入吳」二出,又「於越敗吳于檇李」),否則不言「於」(「徐人」、「越人」,又「吳伐越」,又「放之于越」)。徐人、越人,猶齊人、狄人、吳人、鄫人(白狄淮夷不稱人,二名也)。[38]

認為吳國自吳王壽夢二年,即魯成公七年後,可見《經》文載記至《春秋》末,記載書法和狄一致。如吳王夫差於魯哀公年間攻克越國,爭盟中原,《左傳》於哀公八年魯與吳盟(「吳人許之,以王子姑曹當之,而後止。吳人盟而還。」[39]),《春秋》卻未書與盟之事。至於載越之事,《春秋》於昭三十二年稱「吳伐越」,《左傳》載「始用師於越也」,至定公五年後《春秋》書「越」皆書「於越」,如「於越入吳」(定五年、哀十三年),定十四書「於越敗吳于檇李」,原因在於越為主而書,其他則皆書「越」「越人」。這是《春秋》書吳

---

37 竹添光鴻於僖十五年謂「秦始書即稱爵,異於吳楚。昔襄公勤王於洛邑……」(氏撰:《左氏會箋》,頁467。)說與昭陽同。宣十五年竹添氏謂:「秦桓公稱人,貶其伐晉也。」(頁919)亦是在昭陽外秦說下的理解。

38 同注34,頁518、519。

39 楊伯峻:《春秋左傳注》,頁1650。

書越的各個細節，昭陽悉心解釋、分辨之，讀書不可不謂之熟詳精細。竹添氏論吳、越之立場，皆同於昭陽。[40]

對於吳、越之別，昭陽更指出：

> 吳從諸侯，再稱吳子（柏舉、黃池）。越不與諸侯並書，故《春秋》無越子。[41]

定四年冬《春秋》書柏舉之戰「蔡侯以吳子及楚人戰于柏舉，楚師敗績，……庚辰，吳入郢。」哀十三年《春秋》書黃池之會「公會晉侯及吳子於黃池」，奠定吳在諸侯國間的地位，是以稱「吳子」，越則未能至此，故無「越子」之稱。

對於戎狄之稱，昭陽認為：

> 隱、桓皆及戎盟，莊則會。齊桓攘戎而追戎、伐戎，晉文作諸夏不復盟戎狄。大夫會戎子，雖與不書。狄以莊廿二始伐邢，三書伐，十書侵，止於文十三，其後赤狄再侵齊（宣三年、四年），其後晉頻滅赤狄（宣十五、十六），不復書狄侵伐（宣八年晉師白狄伐秦，成九年秦人白狄伐晉）。[42]

昭陽認為《春秋》書中原諸國與戎狄交手間的用詞，與時俱變。如隱公年間與戎有會有盟，如隱二年春「公會戎于潛」，秋八月「公及戎盟于唐」。[43]桓公二年為盟，《經》載「公及戎盟于唐」。至莊十八《經》「公追戎于濟西」（《左傳》謂「公追戎于濟西，不言其來，諱之也。」），莊二十「齊人伐戎」、二十

---

40 竹添光鴻於成七年謂《春秋》之書吳「書法與荊楚一例」（氏撰：《左氏會箋》，頁1013）。於哀八年亦謂「不書盟，不稱吳子，定例也。」（頁2313）於定五年，竹添氏謂「此經及十五年，哀十三年皆曰『於越』，是文辭之體例也。」（頁2173）亦襲昭陽說。

41 同注34，頁518、519。

42 同注34，頁519。

43 昭陽於隱公年間之載有疏漏，僅載其盟，而未書隱二年春之會。

六年「公伐戎」「夏，公至自伐戎」，三十年「齊人伐山戎」，僖十年「齊侯、許男伐北戎」。對戎的會盟征討皆出於國君。昭陽特別指出，僖三十三年「晉人及姜戎敗秦師于殽」後，則諸夏國君未有會、盟戎狄之載，而皆為征伐之討，如宣三年「楚子伐陸渾之戎」，成元年「王師敗績于茅戎」，昭十七「晉荀吳帥師滅陸渾之戎」，哀四「晉人執戎蠻子赤歸于楚」。同樣的，對狄的記載也因交戰狀態不同而有不同書法，特別是晉於宣十五、十六年間頻滅赤狄，《春秋》便往後不復書狄侵伐。由此可見《春秋》書法記載因時、因局勢不同而有所制宜、變化，凡此者，皆不能為承自古代史官的「凡」例所限。

　　《春秋》書法變化的樣貌多重，不限於古史筆法，否則西周史官筆法有窮於東周變局之虞，是以書法乃不得不變。但是如此變化的書法，當如何解讀而不淪為漫漶無據的解釋呢？昭陽認為，尤其應依《左傳》為斷，方不致如《公羊》、《穀梁》或其他漢儒經注失於穿鑿附益。由此可見得昭陽釋《春秋》經傳，至少有二點依循杜預的春秋學觀，一、主張在周公舊典中有孔子新意，二、據《傳》釋《經》，而且其貫徹意志展現在實際解經上。

　　此外，筆者亦曾就昭陽解經之法第一條「《春秋》文相變」之說試作解析，亦可得見昭陽於《春秋》《左傳》用力之勤，解讀之精細。昭陽謂：

　　　　《春秋》一事，再出，三出，而文可變者，相變例也。[44]

意思是說同一事一再被述說，《春秋》措詞是不同的。

　　昭陽首先提出在《春秋》中稱周天子，或稱天王，或稱王、天子，存在著規則：同一事中，首出稱天王，或稱王錫命，三出時則稱王、稱天王、天子。[45]當中比較特別是「天子」之稱，《春秋》僅一見。胡安國《春秋傳》對於經文書王、天王、天子有相當意見。如於成八年《春秋》所載「天子」之稱，昭陽說明《春秋》記載具有變文之例解釋之，認為可能是古來書法之例，而胡氏貶周天子之說，與事實恐有差距。昭陽主張：

---

44 龜井昭陽：《左傳纘考・經傳大要》，《龜井南冥・龜井昭陽全集》4，頁512。
45 同前註。

「天子使召伯來賜公命」,《春秋》錫命者三。莊元年稱「王」,文元年稱「天王」,此稱「天子」,三出而文三變矣。會葬者二,文元年稱「天王」,文五年稱「王」。歸賵者二,隱元年稱「天王」,文五年稱「王」,此並再出而文再變矣。是書法古來有□者乎否?余則愈深之而益信,古經之文相變,猶□之尚相變也。(胡氏以去「天」為貶王,不能如「天王」,非益不中語乎!)[46]

特別是胡氏貶天子說的聲張[47],造成「『天子』一出,千古晦晦。胡安國不知而亂道。」其後果不僅是對《春秋》本文記載書例的誤解,且淆亂君臣父子之道。竹添光鴻《左氏會箋》繼承昭陽說,論周王稱號亦主昭陽《春秋》文相變之法所論。[48]

同樣的,昭陽認為《春秋》書滅人國者之稱,或稱人、稱師、稱侯,亦有相變,此例特別展現在齊、晉、楚滅國的相關記載上《春秋》書滅之稱人稱師,乃是修辭之故,《左傳》既不示例示義,表示此無義例。是以《春秋》文相變,乃是修辭之故,而稱人稱師的用詞雖然不同,昭陽僅將之視為書法上的「常例」;竹添氏亦從昭陽說,指「滅稱人稱師,常例也」。[49]論「外災」與「蒐」的書法也是修辭之用,昭陽認為:

例而考之,蒐則始不言大,而後必稱大;外災始稱大,而後必不言大,蓋修辭之道,而非義例所關也。如劉、賈、穎臆說,不足辨。[50]

---

[46] 同前注,頁448。

[47] 胡安國認為:「成公即位,服喪已畢,而不入見,既更五服,一朝之歲矣,而不如京師,又未嘗敵王所愾而有功也。何為來賜命乎?召伯者,縣內諸侯為王卿士者也,來賜公命,罪邦君之不王,譏天子之僭賞也。臨諸侯曰天王,君天下曰天子,蓋一人之通稱。」成王即位至八年,周天子方追命,是以胡氏認為當時周天子勢弱不振,此以「天子」稱之,是對周王沒有「君天下」之能與勢而發的譏諷之言。(氏撰:《春秋胡傳》冊7,卷20,哈佛大學燕京圖書館藏毛氏汲古閣本,頁2。)

[48] 竹添光鴻謂:「此稱天子,三出而文三變矣。」(氏撰:《左氏會箋》,頁1020)當是取於昭陽之說。

[49] 竹添光鴻:《左氏會箋》,頁1770。

[50] 龜井昭陽:《左傳續考・經傳大要》,《龜井南冥・龜井昭陽全集》4,頁512。

認為此皆經文修辭之法。他認為東漢諸說以三家專權解釋書「大」與否，實皆沒有根據的臆測。竹添光鴻解釋昭八年「大蒐」，立論承昭陽說，對於東漢儒說、杜預說與胡氏說的批評，亦同於昭陽。[51]再如論《春秋》書「歸」的部分，杜預也注意到《春秋》此處書寫上的差異，而認為：「不書氏，史闕文。」（宣元年）。[52]昭陽在成十四年的考義中批評杜預與二傳之說：

> 諸家以臆說經，各是其所見以斷之儔矣。蓋稱婦，或曰婦姜氏，其稱一也。故遂之逆稱婦姜，僑如之逆稱婦姜氏，全是同事。文相變而互備也。[53]

認為諸家之說皆無根據，而不明經文於此用字不同，僅是文相變而已。《左氏會箋》全襲昭陽說。[54]

由此可知，昭陽論《春秋》文相變之說，亦是嚴格的依據《左傳》所釋者釋，所未釋者不妄加說的原則下，研讀解釋《春秋》的成果，而竹添氏論《春秋》筆法之變，至少在這一部分全部承襲昭陽之說。換言之，就竹添氏依從昭陽之說來看，竹添氏亦應存有一排除後世之說，而專據《左傳》以論《春秋》之說的春秋學詮釋觀。

其次，在〈經傳大要〉另有釋傳之法的說明，內容共有十四論[55]：一、傳法，二、傳法開而弗達，三、密而弗洩，四、文互相備，五、舊典新意，六、古義，七、古論，八、伯討即王事，九、傳例不可不辨，十、姬姜，十一、公不與不書，十二、《左氏》讀法，十三、傳所引詩，十四、傳所賦詩。

在一、「傳法」中包括又二十項解傳之例[56]：（一）發例、示義之體，於經文始出者開之，是常法也。（二）或於一出者待之。（三）有酌宜而張例者。

---

[51] 竹添光鴻：《左氏會箋》，頁1769。

[52] 杜預集解、（唐）孔穎達疏：《左傳正義》，頁673。

[53] 龜井昭陽：《左傳纘考》，《龜井南冥・龜井昭陽全集》3，頁472、473。

[54] 竹添光鴻：《左氏會箋》，頁1068。

[55] 龜井昭陽：《左傳纘考・附錄》，頁520-529。

[56] 龜井昭陽：《左傳纘考・附錄》，頁520-523。

（四）有因本文詳畧移例者。（五）有隨文勢不便轉例者。（六）有舍小國而標例於列國者。（七）有再發、三發而義全備者。（八）有一發而旁通者。（九）有一詳一畧已甚者。（十）有文大簡易惑者。（十一）有特為一經揭義者。（十二）重發傳者必有所為。（十三）其無異義者亦有。（十四）全無起義而屢發傳者。（十五）經例合釋之法。（十六）傳示經義有文同義別者。（十七）服異曰同盟討異者，異準。（十八）經文如一而有兩義者。（十九）大夫國討之例。（二十）大夫無罪則稱某人殺。

由此可見昭陽於解傳之法，深有精研，層層深入，對於複雜的《左傳》詮釋架構與細密內容，試予一系統與脈絡。以下試就其解傳之法的第五舊典新意，試明其《春秋》學觀。

在釋傳之法第五項「舊典新意」，昭陽認為自《左傳》昭二年韓宣子之言「魯春秋」，可知必有史策舊典。這部分杜預之說固無誤，但是杜預分別新舊之意則多有拘誤。昭陽認為：

> 韓宣子見「魯春秋」，則史策固有舊典必矣。然杜氏叢辨凡例新意大泥。夫發凡以言例，或稱書、不書、先書、故書、不言、不稱、書曰，並有因文勢之協而遣辭者，不宜甚拘。凡者，發端之辭，故傳之釋經，不關書法而稱凡者亦極多（曰凡公女嫁於敵國、曰凡馬日中而出、曰凡啟塞從時、曰凡分至啟閉、曰凡諸侯有四夷之功、曰凡天災有幣無牲，是類不可枚舉）。如書曰崔氏、書曰司馬華孫屬舊史為穩，如稱君以弒，杜所謂凡例也，而《傳》稱「書曰宋人弒其君杵臼，君無道也」。杜豈說舊史書宋公子鮑弒，而夫子改用君無道之例歟？然則周公之垂法，史策之舊章安在？
>
> 夫子既遵舊典（韓宣子所見），脩舊文（其文則史），取義其中（其義丘竊取之），以成《春秋》一經矣，凡例、新意安得一一懸斷之？
>
> 其稱凡者，不無新意，稱書者不無舊文，故余曰：例無凡、不凡之別（注疏無書曰，文則槩為非新意，其說偏窒不通）。曰伐曰侵（莊廿九）、曰潰曰逃（文三年）、曰及曰會（宣七年）、曰入曰歸（成十八），

> 此類發凡多是舊典。然不書王命未葬也（文九年）、不書葬不成喪也（隱十一）、未王命故不書爵（隱元年），雖不發凡，此類多非新意。[57]

他指出《春秋》有舊典、有新意，當中的分別方式，首先不能拘於是否發凡言例者。這一類分二種，一類為《傳》文中解釋《經》文時稱：稱書、不書、先書、故書……等，一類為言「凡」者，如「曰凡公女嫁於敵國」者。昭陽認為不能從僅這些用詞，即以之為舊典或新意，特別是言「凡」者，有時只是「發端之辭」，不關書法的解釋之語。

他認為要分別舊典或新意，當從《傳》文的記載做判斷，如「書曰『崔氏』」、「書曰『司馬華孫』」等，當屬舊史文辭，因為沒有涉及當代情勢。但是如「稱君以弒」，杜認為是凡例，而《傳》稱「書曰『宋人弒其君杵臼』，君無道也」，這是寓新意於舊章中，乃是孔子用周公垂法、史書舊章之例，結合當代史事而成之說。就此而言，新意、舊典不可截然切割，也不必論凡與不凡者，何者為新，何者為舊了，是以昭陽主張「其稱凡者，不無新意，稱書者不無舊文」。再深入看《傳》文釋經內容，舊典者約是論書法之意，如曰伐、曰侵、曰潰、曰逃、曰及、曰會、曰入、曰歸等，用字之意的說明，此當古今一同。此外，如「不書王命未葬也」、「不書葬不成喪也」、「未王命故不書爵」，雖不發凡，昭陽保守的認為此類「亦多非新意」，蓋此類為循禮而形成的書法，此禮又為周公垂法之舊章，是以不當視為新意。

昭陽深入《左傳》內容，依杜預說主張有周公垂法、史書舊章與孔子新意者，對於分判當中不同，昭陽的原則在依傳文內容文辭而斷。他認為溯及史書用字之例與周公垂法之禮的層面，可視為舊章、舊典，同時亦有取法於舊典而應用於當代者，《春秋》所稱弒君之例，亦有僅是發端之辭而稱「凡」卻不為書法之例者。這種分辨舊典、新意的說法，言之成理，其要旨在依《傳》為斷。再就昭陽對經傳書法架構的掌握方式來看，昭陽對書法的說明更提供一個理解動態的《春秋》的角度：孔子乃融合舊法於新局，蘊具傳統與現實、創新

---

57 龜井昭陽：《左傳續考・附錄》，《龜井南冥・龜井昭陽全集》4，頁524。

的立場構作《春秋》。雖然不能忽略史書舊章的存在與原具的規範效力，但亦當以《春秋》文字當為孔子之創，以為詮釋《春秋》之基準。就此角度而言，《春秋》字句既經孔子斟酌而成，相對的，解讀者亦應字斟句酌的詮釋《春秋》之文。這乃為龜門以《左傳》詮釋《春秋》的先在意識。

五　結論

著作《左傳纘考》後，昭陽撰述接著撰述作為序言的〈總論〉，簡要說明其古文辭學的學術史觀與治學理念，並將之施用於經解注疏當中。若要深入掌握昭陽的《春秋》學觀，及其實際解經後歸納的解經策略與方法，其總要則見於附錄〈武折〉與〈經傳大要〉，乃為其注解《左傳考義》與自身詮解經、傳的總體觀察。結合二者，可以觀察到，昭陽在治學理念、治學方法與實際經解上的一致性。

昭陽所承古文辭學派的治學理念，在以孔子學承先王之道，而從政治性與社會性解釋所謂的孔子學或先王之道[58]。《春秋》為孔子手作，同時《左傳》豐富政治社會生態的載事中，正好具體而微的展現孔子之學及其所承的先王之道。在方法上，則可以看到昭陽遵守其父在《左傳考義》中，不取六經以外之論的立論，而嚴格的採取二個解釋途徑，一、「以經證經」，詮釋根據取自六經說法。二，「內證」，以《左傳》解釋《春秋》，或以《左傳》釋《左傳》。以《左傳》自身語法與前例，說明《春秋》與《左傳》的意義指涉。第一個解釋途徑的根本前提，在於昭陽的古文辭學方法論，他從字例如「言」、「謂」、「曰」考察，主張「經書自有一定法，而孟荀以後既變」，而可印證於六經，

---

[58] 相對的，學者就先王之道解釋孔子，指出日本儒者解釋孔子「吾道一以貫之」的「道」，均從「道」的社會性與政治性入手，如龜井南冥就這樣解釋：
　　吾道者何？夫子身先王之道，故稱曰：「吾道」，門人稱之曰：「夫子之道」。何謂「先王之道」？唐虞三代之盛，禮樂刑政，一日萬機所施行，凡事之所徵見於文獻者，無不有道焉。能修其道，以訓天下者，是先王也，是以曰：「先王之道」。
　　龜井也以「先王之道」釋孔子的「道」，並以「禮樂刑政」為「道」的內容。（黃俊傑：《德川日本《論語》詮釋史論》，臺北市：臺灣大學出版中心，2006年2月，頁231。）

並且與六經俱為先王之道、孔子之學《左傳》用字上。第二個途徑的前提，在於據傳釋經。這又來自於沿承自杜預《春秋》觀，而昭陽予以更徹底的檢別與執行。此二者可視為昭陽解釋《春秋》《左傳》學的根本方法。

在實際經解上，昭陽《春秋》、《左傳》學歸納的三十八條解經法，十四項釋傳法，而可見其三十年熟讀《左傳》，字字求來歷，細作比對的深功夫。所構畫的解經釋傳脈絡，結構龐大，又有待後者細加考究，一一求索，方能得見昭陽闢析所得。再從「楚大夫」、「秦」、「吳越」等解經之法與「春秋相變文」、「舊典新意」釋傳之說來看，《左氏會箋》幾乎無例外的繼承了昭陽的經解。

同時，在古文辭學方法上，昭陽不僅有著較之荻生徂徠更為明確的學術史觀，決斷六經孔子之學與儒學的分界，更以具體字例作為分界的根據。詳言之，其所謂「古文」即為六經，所謂「辭」即為六經字例，就六經具體用字方式，確立古語語境及所指涉的史實；即在其以「古文」範圍上取得古語、古言與古義之論域，以六經用字之例，作為就「古辭」尋古義語境的渠道，從而真正的將其古文辭學的方法實踐於六經原典的考究，在字辭上的不放過，嚴格區分古辭、古義，就此以成其嚴格的原典主義之實質。因此，其學術史觀、方法、論域與實際展現的高度治經成就，昭陽《左傳》學實為日本貫徹古文辭學的重要典範。

總上述，就昭陽所成就的《春秋》、《左傳》學研究成果來看，對日本漢學而言，至少具有三項重要的意義。一、較之日本朱子學推崇的四書學，重視修己之道，南冥父子對於求索孔子學，除《論語》外，尚有《左傳》。而詮釋《論語》的目的，不以孔子學為終極目的，而在求取先王之道。二、龜門學更具體的由重視四書學之外，不僅在理論上，亦透過實際經解，以具體的字例，即古文辭學的具體且細密的方法，辨別古學、古義與後世之學的分界，積極的提出以《左傳》為孔子學的津梁，推之為「孔門遺典」。三、由《春秋》——《左傳》所建構的孔子學，藉以通往六經之學、先王之道者，有著不同於《四書》學，特別是《論語》學的研治目的，乃有其鮮明的入世主張，關注在先王經世之理、治世之道，深究其實事實理，如何為今世所效、所思與所用。在南冥父子的史觀中，《春秋》之特殊性在於其為孔子聖修的唯一典籍，因此較之

《論語》為弟子所作、又多作修己之道的闡述,《春秋》之書作更貼近孔子的治世關懷,因此作為解釋《春秋》的《左傳》,在價值上並不遜於《論語》的價值與地位,其具有現實意義的社會性與政治性者,猶過之而無不及。至此,視角轉向日本學術發展,學者便曾指出龜門學日本本土「國際政治學」的發端,其《左傳》注疏是啟蒙思想家福澤諭吉接受西學「國家」觀念的思想前提,而可見龜井氏《春秋左傳》學在經世致用上的具體價值。[59]

---

[59] 陳鳳川、尚俠:〈龜井派《左傳》研究及其對福澤諭吉國家觀的影響〉,《暨南學報(哲學社會科學版)》2011年第6期,總第155期,頁155-161。

參考文獻

古籍文獻

司馬遷　《史記》　北京市：中華書局　1959年9月

《十三經注疏》整理委員會　《左傳正義》　北京市：北京大學出版社　2000年12月

《十三經注疏》整理委員會　《詩經正義》　北京市：北京大學出版社　1999年12月

徐元誥　《國語集解》　北京市：中華書局　2002年6月

程樹德　《論語集釋》　北京市：中華書局　1990年

今人著作

竹內航治　《左氏会箋の基礎的研究》　名古屋大學大學院文學研究科博士論文　2015年3月

竹添光鴻　《左氏會箋》　成都市：巴蜀書社　2008年11月

宋惠如　〈試探日本古文辭學者龜井昭陽論《春秋》文相變〉　東吳大學中國文學系舉辦「第十屆「中國經學國際學術研討會」　2017年10月20日

宋惠如　〈日本古文辭學者龜井南冥詮釋「孔子作《春秋》」〉　淡江大學中國文學系舉辦「文獻與文學互涉的新詮釋」學術研討會會議論文　2018年4月27日

李隆獻　〈從敘事學角度論《春秋》三《傳》中魯隱公的特殊形象〉　《東華漢學》第18期　2013年12月　頁87-134

李隆獻　〈春秋始於魯隱公探義〉　《中國學報》第36輯　1996年8月　頁67-87

町田三郎著、金培懿譯　〈儒學家龜井南冥、昭陽父子〉　《中國文哲研通訊》第4卷第4期　1994年12月　頁41-48

岡村繁　〈論竹添井井《左氏會箋》的剽竊行為〉　《日本漢文學論考》　上海市：上海古籍出版社　2009年6月　頁691-710

林慶彰　〈竹添光鴻《左傳會箋》的解經方法〉　《日本漢學研究初探》　臺北市：財團法人喜瑪拉雅研究發展基金會　2002年

青山大介　〈安井息軒《左傳輯釋》的解「傳」方法〉　雲林科技大學應用漢學研究所「2016漢學研究國際學術研討會」會議論文　2016年10月

連清吉　〈龜井昭陽及其《莊子瑣說》〉　《書目季刊》第25卷第1期　1991年6月　頁64-84

連清吉　〈龜井昭陽：建立日本考證的方法——就《家學小言》而言〉　《日本江戶時代的考證》　臺北市：臺灣學生書局　1998年12月　頁50-102

黃俊傑　《德川日本《論語》詮釋史論》　臺北市：臺灣大學出版中心　2006年2月

陳鳳川、尚俠　〈龜井派《左傳》研究及其對福澤諭吉國家觀的影響〉　《暨南學報（哲學社會科學版）》　2011年第6期　總第155期　頁155-161

龜井南冥、龜井昭陽　《龜井南冥‧龜井昭陽全集》　福岡市：葦書房　1978年

家學與道統
——《四書大全》中新安學人的義理建構[*]

陳逢源

政治大學

摘要

　　明成祖命胡廣等編纂《四書大全》，內容承襲倪士毅《四書輯釋》為多，而倪士毅《四書輯釋》則是匯整陳櫟《四書發明》與胡炳文《四書通》而來，新安學人成為明儒建構四書義理的基礎。檢覈《四書大全》徵引材料，程、朱之外，徵引陳櫟一一六九條、胡炳文四八一條、倪士毅七十條、張存中七條、王炎四條、汪炎昶四條、朱申三條、胡次焱二條，總計一七四〇條，占徵引百分二十九・五二，內容以新安學人經典詮釋為大宗，固無疑義。宋元之際，朱學傳播，各有詮釋、各立宗旨，新安學人於學脈歧出當中，轉為持守深化，以朱熹學術作為凝聚鄉里情感的文化符碼，形塑尊朱的共同意識，鄉里之間，切己操持，師門之間，累聚成果，從而印證道統傳承的價值，朱熹地位由此證明，朱學價值因而彰顯，於此細節，揭之而出，得見宋元之際新安學人的貢獻，也得見《四書大全》中重塑道統的內在脈絡。

關鍵詞：朱熹　倪士毅　四書　新安學　四書大全

---

*　本文乃執行科技部計畫「工夫・境界・定本——《四書大全》地域、學脈、宗族之綜合考察」所獲致之部分成果，編號為：MOST103-2410-H-004-153-MY2，在此致謝。

一　前言

朱熹（1130-1200）於〈中庸章句序〉標舉「道統」，綰合四書義理，一生思索遂有具體的內容[1]，影響既深，朱熹、四書與道統成為一體的概念，也成為後學標舉的重要詞彙。宋王柏（1197-1274）〈跋道統錄〉云：「『道統』之名不見于古，而起于近世，故朱子之序《中庸》，拳拳乎道統之不傳，所以憂患天下後世也深矣！」[2]朱熹援取聖人系譜，建構聖聖相承線索，樹立儒者典範。世系與傳承成為儒學內蘊的精神，用以喚起後人有以繼起的情懷，儒學遂有聖賢相承的歷史脈絡，孔子、曾子、子思、孟子心法相傳，有德無位，但承道統，啟後學，一如朱熹所言「雖不得其位，而所以繼往聖、開來學，其功反有賢於堯舜者」[3]，儒者昂藏而出的典範，由此確立。黃榦（1152-1221）撰〈聖賢道統傳授總敘說〉、陳淳（1159-1223）撰〈道學體統〉與〈師友淵源〉、蔡沈（1167-1230）撰《至書》、車若水（約1209-1275）撰《道統錄》、王佖撰《擬道統志》與《道統錄》、趙復撰《傳道圖》等，皆以承擔「道統」作為己任，「道統」一詞成為定位朱熹學術重要依據，乃是諸多後學形塑的結果。

檢覈北宋諸儒有關聖人系譜的言論，堯、舜、禹、湯、文、武、周公聖聖相承，乃是在政治場域經常出現的語彙，後轉為推崇孔子的術語，由「政治」轉為「儒學」，思想觀念已有轉變，朱熹補入孔子、曾子、子思、孟子孔門系譜，安排《大學》、《論語》、《中庸》、《孟子》文本，導入「心性」論述，「治道」應以「儒學」為核心，「儒學」應以「心性」為內涵，義理更為精邃，朱熹融鑄前賢義理，歸之於經典的詮釋成果，北宋諸儒經天緯地的構思，志繼聖人的想望，乃至於回歸生命，切合貞定心性的體會，遂有清楚的脈絡。[4]相對

---

[1] 朱熹：〈中庸章句序〉，《四書章句集注》（臺北市：長安出版社，1991年2月），頁14-15。

[2] 王柏：《魯齋集》（影印文淵閣《四庫全書》第1186冊，臺北市：臺灣商務印書館，1986年3月），卷11，〈跋道統錄〉，頁166。

[3] 朱熹：〈中庸章句序〉，《四書章句集注》（臺北市：長安出版社，1991年2月），頁15。

[4] 拙撰〈治道‧儒學‧心性——朱熹道統論的淵源與脈絡〉，《道統思想與中國哲學國際學術研討會論文集》（成都市：中華朱子研究會、四川師範大學合辦，2016年10月），頁248-265。

於後人留意朱熹思想的分析，思索儒學義理究竟，宋元學者從不同角度、不同方向深化理學內涵，說法更為多元，明代《四書大全》保留朱熹之後各家的詮釋成果。[5]其中對於道統討論最多，對於細節關注最深，分析最為縝密，言論主要集中於新安學人，於此特殊樣態，乃是前人未加注意之處，卻是了解朱熹之後學脈發展極為重要的線索，也是了解明儒理解四書義理至為關鍵之處。筆者整理《四書大全》新安學人詮釋內容，得見匯整前人言論的功勞，刪潤調整之中，也得見其中深化義理的思考。[6]明成祖（1360-1424）命翰林學士胡廣（1369-1418）等編纂《四書大全》[7]，《四書大全》承倪士毅《四書輯釋》而來，而《四書輯釋》則是承陳櫟（1252-1334）《四書發明》與胡炳文（1250-1333）《四書通》而來，胡炳文、陳櫟、倪士毅三人皆為新安人士，明代《四書大全》具有明儒學術根柢作用，而義理內涵，來自於新安學人的貢獻，凡此數代學人的成果，有待梳理，《四書大全》中新安學人的思考，有待深入，筆者整理內容，撮舉觀察，期以得見朱熹之後新安一系學術的發展。

二　師傳與家學

明儒有意建構朱熹、門人、元儒一系相承的經說體系，確立朱熹昂然挺出的宗主地位。[8]以《四書大全》「引用先儒姓氏」所列諸人，程、朱之外，屬於新安人氏有王炎（1137-1218）、胡次焱（1229-1306）、程若庸、吳浩、陳櫟（1252-1334）、汪炎昶（1261-1388）、朱伸（疑為朱申）、胡炳文（1250-1333）、張存中、倪士毅等人。程顥（1032-1085）、程頤（1033-1107）為理學

5　拙撰〈從《四書集注》到《四書大全》——朱熹後學之學術系譜考察〉，《成大中文學報》49期（2015年6月），頁75-112。

6　紀昀奉敕撰：《四庫全書總目》（臺北市：臺灣商務印書館，1985年5月），卷36「《四書大全》三十六卷」提要云：「特錄存之，以著有明一代士大夫學問根柢，具在於斯，亦足以資考鏡焉。」頁742。

7　楊士奇等：《明太宗實錄》（據北京圖書館紅格抄本影印，臺北市：中央研究院歷史語言研究所校印，1966年），卷158，頁1803。

8　參見拙撰〈從《四書集注》到《四書大全》——朱熹後學之學術系譜考察〉，《成大中文學報》49期（2015年6月），頁75-76。

關鍵人物，但理學成立來自於朱熹建構的成果，從二程門人而上究二程，又從
二程上究聖人之學，一生追尋二程，尊奉無改[9]，程、朱成為理學核心所在，
來自於朱熹融鑄前賢，強化二程繼承孔、孟絕學的地位，遂能形塑二程學術清
晰的理路。[10]然而對於新安學人而言，程、朱所代表的除了以究聖賢的儒學思
想，更有尊仰鄉賢前輩的特殊意義。朱熹原籍為徽州婺源（今歸於江西省上饒
市），二程祖籍也是徽州歙縣。徽州古名新安，新安成為宋代理學原鄉，學術
承繼與鄉里情懷，交融滲透，成為學脈當中極為特殊樣態，明代程曈〈新安學
繫錄序〉云：

> 孟子沒而聖人之學不傳，千有餘歲。至我兩夫子始得之於遺經，倡以示
> 人，辟異端之非，振俗學之陋，而孔孟之道復明。又四傳至我紫陽夫
> 子，復溯其流，窮其源，折衷群言，集厥大成，而周程之學益著。新安
> 為程子之所從出，朱子之闕里也。故邦之人於程子則私淑之，有得其傳
> 者；於朱子則友之事之，上下議論，講劘問答，莫不充然各有得焉。嗣
> 時以還，碩儒迭興，更相授受，推明羽翼，以壽其傳。[11]

文中所敘為理學中程、朱地位，程、朱與新安關係，以及新安學人對於程、朱
之學的態度，絕學得以復興，程、朱貢獻卓著，然而相對於其他地區，新安學
人有更為特殊的情懷，私淑二程而友事朱熹，世代相傳，成為理學傳布最堅實
的後盾，清程應鵬〈莪山先生新安學繫錄跋〉云：

---

[9] 錢穆：《朱子新學案》（《錢賓四先生全集》第11冊，臺北市：聯經出版事業公司，1998年5
月）第三冊「朱子評程氏門人」云：「朱子學問與年俱進，乃能由二程而識破程門諸子之病失
所在，復能由《論》、《孟》、《學》、《庸》四書而矯糾二程所言之亦有疏誤。釋回增美，以之發
揚二程之傳統，誠朱子在當時學術界一大勳績也。」頁217。又第四冊「朱子與二程解經相異
上」云：「大凡朱子說經主求本義，本義既得，乃可推說，一也。經之本義只有一是，不能二
三其說，二也。有非經之本義而說自可存者，三也。二程講學，既是溯源孔孟，則不得不歸於
說經以求依歸。在此方面，則端賴有朱子。非朱子，則不獲光昌以大其傳也。」頁342。

[10] 拙撰〈「縱貫」與「橫攝」——朱熹徵引二程語錄之分析〉，《「融鑄」與「進程」：朱熹《四書
章句集注》之歷史思維》（臺北市：政大出版社，2013年10月），頁174-178。

[11] 程曈編：《新安學繫錄》（合肥市：黃山書社，2006年11月），〈新安學繫錄序〉，頁1。

自二夫子之傳傳於朱子，吾鄉之學者群起而奉朱子，故當日有「東南鄒
魯」之稱。二夫子之學，天下歸之，而新安為獨盛。系出於新安，而學
復歸於新安，異已。[12]

新安為「東南鄒魯」，鄉里之人宗奉程、朱，程朱理學不僅是學術名稱而已，
新安學人深有學術世系傳衍的自覺，懷抱尊仰信念與欣慕情懷，世代綿長，淵
源所在，可以溯及《四書大全》中內蘊的線索。《四書大全》徵引新安學人人
數之眾，採錄詮釋文字之多，已有學系形成跡象。事實上，朱熹生於福建，講
學於福建，閩學中心應是福建無疑[13]，至於回婺源省親，曾有三次返鄉記錄，
第一次是紹興二十年（1150）春，第二次是淳熙三年（1176）二月，第三次是
是慶元二年（1196）九月。朱熹不僅應邀講學，也收招學生，門人當中有許多
是徽州人士[14]，文集保留與鄉黨親族往返書信，婺源始終是朱熹關注之處，應
無可疑，學術傳播於朱熹生前即已進行。至於朱熹之後，從黃榦（1152-
1221）而傳於董夢程，理學流入於新安，全祖望云：「勉齋之傳，尚有自鄱陽
流入新安者，董介軒一派也。」[15]成為學脈淵源所在。但以《四書大全》徵引
內容而言，線索並非如此簡單。王炎，字晦叔，南宋婺源人，與朱熹、張栻
（1133-1180）彼此相識相交。[16]胡次焱字濟鼎，號梅巖，晚號餘學，南宋婺源

---

12 程瞳編：《新安學繫錄·莪山先生新安學繫錄跋》，頁6。
13 何佑森：《儒學與思想》（臺北市：臺灣大學出版中心，2009年4月）中〈兩宋學風的地理分
　　布〉詳列相關學人地理分布，言「朱熹是江南東路婺源（今安徽）人，可是他生在福建，長
　　在福建，受福建影響最大，他影響福建也最大（福建路繼承朱學的有一二六人），所以閩學的
　　中心應在福建，而不應在江南東路的婺源。」頁198。所言是客觀的事實，但不影響新安人主
　　觀的認定。
14 陳榮捷：《朱子門人》（臺北市：臺灣學生書局，1982年3月），頁13。施璜：《紫陽書院志》
　　（合肥市：黃山書社，2010年3月），卷8，〈列傳〉「論定高第，弟子十二人列於從祀」，頁
　　191。但事實上只有十一人，文字恐誤，分別為程洵、程永奇、汪莘、滕璘、滕琪、汪清卿、
　　許文蔚、吳昶、謝璉、李季札、祝穆，參見卷3，〈祀位〉所錄內容，頁26-27。
15 黃宗羲原著、全祖望補修：《宋元學案》（臺北市：華世出版社，1987年9月），卷89，〈介軒學
　　案〉梓材案：「梨洲原本稱〈新安學案〉，謝山始易為〈介軒〉。」頁2970。
16 程瞳編：《新安學繫錄》（合肥市：黃山書社，2006年11月），卷6，〈王雙溪傳〉云：「王炎，
　　字晦叔，婺源武口人。自幼篤學，登乾道五年進士第。調明州司法參軍，丁母憂，再調鄂州
　　崇陽簿。時南軒先生張公帥江陵，聞而器之，檄於幕府，議論相得。」頁127。《新安學繫

人,撰有《梅巖文集》,其人有陶潛栗里之風。[17]兩人學術樣態並不明顯。其次,程若庸,字逢原,休寧人,從饒魯(1193-1264)、沈貴珤得朱熹之傳,舉咸淳四年(1268)進士,歷安定、臨汝、武夷書院山長,從遊者盛,在新安號勿齋,學者稱勿齋先生,在撫州號徽庵,以寓不忘桑梓之意,學者稱徽庵先生,撰有《性理字訓講義》、《太極洪範圖說》,《宋元學案》歸於〈雙峰學案〉。[18]吳浩字義夫,號直軒,休寧人,為吳錫疇次子[19],吳錫疇從學於程若庸[20],兩人雖然是新安人氏,但以其從學與設教講學區域而言,可以歸之於雙峰一脈,新安學人也有屬於饒魯一系,新安既是程、朱祖籍所在,但初始階段,源頭既多,樣態紛雜,學術宗主並不明顯。朱申,字周翰,一字繼顯,號魯齊,新安人,官朝散大夫,知江州軍兼管內勸農營田事,為李心傳《道命錄》撰序,並有《周禮句解》,《宋元學案補遺》列於〈晦翁學案〉之中[21],與朱熹已有更為密切的關係。胡炳文字仲虎,婺源人,學自家傳,父親胡斗元學於朱熹從孫朱洪範,上承朱熹後裔而及伊洛學統,《宋元學案》列於〈介軒學案〉中「孝善家學」[22],撰成《四書通》,成為朱熹之後四書學的重要成果,〈四書通序〉云:

> 《四書通》何為而作也?懼夫讀者得其辭未通其意也。六經,天地也,四書,行天之日月也。子朱子平生精力之所萃,而堯、舜、禹、湯、文、武、周、孔、顏、曾、思、孟之心之所寄也。其書推之極天地萬物

錄》並收有王炎撰〈見南軒先生書〉、〈與晦庵先生論諒闇中開講書〉,頁129-132。彼此相識相交於此可見,小注「篁墩程氏曰:『世傳雙溪與朱文公不合,未見所出。』考《雙溪集》有〈與文公論諒闇開講〉事,《文公集》無答書,豈即謂此邪?」頁133。相較之下,王炎似乎較親近於張栻而遠於朱熹。

[17] 紀昀奉敕撰:《四庫全書總目》卷165「《梅巖文集》十卷」提要,頁3446。

[18] 參見黃宗羲原著全祖望補修《宋元學案》卷83〈雙峰學案〉,頁2817。及汪舜民纂修:《(弘治)徽州府志》(《四庫全書存目叢書》史部180冊,臺南市:莊嚴文化事業公司,1996年8月),卷7,頁805。

[19] 吳浩事蹟見《弘治徽州府志》,卷7,〈人物志〉;《康熙休寧縣志》,卷6,〈人物〉;《宋詩紀事補遺》,卷85,〈吳浩〉條。

[20] 參見黃宗羲原著、全祖望補修:《宋元學案》,卷83,〈雙峰學案〉,頁2827。

[21] 王梓材等:《宋元學案補遺》(臺北市:世界書局,1962年),卷49〈晦翁學案〉,頁183。

[22] 黃宗羲原著、全祖望補修:《宋元學案》卷89〈介軒學案〉,列於「孝善家學」,頁2986。

之奧，而本之皆彝倫日用之懿也；合之盡於至大，而析之極於至細也。
言若至近，而涵至永之味；事皆至實，而該至妙之理，學者非曲暢而旁
通之，未易謂之知味也；非用力之久，而一旦豁然貫通焉，未易謂之窮
理也。予老矣，潛心於此者餘五十年，謂之通矣乎？未也。獨惜乎疏其
下者，或泛或舛，將使學者何以決擇于取舍之際也？嗚呼！此予所以不
得不會其同而辨其異也。[23]

胡氏信道之篤，對於朱熹道統的表彰，對於四書義理的推崇，毫無懷疑。黃百
家案語云：「雲峰于朱子所注四書用力尤深。饒雙峰從事朱學，而為說多與朱
子牴牾，雲峰而深正其非，作《四書通》。」[24]捍衛朱熹學術，避免偏失浮
濫，剔除饒魯與朱熹說法歧出之處，成為傳承道統的重要工作，鄧文原〈四書
通序〉云：「如譜昭穆以正百世不遷之宗，不使小宗得後大宗者，懼其亂
也。」[25]以朱熹為宗，重視淵源，指出新安學人迥異其他地區學人的態度。朱
熹學術傳播漸遠，歧見彌多的情況下，羽翼朱學的色彩也漸趨強烈，家學成為
構建新安學脈關鍵詞彙，由傳學而發展，由發展而鞏固，重塑朱熹學術成為共
同訴求。《新安學繫錄》錄遺事云：

> 海陵儲公瓘曰：「先生於諸經《四書》皆有纂疏，以平暢之文張幽眇之
> 說。蓋先生學之所自，繇其考孝善先生，受學於子朱子從孫小翁之門。
> 先生聞而修之於家久矣。既長，游道日廣。臨川吳文正公方倡晦庵之
> 學，先生挾其得於父師者就正，內資外取，探其精粹，乃著《四書
> 通》、《易通》諸書，羽翼晦庵之說，會同辨異，卓然成一家言。文正公
> 嘗曰：『有功朱子，炳文居多。』自晦庵沒，學者載其說於四方，更傳
> 遞授，源遠益分，先生晚得其傳，精思力踐，望其涯涘而直止焉。使其

---

23 胡炳文：《雲峰集》（景印文淵閣《四庫全書》第1190冊，臺北市：臺灣商務印書館，1986年3
  月），卷3，〈四書通序〉，頁761。

24 黃宗羲原著、全祖望補修：《宋元學案》，卷89，〈介軒學案〉，頁2987。

25 鄧文原：〈四書通序〉，見胡炳文撰《四書通》（景印文淵閣《四庫全書》第203冊，臺北市：
  臺灣商務印書館，1986年3月），頁2。

及門較功第，學蓋與勉齋、北溪諸賢相後先也。[26]」

論其成就在朱門高徒黃榦（1152-1221）、陳淳（1159-1223）之間，吳澄（1249-1333）更直言有功於朱熹多矣，可以得見胡炳文承傳朱學的用心，影響之下，門人張存中，字德庸，婺源人[27]，擴大取證材料，撰成《四書通證》[28]，胡炳文於〈四書通證序〉云：

> 今友人張德庸精加讎校，刪冗而從簡，去非而從是，又能完其所未完者，合而名之曰《四書通證》，以附予《通》之後，學者於予之《通》知四書用意之深，於《通證》知四書用事之審，德庸此書誠有補云。[29]

通其義理，證其事例，《四書通》與《四書通證》即是師徒兩人共同完成的工作，家傳得其淵源，師門見其傳承，成為新安學人的學術樣態，朱熹學術於鄉里之間，深化發展。相同時間，陳櫟（1252-1334）也進行類似的工作，陳櫟字壽翁，自號定宇，晚號東阜老人，休寧人。汪炎昶撰其〈行狀略〉云：

> 先生之學，得於家庭之講貫為多，最後始從鄉先生黃公常甫游。黃公之學出於星溪萬菊滕先生，滕之先璘、琪二伯仲皆為朱子高第，其流風遺韻之在是者，得以優游而涵泳之，故其所就益精深且醇正也。……於書無所不讀，讀則一一反覆研究，必領其要而後已。然必以諸經為本，坐臥諷詠不輟。至若朱子四書，則貫穿出入，尤所用意，涵濡既久，簡牘斯形。[30]

---

[26] 程瞳編：《新安學繫錄》（合肥市：黃山書社，2006年11月），卷12，〈胡雲峰〉，頁233-234。

[27] 參見程瞳編：《新安學繫錄》，卷16，頁303。

[28] 倪士毅：〈四書輯釋大全凡例〉云：「北方杜文玉有《語孟旁通》，平水薛壽之有《四書引證》，胡先生門人張存中德庸合二書，刪取而完正之，以為一書，曰：《四書通證》。」（《四書輯釋大成》）頁2。

[29] 胡雲峰：《雲峰集》，卷3，〈四書通證序〉，頁762。

[30] 汪炎昶：〈行狀略〉，收入程瞳編《新安學繫錄》，卷12，〈陳定宇〉，頁226。案：（明）程敏

揭傒斯撰〈定宇先生墓志銘〉云：

> 聖人之學，至新安子朱子廣大悉備。朱子既沒，天下學士群起著書，一
> 得一失，各立門戶，爭奇取異，附會繳繞，使朱子之說翳然以昏。然朱
> 子沒五十有三年而陳先生櫟復生於新安，……慨然發憤聖人之學，涵濡
> 玩索，廢寢忘食，貫穿古今，羅絡上下，以有功於聖人莫盛於朱子，懼
> 諸家之說亂朱子本真，乃著《四書發明》、《書傳纂疏》、《禮記集義》等
> 書，餘數十萬言。其畔於朱子者刊而去之，其微辭隱義引而伸之，其所
> 未備補而益之，於是朱子之學煥然以明。方是時，唯江西吳先生澄，以
> 經學自任，善著書，獨稱陳先生有功於朱子。凡江東人來受學者，盡送
> 而歸之陳先生。然吳先生多居通都大邑，又數登用於朝，天下學者四面
> 而歸之，故其學遠而彰，尊而明。陳先生居萬山間，與木石為伍，不出
> 門戶動數十年，故其學必待其書之行，天下乃能知之。及其行也，亦莫
> 之禦，先生可謂豪傑之士矣。[31]

陳櫟學術得之家學為多，淵源上溯而及於朱熹門人，學術具有根柢，情形一如
胡炳文承其父而上溯於朱熹後裔，學術重視傳承，由此可見。陳氏居於鄉里之
間，講學不輟，影響力或許與登於朝堂的吳澄不能相比，但勤於撰作，醞釀蓄
積，影響層面日見其廣，而學術一以朱學為宗，更可見新安學人的堅持，落實
於躬行實踐之中，歸於四書義理的體會，這些描述並非出於偶然，而是具有時
代與區域的共性，學術為公，反映於鄉里之間，學者甚至彼此激勵，相互期
勉。汪炎昶字懋遠，自號古逸民，學者稱為古逸先生，持身為學，老而不倦，
卓有風範，趙汸撰〈行狀〉云：

> 時海寧有陳壽翁先生，方居家著書，嘗請先生所注《四書》觀之。先生

政：〈跋陳定宇先生小學字訓註〉，《篁墩集》（景印文淵閣《四庫全書》本），卷38：「故定宇
先生陳公，為吾鄉大儒，號朱子世適，而學不為空言，凡著述，要必有補于道。」頁29。

[31] 揭傒斯：〈墓志銘〉，收入程瞳編：《新安學繫錄》，卷12，〈陳定宇〉，頁224-225。

與陳公初不相識，即盡送其書陳公所，且告之曰：「平生無他技能，惟
不護疾忌醫，是其所長，千萬不必致疑於直言也。」時先生年近七十，
猶求益不厭如此。陳公每誦其言以勵登門之士。[32]

四書成為鄉里間學者共同研讀的內容，成果也相互分享，陳櫟《定宇集》中收
有〈跋汪古逸續硯譜〉、〈與汪古逸書〉、〈答汪古逸〉三書[33]，可見兩人情誼，
也如同〈答胡雲峰書〉「前信欲拜觀《通旨》數十板，以見規模大概，賜教為
幸。」[34]反映新安學人彰顯朱學，追求學術的熱切與真誠，胡元〈四書發明
序〉云：

予夙聞新安為朱文公闕里，學子必有能傳其學者。出守茲郡，聞屬邑之
士休寧陳君櫟，字壽翁，延祐甲寅科舉，初興鄉試與選，將會試以病不
果行，遂老于家，得大肆其力於四書，一以文公絕筆更定之本為正而發
明之。[35]

追求朱熹最終之解，成為一生職志，信念甚至影響門人，倪士毅承師命撰《四
書輯釋》，師門之間，學術傳承，一如胡炳文與張存中。倪士毅字仲弘，隱居
徽州祁門山，朝夕講學，一生不仕，學者稱道川先生，師承陳櫟，而「素論定
于郡先師朱子」，也如同其師陳櫟「有功於朱子。」《宋元學案》列於〈滄洲諸
儒學案〉。[36]今存日本文化九年覆刊元至正二年刊《四書輯釋大成・凡例》言

---

[32] 趙汸：〈汪古逸先生炎昶行狀〉，收錄於（明）程敏政：《新安文獻志》（景印文淵閣《四庫全
書》本），71，頁2-3。

[33] 陳櫟：《定宇集》（景印文淵閣《四庫全書》第1205冊，臺北市：臺灣商務印書館，1986年3
月），卷3，〈跋汪古逸續硯譜〉、卷10，〈與汪古逸書〉、〈答汪古逸〉，頁186、308、327。

[34] 陳櫟：《定宇集》，卷10，〈答胡雲峰書〉，頁307。

[35] 陳櫟：《定宇集》，卷17，〈胡容齋四書發明序〉，頁427。

[36] 黃宗羲原著、全祖望補修：《宋元學案》，卷70，〈滄洲諸儒學案下〉，列於「定宇門人」，頁
2359。按：依程瞳編：《新安學繫錄》（合肥市：黃山書社，2006年11月），卷14，「倪道川」
趙東山撰〈墓志〉云：「其卒以戊子歲四月九日，年四十有六。」頁256。則其生為元武宗大
德七年（1303），卒為元順帝至正八年（1348）。

其撰作緣由，云：

> 先師定宇陳先生（諱櫟，字壽翁）方編《四書發明》，時星源雲峰胡先
> 生（諱炳文，字仲虎）亦編《四書通》，彼此雖嘗互觀其書之一二而未
> 竟也，既而二書因學者傳入坊中，皆已板行。先師晚年頗欲更定其書而
> 未果，及見《四書通》全書，遂手摘其說，蓋將以附入《發明》，若
> 《大學章句》，則嘗下筆發其端矣，餘未之及。士毅不揆淺陋，亦嘗僭
> 欲合二書為一，以自便觀讀。先師可之。元統甲戌春二月。先師考終，
> 心喪既畢，乃即二書詳玩，且以先師手摘者，參酌而編焉，名曰《四書
> 輯釋》，所擬凡例，條具于後，狂僭之罪，固不可逃，尚願謀之同門，
> 以廣質于遠近諸明理君子，更加商訂，而求真是之歸，則愚於此實拳拳
> 云。至元三年丁丑歲春三月八日己酉，門人倪士毅謹識。[37]

倪氏承「先師之遺志」匯整《四書發明》與《四書通》，嘗試在朱熹之後，
整合新安胡炳文、陳櫟兩系四書詮釋內容，撰成《四書輯釋大成》，始於元統
二年（1134），成於至元三年（1137），以後文〈引用姓氏書目〉末言「仍續
增」[38]，倪氏仍然意猶未愜，所以之後又續有整理，完成重訂工作，於此發
展，汪克寬撰〈重訂四書輯釋序〉云：

> 四書者，六經之階梯，東魯聖師以及顏、曾、思、孟傳心之要，舍是無
> 以他求也。孟子沒，聖經湮晦千五百年，迨濂洛諸儒先抽關發矇，以啟
> 不傳之祕，而我紫陽子朱子且復集諸儒之大成，擴往聖之遺蘊，作為
> 《集注章句》、《或問》，以惠後學，昭至理於皦日，蓋皜皜乎不可尚

---

[37] 倪士毅：《四書輯釋大成》（日本文化九年覆刊元至正二年刊本）〈四書輯釋大成凡例〉，頁1。

[38] 倪士毅：《四書輯釋大成》輯有〈四書輯釋大成引用姓氏書目〉，有「依《纂疏集成》引用」
14家，「依《發明》、《通》引用」有74家（二程列為兩家），頁1-3。成為《四書大全》整理朱
熹之外，共105家徵引材料的基礎，參見拙撰〈《四書大全》徵引人物系譜分析〉，《東吳中文
學報》第23期（2012年5月），頁222。

已，而其詞意渾然猶經，雖及門之士，且或未能究其精微，得其體要，矧初學之昧昧乎！近世儒者懼誦習之難，於是取子朱子平生之所以語學者，並其弟子訓釋之辭，疏於朱子注文之左，真氏有《集義》、祝氏有《附錄》、趙氏、蔡氏有《集疏》、《纂疏》，相繼成編，而吳氏《集成》最晚出，蓋欲博采而統一之，但辨論際，未為明備，去取之間，頗欠精審，覽者病焉。比年以來，家自為學，人自為書，架屋下之屋，疊牀上之牀，爭奇衒異，竊自附於作者之列，鋟於木而傳諸人，不知其幾，益可歎矣。同郡定宇陳先生、雲峰胡先生睹《集成》之書行於東南，輾轉承誤，莫知所擇，乃各摭其精純，刊剔繁複，缺略者足以己意。陳先生著《四書發明》、胡先生著《四書通考》，皆足以磨刮向者之敝。而陳先生晚年欲合二書而一之而未遂也。友人倪君仲弘實從遊於陳先生，有得於講劘授受者，蓋稔且詳，乃會萃二家之說，字求其訓，句探其旨，鳩僝精要，考訂訛舛，名曰《四書集釋》。學者由是而求子朱子之意，則思過半矣。[39]

比對前後序文，從初刊到重訂，從宗奉師門之命，到擴大解決朱熹之後四書發展問題，淵源脈絡更為清楚，目標更為明確，倪氏之作具有學術總結意義。由四書而入六經，來自於新安學人對於道統傳心的理解，孟子之後，道統不傳，有賴濂、洛諸儒的抉發，而最終朱熹集其大成，終於復明於世。「詞意渾然猶經」的說法，一如陳櫟〈論語訓蒙口義自序〉言「朱子集註渾然猶經。」[40]表彰朱熹《四書章句集注》正是將其視之如經，經注一體，將朱熹融鑄群言的「集注」方式[41]，擴展為經—注—疏的纂疏型態。朱熹之後，四書詮釋附入朱熹本身言論，以朱注朱，用意在於確認朱熹思考內容，屬於第一階段；之後參酌門人弟子之言，相互補充，進一步擴大詮釋細節，乃是用以證明朱熹注解的

---

[39] 汪克寬：〈重訂四書集釋序〉，《環谷集》（景印文淵閣《四庫全書》本，第1220冊，臺北市：臺灣商務印書館，1986年3月）卷4，頁7-8。

[40] 陳櫟：《定宇集》，卷1，〈論語訓蒙口義自序〉，頁158。

[41] 拙撰〈集注與章句：朱熹四書詮釋的體例與方向〉，《朱熹與四書章句集注》（臺北市：里仁書局，2006年9月），頁199-218。

內涵與價值，屬於第二階段，凡此皆屬朱門學術系統之中。然而學脈旁出，學者各自闡釋，各自揣想，歧見漸出，家自為學，人自為書，紛雜迷亂，後人匯整之餘，不免有檢擇未精之失，於是求「全」與「精」，成為南宋以下元儒四書詮釋必須解決的問題，新安學人的努力，正是此一經典詮釋發展趨勢下的結果。陳櫟、胡炳文各自成書，卻有相同的訴求，並非偶然，倪氏匯整二書，乃是循此脈絡的結果，從而可見，各自歧出的詮釋，終須回歸於朱熹本身學術檢討，自宋及元，新安學人昂然自立，起而捍衛朱學正印，分歧而歸一，鄉里之間，躬行實踐，四書詮釋成為師門之間世代承接的學術事業，標舉朱熹道統地位，成為新安學人間共同學術信念，最終形塑理學原鄉意識。[42]由《四書輯釋》而至《四書大全》，新安學人的學術成果，也就成為明代《四書大全》建立官學系統，推動政教合一最重要的義理基礎。

三　《四書大全》中新安學人的道統詮釋

《四書大全》承《四書輯釋》接續新安一系學脈，程、朱之外，徵引陳櫟一一六九條、胡炳文四八一條、倪士毅七十條、張存中七條、王炎四條、汪炎昶四條、朱申三條、胡次焱二條，總計一七四〇條，占徵引百分之二九．五二，相對於北山一系徵引一五四條，占百分之二．六一[43]，雙峰一系徵引六六二條，占百分之十一．二二[44]，乃是朱熹之後傳衍學脈當中數量最多，反映新安一系作為《四書大全》徵引主軸。其中以陳櫟最多，其次為胡炳文，之下為倪士毅、張存中，又分別為陳、胡門人，至於王炎、朱申、胡次焱屬於新安前期人物，汪炎昶為陳櫟友人，乃是相關而及的學人，徵引數目並不多，附帶檢

---

[42] 陳雯怡：〈「吾婺文獻之懿」——元代一個鄉里傳統的建構及其意義〉，《新史學》20卷2期（2009年6月），頁43-113。以地域研究的角度，建構學術發展的觀察。史甄陶：《家學、經學和朱子學——以元代徽州學者胡一桂、胡炳文和陳櫟為中心》（上海市：華東師範大學出版社，2013年4月），建構新安諸儒傳經的觀察。頁1-3。

[43] 拙撰〈「工夫」與「境界」：《四書大全》中「北山學脈」義理詮釋考察〉，《孔子研究》第153期（2016年1月），頁55。

[44] 拙撰〈納心於性——《四書大全》中雙峰一系的四書學〉，《孔孟學報》第94期（2016年9月），頁45。

討。《四書大全》乃是循陳櫟、倪士毅，以及胡炳文、張存中新安學脈而開展，陳櫟、倪士毅師徒徵引數目是胡炳文、張存中一倍以上，具有主導地位，也是顯而易見。陳櫟與胡炳文兩人在四書詮釋方面，有尊仰朱注的共同目標，但細節之間也有些許不同，主要來自於對定本認定的差異，陳櫟云：

> 胡仲虎《四書通》庭芳委校之，且今是否之。好處儘有，但雜子討骨頭處甚多，最是不以祝本為定本，大不是文公適孫鑑庚三總領題，祝氏附錄云「後以先公晚年絕筆所更定而刊之興國者為據」。今乃不信其親孫之言，而信外人之言，只看《中庸》首一節斷語諸本與祝本疏密天地懸隔，乃隱而不言，而專以〈為政篇〉「德之為言得也，得于心而不失」一節來辨，謂「得于心而不失」為定本，而非「行道而有得于心」之說，得于心何必加以而不失，得于心是得何物，不比據德云，據德是道，得于心而不失乃是因據字而下不失字耳。似此之類不少，只是纏辨，數年前與之交，頗信吾言，凡所云云，皆具存也。[45]

陳櫟依朱熹之孫朱鑑意見，認為祝氏附錄即是朱熹晚年絕筆更定本，其他則為舊本，此一見解與胡炳文看法不同，倪士毅於《四書輯釋大成·凡例》言其師撰有《四書考異》一卷，考辨成果，散入於《四書輯釋》各節之中[46]，其中涉及義理判斷，以及版本考訂問題，重視家學也反映在定本的判定上，朱熹之孫朱鑑的意見，無疑具有極高信度，重視淵源的信念，成為其中重要的依據，《論語集註大全·為政篇》「為政以德」章，引倪士毅云：

> 祝氏《附錄》本如此，他本作「得於心而不失也。」胡氏《通》必主「得於心而不失」之說，膠於胡泳伯量所記，謂先生因執扇謂曰：「德字須用不失訓，如得此物，可謂得矣。纔失之，則非得也。」此句含兩

---

45 陳櫟：《定宇集》卷10〈答吳仲文甥〉第九首，頁316-317。
46 倪士毅：《四書輯釋大成》（日本文化九年覆刊元至正二年刊本）〈四書輯釋大成凡例〉，頁2。

意,一謂得於有生之初者,不可失之於有生之後。一謂得於昨日者,不可失之於今日。先師謂此說縱使有之,亦必非末後定本。深思細玩,終不如「行道而有得於心」之精當不可易也。朱子訓德字,蓋倣《禮記》「德者,得也。禮樂皆得謂之有德」而言,初作「得於身」,後改「得於心」,夫道字廣大,天下所共由,德字親切,吾心所獨得,行道行之於身也,未足以言德,必有得於心,則躬行者始心得之。心與理為一,斯可謂之德,有次第、有歸宿,精矣。今曰:「得於心而不失」,則得於心者何物乎?方解德字,未到持守處,不必遽云不失。不比「據於德」註云:「據者,執守之意,得之於心而守之不失。」又云:「據德則道得於心而不失。」此兩不「失」字,乃自「據」字上說來,況上文先云「德」,則行道而有得於心者也,其證尤明白,若遽云:「不失」,則似失之急,又近於贅。〈大學序〉所謂「本之躬行心得。」躬行即行道,心得即有得於心也。以前後參觀之,而祝氏定本為尤信。[47]

今本作「得於心而不失也。」[48]《四書大全》作「行道而有得於心也。」[49]版本不同。朱熹認為「德」可以用「得」字解,乃是從《禮記》而來,然而原本得之於「身」的解釋,後改為得之於「心」,而最終歸於「行道而有得於心」,說法由粗而精,由精而密。事實上,以心為德之所具為可,直接以心為德,恐流於狂悖偏執,自以為是,並非正確的理解,此乃君子必須留意之處,道乃天下之所共由,朱熹思考更加嚴謹,義理更為縝密,唯有躬行實踐,心與理一,才能符合為政之道,才能彰顯「譬如北辰」宗旨,也才能上承〈大學章句序〉所云:「而其所以為教,則又皆本之人君躬行心得之餘」的說法[50],朱熹構畫為學規模,義理融通,由此可見,至於所謂「不失」顯然已溢出「德」字範圍。事實上,《論語集注・述而篇》「據於德」章,清仿宋大字本朱注作「德

47 胡廣等纂修:《四書大全・論語集註大全》,卷2,〈為政篇〉,頁853-854。
48 朱熹:《論語集注》,卷1,〈為政篇〉,《四書章句集注》,頁53。
49 胡廣等纂修:《四書大全・論語集註大全》,卷2,〈為政篇〉,頁853。
50 朱熹:〈大學章句序〉,《四書章句集注》,頁1。

者，得也。得其道於心而不失之謂也。」[51]也有「得其道」文字，可見今本文字乃未定之本，倪氏尊從其師，以祝氏《附錄》為定本，反對胡炳文《四書通》，乃是在朱熹之後不同流傳文字當中，尋求朱熹最終之解的結果，《四書大全》徵引新安一系學人詮釋成果，也保留不同立場的材料。

相較於此，胡炳文、陳櫟兩人重視淵源，留意細節，求「全」與「精」之餘，對於四書義理卻有諸多相近的看法，如《四書大全‧中庸章句大全》朱注「中者，不偏不倚，無過不及之名」，引胡炳文云：

> 朱子於《語》、《孟》釋「中」字，但曰「無過不及」，蓋以用言。《中庸》有所謂「未發之中」與「時中」，故添「不偏不倚」四字，兼體用言，以釋名篇之義。[52]

朱熹於四書當中各有安排，《論語》、《孟子》乃是孔、孟相關言論匯集，關乎於用，因此留意是「時中」之義，解釋為「無過不及」，至於《中庸》言及儒學境界，由「已發」而及「未發」，則是從根源上說，兼有體用，因此補入「不偏不倚」，兼及體用，釋義之巧妙與細膩，於此可見，也唯有通讀四書，了解朱熹安排義理架構，也才能真正掌握注解之內涵。[53]此一概念，陳櫟更進一步置於心體內外來思考，云：

> 「不偏不倚」、「未發之中」，以心論者也，中之體也；「無過不及」、「時中之中」，以事論者也，中之用也。[54]

胡氏言「不偏不倚」兼有體用，陳氏則以為此乃心之狀態，乃是中之體，至於以事而論，則是中之用，在內外之間，回歸於儒學內涵，心求其不偏不倚，事

---

[51] 朱熹：《論語集注》卷4〈述而篇〉，《四書章句集注》，頁94。
[52] 胡廣等纂修：《四書大全‧中庸章句大全》，頁325。
[53] 拙撰〈道統與進程：論朱熹四書之編次〉，《朱熹與四書章句集注》，頁168-169。
[54] 胡廣等纂修：《四書大全‧中庸章句大全》，頁325。

求其無過不及，分別內外體用，說法可以相互補充，層面更為周延，說理更為清晰。尤其關乎孔子、曾子、子思、孟子孔門心法之傳，以及《大學》、《論語》、《中庸》、《孟子》義理架構，新安學人無不反覆致意，「道統」見於朱熹〈中庸章句序〉，《四書大全・中庸章句序》徵引內容主要集中於新安一系學人即可為證，命篇旨趣引胡炳文云：

> 唐虞三代之隆，斯道如日中天，《中庸》可無作也。至孔子時，始曰：「攻乎異端」，然其說猶未敢盛行，至子思時，則有可憂者矣。憂異端之得肆其說，所以憂道學之不得其傳也。[55]

遂有從堯、舜而下，經孔子而至子思作《中庸》的歷史脈絡，《四書大全・中庸章句序》引胡炳文云：

> 六經言道統之傳，自〈虞書〉始，不有《論語》表出堯曰：「允執其中」，則後世孰知舜之三言，所以明堯之一言哉！朱子於《論語》「執中」無明釋，至《孟子》「湯執中」，始曰：「守而不失」，意可見矣。堯之執中，不可以賢者之固執例論，自堯之心推之，則聖不自聖，愈見堯之所以為聖爾。況中無定體，儻不言執，人將視之如風如影，不可捕詰矣。然執之工夫，只在精一上，堯授舜，曰「允執厥中」，如夫子語曾子以一貫；舜授禹，必由精一而後執中，是猶曾子告門人必由忠恕而達一貫也。[56]

由六經而及四書來自於其中存在的道統脈絡，紛雜之中，聖聖相承，孔門施教內容，存在堯、舜相傳線索，條理井然，《論語》的意義，〈堯曰〉一篇，揭出「允執其中」，得見〈虞書〉舜之三言，乃是承堯之一言，而《孟子》又有「湯執中」，可見其中一脈相承，至於孔門之中，孔子的一貫之道，曾子忠恕

---

[55] 胡廣等纂修：《四書大全・中庸章句序》，頁307。
[56] 胡廣等纂修：《四書大全・中庸章句序》，頁308。

以達一貫,同樣若合符契,道統作為儒學核心要義,見於經典文本之中,《四書大全・中庸章句序》引胡炳文云:

> 人心本危,能收斂入來,則危者安;道心本微,能充拓出去,則微者著。中如何執,只精一,便是執之工夫,所以朱子於此不復釋執字,然上文曰:「守其本心之正而不離」,下一守字,便見得執中之功,先在惟精而重在惟一。[57]

道統「人心」與「道心」之辨,所謂「精」、「一」關乎儒學持守的工夫,朱熹以「守」之一字,得見心法之要。《四書大全・中庸章句序》引陳櫟云:

> 朱子引〈禹謨〉四句,以見「中庸」之宗祖,以標「道統」之淵源,可謂考諸三王而不繆,百世以俟聖人而不惑者矣。[58]

其中涉及偽古文《尚書》辨偽問題,乃是清人學術用力所在,牽涉既廣,非本文所能處理,然而新安學人於細節之中,反覆致辯,從中得見朱熹學以究三代,工夫存著於心的思考,大有助於儒學內涵的確立。連結朱熹與道統,成為新安學人詮釋的重點,由此可見。《四書大全・中庸章句序》引胡炳文云:

> 天下之理,豈有加於此者,「中」之一字,聖聖相傳之道,莫加於此也。「精」、「一」二字,聖聖相傳之學,莫加於此也。[59]

又:

> 未論六經之功有賢於堯舜,只如此執中一語,夫子不於《論語》之終發

---

57 胡廣等纂修:《四書大全・中庸章句序》,頁313。
58 胡廣等纂修:《四書大全・中庸章句序》,頁313。
59 胡廣等纂修:《四書大全・中庸章句序》,頁313。

之，孰知其為堯之言，不於堯曰執中之後而繼之湯武誓師之意，與其施於政事者，又孰知夫堯舜之授受者此中，而湯武之征伐者亦此中也。姑即此一節言之，其功賢於堯舜可知矣。[60]

所論為《論語‧堯曰》中「天之曆數在爾躬，允執其中」一章[61]，深有孔子的暗示，《四書大全‧中庸章句序》引陳櫟云：

> 若《孟子》末章所標列聖之君，聖賢之臣，見而知之，聞而知之者，不過只是知此耳，以此之此，指三聖相授受之說，道統二字，再提出與前相照應。[62]

所指為《孟子‧盡心篇下》最末「由堯舜至於湯」一章[63]，可見孔子、孟子說法契合，四書價值正是孔、曾、思、孟心法相傳，存在聖聖相傳線索，《四書大全‧中庸章句序》引胡炳文云：

> 夫子以前，傳道統者，皆得君師之位，而斯道以行。夫子以後，傳道統者，不得君師之位，而斯道以明。故明堯、舜、禹、湯、文、武之道者，夫子六經之功。而明夫子之道者，曾子《大學》、子思《中庸》之功也。[64]

《四書大全‧中庸章句序》引陳櫟云：

> 顏氏博文，精也；約禮，一也。曾子格致，精也；誠正，一也。[65]

60　胡廣等纂修：《四書大全‧中庸章句序》，頁314。
61　朱熹：《論語集注》，卷10，〈堯曰〉，《四書章句集注》，頁193-194。
62　胡廣等纂修：《四書大全‧中庸章句序》，頁314。
63　朱熹《孟子集注》，卷14，〈盡心章句下〉，《四書章句集注》，頁376-377。
64　胡廣等纂修：《四書大全‧中庸章句序》，頁314。
65　胡廣等纂修：《四書大全‧中庸章句序》，頁314。

循朱熹道統架構，新安學人深有衍繹，孔子、曾子、子思、孟子一脈相傳，正
是四書義理所在，朱熹於儒學當中置放道統，於孔門當中鋪排心法，成為新安
學人特別留意之處，《四書大全‧中庸章句序》引陳櫟云：

> 惟精以審擇，惟一以固守。此自堯、舜以來所傳，未有他議論時，先有
> 此言，聖人心法，無以易此。後來孔門教人先後次第皆宗之，《中庸》
> 博學至明辨，皆惟精也；篤行，惟一也。明善，精也；誠身，一也。顏
> 子擇中庸，便是精，得一善服膺便是一。《大學》格物致知，非惟精不
> 可；能誠意則惟一矣，學只是學此。孟子以後失其傳，亦只是失此。[66]

凡是線索所在，無不梳理，而回歸於操持心法的掌握，朱熹於〈中庸章句序〉
揭示「道統」之傳，融鑄北宋以來諸儒聖賢系譜的論述，串貫四書義理體系，
而回歸於儒學修養工夫，《四書大全》中新安學人於此細節，反覆推敲，致意
之深，推究之密，由此可見，著力所在，集中以下兩項：

（一）鋪排聖賢系譜

朱熹援取堯、舜、禹、湯、文、武、周公、孔子聖賢系譜，儒學遂有淵
源，然而用意所在，主要是鋪排孔子以下，曾子、子思、孟子相傳的脈絡，確
立四書義理內涵。朱熹以「述」代「作」，將聖賢系譜淬鍊出「道統」的訴
求，也以「道統」概念綰合古今，突顯北宋以來儒學的自覺，儒學不僅彰顯一
己遙契堯、舜，志繼孔、孟的情懷，更有回應政治場域實踐的結果，在往聖先
賢間，形構生命的永恆自信，此一路徑，極具創意，也深有召喚作用，余英時
先生留意朱熹「道統」有「道」尊於「勢」的想法，可以分出「道學」與「道
統」[67]，但就儒學與政治的關係而言，新安學人對於政治的關注不深，新安學
人回歸於四書義理的思考，重點轉入四書文本與道統概念的連結，建構更為嚴

---

[66] 胡廣等纂修《四書大全‧中庸章句序》，頁316。

[67] 余英時：《朱熹的歷史世界——宋代士大夫政治文化的研究》（臺北市：允晨文化實業公司，
2003年6月）頁42-44。

密的文獻線索，如《四書大全・大學章句大全》最末引胡炳文云：

> 明善誠身，《中庸》言之，《孟子》又言之，其說元自《大學》致知誠意
> 來。《章句》之末，舉此二者，以見曾、思、孟三子之相授受焉。[68]

《大學章句》分出經一傳十，朱熹於末云：「凡傳十章，前四章統論綱領指
趣，後六章細論條目工夫。其第五章乃明善之要，第六章乃誠身之本，在初學
尤為當務之急，讀者不可以其近而忽之也。」[69]第五章即是「格致補傳」，第
六章為「誠意」章，朱熹特別揭示兩章價值，以茲為修養之要，然而「明
善」、「誠身」既是《大學》核心要義，卻又見於《中庸》，也見於《孟子》，可
見其中義理貫通，孔子心法相傳的現象，朱熹揭示儒學工夫，胡氏卻得見孔門
心法中曾子、子思、孟子一脈相傳線索。《論語集註大全・子張篇》「文武之
道」章，引陳櫟云：

> 焉學，問何所從學；焉不學，謂何所不從學。此論夫子之學，而專言文
> 武之道者，蓋列聖道統，傳在文武，而文武之道統傳在孔子故也。文武
> 之道，無往不在，夫子於文武之道，無往不學，惟善是主，初無常師，
> 此所以備斯文之大全，集列聖之大成歟！[70]

孔子傳文武道統，備斯文之大全，所謂「無常師」是以集列聖大成來理解。
《論語集註大全・堯曰篇》「舜亦以命禹」章，引陳櫟云：

> 天祿永終，與天之曆數在爾躬相照應，允執其中，告以保天祿之本也。
> 四海困窮，不能允執其中之驗，所以致天祿之永終也。舜之授禹，謹述
> 此其四句，不易一字，但辭加詳，而理益明，意益盡耳。舜之授禹，具

68 胡廣等纂修：《四書大全・大學章句大全》，頁144。
69 朱熹：《大學章句》，《四書章句集注》，頁13。
70 胡廣等纂修：《四書大全・論語集註大全》，卷19，〈子張篇〉，頁2006-2007。

載於書，堯之授舜，微弟子記之於此。則三聖人以一中相授受之淵源，其孰從而知之哉！[71]

堯之授舜，舜之授禹，標示聖聖相傳線索，孔子所傳道統，確實是承堯、舜聖賢授受而來，《論語》當中即可得到證明。《孟子集註大全・離婁章句下》「予私淑諸人也」章，引陳櫟云：

> 韓子謂堯以是傳之舜，舜以是傳之禹，至孔子傳之孟軻，不待退之而後有此言。孟子已自言之矣。此四章相承是也，然猶分為四章，答「好辯」章，明言以己承三聖。至七篇之末章，列敘群聖道統之相傳，而明言由孔子至於今百有餘歲，其自任之重，尤章章焉。孟子一身，道統攸繫，蓋如是夫。[72]

章旨貫串，孟子承道統之重，乃是對於聖聖相繼深有自覺。《孟子集註大全・盡心章句下》最末一章引胡炳文云：

> 真知明道，則真知堯舜以至孔孟者矣。善乎勉齋黃氏之言曰：「由孔子而後，曾子、子思繼其微，至孟子而始著，由孟子而後，周、程、張子繼其絕，至朱子而始著。朱子出而自周以來聖賢相傳之道，一旦豁然如大明中天，昭晰呈露，然則《集註》所謂而下必有神會而心得之者，朱子亦當自見其有不得辭者矣。[73]

《孟子集註大全・盡心章句下》引陳櫟云：

> 朱子繫伊川此說者，見得孟子之意，望百世之下，將有神會心得其道

---

[71] 胡廣等纂修：《四書大全・論語集註大全》卷20〈堯曰篇〉，頁2017-2018。

[72] 胡廣等纂修：《四書大全・孟子集註大全》卷8〈離婁章句下〉，頁2576。

[73] 胡廣等纂修：《四書大全・孟子集註大全》卷14〈盡心下〉，頁3041。

者。而千四百年後果有如程子者出焉，見孟子之言至是而果驗，孟子不傳之絕學至是而果有傳也。觀韓子所謂堯以是傳之舜，至軻之死不得其傳焉之言，見道統之傳至孟子而絕，察朱子所列明道墓表之意，見道統之傳既絕而後續也。孟子、朱子之意，章章明矣。[74]

朱熹於《孟子章句》之末，詳列「明道墓表」乃是極為特殊的注解方式，然而用意所在，乃是標舉二程以繼承孟子絕學，建構儒學聖賢相傳的歷史意象，以及宋儒得以承繼絕學的地位，一抒個人終極情懷，絕學復起，程、朱作為理學核心，新安學人具有深刻的體認。

（二）深化修養工夫

朱熹「道統」由儒學聚焦於心性，工夫更為精微[75]，儒學由內聖而外王，關乎修養工夫的甄定，確定性善價值，乃是儒學成立關鍵，孟子地位的確認，才有孔子、曾子、子思、孟子道統相傳的系譜，《孟子集註大全·滕文公章句上》「孟子道性善」章，引胡炳文云：

> 孔子亦嘗說性善，曰：「繼之者善，成之者性。」但善字從造化發育處說，不從人生稟受處說。子思曰：「天命之謂性，率性之謂道。」正是從源頭說，性之本善，但不露出一善字。性善之論，自孟子始發之，《集註》釋性者，人稟於天以生之理也，此一句，便關倒告子所謂生之謂性。蓋生不是性，生之理是性，天地間，豈有不好底道理，故曰：渾然至善，未嘗有惡，古今只是一箇道理，故曰：人與堯舜初無少異，孟子道性善，言其理也。稱堯舜以實之，言其事也。天下無理外之事，能為堯舜所為之事，便是不失吾所得生之理。然而人不能皆堯舜者，氣質之拘，物欲之蔽也。《集註》言物欲不言氣質，蓋以孟子不曾說到氣質

---

74 胡廣等纂修：《四書大全·孟子集註大全》，卷14，〈盡心下〉，頁3041。

75 拙撰〈「政治」與「心性」──朱熹注《孟子》的歷史脈絡〉，《「融鑄」與「進程」：朱熹《四書章句集注》之歷史思維》，頁223。

之性，故但據孟子之意言之。程子曰：「性善二字，孟子擴前聖之所未發，而有功於聖門。」愚亦敢曰：「性即理也」一句，程子擴前聖所未發，而有功於孟子。[76]

孔子言善性，乃是從造化發育來說，子思由天命來說性，由性言道，則是從根源處說，至於孟子指出性善，道理直截明白，則是從形上先驗來說，至二程言性即理，遂有清楚的分判，聖賢相繼，說法相承，義理更為明朗，性善一端為孔門心法，孟子有功於儒門，由此可見，以理言性，二程有功於孟子，正是揭示性善主張，孟子地位於此可見，二程繼之而起的地位，也從而得見，新安學人絪合道統與性理，聖賢相繼因而延伸，絕學遂有繼承。《四書大全‧中庸章句序》引胡炳文云：

> 《大學》中不出「性」字，故朱子於〈序〉言「性」詳焉；《中庸》中不出「心」字，故此〈序〉言「心」詳焉。[77]

朱熹〈中庸章句序〉首揭「道統」，與〈大學章句序〉有相同脈絡，卻有不同的層次與思考，《大學》言「誠意、正心」，所以〈大學章句序〉標舉「性」，以明根源，三綱、八目最終目的就是復其本「性」；《中庸》言「中和」、「至誠」，〈中庸章句序〉揭示「道心」所在，提醒儒學境界高遠，卻必須回歸於「道心」的操持，才有目標與原則，既補充，又標示源頭，序文各自表述，又相互關聯，大有助於了解《四書章句集注》的精彩，心性為儒學要義，凡此皆是推究入密，才能得見朱熹安排的巧思。《四書大全‧中庸章句大全》於「君子中庸，小人反中庸」章，引胡炳文云：

> 第二章以下十章，皆述夫子之說，獨此章與第三十章，揭仲尼二字，仲尼曰，仲尼之言也，所言者，中庸也。仲尼祖述堯、舜以下，仲尼之行

---

[76] 胡廣等纂修：《四書大全‧孟子集註大全》，卷5，〈滕文公章句上〉，頁2330-2331。

[77] 胡廣等纂修：《四書大全‧中庸章句序》，頁318。

也，所行者，皆中庸也。中和之論，發於子思，中庸之論，本於仲尼，然發而中節之和，即是時中之中，子思中和二字，亦只是說仲尼一中字，故曰中庸之中，兼中和之義，而《章句》必先曰「不偏不倚」，而後曰「無過不及」，可謂精矣。[78]

由孔子而及子思，「中和之論」發於子思；「中庸之論」本於孔子，然而義理相通，脈絡銜接，朱熹釋義之巧妙，乃是對於經文的全然掌握，務求詮釋圓滿，「中庸」之中，具有「中和」之義，因為必須由內而及外，由體而及用，從未發而及已發，所以朱熹說解也先從「不偏不倚」狀其體段，以「無過不及」言其型態，層次并然，一字一句，皆有安排。《四書大全‧中庸章句大全》「致中和」章，引胡炳文云：

> 《章句》精之約之，只是釋一「致」字。約之，則存養之功益密；精之，則省察之功益嚴。至靜之中，無少偏倚，已是約之之至，而其守不失，所以約之者愈至。應物之處，無少差謬，已是精之之至，而無適不然，所以精之者愈至，此之謂中和之致也。[79]

「精之」、「約之」提醒修養工夫，乃是延伸「致」字概念，如何達致「中和」之境，既是心體的狀態，又是應物處世結果，朱熹分別而言，卻又務求融通一貫，因此陳櫟云：「收斂近裡貴乎約，審查幾微貴乎精，二字下得尤不苟。」[80]操持之間，精準細膩，遂能闡發幽微，得見經文旨趣。朱熹於心體的掌握，來自於「中和」之辨的轉折，融通「道南」與「湖湘」學術，因此體用之間，務求融通一致，工夫綿密細緻，可以操持，又能達致其體。[81]新安學人於鄉里設教，日用之間，更能領略其中的價值，《孟子集註大全‧滕文公章句上》「孟子

---

[78] 胡廣等纂修：《四書大全‧中庸章句大全》，頁353。

[79] 胡廣等纂修：《四書大全‧中庸章句大全》，頁347。

[80] 胡廣等纂修：《四書大全‧中庸章句大全》，頁347

[81] 拙撰〈「道南」與「湖湘」——朱熹義理進程之檢討〉，《「融鑄」與「進程」：朱熹《四書章句集注》之歷史思維》，頁324。

道性善」章引陳櫟云：

> 性善是虛說其理，稱堯舜是指能盡性之人以實其說。如朱子著《小學》
> 書，列立教明倫於前，盡是說其理，列實立教明倫於後，並是實有是
> 人、實有是事，以實前面之說，此之謂實之。何以驗人性之善哉？觀堯
> 舜能盡其性，而為大聖，則可以知同有是性者之皆可以為聖人，而不憚
> 於學聖人者矣，所以言性善而必稱堯舜以實之歟！[82]

《小學》切己操持，正是新安學人關注的修養工夫，也是人人可以推動的工
作，朱熹於道統當中，建構義理內涵，儒學不僅有淵源，有情懷，更有落實於
心性修養，以及日用之間的行為軌範，新安學人認為朱熹建構的體系，言其理
於前，列其事於後，聖人之教，真實不虛，唯有綜覽全面，才能了解其中安
排。新安學人在心體當中，思索義理所在，在經典當中，建構道統線索，工夫
更深一層，層面更為廣泛，事求中庸，心得其和，鋪排補綴，饒有意義，學人
之用心，由此可見。以《四書大全》徵引內容而言，朱熹導之於前，然而抉發
細節，將「道統」與四書義理縝密結合，尋求相關章句，思索其中義理，強化
程、朱於道統續傳的地位，則有賴於新安學人矣。

四 結論

新安學人以朱學為宗，鄉里之間，切己操持，師門之間，累聚成果，從而
印證道統傳承的價值，朱熹地位由此證明，朱學價值因而彰顯，新安學人在學
脈歧出當中，形塑尊朱的共同意識，「新安學」雖出於明人表彰[83]，但《四書

---

[82] 胡廣等纂修：《四書大全・孟子集註大全》，卷5，〈滕文公章句上〉，頁2331。

[83] 新安學術出於明人建構的結果，明初趙汸：〈商山書院學田記〉云：「一以先師朱子為歸。凡
六經傳注、諸子百氏之書，非經朱子論定者，父兄不以為教，子弟不以為學也。是以朱子之
學雖行天下，而講之熟、說之詳、守之固，則惟推新安之士務然。」見趙汸：《東山存稿》
（景印文淵閣《四庫全書》本，集部1221冊），卷4，頁287。程曈：《新安學繫錄》撮舉101位
徽州學者，深具有指標作用。參見程曈：〈新安學繫錄序〉，《新安學繫錄》，頁1-3。

大全》導夫先路,已有十分明顯的線索,明代由道統而及皇權一統,遂能得見
其中隱然的脈絡[84],明代學術宗朱色彩,即在其中形成,陳櫟於延祐二年
(1315)〈上秦國公書〉云:

> 櫟也生朱文公之鄉,學朱文公之學。自少有志,至老彌勤。發揮先儒之
> 所未盡言,諸經幾遍,雖假館授徒,不能一日捨此以食。然其及人,終
> 不為多,倘蒙鈞慈,欽遵已降聖旨,照年六十以上例,除櫟一泮水近
> 關,使得及此已老未衰之年,以平生所聞于朱文公者,與諸生講明而躬
> 行之,作養成材,以待選舉,或使道略明于鄉郡,則未沒之年,皆感戴
> 之日也。[85]

一生以顯揚朱熹學術為念,以回歸於鄉梓教育為職志,殷勤誠懇,至老未衰,
陳櫟展現新安學者的堅持,無怪乎清人認為新安學術最為純正,吳曰慎〈新安
學繫錄序〉云:

> 朱子以遷閩未久,新安自表,而吾郡繼起諸賢,篤守其學,代不乏人,
> 其與金谿之頓悟、新會之靜虛、姚江之良知,不啻薰蕕判也。是以道統
> 歸於程朱三夫子,而學系之正,莫如新安,故獨標之。[86]

新安學人對於朱熹深具欣慕情懷,朱熹成為凝聚鄉里情感文化符碼,蒐羅前人
見解,切身體證,形構新安學人學術特色。重視淵源,強調道統,深化四書義
理內涵,成為師門之間,共同追尋的目標,明儒援取為義理基礎,乃是歷經發
展辨證的結果。本文整理《四書大全》徵引新安學人內容,有如下心得:

---

[84] 拙撰〈四書「官學化」進程:《四書大全》纂修及其體例〉,《東亞漢學回顧與展望》(日本長
崎中國學會會刊)第1期(2010年7月),頁87-102。

[85] 陳櫟:《定宇集》,卷10,〈上秦國公書〉,頁298。

[86] 吳曰慎撰:〈新安學繫錄序〉,程瞳:《新安學繫錄》,頁4-5。

一、明代《四書大全》承襲倪士毅《四書輯釋》為多，而《四書輯釋》則是匯整陳櫟《四書發明》以及胡炳文《四書通》而來，新安一系四書詮釋成為《四書大全》徵引材料大宗，成為四書官學化極為重要的關鍵，也是了解明代四書學必須釐清的內容。

二、檢覈《四書大全》「引用先儒姓氏」，程、朱之外，屬於新安人氏有王炎、胡次焱、程若庸、吳浩、陳櫟、汪炎昶、朱伸（疑為朱申）、胡炳文、張存中、倪士毅等人。剔除歸於饒魯一系的程若庸、吳浩之外，其餘共計八人，徵引達一七四○條，占百分之二十九‧五二，分量既豐，具有總結地位。

三、新安學人求「全」與「精」之餘，胡炳文與陳櫟兩系，對於定本的判定不同，但匯整融通，重視淵源，則有相同的趨向，新安學人回歸於經注之間，將「道統」與四書義理縝密結合，深化程、朱於道統續傳之地位，得見新安學人用心所在。

四、明人四書學以朱熹為依歸，乃是出於宋元之際新安學人建構的結果，宗奉朱熹，綰合修養工夫與道統系譜，形塑儒學主體意識，新安學術遂能從原本理學流扇之地，轉而成為理學原鄉，道統的堅持，形構新安學人主體意識，朱熹之後的學術發展，遂有較為清楚的脈絡。

《四書大全》乃是明儒學術基礎，只是其中材料既多，梳理為難，本文撮舉新安學人成果，反覆檢視，新安學人標舉朱熹學術的貢獻，深化道統義理的思考，皆大有助於了解朱熹學術樣態，以及元明之際儒學發展軌跡。宋元之際新安學人於鄉里設教，於師門傳學，敦厚篤實，遂有更為清楚的觀察。

日本山崎闇齋的經學研究初探
──以四書研究為探討中心

藤井倫明

臺灣師範大學

摘要

　　山崎闇齋（1618-1682）乃是日本江戶時代前期的朱子學者。以闇齋為開山祖師的「闇齋學派」（又稱「崎門學派」），堪稱是日本規模最大的朱子學派，其學術思想在近世日本的知識世界占有相當重要的地位。在歷來闇齋以及闇齋學派的研究主要關注理氣心性論等義理方面或窮理、居敬等工夫論方面，但若了解闇齋學派學術思想的整體面貌，不可忽視他們所做的經學研究或文獻考證方面的貢獻。闇齋以朱子思想為絕對典範，所以其經學研究也基本上在朱子學的範圍內進行的，其目的也在闡明朱子的經典注釋的真義，但他並不是盲目相信朱子的立場而抽象、空虛的談義理，闇齋支持朱子的背後，存在著非常嚴謹的文獻整理以及考證作業。本文主要探討闇齋的四書研究，闡明闇齋的經學研究的特色以及學術上的貢獻。

關鍵詞：山崎闇齋　四書　經學　朱子學　日本漢學

一　江戶時代以前的四書研究

　　如眾所皆知的，日本古代的經學研究，主要是在律令制度之下由大學寮的「明經道」所推動。此明經道的教授，亦即「明經博士」的地位，在平安時代中期（11世紀）以後為清原、中原兩家所獨占，經學研究亦成為清原、中原兩家世襲的「家學」，於是成立所謂的「明經家學」。誠如大江文城所指出，「在明經家學，《易》、《詩》、《書》、《禮》、《春秋》以及《孝經》、《論語》等七經各有家點，作為秘傳之書，將其讀解法保密傳承，限制一般人的自由研究。」[1]在日本古代社會，儒家經典的解讀乃是明經家這一朝臣的專職，其他人並無法參與，因此，他們所傳承的經典原文的倭訓（日語解讀法）被稱為「家點」[2]，成為日本人理解儒家經典的唯一標準、絕對權威。日本古代（飛鳥、奈良、平安初期）相當於中國的隋唐時代，大和朝廷以隋唐的律令制為典範推動政治、教育的制度化。平安時代成立的明經博士的經學研究當然受到唐代經學之影響，以五經（《詩》、《書》、《禮》、《易》、《春秋》）為核心經典，依據漢、唐時期的代表性注疏（所謂「古注」）試圖解讀經書內容。進入十二世紀在中國出現了朱子學這一新儒學的學術思想體系，經學研究的中心從五經移轉到了四書，但在日本，明經家的經學研究仍是以五經為主，維持漢、唐的古注作為標準。相對於明經家，當時在日本對中國的新思潮比較敏感反應，開始注意朱子學、四書以及新注，將朱子學相關文獻、思想傳到日本的知識分子則是臨濟宗（五山）的僧侶。可以說，日本的四書研究，係由僧侶開創、推動的。如上所述，經學研究本來由朝臣明經家所壟斷，但對於四書的訓解當中沒有他們所傳承的「家點」，因此，四書被視為「明經家學」之外的「家外之書」，與五經不同，有著自由研究、解讀的空間。於是，到了十四世紀鎌倉時代末期，民間

---

[1]　大江文城：《本邦四書訓點并に注解の史的研究》（東京都：關書院，1935年），頁24。

[2]　讀解漢文的方法（訓讀、訓點），本來為了讀解佛典開發、使用的，後來漸漸在解讀儒家經典時也使用，當初稱為「乎古止點」。關於日本的訓讀、訓點的起源以及發展，參閱金文京：《漢文と東アジア——訓讀の文化圈》（東京都：岩波新書，2010年8月），頁57-66。

四書以及新注的研究開始逐漸增加。但在江戶時代（1603-1867）以前，日本的四書以及宋學研究主要是由僧侶從「禪儒一致」或「求道的方便」的脈絡推動，不是屬於純經學、純儒學研究，至於從純經學、純儒學脈絡著手，較為嚴謹的四書研究，則要等到江戶時代的儒者才能實現。

無庸諱言，儒家經典是用古代漢語撰寫，對日本人來說，它是與母語不同的外文，因此，為了理解經書的內容，首先必須將漢文系統改為日文系統。為解決此一問題，日本人採取的方法，即是漢文原文旁邊附加「訓點」這一方法。「訓點」就是將漢語詞序改為日語詞序的符號，以及作為日文需要補充的助詞、漢字的日語讀法等記號。我們根據這種「訓點」，將經書原文可以翻譯成日文，進而理解經書的內容。因此，在經書原文上附加「訓點」，亦即「加點」這一作業，意味著對經書進行初步的翻譯和解讀。日本古代經學研究就是以這種「加點」為基礎而開展的。試圖壟斷經學研究的明經博士家將「訓點」作為「家點」加以秘傳化，不允許一般人自由對經書「加點」的理由也在這裡。如上說明，明經家的經學研究以五經為主，四書並不屬於「家學」範疇，因而使其成為開放研究的對象。但隨著以四書為核心經典的宋代新儒學，此一潮流漸漸東傳至日本，於是，明經家也不容忽視四書的衝擊。據大江文城的考證[3]，到了室町初期清原良賢（？-1432）的時代，明經家同時也將四書納入於「家學」之中而加點，稱為「明經家定本四書」傳承。此「明經家四書」，《大學》、《中庸》是根據朱子的章句本加點，但《論語》根據何晏的集解本加點，《孟子》則根據趙岐的注本加點，因此，成為新注、古注混合的特殊的四書版本。此「明經家定本四書」出現後，在日本對於四書的版本、解釋同樣以它作為唯一標準、權威，一般人對四書的自由研究、注解又被封鎖。

二　江戶時代初期的《嘉點本四書》

但到了慶長四年（1599），自禪林還俗的儒者藤原惺窩（1561-1619），打

3　參閱大江文城：《本邦四書訓點并に注解の史的研究》。

破幾百年以來的傳統，對朝鮮官人姜沆（1567-1618）所書寫的《四書》、《五經》施加「倭訓」，於是，日本的四書研究開始脫離明經家學以及禪僧的藩籬，完全遵照「宋儒之意」，從朱子學的脈絡展開。[4]藤原惺窩加點的原本已經散逸，但在寬永五年（1628）刊行的「新板五經白文點本」，據林羅山的跋文，是以惺窩點為基礎的，因此吾人窺知惺窩如何對《五經》施加「倭訓」。

據大江文城的考察，江戶時代初期刊行的朱熹《四書集注》的加點本有《文之點本四書》、《道春點本四書》（林羅山）、《嘉點本四書》（山崎闇齋）、《二階堂點本四書》、《道乙點本四書》、《由的點本四書》、《登雲點本四書》（菅得庵）、《貝原點本四書》（貝原益軒）、《林家改正點本四書》等等。其中《文之點本四書》，另稱為《大魁四書集注》，由如竹（日章）（1570-1655）在寬永二年（1625）出版，可說日本首次刊行的儒家經典倭訓點本。[5]

如此，江戶時代初期，以四書為中心的朱子學逐漸盛行，同時依據朱熹「新注」來理解儒家經典的學風越來越普及，但一般多是利用明代為科舉需要所編纂的朱子學相關著作，例如《四書大全》、《四書蒙引》等來解讀朱熹《四書章句集注》內容，並不是直接研讀《朱子文集》、《朱子語類》等朱熹本人的著作。因此，就這個意義來說，江戶時代初期的朱子學，可說是透過明代朱子學相關著作來理解的朱子學。然而，在江戶時代的儒者當中，對這一狀況感到不滿，仔細考證並整理朱子學相關著作，試圖闡明朱熹本人核心思想的學者便是山崎闇齋。因此，山崎闇齋對四書加點的《嘉點本四書》，在日本各種四書的倭訓點本中，其所理解可說是相當可靠，評價很高。幕末的思想家橫井小楠（1809-1869）如下讚美《嘉點本四書》：

在日本有各種《四書》的點本，但山崎點才是最精確的，又附有《或

---

[4] 藤原惺窩寄給姜沆的書信中如下說道：「赤松公新書四書五經之經文，請予欲以宋儒之意加倭訓于字傍，以便後學。日本唱宋儒之義者，以此冊為原本。」參閱和島芳男：《日本宋學史の研究》（東京都：吉川弘文館，1962年），頁290。

[5] 《大魁四書集注》乃是文之和尚（1555-1620）對朱熹《四書集注》加以倭訓，其門人如竹附加跋文而出版刊行的，因此稱為「文之點」。有關日本江戶時代四書相關倭訓點本、國字解釋以及《四書大全》的和刻本，詳參宇野田尚哉：〈板行儒書の普及と近世儒學〉（收入《江戶の思想》5，東京：ぺりかん社，1996年，頁8-28）。

問》、《輯略》等，可視為最完整的善本。[6]

　　如橫井小楠所指出，闇齋加點出版的四書稱為《倭板四書》，除了《四書章句集注》之外，附有《大學或問》、《中庸或問》以及《中庸輯略》。闇齋特別校訂、加點《學庸或問》而刊行，不校訂、加點《語孟或問》的原因是：闇齋透過朱子相關文獻的研究，判定《語孟或問》屬於朱熹「未定之書」。此外，據闇齋的考據，朱熹《四書》相關著作之中，《大學章句》以及《大學或問》、《中庸章句》以及《中庸或問》、《論語集注》、《孟子集注》才是朱熹的「定本」，是為最可靠的版本。闇齋自身如下說明：

> 四書；大學章句、或問、序跋、中庸章句、或問、序跋、論語・孟子集注、讀法、序說，此朱先生定本，嘉校訂之，正句讀改倭訓者也。[7]

　　闇齋認為：朱熹思想或朱子學的研究絕對從這些「定本」才能正式開始的，闇齋將這些文獻為朱熹的「定本」，進而校訂、加點、刊行的理由便在這裡。

三　山崎闇齋經學研究的特色

　　如上所述，在日本江戶時代，《四書大全》、《性理大全》或《四書蒙引》等由明代學者所編纂的「末疏」相當盛行，日本儒者非常重視這些著作，透過由明代學者的「末疏」來理解朱子學。[8]但闇齋發覺這些「末疏」與朱熹本人的

6　參閱德富豬一郎：〈歷史より觀たる山崎闇齋先生及び山崎學〉，傳記學會編：《增補山崎闇齋と其門流》（東京都：明治書院，1943年），頁15。據德富豬一郎（蘇峰），他在熊本「素讀」（誦讀）《四書》時，使用的版本是《嘉點本四書》，另外在薩摩藩（鹿兒島）在安政年間（1854-1859）刊行山崎嘉點《四書集註》。

7　《文會筆錄》3，《山崎闇齋全集》第1卷（東京都：ぺりかん社，1936年），頁163。

8　阿部隆一指出說：「日本江戶時代前期的朱子學主要學習《四書集註》以及其末書，亦即《大全》的，並不是純粹精讀、探討朱子《文集》或《語類》的。（中略）山鹿素行、伊藤仁齋、

注解意義上有所異同，它並沒有完全發揮朱熹本人賦與經典的意義，因此，闇齋對「末疏」加以嚴格的批判，試圖回歸朱熹本人的注解，亦即《四書章句集注》原來的義理世界。闇齋如下批判《四書大全》、《四書蒙引》等「末疏」。

> 自朱註定，而真氏有《集義》，祝氏有《附錄》，蔡氏《集疏》、趙氏《纂疏》相繼為編，而後吳氏《集成》出焉。陳氏《發明》、胡氏之《通》，摭《集成》為之，倪氏《輯釋》萃《發明》與《通》者也。劉氏取《輯釋》及數家之書著《通義》。其後《大全》成矣。《大全》之後，末疏以百數，而《蒙引》其巨擘也。林氏《存疑》、王子《便覽》，專依《蒙引》。陳氏《淺說》合《蒙引》、《存疑》者也。夫陸學者流寇朱註者置而勿論，若《大全》，若《蒙引》，欲發明朱註而昏塞卻甚。《大全》所收，程朱之說則固雖不害於道，而與經註異者間有之。學者先熟讀經註，然後及乎程氏朱氏之全書，則其詳明經註。又別立議論，或有為而發，或未定之說，且記錄之失，刻板之誤，皆可得而明辨之。[9]

　　闇齋完全信任朱熹，認為朱熹對四書的注解完全沒有缺點，已經到達最高水準，後人並不需要特別補充或修正。因此，對闇齋來說，即便是由朱子學者所做的注解都是多餘的。江戶時代也留有各種儒者對四書加以注解的版本或詮釋的著作，但闇齋以及闇齋學派學者，站在上述的立場，完全沒有留下四書或儒家經典的注解著作。

　　闇齋所採取的經學研究的態度乃是視朱熹為絕對權威，用「述而不作」的態度，完全依據朱熹本人的見解，進行解讀經書的內容。在此需要的是，仔細參考朱子所留下來的各種文獻，精確地理解朱熹的定論、本義所在。但朱熹所留下的文獻相當豐富，其中有若年「未定之論」與晚年「定論」，「定論」中亦

　　荻生徂徠等在年輕時鑽研這種明代《大全》風的朱子學而受影響，中年之後開始批判朱子學，建立自己的學問。因此，他們所開展的朱子學批判，並不是針對朱子思想本身的，而是針對明代《大全》風朱子學的，如此理解比較恰當。」（《日本思想大系31 山崎闇齋學派》，頁567）

9　《文會筆錄》卷3，《山崎闇齋全集》第1卷，頁166。

有精、粗之別，需要加以整理、辨別，從中抽取朱熹思想的精萃。於是，闇齋對朱熹以及朱子學相關資料做了非常嚴謹的整理與考證的工作。關於這一點，大江文城先生如下精確地說明：

> 闇齋宣稱純朱子學，雖然同樣為朱子之書，但將它分為「直錄」（自己撰寫的）與「別錄」（門人記錄的），同樣為朱子的「直錄」，將它分為「定論」與「未定論」，同樣為「定論」之語，進一步區分「精」、「粗」之別，只針對自己認定為朱子思想的精萃部分加以反覆講述，試圖體會其真意。[10]

闇齋認定為顯示朱子的定論、朱子思想的精萃就是《四書章句集注》以及《大學或問》、《中庸或問》，因此，闇齋朱子學研究的核心就在於對《四書章句集注》以及《學庸或問》的研讀。對闇齋來說，除此之外，別無其他經學研究的取徑。接著，為了精確理解《四書章句集注》的意義，闇齋又從《朱子文集》或《朱子語類》中抽出相關重要的言論，加以整理、編輯並刊行，使門人方便參考。闇齋以及闇齋學派學者的著作中，只蒐集、整理朱熹的重要言論的編纂類書籍占有很大比率的原因即在於此。關於《大學》，闇齋編輯《大學啟發集》，蒐集、整理《朱子語類》、《朱子文集》中的重要言論。[11]如上所述，闇齋沒有對《四書》等經書加以注釋，但根據朱熹的注解，參考《或問》、《文集》、《語類》等資料，針對門生用口語日文講解經書或經書中的重要議題、概念。由闇齋以及闇齋學派學者講解的內容一般以稱為「○○講義」、「○○筆記」的形式來進行傳承。[12]關於《大學》，闇齋留下《垂加先生大學講義》。透

---

[10] 大江文城：《本邦四書訓點并に注解の史的研究》，頁182。

[11] 闇齋所編纂的此類朱子學重要資料集，除了《大學啟發集》之外，還有《中和集說》、《仁說問答》、《性論明備錄》等。闇齋的高足佐藤直方（1650-1719）、淺見絅齋（1652-1711）、三宅尚齋（1662-1741）都有類似的編輯著作。例如佐藤直方有《講學鞭策錄》、《鬼神集說》，淺見絅齋有《大學物說》、《大學明德說》、《三綱八目說》、《中庸精一集說》、《中庸已發未發說》、《中庸一誠而已說》、《仁義禮智說》，三宅尚齋有《論語筆記》、《為貧說》等。

[12] 據大江文城先生的調查、考察，《大學》相關的講義、筆記有〈垂加先生大學講義〉（山崎闇

過此一闇齋的《大學講義》，吾人可以理解闇齋如何從朱熹思想的脈絡深入解讀，從中分析《大學》這本經典的內容。另外，闇齋的著作中有《文會筆錄》共二十卷。它雖然是讀書筆記，但一般視為闇齋的代表性著作。其中在第三卷到第九卷之間可以看到經學相關言論。具體而言，第三卷以《大學》為主題，第四卷以《論語》為主題，第五卷以《孟子》為主題，第六卷以《中庸》為主題，第七卷以《易經》為主題，第八卷以《書經》為主題，第九卷以《詩》、《禮》、《樂》、《春秋》為主題。

　　如此，闇齋對朱子學相關文獻予以非常嚴謹的考據、分析，這些作業，雖然限定朱子學相關文獻，但確實屬於文本批判。在日本，闇齋之前，沒有學者如此對儒家經典相關資料加以批判、考據、整理，在這個意義上，如丸山真男所說：「在近世日本，開創經學的文本批判的途徑的人物無非是山崎闇齋。」[13] 舉例來說，關於《孟子・公孫丑上》四端章的「凡有四端於我者，知皆擴而充

齋）、〈大學假名筆記〉（佐藤直方）、〈大學傳首章筆記〉（淺見絅齋）、〈大學傳五章講義〉（淺見絅齋）、〈大學序口義〉（三宅尚齋）、〈大學或問講義〉（三宅尚齋）、〈三綱領誠意口義〉（三宅尚齋）、〈大學知止師說〉（若林強齋）、〈大學經文講義〉（若林強齋）、〈大學師說〉（西依成齋）、〈大學講義〉（留守希齋）等，《中庸》相關的講義、筆記有〈鳶飛魚躍筆記〉（佐藤直方）、〈中庸筆記〉（淺見絅齋）、〈中庸師說〉（淺見絅齋）、〈中庸講義〉（三宅尚齋）、〈中庸師說〉（若林強齋）、〈人心道心講義〉（合原窓南）、〈人心道心講義〉（川嶋栗齋）等，《論語》相關的講義、筆記有〈一貫章講義〉（佐藤直方）、〈曾子弘毅章講義〉（佐藤直方）、〈一貫泰伯啟手足章講義〉（三宅尚齋）、〈管仲召忽章講義〉（三宅尚齋）、〈克己章講義〉（三宅尚齋）、〈喟然章講義〉（三宅尚齋）、〈曾子三省章講義〉（三宅尚齋）、〈仲弓問仁章講義〉（三宅尚齋）、〈禮和章講義〉（三宅尚齋）、〈川上章講義〉（三宅尚齋）、〈有子曰其為人也章講義〉（三宅尚齋）、〈性相近章講義〉（三宅尚齋）、〈我未見好仁者章講義〉（三宅尚齋）、〈君子博學於文章講義〉（三宅尚齋）、〈顏樂章講義〉（三宅尚齋）、〈子謂韶章講義〉（三宅尚齋）、〈十有五章講義〉（三宅尚齋）、〈如博施於民章講義〉（三宅尚齋）、〈學而章講義〉（谷重遠）、〈克己章講義〉（谷重遠）、〈顏淵子路篇講義〉（稻葉迂齋）、〈管仲召忽章講義〉（味池修居）、〈顏淵子路憲問章口義〉（天木時中）、〈曾點章講義〉（留守希齋），《孟子》相關的講義、筆記有〈浩然章講義〉（淺見絅齋）、〈求放心章筆記〉（三宅尚齋）、〈求放心章講義〉（合原窓南）、〈盡心下講義〉（留守希齋）、〈浩然章講義〉（稻葉迂齋）、〈性善章講義〉（村士玉水）等。參閱大江文城：《本邦四書訓點并に注解の史的研究》，頁189-192。

13 《日本思想大系31山崎闇齋學派》，頁664。一般認為闇齋學長於「義理」，從「義理學」的脈絡評價它，但內藤湖南認為闇齋相當重視文獻考證，雖然限於朱子學的範圍，但他所做的文獻「校勘」非常嚴謹，內藤湖南從「校勘學」的脈絡評價闇齋學的貢獻。參閱內藤湖南：〈山崎闇齋の學問と其の發展〉，《內藤湖南全集》第9卷（東京都：筑摩書房，1997年），頁327。

之矣」一句，《朱子語類》中各種問答論述。其中有：

> Ａ： 問：「『知皆擴而充之矣』，『知』字是重字？還是輕字？」曰：「不
> 能擴充者，正為不知，都只是冷過了。若能知而擴充，其勢甚順，
> 如乘快馬、放下水船相似。」文蔚[14]
>
> Ｂ： 「知皆擴而充之」，南軒把知做重，文勢未有此意。「知」字只帶
> 「擴充」說。「知皆擴而充之」，與「苟能充之」句相應。上句是方
> 知去充，下句是真能恁地充。淳[15]

山崎闇齋在《文會筆錄》中同時摘錄這兩者，針對前者 Ａ（由陳文蔚紀
錄）附加「嘉謂此與集註不合」，針對後者 Ｂ（由陳淳紀錄）附加「嘉謂此與
集註合」這一小字評語。[16]關於《中庸》第二十五章「誠者非自成己而已也，
所以成物也」此句之中的「自」義，闇齋在《文會筆錄》中有如下評論：

> 二十五章，「自」字皆獨自也。「自成」前後同矣。《章句》精詳，《或
> 問》明盡。小註許氏曰：「前自成謂自然而成，後自成謂自己成就
> 也。」許氏此說依《語類》言之。與《章句》、《或問》不合。[17]

如此，闇齋，關於經書中的重要詞語、概念，尋找《四書章句》、《四書或
問》、《朱子語類》的相關注釋、說明，互相對照，確認異同。關於《論語·顏
淵》的「克己復禮」概念，《文會筆錄》中有將《朱子文集》、《朱子語類》、
《四書集注》互相比較的觀點。

「克己復禮」，《朱子文集》、《語類》有做兩項說，有做一項說。兩項說

---

14 《朱子語類》卷53，《朱子語類》4（北京市：中華書局，1986年3月），頁1291。

15 《朱子語類》卷53，《朱子語類》4，頁1292。

16 《文會筆錄》卷5，《山崎闇齋全集》第1卷，頁256。

17 《文會筆錄》卷6，《山崎闇齋全集》第1卷，頁302-303。

為平實，一項說為通快。《集註》為兩項，便是本文正意。[18]

《文集》、《語類》、《集註》、《或問》等都是在研究朱子思想時不可或缺的重要資料，但其中《語類》是由朱子門人記錄、編輯，朱子發言的對象、狀況也不一樣，其記錄內容也可能受到聽過朱子的發言而記錄的門人的水準而不同。因此，闇齋在使用《語錄》的資料時，儘量與其他朱子的「自著」對照，朱子本人的論述為判斷標準。但朱子本人的學說也有定說、未定之說等差異，各種自著之間也有見解上的異同。闇齋在朱子的自著之中，比較重視《四書集注》。闇齋如下在《文會筆錄》中摘錄薛瑄《讀書錄》的觀點：

> 《讀書錄》十一曰：《朱子文集》有未為定說者。如「盡心知性」一段與《孟子》盡心知性《集註》不同。當以《集註》為定說。嘉謂：《文集》三十二〈答張敬夫書〉、六十七〈盡心說〉、〈觀心說〉皆與《集註》異。[19]

如眾所皆知的，《四書集注》乃是朱子生涯投入全心全力撰寫編輯，而不斷地親自校訂的大作，因此，筆者認為闇齋以《集注》為朱子著作之中最可靠的基本資料，這一判斷是妥當的。

附帶而言，闇齋非常崇拜朝鮮的李退溪，闇齋朱子學受朝鮮大儒李退溪的影響這一點可說是學界的共識。阿部吉雄先生則認為，闇齋這種朱子學研究的方法，深受李退溪（1501-1570）的啟發、影響。[20]果然闇齋在《文會筆錄》中多次摘錄、引用李退溪的著作，如下引文加以誇獎退溪。

> 《朱子書節要》，李退溪平生精力盡在此矣。《退溪文集》全四十九卷，

---

[18] 《文會筆錄》卷4-3，《山崎闇齋全集》第1卷，頁224。

[19] 《文會筆錄》卷5，《山崎闇齋全集》第2卷，頁268。

[20] 參閱阿部吉雄：《日本朱子學と朝鮮》（東京都：東京大學出版會，1965年），第2篇「山崎闇齋の朱子學と李退溪」，頁231-403。

予閲之。實朝鮮一人也。[21]

如上所述，闇齋雖然沒有直接注釋經書，但闇齋對經書的見解，透過其講義筆錄或讀書筆記可以理解。例如關於《大學》，如上所提到，闇齋留下《大學垂加先生講義》，又在《文會筆錄》卷三中也開展《大學》相關的分析。誠如眾所皆知的，《大學》經文中出現「明德」這一概念[22]，無可置疑地，「明德」是《大學》思想的核心概念，但關於如何理解「明德」，古今有各種見解，有的解為「德行」，有的解為「德性」。鄭玄注則解為「至德」，孔穎達疏則解為「己之光明之德」[23]，可能從「德行」的角度來理解「明德」。但如陳佳銘先生所指出，「到了朱子處，卻把其加入心性論的色彩，甚至與《中庸》的『天命之謂性』的義理合而言說，就有了『德性』義」。[24]據陳佳明先生的分析，針對「德性」義的「明德」，又有理解為「性理」概念與理解為「心性合一」概念兩種不同的見解。可知，「明德」是一個既重要又難解的概念。闇齋在《大學垂加先生講義》以及《文會筆錄》中對此「明德」加以分析，提出自己的見解，值得參考。闇齋在《大學垂加先生講義》中，依據朱熹《大學章句》的「明德者，人之所得乎天，而虛靈不昧，以具眾理而應萬事者也」這一注解，如下說道：

> 「明德」之字，在「易」「尚書」中也看到。朱子此註解是前聖賢從來沒有說過的。在（《四書大全》等）末書中有（明德指的是）性或心與性之合等等說明，但這些說明都是不懂的人的解釋。「明德」明明白白就是「心」，最好如此理解。朱子之本意就是如此。（關於這一點，我）在《（大學）啟發集》中詳細說明。（明德是心）朱子如此定義之後，有時從「性」的脈絡說明「明德」，有時從「情」的脈絡說明「民德」。

21 《文會筆錄》卷20，《山崎闇齋全集》第2卷，頁214。
22 《大學》經一章的開頭如下說：「大學之道，在明明德，在親民，在止於至善。」
23 《十三經注疏5‧禮記》（臺北市：藝文印書館，1997年），頁983下。
24 陳佳銘：〈朱子論「明明德」之研究〉，《當代儒學研究》第6期（2009年7月），頁61。

（中略）再者，人・物同樣稟受天理，但限定人類，可以說「明德」與「心」。針對「物」無法使用「明德」之名。（朱子在注釋中）「明德者，人之所得乎天」，如此將明德限定人類解釋說明的理由就在這裡。[25]

如此，闇齋排斥將「明德」解為「性」的見解或解為「心性合一」的見解，斷然認定為「心」。因為「心統性情」，所以若體會「明德」等於「心」這一真相，將「明德」從「情」的角度來看也可以，從「性」的角度來看也可以。據闇齋的理解，《孟子》所謂「四端」就相當於「明德」。闇齋在《文會筆錄》對「明德」概念加以更詳細的分析。在此闇齋同樣堅持「明德」等於「心」的見解之外，還提出「明德」＝「心」＝「知」這種新解。闇齋如下說道：

〔A〕先生說「明德」（1）云：「虛靈不昧，以具眾理而應萬事者。」（2）又云：「分寸之間，虛靈洞徹，萬理咸備。」說「心」（3）云：「虛靈知覺一而已矣。」（4）又云：「神明之舍。」（5）又云：「人之神明，所以具眾理而應萬事者。」（6）又云：「人之一心，湛然虛明，如鑑之空，如衡之平，以為一身之主者。」（7）又云：「人心妙不測，出入乘氣機。」（8）又云：「靜觀靈臺妙，萬化從此出。」（9）又云：「孔子，言『操則存，舍則亡。出入無時，莫知其鄉』四句，而以『惟心之謂與』一句結之。正是直指心之體用，而言其周流變化、神明不測之妙也。」（10）又云：「心之為物，至虛至靈，神妙不測，常為一身之主，以提萬事之綱。」（11）又云：「心之為物，實主於身。其體則有仁義禮智之性，其用則有惻隱、羞惡、恭敬、是非之情。」說「知」（12）云：「人心之靈，莫不有知。」（13）又云：「心之神明，妙眾理而宰萬

[25] 《大學垂加先生講義》，《日本思想大系31・山崎闇齋學派》，頁24。原文如下：「明德ノ字，「易」「尚書」デモ見エテ，朱子ノ此解，前聖賢ノ未言處也。此モ未書二性ヂャノ心ト性トヲ合セテ云ノナンドト，色々ト取沙汰スル，皆不知者ノ論也。ベッタリト明德ハ心ト見ルガヨキゾ。朱子ノ本意乃然リ。「啟發集」二詳二アゲタリ。サウシテオイテ性ヲ以モ云ヒ情ヲ以モ論ゼリ。（中略）サテ，人・物同ク天理ヲ受トイヘドモ，人二限リテ明德ト心ヲ云也。明德ト云名ハ，物二通ジテハ云ハレヌゾ。サルホド二今，人之ト，人バカリヲ以云，是也。」

物者也。」〔B〕嘉謂：蓋明德也，心也，知也，一理也。而明德者，心之表德，知則心之妙用也。其「為物」、「方寸」、「靈臺」、「神明之舍」，指臟而言。其「人之神明」、「心之神明」，就德而言。其臟之中，虛而靈，即是神明而德之妙也。〔C〕嘗考其說之所由，（14）《書》曰：「惟人萬物之靈。」（15）《易》之〈咸象〉曰：「君子以虛受人。」（16）〈繫辭〉曰：「陰陽不測，之謂神。」〈說卦〉曰：（17）「神也者，妙萬物而為言者也。」（18）《記》曰：「人者，其天地之德，陰陽之交，鬼神之會，五行之秀氣也。」（19）周子曰：「惟人也，得其秀而最靈。形既生矣，神發知矣。」（20）又曰：「厥彰厥微，為匪靈弗瑩。」（21）程子曰：「心兮本虛，應物無跡。」（22）又曰：「心一也。有指體而言者寂然不動是也，有指用而言者感而遂通天下之故是也。」（23）又曰：「人之知思因神以發。」（24）張子曰：「由太虛有天之名，由氣化有道之名。合虛與氣有性之名。合性與知覺有心之名。」（25）又曰：「心統性情者也。」此先生之所本也歟。若夫佛氏之「虛靈」、列子之「方寸」、莊子之「靈臺」，則不知其中具萬理也。故先生言，「禪家則但以虛靈不昧者為性，而無以具眾理以下之事。」（引文中的數字、記號是筆者附加的）[26]

這一條可以分為〔A〕〔B〕〔C〕三個部分。首先〔A〕部分是闇齋將朱子對「明德」、「心」、「知」三者的重要定義、說明摘錄引用的。若標示其出處如下：（1）《大學章句》，（2）《大學或問》，（3）《中庸章句·序》，（4）《朱子語類》卷九十八，（5）《孟子集注·盡心上》，（6）《大學或問》，（7）《朱子文集》卷四〈齋居感興二十首〉，（8）《朱子文集》卷四〈齋居感興二十首〉，（9）《朱子文集》卷四十二〈答石子重〉，（11）《大學或問》，（12）《大學章句》格物補傳，（13）《大學或問》。[27]接著〔B〕部分是闇齋自身的評語。闇齋

---

26 《文會筆錄》，卷3，《山崎闇齋全集》第1卷，頁170。

27 此些典故出處的資訊根據高島元洋先生的調查。詳參高島元洋：《山崎闇齋：日本朱子學と垂加神道》（東京都：ぺりかん社，1992年），頁121-131。

由〔Ａ〕部分的朱說，導出「明德」＝「心」＝「知」這一結論。闇齋認為朱子思想脈絡下的「明德」以及「知」都是同一個「心」的不同面貌、不同層面而已。最後〔Ｃ〕部分是朱子「其說」的來源、根據，也就是說在〔Ａ〕部分列舉的朱子「明德」、「心」、「知」相關定義、見解所依據的古典文獻。[28]闇齋認為朱子根據這些古典或先賢的文獻提出如〔Ａ〕的見解。高島元洋先生認為如上所述的闇齋的論證，邏輯上是錯誤的。根據高島先生的理解，朱子思想中的「明德」是「性」（理），「明德」與「心」並不相同。「知」雖然是「心」的重要作用，但不能將「知」直接認定為「心」本身。[29]但筆者認為，上述的闇齋的論證邏輯應該沒有問題，「心」＝「明德」＝「知」這一理解才符合朱子思想的脈絡。筆者曾經分析過朱子思想中的「心」，分析結果所得到的結論不料是與闇齋的詮釋幾乎都一樣的意思。[30]

　　一般認為闇齋學是嚴謹的朱子學，相對於此，伊藤仁齋（1627-1705）、荻生徂徠（1666-1728）等古學派學者徹底反對、批判朱子學，兩者立場可說是完全對立、相反的。但日本古學派所認知的朱子學其實並不是朱子思想本身，而是明代《大全》式的朱子學，因此，嚴格來說，古學派所批判的對象是明代朱子學，回過頭來看，闇齋所批評的對象也是明代朱子學的「末疏」，因此，如阿部隆一所說：「闇齋之學與古學復古派的動態，從外部來看，好像是完全相反的，但從內部來看，闇齋學也與古學派同出一徹，批判明末朱子學末派的復古革新運動。」[31]闇齋學脫離雜駁、歪曲的明代《大全》式朱子學的藩籬，

---

[28] 其出處如下（14）《書經・泰誓上》，（15）《易經・咸卦・象傳》，（16）《易經・繫辭上傳》，（17）《易經・說卦傳》，（18）《禮記・禮運》，（19）《太極圖說》，（20）《通書・理性命第二十二》，（21）《近思錄》卷5，（22）《近思錄》卷1，（23）《程氏遺書》卷6，（24）《正蒙・太和篇》，（25）《近思錄》卷1。

[29] 詳參高島元洋：《山崎闇齋：日本朱子學と垂加神道》（東京都：ぺりかん社，1992年），頁121-131。

[30] 參閱藤井倫明：《朱子思想中的「心」與「知」──朱子性心論再探》，《儒教文化研究》，韓國成均館大學儒教文化所，第21輯（2014年2月）。關於朱熹如何理解《大學》所謂「明德」這一問題，學者之間有不同的見解，需要進一步分析、考證，但翻閱近年出版的張立文主編：《朱熹大辭典》（上海市：上海辭書出版社，2013年9月）的「明德」項目，看到「朱熹認為『明德』指心」這一說明。

[31] 《日本思想大系31山崎闇齋學派》，頁567。

試圖回歸朱熹本人的思想世界，是一種以朱熹本人的思想為原點的復古革新運動，相對於此，古學派從明末朱子學遙遠地超過宋儒，回歸到孔子或六經的思想世界。兩者雖然所理解的儒家的核心理念以及試圖回歸的原點有所不同，但其研究理念、方法上著實有共同的地方。

四　結論

　　總結以上的內容，關於山崎闇齋的經學研究，可以指出以下幾點。

一、以朱熹思想為絕對標準，其經學研究也集中於《四書》。

二、其「四書」研究，排斥明代《四書大全》、《四書蒙引》等「末疏」，回歸朱熹本人的《四書章句集注》，以朱熹本人的注釋為絕對標準，試圖闡明《四書》的精神世界。

三、根據朱熹的注釋，加點《四書》，提高日本的《四書》研究的水準。

四、在日本開創嚴謹、系統性的朱子學研究，就朱子學相關資料加以整理、選別、校勘，闡明朱熹學說的定論、精華。

五、翻刻、出版朱子學相關重要著作，推動朱子學的普及。

六、徹底根據朱熹的注解，用日文口語講述經書的內容、精神。

　　闇齋以及闇齋學派以朱子思想為絕對典範，所以其經學研究也基本上在朱子學的範圍內進行的，其目的也在闡明朱子的經典注釋的真義。但他們並不是盲目相信朱子的立場而抽象、空虛的談義理，而即使屬於主觀性的，但闇齋支持朱子的背後，存在著非常嚴謹的考證作業。他們所做的資料整理、文獻考證、文本批判等作業，從「方法」的角度來說，與古學派學者所做的並沒有兩樣。本文主要探討闇齋的四書研究，但闇齋並不輕視六經，對經學史也有相當深入考證、研究這一點，透過他的《經名考》[32]一文可以理解。闇齋高足淺見絅齋也進一步敷衍《經名考》而撰寫《六經編考》一卷[33]，探討六經的成立、

32　《經名考》，收入於《山崎闇齋全集》第2卷，頁243-245。

33　《六經編考》，收入於井上哲次郎‧蟹江義丸編：《日本倫理彙編‧朱子學部（上）》（東京都：育成會，1975年），頁444-479。

編撰者、異同、傳授、訓詁等問題，可知絧齋對經學研究的深度。歷來闇齋學的研究往往關注理氣心性論等義理方面或窮理、居敬等工夫論方面，但若了解闇齋學派學術思想的整體面貌，不可忽視他們所做的經學研究或文獻考證方面的貢獻。

國家權力與儒家經典

——論《孟子節文》與明太祖處理真理的方法[*]

傅　熊

（英國）倫敦大學

摘要

中國思想史及當代圍繞思想史的討論一直具有顯著政治色彩，由此可知國家對儒家經典的操控乃是一個持續不斷的過程。本文討論明太祖朱元璋如何確保經典文獻為之服務。經由國家審查而遭大量刪削的《孟子》，成為《孟子節文》一書，乃是教育及科舉中新訂正統之體現。本文即以《孟子節文》的修撰及傳佈為例，分析朱元璋對正統及真相的處理

關鍵詞：《孟子》　《孟子節文》　朱元璋　經典　國家審查　經典文獻的可利用性　教育　科舉　劉三吾

---

[*] 本文參考的主要叢書及版本包括：《叢書集成初編》（全3999冊，上海市：商務印書館，1935-1937年）；《四部備要》（全100冊，北京市：中華書局，1989年）；《四部叢刊（正編）》（全100冊，臺北市：臺灣商務印書館，1979年）；《四庫禁燬書叢刊》（全300冊，北京市：北京出版社，2000年1月）；《景印文淵閣四庫全書》（全1501冊，上海市：上海古籍出版社，1987年）；《四庫全書存目叢書》（全1298冊，濟南市：齊魯書社，1997年7月）。

學界論國家權力與經典之關係，往往圍繞一些重大事件，如焚書坑儒、唐宋時期中央政府為重掌儒經解釋權而編纂「正義」、歷朝屢次明令禁止國外人士接觸經典、清廷為整理舊藏及查燬禁書而編修《四庫全書》等。

儘管如此，該議題在當代頗具政治色彩，參之以中國思想界的歷史經驗，我們可推知一不言而喻之事實：由古至今，國家對儒家經典的掌控並非零散於歷史中的數起重大事件，更是一項從未間斷的工程。作為思想論述的終極塑造者，儒家經典不僅是包羅萬象的知識體系，更是國家權力的工具，用以確保現存的社會及政權等級體制得以延續，使之持續賦予當權者定義、傳播和推行正統教條的力量。當天下至尊意圖更新闡釋準則和方向時，修改工作一般由頂尖御用學者完成，有時甚至由帝王親自為經作注。[1]

經典及解經導向往往通過教育推行。漢代以降，教育的主要機制是以儒家經典及相關著述（如《論語》及後來的《孝經》、《孟子》等）為中心的課程，它不僅塑造士人心智，更操控其思想追求。儘管經典之文本來歷紛雜、性質不一，傳統將之視為「道」的體現，也就是「終極真理」的化身。乍看之下，「終極真理」這一文本化身可為學習者提供基本道德規範，教其如何自處，同時示之以自我提高之法，以臻最高境界（即所謂「君子」）。然而，在本文討論的脈絡中，儒家經典及其國家認可的解讀實際上具有另一種更為重要的作用。它們提供一系列明確指南，以維護現存等級制度；經由教育中的思想灌輸，它們更內化為一套哲學，以「禮」之名，令學習者在社會上「自知其位」。

經典並非一成不變的文本群，它們曾經歷複雜的經典化過程。然而，重點是，經典的真正力量其實在於如何對其進行解讀，更在於當局推崇哪一種解

---

[1] 儘管帝王所作或掛名的注疏在頒行當時極具權威，但其中僅有數種被長期保留為儒家經典標準解讀的一部分。在一八一五～一八一六年版《十三經注疏》中，李隆基（西元685-762年）為《孝經》作的序及注（西元722年，西元743年重注）經由元行沖（西元653-729年）疏匯入邢昺（西元931-1010年）疏，此即帝王解讀對這部初級教材的後世接受產生重大影響之一例。李隆基調和了鄭玄（西元127-200年）和孔安國（約西元100年卒）兩家注之間的衝突。關於李隆基序及注，見黎庶昌（1837-1897）、楊守敬（1839-1915）編：《古逸叢書》（東京都：編者出版，1882-1884年），卷5，頁1正-5反（序），以及卷5，頁5反-頁25反（注）。參見阮元：《十三經注疏附校勘記》（1815-1816年刻，全8冊；臺北市：藝文印書館，1985年），第8冊。

讀。歷朝歷代對解讀上的分歧表現出不同程度的包容，至寬者允許有所衝突、甚至相互矛盾的解讀共行並存，多種解讀並重有時更體現於最高學府的機構設置中。將經典視為開放文本的程度，往往與中央政府控制力的減弱程度相對應。在中央政府的統治較為有力的時期，當局更加渴求對國家權力的思想基礎（即儒家經典）加以掌控。士大夫根據帝王詔令將經典的解讀縮小至可容許範圍。此匡正經義的過程，旨在推出「終極真理」的一個特定版本，使經典在特定歷史和政治環境中具備實用價值。

在本文中，筆者將集中討論明代（1368-1644）開國皇帝朱元璋（1328-1398；1368-1398在位）處理真理的方法，以及他為確保經典為其服務而做出的嘗試。為此，他採取了多種策略。[2]

朱元璋認為蔡沈（1167-1230）對《書經》的闡釋不盡如人意，便命其信臣劉三吾（1312-1399）修訂蔡《傳》中不當之處。[3] 劉三吾晚年見重於明太祖，奉命修訂蔡沈《書集傳》中六十多處，其中包含蔡沈的老師朱熹（1130-1200）離世前不久所作的注釋。[4] 劉三吾及其翰林同僚所纂《書傳會選》於一

[2] 關於朱元璋「正經」，見祝允明（1461-1527）：《前聞記》「正經傳」條，載鄧士龍：《國朝典故》（全3冊；北京市：北京大學出版社，1993年4月），卷62，第2冊，頁1389-1390。

[3] 見《書傳會選》（又名《尚書會選》）提要，《四庫全書》，第61冊，頁1正-頁4反（尤其頁1正）；參見Ming Tai-tsu and Romeyn Taylor: "Ming Tai-tsu's 'Essay on the revolutions of the seven luminaries and the body of heaven'"，載 *Journal of the American Oriental Society*，1982年，第102卷第1期，頁93-97。關於劉三吾對蔡傳的修改，見祝允明：《前聞記》，載《國朝典故》第2冊，卷62，頁1389-1390。又見祝允明：《野集》（全4卷），載《國朝典故》第1冊，卷31，頁496-497。我們還可以看到，在劉三吾嘗試修正蔡沈對《尚書》的解讀之前，其前人已數次對蔡傳進行改正，包括元代張葆舒：《蔡傳定誤》、黃景昌（14世紀早期）：《蔡氏傳正誤》及陳櫟（1252-1334）：《書經》注兩種（即《書傳折衷》、《尚書集傳纂疏》）等，見Yves Hervouet編：*A Sung bibliography. Bibliographie des Sung*（Hong Kong: Chinese University of Hong Kong, 1978），頁22-23。關於劉三吾及其著述，見L. Carrington Goodrich and Chaoying Fang（房兆楹）編：*Dictionary of Ming biography 1366-1644*（全2冊；New York: Columbia University Press，1976），第1冊，頁956-958。

[4] 蔡氏《書集傳》於元代（1279-1368）仁宗（1312-1320在位）朝被立為科舉標準注本，並以數種名目流傳於世，其中包括《尚書集傳》、《書經集傳》。關於朱熹對《堯典》、《舜典》及《大禹謨》的訂正，見《書集傳·序》，《四庫全書》，第58冊，頁1正-頁2反。其後胡廣（1370-1418）等人於1415年奉詔編修《五經大全·書傳大全》時，便以《書集傳》為藍本。王頊齡（1642-1725）等人編纂《欽定書經傳說會纂》（1721-1730）時亦以《書集傳》為藍本。

三九四年成書並頒行全國,至永樂年間（1403-1425）重修。[5] 此即帝王因挑戰成規而詔改舊注之一例。《書傳會選》中經文並無改易,然而,經皇帝授權,經文的解讀以及從中析取的涵義頗受改動。此重訂經義之舉,是以解經為手段、根據皇家新訂之闡釋標準,對經文進行再定義。[6] 新的解讀方法隨之成為科舉標準,推行全國。赴考者若不遵從此讀法,則仕途的大門注定緊緊關閉。

此外,朱元璋還利用經典來規範和矯正等級制度。他對各種禮法的持續修訂,旨在確保對宗室中潛在反叛者的控制,以及通過具有象徵性的儀式表演使他所設想的等級制度清晰可見。實際上,修訂前與修訂後的禮儀條例皆脫胎於備受推尊的解經傳統。禮儀的解經傳統本已極富,所供解讀選擇多樣,正宜左右採之,使合新需。因此,修訂時既無需超出這一範疇,又能令皇帝對變化的政局作出反應。換言之,執政者要根據新需求對經典讀法作出調整,便可在現存解經傳統中尋得理據（或可釋為理據之處）。批准修訂,實乃肯定傳統中對其有利之處,而否定其餘。經典及解經文獻被視為訓釋之倉廩,博學文臣在其中擷取,並依據詔令制訂典章化的統治信條。[7]

在眾多史料之中,筆記不但包含難以在官方史料中流傳的記載,更代表另一種歷史解讀。[8] 這些材料中朱元璋的出現常常伴以輕鄙之意,但其中關於他

---

[5] 見張廷玉（1672-1755）等撰《明史》（1739年上表,全28冊；北京市:中華書局,1974年初版,1987年）,卷96,頁2352,又卷137,頁3942、3955,以及《書傳會選》各序。參見Goodrich and Fang: *Dictionary of Ming Biography*,第1冊,頁362-363。

[6] 關於宋代至明代的正統之爭,見Thomas A. Wilson: "The ritual formation of Confucian orthodoxy and the descendants of the sage",載*Journal of Asian Studies*,第55卷第3期（1996年）,頁559-584,尤其頁560-563。

[7] 更多相關探討見Ho Yun-i: *The organisation and functions of the Ministry of Rites in the early Ming period (1368-1398)*（University of Minnesota博士畢業論文,1976）及其*The Ministry of Rites and suburban sacrifices in early Ming*（Taipei: Shuang-yeh Bookstore, 1980）。此外,筆者還得益於戰蓓蓓博士關於洪武時期親王婚禮官方條例調整的研究,見Beibei Zhan: *Deciphering a tool of imperial rule: A case study of the marriage rituals for imperial princes during the Hongwu reign*（倫敦大學亞非學院博士畢業論文,2015）。參見Edward L. Farmer: "Social regulations of the First Ming Emperor: Orthodoxy as a function of authority",載Liu Kwang-ching 編: *Orthodoxy in late imperial China*（Berkeley: University of California Press, 1990）,頁103-125,尤其頁107-111。

[8] 見Wolfgang Franke: *An introduction to the sources of Ming history*（Kuala Lumpur: University of Malaya Press, 1968）,尤其頁98-118。

讀經的記載值得玩味。他厭惡宋代（西元960-1279年）以心明經之潮對讀經的
干擾，並認為朱熹的讀法多不可取。[9] 儘管筆記作者的目的可能在於諷刺明代
開國皇帝，但本文要強調的重點是，朱元璋所倡導的一些讀法其實與舊注吻
合。[10] 也就是說，朱元璋雖然常被視為粗莽無學的草根皇帝，他對經書的解
讀又常常與元代以來所尊奉的程朱學派相左，然而他的讀法卻與其他早期學者
同流。[11]

　　關於國家權力對經典的篡改，有一較為值得注意的案例，即朱元璋對《孟
子》中大量段落的短暫查禁。[12] 清代學者全祖望（1705-1755）留下一則簡短
記載，記錄朱元璋指責《孟子》「對君不遜」。[13] 據全氏所言，諸如此類的過

---

[9] 例如李賢（1408-1466）：《古穰雜錄》（1460年代版，《叢書集成》，第3962冊），頁10。

[10] 朱元璋對《論語・為政》「攻乎異端」的解讀即為一例，他的讀法與孫奕（1205年後卒）一致，見《履齋示兒編》（1205年版，《四部叢刊》，第5冊），頁15正，頁422；參見Bernhard Fuehrer: "Did the Master instruct his followers to attack heretics? A note on readings of *Lunyu* 2.16"，載Michel Hockx及Ivo Smits等編: *Reading East Asian writing: The limits of literary theory*（London：RoutledgeCurzon Press，2003），頁117-158。

[11] 朱元璋在肇業之初並未接受良好教育，這一點廣為人知，但此後經過學習，他在傳統學問上頗有見地。見趙翼（1727-1814）在其文《明祖文義》中的褒揚，載《廿二史劄記》（1799年版，《四部備要》，第51冊），卷32，頁387-388，以及Hok-lam Chan（陳學霖）: "Xie Jin (1369–1415) as imperial propagandist: His role in the revisions of the Ming Taizu Shilu"，載T'oung Pao，2005年，第91卷第1-3號，頁58-124，尤其頁61。

[12] 關於其極為短暫的有效時間，我們可由《孟子節文》一書在歷代書目中的著錄情況窺見一斑。《明史・藝文志》及《四庫全書總目》（1782年版，全2冊；北京市：中華書局，1965年初版，1987年）皆未著錄《孟子節文》。《經義考》卷235雖載《孟子節文》之目，但朱彝尊（1629-1709）注明「未見」。見朱彝尊：《經義考》（北京市：中華書局，1988年），頁1192。此書不見於歷代重要私家藏書目（下述《讀書敏求記》為罕見的一個例外），似乎在晚明及滿清時期已極少流傳。莫伯驥（1878-1958）：《五十萬卷樓藏書目錄初編》（臺北市：廣文書局，1967年）頁355提到洪武版《孟子節文》沒有近本流傳，也證明了這一點。新修書目中關於《孟子節文》的條目，見《續修四庫全書總目提要・經部》（全2冊；北京市：中華書局，1993年7月），第2冊，頁921。

[13] 藏書家錢曾（1629-1701）對此頗有異議，提出劉三吾刊削《孟子》文句之「未醇」者。錢曾直引韓愈（西元768-824年），認為《孟子》乃於孟軻歿後由其弟子綴合而成，故而「未醇」。見錢曾：《讀書敏求記》（1726年版，《叢書集成》，第49冊），卷1，頁13，及韓愈〈答張籍書〉，載馬其昶：《韓昌黎文集校注》（上海市：上海古籍出版社，1986年），頁130-133，尤其頁132。關於傳世文本對孟子言語有所歪曲，以及這些歪曲是由其成書方式所導致，早有類似論述，如宋代的馮休《刪孟》（2卷）和司馬光《疑孟》（1卷）。儘管司馬光對《孟子》持有異議，以其為東漢（西元25-220年）之人所編，他自己的兒子（侄子？）司馬康（1050-1090）

時觀點於一三七二年遭到查禁。[14] 朱元璋還曾罷祀孟子，但不久之後，一個凶兆的出現又迫使他撤銷原先的命令。[15] 在同一史料中我們還可以看到朱元璋完全無法接受孟子給齊宣王的警告，大為震怒。[16] 《孟子・離婁下》第三章云：

> 君之視臣如手足，則臣視君如腹心；君之視臣如犬馬，則臣視君如國

卻循守對於《孟子》成書及其內容的正統接受方式和主流評價。見《清溪暇筆》（2卷），載《國朝典故》卷63，第2冊，頁1451。關於司馬康父親的爭議，見宋衍申〈司馬康為司馬光之親所生〉（載於《古籍整理研究學刊》1986年第1期，頁30-31）、鄭必俊〈對〈司馬康為司馬光之親所生〉一文商榷〉（載於《古籍整理研究學刊》1987年第1期，頁30-34）及顏中其〈司馬康為司馬光兄親子〉（載於《古籍整理研究學刊》1988年第3期，頁53-57）。

[14] 亦見梁億（1511年進士）《尊聞錄》記載朱元璋怪孟子「不遜」，載《國朝典故》，卷62，第2冊，頁1426。史料中這一事件的確切紀年有所出入，但據傳此事發生於洪武初年（約1368至1372-73之間），各史料對此保持一致。關於罷孟子配享及次年配享如故，見《明史》，卷50，頁1296。

[15] 見全祖望：《鮚埼亭集》（1804年初版，《四部叢刊》，第85冊），卷35，頁3正-頁4反，總頁370。關於朱元璋罷祀孟子，亦見涂山：《明政統宗》（1615年刻，《四庫禁燬書叢刊》本，史部第2冊），卷5，頁11正，總頁215，及《明政統宗》（1615年刻，全7冊；臺北市：成文出版社，1969年），第2冊，卷5，頁11正，總頁497。參見Ho Yun-i: *The Ministry of Rites and suburban sacrifices in early Ming*，頁80，Benjamin A. Elman: "'Where is King Ch'eng?' Civil examinations and Confucian ideology during the early Ming (1368-1415)"一文，載T'oung Pao，第79卷第1-3號（1993年），頁23-68，尤其頁44，以及Goodrich和Fang: *Dictionary of Ming biography*，第1冊，頁389。儘管朱元璋後來仍然罷祀孟子，但永樂年間，孟子的地位和他在孔廟的位置又被朱元璋之子朱棣（1360-1424）恢復。參見朱鴻林：《明太祖的孔子崇拜》（載《歷史語言研究所集刊》，1999年，第70本，第2分，頁483-530）。關於朱元璋對孔廟進行的其他改易，如一三九六年罷揚雄（西元前53-18年）而進董仲舒（西元前179-前108年），見谷應泰（1647年進士）《明史紀事本末》（《叢書集成》，第3918-3927冊），卷14，第2冊，頁84。

[16] 見全祖望：《鮚埼亭集》，卷35，頁3正-4反，總頁370。這則故事出現在多種史料中，版本略異。《明史》將之記錄在錢唐（1314-1394）傳中，並載朱元璋認為《孟子・離婁下》中的言論「非臣子所宜言」，而任何支持這一言論的人（如錢唐）則「以大不敬論」，見卷139，頁3982。關於此事的討論又見黃雲眉：《明史考證》（全8冊；北京市：中華書局，1979年），第4冊，頁1189-1191。錢曾將此事與朱元璋命劉三吾刊削《孟子》一事聯繫起來，編纂《續修四庫全書總目提要・經部》（第2冊，頁921）的現代學者也將這則故事抄錄到《孟子節文》條目下，並將之描述為劉三吾編修《孟子節文》的起因。另外一些學者則認為朱元璋讀《孟子・離婁下》一事觸發的並非《孟子節文》之編纂，而是另一事件，而彼事亦旨在處理《孟子》中朱元璋認為的不足之處。黃瑜（1425-1497）在其《雙槐歲鈔》中也記錄這則故事，但並未將之與《孟子節文》的編纂聯繫起來，見黃瑜《雙槐歲鈔》（北京市：中華書局，1999年初版，2012年，《歷代史料筆記叢刊：元明史料筆記叢刊》），頁12-13。

人；君之視臣如土芥，則臣視君如寇讎。[17]

隨著一三八〇年廢除宰相、重組政府，朱元璋的大臣們刪去他指摘的《孟子》段落，編成一本刪節版《孟子》。一三八四／八五年恢復科舉考試後，此版本蓋為科考之必讀書目。[18]

政局動盪的十年之後，朱元璋再次命劉三吾刪削《孟子》，去除他持有異議的部分。[19] 一三九四年《孟子節文》被國子監立為科考標準版《孟子》。[20] 二十年之後，朱棣（1360-1424；1403-1424在位）廢除其父所刊削的版本，恢復完整版傳世《孟子》。該版在翰林學士胡廣（1370-1418）及其同僚編撰的

---

[17] 《四書集注》《孟子‧離婁下》第3章（宋刻，臺北市：學海出版社，1984年），頁307-308。

[18] 《明史》中的官方記錄對此含糊其辭。《錢唐傳》云：「……命儒臣修《孟子節文》。」但此「儒臣」究竟指單人或多人則有待商榷。見《明史》，卷139，頁3982。亦見陳建（1497-1567）《皇明通紀集要》（江旭奇補），卷9，頁5反-6正，總頁120。Elman: "Where is King Ch'eng?"，頁44，根據陳建所記，似乎認為錢唐同意刪去《孟子》中對君王不敬的段落。然而，此一（可能由錢唐所編的）早期《孟子》節本迄今未見。據《明史》及其他相關史料，錢唐被描述為一位孔孟及程朱學派的忠實捍衛者，並多次成功使朱元璋為之改變想法。一三六九年，朱元璋詔令孔廟春秋釋奠止行於曲阜，起初他不聽錢唐諫言，但「久之，乃用其言」，於一三八二恢復為全國通祀。見《明史》卷139，頁3982。《明史》在對事件的敘述上往往有大幅時間跳躍，此事亦不例外，因此，「卒命儒臣修《孟子節文》」之「卒」所指也很可能是多年之後，劉三吾一三九四年刪書之事。關於一三八四～八五年恢復科舉，見張朝瑞（1536-1603）《皇明貢舉考》（《續修四庫全書》，第828冊），卷1，頁4，總頁149。

[19] 1380年廢除宰相之後，作為皇權與學界的互動場所，翰林院被重新調整和改組，以更為有效地制訂和推行帝王認可的正統教條。關於洪武年間的翰林院，見鄭禮炬《明代洪武至正德年間的翰林院與文學》（南京師範大學博士論文，2006年），頁49-78。

[20] 《孟子節文》在一三九四至一四一一年間被立為科考標準版《孟子》。一三九四年，劉三吾在完成《書傳會選》之後數月便進呈《孟子節文》，蓋於某段期間同時編纂二書。然而，同樣是遵循帝詔，劉三吾對此二書採取了不同的編纂策略。參見宋端儀（1447-1501）：《立齋閒錄》（4卷），載《國朝典故》，第2冊，卷39，頁913-914。編修《孟子節文》的詔命頒於一三九〇年，見彭孫貽（1615-1673）：《明史紀事本末補編》（5卷），卷1，載《歷代紀事本末》（全2冊；北京市：中華書局，1997年11月），第2冊，頁1516。參見劉三吾：《孟子節文題辭》，頁3，載《孟子節文》1394年序，頁1正-4反，載《北京圖書館古籍珍本叢刊》（北京市：書目文獻出版社，1988年2月），第1冊，頁955-1016，尤其頁956中關於他同時編修二書的記載。關於《孟子節文》的全面討論及相關議題，見張佳佳《孟子節文研究》（清華大學碩士論文，2007年）及Wolfgang Ommerborn: "Der Ming-Kaiser Taizu und das Mengzi jiewen"，載Wolfgang Ommerborn, Gregor Paul及Heiner Roetz編*Das Buch Mengzi im Kontext der Menschenrechtsfrage*（全2冊；Berlin: LIT Verlag, 2011），第1冊，頁419-439。

《五經四書大全》（1415）中，成為科考士子的新書目中的一部分。[21]

劉三吾在其《孟子節文題辭》中為此次查禁據理力爭。[22] 他稱孟子之世，諸侯行事無度，「以功利為尚，不復知有仁義」。[23] 劉三吾提及孟子見梁惠王（又稱魏惠王）論仁義一事，認為孟子並未理解強大鄰國給惠王及其國家帶來的威脅：[24]

　　仁義正論也。所答非所問矣。　是以所如不合，終莫能聽納其說。[25]

原則上，劉三吾顯然贊同《孟子》以仁義為準繩。[26] 然而，正如朱元璋及其前人，劉三吾認為孟子過於樂觀，其策略無法應對實際的政治情況。據他們的判斷，《孟子》無法提供讓朱元璋稱心如意的建議。[27] 《孟子‧梁惠王上》第一章曾被趙岐（西元201年卒）視為奠定全書基調之一章，卻被朱元璋刪去。[28] 而〈梁惠王上〉第二章也出於類似原因被刪，《孟子節文》因而從

---

[21] 見《四書集注大全‧明成祖御製序》（《四庫全書存目叢書‧經部》，第170冊），頁1正-11反，頁641-646，及Elman: "Where is King Ch'eng?"，頁50-58。潘檉章（1626-1663）亦在《國史考異》（6卷）中闡述了《孟子節文》對傳續程朱正統的消極影響，載陳守實等：《明史考證捃微》，《國史考異》（臺北市：臺灣學生書局，1968年），卷3，第17章，頁113。參見《國史考異》（《續修四庫全書》，第452冊），卷3，頁27反-29反，總頁58-59。關於朱元璋朝科舉所用五經四書注本，見張朝瑞：《皇明貢舉考》，卷1，頁4反-5反，總頁149。

[22] 見劉三吾：《孟子節文題辭》，頁1正-4反，總頁955-956。

[23] 見劉三吾：《孟子節文題辭》，頁1正，總頁955。

[24] 《孟子‧梁惠王上》，見《四書集注》，頁197-198。

[25] 劉三吾：《孟子節文題辭》，頁1正，頁955。

[26] 例如《明史》卷135頁3923記載朱元璋贊同將仁義作為準則，認定項羽（西元前232-前202年）的失敗正是由於「仁義不施」，並決意不重蹈其覆轍。關於朱元璋以「仁」為戰略，見《明太祖實錄》，卷16，頁1反，第1冊，頁214。

[27] 關於朱元璋對儒家思想進行有限度、有選擇性的採納，見Farmer: "Social regulations of the First Ming Emperor"，頁108。關於對朱元璋尊孔的另一種闡釋，見朱鴻林：《明太祖的孔子崇拜》，頁483-530，該文論點蓋基於當代所謂儒學復興的語境而提出。John D. Langlois, Jr. 和 Sun K'o-k'uan 孫克寬的 "'Three Teachings Eclecticism' and the thought of Ming T'ai-tsu"（載 *Harvard Journal of Asiatic Studies*，1983年，43卷，第1期，頁97-139）描述朱元璋在骨子裡是一個調和論者（a syncretist at heart），見頁97。

[28] 見趙岐：《孟子十四卷》（《四部叢刊》，第2冊），卷1，頁1正，總頁4。關於這一現存最早的《孟子》注本，見Bernhard Fuehrer: "Mencius for Han readers. Commentarial features and

〈梁惠王上〉第三章開始。

當劉三吾認為某處有查禁的必要時，他並不篡改其字句，而是將整章刪除，並注明這些章節將不再納入科考範圍。[29] 最終，《孟子節文》的篇幅只有朱熹《孟子集注》（1177）的三分之二左右。[30]

我們可以看到，劉三吾所刪章節明顯以君臣關係為焦點，這也是孟子哲學中朱元璋尤其難以認同的關鍵點。現實政治家劉三吾在其《孟子節文題辭》中，結合孟子所處歷史環境概括了他對《孟子》的異議。他認為，明太祖朝的當前局勢與孟子言論所處的戰國時代（西元前475-前221年）有根本差異，因此，適用於彼時的策略不能運用到新建的政權之中。在他看來，孟子的策略及其實施條件：

> ……在當時列國諸侯可也。若夫天下一君，四海一國，人人同一尊君親

---

hermeneutical strategies in Zhao Qi's work on the Mencius"，載 *Zeitschrift der Deutschen Morgenländischen Gesellschaft*，2014年，第164卷，第2期，頁501-526。

[29] 見劉三吾：《孟子節文題辭》，頁3反，總頁956。仔細比對《孟子節文》經文和朱熹《孟子集注》，可發現一些細小的文本差異，但都不影響所傳遞的信息。而劉三吾的文本處理方式也意味著，儘管是在朱元璋製造的文字獄背景下，一些本應避諱的字（如「賊」字等）在《孟子節文》中卻不經改易。關於洪武年間的文字獄，見Bernhard Fuehrer: "An inauspicious quotation or a case of impiety? Mr. Zhang and literary persecution under the First Ming Emperor"一文所列資料，載Christina Neder等編*China and her biographical dimensions. Commemorative essays for Helmut Martin*（Bern: Peter Lang，2001），頁75-82。亦見Hok-lam Chan: "Ming T'ai-tsu's manipulation of letters: Myth and reality of literary persecution"（據*Journal of Asian History* 1995年第 29期頁1至60再版，載Hok-lam Chan: *Ming Taizu (r. 1368-98) and the foundation of the Ming dynasty in China*，Farnham: Ashgate, 2011）。關於明代科舉考試中的《孟子》，見Benjamin A. Elman: *A cultural history of civil examinations in late imperial China*（Berkeley: University of California Press, 2000），頁78-88。值得注意的是，雖然劉三吾明確表示被刪的《孟子》段落不會出現在考試中，黃瑜指出，實際上在洪武甲子（1384-1385）以後，「所出《四書》題……皆不拘也」，有時在科考中不以《孟子》出題，見黃瑜：《雙槐歲鈔》，卷5，頁91。張朝瑞對此段的引用，見《皇明貢舉考》，卷1，頁5反，總頁149。《孟子》題的剔除似乎暗示著頂尖學者並不情願在科舉中推尊經皇權刪削的《孟子》版本。

[30] 見朱榮貴：〈從劉三吾《孟子節文》論君權的限制與知識份子之自主性〉，載《中國文哲研究季刊》1995年第6期，頁173-198，尤其頁179。《孟子集注》總260章，《孟子節文》包含其中172章，即劉三吾共刪去88章。參見黃景昉（1596-1662）：《國史唯疑》（臺北市：正中書局，1969年），卷1，頁32-33。黃景昉等諸人依劉三吾說，即所刪者計85章。見劉三吾：《孟子節文題辭》，頁3反，總頁956。

上之心，學者或不得其扶持名教之本意……[31]

　　《孟子》接受史中，歷代學者或質疑《孟子》，或公然否認其核心政治觀之有效性，而朱元璋、劉三吾正與之置身於同一脈絡。[32] 儘管朱元璋和劉三吾對《孟子》中較為常識性的道德觀念給予表面上的支持，甚至可能由衷贊同，但《孟子》一書及其注本無法為其切身議題提供有益視角。從詮釋學角度而言，解經者的要務乃結合自身所處境況對文本進行重新闡釋，然而此法並不可取：《孟子》的不足無法彌補，其核心部分被認為不堪補救。因此，朱元璋並未試圖用重新闡釋經文的方式令《孟子》合其所需，而是決定抑制孟學傳統的效力。[33] 由於對意義的闡釋根植於闡釋者所處的環境，從所刪章節，便可窺見朱元璋政治及社會哲學之一二。[34] 劉三吾所刪章節的五類主題，皆非朱元璋可自發遵從之典範。[35]

　　（1）《孟子》中將民置於政治主權頂層的章節。孟子所劃分的等級制度（依「民—社稷—君」次序遞降）與皇帝主張的高壓政治和絕對皇權

---

[31] 劉三吾：《孟子節文題辭》，頁2反-3正，頁955-956。

[32] 這些學者包括早期的荀子、王充（西元27-約97年）及許多宋人，如何涉（1041在世）、司馬光、李覯（1009-1059）、蘇軾（1037-1101）等。關於在宋代政治和哲學環境下的駁孟觀點的簡要概述，見Huang Chun-chieh（黃俊傑）：*Mencian hermeneutics. A history of interpretations in China*（New Brunswick: Transaction Publishers, 2001），頁155-171，及其《孟子思想史論》（臺北市：中央研究院，1997年），第2冊，頁127-190。

[33] 彭孫貽《明史紀事本末補編》云：「凡不以尊君為主，如『諫不聽則易位』及『君為輕』之類，皆刪去。」見《明史紀事本末》，卷1，載《歷代紀事本末》，第2冊，頁1516。《孟子·萬章下》第九章遭到嚴重刪節，對照《四書集注》，頁350。關於《孟子·盡心下》第十四章，見《四書集注》，頁403-404。關於彭孫貽所引段落，亦見陳建《皇明通紀集要》，卷9，頁6正，總頁120。黃雲眉：《明史考證》，第4冊，頁1191強調，《孟子節文》之中，《孟子》的「真精神」已所剩無幾。劉三吾也提及《孟子·萬章下》第九章和〈盡心下〉第十四章的刪節，見《孟子節文題辭》，頁2反，頁955。黃景昉：《國史唯疑》，卷1，頁32。指出《孟子·公孫丑上》第二章的刪節，但其實《孟子節文·公孫丑上》始於原第五章，前四章皆被刪去。

[34] 有關《孟子節文》既為思想灌輸的工具，亦可讀為洞察當局專政機制的文獻，見容肇祖〈明太祖的《孟子節文》〉，載《讀書與出版》第2卷第4期（1947年），頁16-21，尤其頁18。

[35] 關於前四類主題，見朱榮貴：《劉三吾《孟子節文》，頁184-191。第五類則是根據姜國柱〈文化專制的一例：朱元璋的《孟子節文》〉一文，載《遼寧大學學報》1981年第3期，頁17-19，尤其頁18。容肇祖〈明太祖的《孟子節文》〉指出共11類被刪的主題，見頁18-21。

相衝突。這些章節包括孟子對君主特權及義務的看法，即君主應照顧及服務於民。[36]

（2）《孟子》中探討理想君臣關係的章節。北宋（西元960-1127年）以降，這些章節成為士大夫日益常用的立足點。朱元璋認為《孟子》學說會導致動盪不安以及對君主的不敬，因此他一遇此類端倪便採取果斷措施。

（3）《孟子》中討論君王易位的可能性及其合理化條件的章節。

（4）《孟子》中暗示士人享有一定程度自主思想的章節。在朱元璋看來，這樣的暗示會導致官員的不馴和好辯。

（5）《孟子》中倡導和平、反對只會帶來苦難和破壞的諸侯之戰的章節。[37]

儘管朱元璋在孔廟中罷祀孟子僅持續短暫時間，但《孟子節文》一案仍有其獨特性。有人質疑記載朱元璋反孟的文獻是否具有歷史真實性，[38] 更甚者還主張將《孟子節文》摒棄於考慮及論述範圍之外。和許多人一樣，著名清代學者朱彝尊（1629-1709）認為可靠記載匱乏，因此否認朱元璋查禁《孟子》的相關記載的可信度。[39]

---

[36] 《明太祖實錄》洪武五年九月下記載朱元璋早年遵循「國以民為本」的觀念，見《明實錄》（臺北市：中央研究院，1962-1968年），卷76，第4冊，頁4反，總頁1402。太祖三年四月下記載他援引「民猶水也，君猶舟也」，見《明太祖實錄》，卷51，第3冊，頁8正，總頁1005。朱元璋1356、1360年皆曾拜謁孔廟，另外，他還推尊孔家之後裔，並將特權授予顏回及孟子的後代。關於這些史料中朱元璋對孔子後人的態度，見朱鴻林《明太祖的孔子崇拜》，頁504-513。儘管朱元璋晚年曾對上述政治觀念加以引用（可能僅為達到修辭效果），這些史料似乎體現了一種個人發展，而這種發展使朱元璋越來越難接受《孟子》的政治觀。

[37] 對曠日持久的元末農民戰爭帶來的消極影響，朱元璋有所評論，見《明太祖實錄》，卷22，第1冊，頁1正，總頁313。

[38] 如賈乃謙〈從《孟子節文》到《潛書》〉，載《東北師大學報》1987年第2期，頁43-50，尤其頁43-44。《明太祖實錄》僅粗略提及《孟子節文》，朱元璋的其他反孟行為（如在孔廟中罷孟子配享）似乎不太能引起編纂者的興趣。

[39] 朱彝尊認為朱元璋對孔子尊崇備至，因此無法接受他會刊削《孟子》，見朱彝尊《曝書亭集》（《四部叢刊》本，卷69，頁8反-頁9反，尤其頁9正，總頁526）。有學者否認所謂「錢唐受箭」事及朱元璋查禁《孟子》的史實性，如談遷《國權》（全6冊；北京市：古籍出版社，1958年），第1冊，頁478（「太祖洪武五年」）；參見朱鴻林：《明太祖的孔子崇拜》，頁483-530。相關材料的討論見黃雲眉：《明史考證》，第4冊，頁1189-1191，以及張佳佳：〈《孟子節文》事件本末考辨〉，載《中國文化研究》，2006年第3期，頁84-93。

朱元璋如此明目張膽地對正統教條進行操作，對當時身處傳統文化環境之中的讀書人來說恐怕是難以置信的。出於對經文的尊崇，其他帝王從未對經文本身進行重大修改，而是通過詮釋經文來對其進行調整，或親自作注，或命人代為，令經典合其所需。然而朱元璋獨樹一幟，賦予自己淩駕於經文的權威，進而大肆改經。[40] 其他禁書者往往以私藏及傳播禁書論罪，而朱元璋卻允許未刪節版《孟子》繼續流傳，即使在推行新訂正統教條的科舉考試之中，也不明令禁止。新舊兩版《孟子》的顯著差異，以及朱元璋如此放任的態度，似乎源自他對其絕對皇權的自信。然而，此舉或可由另一角度視之。將通行於世的舊版《孟子》全部查禁收回，其實極難實現，向來講求效率的朱元璋對此應當有所自覺。因此，朱元璋對舊版《孟子》的放任可視為其皇權侷限所在，不予查禁亦屬無奈之舉。

明朝開國皇帝十分重視教育，他在全國上下大力興建學校之事文獻備載。[41] 在其施教過程中，儒家經典扮演極重要角色。傳統認為，儒家經典能令讀者超越己身，提升至另一境界，寄心於超俗之追求及關懷。在「五經四書如五穀，家家不可缺 」[42] 的教育環境之下，刪節版《孟子》（即《孟子節文》）被立為科考士子必讀書目所承認的唯一《孟子》版本。其主要目的在於

---

[40] 由今存《孟子節文》傳本可知，此書以兩種版本形式流傳：一種有經無注，一種是經文附以朱熹注，且注文似乎未經篡改。撇開漢代時經典文本變化這一棘手問題，對於改經一事，歷代（尤其是宋代）學者對儒家經典的經文及其注疏進行調整，但其目的在於校正文本，使經文得到更好的解讀。關於宋人校改經文事例，見葉國良：《宋人疑經改經考》《文史叢刊》55（臺北市：國立臺灣大學，1980年）。顯然，這些改經活動與朱元璋的刊削性質大不相同。

[41] 關於儒家學說在朱元璋教育政策中的地位，見陳寒鳴：〈洪武儒學教育與科舉八股的形成〉，載《中州學刊》1993年第5期，頁105-111，以及陳寒鳴：〈再論洪武儒學教育〉，載《河北學刊》1997年第5期，頁60-63。關於朱元璋重整教育機構，見吳晗：〈明初的學校〉，載《清華學報》第15卷第1期（1948年），頁33-61。Sarah Schneewind: *Community Schools and the State in Ming China* (Stanford：Stanford University Press, 2006) 強調學校是奉行新的國家學說的工具，但也置疑朱元璋教育政策是否有效落實。

[42] 見黃溥：《閒中古今錄》，頁2反，載《五朝小說大觀》（1926年版，全6冊；臺北市：廣文書局，1979年），第6冊，頁2648。關於朱元璋在位早期（1380-1381）五經四書的重印及其向學校的傳播，見《明太祖實錄》，卷136，第5冊，頁3反，總頁2154。關於《孟子節文》和《尚書會選》頒至全國諸校，見劉三吾：《孟子節文題辭》，頁3反，總956，以及宋端儀在其《立齋閒錄》中的評論，載《國朝典故》，卷39，第2冊，頁913。

操控士人思想，勒其韁繩，管制由《孟子》哲學滋生的諷諫。在科考制度的操作中，教育是朱元璋頒佈和推行其「清淡版《孟子》」（*Mencius light*）的渠道，此本《孟子》是傳統儒家核心文獻的節選，其鋒刃已被磨平，並且其中可令人對專制產生異議的參照點也已被消抹。

（譯者：傅熊、劉陽汝鑫）

一則地方軼聞激化的經學史紛爭
——唐代梁載言《十道志》與《孝經鄭注》作者之爭

吳仰湘

湖南大學嶽麓書院

摘要

　　在鄭玄《孝經注》大遭懷疑之際，唐代梁載言在《十道志》中，既提出「康成胤孫作《孝經注》」的異說新論，又記下「康成注《孝經》」的地方傳聞，前後矛盾，使《孝經鄭注》作者問題節上生枝。清代《孝經鄭注》作者之爭再起，一批碩學名儒對「康成胤孫作《孝經注》」說加以引述、發展，進一步懷疑、否定鄭玄注《孝經》。然而細作檢尋，可見清代眾多考據名家明知梁載言記載窒礙難通，卻亟於利用，疏於考辨，為證成己說，不惜誤讀、臆解、妄增文字，將清代漢學中主觀考證的弊端暴露無遺。《十道志》激化的經學史紛爭作為典型案例，可以提醒後人審慎看待古代地理志書中的軼聞異說，並警惕清代考據名家也有可能目窮千里而失之眉睫。

關鍵詞：梁載言　《孝經鄭注》　鄭玄　康成胤孫　清代考據學

一　《孝經鄭注》作者問題之由來與梁載言《十道志》記載之矛盾

東漢末年的經學大師鄭玄遍注群經，尤其重視《孝經》，在《六藝論》中說：「孔子以六藝題目不同，指意殊別，恐道離散，後世莫知根源，故作《孝經》以總會之」，將《孝經》視為六藝之根本，並自稱「玄又為之注」。[1]從東晉開始，歷南朝（齊、梁、陳）、北朝（北魏、北齊、北周）、隋朝以迄唐初，國學均立有《孝經》鄭氏博士[2]，唐玄宗詔令甚至說「自頃以來，獨宗鄭氏；孔氏遺旨，今則無聞」[3]，可見鄭注《孝經》一直大行於世，影響遠過於孔《傳》。然而，因《鄭志》、《鄭記》等未言鄭玄注《孝經》，《晉中經簿》僅著錄《孝經鄭氏解》而未明指為鄭玄作，直到南朝范曄《後漢書·鄭玄傳》才正式提及《孝經注》，致使後世一再懷疑其真實性。南齊陸澄最先「疑《孝經》非鄭所注」，提出「世有一《孝經》，題為鄭玄注，觀其用辭，不與注書相類。案玄《自序》所注眾書，亦無《孝經》，且為小學之類，不宜列在帝典」。[4]陸德明接著提出：「世所行鄭《注》，相承以為鄭玄。案《鄭志》及《中經簿》無，唯中朝穆帝集講《孝經》，云以鄭玄為主。檢《孝經注》，與康成注五經不同，未詳是非。」[5]唐初官修《隋書·經籍志》著錄各家《孝經》時也說：「又有鄭氏《注》，相傳或云鄭玄。其立義與玄所注餘書不同，故疑之。」[6]孔穎達在疏解《禮記·王制》時摘引《孝經注》，加案語說：「《孝經》之注，多與鄭義乖違，儒者疑非鄭注，今所不取。」[7]李賢為范曄《後漢書》作注，也特別

---

[1]　（唐）李隆基注、（宋）邢昺疏：《孝經注疏·孝經正義》，嘉慶二十年南昌府學重刊《十三經注疏》本，頁2、頁3。

[2]　舒大剛：《中國孝經學史》（福州市：福建人民出版社，2013年5月），頁152-154。

[3]　（宋）王溥：《唐會要》卷77，《武英殿聚珍版叢書》本，頁7。

[4]　（梁）蕭子顯：《南齊書》卷39〈陸澄傳〉。

[5]　（唐）陸德明：《經典釋文》卷1〈敘錄〉。

[6]　（唐）魏徵：《隋書》卷32〈經籍志〉。

[7]　（漢）鄭玄注、（唐）孔穎達疏：《禮記注疏》卷11，嘉慶二十年南昌府學重刊宋本《十三經注疏》本，頁27。

指出謝承《後漢書》不言鄭玄注《孝經》,「唯此書獨有也」。[8]唐玄宗開元七年
(西元719年),詔令群儒詳定《孝經》鄭《注》與孔《傳》長短,劉知幾奏稱
「《孝經》非玄所注,其驗十有二條」,提議「行孔廢鄭」,司馬貞在反駁中,
主要指摘孔《傳》偽劣,未從正面為鄭《注》釋疑解難[9],結果劉知幾之說從
此流傳,《孝經鄭注》非鄭玄所作幾成定論:「劉議頗多信者,此《注》遂不為
康成書矣。」[10]

　　在這種長期懷疑、否定鄭玄《孝經注》的背景下,梁載言《十道志》中的
一條記載特別引人注目。梁載言大約生活在唐代武后至中宗時期,所撰《十道
志》是一部著名的全國性地理總志。他在記載河南道沂州府境內南城山時,敘
述一則有關鄭玄的軼聞,直接涉及《孝經鄭注》作者問題。《十道志》後來佚
亡,但北宋李昉等奉敕編《太平御覽》、樂史撰《太平寰宇記》述南城山,都
引錄了這條記載:[11]

　　　　《後漢書》曰:鄭玄漢末遭黃巾之難,客於徐州。今〈孝經序〉,鄭氏
　　　　所作。其〈序〉云:「僕避於南城之山,棲遲巖石之下,念昔先人餘
　　　　暇,述夫子之志而注《孝經》。」蓋康成胤孫所作也。今西上可二里
　　　　所,有石室焉,周回五丈,俗云是康成注《孝經》處也。(《太平御覽》
　　　　卷四十二〈地部〉七)[12]

8　(漢)范曄著、(唐)李賢注:《後漢書》卷35〈鄭玄列傳〉。

9　(宋)王溥:《唐會要》,卷77,第8-9頁。按,司馬貞說:「其《注》相承云是鄭玄所作,而
　　《鄭志》及目錄等不載,故往賢甚疑焉。唯荀昶、范曄以為鄭《注》,故昶集解《孝經》,具
　　載此《注》為優。且其《注》縱非鄭玄,而義旨敷暢,將為得所,雖數處小有非穩,實亦未
　　爽經旨。」既未確證鄭玄作《孝經注》,後面數句還留下話柄,如清代连鶴壽說:「觀司馬貞
　　言其《注》縱非鄭氏所作云云,似為鄭《注》竭力周旋,則鄭《注》容有不協之處。」(《蛾
　　術編》卷八,道光二十一年吳江沈氏世楷堂刊本,頁12)民國蔡汝坤更說:「所謂『其《注》
　　縱非鄭玄』、『雖數處小有非穩』,是已承認鄭玄未注《孝經》矣。」(《孝經通考》(上海市:
　　商務印書館,1937年),頁48。

10　鄭珍:《鄭學錄》卷3,同治四年《鄭子尹遺書》本,頁12。

11　按,鄭珍根據劉肅《大唐新語》中「梁載言《十道志》解南城山引《後漢書》曰」一段文
　　字,確證《太平御覽》是引錄《十道志》而脫去其書名,見《鄭學錄》卷1,同治四年《鄭子
　　尹遺書》本,頁29。

12　(宋)李昉等奉敕編:《太平御覽》,卷47,《四部叢刊三編》景宋本,頁7。

《後漢書》：鄭玄漢末遭黃巾之難，客於徐州。今〈孝經序〉，鄭氏所作。其〈序〉云：「僕避難於南城山，棲遲岩石之下，念昔先人餘暇，述夫子之志而注《孝經》。」蓋康成胤孫所作也。今西上可二里許，有石室焉，周回五丈，俗云鄭康成注《孝經》於此。（《太平寰宇記》卷二十三〈河南道〉二十三）[13]

以上兩處轉引僅個別文字有異，從中可見梁載言記載的原貌。這段一百多字的記載，包含三點內容：首先是引《後漢書》，說明鄭玄到徐州避難，最後是描述南城山中注經石室，說明當地相傳鄭玄在此注《孝經》，首尾兩處語意明確，彼此呼應，但中間部分既講鄭氏作〈孝經序〉，摘錄序中關鍵語句後，又說「蓋康成胤孫所作也」，與前、後文講鄭玄之事不相銜接，極為突兀。再根據上下文意，此康成胤孫所作應指〈孝經序〉，序語中「僕」必是康成胤孫自稱。此序語可以縮成「僕避難……注《孝經》」，換言之即「康成胤孫避難……注《孝經》」，可知康成胤孫既作〈孝經序〉，又作《孝經注》，這就與「俗云鄭康成注《孝經》」完全相悖。民國學者龔道耕指出：「尋梁氏此言，非謂《注》為鄭胤孫作，但據序中『念昔先人』一語，疑〈序〉為鄭胤孫之詞耳。然如其說，先人指康成，僕者胤孫自謂，則避難徐州者，乃胤孫而非康成，何以又引《後漢書》為康成嘗客徐州之證，且實之以注經石室？是以〈序〉為鄭胤孫作，已矛盾不可通。」[14]根據梁載言的說法，〈孝經序〉與《孝經注》出自同一人，龔道耕說「非謂《注》為鄭胤孫作」自是失當，但他指出梁載言所謂康成胤孫避難南城山並注《孝經》之說與《後漢書》記鄭玄避難徐州之說、與俗云鄭康成在南城山石室注《孝經》之說均不一致，批評梁載言前後文字自相矛盾，可謂辨析入微。可見，梁載言在鄭玄《孝經注》大遭懷疑的情況下，既提出「康成胤孫作《孝經注》」的異說新論，又記載南城山一帶民間相傳「鄭康成注《孝經》」，表面上兩說並存，實則兩說對立，結果使《孝經鄭注》作者問

---

[13]（宋）樂史：《太平寰宇記》卷23，《文淵閣四庫全書》本，頁11。

[14] 龔道耕：〈《孝經鄭氏注》非鄭小同作辨〉，李冬梅選編：《龔道耕儒學論集》（成都市：四川大學出版社，2009年），頁182。

題節上生枝，引發新的紛爭。

唐憲宗元和年間，劉肅撰《大唐新語》追述劉知幾議廢鄭注《孝經》之事，特意引用《十道志》的記載，是梁載言「康成胤孫作《孝經注》」說在歷史上的第一次回應。他寫道：

> 開元初，左庶子劉子玄奏議，請廢鄭注《孝經》，依孔《注》。……其略曰：今所行《孝經》，題曰鄭氏，爰在近古，皆云是鄭玄，而魏晉之朝無有此說，後魏、北齊之代，立於學官，蓋時俗無識，故致斯謬。今驗《孝經》非鄭玄所注，凡十二條。……子玄爭論，頗有條貫，會蘇宋文吏，拘於流俗，不能發明古義，竟排斥之，深為識者所嘆。梁載言《十道志》解南城山，引《後漢書》，云：「鄭玄遭黃巾之難，客於徐州。今者有〈孝經序〉，相承云鄭氏所作。其序曰：『僕避難於南城山，棲遲岩石之下，念昔先人餘暇，述夫子之志而注《孝經》。』蓋康成胤孫所作也。」陸德明亦云：「案《鄭志》及《晉中經簿》並無，惟晉穆帝集講《孝經》，云以鄭《注》為主。今驗《孝經注》，與康成所注五經體並不同。」則劉子玄所引證，信有徵矣。[15]

劉肅認為劉知幾之論「頗有條貫」卻反被排斥，深為嘆惜，因此援引梁載言、陸德明之說，對劉知幾之論加以補證。值得注意的是，劉肅引用《十道志》、《經典釋文敘錄》時都作了刪減：引述《十道志》的「康成胤孫作《孝經注》」說而刪去注經石室一段，引《經典釋文敘錄》懷疑鄭玄注《孝經》的文字而刪去末句「未詳是非」，意在強調《孝經鄭注》作者另有其人，為劉知幾否定鄭玄注《孝經》提供了有力的佐證。劉肅根據立論需要而剪截原文誠不可取，但他對《十道志》的取捨，顯然消除了梁載言說「康成胤孫作《孝經注》」與「俗云鄭康成注《孝經》」的矛盾，只是糾而不盡，仍未能解決鄭玄避

15　（唐）劉肅：《唐新語》卷9，《文淵閣四庫全書》本，頁3-4。引文中「簿」原誤作「部」，據《經典釋文·敘錄》改。

難徐州與康成胤孫避難南城山的矛盾。[16]

宋初年，李昉等奉敕編《太平御覽》、樂史撰《太平寰宇記》，幾乎同時轉錄了《十道志》記南城山的文字，使梁載言關於《孝經鄭注》作者問題的矛盾記載廣為流傳，特別是《十道志》散佚後，《太平御覽》、《太平寰宇記》成為最重要的信息源，梁載言及《十道志》反而不太為人所知。此外，南宋後期不信鄭玄注《孝經》的王應麟，在論述歷代《孝經》問題時，引述官修《國史志》說：「《孝經》孔安國《傳》，古二十二章，有〈閨門〉篇，為世所疑；鄭氏《注》，今十八章，相承言康成作，《鄭志》目錄不載，通儒皆驗其非。開元中，孝明纂諸說自注，以奪二家，然尚不知鄭氏之為小同。」[17]此即「鄭小同注《孝經》」說，後來與梁載言「康成胤孫作《孝經注》」說混雜在一起，盛行一時。

二 清代《孝經鄭注》作者之爭與「康成胤孫作《孝經注》」說之盛行

元明時期，因《孝經鄭注》佚亡，無人爭論其作者。清代漢學復興，鄭玄之學如火如荼，《孝經鄭注》作者問題成為學界熱門話題：一是在搜輯、考訂《孝經鄭注》時，要判斷作者是鄭玄抑或他人，如嚴可均輯刊《孝經鄭注》，力主鄭玄作注，而同樣搜輯《孝經鄭注》的陳鱣認為鄭玄《孝經注》並未寫定，「其孫小同追錄成之」；[18]二是在考述鄭玄生平與著述時，很多學者堅持《孝經注》為鄭玄作，也有不少學者表示異議，如孫星衍提出「劉子玄駁《孝

---

16 按，龔道耕認為：「劉肅《大唐新語》引梁氏說，而云劉子玄所證有徵，則誤讀《十道志》，並疑《注》亦胤孫作。」（李冬梅選編：《龔道耕儒學論集》，頁182）他認為劉肅主張康成胤孫作《孝經注》，符合劉肅引述《十道志》的初衷，但他說劉肅「誤讀《十道志》」則未必，劉肅其實正得《十道志》之意。

17 （宋）王應麟：《困學紀聞》卷7，《四部叢刊三編》景元本，頁18；《玉海》卷41，《文淵閣四庫全書》本，頁33。

18 （清）嚴可均：《孝經鄭注》，《叢書集成初編》本，卷首「序」，頁1-2；（清）陳鱣：《孝經鄭注》，乾隆四十七年裕德堂刻本，卷首「序」，頁1。

經》鄭氏非康成，故疑胤孫所作」，丁晏則稱「《孝經鄭注》乃小同所為」[19]；三是在撰作《孝經》新注新疏時，要辨認《孝經鄭注》作者，如阮福《孝經義疏補》斷定《孝經注》為鄭小同作，而皮錫瑞《孝經鄭注疏》力證《孝經注》必是鄭玄作；四是在稽核東漢《孝經》著述時，要考辨范曄記述鄭玄《孝經注》的真偽，答解前儒對《孝經鄭注》的疑難，如王鳴盛《十七史商榷》認為皇侃、孔穎達、賈公彥三家《孝經疏》「蓋用鄭康成《注》也，鄭《注》自魏晉以來有之」，「觀范蔚宗以為出康成，則可信也」，孫志祖《讀書脞錄》則不信范曄所記，認為「康成《孝經注》晚出，前世通儒並疑其偽」，「一說是康成孫小同撰」。[20]概而言之，從清初到清末，既有一批學者堅持《孝經注》為鄭玄作，並廣搜博證，釋疑解難，為鄭玄注《孝經》大作辯護，也有一批學者沿襲陸澄、陸德明、劉知幾之說，特別是援用梁載言、劉肅之說，或引據《太平御覽》、《太平寰宇記》之文，重提「康成胤孫作《孝經注》」說，甚至將此「康成胤孫」坐實為王應麟筆下的鄭小同，進一步懷疑、否定鄭玄注《孝經》，雙方言議紛紛，針鋒相對，參與人數之多，延續時間之長，在歷代《孝經鄭注》作者之爭中可謂空前絕後。[21]

　　據不完全統計，清代因懷疑、否定鄭玄注《孝經》而引述《十道志》等文獻的學者，前後有十餘人（另有一批學者引述目的在為鄭玄《孝經注》作辯護，或是批評「康成胤孫作《孝經注》」說，此處不計入），茲將相關情況表列如下：

---

19 （清）孫星衍：《鄭司農年譜》，嘉慶十四年揚州阮氏刻本，頁22；（清）丁晏：《鄭君年譜》，同治元年山陽丁氏六藝堂刻本，頁17-18。

20 （清）王鳴盛：《十七史商榷》，卷35，乾隆五十二年洞涇草堂刻本，頁11；（清）孫志祖：《讀書脞錄》卷2，嘉慶四年刻本，頁22。

21 按，「胤孫」二字，清人因避諱或訛傳誤改，有「裔孫」、「徽孫」、「後孫」、「嗣孫」等不同說法，或籠統稱「康成後人」，為行文簡便計，除引用原文外，以下統作「胤孫」。

引述來源	學者姓名	引述要點	史料出處
梁載言《十道志》	王鳴盛	愚考梁載言《十道志》解南城山，云《孝經注》「蓋康成胤孫所作也」。	《蛾術編》卷八
	逄鶴壽	梁載言《十道志》於南城山下亦引《後漢書》，而以為康成胤孫所注。	《蛾術編》卷五十九
	鄭珍	梁載言《十道志》始謂是康成胤孫所作，王伯厚乃以小同實之。	《鄭學錄》卷三
	胡元儀	《十道志》云〈序〉是胤孫所作，胤孫即小同也。小同為之〈序〉，則此《注》寫定於小同之手無疑。	《北海三考》卷三
劉肅《大唐新語》	丁晏	先儒多辨鄭《注》非康成作，劉肅《大唐新語》云康成孫所為，王伯厚謂鄭小同撰。	《孝經徵文》
	阮福	劉肅《大唐新語》始謂序鄭《注》者為鄭康成裔孫。	《孝經義疏補》卷首
	桂文燦	劉肅《大唐新語》謂序鄭《注》者為鄭康成裔孫，此皆可據。	〈孝經集解自序〉
	胡玉縉	劉以此《注》為康成胤孫作，致為有見。	《許廎學林》卷五
《太平御覽》	王鳴盛	今西上可二里所，有石室焉，周圍五丈，俗云是康成胤孫注《孝經》處。	《蛾術編》卷五十九
	梁玉繩	考《御覽》四十二有南城山……則康成曾注此經，而成於後人之手。	《清白士集》卷十九
	孫星衍	劉子玄駁《孝經》鄭氏非康成注，故疑胤孫所作。	《鄭司農年譜》
	周中孚	近儒據《太平御覽》所引《後漢書》，證為康成之孫小同所作。	《鄭堂讀書記》卷一
	惠棟	康成未嘗注《孝經》，劉子玄嘗辨之。樂史曰：……蓋康成胤孫所作。	《後漢書補注》卷九
	余蕭客	《孝經注》，《太平寰宇記》二十三卷曰康成徹孫所作。	《古經解鉤沉》卷一上

引述來源	學者姓名	引述要點	史料出處
樂史《太平寰宇記》	王鳴盛	《寰宇記》南城山：後漢康成胤孫注《孝經》於此。	《蛾術編》卷五十九
	梁玉繩	考《寰宇記》廿三卷有南城山……則康成曾注此經，而成於後人之手。	《清白士集》卷十九
	孫星衍	如樂史所云，鄭小同避難注經之地，俗訛傳為康成。	《問字堂集》卷四
	丁晏	《太平寰宇記》二十三卷「康成胤孫所作」，則《孝經鄭注》乃小同所為也。	《鄭君年譜》
	侯康	細詳文義，似謂〈孝經序〉為康成胤孫所作，非謂《孝經注》也。	《補三國藝文志》卷二
	鄭珍	《太平寰宇記》系抄梁載言，而改末句作「俗云是康成胤孫注《孝經》處」，殊失其原。	《鄭學錄》卷一

以上各家，堪稱有清一代的碩學名儒，惠棟、王鳴盛、孫星衍、阮元等更被譽為乾嘉考據大師。他們主要依據《十道志》等記載，對「康成胤孫作《孝經注》」之說加以引述、發展，認為《孝經鄭注》作者另有其人，或部分否認鄭玄對《孝經注》的著作權，具體情形有三類：

其一，對「康成胤孫作《孝經注》」說加以援引、補證。如惠棟就范曄記載鄭玄《孝經注》，批評說：「康成未嘗注《孝經》，劉子玄嘗辨之。樂史曰：『沂州費縣南城山：鄭玄漢末遭黃巾之難，客於徐州。今〈孝經序〉，鄭氏所作。其序云：……蓋康成胤孫所作。』《公羊疏》以為鄭稱也。」[22]惠棟顯然是將康成胤孫視為《孝經注》可能的作者之一，藉以否定鄭玄注《孝經》。余蕭客列舉鄭玄經注時，根據范曄書列出《孝經注》，但加上小注說「《太平寰宇記》二十三卷曰康成徹孫所作」[23]，也把康成胤孫作《孝經注》視為一種異

---

22 （清）惠棟：《後漢書補注》卷9，嘉慶九年馮集梧刻本，頁11。
23 （清）余蕭客：《古經解鉤沉》卷1上，《文淵閣四庫全書》本，頁21。

說。王鳴盛先在《蛾術編》卷八說：「今文有鄭氏《注》，世稱為康成撰，陸澄辨其非是。愚考梁載言《十道志》解南城山，云《孝經注》『蓋康成胤孫所作也』。」[24]又在卷五十九進一步作補證：「《孝經注》引偽《古文尚書》兩條，當系東晉偽古文已盛行後所作，則以為康成胤孫作，似確。」[25]可見他堅信「康成胤孫作《孝經注》」之說。

其二，將「康成胤孫」說與王應麟「鄭小同注《孝經》」說相提並論，將康成胤孫坐實為鄭小同。如阮福相信《孝經注》非鄭玄所作，認為劉肅、王應麟之說確可信據，又引述范曄《後漢書》所載鄭玄《戒子益恩書》，提出鄭玄先世固無講學者，其子益恩又未傳學，只有裔孫小同「非但通經，且以孝聞」，「以此諸證推之，注《孝經》之鄭氏當是小同無疑」。[26]鄭珍也指出，在劉知幾之後，人們多不相信《孝經注》為鄭玄作，「然書題所云鄭氏究無主名，梁載言《十道志》始謂是康成胤孫所作，王伯厚乃以小同實之」[27]，把梁載言、王應麟兩說聯貫為一[28]，後來胡元儀逕稱「《十道志》云〈序〉是胤孫所作，胤孫即小同也」[29]，更使康成胤孫與鄭小同合二為一。

其三，既相信鄭玄注《孝經》，又吸取「康成胤孫」說，主張《孝經注》成書於鄭玄後人或鄭小同之手。如梁玉繩認為荀昶、范曄說鄭玄注《孝經》有可信之處，又引《太平御覽》、《太平寰宇記》的「康成胤孫」說，提出「康成曾注此經，而成於後人之手」。[30]胡玉縉也認為鄭玄注《孝經》確有明證，又

---

[24] （清）王鳴盛：《蛾術編》卷8，道光二十一年吳江沈氏世楷堂刻本，頁6。

[25] （清）王鳴盛：《蛾術編》卷59，頁5。

[26] （清）阮福：《孝經義疏補》卷首，道光九年春喜齋刻本，頁9-10。

[27] （清）鄭珍：《鄭學錄》，卷3，頁12。

[28] 按，皮錫瑞在批駁「鄭小同注《孝經》」說時，同樣推衍出從梁載言到王應麟的學術史脈絡：「鄭小同注《孝經》，古無此說。自梁載言以為胤孫所作，王應麟遂傅會以為小同。梁蓋以《孝經鄭氏解》世多疑非康成，故調停其說，以為康成之孫所作；又以《序》有『念昔先人』之語，於小同為合，遂創此論。」（《孝經鄭注疏》卷上，光緒二十一年師伏堂刻本，頁2）

[29] （清）胡元儀：《北海三考》卷3，民國十五年《湖南叢書》本，頁30。按，胡元儀主張鄭玄注《孝經》，與王應麟所說有異，因此他又說：「小同為之《序》，則此《注》寫定於小同之手無疑，《國史志》乃指為小同所作，蓋因《序》而致誤歟？」

[30] （清）梁玉繩：《清白士集》卷19，《皇清經解》本，頁11。

說《孝經·庶人章》鄭注引及《湯誥》、《大禹謨》經文,「並係東晉偽古文,鄭所不及睹,何以稱之?則不得不疑為創始於康成,實成於後人之手」,因此採信劉肅、王應麟之說,認定《孝經注》由鄭小同完成。[31]

三 清儒引述梁載言矛盾記載之謬誤

清儒無論是重倡「康成胤孫注《孝經》」說、補證「鄭小同注《孝經》」說,還是為鄭玄注《孝經》作辯護,最關鍵的依據都是梁載言所說「蓋康成胤孫所作也」、「俗云是康成注《孝經》處」二語。然而出人意料的是,清代一批考據名家,恰好在解讀、處置這兩處互相矛盾的關鍵信息時出現嚴重錯誤,對《十道志》、《大唐新語》疏於考辨,對《太平御覽》、《太平寰宇記》妄下雌黃,將清代漢學中主觀考證的弊端暴露無遺。

其一,對「蓋康成胤孫所作也」的誤讀與臆解。

根據前面的分析,「蓋康成胤孫所作也」一語,同時指向〈孝經序〉和《孝經注》,二者合為一體,不可相分,換言之,作〈孝經序〉者與作《孝經注》者同為一人。然而,清代不少學者對此句理解有誤,將作序者與作注者分作兩人。如為鄭玄注《孝經》作辯護的侯康分析說:「細詳文義,似謂〈孝經序〉為康成胤孫所作,非謂《孝經注》也。〈序〉中所云先人即指康成,則樂史此文,正足以證《孝經注》之出康成矣,故其下文又云『有石室,周回五丈,俗云鄭康成注《孝經》於此』也。」[32]這是接受注經石室一段說法,僅認為康成胤孫作〈孝經序〉,割裂了序語與「蓋康成胤孫所作」的一致性。又如李慈銘針對丁晏所謂「《孝經鄭注》乃小同所為」,仍就丁晏所引梁載言之說加以考辨:「詳玩所載序文,云『念昔先人餘暇,述夫子之志而注《孝經》』,則似《孝經注》固為康成所撰,小同蓋不過作〈序〉或補成之耳。」[33]李慈銘反駁

---

31 胡玉縉:〈讀《孝經鄭氏注》〉,《許廎學林》,卷5(北京市:中華書局,1958年),頁121。按,胡玉縉稱鄭玄注引及東晉晚出偽古文《湯誥》、《大禹謨》,實是誤將邢昺疏文認作鄭玄注文。

32 (明)侯康:《補三國藝文志》,卷2,《嶺南遺書》本,頁2。

33 (清)李慈銘:《越縵堂讀史劄記·後漢書劄記》卷3,民國年間北海圖書館刊本,頁6。

有理，但他將作注之人與作序之人分開，又逕將康成胤孫指實為鄭小同，均有誤。至於力主「鄭小同注《孝經》」的阮福，更是錯得離奇。他在論證「注《孝經》之鄭氏當是小同無疑」後，寫道：

> 小同《注》今沒入唐《注》中，但其序文尚有廿八字，見唐劉肅《大唐新語》內，曰：「僕避難於南城山，棲遲岩石之下，念昔先人餘暇，述夫子之志而注《孝經》。」劉肅斷之曰：「蓋康成裔孫所作也。」福審此裔孫之言實為可據，然所謂僕者，自謂也，先人者，指小同也。若以為指康成，則陸澄十二驗已明非康成；若云益恩，則益恩無經術。然則非小同而誰所謂？避難者，當是小同之子孫避難在魏晉之間。劉肅惑於《十道志》，以此〈序〉避難南城山即康成避難徐州，則猶以注《孝經》者為康成矣。[34]

依劉肅《大唐新語》原文，「蓋康成胤孫所作也」一語分明是轉錄《十道志》，阮福卻硬將此語判歸劉肅，明明梁載言已提出康成胤孫作〈序〉，阮福卻說「唐劉肅《大唐新語》始謂序鄭《注》者為康成裔孫」，劉肅明明主張康成胤孫注《孝經》，阮福卻無端指責他「惑於《十道志》，猶以注《孝經》者為康成」，全然不顧史實。特別是阮福將〈序〉中「先人」指為鄭小同，「避難」指「小同之子孫避難」，則注《孝經》之「僕」即是「小同之子孫」，與他費力論證鄭小同注《孝經》恰相矛盾。這一顛倒錯亂的情形，實在出人意料。

清儒面對梁載言的矛盾記載，往往根據個人立說的需要，不顧全文，取此舍彼。如王鳴盛、迮鶴壽、鄭珍等認為梁載言主張康成胤孫作《孝經注》，丁晏援引「蓋康成胤孫所作也」認為鄭小同注《孝經》，即是採取掐頭去尾的做法，公然不顧梁載言前文引《後漢書》說鄭玄避難徐州、後文記注經石室稱鄭玄於此注《孝經》。嚴可均、錢侗、鄭珍、潘任、皮錫瑞等人，則依據「俗云是康成注《孝經》處」，將序語中「僕」視作鄭玄自稱，逕引此序為鄭玄注《孝經》

---

34 （清）阮福：《孝經義疏補》卷首，頁10-11。

的鐵證，或引以批駁「鄭小同注《孝經》」說[35]，根本無視序語之後「蓋康成胤孫所作也」一句，是典型的斷章取義。此外，孫星衍在《募修費縣書院冊書後》中寫道：

> 費縣多古跡，顓臾故城在焉。元時，創精舍于東蒙之麓，名曰東山書院。迤西南有注經臺，南城山鄭康成之孫小同注《孝經》之所也。鄉邑化其風，故至今費縣多讀書敦行之士，擇里者亦樂居之。按《太平寰宇記》稱：費縣南城山，今西上二里許，有石室焉，周回五丈，俗云鄭康成注《孝經》於此。又云：「鄭君漢末遭黃巾之難，客於徐州。今〈孝經序〉，鄭氏所作。其序云：……蓋康成後孫所作。」如樂史所云，鄭小同避難注經之地，俗訛傳為康成。[36]

孫星衍根據「蓋康成後孫所作」一語，判定鄭小同注《孝經》，卻無法解釋「俗云鄭康成注《孝經》於此」，只好提出「鄭小同避難注經之地，俗訛傳為康成」，以世俗流傳訛誤為由，對兩種矛盾的說法取一捨一，信口雌黃，極為任臆。[37]

順便指出，清人早已注意到「蓋康成胤（徹）孫所作」一語與前後文的矛盾，在引用或刊刻《太平寰宇記》時相應作了處理。如雍正《山東通志》、光緒《費縣志》引《太平寰宇記》，都將此句改成「蓋康成微遜時所作」，乾隆五十八年（1793）江西崇仁樂氏、南昌萬氏兩種刻本《太平寰宇記》，又將句中「胤孫」二字刪掉，乾隆《欽定大清一統志》則乾脆將全句刪掉。[38]這些技術

---

[35] （清）嚴可均：《孝經鄭注敘》，頁2；（清）錢侗：《重刊孝經鄭注序》，《知不足齋叢書》本；（清）鄭珍：《鄭學錄》，卷3，頁12；潘任《孝經鄭注考證》，光緒二十年《虞山潘氏叢書》本，頁9；（清）皮錫瑞：《孝經鄭注疏》，卷上，頁2。

[36] （清）孫星衍：《問字堂集》卷4，《四部叢刊初編》本，頁19。

[37] 按，光緒《費縣志》，卷13《古跡》類有「康成石室併注經臺」條，對孫星衍此說作了反駁。

[38] 雍正《山東通志》，卷9，《文淵閣四庫全書》本，頁68；光緒《費縣志》卷13，光緒二十二年刻本，頁20；樂史：《太平寰宇記》，卷23，乾隆五十八年江西崇仁樂氏祠堂刻本、南昌萬廷蘭刻本，同在頁9；乾隆《欽定大清一統志》，卷140，《文淵閣四庫全書》本，頁30。

性處理，無疑是想消除梁載言原文存在的顯著矛盾，可是罔顧文獻原貌肆意刪改，又不作校勘說明，並不可取。

其二，引述「俗云是康成注《孝經》處」時妄增文字。

《十道志》記南城山注經石室，明言「俗云是康成注《孝經》處」，《太平御覽》、《太平寰宇記》轉錄時文字略異，但關鍵信息仍是「康成注《孝經》」。然而清代竟有好幾位考據名家，在引述此句時上下其手，憑臆增竄。

第一個是王鳴盛，《蛾術編》卷五十九說：

> 《御覽》卷四十二：《孝經鄭氏序》「僕避難南城山，注《孝經》」，康成胤孫也。今西上可二里所，有石室焉，周圍五丈，俗云是康成胤孫注《孝經》處。《寰宇記》河南道沂州費縣南城山：後漢康成胤孫注《孝經》於此。于欽《齊乘》南成城：在費縣南百餘里，齊檀子所守，漢侯國，屬東海，因南成山而名。漢末黃巾之亂，鄭康成避難此山，有注經石室。案：欽誤以康成胤孫為康成。[39]

第二個是梁玉繩，在《瞥記》中寫道：

> 《孝經疏》辨康成未嘗注《孝經》，其驗有十二，以荀昶及范蔚宗言鄭注《孝經》為非。考《御覽》四十二、《寰宇記》廿三卷「沂州費縣」有南城山：《後漢書》鄭玄漢末遭黃巾之難，客於徐州。今〈孝經序〉，鄭氏所作。其序云：……蓋康成裔孫所作也。今西上可二里許，有石室焉，周回五丈，俗云是康成裔孫注《孝經》處。則康成曾注此經，而成於後人之手，荀、范之說，不可盡非。[40]

第三個是鄭珍，根據《太平御覽》引出《十道志》後，作按語說：

---

[39] （清）王鳴盛：《蛾術編》，卷59，頁7。

[40] （清）梁玉繩：《清白士集》，卷19，頁11。

唐劉肅《大唐新語》云「梁載言《十道志》解南城山，引《後漢書》云鄭玄避黃巾之難」，至「蓋胤孫所作也」，證知《御覽》此條出於梁載言，其首原有「《十道志》曰」四字。《太平寰宇記》「沂州費縣」下，又係抄梁載言，而改末句作「俗云是康成胤孫注《孝經》處」，殊失其原。[41]

經與《太平御覽》、《太平寰宇記》「康成注《孝經》」比較，王鳴盛、鄭珍引述後變成「康成胤孫注《孝經》」，梁玉繩引用後改作「康成裔孫注《孝經》」，多出「胤孫」、「裔孫」二字。有無此二字，極為關鍵。經查閱，各種清抄本、清刻本《太平寰宇記》一律作「俗云鄭康成注《孝經》於此」[42]，各種影宋刻本、明清抄本、明清刻本《太平御覽》中，絕大多數作「俗云是康成注《孝經》處」[43]，僅萬曆元年（1573）倪炳刻本作「俗云是康成徇注《孝經》處」，以及沿襲倪氏本的文津閣《四庫全書》本作「俗云是康成胤注《孝經》處」、嘉慶十一年（1806）汪昌序刻本作「俗云是康成徹注《孝經》處」。究其緣由，倪氏本將「蓋康成胤孫所作」句中「胤」字訛作「徇」，又於末句「俗云是康成注《孝經》處」衍一「徇」字，文淵閣本察覺其誤，將「徇孫」改作「之孫」，將「康成徇注《孝經》處」改作「康成嘗注《孝經》處」[44]，而文

41 （清）鄭珍：《鄭學錄》，卷1，頁29。按，胡元儀《北海三考》卷1轉錄此說，龔道耕也深受影響，指責樂史「直錄《十道志》而改末句作『俗云是康成胤孫注《孝經》處』，憑臆增竄，尤不足以傳信矣」（《龔道耕儒學論集》，頁182）。

42 前後查閱過國家圖書館藏清抄本三種（索書號為3429、S1381、S1179）、湖南省圖書館藏清抄本一種（索書號為善291.1/6）和國家圖書館出版社2013年影印《原國立北平圖書館甲庫善本叢書》所收清抄本，以及文淵閣、文津閣、文瀾閣三種《四庫全書》本，查閱的刻本有乾隆五十八年崇仁樂氏刻本、乾隆五十八年南昌萬氏初刻本及嘉慶八年重校重刻本與清末紅杏山房重刻本、光緒八年金陵書局本，另光緒九年《古逸叢書》和2000年中華書局影印日本所藏宋槧殘本、國家圖書館藏兩種清抄本（索書號為4562、12190），均缺記載注經石室的第23卷。

43 前後查閱過國家圖書館藏明抄本（索書號11729）、國家圖書館出版社2013年影印《原國立北平圖書館甲庫善本叢書》所收明抄本，以及文淵閣、文瀾閣《四庫全書》本，查閱的刻本有萬曆二年周堂銅活字本、嘉慶十四年張海鵬從善堂本、嘉慶十七年鮑崇城校宋本、日本安政二年（1855）仿宋槧校江都喜多村氏學訓堂聚珍本、《四部叢刊三編》影宋本。

44 按，「蓋康成胤孫所作」句中「胤」字，倪炳校刻本、周堂銅活字本同訛作「徇」，但「俗云是康成注《孝經》處」句中，周堂銅活字本未有衍文，文淵閣本《太平御覽》書前提要指出「二本同出一

津閣本、汪氏本僅將「亂孫」改作「胤孫」、「徹孫」，未刪末句衍文。再查清代其他學者引《太平御覽》、《太平寰宇記》注經石室一段[45]，也全部作「康成注《孝經》」，尤其迮鶴壽校訂《蛾術編》，引《太平御覽》作「南城山有石室，是康成注《孝經》處」，已糾正王鳴盛之誤。[46]可見，王鳴盛、梁玉繩、鄭珍絕對不會見到有「康成胤孫注《孝經》」異文的別本《太平寰宇記》，但為證成己說，故意增竄字句，有詭造證據之嫌。王鳴盛、梁玉繩雖可能見到倪氏本、文津閣本、汪氏本《太平御覽》，但訛誤如此顯然，豈可依從？他們精於校勘，卻漫不考訂，難免利用誤本之嫌。

四　結語

　　鄭玄《孝經注》長期遭到懷疑，而千載之下書缺有間，罕見與之直接相關的文獻記載，因此，梁載言《十道志》隨手採入的鄭玄注經軼聞，一經劉肅《大唐新語》引用，再經《太平御覽》、《太平寰宇記》轉錄，竟成後世爭辯《孝經鄭注》作者問題的珍稀材料。由梁載言濫觴的「康成胤孫作《孝經注》」說，因適可佐助進一步懷疑、否定鄭玄注《孝經》，所以在清代得到廣泛的回應，還與相隔數百年的「鄭小同注《孝經》」說貫串起來，構成一條似有內在理路的學術鏈環，「國朝通儒，多以為信」，[47]居然由一則地方軼聞，變成

稿，脫誤相類，而校手各別，字句亦小有異同。今以二本參校，並證以他書，正其所可知」，此例即其一，但將「胤孫」改作「之孫」，將「徧」改作「嘗」，未復宋本原貌，有臆改之嫌。後來張海鵬從善堂本雖據明本發刻，但校以宋本，故能糾明本之誤，復宋本之舊。

[45] 引述《太平御覽》的有朱彝尊《經義考》，卷222、袁鈞《鄭君紀年》、沈可培《鄭康成年譜》、丁晏《鄭君年譜》、顧櫰三《補後漢書藝文志》，卷2、皮錫瑞《孝經鄭注疏》，卷上等，引述《太平寰宇記》的有雍正《山東通志》，卷9、乾隆《沂州府志》，卷7、乾隆《欽定大清一統志》，卷140、孫星衍《問字堂集》，卷4、侯康《補三國藝文志》，卷2、曾樸《補後漢書藝文志并考》，卷3等，同時引兩書的有孫星衍《鄭司農年譜》、侯康《補後漢書藝文志》，卷2等。

[46] 王鳴盛：《蛾術編》，卷59，頁7。迮鶴壽另有兩處校語，一引《太平寰宇記》說「山東沂州府費縣西南之南城山，西上二李有石室，相傳鄭康成於此注《孝經》」，一引《太平御覽》說「南城山西上可二里，有石室焉，俗云是康成注《孝經》處」(《蛾術編》，卷8，頁6，頁10)。可見迮鶴壽引注經石室事，均與通行本《太平御覽》、《太平寰宇記》相符。

[47] 鄭珍：《鄭學錄》，卷3，頁12。

清代學界一個熱點。

　　然而，因為《十道志》記載本身有缺陷，僅據梁載言所錄〈孝經序〉寥寥數語，以及與此序語針鋒相對的「俗云是康成注《孝經》處」，根本無法考明《孝經注》作者是鄭玄或其胤孫，又因爭論雙方都能援引其中一說為證，反而加劇了《孝經鄭注》作者問題的紛爭。真要解開《孝經鄭注》是否為鄭玄所作的千年懸案，必須另尋可靠材料，同時將《孝經注》與鄭玄《三禮注》、《毛詩箋》、《尚書注》等各經注細加比較，既求其同，復釋其異，答解前儒疑難。事實上，嚴可均、皮錫瑞等根據日本回傳的《群書治要》，對《孝經鄭注》力作輯訂、大加疏證，當代學者陳鐵凡進而利用敦煌各種抄本鄭氏《孝經》，對《孝經鄭注》詳作校證，幾代學人前後踵繼，最大程度恢復了《孝經鄭注》的文本，並以確鑿證據維護了鄭玄的著作權。[48]陳鐵凡還指出，敦煌本鄭氏《孝經》前有序文者凡七種，卻不見梁載言所引〈孝經序〉隻言片語[49]，《十道志》的記載似有待於驗證。[50]推而言之，古代地理志書對於各地郡縣沿革、道途里數、山川風物、鄉賢名宦等，大多廣徵博稽，細考詳載，可信度較大，文獻價值較高，而對於各地山川遺跡、軼聞趣事、稗史傳說，往往旁掇隨記，搜奇存異，雖有一定的參考價值，但要審慎看待，若是援引為證，必須甄選考辨，不宜一概採信，尤其不能據以顛覆經史典籍的記載。

　　還要指出的是，梁載言所謂「康成胤孫作《孝經注》」，原屬傳聞之說、疑似之論，清儒卻盲從偏信，視作一家之言加以引述，甚或視作前代定論加以採

---

[48] 關於清代以來《孝經鄭注》的輯佚、考訂，詳參舒大綱：《中國孝經學史》，頁433-438。筆者另撰有《清儒對鄭玄注〈孝經〉的辯護》，待刊。

[49] 陳鐵凡：《敦煌本鄭氏〈孝經序〉作者稽疑》，《敦煌學》第4輯，香港新亞研究所敦煌學會編印，1979年7月，頁29。

[50] 按，梁載言所引《孝經序》有可疑處，但也不能遽斷為偽。黃彰健根據陳鐵凡所輯敦煌本《鄭氏孝經序》，提出：「我疑心，這是劉知幾與司馬貞辨論孔注、鄭注真偽，劉知幾指摘《孝經鄭注》之偽之後，治《孝經鄭注》之學者所增入，而陳輯所據敦煌本則係唐初寫本，所以沒有這一段。這與司馬貞指摘劉炫本《古文孝經》分〈庶人章〉為二，於是治《古文孝經》孔注之學者，遂改易《古文孝經》分章。其作偽之理由均系為了應付對方的指摘，其情形很類似。」（《經今古文學問題新論》，臺北市：「中央」研究院歷史語言研究所專刊之七十九，1982年，頁411）此說嫌於臆斷。梁載言仕宦早於劉知幾，黃彰健卻以梁載言為唐末人，致有此失。

信。清儒也明知梁載言的記載窒礙難通,卻亟於利用,疏於考辨,導致誤讀曲解、胸馳臆斷,甚至截取史料、增竄文字,罅漏百出,違反漢學實事求是、無徵不信的根本原則,背離考據學家虛己立說、徵實不誣的基本要求。清儒圍繞《孝經鄭注》作者問題的聚訟莫決,以及眾多考據名家在爭論中暴露出主觀考證的各種弊端,相對於成就輝煌的清代考據學,當然是大醇小疵,不過這一具體而微的案例,可以提醒後人不能迷信清代考據的具體成果與結論,要從其材料是否確鑿、方法是否客觀、是否抱持成見等方面加以鑒核,警惕清代考據名家也有可能目窮千里而失之眉睫。

朱子論「新」

蘇費翔

（德國）特里爾大學

摘要

　　宋代儒家研治經學有不同的出發點：王安石把自己的學說視為「新」的，故其經學著作稱為《詩經新義》等等。朱熹面對王安石「新學」的挑戰，仿傚歐陽修《詩本義》，把自己《周易》注釋題為《周易本義》，強調其研治經學之方法為尋索古代之本原。有趣的是，不少學者將程朱陸王一派的學術稱為「新理學」或「新儒學」（或英文的 Neo-Confucianism），與朱熹「本義」的用詞相背。

　　本篇論文論述朱熹自己有關「新」與「舊」的看法。實際上，朱熹治經學，是在新舊之間產生的：追究「本義」，並非全然等同於孔子「述而不作」自謙的傳統理念；朱熹反而是利用追求「本義」的方法來研究出一些為當代人所忽視的「新」知識。

　　此亦可當作今人研究經書的方法。無論稱今古新舊，皆必是基於歷史根據，應合時代要求，方能展出經學的活力。

關鍵詞：朱熹　新學　新儒學　Neo-Confucianism

一 序：宋明儒家與所謂「新儒家」

　　自古以來，儒家有不同的自稱。「儒學」一名見於司馬遷《史記》[1]，「儒家」見於班固《漢書》。[2]論到宋明儒學，朱熹一派卻是多以「道學」[3]自居，後來亦多有「理學」之稱。所謂「心學」乃為陸九淵所倡，但是他從未用過「心學」一詞；後來在王陽明之手下才成為盛行之用詞。[4]

　　迄今一百多年以來，把「Neo-Confucianism」（「新儒」）一詞當作「理學」與「心學」的總稱愈來愈流行。對二十世紀影響力很大的一本書為馮友蘭於一九三八年所著《中國哲學史》。本書中馮氏將以程朱陸王為主的學派稱為「道學」[5]，但是卜德（Derk Bodde）把馮友蘭的著作翻譯成 *History of Chinese Philosophy*（1937）與 *A Short History of Chinese Philosophy*（1948）皆運用 Neo-Confucianism 一詞，[6]並且承認「Neo-Confucianism 是西方人所造的新用詞，等同於中文的『道學』」。[7]這樣的用法，卜德似乎應和當時的學風。據狄培理（William Theodore de Bary，又作狄百瑞）之說，英文「Neo-Confucianism」一詞見於一九〇四年日本的記載，可以證明其在歐洲更早出

---

[1] 「河閒獻王德，……好儒學」。見《史記》卷59，〈五宗世家〉；載《二十四史》（北京市：中華書局，1997年11月），第1冊，頁2093。

[2] 「儒家者流，蓋出於司徒之官」。見《漢書》卷30，〈藝文志〉；載《二十四史》，第2冊，頁1727。

[3] 田浩：《朱熹的思維世界‧增訂版》（臺北市：允晨文化公司，2008年3月），頁32-33。

[4] 「聖人之學，心學也。」見〈象山文集序〉；王守仁：《王陽明全書》（臺北市：正中書局，1954年），第1冊，頁190。

[5] 馮友蘭：《中國哲學史》（臺北市：臺灣商務印書館，1993年），下冊，頁800。

[6] Fung Yu-lan; DerkBodde（譯）: *A Short History of Chinese Philosophy*（New York etc.: The Free Press, 1948年）與 Fung Yu-lan; DerkBodde（譯）: *A History of Chinese Philosophy*（Peiping: Henri Vetch; London: G. Allen & Unwin 1937年；再出版Princeton University Press, 1952/1953年）.

[7] "The term Neo-Confucianism is a newly coined western equivalent for *Tao hsüeh*." Fung Yu-lan; DerkBodde [trsl.]: *A Short History of Chinese Philosophy*, p. 268. 此非馮友蘭之言，而為卜德所補上之語。

現。[8]狄培理說一九四〇年代此詞已經盛行，而且他認為很實用。曾有人提出，中國學者又把英文的 Neo-Confucianism 一詞回頭翻成「新理學」或「新儒學」，在中國變得很普遍。[9]

於一九九二年，狄培理與田浩（Hoyt Tillman）有辯論。田浩反駁狄培理，認為「Neo-Confucianism」的「Neo」是美稱，不夠公正，把朱熹等人看成是創造一個「新」的理論，所產生的印象是，道學成立似乎代表一個「徹底的改變」（radical break）[10]，意味著道學家創造力更大、其地位更為重要。田浩以為這樣的用詞不太科學，無法深入表達宋代儒學的特色。這場論辯所造成的後果，乃是當今西方漢學界並用「Neo-Confucianism」與「Daoxue」等詞語的混雜狀態。[11]

經學歷來都有「新舊」或「古今」的分爭。例如漢代有今學、古學之爭[12]（或云：今古文之爭），宋有新學與舊學之黨爭，以王安石、司馬光為代表，[13]亦涉及經學；清有漢學與宋學對峙。

無論哪一個朝代，對傳統學派的經學家而言，面對與適應新時代的需求都是一個很大的挑戰。一方面他們的目的是保留自古流傳下來的思想，二方面得要發展新的一些理論。儒家又被孔子名語「述而不作」的理想有所約束。

回到宋代時期，假設我們問程朱學派代表人，他們如何自己會看這個問題？他們會不會接受別人稱他們「Neo-Confucians」或「新儒家」呢？有趣的是，目前似乎很少人研究這樣的問題。朱熹等人自己究竟如何看「新」、「改新」等等的詞語？

8　Wm. Theodore de Bary: "The Uses of Neo-Confucianism: A Response to Professor Tillman," in: *Philosophy East and West*, Vol. 43.3:541-555, p. 545.

9　參見 Hoyt Cleveland Tillman: "A New Direction in Confucian Scholarship: Approaches to Examining the Differences between Neo-Confucianism and Tao-hsüeh," in: *Philosophy East and West*, Vol. 42.3:455-474, p. 457.

10　同上，頁456。

11　類似的理由，西方學者有的用「Confucianism」，有的用「*ru-ism*」或「*ruism*」來稱呼「儒學」。

12　林慶彰：〈兩漢章句之學重探〉，載林慶彰（編）《中國經學史論文選集》（臺北市：文史哲出版社，1992年10月），上冊，頁277~297，尤頁283、292。

13　錢穆：《國史大綱》（臺北市：臺灣商務印書館，1995年7月），下冊，頁581。

著名研究朱熹的著作，如陳榮捷《朱學論集》、《朱子新探索》，如錢穆《朱子新學案》等專書論朱熹各種話題，真為豐富；書的標題裡面雖然慣用「新」字，但未曾專論「新」字對朱熹而言有何種意義。其原因究竟是因為朱熹比較少有相關的言語，抑或還有其他的因素，是為下面幾段要探討的問題。

二　朱熹論「新奇」

朱熹的思想是在北宋儒學影響之下而產生的。在北宋時期，王安石（1021-1086）提倡新法，王安石最重要的對手為司馬光（1019-1086）。其寄給范鎮（1007-1088，字景仁）的書信卻有曰：

> ……來示云：經有注釋之未安，史有記錄之害義理者，不可不正。此則誠然。然須新義勝舊義，新理勝舊理，乃可奪耳。[14]

可見，司馬光雖然屬北宋的保守派，但是他還是認為，「新義」若勝過「舊義」乃必遵守「新義」。他又提到「新理」，可見不僅要尊重經文從未見過的解釋，而又要追究其內涵的新邏輯。據他而言，傳統經典仍為準則，但是可以找出新的理論。

朱熹曾寫給柯翰（1116-1176，字國材）的書信云：

> 前此以陳、許二友好為高奇、喜立新說，往往過於義理之中正，故常因書箴之。……然觀聖賢之學與近世諸先生長者之論，則所謂高遠者，亦不在乎創意立說之間。……豈必以創意立說為高哉？[15]

---

[14] 〈與景仁論積黍書〉。載司馬光《傳家集》，《四庫全書電子版》（香港：迪志文化，1999年），卷62，頁24a。

[15] 〈答柯國材〉。《晦庵集》，卷39，《朱子全書》，第22冊，頁1733-1734。

陳、許二友,指朱熹的門徒陳齊沖(字齊仲)[16]、許升(字順之)[17]二人。朱熹批評他們喜好「立新說」,這樣會違背義理,認為真正「高遠」的理論並不在於「創意立說」。似乎是朱熹強烈反對創立新的理論,「創意」或「立新說」是不可以接受的。

朱熹與司馬光相異,叮嚀學者勿要任意創新理論,他對勉強論「新」的人員特別有反感,似乎有鑒於北宋王安石新學之失敗。

實際上,朱熹並不介意學者偶爾有新的見解,故上面的引文又云:

> 如舊說不通,而偶自見得別有意思,則亦不妨。但必欲於傳注之外別求所謂自得者而務立新說,則於先儒之說或未能究而遽捨之矣。如此則用心愈勞而去道愈遠,恐駁駁然失天理之正而陷於人欲之私,非學問之本意也。[18]

朱熹認為,學者有時候有新的見解是沒有問題的,只是不要在舊注之外刻意找出新的說法、放棄先儒的理論,免得花很多力氣,而且又不懂真正的道理。危險就在於被自己的欲望所困住。故意「創新」的人欲立新說,就偏於私人的看法,與「天理」相隔絕。

另外,《朱子語類》又云:

> 大凡人讀書,且當虛心一意,將正文熟讀,不可便立見解。看正文了,卻著深思熟讀,便如己說,如此方是。今來學者一般是專要作文字用,一般是要說得新奇,人說得不如我說得較好,此學者之大病。譬如聽人說話一般,且從它說盡,不可勸斷它說,便以己意抄說。若如此,全不

---

16 《晦庵集》,卷39又載〈答陳齊仲〉一書,朱熹批評陳齊沖「用意甚深,多以太深之故,而反失之」(《朱子全書》,第22冊,頁1756)。

17 《晦庵集》,卷39又載〈答許順之〉一書,朱熹批評許升言論,叫他「凡前日所從事一副當高奇新妙之說,並且倚閣」(《朱子全書》,第22冊,頁1737)。

18 〈答柯國材〉,《晦庵集》,卷39,《朱子全書》,第22冊,頁1734。

見得它說是非，只說得自家底，終不濟事。[19]

朱熹論當代學人寫文章發現有兩種弊病，一種是把文章純當作文字看（意思似是要用它來寫自己的文章），又一種是喜好寫出「新奇」的理論，且多愛與別人比較高下，以為自己一定要講得最好才是。後者的方法最有問題，好似聽別人說話，自己雖然不太懂得，還是按照自己的意見把它的話語抄下來，終究無法瞭解對方講話的內容與好壞。

其實，這樣來看，朱熹似乎不是批評有自己的主張的人，只是說最先一定要竭力去理解別人（主要是先儒）的高見，盡力追究他們的意思；此後若是仍有自己的看法，才可以用來補充。

我們再看看經學著作的標題：王安石，撰有《新經周禮義》等著作；另有當時的「經義局」按照王安石之見解編《新經毛詩義》[20]成書。其兒子王雱著《新經尚書義》，[21]又與呂惠卿同修《三經新義》。[22]再者，王安石的學生陸佃（1042-1102）[23]撰有《爾雅新義》。[24]王安石一家的經學著作大多失傳，除《爾雅新義》外，僅有《周官新義》的一部分可以從《永樂大典》挽救出來。[25]

總之，王安石及新學家的經學代表作，最明顯的特色就是標題裡面普遍用「新」字。另外，王氏把「經」字放在《尚書》、《毛詩》、《周禮》等前面，有可能他想要特別強調新經解的重要性。王氏等人多用「新」字，在經學史算是罕見之事。[26]

---

[19] 《朱子語類》，卷11，《朱子全書》，第14冊，頁348-349。

[20] 《郡齋讀書志》，《四庫全書電子版》，卷1a，頁20a。

[21] 朱彝尊原著，林慶彰、楊晉龍、蔣秋華、張廣慶編審：《點校補正經義考》（臺北市：中央研究院中國文哲研究所籌備處，1997年）第3冊，卷79，頁278。

[22] 《續通志》，《四庫全書電子版》卷614，頁9b。亦有記載將《三經新義》屬王安石著作，如《宋史》云「分王安石《書》、《詩》、《周禮義》于學官，是名《三經新義》」（卷157，頁3660）。又《經義考》第7冊，卷242，頁368云：「介甫《三經義》皆頒之學官」。

[23] 《宋史》稱陸佃曾「受經於王安石」（卷343，頁10917）。

[24] 本書收《續修四庫全書》，第185冊，頁337-479。《經義考》第7冊，卷238，頁264，卻云「未見」。

[25] 《周官新義提要》，《四庫全書電子版》，頁1a-1b。

[26] 「今」字也是很少可以見到在經注的標題裡面（除非論今文經學的專著）。如各經的《今注》

　　反之，歐陽修注《詩》的著作叫作《詩本義》。朱熹因歐陽修的風格，將其《周易》的注解名為《周易本義》。可以看得很清楚，朱熹盡量避免以創立「新」的概念來研究經書。

　　朱熹亦曾說明「本義」是什麼意思。其〈答呂子約〉[27]云：

　　　唯本文本義是求，則聖賢之指得矣。[28]

按照朱熹的看法，「本義」是指古代聖賢的意思而解釋經文，而這樣的「本義」可以從「本文」研究出來。這樣來看，若是從本文可以發揮到正確的一些概念，或許會勝過歷代諸儒對經書的注釋。

三　朱子論「革新」、「知新」

（一）《大學》「新民」

　　雖然朱熹追究經書的「本義」，在儒家經典當中，「新」其實為傳統經學的一個重要的課題，如《禮記・大學》有「苟日新，日日新，又日新」、「作新民」、「周雖舊拜，其命惟新」等等文句，[29]而群經類似的出處不可勝數。二程與朱熹自己再把《大學》「親民」讀為「新民」；因此不能說朱熹盡力排斥「新」字做為學術用詞。

　　朱熹等學者反對「創新」專門是針對經典解釋而言的。與之相反，從道學家哲學角度來看，改新自己為重要的方法，去除舊的缺點，進行修身工夫。《大學》原文云：「大學之道在明明德，在親民，在止於至善。」程子曰：

約在清末出現（有《禹貢今注》，西安市：西安地圖出版社，1911年）；到了現代，各經《今註今譯》著作才變得非常流行。

[27] 此封信寫給呂祖謙之弟呂祖儉（？-1200）。

[28] 《晦庵集》，卷48（《朱子全書》，第22冊，頁2218）。

[29] 《大學章句》，載朱傑人、嚴佐之、劉永翔主編：《朱子全書》（上海市：上海古籍出版社，2005年），第6冊，頁18。

「親,當作新。」朱熹注:「新者,革其舊之謂也。言既自明其明德,又當推以及人,使之亦有以去其舊染之污也。」[30]對朱熹而言,「新」是「改新」的意思,而不是「創新」;而這樣的改新,有兩個層面,一則要「自明其明德」,即等於「修身」,再者(而似乎是更重要的)必需推己及人,改新他人。

《大學》「親民」兩字解釋為「新民」,後來引起學者的爭議。[31]但是從經文本身來看是頗有道理的,果然《大學》說明「親民」一段曰:

> 湯之〈盤銘〉曰:「苟日新,日日新,又日新。」〈康誥〉曰:「作新民。」[32]

在這裡,朱注〈盤銘〉云「蓋盤銘言自新也」、注〈康誥〉云「鼓之舞之之謂作,言振起其自新之民也」[33],把「新」字皆解為「自新」,可見其目標不只是改新他人,而修身仍然頗為重要。

總之,朱熹雖然不太能夠接受某人創造「新義」,但是「改新」本身對朱熹而言是沒有問題的,反而是很重要的概念。

(二)「溫故而知新」的注解

《論語》裡面亦出現「新」字,如《論語》〈為政第二‧第十一章〉:

> 子曰:「溫故而知新,可以為師矣。」[34]

因此可知,「知新」對儒家而言是當老師的重要條件。即使沒有新的著作,還是可以有新的見解。而朱熹《論語集注》云:

---

[30] 《大學章句》,《朱子全書》,第6冊,頁16。
[31] 最著明的例子是王守仁。見《傳習錄》,《王陽明全書》,第1冊,頁1-2。
[32] 《大學章句》,《朱子全書》,第6冊,頁18。
[33] 同上。
[34] 《論語集注》,《朱子全書》,第6冊,頁78。

> ……言學能時習舊聞，而每有新得，則所學在我，而其應不窮，故可以
> 為人師。若夫記問之學，則無得於心，而所知有限，故《學記》譏其
> 「不足以為人師」……。[35]

在此，「知新」成為「有新得於心」，是一種內修工夫；而沒有這樣的功德，就為「記問」之學。此語出《禮記・學記》：「記問之學不足以為人師。必也其聽語乎！力不能問，然後語之；語之而不知，雖舍之可也。」而鄭注「記問謂豫誦雜難雜說，至講時為學者論之。此或時師不心解，或學者所未能問。」[36]換言之，「記問」是說老師上課前只是記下一些雜說，到了講課的時候學生發問，才說給學生聽。如此所造成的問題，就是老師自己心裡恐怕沒有深入瞭解經文，或是學生有一些無法問清楚的地方。

朱熹的見解，對「新得」很贊成，絕不能說只是守舊而已。

王安石《論語》的注解失傳，惟有其學生陳祥道（1067年進士，禮學專家）所著《論語全解》仍存。再看一下他如何解釋《論語》此段話：

> 「溫故」則月無忘其所能，「知新」則日知其所亡。如此則學不厭矣，
> 學不厭然後誨不倦，故曰可以為師。……故記問之學不足為，而小知之
> 師不足貴。[37]

可見，陳祥道將「知新」與《學記》「記問之學」對比，跟朱熹一模一樣。

（三）「述而不作」的解釋

現代學者常會說，儒家原來只借用孔子「述而不作，信而好古，竊比於我老彭」[38]的觀念，原來並沒有「創新」的目標。朱熹亦是肯定「儒家不創新」

35　同上。
36　《十三經注流》（北京市：中華書局，1980年），《禮記正義》，頁1524中。
37　陳祥道：《論語全解》，《四庫全書電子版》，卷1，頁17b。
38　《論語集注》，《朱子全書》，第6冊，頁120。

的觀點，並不覺得有什麼要批評之處，注《論語》〈述而第七〉曰：

> 孔子刪《詩》、《書》，定禮樂，贊《周易》，修《春秋》，皆傳先王之舊
> 而未嘗有所作也。故其自言如此。蓋不惟不敢當作者之聖，而亦不敢顯
> 然自附於古之賢人。[39]

但是仔細讀此段，「作」本身是好的事情，是「聖」人之業；朱熹並不否定任
何創新的行為，只是我們一般人不應該隨意創新而已，「述而不作」就是謙虛
的表態。但是如果孔子這段話只是謙虛，創新就是沒有問題的，最重要是在創
新的時候要用謙虛的表達方式。

末句「竊比於我老彭」，孔子提出「老彭」究竟是誰？包咸（西元前7-西
元後65年）曰：「老彭，殷賢大夫。」[40]鄭玄云：「老，老聃；彭，彭祖。」[41]
皇侃（西元488-545年）曰：「老彭，彭祖也。年八百歲，故曰老彭也。」[42]邢
昺（西元932-1010年）說：「老彭，殷賢大夫者；老彭即莊子所謂彭祖也。」[43]
或以「老彭」為二人（其中「老」指老子），或為一人（即彭祖）。《大戴禮
記·虞戴德》載：

> 公曰：「教他人則如何？」子曰：「否，丘則不能。昔商老彭及仲傀，政
> 之教大夫，官之教士，技之教庶人。揚則抑，抑則揚，綴以德行，不任
> 以言，庶人以言，猶以夏后氏之裓懷袍褐也，行不越境。」[44]

朱熹注《論語》〈述而第七〉據《大戴禮記》此段記載把「老彭」看成一個

---

[39] 《論語集注》，《朱子全書》，第6冊，頁120。
[40] 《十三經注疏》，《論語注疏》，頁2481下。
[41] 《論語注疏》，《四庫全書電子版》卷7，頁1a。
[42] 《論語集解義疏》，《四庫全書電子版》，卷4，頁1b。
[43] 《十三經注疏》，《論語注疏》，頁2481下。
[44] 《大戴禮記》，《四部叢刊初編》（上海市：上海商務印書館，1929年），第49冊，卷9，〈虞戴
德第七十〉，頁10b。

人，與包咸、邢昺之說相同：

> 述，傳舊而已。作，則創始也。……老彭，商賢大夫，見《大戴禮》，蓋信古而傳述者也。[45]

而王安石的弟子陳祥道卻說：

> ……老子……有言「執古之道以御今」[46]者，則「述而不作、信而好古」可知矣。……故孔子比焉。……將自明之則自尊而卑之所以信其言於後世；孔子之竊比於我老彭，尊之所以信其言也。……孟子曰：「孔子作《春秋》而亂臣賊子懼。」蓋唐、虞、成周未有懼之者。此聖人所以有作也。彭之言行於傳无道，豈古之彭祖者乎？[47]

陳氏先用老子之言語闡述《論語》這句話。再者，將「述而不作」、「竊比於我老彭」之語認為孔子故意卑下自己，用來取信於後世，而據《孟子》「孔子作《春秋》」一句，便知孔子實有所作。這樣的孔子自己非常明白自己的智慧特別高，然「述而不作」只是謙虛話而已。

其實，道家亦有論「新」的記載。《世說新語》論支遁（西元314-366年，字道林）所著《莊子逍遙義》云：

> 《莊子‧逍遙篇》舊是難處，諸名賢所可鑽味而不能拔理於郭、向之外。支道林……卓然標新理於二家之表，立異義於眾賢之外，皆是諸名賢尋味之所不得。[48]

45　《論語集注》，《朱子全書》，第6冊，頁120。

46　全句曰：「執古之道以御今之有。」見《道德經》，《四部叢刊初編》，第532冊，〈贊玄第十四〉，頁7b。

47　陳祥道：《論語全解》，卷4，頁1a-2a。

48　（劉宋）劉義慶：《世說新語》，《四部叢刊初編》，第462冊，卷上之下，〈文學第四〉，頁18b-19a。

此謂支遁在向秀、郭象的舊注加上「新理」與「異義」，是為甚可贊成之事。可見，道家中亦有謂創立「新理」沒有問題的例子。

另外《宋史》有載：

> 安石訓釋《詩》、《書》、《周禮》，既成，頒之學官，天下號曰「新義」。晚居金陵，又作《字說》，多穿鑿傅會，其流入於佛、老。一時學者無敢不傳習。[49]

這段引文對王安石有負面的態度，指責他為「穿鑿傅會」，但無論如何，王安石對佛家與道家頗有興趣，把這些學派的學說融入自己的經學著作中。王安石等人贊同立新說之事，在解釋《論語》時，把孔子與老子連接起來，剛好可以與道家思想吻合。

上面已經提到，王安石新學的代表認為孔子言「述而不作」，只是故意用謙虛話，好讓自己的言論更受信任。

朱熹的看法是不同於王安石的。他論孔子「述而不作」云：

> 蓋其德愈盛而心愈下，不自知其辭之謙也。然當是時，作者略備，夫子蓋集群聖之大成而折衷之。其事雖述，而功則倍於作矣，此又不可不知也。[50]

朱熹論孔子之謙虛，謂孔子之德性很特殊，因此他自謙的地步很高，甚至於自己不會感到己身所說的話是很謙虛的。

這樣的看法可以跟王安石其他的文獻相比。王氏曾曰：

> 文王以伏羲為未足以喻世也，故從而為之辭。至於孔子之有述也，蓋又

---

49 《宋史》，卷327，頁10550。
50 《論語集注》，《朱子全書》，第6冊，頁120。

以文王為未足。[51]

據王安石之說，孔子之「述」，剛好是因為他以為文王有所不足；這樣的孔子有意識地去創造新的東西。相反，朱熹以為孔子之創新是無意識的，而所用於表達的謙詞為孔子心裡的想法；這樣來看，孔子的貢獻還超越原來「作」禮樂的聖人。

四　錢穆「新解」與「新學案」

我們最後再略看二十世紀的狀況。陳榮捷多稱朱熹有「新」的發現，云：

> 朱子固未運用任何儒學新資料或創造任何新名詞，但朱子所予新儒學之新特質與新面貌，此實無可否定。[52]

另外一個例子是錢穆。據說，錢穆私底下希望可以成為「現代的朱子」。[53]有趣的是，他雖然非常推崇朱熹，但是自己的著作不少名為「新解」等。他對「新」的概念自己也有啟發，如《論語新解·序》云：

> 時代變，人之觀念言語亦多隨而變。……本書取名《新解》，非謂能自創新義，掩蓋前儒。實亦備采眾說，折衷求是，而特以時代之語言觀念加以申述而已。……抑余之為《新解》，亦非無一二獨得之愚，越出於先儒眾說之外者。然苟非通觀群言，亦無以啟發新知。[54]

---

51 王安石：〈答徐絳書〉，載《臨川文集》，《四庫全書電子版》，卷73，頁2a。

52 陳榮捷：〈朱熹集新儒學之大成〉，載《朱學論集》（臺北市：臺灣學生書局，增訂再版，1988年4月）：1-35，頁2。

53 "His secret dream was to be the Zhu Xi of contemporary China." Umberto Bresciani: *Reinventing Confucianism* (Taipei: Taipei Ricci Institute for Chinese Studies, 2001), 頁 259。

54 錢穆：《論語新解》，收入《錢賓四先生全集》（臺北市：聯經出版事業公司，1994-1997年），第3冊，頁6-7。

所以，錢穆所云「新解」，至少表面上為折衷舊說，沒有自己的創新，只是用現代的語言來闡述先儒的意見。　偶爾可能有自己的一些發現，但是這樣的發現務必要跟先儒的說法一起讀。

再看，錢穆《朱子新學案》有曰：

> 其言克己與立志，則創闢新義。……朱子不僅集北宋以來理學之大成，實卻自此開出理學之新趨。[55]
> 朱子……不僅在當時理學中杜塞歧途，而對漢以下諸儒說經，卻多開闢新趨。……朱子所謂「舊學商量加邃密，新知涵養轉深沈」，亦可於此窺見其一面。[56]

可見，錢穆非常讚賞朱熹之「創新義」，還說是「理學之新趨」。錢穆以上在《新解》對自己的看法是「不創新」，而對朱熹卻不然加強「開闢新趨」之功。似乎有一點矛盾。

五　結論

「新」字在傳統經學的文獻有著不同的含意與層面：一則是改新自己（如「自新」）或改新他人（如「新民」）；二則是重新發揮先儒的一些思想；三則學者主動發揮經文新的解釋（「新義」）或邏輯（「新理」）。

孔子著名一句話「述而不作」，很難搞定是否謙虛話。王安石一派的學者認為，創新是沒有問題的，孔子也是有意識的創新，因此現代人也可以創新。相反，朱熹認為，孔子自己有創新，但是因為有聖德的謙虛，因此孔子自己沒有感覺到其所創新之處。

中國在二十世紀有非常多「改新」的說法與方案，是受五四運動的影響。當代新儒家多倡「改新」，宋明理學家並沒有，這就是宋明代與現代儒學一個

---

[55] 錢穆：《朱子新學案》，收入《錢賓四先生全集》第11冊，〈朱子學提綱〉第21章，頁144。
[56] 同上，〈朱子學提綱〉第26章，頁193。

很重要的差別。二十世紀的儒家,如陳榮捷、錢穆等認為,朱熹創新特甚,自己的創新主要是用現代人的語言來表達舊有的意思。錢穆把朱熹看成真正的偉大的革新家;這樣其實跟康有為推孔子為偉大的革新家有一點相似的。

　　從現代的角度來看,任何學術必須與時具進。現代人(包括中國在內)所推崇的「創造力」,一定要有理論方面的根據。在中國學術的傳統可以找出有如下方式:一則,追求「本義」,若是發現新的理論,可以把它(無意識的)托給古人。二則,假裝追求「本義」,把新的理論(有意識的)托給古人。三則,可以分析出古人「改新家」的特色。四則,發明新說,卻很謙虛地堅持自己只是「述而不作」。這些方法似乎皆有古人的前例。

關於《朱子晚年定論》的單行本[*][**]

永富青地

（日本）早稻田大學

摘要

在中國思想史上，《朱子晚年定論》一書的問世在陽明學確立的過程中具有極為重要的意義。明正德十五年（1520），王守仁在給羅欽順（號整菴）的書簡中，一方面不得不承認《朱子晚年定論》中收錄的書簡並不全是朱子晚年所作，從而承認了他關於朱子晚年自悔其中年學說的主張在論證方面存在問題，另一方面，在承認自己與朱子學不同的前提下，他進一步明確地強調了自己學說的正當性。從這個意義上說，《朱子晚年定論》在王守仁與朱子學分道揚鑣並獲得思想上的獨立的過程中提供了非常重要的契機。但是，以往從事陽明學和文獻學研究的學者卻幾乎從未對這部重要的著作的出版情況進行過基本考察。本報告的主要意圖即在於嘗試填補這一空白。

關鍵詞：《朱子晚年定論》　王守仁　錢德洪　懷玉書院

---

[*]　本文資料調查過程中得到安徽大學外國語學院陳雪女士和安徽省博物館胡欣民館長熱誠幫助，在臺灣故宮博物院召開的「再造與衍義：文獻學國際學術研討會」（2007年11月16日）宣讀時承蒙佛光大學歷史系李紀祥教授、中央研究院文哲研究所鍾彩鈞教授等不吝賜教，在此特致謝忱。

[**]　此稿乃經林慶彰教授介紹在故宮博物院「再造與衍義：文獻學國際學術研討會」（2007年11月16日）所作報告，修改後發表於《故宮學術季刊》二十六卷二期（2008年冬季號）。時值林慶彰教授七秩華誕之際，特以此文祝賀，并對林教授長期以來的獎掖與關心表示衷心感謝。

在中國思想史上，《朱子晚年定論》一書的問世在陽明學確立的過程中具有極為重要的意義。明正德十五年（1520），在給羅欽順（號整菴）的書簡中，王守仁一方面不得不承認《朱子晚年定論》中收錄的書簡並不全是朱子晚年所作，從而承認了他關於朱子晚年自悔其中年學說的主張在論證方面存在問題，另一方面，在承認自己與朱子學不同的前提下，他進一步明確地強調了自己學說的正當性。從這個意義上說，在王守仁與朱子學分道揚鑣並獲得思想上的獨立的過程中，《朱子晚年定論》一書提供了一個非常重要的契機。但是，對於這樣重要的一部著作的出版情況，以往從事陽明學和文獻學研究的學者卻幾乎都沒有進行過基本的考察。本報告的主要意圖即在於嘗試填補這一空白。

一　兩種失傳的單行本《朱子晚年定論》和《王文成公全書》本

關於《朱子晚年定論》的主旨和編纂經過，王守仁在正德十年冬十一月的序文中云：

> 及官留都，復取朱子之書而檢求之，然後知其晚歲固已大悟舊說之非，痛悔極艾，至以為自誑誑人之罪，不可勝贖。世之所傳《集注》、《或問》之類，乃其中年未定之說，自咎以為舊本之誤，思改正而未及。而其諸《語錄》之屬，又其門人挾勝心以附己見，固於朱子平日之說猶有大相謬戾者，而世之學者局於見聞，不過持循講習於此，其於悟後之論，概乎其未有聞，則亦何怪乎予言之不信、而朱子之心無以自暴於後世也乎？予既自幸其說之不謬於朱子，又喜朱子之先得我心之同，然且慨夫世之學者徒守朱子中年未定之說，而不復知求其晚歲既悟之論，競相咻咻，以亂正學，不自知其已入於異端。輒採錄而裒集之，私以示夫同志，庶幾無疑於吾說，而聖學之明可冀矣。

由此可知，《朱子晚年定論》乃王守仁正德十年（1515）在南京時編輯成

書,目的是印證朱子晚歲已自悔其中年未定之說,自己的學說並不違背朱子晚年對聖學的理解,從而證明自己學說的正當性[1]。序文最後謂採錄哀集後「私以示夫同志,庶幾無疑於吾說,而聖學之明可冀矣」,說明王守仁在成書後即將此書傳示同志,借以消除他們對自己學說的疑慮。

但是,王守仁在此書編成之初並未計畫將其刊刻出版,在知道門人們刊印此書時還感到不滿。他在〈與安之〉一書中敘述當時的情形說:

> 留都時偶因饒舌,遂致多口,攻之者環四面。取朱子晚年悔悟之說,集為《定論》,聊藉以解紛耳。門人輩近刻之雩都,初聞甚不喜。然士夫見之,乃往往遂有開發者。無意中得此一助,亦頗省煩舌之勞。

可見《朱子晚年定論》的刊刻流傳對緩解來自批判者的壓力和擴大王守仁思想的影響發揮了王守仁事先所意想不到的效果。

關於《朱子晚年定論》最初的流傳和影響,《王文成公全書》卷三附錄《朱子晚年定論》(以下簡稱《全書》本)附正德戊寅年(13,1518)六月門人雩都袁慶麟識語云:

> 《朱子晚年定論》,我陽明先生在留都時所採集者也。揭陽薛君尚謙舊錄一本,同志見之,至有不及抄寫,袖之而去者。眾皆憚於翻錄,乃謀而壽諸梓,謂子以齒當志一言。(中略)麟無似,從事於朱子之訓餘三十年。(中略)戊寅夏,持所著論若干卷來見先生。聞其言,如日中天,睹之即見。象五穀之藝地,種之即生。不假外求,而真切簡易。恍然有悟,退求其故而不合,則又不免遲疑於其間。及讀是編,始釋然,盡投其所業,假館而受學,蓋三月而若將有聞焉。然後知嚮之所學,乃朱子中年未定之論,是故三十年而無獲。今賴天之靈,始克從事於其所謂定見者,故能三月而若將有聞也。非吾先生,幾乎已矣。

---

[1] 王守仁《朱子晚年定論》一書曾受到(明)程敏政《道一編》的影響,關於這一點,可參看吉田公平《陸象山と王陽明》第3章〈朱子晚年定論〉(東京都:研文出版,1990年1月)。

　　按袁慶麟字德彰，江西雩都（今贛州市附近）人。初為諸生，攻舉子業，後幡然感悟，盡棄舊習，改而師事王守仁。[2]根據他的敘述，《朱子晚年定論》成書後曾由薛侃（號尚謙）抄錄一部，在門人中傳閱傳抄，甚至有不及抄寫、袖之而去的情況，門人們為此商議將該書刊刻出版，並請袁慶麟撰文識之。袁慶麟回憶自己曾從事朱子學三十年，是陽明先生的學說讓他恍然有悟，而《朱子晚年定論》一書消除了他最後的遲疑，促使他決心放棄所業，入王門學習，只有三個月就達到了從前三十年所未能達到的境界。在人才濟濟的王門弟子中，特別請袁慶麟為《朱子晚年定論》題寫識語，袁慶麟自己說是因為他年齒較長，但更重要的原因恐怕是因為袁慶麟有在三十年攻讀朱子之後轉入王門的經歷，由他來談《朱子晚年定論》的價值比其他人更具說服力和影響力。袁慶麟的現身說法顯然有一種宣傳色彩，但是他的經歷也從一個側面說明《朱子晚年定論》在當時的影響，和上文引用王守仁的敘述恰好可以相互印證。袁慶麟識語撰於《朱子晚年定論》成書三年之後的正德十三年，這也是我們所知道的最早的關於《朱子晚年定論》刊刻情況的記載。《王文成公全書》本《朱子晚年定論》卷前的錢德洪序云：

> 《定論》首刻於南贛。朱子病目靜久，忽悟聖學之淵微[3]，乃大悔中年註述誤己誤人，遍告同志。師閱之，喜己學與晦翁同，手錄一卷，門人刻行之。自是為朱子論異同者寡矣。師曰：「無意中得此一助。」隆慶壬申，虯峰謝君廷傑刻師《全書》，命刻《定論》附《語錄》後，見師之學與朱子無相謬戾，則千古正學同一源矣。

錢德洪序中提到的首刻於南贛的版本，應該就是王守仁在〈與安之〉中提到的雩都刻本，也就是有袁慶麟正德十三年識語的單行本。錢德洪也談到此書問世以後，批評王守仁與朱子立異者減少，王守仁為此感到欣慰，以為「無意中得此一助。」可見《朱子晚年定論》在當時確實解除了一部分人對王學與朱子學

2　《江西通志》（景印文淵閣四庫全書本，臺北市：臺灣商務印書館，1986年），卷94。

3　《王陽明全集》（上海市：上海古籍出版社，1992年12月）「淵微」作「淵藪」，誤。

的差異所持的疑慮。

正德十五年（1520），王守仁將《朱子晚年定論》與《大學古本》一起寄給羅欽順。羅欽順在這年夏天致信給王守仁，在感謝王守仁贈書的同時，也提出了自己閱讀二書之後產生的疑問。關於《朱子晚年定論》，羅欽順具體舉出《朱子晚年定論》年代失考、增改文字等問題，對王守仁以朱子之學有中年、晚年之別的說法提出了質疑[4]：

> 又詳《朱子定論》之編，蓋以其中歲以前所見未真，爰及晚年，始有克悟，乃於其論學書尺三數十卷之內摘此三十餘條，其意皆主於向裡者，以為得於既悟之餘，而斷其為定論。斯其所擇宜亦精矣。第不知所謂晚年者，斷以何年為定？羸軀病暑，未暇詳考，偶考得何叔京氏卒於淳熙乙未，時朱子年方四十有六，爾後二年丁酉，而《論孟集注》、《或問》始成。今有取於答何書者四通，以為晚年定論，至於《集注》、《或問》，則以為中年未定之說。竊恐考之欠詳，而立論之太果也。（下略）

王守仁編錄《朱子晚年定論》的主旨在於通過朱熹自己表示悔悟的語言證明世人所尊崇的朱子學實際上已經被朱熹本人否定的中年未定之說，從而證明王守仁自己學說的正當性，在編書時並未做詳盡的考證功夫。因此，書中並未說明朱熹的「晚年定論」確定於何時，做為「晚年定論」收錄的文章也並非都是晚年之作。羅欽順的問題雖然語氣委婉，內容卻極為尖銳，可以說是對《朱子晚年定論》一書的頂門一針。對此，王守仁在同年九月的回信中回答說：

> 其為《朱子晚年定論》，蓋亦不得已而然。中間年歲早晚，誠有所未考。雖不必盡出於晚年，固多出於晚年者矣。然大意在委曲調停以明此學為重，平生於朱子如神明蓍龜，一旦與之背馳，心誠有所未忍，故不得已而為此。（中略）蓋不忍牴牾朱子者，其本心也；不得已而與之牴

4　羅欽順：《困知記》（北京市：中華書局，1990年）附錄〈與王陽明書〉。

> 牾者，道固如是，不直則道不見也。執事所謂決與朱子異者，僕敢自欺
> 其心哉？

以論旨清晰明快著稱的王守仁在這裡卻顯得有些含混曖昧。他不得不承認自己
對所錄朱熹文章著作的寫作年代考證不夠，卻又辯解說這些文字雖然不全是晚
年之作，但大部分是出於晚年者。接著，他解釋說《朱子晚年定論》實際上是
一種調停的手段，是在自己本心不忍「背馳」朱子學而又不得不與之「牴牾」
的情況下不得已而為。其實，被分別指為中年未定之說與晚年悔悟之意的文字
在寫作時間上的失考本身已經說明《朱子晚年定論》在論證上存在根本缺欠；
承認自己與朱子之說牴牾，實際上就等於否定了他在《朱子晚年定論》自序中
所謂「自幸其說之不謬於朱子，又喜朱子之先得我心之同」的說法。

　　緊接著，王守仁筆鋒一轉，恢復了他擅長的雄辯：

> 夫道，天下之公道也；學，天下之公學也，非朱子可得而私也，非孔子
> 可得而私也。天下之公也，公言之而已矣。故言之而是，雖異於己，乃
> 益於己也。言之而非，雖同於己，適損於己也。益於己者，己必喜之；
> 損於己者，己必惡之。然則某今日之論，雖或於朱子異，未必非其所喜
> 也。[5]

這裡，王守仁強調道與學乃天下之公，即使朱子與孔子亦不得私之。評判一種
言論或學說的標準在於其是非而不在於其與己說的異同。按照這個思路，自己
的見解雖然與朱子不同，但未必不是朱子所喜見者。顯然，這一態度顯示出在
承認自己學說與朱子的不同之後，王守仁不再需要「自徵其學不畔於朱說」，
依託朱子以證明自己學說的正當性，宣示了王守仁思想的正式獨立。

　　通過與羅欽順關於《朱子晚年定論》的討論，王守仁明確承認了自己學說
與朱子學的「背馳」與「牴牾」，並堅持主張自己學說的正當性。從此以後，

5　關於王守仁與羅欽順之間論爭的詳細情況，可以參看《王文成公全書》（四部叢刊影印明萬曆
　　年間重刊本，上海市市：商務印書館）卷2所收的〈答羅整菴少宰書〉。

他沒有必要再借助「晚年定論」之類的理由為自己辯解。從這個意義上說，《朱子晚年定論》為王守仁與朱子學分道揚鑣並獲得思想上的獨立提供了一個非常重要的契機。

　　儘管在王守仁明確承認《朱子晚年定論》的編纂存在牽強和失誤之處以後，本書已經失去了自證其說的意義，但是《朱子晚年定論》在思想界所激起的波動卻並未結束。如朱子學者魏校（字子才，號莊渠）就曾經指出《朱子晚年定論》年代失考和對朱子理解的失誤，並進一步對朱子思想的形成過程進行了考察。以後，不少朱子學者對《朱子晚年定論》進行批評，其中著名的是清代學者為批駁《朱子晚年定論》對朱子年譜所做的考證成果[6]。另一方面，《朱子晚年定論》在王門弟子和後學中也繼續發揮影響。例如，除了南贛本以外，錢德洪在〈年譜附錄〉中就曾經提到一個增刻本。《王文成公全書》卷三十五所收錢德洪〈年譜附錄一〉嘉靖二十九年（1550）庚戌正月「吏部主事史際建嘉義書院於溧陽祀先生」條下云：

> 增刻先生《朱子晚年定論》。《朱子定論》，師門所刻止一卷，今洪增錄二卷，共三卷，際令其孫致詹梓刻於書院。

　　由此可知，史際曾命其孫史致詹在溧陽嘉義書院刊刻過《朱子晚年定論》，而且這個本子是一個三卷本，在王守仁輯錄一卷本之外，增加了錢德洪增錄的兩卷內容。這條記載說明，在王守仁與羅欽順的討論之後，王門後學中還有對《朱子晚年定論》的新的需求。不過，和南贛本一樣，嘉義書院本未能保存到後世，錢德洪在〈年譜附錄〉中記錄的點滴信息，似乎也沒能引起學者們對這個增錄本的注意。

　　隆慶六年（1572），謝廷傑刊刻《王文成公全書》，在該書卷三〈傳習錄下卷〉末尾附錄《朱子晚年定論》，這是最早附載於《傳習錄》的《朱子晚年定論》，也是後來學者們使用的《朱子晚年定論》的通行本（以下簡稱「《全書》

6　關於魏校以及在他以後的朱子學者對《朱子晚年定論》的批評，請參看吉田公平：《陸象山と王陽明》第3章〈朱子晚年定論〉（東京都：研文出版，1990年1月）。

本」)。《全書》本所收《朱子晚年定論》為一卷本，其基本內容包括：錢德洪序（無紀年，為謝廷傑《王文成公全書》收錄《朱子晚年定論》所做）、王守仁序（正德乙亥〔10年、1515〕冬11月）、《朱子晚年定論》正文、袁慶麟識語（正德戊寅〔13年、1518〕）。除了錢德洪序以外，其基本內容應該是有袁慶麟識語的南贛本系統。

二　懷玉書院本《朱子晚年定論》

上面我們談到以往從事陽明學和文獻學研究的學者幾乎都沒有考察過《朱子晚年定論》一書的出版情況，其主要原因恐怕是因為在談到《朱子晚年定論》時，學者們一般只知道《全書》本一種版本。由於信息量太少，以致無從了解《朱子晚年定論》在收入《王文成公全書》之前的情況。

但是，《王文成公全書》成書以前的《朱子晚年定論》單行本並非全部失傳。《中國古籍善本書目　子部》中便著錄了一部明代刊刻的《朱子晚年定論》單行本[7]。該書不僅讓我們了解到在《王文成公全書》問世之前還曾經有另一種不見於其他文獻記載的《朱子晚年定論》單行本的存在，而且提供了《王文成公全書》成書前流傳於世的《朱子晚年定論》的型態。

收藏於安徽省博物館的這部《朱子晚年定論》是一個三卷本（《中國古籍善本書目　子部》著錄為二卷，誤），版框寬十四・〇公分，高十九・九公分，半葉九行，行十九字。白口單魚尾。卷前有錢德洪嘉靖己未撰〈懷玉書院重刻朱子晚年定論引〉、王守仁〈朱子晚年定論序〉、錢德洪嘉靖壬子撰〈增刻朱子晚年定論序〉。卷首首行頂格題「朱子晚年定論卷之上」，卷上末尾有袁慶麟正德戊寅識語，卷下卷末題「定論卷下終」。其中卷上為王守仁輯錄的《朱子晚年定論》，卷中、下兩卷為錢德洪增錄的內容。各卷卷首書名下署「陽明先生原錄／後學成都周俶　重刻／臨安黃紋　校正」，卷中、下卷首書名下署「後學　餘姚錢德洪增錄／成都周俶　重刻／臨安黃紋　校正」，卷下正文末題

---

[7] 「朱子晚年定論二卷　明王守仁撰　明嘉靖三十七年懷玉書院刻本」，安徽省博物館藏，《中國古籍善本書目　子部》卷上（上海市：上海古籍出版社，1996年12月），頁80。

「院生董良材陳維新監刻／潘應奎徐諫之／李道福程一麟校錄」。

從收錄文章內容上看，這個版本最大的特徵是在王守仁輯錄的《朱子晚年定論》「原錄」部分之外，增加了中卷、下卷的錢德洪「增錄」部分。由於卷上王守仁輯錄的部分與《全書》本相同，所以下面我們只將錢德洪增錄的卷中、卷下部分收錄朱熹文章的篇目抄錄於下，以供學者參考。為了查閱方便，在收錄文章的標題下標記文章最初若干文字和《晦庵先生朱文公文集》所在卷數。

朱子晚年定論卷中：

〈與張敬夫〉（人自有生） 《晦庵先生朱文公文集》卷三十
〈與張敬夫〉（可欲之謂善天機） 《晦庵先生朱文公文集》卷三十二（〈答張敬夫問目〉）
〈答呂伯恭〉（朋友亦正自） 《晦庵先生朱文公文集》卷三十二
〈答劉子澄〉（襄陽之役） 《晦庵先生朱文公文集》卷三十五
〈答黃叔張〉（天地之間自有） 《晦庵先生朱文公文集》卷三十八
〈答許順之〉（此間窮陋夏秋） 《晦庵先生朱文公文集》卷三十九
〈答何叔京〉（脫然之語） 《晦庵先生朱文公文集》卷四十
〈答石子重〉（向來見理自不分） 《晦庵先生朱文公文集》卷四十二
〈答游誠之〉（心體固本靜然） 《晦庵先生朱文公文集》卷四十五
〈答呂道一〉（三復來示詞義） 《晦庵先生朱文公文集》卷四十六
〈答任伯起〉（示諭靜中私意） 《晦庵先生朱文公文集》卷四十四
〈答胡伯逢〉（男女居室人事之至） 《晦庵先生朱文公文集》卷四十六
〈答呂子約〉（大抵此學以尊德性） 《晦庵先生朱文公文集》卷四十七
〈答王子合〉（心猶鏡也但） 《晦庵先生朱文公文集》卷四十九
〈答林伯和〉（大抵見善必為） 《晦庵先生朱文公文集》卷四十九
〈答陳膚仲〉（來書云今日反復） 《晦庵先生朱文公文集》卷四十九
〈答程正思〉（異論紛紜不必深辨） 《晦庵先生朱文公文集》卷五十
〈答周舜弼〉（曾子一段文意雖） 《晦庵先生朱文公文集》卷五十
〈答吳伯豐〉（學問臨事不得力） 《晦庵先生朱文公文集》卷五十二
〈答汪長孺〉（示喻功夫長進） 《晦庵先生朱文公文集》卷五十二

朱子晚年定論卷下：

〈答李叔文〉（向來所說性善） 《晦庵先生朱文公文集》卷五十二
〈答劉季章〉（所喻為學之意甚善） 《晦庵先生朱文公文集》卷五十三
〈答方賓王〉（別紙所喻甚善） 《晦庵先生朱文公文集》卷五十六
〈答鄭子上〉（告子卻不知有所謂天則） 《晦庵先生朱文公文集》卷五十六
〈答宋澤之〉（大抵今之學者之病） 《晦庵先生朱文公文集》卷五十八
〈答陳與叔〉（川流不息天運也） 《晦庵先生朱文公文集》卷五十九

〈答劉履之〉（衰朽益甚思與朋友）　　《晦庵先生朱文公文集》卷五十九
〈答康炳道〉（所謂致知者正是）　　　《晦庵先生朱文公文集》卷五十四
〈答劉朝弼〉（承示以文編感相）　　　《晦庵先生朱文公文集》卷六十四
〈答劉公度〉（來書深以不得卒業）　　《晦庵先生朱文公文集》卷六十四
〈答或人〉（示喻為學次第甚慰）　　　《晦庵先生朱文公文集》卷六十四
〈易寂感說〉（易曰無思也無為也）　　《晦庵先生朱文公文集》卷六十七
〈太極說〉（靜而常覺動而常止者）　　《晦庵先生朱文公文集》卷六十七
〈學校貢舉私議〉（古者學校選舉之法）《晦庵先生朱文公文集》卷六十九
〈讀唐志〉（歐陽子曰三代而上治）　　《晦庵先生朱文公文集》卷七十
〈諭諸生〉（古之學者八歲而入小學）　《晦庵先生朱文公文集》卷七十四
〈論諸職事〉（嘗謂學校之政不患法制）《晦庵先生朱文公文集》卷七十四
〈瓊州學記〉（昔者聖王作民君師）　　《晦庵先生朱文公文集》卷七十九

在該書收錄的四篇序跋文字中，王守仁〈朱子晚年定論序〉除最初無「陽明子序曰」五字之外，文字與《全書》本所收王守仁序相同，袁慶麟識語文字與《全書》本卷末袁慶麟識語完全相同。但是卷前的錢德洪嘉靖壬子撰〈增刻朱子晚年定論序〉和錢德洪嘉靖己未撰〈懷玉書院重刻朱子晚年定論引〉兩篇序文均未見於他書。這兩篇序文不僅是新發現的錢德洪佚文，而且為我們了解這個本子以及上文提到的嘉義書院本的編輯、刊刻經過提供了比較詳細的信息，故按其撰寫年代順序將其全文抄錄於下。

增刻朱子晚年定論序

後學餘姚錢德洪撰

適道者如適京師然。所入之路雖不能無遲速之殊，然能終期於必到者，定志於先也。苟無定志，中道氣衰，怠且止矣，烏能望其必至耶。洪業舉子時，從事晦翁先生之學，自謂入聖塗徹必在是矣。及扣師門，恍若有悟，始知聖人之道，坦夷直截，人人易由。乃疑朱子之說契悟未盡，輒生忽易之心焉。二十餘年，歲月既去，毛髮更矣，而故吾如昨，始歉然知懼。遭歷罪獄，動忍憂惕，始於師門指受，日見親切。復取晦翁之書讀之，乃知其平時所入不無意見之偏，但其心以必造聖人為志，雖千迴百折，不敢怠止。稽其實，其立朝也，以開悟君心為切；其蒞政也，

以民受實惠為功；其接引後學也，惟恐不得同躋聖域為懼。及其晚年病目，靜坐有得，則盡悔平時注述誤己誤人，與其門人，務求勇革，勿避譏笑，且使遍告同志。其胸中磊礨，真如日月之麗天，其過其更，人人得而仰覷。噫，若是而可以忽易觀之哉。宜其推重於當時，傳信於後世。是信之者，非徒信其言也，信其人之有徵也。但世之信先生者，皆有求為聖人之志矣乎。其格物窮理之說，似有近吾詞章記誦之習，而注疏章句之便，又足以安其進取利祿之心。遂執其中年未定之說，號於人曰：吾能忠於朱門也云云。若是而欲立朱子之門墻，麾斥且不暇矣，而況欲為其效忠耶。苟有出是者，亦不過執其持敬力行之說，以為矜名競節之規，亦未聞有終疑其所入而得其悔者，是亦未有必為聖人之志，安於一善止也，又烏足以為深信朱子耶。《朱子晚年定論》，吾師嘗有乎錄，傳刻於世久矣。史生致詹讀之，若有契焉，欲翻刻以廣惠同學。洪為增錄，得二卷焉。蓋吾師取其晚年之悔，以自徵其學不畔於朱說。洪則取其悟後之言，徵朱子之學不畔於聖人也。使吾黨之疑朱子者勿以意見所得輒懷忽易之心，信朱子者毋安於其所悔，以必求其所情，庶不畔於聖人，是謂真信朱子也已。嘉靖壬子夏五月。

懷玉書院重刻朱子晚年定論引

嘉靖戊午冬懷玉書院工告成。廣信知府鑑塘周君俶，建議飭工，延師贍士，百慮周集，故士樂有寧宇以安其學。既將入觀，以其事屬其僚黃君紋。已而考績以最聞，擢雲南按察司副使。鑑塘寓書黃君曰：「吾將遠別，不得視諸生成。所貽俸餘若干，為我置書於局，使院生日親先哲，猶吾教也。」時中庵讀《朱子晚年定論》有感。謀諸巾石呂子曰：「書院復朱子草堂之舊，書生登朱子堂，贍朱子稟餼，進之以朱子之學可乎。夫諸生所誦讀朱子者，中年未定之說也，而不知其晚年之悟之精且徹也。予昔聞知行之說，自謂入道次第進無疑矣。今讀《定論》，寧知致知者，致吾心本然之知。其與守書冊、泥言語、討論制度、較計權術，意趣工夫迥然不同也。昔聞存省之說，自謂動靜交脩，功無間矣。

今讀《定論》，寧知本然之知隨觸發，無少停息，即寂之中，感在寂，即感之中，寂在感耶。夫學莫先於識性之真，而功莫切於順性之動。知不求於口耳影響，而求諸吾心之本然，是得性之真矣。靜而常覺，動而常止。譬之四時日月，流而不息，不見造化聲臭之形。是顯微無間，順性之動而無違也。斯《朱子定論》發吾道之微，幾楬造聖之規範也。以是而進諸生，亦足以慰鑑塘之教乎。」巾石子曰：「富哉，善推鑑塘公之心也。朱子晚年病目靜座，洞悟性真。惜其門人無有受其意而昌其說者。今得陽明先生，而朱子之學復顯明於天下。以是而授諸生，則鑑塘之心，匪徒足以淑院生，將達之天下後世無窮矣，不亦善乎。」於是黃君命上饒丞章子經，糾工鋟梓，置板院局，以惠諸士，乞洪書其事。洪嘗增刻《定論》於南畿。因茲請乃復為引其端云。嘉靖己未夏仲端陽日，後學餘姚錢德洪書。

錢德洪〈增刻朱子晚年定論序〉撰於嘉靖壬子年（31，1552）夏五月。從文章內容看，這篇序文應該是為上文所述的嘉義書院本亦即南畿本《朱子晚年定論》所作。如前所述，《王文成公全書》收錄錢德洪〈年譜附錄〉將此本的刊刻編在嘉靖二十九年（1550）[8]，與本序所署時間不符。考慮到《王文成公全書》編成於隆慶六年（1572），距撰寫〈增刻朱子晚年定論序〉的嘉靖三十一年（1552）已過了二十年，即便是當事者也難免有記憶的失誤，因此嘉義書院本的刊行時間應根據〈增刻朱子晚年定論序〉作嘉靖三十一年。從〈增刻朱子晚年定論序〉可知，史際之孫史致詹欲翻刻《朱子晚年定論》，錢德洪利用這個機會將自己增錄的二卷內容加入，編為三卷本，並撰寫此序說明前後經過。錢德洪還特別解釋自己增錄部分與老師主旨不同之處在於：「吾師取其晚年之悔，以自徵其學不畔於朱說。洪則取其悟後之言，徵朱子之學不畔於聖人也。使吾黨之疑朱子者勿以意見所得輒懷忽易之心，信朱子者毋安於其所悔，以必求其所情，庶不畔於聖人，是謂真信朱子也已。」也就是說，王守仁輯錄

8　見前引《王文成公全書》卷35〈年譜附錄一〉。

的主要是朱子晚年對自己中年未定之說表示反悔的內容，錢德洪增錄的則是朱子晚年悟道以後的言論，目的是證明朱子晚年學說並不背離聖人之說，以防止王門後學對朱子心懷忽易，同時使相信朱子學的人進一步理解朱子晚年學說與陽明對聖學的解釋的一致性。

本書收錄的另一篇錢德洪序文〈懷玉書院重刻朱子晚年定論引〉撰於嘉靖己未年（38，1559）夏，比〈增刻朱子晚年定論序〉晚七年。根據該序，本書的刊刻經過如下：嘉靖三十七年（1558）冬，懷玉書院（在江西省廣信府，今江西省上饒市）建成，積極倡導和支持該書院建設的知府周倬恰在此時進京考績，把後事託付給僚屬黃紋。不久之後，周倬因考績成績優秀昇任雲南按察司副使，他致書黃紋，託其以自己的俸祿為書院的學生們刊刻有用的書籍[9]。接受周倬託付的黃紋將刻書的具體事務交給上饒丞章子經，同時又請以前曾參與嘉義書院刊刻《朱子晚年定論》的錢德洪撰寫序文。錢德洪的序文撰於嘉靖己未年（38，1559），則本書刊刻完成應該是在嘉靖三十八年[10]。據《萬姓統譜》卷六十一，出資刊刻此書的周倬字初卿，成都人，嘉靖辛丑年（50，1541）進士，歷任應天府尹等官。又據《江西通志》卷二十二，參與校錄工作的程一麟乃宋儒程端蒙、程珙的子孫，嘉靖年間曾向巡撫申請在德興縣十都二賢書院合祀興建該書院的程端蒙、程珙，當時遞呈的申請文書就是請錢德洪撰寫的。此外，值得注意的是，懷玉書院是王守仁的弟子張元冲（字叔謙，號浮峰）在江西廣信設立的書院，曾迎請王畿、錢德洪到該書院主持講席，並請錢德洪在該書院編寫王守仁年譜，與王門有很深的關係[11]。

根據錢德洪〈懷玉書院重刻朱子晚年定論引〉、〈增刻朱子晚年定論序〉以及安徽省博物館藏本《朱子晚年定論》可以推斷，安徽省博物館藏本即懷玉書院本的底本為嘉義書院本即南畿本，在重刻時除保留初刻本原有的王守仁序、袁慶麟識語和嘉義書院本增加的錢德洪〈增刻朱子晚年定論序〉之外，又新增

9　周倬字初卿，成都人，嘉靖辛丑（20年、1541）進士，歷任應天府尹等。見《萬姓統譜》（景印文淵閣四庫全書本，臺北市：臺灣商務印書館，1986年），卷61。

10　《中國古籍善本書目　子部》著錄本書刊刻年代為「嘉靖三十七年」，疑誤。

11　關於張元冲和懷玉書院，請參看《明儒學案》（北京市：中華書局，1985年），卷14〈浙中王門學案四・中丞張浮峰先生元冲〉，頁301-302。

了錢德洪〈懷玉書院重刻朱子晚年定論引〉。從各卷卷首下署有重刻本的出資者周俶、校正者黃紋等人姓名來看，重刻本的格式與嘉義書院刻本有所不同，但是本文的內容應該是嘉義書院刻本的系統。因此，我們從這部現知唯一存世的明版單行本可以了解《全書》本以前流傳於世的《朱子晚年定論》三卷本的基本情況。

嘉義書院和懷玉書院先後刊刻《朱子晚年定論》距王守仁與羅欽順的討論已過了三十餘年，但是包括錢德洪在內的很多王門後學仍然相信《朱子晚年定論》的結論。王門重要弟子之一錢德洪對《朱子晚年定論》的增錄和嘉義、懷玉兩座書院特別選擇該書刊刻出版，顯示出王學盛行時期王門後學對《朱子晚年定論》的新的需求和該書在王學傳播仍然繼續發揮著重要的作用。

三　結語

以上，我們對王守仁《朱子晚年定論》在明代的出版情況進行了考察。從以上分析可知，《朱子晚年定論》在被收入《王文成公全書》以前的相當長時期裡一直是以單行本形式流傳的。除了最早在江西雩都刊刻的南贛本以外，錢德洪曾經在王守仁輯錄的一卷本基礎上增錄過一個三卷本，由史致詹在嘉義書院刊刻行世。七年後，黃紋受前知府周俶之託，在懷玉書院重新刊刻嘉義書院本，並請錢德洪再次撰寫序文記述前後經過。我們不知道《朱子晚年定論》在明代是否還有過其他版本行世，但是通過本文的考察，在《王文成公全書》成書以前，至少有三種單行本在世間流布，而其中兩種是以前研究者很少提到的經過錢德洪增錄的三卷本。兩種三卷本的問世距王守仁向羅欽順承認《朱子晚年定論》的失考、不再需要借助朱子的權威證明王學的正當性之後已經三十餘年，但是包括錢德洪在內，在王門後學之中顯然還有相當多的人相信《朱子晚年定論》的結論。此外，嘉義書院和懷玉書院都是王門後學建立的書院，《朱子晚年定論》在這兩個書院的刊刻，也從一個側面說明該書在王學傳播中所發揮的影響。

明治中期的孔子研究[*]

工藤卓司

致理科技大學

摘要

　　《論語》不僅是中國思想史上最重要的經典之一，同時在東亞文化史上亦是具有巨大影響的思想文本。自古以來，日本人亦愛讀《論語》，而撰寫了不少相關著作。這些產生於日本本土學術脈絡下的研究，在文獻考證與義理詮釋方面，皆具有不同於中國學者的突破性貢獻。至於明治時代以降的日本學者，在這樣的基礎上引進西方哲學的方法，對《論語》或孔子進行了更進一步的研究。那麼，明治以後的研究成果究竟在日本《論語》研究史上占有什麼樣的地位？本文撰寫的目的有二：其一，針對明治中期日本人關於孔子的研究，加以整理與簡介；其二，本文另欲討論此時期孔子研究的學術意義。

　　結論指出：（一）明治中期的知識分子在「革新、創始、創見—保守、傳舊、祖述」、「形而上—形而下」、「西方、分析、原理—東方、建構、實踐」及「公—私」這四條軸線上，探討孔子的為人或其思想相關問題，而產生了多樣多元的研究成果。（二）明治中期孔子研究的部分觀點與成果，開啟了明治後期的孔子研究，如蟹江義丸、山路愛山等，甚至成為了二戰以前孔子研究的

---

* 本文為105年度臺灣科技部專題研究計畫「近代日本的《論語》研究——自明治中期至後期的日本人與孔子」（MOST105-2410-H-263-007-）的部分成果。

基礎。就此而言，明治中期孔子研究在近代日本孔子研究史上，有不容忽略的
價值。

關鍵詞：《論語》　明治中期　近代日本　研究史　東西融合

一 前言

　　眾所周知，《論語》不僅是中國思想史上最重要的經典之一，同時在東亞文化史上亦是具有巨大影響的思想文本。古代日本在朱子學東傳之前，本已備有注重《論語》的社會基礎。由出土文物可知，對當時的日本人而言，《論語》與其說是思想經典，不如說是學習漢字的課本。日本與中國大陸、朝鮮半島一衣帶水，彼此間的交流必須具有漢字的知識。因此，日本古代知識分子之閱讀《論語》，實有其必要性，而這也成為日本《論語》學發展的動力之一。古代日本《論語》學大抵以「古注」為主，由負責朝廷學問的博士家代代傳授；到了中世，「新注」開始對日本《論語》學帶來了重大影響。至於德川時代，《論語》學在先前的積累下更加發展與盛行，如伊藤仁齋（名維楨，1627-1705）、荻生徂徠（名雙松，1666-1728）與中井履軒（名積德，1732-1817）等學者陸續撰寫了《論語》相關的重要著作。這些產生於日本本土學術脈絡下的研究，在文獻考證與義理詮釋方面，皆具有不同於中國學者的突破性貢獻。至於明治時代以降的日本學者，在這樣的基礎上引進西方哲學的方法，對《論語》或孔子進行了更進一步的研究。

　　關於明治時代之前的《論語》學或孔子研究，學者已多有整理。較早的研究有林泰輔編《論語年譜》與高田眞治《論語の文獻、注釋書》；近年則有松川健二編《論語の思想史》、唐名貴《論語學史》與黃俊傑《德川日本《論語》詮釋史論》等，[1] 且個案研究更為豐富。然而，明治以後《論語》研究的成果，除了林慶彰主編《日本研究經學論著目錄（1900-1992）》、瀨尾邦雄編

---

[1] 林泰輔編：《論語年譜》（東京市：大倉書店，1916年11月；東京都：國書刊行會，1976年修訂）；高田眞治：《論語の文獻、注釋書》（東京市：春陽堂書店，1937年4月）；松川健二編：《論語の思想史》（東京都：汲古書院，1994年2月），後有林慶彰、金培懿、陳靜慧、楊菁合譯中文版：《論語思想史》（臺北市：萬卷樓圖書公司，2006年2月）；唐名貴：《論語學史》（北京市：中國社會科學出版社，2009年3月）；黃俊傑：《德川日本《論語》詮釋史論》（臺北市：國立臺灣大學出版中心，《東亞文明研究叢書》59，2006年3月；2007年10月增訂二版），後有拙譯日文版：《德川日本の論語解釋》（東京都：ぺりかん社，2014年11月）。

《孔子、孟子に關する文獻目錄》及《孔子《論語》に關する文獻目錄（單行本篇）》之外，[2]鮮少見到系統性的整理，因而近年有些學者認為：「對日本近代《論語》研究情況的系統性梳理與細緻考察尤顯必要。」[3]筆者亦同意這樣的說法。

因此，本文撰寫的目的有二：其一，針對明治中期日本人關於孔子的研究，加以整理與簡介。本文所言之「明治中期」大概指自明治十五年（1882）至明治二十八年（1895），相當於日本「明治青年第二代」開始引進近代研究的方法至甲午戰爭爆發的這段時間。關於明治二十年代，色川大吉指出：「日本文化自從德川末期以來在歐美文明絕對性的支配下淪落，但到了此時期始真正地『復興』，作為日本近代文化的創成期。」[4]那麼，日本學者在這種環境中如何看待孔子？此點為本文主要擬以探討的問題。其二，本文另欲討論此時期孔子研究的學術意義。明治後期陸續出現蟹江義丸、山路愛山等人的研究論著，他們的研究與明治中期以來的研究成果有何關係？關於此點，本文最後將嘗試從研究史的角度加以論述。

二　近代日本孔子研究的起點
——井上哲次郎與井上圓了

如上所述，因為日本人愛讀《論語》，到了明治之後，《論語》的相關著作亦陸續出版。然而，明治前期出版的《論語》相關著作，大都屬於德川時期的

---

[2] 林慶彰主編：《日本研究經學論著目錄（1900-1992）》（臺北市：中國文哲研究所籌備處，《圖書文獻專刊》1，1993年10月）；瀨尾邦雄編：《孔子、孟子に關する文獻目錄》（東京都：白帝社，1992年2月）以及《孔子《論語》に關する文獻目錄（單行本篇）》（東京都：明治書院，2000年2月）。

[3] 張士傑：〈緒論〉，《學術思潮與日本近代《論語》學》（北京市：北京語言大學出版社，2015年12月），頁5。

[4] 色川大吉：〈明治二十年代の思想、文化——西歐派と國粹派の構想〉，《明治精神史（下）》（東京都：岩波書店，《岩波現代文庫》學術200，2008年10月），頁60-114。今引自頁60。原文：「日本近代文化の創成期として、幕末以來壓倒的な歐米文明の支配のもとに逼塞させられていた日本文化が、この時期にいたってはじめて本格的に『復興した』。」《明治精神史》一書原由黃河書房1968年出版，1976年又作為講談社學術文庫中之一刊行。

成果或校點本。管見所及，近代日本的孔子研究，應該將明治十五年時井上哲次郎〈泰西人ノ孔子ヲ評スルヲ評ス（評泰西人所論之孔子）〉與井上圓了〈堯舜ハ孔教ノ偶像ナル所以ヲ論ス（論堯舜之所以為孔教偶像）〉等二文視為起點。[5]

（一）井上哲次郎〈泰西人ノ孔子ヲ評スルヲ評ス〉

井上哲次郎（號巽軒，1856-1944），筑前（現福岡縣）太宰府生。明治八年（1875）入學於東京開成學校，二年後在東京大學專攻哲學。明治十三年（1880）畢業後入文部省，開始編纂《東洋哲學史》。[6]明治十五年（1882）初任東京大學助教授，後於明治十七年（1884）至二十三年（1890）間留學德國，回國後升任東京帝國大學哲學科教授，並獲博士學位。大正十二年（1923）於東京帝國大學榮退之後，井上哲次郎仍任教於東洋大學等校，對第二次世界大戰前的日本哲學界依然甚有影響。他主要研究德國觀念論哲學，但亦在儒教研究上也有所貢獻，如其撰有《日本陽明學派之哲學》、《日本古學派之哲學》及《日本朱子學派之哲學》等著作，並與學生蟹江義丸共編《日本倫理彙編》，[7]其學術上的價值至今未減。

〈泰西人ノ孔子ヲ評スルヲ評ス〉一文刊登於《東洋學藝雜誌》第四號，可謂是井上哲次郎最初期的論著之一。此文主旨在於：

---

5 井上哲次郎：〈泰西人ノ孔子ヲ評スルヲ評ス〉，《東洋學藝雜誌》第4號（1882年1月），頁53-56；井上圓了：〈堯舜ハ孔教ノ偶像ナル所以ヲ論ス〉，《東洋學藝雜誌》第9號（1882年6月），頁183-188。二文皆收入島田繁太郎編：《東洋學術種本》（東京市：秋山堂，1885年10月）。

6 有關井上哲次郎的《東洋哲學史》，其講義內容未明。但近年，佐藤將之在東洋大學井上圓了研究中心發現圓了所筆記的講義錄，町泉壽郎另指出「高嶺三吉遺稿」中含有同講義的筆記。詳請參佐藤將之：〈井上圓了思想における中國哲學の位置〉，《井上圓了センター年報》第21號（2012年9月），頁29-56；町泉壽郎：〈幕末明治期における學術、教學の形成と漢學〉，《日本漢文學研究》第11號（2016年3月），頁133-154以及水野博太：〈「高嶺三吉遺稿」中の井上哲次郎「東洋哲學史」講義〉，《東京大學文書館紀要》第36號（2008年3月），頁20-49。

7 井上哲次郎：《日本陽明學派之哲學》（東京市：冨山房，1900年10月）；《日本古學派之哲學》（東京市：冨山房，1902年9月）；《日本朱子學派之哲學》（東京市：冨山房，1905年8月）；井上哲次郎、蟹江義丸（共編）：《日本倫理彙編》共10卷（東京市：育成會，1901年5月-1903年6月）。

　　泰西人評孔子者不少，其中雖非無擁有卓見者，但大抵因不甚熟知印度
以東之學，而迷於五里霧中，往往發妄誕無稽之言，甚至有了東西互相
背馳者。然而，我邦之人，近來無論長幼貴賤，因為滔滔心醉於泰西之
學，或非無兼信妄誕無稽之言者。因此，以下舉二、三例，逐一辨明其
是非所在。[8]

　　是以，井上逐一批評西方學者的孔子論，如布歷治（ブリッヂ〔Bridge〕）《政
法汎論》、理雅各（レッグ〔James Legge〕，1815-1897）《孔聖傳記》、威克
（ウェーク〔Wake〕）《倫理進化論》、莫里斯（モーリス〔Morris〕）《形而上
論》、施萊格爾（シユウェグレル〔August Wilhelm Schlegel〕，1772-1829）
《哲學史》、哈羅德（或阿諾，アラウルド〔Harold、Harald、Aroldo、
Arnold〕）、戴維斯（デウ井ス〔Davis〕）、尤威格（ユーベルウェグ〔Friedrich
Ueberweg〕，1826-1871）《哲學史》以及詹森（ジヨンソン〔Samuel Johnson〕，
1822-1882）《東洋宗教論・支那之部》等。

　　其論點可歸納為以下五點：（一）布歷治與理雅各皆認為孔子之學完善齊
備，威克反對這種看法，主張其影響僅涉及社會風俗的表面而已；莫里斯亦
指出，孔孟的深慮僅在使君主認識其職分。井上則認為，孔子之學並非完善，
但是，中國的風俗、社會卻廣泛受到孔子之學的感化。（二）施萊格爾認為：
「所謂東洋哲學，無論中國或印度，皆近於神學（theology）或神異學
（mythology）。」井上則認為，中國哲學中占最大部分的孔子之學，因《論
語》中多有怪誕之處，所以與神學、神異學相遠，而較近於世態人情。（三）
哈羅德說，孔子從未相信天神的存在。井上否定此說，認為孔子所言之
「天」，與莊子的「真宰」、列子的「疑獨」、墨子的「天鬼」、耶穌的「天神」

---

[8] 井上哲次郎：〈泰西人ノ孔子ヲ評スルヲ評ス〉，頁53。原文：「泰西人ノ孔子ヲ評スル者少シトセ
　　ス、其中間、卓見ヲ抱ク者ナキニアラサレトモ、大抵印度以東ノ學ニ暗キヲ以テ、五里霧中ニ迷
　　ヒ、往々妄誕無稽ノ言ヲ發シ、甚シキニ至リテハ、東西相背馳スル者アルナリ、然レドモ、我カ
　　邦ノ人、近來長幼ニ拘ハラス、貴賤ニ論ナク、滔滔トシテ泰西ノ學ニ心醉スルヲ以テ、或ハ妄誕
　　無稽ノ言ヲモ併セ信スル者ナキニアラス、是ヲ以テ、左ニ二三ノ例ヲ舉ケテ、逐次是非ノアル所
　　ヲ辨明セントス。」

不異；甚至主張《易》所謂之「太極」，亦與老子的「谷神」、釋氏的「如來」、阿那克薩哥拉（Anaxagoras，約西元前500-約前428年）的「虛靈（nous）」、斯賓諾莎（Baruch de Spinoza, 1632-1677）的「本體（substance）」、弗里德里希・馮・謝林（Friedrich von Schelling, 1775-1854）的「絕對（absolute）」相近。另外，戴維斯云：「孔子為道德宗師，並非宗教唱主。」井上對此認為：宗教以奉神為本；道德以修身為主，孔子之教乃兼之。（四）詹森曾云：「孔子為哲學士，萬事皆質於理性。」亦云：「其所信者，性與天道。其教之本，合乎科學之法。」然而，尤威格則主張孔孟理論不合科學之法，井上贊同此說。（五）詹森另云：孔子之學是依「直覺主義」。井上的觀察則不同，認為孔子之學是以「利用主義（即是效益主義）」為主的。就他而言，因為利用主義為直覺主義之基本，直覺主義離不開利用主義。[9]最後，此文的結論強調，西方人的說法不可全信，務必質之於自己的理性，以判斷其是非。

　　如此，井上哲次郎針對各種西方孔子論加以評述，雖有論述過於簡單之嫌，然而，其中顯然可見，他主要是要對前一代妄信西方學說的現象加以反省。井上這種態度，可能反映了明治中期日本社會欲脫離「入歐」的氛圍。不過，他也未完全否認西方研究的觀點，就此而言，井上後來所提出「東西文明的合一」的主張或已萌生於此文中。[10]另外，井上指出孔子之學有現世主義、

9　有關「利用主義」的定義，可參井上哲次郎：〈利己主義と功利主義とを論ず〉，《巽軒論文二集》（東京市：冨山房，1901年4月），頁1-48。然而在此文中，井上並未將孔子當作利用主義者，他認為，凡道德有「知的道德」和「情的道德」，利己主義與功利主義皆屬於前者；孔子、佛陀、基督的道德皆以「情」為主，故屬於後者。他另主張：「情的道德」或「知情合一的道德」始能改造人性或感化社會，似與〈泰西人ノ孔子ヲ評スルヲ評ス〉的言論不同。

10　井上哲次郎後多發表與孔子或《論語》相關的論著，例如：〈支那の哲學〉，《教育報知》第496號（1895年11月），頁未詳；〈孔子生年月日考〉，《東洋哲學》第8編第12號（1901年12月），頁806-808；〈教育家としての孔子〉，《弘道》第147號（1904年6月），頁未詳及〈同（完）〉，《弘道》第148號（1904年7月），頁未詳；〈孔子の人格に就て〉，後亦收入《經濟時報》第57號（1907年4月），頁未詳、《太陽》第13卷第10號（1907年7月），頁61-75、《倫理と教育》（東京市：弘道館，1908年5月），頁360-393、孔子祭典會編：《諸名家孔子觀》（東京市：博文館，1910年4月），頁32-74以及《日本朱子學派之哲學》（東京市：冨山房，1915年6月訂正增補版），頁701-744；〈論語に就いて〉，《教育と修養》（東京市：弘道館，1910年7月），頁267-294；〈孔子及孔門の諸弟子に就いて〉，《東洋學藝雜誌》第347號（1910年8月），頁341-355與〈同（承前、完）〉，《東洋學藝雜誌》第349號（1910年10月），頁467-477，後收於《人格と修養》

效益主義的傾向，而兼有宗教與道德的成分，並且強調其感化力曾波及中國社會各層面，此觀點在明治時期的孔子研究上相當重要。

（二）井上圓了〈堯舜ハ孔教ノ偶像ナル所以ヲ論ス〉

井上圓了（號甫水，1858-1919），生於越後（新潟縣）長岡的慈光寺。就讀新潟學校第一分校（舊長岡洋學校）、京都東本願寺教師學校英學科之後，明治十一年（1878）得到國內留學的機會，進東京大學預備門，並在三年後入學於東京大學文學部哲學科。明治十八年（1885）於東大畢業後，致力於「哲學」的普及。明治二十年（1887）相繼創立「哲學書院」與「哲學館」（後為東洋大學），同年亦創刊《哲學會雜誌》。除了哲學之外，井上圓了另以「妖怪學」聞名，盡力打破社會中的迷信。

〈堯舜ハ孔教ノ偶像ナル所以ヲ論ス〉一文，為圓了在東京大學在學中所撰，可謂亦是其初期的論文之一。圓了閱讀《史記》後，便認為堯、舜二紀不可相信。他指出堯、舜原不過為野蠻未開時代之良主，但是，孔孟之徒對其形象加以修飾，而成為萬世不易之聖人君主之典範，以此用來領導民眾。春秋戰國時期的天下之民多為頑冥，孔子怕他們不能瞭解無形的真理，所以寓之於有形的偶像：即是堯、舜二君。簡言之，堯、舜「古今無比的明主、完全無缺的聖人」形象僅是孔孟設教時的「方便」，圓了因而曰：「堯、舜為孔教之偶像也。」又曰：「堯、舜為人造的聖人，並非天然的聖人。」[11]

筆者認為，圓了此一文雖非直接討論孔子或《論語》，但其特色有二：

（東京市：廣文堂書店，1915年5月），頁107-138；〈聖人論〉，《東亞之光》第5卷第9號（1910年9月），頁1-17；〈孔子とソクラテス〉，《東亞の光》第9卷第1號（1914年1月），頁1-16，後收於《人格と修養》（東京市：廣文堂書店，1915年5月），頁139-166；〈孔子晩年の思想〉，《孔子祭典會會報》第9號（1916年4月），頁32-51；〈孔子の學問と人格とに就て〉，《斯文》第4卷第5號（1922年10月），頁23-32；〈孔子の教育に就て〉，《斯文》第5編第3號（1923年6月），頁1-9；〈孔子の人格と信念〉，《斯文》第17卷第6號（1935年6月），頁19-34，後收入斯文會編：《湯島聖堂復興記念儒道大會誌》（東京市：斯文會，1936年10月），頁114-131；〈孔子〉，《斯文》第20卷第6號（1938年6月），頁1-8等。

[11] 井上圓了：〈堯舜ハ孔教ノ偶像ナル所以ヲ論ス〉，頁188。原文：「堯舜ハ孔教ノ偶像ナリ。」「堯舜ハ人造ノ聖人ニシテ、天然ノ聖人ニアラス。」

（一）進步史觀。圓了云：「凡世之開也，自野往文，由蠻赴華，此是自然之理（後略）。」[12]有鑑於此，他對《史記》所載堯、舜的相關內容有所懷疑。又，圓了云：「夫人智未開之時也，僅能考耳目所觸，毫無知力考究見聞以外之事，而雖知所謂形而下之物，但不能覺知形而上的理。隨著發展，漸漸從有形入無形，由實物及理論，猶如人之生長。」[13]圓了認為春秋時期的民眾相當於「人智未開」的知識程度，因此孔子在設教時，必須以「有形」的偶像來寄託自己的思想。如此，可見在他的推論過程中，進步史觀的立場頗為明顯。

（二）史料批判。圓了由進步史觀的角度出發，而懷疑《史記・五帝本紀》有關堯、舜的記載。無獨有偶，不僅《史記》，圓了在此文中另曰：

> 或謂：「堯、舜二〈紀〉據《尚書》，故可置信。」曰：否。二〈紀〉所載，並非悉本於《尚書》。孔孟之所論，亦多不見《尚書》者。且《尚書》為歷代遺書，歷年幽遠多有殘缺。孔子除其惡，補其善，修飾以傳世。故堯、舜二《典》亦難置信。[14]

可見他對《尚書》中〈堯典〉與〈舜典〉的內容亦有疑問，其論述雖樸素，但是，史料批判的態度亦頗為明顯。圓了此處固未完全否定堯、舜的實際存在，然而，這種觀點或許可稱是後來所謂「堯舜抹殺論」的嚆矢。[15]

---

12 井上圓了：〈堯舜ハ孔教ノ偶像ナル所以ヲ論ス〉，頁184。原文：「凡ソ世ノ開クルヤ、野ヨリ文ニ進ミ、蠻ヨリ華ニ赴クハ自然ノ理ニシテ（後略）。」

13 井上圓了：〈堯舜ハ孔教ノ偶像ナル所以ヲ論ス〉，頁184。原文：「夫レ人智ノ未タ開ケサルヤ、唯耳目ニ觸ルヽモノヲ考フルノミニテ、見聞ノ外ヲ考究スル知力ナシ、所謂ル形以下ノモノヲ知リ、形以下ノ理ヲ覺知スル能ハズ、其進ムニ從ヒ漸ク有形ヨリ無形ニ入リ、實物ヨリ理論ニ及ブ、猶ホ人ノ生長スルカ如シ。」

14 井上圓了：〈堯舜ハ孔教ノ偶像ナル所以ヲ論ス〉，頁187。原文：「或ハ謂フ、堯舜二紀ハ尚書ニ據ル、故ニ信ヲ置クヘシト、曰ク否、二紀載スル所、悉ク尚書ニ本ツクニアラス、孔孟ノ論スル所、亦尚書ニ見ヘザルモノ多シ、且ツ尚書ハ歷代ノ遺書ニシテ、歷年幽遠殘缺多シ、孔子其惡ヲ除キ、其善ヲ補ヒ、修飾シテ、以テ世ニ傳フ、故ニ堯舜二典モ信據シ難シ。」

15 「堯舜抹殺論爭」始於白鳥庫吉：〈支那古傳說の研究〉，《東洋時報》第131號（1909年8月），頁未詳，後收於《白鳥庫吉全集》，第8卷（東京都：岩波書店，1970年10月），頁381-391。關

那麼，繼兩位井上之後，日本明治中期的知識分子如何展開孔子或《論語》的研究？以下將分別就「孔子為人與其思想的研究」與「儒教研究」進行簡介與評述。

三　孔子為人與其思想的研究

關於明治中期日本人對孔子為人或其思想的研究，依討論內容可分成以下幾種：

（一）孔子重「私」？還是重「公」？
──神田孝平與三島毅的孔子思想研究

明治十七年（1884），神田孝平發表了〈孔子公道ヲ說カサルノ疑（孔子不言公道論）〉一文。[16] 神田孝平（號淡崖，1830-1898），生於美濃（現岐阜縣）不破郡，從小兼修漢學與蘭學，文久二年（1862）擔任幕府蕃書調所數學教授。到了明治時期之後，歷任開成所御用掛、兵庫縣令、元老院議官等職，明治二十三年（1890）就任為貴族院議員。神田曾屬於「明六社」，後亦為東京學士院創立時的會員之一。

神田在〈孔子公道ヲ說カサルノ疑〉一篇中認為，「公」這個概念在社會中，尤其在政治論中，有相當重要的意義；然而孔子卻未嘗提倡「公」。孔子為何未提「公」？神田認為：「孔子之教，以一心主宰萬事為主義者。（中略）夫一心，私之本也。主張宜以一心主宰天下，與主張宜以私意主宰天下不異。孔子既為宜以私意主宰天下，則無需復說公道。」[17] 神田固非未注意到《禮

於此點，山內四郎已討論，詳請參氏著：〈井上圓了の支那古傳說の研究〉，《東洋大學史紀要》第4號（1986年3月），頁63-71。

[16] 神田孝平：〈孔子公道ヲ說カサルノ疑〉，《東京學士院雜誌》第6編之2（1884年5月），頁43-46，後收入《淡涯遺稿》（東京市：神田乃武，1910年7月），頁96-98。

[17] 神田孝平：〈孔子公道ヲ說カサルノ疑〉，頁43-44。原文：「孔子ノ教ハ一心ヲ以テ萬事ヲ主宰スルヲ主義トスル者ノ如シ、（中略）夫レ一心ハ私ノ根本ナリ、一心ヲ以テ天下ヲ主宰スヘシト云フハ、私意ヲ以テ天下ヲ主宰スヘシト云フニ異ナラス、孔子既ニ私意ヲ以テ天下ヲ主宰スヘキ者ト為ス、則復タ別ニ公道ヲ要スル所ナシ。」

記‧禮運》中有孔子優先「公（公道）」於「私（家道）」的概念，但是，孔子當時僅能主張「私意」，蓋因夏、殷、周以降，社會政治的運行皆基於「家道」；且孔子生當周室衰微、天下塗炭之時，無力闡發心裡所藏的「公道」。因此神田認為，孔子從未講「公道」。

三島毅亦有〈孔子自釋仁の說（孔子自釋仁之說）〉一文。[18] 三島毅（中洲，1831-1919），生於備中（現岡山縣）窪屋郡。曾師事山田方谷、齋藤拙堂，後亦在昌平坂學問所受教於佐藤一齋、安積良齋等。明治十年（1877）創立「經國文社」與「二松學舍」，後歷任教於東京大學、東京專門學校、國學院等，盡力於漢學的復興。

〈孔子自釋仁の說〉原為明治二十五年（1892）五月八日的演講，主要討論《論語‧顏淵》「克己復禮」此句內涵，三島認為孔子以此平易明白地解釋仁的全德。三島指出：「克己」代表勝於自己的私念私欲，得與天地萬物同體；又認為「復」為「履」的省字，「履禮」則表示履行人該履行的事物之條理。「仁」根本有「自欲生存（自愛）之心」，亦含有「博愛、兼愛之義」。不過，因為有「我一身」而生「私心」，因此可能產生過於自愛而缺乏他愛之弊，甚至陷入惡道。故學問工夫的關鍵在於「忘我去私」，以期與天地萬物一體而達到「公平」。但是，仁須按順序差等而行，其宜處即是「仁之應用自然的條理」；履行此條理，就是「履禮」。就三島而言，「克己」為「本體的工夫」；「履禮」則為「應用的工夫」，而孔子所謂的「仁」兼備體、用。故三島在結論中解釋「克己復禮」云：「以公平的親愛之心，履行事物之條理」。[19]

如此，神田主張孔子重「私意」而不談「公道」，三島則認為孔子否定「私念私欲」而注重「公平」，此很值得注意。神田與三島同樣肯定「公」的價值，不過，兩者對孔子的見解竟南轅北轍，其原因可能有二：一，神田基於

---

18 三島毅：〈孔子自釋仁の說〉，《東京學士院雜誌》第14編之5（1892年5月），頁200-218，後收入《中洲講話》（東京市：文華堂，1909年11月），頁174-189。此外，三島對孔子的討論，有〈孔子非守舊家辨〉（1897年6月演講），《中洲講話》，頁255-264；〈孔子兼內修外修說〉（1909年4月演講），《中洲講話》，頁355-374，後收入孔子祭典會編：《諸名家孔子觀》，頁172-192。

19 三島毅：〈孔子自釋仁の說〉，頁218。原文：「公平なる親愛の心を以て事々物々の條理を履て行く。」

啟蒙思想，因而貶低舊有儒教的價值觀；反之，三島則有意復興漢學；二，兩文相隔八年，社會氛圍已漸漸自「脫亞」往「興亞」演變，神田與三島之不同，可能亦反映了這種轉變。

（二）孔、老比較研究 —— 三宅雄二郎與井上圓了的孔、老研究

與上述神田一文同年，三宅雄二郎亦發表了〈論孔老二氏之學〉一文。[20]三宅雄二郎（號雪嶺，1860-1945），加賀金澤（現石川縣金澤市）人，是唯一的東京大學哲學科第一屆學生。後投身於自己創辦的「政教社」，並刊行《日本人》（後改為《日本及日本人》），以「國粹主義」的立場從事言論活動。

三宅〈論孔老二氏之學〉由「志向」與「知識」二方面，針對孔、老二氏的思想進行比較，以期顯明兩者之異同。關於「志向」方面，他指出：（一）孔、老同樣面臨周朝的衰微，但孔子欲保存周的格率（行為規則），反之，老子則欲破壞之。（二）孔子未完成保存周的格率之目標，而老子亦未達到破壞周的格率的結果，而兩者皆同樣有遁世的趨向。（三）不過，孔子不甘於遁世，老子則接受遁世。至於「知識」方面，三宅認為：（一）孔子將有對待的為道，老子則以無對待的為道。（二）雖然如此，孔子允許無對待，老子則允許有對待。（三）孔子認為事物是由單純向複雜發展，老子則認為是由複雜回歸於單純。如此，孔子之學與老子之學有所相反，但是，相反至極，部分思想竟殊途同歸。[21]

關於孔、老思想之比較研究，井上圓了《哲學要領・前編》[22]亦不可忽略。此書第三段內容將「支那哲學」分為兩種：一為老莊學派，另一即為孔孟學派。圓了認為兩種學派雖同樣有志於增長社會的安寧與人心的快樂，但是，其性質完全相反：老子為高遠幽妙，以天道為本，講究虛無澹泊與伏羲以上之道，並且偏重理想、自愛、放任、自然，以仁義為道之末，有退守之風；與此

---

[20] 三宅雄二郎：〈論孔老二氏之學〉，《學藝志林》第15卷第1期（1884年7月），頁58-69。

[21] 三宅後有〈日本に於ける孔子教〉，孔子祭典會編：《諸名家孔子觀》，頁113-126；〈孔子の肖像〉，《漢學》第2編第4號（1911年4月），頁33-38；〈孔子に就いて〉，《東亞之光》第7卷第1號（1912年1月），頁18-21。

[22] 井上圓了：《哲學要領（前編）》（東京市：哲學書院，1886年9月）。

相比，孔子則以人道為本，注重世情人事與堯舜以下之道，並且偏重實際、愛他、關涉、人為，以仁義為道之本，有進取之風。[23]他又將中國哲學諸派與西方學派相對比，而認為：「孔子以人倫為本，與蘇格拉底氏的主義相似。」[24]

另外，圓了在此書《訂正增補版》中強調：孔子之學本旨在人倫道德，而治國之法則不外修身誠意，故其說多有政治與道德的成分。關於道德，孔子以仁為主，而旨在博愛；至於政治，則提倡仁義博愛。如此，孔子之學有去理論取實際的傾向，故不能列入宗教的範圍內。而圓了亦探求孔子教教理的源頭於具「理想進化論」的《易經》，並認為《易經》的規則為「萬有自然之天則」，孔子是以此天則為基礎而提倡人道的。[25]

三宅與圓了之間雖有共同之處，但是，乍看之下，三宅認為孔、老均位於相同思維世界；而圓了則將孔、老二氏分置於兩個不同的思維世界，此處值得關注。

（三）綜合性研究的成果

1 大西祝〈孔子教〉

到了明治二十年（1887），討論孔子思想的綜合性研究成果漸漸問世。

首先是大西祝〈孔子教〉。[26]大西祝（號操山，1864-1900），備前（現岡山縣）岡山人。明治十年（1877）入學於同志社英學校，翌年受洗，成為基督教

---

[23] 西脇玉峰認為：中國哲學有二大學派，一為「老莊虛無的學流」，另為「孔孟仁義的學流」，而指出兩者雖同源於易理，但是，前者有「反面的、靜的、消極的」性格；後者則有「正面的、動的、積極的」性格。詳參西脇玉峰：〈老子哲學（未完）〉，《東洋哲學》第2編第8號（1895年10月），頁336-347。

[24] 井上圓了：《哲學要領（前編）》，頁16。原文：「孔子ノ人倫ヲ本トスルハ瑣克辣底氏ノ主義ニ似タリ。」

[25] 井上圓了：《訂正增補哲學要領（前編）》（東京市：哲學書院，1891年6月），頁24-25。圓了的孔子論亦見於井上圓了：《倫理通論》卷1（東京市：普及社，1887年1月）。關於圓了的中國哲學觀，詳參前揭佐藤將之：〈井上圓了思想における中國哲學の位置〉一文。

[26] 大西祝：〈孔子教〉，《六合雜誌》第80號（1887年8月），頁未詳，後收於氏著：《大西博士全集》第5卷（東京市：警醒社，1904年5月）、《大西祝全集（良心起源論）》第5卷（東京都：日本圖書センター，1982年12月；2001年10月新裝版），頁330-349。

徒。明治十七年（1884）於同志社畢業後，先編入東京大學預備門，再進東京大學文學部。明治二十二年（1889）完成帝國大學文科大學哲學科學位，二年後開始在東京專門學校（現早稻田大學）任教。後於明治三十一年（1898）赴德國留學，翌年因病歸國，在籌備京都帝國大學創校的過程中，病情急轉直下，英年永眠，享年三十六。大西撰有《良心起源論》、《西洋哲學史》、《倫理學》等，〈孔子教〉一文亦其思索的部分成果。

〈孔子教〉並未分節，但是，就內容而言，主要由政治說、道德說、宗教說、孔子的人格四個方面討論孔子的思想。首先，大西提出，孔子事業雖不是革新，而為復古；不是創始，而為傳舊。中國人特別尊重孔子，乃因孔子既是真正代表中國固有思想之人，而其言論亦是中國思想的核心。那麼，孔子主張的為學方法究竟為何？大西認為即是「道德」，故而在論孔子的政治說時認為：「（孔子）提倡，身具國家大權者不得不是有德之君子，而君權與君德不可分離而存立，此就是其政治論的主眼。」[27]換言之，治國的關鍵究竟在於君主與輔佐者的身上。另外，大西亦指出：除了孔孟的仁義之教之外，其他思想家毫無提出約束君主暴威的方法，因而云：「孔子政治說的基礎，在於五倫之教。」[28]

關於孔子的道德說，大西點出，孔子嫌惡偏頗奇異的行為，注重眾德百行的調和。那麼，孔子之道是否多端而無所歸一？因此，大西檢討「吾道一以貫之」的涵意，而暫釋「一」為「仁」。「仁」字自古以來有眾多解釋，大西卻云：「因為孔子本人從未給仁下明確的定義，所以絕對無法獲得確實的解釋。雖然如此，仁的意義以愛為重，而達到仁的最適當的方法為恕（推己及物之謂恕），如此解釋不會有過。若尚須明確地下定義，仁即是為善（Good）之謂，或許接近恰當。」[29]孔子的道德說，因多有曖昧模糊之處，所以在學理上既有

---

27 大西祝：〈孔子教〉，《大西祝全集（良心起源論）》第5卷，頁331-332。原文：「苟くも國家の大權を帶ぶる者は有德の君子ならざるべからず、君權は君德と分離しては存立すべきものにあらずと説きたるは孔子が政治論の主眼なり。」

28 大西祝：〈孔子教〉，《大西祝全集（良心起源論）》第5卷，頁334。原文：「孔子の政治說は其基五倫の教にあり。」

29 大西祝：〈孔子教〉，《大西祝全集（良心起源論）》第5卷，頁341。原文：「孔子は仁に判然た

問題，又在濟世上也有缺點。雖是如此，大西承認孔子學說中多有「德行之模範、千古之卓說」，並與西方金科玉律互相符合。

接著，大西探討孔子的宗教說。他認為孔子言論從未出於「現世之外、此世之外」，故云：「孔子以難以認知為由，將這種重大的問題置之不論，吾人甚感遺憾。」[30]並批判當時人稱孔子為「支那的大哲學者」。又，關於「天」論，大西承認《詩》、《書》中的「天帝」與孔子所謂的「天」含有不同思想，故而認為：「支那思想於孔子轉往懷疑說，爾後學者論自然以上的事大概成為懷疑論者。」[31]但是，就大西而言，孔子並非無神論者，其云：「孔子看似深信宇宙之間有不能取名的一者，而尊敬之。」[32]因此主張孔子所謂的「天」並不止於儒者所言的「理」。

最後，大西論述孔子的人格，尤其感嘆其「修業積德之念」或「思慕古代聖賢之深」。又，孔子在世時有三千弟子，並歿後其影響力仍然及於後世中國，此種感化力亦源於孔子品格之高尚。

2 谷本富〈孔學總論〉

谷本富〈孔學總論〉與大西〈孔教論〉兩文發表於同年。[33]谷本富（號梨庵，1867-1946），讚岐（現香川縣）高松生。歷任山口高等中學校、高等師範學校教授，於明治三十三年（1900）渡歐。歸國後，受命為京都帝國大學講師，後升為同大學教授。谷本為東京大學特約生時，修習德籍教師 Emil

---

る定義を下したることなければ到底確とは之を解し得ざるべし左れども仁は愛の意義を最も重しとし而して之に到る適切の方法は恕（推己及物之謂恕）なりとまでは解明して過なかるべし試に尚ほ明白なる定義を下さんとならば仁は善（グード）をなすの謂はゞ或は當れるに近からんか。」

[30] 大西祝：〈孔子教〉，《大西祝全集（良心起源論）》第5卷，頁345。原文：「孔子が知り難きを理由として重大なる問題をばさし措きて之を論究せざりしは吾人の太だ遺憾に思ふ所なり。」

[31] 大西祝：〈孔子教〉，《大西祝全集（良心起源論）》第5卷，頁345。原文：「支那の思想は孔子に於て一轉して懷疑說に傾き爾後の學者概ね自然以上の事に關しては懷疑論者となれり。」

[32] 大西祝：〈孔子教〉，《大西祝全集（良心起源論）》第5卷，頁346。原文：「孔子は宇宙間に人のよく名づけ能はざる一の者あるを信じて之を敬ひ之を尊みたるが如し。」

[33] 谷本富：〈孔學總論〉，《東洋學藝雜誌》第73號（1887年10月），頁611-619。

Hausknecht（1853-1927）的課，接觸到赫爾巴特（Herbart, 1776-1841）教育學，並從留學回國後，亦推動了「新教育（New Education）」。

其著〈孔學總論〉為「藉用歐洲道德學的論理法，以期發揚東洋孔學之真旨」。[34] 此篇文章簡短，由三節構成：第一節題為「孔學之起原（源）」。就谷本而言，「凡學問之起源大抵與當時的形勢相應，不合其需用者鮮矣。」[35] 孔子生於春秋之世，上既慨嘆周室的衰退，下又憂慮百姓的疾苦，因而欲實行先王為政之道，晚年時則講先王之道於諸門弟子之間。谷本認為所謂「先王之道」，僅是先王之言行。因此，其稱孔學謂：「只不過既為蒐集從前的實驗，畢竟亦是貼近於實際的平易道德教而已。」[36] 又指出孔學是「士君子道德論」。

第二節為「孔學之教旨（論道德之三物）」。「三物」代表道德的目的（Object）；達到該目的的方則（Laws）；順行體膺該法則的人（Agent），即指「善（Good）」、「行（Duty）」與「德（virtue）」。谷本便由這「三物」對孔學之教旨加以說明。谷本首先云：「孔子道德教的主旨，不外是治國安民。」[37] 接著認為君子需透過修身（實行仁義禮智）而達成此目的，最終體會忠信善行，不與「道」相背馳，此即是「德」。谷本最後強調，善、行、德的三物，並非各自獨立，而是互相連接的。

第三節則論「孔學之性質」。首先，谷本將道德教分為兩種：「自愛主義」與「愛他主義」，並認為墨子兼愛說、孔子博愛說均屬於後者。然而，谷本又指出孔子雖說博愛，但是其中有上下親疏之別，而高度評價孔子「修身齊家治國平天下的演繹法」。不過，谷本另也指出孔學的缺點：即是相較於「君臣關係」，有過分偏重「父子關係」的傾向。其次，谷本主張，孔子將政治與道德連結在一起，誠如柏拉圖（Plátōn，西元前427-前347）、亞里士多德（Aristotélēs，

---

[34] 谷本富：〈孔學總論〉，頁611。原文：「叨リ二歐洲道德學ノ論理法ヲ藉リテ東洋孔學ノ真旨ヲ發揚センコトヲ期シ」云云。

[35] 谷本富：〈孔學總論〉，頁611。原文：「凡ソ學問ノ起原ハ大抵當時ノ形勢二應ジ其ノ需用二合ハザル者鮮矣。」

[36] 谷本富：〈孔學總論〉，頁612。原文：「全ク從來ノ實驗ヲ蒐集シタルノミニテ、畢竟實際二頗ル接近シタル平易ノ道德教ナルノミ。」

[37] 谷本富：〈孔學總論〉，頁614。原文：「余ヲ以テスレバ寧ロ孔子道德教ノ主旨ハ治國安民二外ナラズト思ハル。」

西元前384-前322）、霍布斯（Thomas Hobbes, 1588-1679）等西方諸賢，但孔子鑑於事勢，兼說仁義與智；另一方面，谷本也指出，孔子之議論未到形上學（Metaphysics）。最後，他認為孔學道德的標準為「理性主義」，僅就此點而言，同於卡德沃思（Ralph Cudworth, 1617-1688）、克拉克（Samuel Clarke, 1675-1729）、普賴斯（Rechard Price, 1723-1791）、康德（Immanuel Kant, 1724-1804）等人的道德論。然而，唯其理性並非源自德行者自己的理性，而是依循先王的理性所定的修身法。

谷本此文雖利用西方的學術方法進行討論，但也反過來指出其界限，如云：「近世西方道德學者將人的行為分成三種：對神之行、對他之行及對自之行，並且將君臣、父子、夫婦、長幼、朋友之間的行為全歸屬於對他之行，而矯正人情的自然，以期除去上下親疏之別，此畢竟是淺慮所致，其弊不鮮矣。」[38]又在篇末慨嘆「（孔學）有完美的教旨，但是，因不合乎所謂歐洲的論理法，人妄蔑之」。[39]

3 山田喜之助《孔教論》

晚大西與谷本三年，山田喜之助亦出版了《孔教論》一書。[40]山田喜之助（號奠南，1859-1913），出生於大阪，從小在泊園書院學漢學，後在大阪英語學校受英語教育。明治九年（1876）入學於東京開成學校，明治十五年（1882）自東京大學畢業而獲法學士學位。其後參與了東京專門學校、英吉利法律學校的創設。明治十八年（1885）時，受聘為司法省權少書記官，並在法律界漸漸受到重視，歷任要職。又於明治三十一年（1898）當選為眾議員議員從政。

---

[38] 谷本富：〈孔學總論〉，頁616-617。原文：「近世西洋ノ道德學者ハ人ノ行ヲ三種ニ區別シ、對神之行、對他之行、對自之行トシ、君臣、父子、夫婦、長幼、朋友ノ間ニ於ケル行為ハ一切之ヲ對他ノ行トナシテ、以テ人情ノ自然ヲ撓メ、以テ務メテ上下親疏ノ別ヲ去ラントスレドモ、是ハ畢竟淺慮ノ致ス所ニシテ其弊鮮カラズトス。」

[39] 谷本富：〈孔學總論〉，頁619。原文：「（孔學）完美ノ教旨アリ、唯ダ其所謂歐洲ノ論理法ニ協ハザルヲ以テ、人漫ニ之ヲ蔑如ス。」

[40] 山田喜之助：《孔教論》（東京市：博文館，1890年10月）。

　　《孔教論》係山田在司法界時所撰。此篇由兩章構成，第一章為〈孔子ノ人トナリヲ論ス〉，第二章則是〈孔教ノ性質ヲ論ス〉。

　　首先，山田於第一章論孔子為人。其云：「余頃者得少閑，讀到了孔子之書而稍有所悟。於是，嘗試模仿泰西批評者的論法而闡明其教旨之所在，終得到了一篇文字。第二章即是也。然而，人與教絕無法分離。將論其教，勢必觀察其人之為人。此是撰寫本章不得已的原因。」[41]山田因此探討孔子之為人，並且認為：「孔子為保守家、謙讓家、慷慨家、普通人，而非因循家、放縱家、膽小家、不滿家。」[42]

　　其次，山田在第二章，從「社會的歷史、生時的形勢培養其人格行為，而磨冶成其主義」[43]這種觀點，來論述孔教的教義。就山田而言，人格、思想的形成與身處的歷史、社會背景密切不離。孔子身處於春秋之世，未唱武力，而以「先王的遺文」遊說於諸侯，以期統合社會；而由部分諸侯嘗試採用孔子之道可知，其道與世俗有所相關。故山田視孔教為「歷史學派（Historical school）」或「實踐學派（Experimental school）」，此教制可以「文」一字形容，即是「文樣」。宇宙中有天文、地文，人間則有君臣、父子、夫婦、昆弟等人文，故山田稱：「孔教並非宗旨，亦非哲學，而是一種具備無比性質的，歐洲理論家所謂的 sui generis（獨絕），余假名之以『斯文教』。」[44]而批評當時的平等主義。

　　他並且指出孔教的根本──「仁」是「單純的理想（Pure ideal）、至極的

---

[41] 山田喜之助：《孔教論》，頁2。原文：「余頃者少閑ヲ得テ、孔子ノ書ヲ得テ、稍々悟ル所アリ、試ミニ泰西批評者ノ論法ニ擬シ、其教旨ノアル所ヲ闡明シ、終ニ一篇ノ文字ヲ得タリ、第二章即是レナリ、然レドモ、人ト教トハ到底離ルヘカラス、其教ヲ論セントスレハ勢ヒ其人トナリヲ觀察スルヲ要ス、是レ本章ノ止ムベカラザル所以ナリ。」

[42] 山田喜之助：《孔教論》，頁12。原文：「孔子ハ保守家ナリ、謙讓家ナリ、慷慨家ナリ、通人ナリ、因循家ニアラス、姑息家ニアラス、憶病家ニアラス、不平家ニアラス。」

[43] 山田喜之助：《孔教論》，頁13。原文：「社會ノ歷史、生時ノ形勢ハ其人ト為リヲ養化シ、其主義ヲ磨成ス。」

[44] 山田喜之助：《孔教論》，頁50。原文：「孔教ハ宗旨ニアラス、哲學ニアラス、一種無類ノ性質ヲ具備シ、歐洲理論家ノ所謂sui generis（獨絕ノ義）ニシテ、余ハ假リニ之ヲ斯文教ト云フ。」

原素（Ultimate element）」，所以已不可再分析。孔子雖紹述先王之仁說，但是，並不僅是祖述而已，而是加以創建。就山田而言，孔子選擇「仁」為本時，同時也將《詩》、《書》、《易》中常見的「福利」置之不論，此既與道家不同，亦是孔子的卓見。山田前文嘗云：「分析易，建構難。」[45]而認為歐美人長於分析，但不善於建構，如康德的道德論與哲學論之間似未關涉。與此相反，孔子「特別獲得事理建構之妙，集大成一家之言。」[46]故山田認為，孔子所說能「無不穩當、精妙」。加之，山田另云：「雖然發明原理，多是由分析觀察的力量；而應用其原理而達到人生之用，大概出於建構之功。」[47]此處看到山田重視「建構－實踐」高於「分析－原理」的概念，此點值得留意。

以上簡述山田《孔教論》的主要觀點。由諸氏所加的嚴厲批評，可見此書多有問題。[48]但是，此書可謂亦是當時孔子研究的「一大文字」，[49]因為包含了不少獨特的見解，尤其視孔子為「歷史學派」，此點在明治時期孔子研究上不可忽略。

4 松村介石〈孔子論〉

松村介石（1859-1939），生於播磨明石（現兵庫縣神戶市）。明治九年（1876）入信基督教，並於翌年受洗，開始從事布教活動，與內村鑑三、植村正久、田村直臣並稱「明治基督教界的四村」。另一方面，松村對儒教亦深有造詣，尤其傾服王陽明思想，後於明治四十年（1907）創立混合基督教與儒教的「一心會」（後為「日本教會」、「道會」）。

〈孔子論〉[50]一文係松村在東京神田基督教青年會館講師時代（1892-

---

[45] 山田喜之助：《孔教論》，頁50。原文：「分析ハ易ク、構成ハ難シ。」

[46] 山田喜之助：《孔教論》，頁32。原文：「特ニ事理構成ノ妙ヲ得テ、一家ノ言ヲ集大成ス。」

[47] 山田喜之助：《孔教論》，頁21。原文：「原理ヲ發明スルハ、多クハ分析觀察ノ力ニヨルトモ、原理ヲ應用シテ、人生ノ用ヲ達スルハ、概ソ構成ノ功ニ出ツ。」

[48] 山田《孔教論》書後附上〈三嶋中洲先生批評〉、〈藤澤南岳先生論文及尺牘〉、〈加藤弘之先生尺牘〉、〈光妙寺三郎先生批評〉、〈著者復光妙寺三郎氏書〉以及〈出版月評〉，皆批評山田《孔教論》。本文無法詳論，但這些附錄亦在討論明治孔子研究時，值得參考。

[49] 今引自無名氏：〈出版月評〉，山田喜之助：《孔教論》，頁91。

[50] 松村介石：〈孔子論〉，《人物論》（東京市：警醒社，1895年2月），頁1-34。

1897）的言論，全篇分為五個部分：〈氣質對禮〉、〈大學の道對教育勅語〉、〈修學時代對實力〉、〈政治時代對人情〉以及〈天道時代對自由自在〉。

首先，松村在〈氣質對禮〉中從氣質不變的觀點，進而指出：孔子固然在其幼年志於學，中年熱中於政治，晚年入於知命樂天的境界；然而，始終為「天性禮儀之人」，是欲以禮治天下的君子。因此，孔子雖是「誠意之人」，但結果稍有陷入偽善的傾向。就松村而言，在社會紛亂的當時，人該學習的並非由外表可見的氣質或外貌，而宜是「誠敬之心」（「心靈情意之所在」）。換言之，他主張「積誠實意的修業」才最為重要。其次，〈大學の道對教育勅語〉強調「大學之教」是為了除去私欲、私心而彰明人固有的、天賦的「明德」（或稱「天與自然的靈性」），聖王、先儒皆努力於「練磨修養的工夫」。然而，當時似有論者主張書寫《教育勅語》中的美德，以禮拜之，其人即可實行其德。松村於此批判這些風潮，而主張「實心躬行」的必要。接著，松村在〈修學時代對實力〉中云：「（孔子）一方面用力於修身正己上，另一方面也用心於學識藝能上。」[51] 換言之，他留意到孔子未嘗忽略「實力養成」這一點，而這種人格似是松村理想中最完美的狀態。又，〈政治時代對人情〉先討論孔子為何追求治國平天下。松村認為：「孔子的理想似為：復堯舜之古，施以王道，行以仁政，以周禮巨（匡？）天下，以五倫制人，最後讓人不知不覺順從帝則的無為之治世。」[52] 然而現實世界不然，因而孔子由「人情（humanity）之心」對政治有所抱負。就松村而言，孔子既不同於釋迦般的哲學家，也不同於基督般的靈界之王，而實是「政治家」。不過，孔子晚年失意於政治，遂而安於天道，故松村〈孔子論〉最後有〈天道時代對自由自在〉一節。孔子學易，故而到達了變通、自由自在的自得境界。松村最後強調，孔子這種人物形象，為諸葛亮、王陽明所繼承，並且認為在當時「俗氣熾盛」的日本，是尤其

---

[51] 松村介石：〈孔子論〉，《人物論》，頁16-17。原文：「一方に於ては修身正己の上に力を用いる一方に於ては學識藝能の上に心を用ゆ。」

[52] 松村介石：〈孔子論〉，《人物論》，頁19。原文：「孔子の理想は世を堯舜の古に復へし、王道を施し仁政を行ひ、周禮を以て天下を巨し、五倫を以て人を制し、終には不知不識、帝の則に順ふなる無為の治世たらしめんことを欲せしもの丶如し。」

務必學習的。由上可知，松村雖為基督教徒，但其〈孔子論〉的主要觀點，源自他的陽明學理解，頗具特色。

5 加藤弘之〈孔子之道と徂徠學〉與〈孔夫子と希臘哲人〉

加藤弘之（1836-1916），生於但馬（現兵庫縣）豐岡，早年接觸到洋學，於德川末期在蕃書調所教授、開成所等從事教學活動。到了明治初年，則以身為啟蒙思想家之身分參與「明六社」。明治十年（1877）以降，加藤歷任東京開成學校、東京大學法文理學部綜理、東京大學總理以及帝國大學總長等職，在明治大正時期的日本思想界頗受重視。

加藤撰有〈孔子之道と徂徠學（孔子之道與徂徠學）〉[53]與〈孔夫子と希臘哲人（孔夫子與希臘哲人）〉[54]等二文，以下稍作介紹：

前文由荻生徂徠的觀點切入以討論孔子之道。徂徠認為，孔子之道是先王為安天下所制作的禮樂刑政及孝悌仁義，並非如唐宋儒家所提倡的天地自然之道，加藤對此加以肯定。就加藤而言，古代中國兼備兩種政體，即「神權政治（theocracy）」與「族長政治（patriarchy）」，天子既受天命而代天治人，亦身為人民之父母而撫養之，故一身收攬社會萬般大權。孔子既然祖述堯、舜、禹、湯、文、武，則絕非尋求理學、哲學的天地自然之道，而是盡心於復興禮樂刑政孝悌仁義等「先王之道」。故加藤云：「孔子之志並不在哲理的研究，而在社會的復古，此點甚為明顯。」[55]因此，孔子始終是「政事家」。加藤另外指出：孔子之道後來失去此真面目，變成理學、哲學，此是因為社會逐漸進步，一方面不容執政者在實際上運用先王之禮樂刑政，另一方面也使孔子之道嚮往學理的研究，遂獲得哲理的性格。

---

[53] 加藤弘之：〈孔子之道と徂徠學〉，《東京學士院雜誌》第16編之7（1894年7月），頁347-359；〈孔子之道卜徂徠學〉，《東洋哲學》第1編第6號（1894年8月），頁228-233，後收入加藤照麿、加藤晴比古、馬渡俊雄編：《加藤弘之講論集》第3冊（東京市：敬業社，1899年4月），頁1-11。

[54] 加藤弘之：〈孔夫子と希臘哲人〉，《東洋哲學》第2編第9號（1895年11月），頁391-395，後收入加藤照麿、加藤晴比古、馬渡俊雄編：《加藤弘之講論集》第3冊，頁11-17。

[55] 加藤弘之：〈孔子之道と徂徠學〉，頁357。原文：「孔子の志は決して哲理の研究にあらずして、社會の復古にありしこと甚明かなり。」

　　後文則論孔子與希臘諸哲人的學風及其對後世社會的影響之差異。首先，關於前者，加藤承前作之意，在此文指出，孔子並非探究古來未發的真理以欲創立哲理或道德之教的「哲學家」，而不如說是以政治、道德即所謂禮樂刑政孝弟忠信的復古為己任的「實行家」或「實際的政治家」、「社會的改良者」。然而時逢亂世，孔子未為王侯所錄用，不得不以學者的身分論理講道。而蘇格拉底、柏拉圖、亞里士多德等希臘哲人與此不同，他們雖「欲自探究真理，並實行之」，卻並無復古的意圖。另外，孔子在國家的生存上重視「人君之仁」，希臘哲人則注重「人民的自由」。[56]加藤因此認為，孔子與希臘哲人的學風不盡相同。至於孔子與希臘哲人對後世的影響方面，加藤認為希臘哲學原以真理的探究與實行為本旨，因而對一般社會少有影響，而在基督教興起之後逐漸衰落；到了近世，新哲學雖以希臘哲學為基礎而崛起，但是，其性質比希臘哲學更加具學理性，固不能影響於凡俗社會。與此不同，孔子之教因為適合於族長主義的中國，自漢唐以來驅逐諸子百家，而終帶有「半宗教的性質」，在道德風教上頗有影響力。然而，加藤亦注意到兩者在學問進步上的優劣：在希臘哲學，弟子批判老師並不少見，「故創見新說陸續出現，加之，近世哲學復興以來，益加進步，遂至今日之盛」。[57]反觀孔子之教，因其影響力頗大，後世學者皆尊奉其說為「萬世不易之真理」，從來未加反駁，其「結果導致後世學問的進步殆受阻止」。[58]雖說如此，加藤最後仍然承認孔子之教在道德風教史上的價值與貢獻，尤其對日本的影響更是不容忽視。[59]

---

[56] 關於此點，加藤另有〈國家生存の最大基礎に就て東西兩洋の比較研究〉，《東洋哲學》第2編第8號（1895年10月），頁349-355。

[57] 加藤弘之：〈孔夫子と希臘哲人〉，頁395。原文：「故を以て創見新說續々出て、更に近世の哲學復興以來は益進步して遂に今日の盛大に至れり。」

[58] 加藤弘之：〈孔夫子と希臘哲人〉，頁394。原文：「遂に後世學問の進步殆と阻止せらる、有樣とはなれり。」

[59] 加藤另有〈報本論〉，論日本人不可忘孔子之大恩。該文收入加藤照麿編：《加藤弘之講論集》第1冊（東京市：金港堂，1891年11月），頁246-255。有關加藤的孔子論，也可參〈孔子誕生會に就て〉，《東洋哲學》第3編第11號（1897年1月），頁524-527；〈貧叟百話──孔夫子〉，《太陽》第3卷第6號（1897年3月），頁94-96；〈孔子を崇拜する理由〉，《太陽》第13卷第10號（1907年7月），頁58-61，後收入孔子祭典會編：《諸名家孔子觀》，頁22-31；〈孔子に就いて〉，《東亞之光》第7卷第1號（1912年1月），頁14-18等。

（四）「教育家」孔子的誕生——遠藤秀三郎、成富正義、湯本武
　　比古、元良勇次郎的孔子研究

　　遠藤秀三郎（1862-1934），生於江戶（現東京都）小石川的曾我家。東京師範學校畢業，歷經文部省編輯部工作後，於明治二十一年（1888）留學德國萊比錫大學，主修教育學和德語。明治二十六年（1893）成為已故的英語學者尺振八（1839-1886）的養子。後歷任大日本圖書編輯所長、東京外國語學校教授、東京美術學校教授、精華學校校長等。

　　《教育家としての孔夫子（身為教育家的孔夫子）》[60]一書原是遠藤在萊比錫大學「科試」之際所撰寫，並於歸國後親自將其翻成日文。此書由六章所構成：第一章〈緒論〉、第二章〈略傳〉、第三章〈作為教育家的資格〉、第四章〈教育的主義〉、第五章〈教育法、教授法及學科〉以及第六章〈結論〉。

　　此書的特色有二：其一，因為原書是遠藤在德國留學時所撰，因而參考過不少有關孔子的歐美研究，不僅使用了如普拉斯（Johann Heinrich Plath, 1802-1874）、碩特（Wilhelm Schott, 1802-1889）、加貝倫茨（Georg von der Gabelentz, 1840-1893）等德國學者的著作，另外如理雅各、道格拉斯（R. Douglas）、亞歷山大（George Gardiner Alexander, 1821-1897）等英國學者的著作亦予以引用、批評。例如：林德納（Gustav Adolf Lindner, 1828-1887）、普拉斯、亞歷山大等歐洲學者多將孔子視為「法規的起作者」，反之，遠藤卻認為孔子是「法規的守護者」。另外，施米特（Karl Schmidt）以為孔子將弟子分成四個階級以施教育，遠藤推測此是施氏誤解了《論語》「四科」。

　　其二，如書名所示，此書從頭到尾，從孔子為「教育家」的角度加以論述。遠藤嘗云：「孔子以身為實際的政治家自任。（中略）雖然，孔子之所以為政治家，是因為他身為教育家。」[61]其亦認為：孔子一生大都奉獻於弟子教育，因而可視孔子為教育家。另外，遠藤指出，孔子亦擁有「愛情」、「敏於察

---

[60] 遠藤秀三郎自譯：《教育家としての孔夫子》（東京市：大日本圖書株式會社，1893年5月）。後，尺（遠藤）秀三郎另有〈孔子小傳〉，《東亞の光》第17卷第1號（1922年1月），頁137-143。

[61] 遠藤秀三郎：《教育家としての孔夫子》，頁39。原文：「孔子は實地政治家をもて、自ら任せし人にてありけり。（中略）されとも孔子が政治家たりしは、其教育家たる所以なり。」

人」、「誨人不倦」與「致力於常求新知」等四種資性，不僅可謂是教育家，甚至可以當作教育家的模範。加之，遠藤更一步指出：孔子歿後在教育上發揮更為偉大的貢獻，其影響不僅及於中國，在日本亦「遺効洪大」。

就遠藤而言，孔子雖承認人有特殊例子──「上智」與「下愚」，但是，其基本上亦認為人性有「天賦的美性」，透過教育之效，可發展多樣可能性。那麼，孔子教育的主旨何在？遠藤分別「德育」、「智育」、「體育」加以說明，進而認為孔子教育雖未忽略智育與體育，但是，其主旨仍然以德育為主，因而將孔子的教育稱為「修身派（應指「道德主義Moralism」）」。

成富正義（生卒年未詳）〈東洋教育史〉，[62]亦承認孔子為「大教育家」。並就孔子的教育法方面，指出：孔子依照堯舜的遺法，並鑑於心性發育的理法與順序以進行教授，此與赫爾巴特「階段式教育法」相符；並且避開「注入的教訓」而促人自我啟發，則與裴斯泰洛齊（Johann Heinrich Pestalozzi, 1746-1827）「開發的教育法」不異。

湯本武比古（1856-1925），出生於信濃高井郡（現長野縣中野市），明治十六年（1883）東京師範大學畢業後，經文部省編輯局，明治十九年（1886）拜命為東宮明宮（後為大正天皇）教育掛，翌年開始任教於學習院。二年後赴德國，研究皇族教育。明治二十三年（1893），從留學回國就擔任東宮御用掛、高等師範屬托教授，講授教育學。其著《孔子ノ五段教授法（孔子的五段教授法）》[63]是此時的研究成果。與上述的遠藤等同樣，湯本亦在此書中稱孔子為「一偉大的人物、一卓識的教育家、世界的大教育家」，而強調研究孔子教育之必要。那麼，湯本如何觀察孔子教育？他實亦發現孔子思想與赫爾巴特

---

[62] 成富正義論孔子的教育相關問題，見於氏著：〈東洋教育史（其一）〉，《教育報知》第441號（1894年9月），近代アジア教育史研究會編：《近代日本のアジア教育認識‧資料篇》，第10卷〈中國の部（2）〉（東京都：龍溪書舍，2002年2月），頁137-138以及〈東洋教育史（其二）〉，《教育報知》第442號（1894年10月），《近代日本のアジア教育認識‧資料篇》，第10卷〈中國の部（2）〉，頁139。另外，成富正義翻譯有萊茵（ライン〔Wilhelm Rein〕）著《へるばると主義教育學》（東京市：松榮堂，1895年9月）。

[63] 湯本武比古：《孔子ノ五段教授法》（東京市：湯本武比古，1895年8月）。此書原為同年出版的《新編教授學》（東京市：湯本武比古，1895年5月）的追加（補充）。

學派的真理相同，即是「五段教育法」──「憤（預備）」、「啟（授與）」、「悱（聯合）」、「發（結合）」以及「三隅反（應用）」。[64]並且湯本主張，因為當時中國衰落，日本人始能向世界發揚「世界的大教育家」之言行。

元良勇次郎（1858-1912），生於攝津（現兵庫縣）三田。原姓杉田，明治十四年（1881）入贅於元良家。於同志社英學校畢業後，曾在東京英和學校等處從事教學工作。明治十六年（1883）留美，獲得哲學博士。明治二十一年（1888）歸國後，同時於東京英和學校及帝國大學文科大學哲學科任教。二年後，受聘為帝國大學教授，自明治二十六年（1893）起擔任「心理學、倫理學、論理學第一講座」教授。元良在明治二十八年（1895）十月二十七日參加孔夫子誕生會演講，其演講內容即是〈孔子の精神に關して所感を陳ふ（關於孔子的精神陳述感想）〉。[65]

元良此文可分為兩個部分：第一部分是比較蘇格拉底（Socrates，西元前470-前399年）、基督（耶穌）、孔子等「三聖」的為人。他首先談蘇格拉底的為人，認為：「蘇氏並非生而有德者，而應是具有堅強意志以實行德者，故其不具天性寬大之德，寧可說是實行的人，以之補充其弱點。」[66]接著，元良雖是基督教徒，然而其以自身對猶太人的觀察為基礎，認為：「基督是既在感情上容易興奮、嚴峻凜烈而且銳敏之人，然而，在寬大優美這一點頗有缺乏。」[67]那麼，孔子為人如何？與蘇、基二聖相比，孔夫子「生而有德，寬大有容」，「莞爾而笑，德容溫乎，如春風吹」，[68]然而無基督般強大的精神，亦不如蘇

---

64 即據《論語・述而》：「不憤不啟，不悱不發，舉一隅，不以三隅反，則不復也。」

65 元良勇次郎：〈孔子の精神に關して所感を陳ふ〉，《東洋哲學》第1編第10號（1895年12月），頁450-456。

66 元良勇次郎：〈孔子の精神に關して所感を陳ふ〉，頁451。原文：「蘇氏は決して生來の有德者にはあらず、德を實行せんとの意志強かりしならむ、故に天性寬大の德ありしにあらず、寧ろ實行的の人にして之を以て其弱點を補ひしものならむ。」

67 元良勇次郎：〈孔子の精神に關して所感を陳ふ〉，頁452。原文：「基督は情に激し易く嚴峻凜烈にして且つ銳敏の人なれど、寬大優美なることは大に欠けたり（後略）。」

68 元良勇次郎：〈孔子の精神に關して所感を陳ふ〉，頁452。原文：「其蘇氏と異なる所は生來の有德者にして寬大よく容る、にあらむ、又基督の如く嚴峻凜烈の風なく、莞爾として笑ひ德容溫乎として春風の如くなりしならむと思はる。」

氏反抗當世風潮以圖矯正之性格。如此，元良比較三聖而主張：「三聖皆是一種豪傑，建立偉大功績。故固不可認為此是彼非，我相信將其相互對比而加以考究，會大有所獲。」[69]

第二部分則專論孔子與當時世界。首先，元良云：「儒教原是教導人民的一種組織，孔子偶然利用或改良之以教育人民的。」[70]在他的眼中，孔子並非創始儒教的一先生，而是一位「大教育家」。儒教具備「安心立命」的宗教性與「教導訓育」的教育性，故其原在日本教育上最有勢力，然而，明治維新以來，即「迂遠而不可用」，有所衰落。元良分別論述孔子與儒教的原因，主要在此。就他而言，唯孔子「盡力提倡道德，改良政治，以建立完善的國家」的精神，是作為「世界人民」的當時日本國民仍值得考究的。如此，元良與遠藤相同，突顯孔子身為「教育家」的一面。

除了上述著作之外，明治中期論孔子思想的研究成果，另有柳澤保惠〈孔子の學術を汎論す（汎論孔子之學術）〉。[71]柳澤保惠（1871-1936），原為越後（現新潟縣）黑川藩主柳澤光昭之子，明治十九年（1886）入贅於原大和郡山藩主柳澤家。明治二十七年（1894）於學習院大學畢業之後，赴歐洲留學而主修統計學。歸國後歷任貴族院議員、東京市會議員、第一生命社長等職。〈孔子の學術を汎論す〉一文，係柳澤在學習院讀大學時的著作，卻筆者尚憾未得見。

四　儒教研究

孔子研究固然與儒教研究密切不離。在明治中期有數種雖未稱「儒教」，

---

[69] 元良勇次郎：〈孔子の精神に關して所感を陳ふ〉，頁451。原文：「三聖は孰れも一種の豪傑にして偉大の功を建てし人なり、故に固より一を是とし一を非とすべきにあらず、彼此對比して考究せば、大に得る所あらんと信するなり。」

[70] 元良勇次郎：〈孔子の精神に關して所感を陳ふ〉，頁453。「儒教はもと人を教導する一種の組織にして、偶々孔子の之を用ひ之を改良し以て人民を教育したるものなり。」

[71] 柳澤保惠：〈孔子の學術を汎論す（上）〉，《學習院輔仁會雜誌》第23號（1893年5月），頁7-10；〈同（中）〉，《學習院輔仁會雜誌》第24號（1893年6月），頁41-48；〈同（下）〉，《學習院輔仁會雜誌》第28號（1894年1月），頁43-49。

但探討「周孔之教」、「孔孟之教」、「孔教」等相關問題的論著。

（一）重野安繹與內藤恥叟的儒教研究

首先介紹重野安繹〈周孔の教（周孔之教）〉。[72]重野安繹（成齋，1827-1910），生於薩摩（現鹿兒島縣）鹿兒島郡，就讀藩校造士館後，赴江戶的昌平坂學問所受教於鹽谷宕陰、安井息軒等人。到了明治時期，在大阪開設成達書院，從事青年教育。明治二十一年（1888）受聘為帝國大學文科大學教授，翌年亦擔任「史學會」第一任會長。重野由實證主義史學的立場進行研究，否定史料未能實際證實的歷史人物、事件，因而被稱為「抹殺博士」。

其〈周孔の教〉原受加藤弘之〈德育意見書〉（應指《德育方法案》）的啟發所產生。加藤主張，應以各宗教為德育元素，並推舉宗徒任為教員以弘揚各教教法而孔子之教亦諸多宗教之一種。[73]反之，重野則認為：「孔教與宗教，性質大異，不可一同看待。」[74]因為宗教是以「方便」誘導民眾，其說盡出於妄誕；孔教則不然，敘述天理、人道之當然，並不混雜妄誕。且東方諸國千古以來，一切國體風俗皆納於斯教的範圍內。那麼，重野又是如何看孔子之教的？

重野首先注重孔教的本源為周公旦，因而稱「周孔之教」。重野認為，堯、舜以來聖賢雖相繼出現，但從未有一定的制度；到了周公，遂制作了「一代的定制」——即是「典禮」。孔子固為魯人，而修其藩祖所作典禮，以垂之後世。因此，重野認為：「周孔之教，（中略）概而言之，禮一字也。」[75]而

---

[72] 重野安繹：〈周孔の教（1）〉，《東洋學會雜誌》第2編第3號（1888年1月），頁1-2與〈同（2）〉，《東洋學會雜誌》第2編第4號（1888年2月），頁2-4；合併為〈周孔の教〉，《東京學士院雜誌》第10編之9（1888年11月），頁457-469，後收入薩藩史研究會編：《重野博士史學論文集》，卷下（東京市：雄山閣，1939年5月），頁376-382。

[73] 加藤弘之：《德育方法案》（東京市：哲學書院，1887年11月）。加藤云：「宜設置四教的修身科於每間公立中、小學，使學生各就其所志、所信的教派修課（公立の中小學校には每校に右の四教の修身科を置て各其志す所信する所の教派に就かせたが宜しからふと思ひます）。」（頁40）他所謂的「四教」指神、儒、佛與耶穌教。

[74] 重野安繹：〈周孔の教〉，頁457。原文：「孔教と宗教とハ、其性質大に異にして、同一視すべきものにあらず。」

[75] 重野安繹：〈周孔の教〉，頁459。原文：「周孔の教、（中略）之を概言すれバ、禮の一字なり。」

六經之教亦皆不外於此，其內容包括法律、道德、人生日用之事，即是當時所謂的「道德哲學」。因此，重野指出，周孔之教雖會帶來一些「弊習」，但在明治日本的德育上仍有利用價值。故他主張，應回溯於周孔立教之本源，以「禮」一字為道德修身的基礎，此在近代孔子研究史上，值得關注。[76]

接著，介紹出生於常陸（現茨城縣）水戶的內藤恥叟（1827-1903）。內藤在德川時期末年擔任過弘道館教授，維新後卻流浪各地，也曾一時任東京小石川區長等職。明治十四年（1881）受命為群馬縣中學校校長之後，又回到教育、學術界，之後歷任東京大學講師、帝國大學文科大學教授、陸軍教授等。他亦在明治中期撰寫了一篇與孔子相關的論文，即是〈孔孟之道〉。[77]

此文開宗明義曰：「行於東洋，及於清、朝鮮、日本等國家，舊來人民所尊奉之道，孔孟之道尤有勢力，故東洋學者不得不最初講究此道之本旨如何。此亦最急務也。」[78]然而，就內藤而言，世講孔孟之道者實以周、程、張、朱說為主，鮮少有直接談孔孟之道者，甚至多流於談空理而不知修己治人之大經。於是，內藤在此文中討論「孔孟之道」的本旨，其云：「孔孟之道，人之道也。」因此，孔孟之道基於人情，尤其是「孝」，而「以務使此人情條暢發達為道也」。[79]其道並且期望調節民眾慾望而使之合乎道，以致天下太平。故內藤認為：「皇極立於上，而下從之。人情所大欲皆得到發達時，則天下太平

---

[76] 關於重野的孔子觀，也可參〈孔夫子と我大日本と〉，孔子祭典會編：《諸名家孔子觀》，頁127-138以及薩藩史研究會編：《重野博士史學論文集》，卷下，頁417-424。重野論孔子或《論語》相關的文字，另有〈史記孔子及有若の事を論ず〉，《斯文學會雜誌》第1號（1888年7月），頁未詳，後收入《重野博士史學論文集》，卷下，頁408-412；〈孔子誕生會に就て〉，《東洋哲學》第3編第3號（1896年5月），頁未詳，後收入《重野博士史學論文集》，卷下，頁413-417；明治36年的演講〈溫故知新の說〉，《重野博士史學論文集》，卷下，頁404-407等。

[77] 內藤恥叟：〈孔孟之道〉，《東洋哲學》第1編第3號（1894年5月），頁83-88。內藤後又發表了〈日本帝國の孔子學（上）〉，《國學院雜誌》第3卷第10號（1897年8月），頁11-18；〈同（中）〉，《國學院雜誌》第3卷第11號（1897年9月），頁1-5；〈同（下）〉，《國學院雜誌》第4卷第1號（1897年11月），頁1-6。

[78] 內藤恥叟：〈孔孟之道〉，頁83。原文：「東洋二行ハレテ、清朝鮮日本等ノ國二於テ、舊來人民ノ尊奉スル所ノ道ハ孔孟之道尤勢力ヲ有セリ、故二東洋ノ學者ハ先最初二此道ノ本旨如何ヲ講究セザルベカラズ、是亦最急務トス。」

[79] 內藤恥叟：〈孔孟之道〉，頁83。原文：「孔孟ノ道ハ人ノ道也、」「務メテ此人情ヲシテ條暢發達セシムルヲ以テ道トスル也。」

而人民安樂，是聖賢之所研究希圖。孔孟之經典是教致之之方法者也。故謂之實學，非徒講空理。」[80]可見內藤對比「實學」與「空理」而偏重「實學」，以此立場批判宋代以後的學者喪失本旨。

（二）儒教與社會主義──石渡邦之丞與吉田良春的儒教研究

與重野、內藤不同，明治中期另有由社會主義的觀點針對儒教進行研究的知識分子，即是石渡邦之丞與吉田良春。石渡邦之丞（生卒年未詳），歷任商船學校教授、遞信省官僚，並於明治四十年（1907）擔當日清汽船第一任社長。吉田良春（1866-卒年未詳）則為筑前（現福岡縣）宗像人，明治二十六年（1893）於東京帝國大學法科大學畢業，嘗任靜岡縣尋常中學校長、山口高等學校教授等職，明治三十三年（1900）入住友家，相繼擔任別子銅山經理科主任、住友若松炭業支配人、同所所長等職。後亦任若松市議會議員、議長。[81]

石渡有〈孔教ノ經濟思想及ビ其政策（孔教的經濟思想及其政策）〉。[82]他在文中認為孔教雖有「仁」與「富」衝突時，以前者為優先的主張；但是，孔教並未完全輕忽財富。石渡並以「井田之制」、「商價之制」、「奢侈之禁制」、「濟貧」、「荒政」等為例，討論孔教具體的經濟政策，而云：儒家相信「這些政策皆由國家的干涉而得以遂行」。因此，石渡將孔教的經濟政策歸於「國家社會主義」的系統，而云：「國家社會主義是僅看個人競爭之害，不知個人競爭之利；知政府干涉之利，不看政府干涉之害。吾人確信儒流的經濟家特有此缺點。」[83]

---

80 內藤恥叟：〈孔孟之道〉，頁85。原文：「皇極上二立テ下之二從フ、人情ノ大二欲スル所皆發達ヲ得ルトキハ、則天下太平ニシテ人民安樂ナリ、是聖賢ノ研究希圖スル所ニシテ孔孟ノ經典ハ之ヲ致スノ方法ヲ教ユル者也、故ニ之ヲ實學ト云フ、徒ラニ空理ヲ講スルニハアラズ。」

81 詳參前村信松編：《財界フースヒー》（東京市：ジヤパンエコノミスト社，1923年5月），よ之部，頁13。

82 石渡邦之丞：〈孔教ノ經濟思想及ビ其政策〉，《國家學會雜誌》第7卷第80號（1893年10月），頁1669-1681。

83 石渡邦之丞：〈孔教ノ經濟思想及ビ其政策〉，頁1680-1681。原文：「國家社會主義ハ個人競爭ノ害ヲ見テ個人競爭ノ利ヲ知ラザルモノナリ政府干涉ノ利ヲ知リテ政府干涉ノ害ヲ見ラザルモノナリ。吾人ハ儒流ノ經濟家ニ殊ニ此欠點アルヲ確信ス。」

　　吉田〈儒墨老ノ社會主義（儒墨老的社會主義）〉[84]亦從社會主義的角度切入，針對儒家、墨子與老子的思想進行探討。

　　吉田在此文〈緒言〉中表明：個人主義在西方諸國有所發展，反觀日本與中國則從未言聞「個人的權力、自由」等語，但與社會團體相關的詞彙——如「天下」、「國家」、「社稷」等反而發達。故他認為在東方應多有思想可作為「社會主義」而論。

　　其中，吉田首先討論儒家（孔孟）。就他而言，在歐洲主張社會主義、共產論的人士多是仁慈之君子，如莫爾（Thomas More, 1478-1535）、培根（Francis Bacon, 1561-1626）、康帕內拉（Tommaso Campanella, 1568-1639）、歐文（Robert Owen, 1771-1858）等人。他們皆從他愛的感情出發，願意犧牲自己的利害，期望社會的幸福，因此吉田認為主張他愛主義的人勢必帶有社會主義的傾向；並孔孟之學含有社會主義思想，便是他愛主義所致的結果。吉田又認為，儒家主張井田之法，一方面既是尊重先王遺法的表現，一方面又是由注重平等的社會主義而來。而儒家所謂「君君臣臣」的社會組織，看似主張人類並不平等。但是，君主卿相皆歸於有德者，故萬民原來平等，富貴並非專屬於某階級人民。其次，吉田論述儒家有「牧民」——即愛護社會民眾的主張，此與「國家社會主義」頗為接近。如此說來，「儒家是以仁慈為本，崇尚平等，制止貧富懸隔，尤其汲汲於保護窮民者。」[85]吉田認為，這種特色與歐洲社會主義多有共同之處，此點到了孟子更加顯著。後文則討論墨子與老子的社會主義，今省略不論。

　　石渡與吉田的關係未詳，然而，兩文皆由社會主義的觀點切入而論儒家思想，認為其屬「國家社會主義」，此點值得注意。

---

[84] 吉田良春：〈儒墨老ノ社會主義〉，《國家學會雜誌》第8卷第91號（1894年9月），頁677-699。
[85] 吉田良春：〈儒墨老ノ社會主義〉，頁685。原文：「儒家ハ仁慈ヲ本トシ、平等ヲ尚ヒ、貧富ノ懸隔ヲ制シ、特ニ窮民ノ保護ニ汲々タル者ナリ。」

五　結論

本文針對明治中期的孔子研究加以整理與簡述。[86]我們從中發現了明治中期的知識分子在「革新、創始、創見─保守、傳舊、祖述」、「形而上（哲學、宗教、理想、無神）─形而下（政治、教育、現實、有神）」、「西方、分析、原理─東方、建構、實踐」及「公─私」這四條軸線上，探討孔子的為人或其思想相關問題。

如此，可發現明治中期的知識分子，特別是「明治青年第二世代」，一方面猶保持漢學背景，另一方面亦得利於新教育制度而吸收了哲學、歷史等西方科學成果，自然而然造成了東西融合的學術風潮。在這股風潮下，西方與東方之間未有文明價值的優劣。這種觀念也當然反映於他們的孔子研究，因而產生了多樣多元的研究成果，如論孔子的為人，便有了「代表中國固有思想的人」「修業積德，思慕聖賢」（大西祝）、「保守家、謙讓家、慷慨家、普通人」（山田喜之助）、「天性禮儀之人、政治家」（松村介石）、「實行家、實際的政治家、社會的改良者」（加藤弘之）、「教育家」（遠藤秀三郎、元良勇次郎、成富正義、湯本武比古）等的看法；至於孔子思想或儒教，本具道德主義、人道為本、愛他、實學、復古等的特色已成為一種共識，在這種共識之下，井上圓了認為孔子思想有「進取」的性格，大西祝指出其有「嫌偏頗奇異，重眾德調和」的傾向，山田喜之助提出「歷史學派」之說，元良勇次郎謂之為「兼具宗教性與教育性」，而石渡邦之丞與吉田良春則論其為「國家社會主義」，具有獨

---

[86] 本文未討論到孔子思想影響的研究與《論語》關係研究。論孔子思想對後代的影響，有赤坐好義（生卒年未詳）:〈孔子ノ教ハ支那國二何如ナル影響ヲ與ヘシヤ〉，《東洋學藝雜誌》第46號（1885年7月），頁163-168與藤田豐八（劍峰，1869-1929）:〈孔子以後の儒學派〉，《東洋哲學》第1編第8號（1894年10月），頁326-328、〈同（承前）〉，《東洋哲學》第1編第11號（1895年1月），頁460-465、〈同（承前）〉，《東洋哲學》第1編第12號（1895年2月），頁499-506等。明治中期有關《論語》的研究，則有重野安繹:〈論語新古註釋の異同〉，《斯文學會雜誌》第12號（1890年6月）；第25號（1891年7月）；第32號（1892年2月），後合併收入薩藩史研究會編:《重野博士史學論文集》，卷下，頁382-399與細川潤次郎（十洲，1834-1923）:〈天文板論語考〉，《東京學士院雜誌》第16編之6（1894年6月），頁312-323。

特之處。

那麼，明治中期的孔子研究後來如何展開？明治後期時，孔子研究的代表性成果有蟹江義丸（1872-1904）《孔子研究》[87]與山路愛山（1865-1917）《孔子論》。[88]蟹江在書中強調孔子「中庸」的立場，此當然一方面是基於蟹江本人不認同偏頗而注重調和的思想，他身處當時思想界西方主義與東方主義、先天的觀念論與先天的實在論、動機論派和功利論派、道德的修養與美的修養等等對立當中，欲以保持「中庸」的立場；另一方面，可謂是繼承井上哲次郎與大西祝的觀點。山路愛山則就歷史研究的角度進行原典批判與分析，結果在《論語》中發現了孔子具有「歷史的」、「實行的」、「保守的」傾向，而重新描述孔子「古傳研究者」、「常識的教師」與「政論家」的意象。山路這些見解，應多源自其自身思想與研究成果而來，但是，亦與圓了「史料批判」、山田「歷史學派」以及遠藤「教育家」等的說法有共通之處，值得注意。

總而言之，明治中期的孔子研究，以今日眼光視之，固不無問題；然而，從中亦可得見當時知識分子盡心探究的結果，頗具啟發性。而其中部分觀點與成果，便開啟了明治後期的孔子研究，甚至成為了二戰以前孔子研究的基礎。就此而言，明治中期孔子研究在近代日本孔子研究史上，有不容忽略的價值。

---

[87] 蟹江義丸：《孔子研究》（東京市：金港堂，1904年7月；東京市：京文社，1926年12月改版；東京都：大空社，1998年2月）。

[88] 山路愛山：《孔子論》（東京市：民友社，1905年2月）。

參考文獻

一　專書

1　山田喜之助　《孔教論》　東京市：博文館　1890年10月

2　山路愛山　《孔子論》　東京市：民友社　1905年2月

3　井上哲次郎　《日本陽明學派之哲學》　東京市：富山房　1900年10月

4　井上哲次郎　《日本古學派之哲學》　東京市：富山房　1902年9月

5　井上哲次郎　《日本朱子學派之哲學》　東京市：富山房　1905年8月

6　井上哲次郎、蟹江義丸共編　《日本倫理彙編》共10卷　東京市：育成會　1901年5月-1903年6月

7　井上圓了　《哲學要領（前編）》　東京市：哲學書院　1886年9月　東京市：哲學書院　1891年6月訂正增補版

8　加藤弘之　《德育方法案》　東京市：哲學書院　1887年11月

9　成富正義譯　《へるばると主義教育學》　東京市：松榮堂　1895年9月

10　色川大吉　《明治精神史（下）》　東京都：岩波書店　《岩波現代文庫》學術200　2008年10月

11　松川健二編　《論語の思想史》　東京都：汲古書院　1994年2月　後有林慶彰、金培懿、陳靜慧、楊菁譯　《論語思想史》　臺北市：萬卷樓圖書公司　2006年2月

12　林泰輔編　《論語年譜》　東京市：大倉書店　1916年11月　東京都：國書刊行會　1976年修訂

13　林慶彰主編　《日本研究經學論著目錄（1900-1992）》　臺北市：中國文哲研究所籌備處　《圖書文獻專刊》1　1993年10月

14　前村信松編　《財界フースヒー》　東京市：ジヤパンエコノミスト社　1923年5月

15　唐名貴　《論語學史》　北京市：中國社會科學出版社，2009年3月

16 島田繁太郎（編）　《東洋學術種本》　東京市：秩山堂　1885年10月

17 高田眞治　《論語の文獻、注釋書》　東京市：春陽堂書店　1937年4月

18 張士傑　《學術思潮與日本近代《論語》學》　北京市：北京語言大學出版社　2015年12月

19 湯本武比古　《新編教授學》　東京市：湯本武比古　1895年5月

20 湯本武比古　《孔子ノ五段教授法》　東京市：湯本武比古　1895年8月

21 黃俊傑　《德川日本《論語》詮釋史論》　臺北市：國立臺灣大學出版中心　《東亞文明研究叢書》59　2006年3月　2007年10月增訂二版　工藤卓司譯　《德川日本の論語解釋》　東京都：ぺりかん社　2014年11月

22 遠藤秀三郎自譯　《教育家としての孔夫子》　東京都：大日本圖書株式會社　1893年5月

23 瀨尾邦雄編　《孔子、孟子に關する文獻目錄》　東京市：白帝社　1992年2月

24 瀨尾邦雄編　《孔子《論語》に關する文獻目錄（單行本篇）》　東京都：明治書院　2000年2月

25 蟹江義丸　《孔子研究》　東京市：金港堂　1904年7月　東京市：京文社　1926年12月改版　東京都：大空社　1998年2月

二　專書論文

1 三宅雄二郎　〈日本に於ける孔子教〉　孔子祭典會編　《諸名家孔子觀》　東京市：博文館　1910年4月　頁113-126

2 三島毅　〈孔子非守舊家辨〉　《中洲講話》　東京市：文華堂　1909年11月　頁255-264

3 三島毅　〈孔子兼內修外修說〉　《中洲講話》　東京市：文華堂　1909年11月　頁355-374　後收入孔子祭典會編　《諸名家孔子觀》　東京市：博文館　1910年4月　頁172-192

4 井上哲次郎　〈論語に就いて〉　《教育と修養》　東京市：弘道館

1910年7月　頁267-294

5　加藤弘之　〈報本論〉　加藤照麿編　《加藤弘之講論集》第1冊　東京市：金港堂　1891年11月　頁246-255

6　松村介石　〈孔子論〉　《人物論》　東京市：警醒社　1895年2月　頁1-34

7　重野安繹　〈孔夫子と我大日本と〉　孔子祭典會編　《諸名家孔子觀》東京市：博文館　1910年4月　頁127-138　以及薩藩史研究會編《重野博士史學論文集》卷下　東京市：雄山閣　1939年5月　頁417-424

三　期刊論文

1　三宅雄二郎　〈論孔老二氏之學〉　《學藝志林》第15卷第1期　1884年7月　頁58-69

2　三宅雄二郎　〈孔子に就いて〉　《東亞之光》第7卷第1號　1912年1月頁18-21

3　三宅雄二郎　〈孔子の肖像〉　《漢學》第2編第4號　1911年4月　頁33-38

4　三島毅　〈孔子自釋仁の說〉　《東京學士院雜誌》第14編之5　1892年5月　頁200-218　後收入《中洲講話》　東京市：文華堂　1909年11月　頁174-189

5　大西祝　〈孔子教〉　《六合雜誌》第80號　1887年8月　頁未詳　後收於氏著　《大西博士全集》第5卷　東京市：警醒社　1904年5月　以及《大西祝全集（良心起源論）》第5卷　東京都：日本圖書センター1982年12月　2001年10月新裝版　頁330-349

6　山內四郎　〈井上圓了の支那古傳說の研究〉　《東洋大學史紀要》第4號1986年3月　頁63-71

7　井上哲次郎　〈泰西人ノ孔子ヲ評スルヲ評ス〉　《東洋學藝雜誌》第4號1882年1月　頁53-56

8　井上哲次郎　〈支那の哲學〉　《教育報知》第496號　1895年11月　頁未詳

9　井上哲次郎　〈孔子生年月日考〉　《東洋哲學》第8編第12號　1901年12月　頁806-808

10　井上哲次郎　〈教育家としての孔子〉　《弘道》第147號　1904年6月　頁未詳及〈同（完）〉　《弘道》第148號　1904年7月　頁未詳

11　井上哲次郎　〈孔子の人格に就て〉，後亦收入《經濟時報》第57號　1907年4月　頁未詳　《太陽》第13卷第10號　1907年7月　頁61-75　《倫理と教育》　東京市：弘道館　1908年5月　頁360-393　孔子祭典會編　《諸名家孔子觀》　東京市：博文館　1910年4月　頁32-74　以及《日本朱子學派之哲學》　東京市：冨山房　1915年6月訂正增補版　頁701-744

12　井上哲次郎　〈孔子及孔門の諸弟子に就いて〉
　　12-1　〈孔子及孔門の諸弟子に就いて〉　《東洋學藝雜誌》第347號　1910年8月　頁341-355
　　12-2　〈孔子及孔門の諸弟子に就いて（承前、完）〉　《東洋學藝雜誌》第349號　1910年10月　頁467-477　後收於《人格と修養》東京市：廣文堂書店　1915年5月　頁107-138

13　井上哲次郎　〈聖人論〉　《東亞之光》第5卷第9號　1910年9月　頁1-17

14　井上哲次郎　〈孔子とソクラテス〉　《東亞の光》第9卷第1號　1914年1月　頁1-16，後收於《人格と修養》　東京市：廣文堂書店　1915年5月　頁139-166

15　井上哲次郎　〈孔子晚年の思想〉　《孔子祭典會會報》第9號　1916年4月　頁32-51

16　井上哲次郎　〈孔子の學問と人格とに就て〉　《斯文》第4卷第5號　1922年10月　頁23-32

17　井上哲次郎　〈孔子の教育に就て〉　《斯文》第5編第3號　1923年6月　頁1-9

18　井上哲次郎　〈孔子の人格と信念〉　《斯文》第17卷第6號　1935年6月
　　　頁19-34　後收入斯文會編　《湯島聖堂復興記念儒道大會誌》　東
　　　京市：斯文會　1936年10月　頁114-131

19　井上哲次郎　〈孔子〉　《斯文》第20卷第6號　1938年6月　頁1-8

20　井上圓了　〈堯舜ハ孔教ノ偶像ナル所以ヲ論ス〉　《東洋學藝雜誌》第
　　　9號　1882年6月　頁183-188

21　元良勇次郎　〈孔子の精神に關して所感を陳ふ〉　《東洋哲學》第1編
　　　第10號　1895年12月　頁450-456

22　內藤恥叟　〈孔孟之道〉　《東洋哲學》第1編第3號　1894年5月　頁83-
　　　88

23　內藤恥叟　〈日本帝國の孔子學〉
　　23-1　〈日本帝國の孔子學（上）〉　《國學院雜誌》第3卷第10號　1897
　　　　　年8月　頁11-18
　　23-2　〈日本帝國の孔子學（中）〉　《國學院雜誌》第3卷第11號　1897
　　　　　年9月　頁1-5
　　23-3　〈日本帝國の孔子學（下）〉　《國學院雜誌》第4卷第1號　1897
　　　　　年11月　頁1-6

24　尺秀三郎　〈孔子小傳〉　《東亞の光》第17卷第1號　1922年1月　頁
　　　137-143

25　日下寬　〈孔子の誕生會に就て〉　《東洋哲學》第2編第9號　1895年11
　　　月　頁380-383

26　水野博太　〈「高嶺三吉遺稿」中の井上哲次郎「東洋哲學史」講義〉
　　　《東京大學文書館紀要》第36號　2008年3月　頁20-49

27　加藤大圓　〈祝孔子誕辰文〉　《東洋哲學》第2編第9號　1895年11月
　　　頁397-401

28　加藤弘之　〈孔子之道と徂徠學〉　《東京學士院雜誌》第16編之7
　　　1894年7月　頁347-359　〈孔子之道ト徂徠學〉　《東洋哲學》第1
　　　編第6號　1894年8月　頁228-233　後收入加藤照麿、加藤晴比古、

馬渡俊雄編　《加藤弘之講論集》第3冊　東京市：敬業社　1899年4月　頁1-11

29　加藤弘之　〈孔夫子と希臘哲人〉　《東洋哲學》第2編第9號　1895年11月　頁391-395　後收入加藤照麿、加藤晴比古、馬渡俊雄編　《加藤弘之講論集》第3冊　東京市：敬業社　1899年4月　頁11-17

30　加藤弘之　〈孔子に就いて〉　《東亞之光》第7卷第1號　1912年1月　頁14-18等

31　加藤弘之　〈孔子を崇拜する理由〉　《太陽》第13卷第10號　1907年7月　頁58-61　後收入孔子祭典會編　《諸名家孔子觀》　東京市：博文館　1910年4月　頁22-31

32　加藤弘之　〈孔子誕生會に就て〉　《東洋哲學》第3編第11號　1897年1月　頁524-527

33　加藤弘之　〈國家生存の最大基礎に就て東西兩洋の比較研究〉　《東洋哲學》第2編第8號　1895年10月　頁349-355

34　加藤弘之　〈貧叟百話──孔夫子〉　《太陽》第3卷第6號　1897年3月　頁94-96

35　白鳥庫吉　〈支那古傳說の研究〉　《東洋時報》第131號　1909年8月　頁未詳，後收於《白鳥庫吉全集》第8卷　東京都：岩波書店　1970年10月　頁381-391

36　石渡邦之丞　〈孔教ノ經濟思想及ビ其政策〉　《國家學會雜誌》第7卷第80號　1893年10月　頁1669-1681

37　吉田良春　〈儒墨老ノ社會主義〉　《國家學會雜誌》第8卷第91號　1894年9月　頁677-699

38　成富正義　〈東洋教育史〉

38-1　〈東洋教育史（其一）〉　《教育報知》第441號　1894年9月　近代アジア教育史研究會編　《近代日本のアジア教育認識・資料篇》　第10卷　中國の部（2）　東京都：龍溪書舍　2002年2月　頁137-138

38-2 〈東洋教育史（其二）〉 《教育報知》第442号 1894年10月 近代アジア教育史研究會編 《近代日本のアジア教育認識・資料篇》 第10卷 中國の部（2） 東京都：龍溪書舍 2002年2月 頁139

39 西脇玉峰 〈老子哲學（未完）〉 《東洋哲學》第2編第8号 1895年10月 頁336-347

40 佐藤將之 〈井上圓了思想における中國哲學の位置〉 《井上圓了センター年報》第21号 2012年9月 頁29-56

41 町泉壽郎 〈幕末明治期における學術、教學の形成と漢學〉 《日本漢文學研究》第11号 2016年3月 頁133-154

42 谷本富 〈孔學總論〉 《東洋學藝雜誌》第73号 1887年10月 頁611-619

43 赤坐好義 〈孔子ノ教ハ支那國ニ何如ナル影響ヲ與ヘシヤ〉 《東洋學藝雜誌》第46号 1885年7月 頁163-168

44 柳澤保惠 〈孔子の學術を汎論す〉

44-1 〈孔子の學術を汎論す（上）〉 《學習院輔仁會雜誌》第23号 1893年5月 頁7-10

44-2 〈孔子の學術を汎論す（中）〉 《學習院輔仁會雜誌》第24号 1893年6月 頁41-48

44-3 〈孔子の學術を汎論す（下）〉 《學習院輔仁會雜誌》第28号 1894年1月 頁43-49

45 重野安繹 〈周孔の教〉

45-1 〈周孔の教（1）〉 《東洋學會雜誌》第2編第3号 1888年1月 頁1-2

45-2 〈周孔の教（2）〉 《東洋學會雜誌》第2編第4号 1888年2月 頁2-4
後合併為〈周孔の教〉，載於《東京學士院雜誌》第10編之9 1888年11月 頁457-469 並亦收入薩藩史研究會編 《重野博士史學論文集》卷下 東京市：雄山閣 1939年5月 頁376-382

46　重野安繹　〈史記孔子及有若の事を論ず〉　《斯文學會雜誌》第1號
　　　　1888年7月　頁未詳　後收入薩藩史研究會編　《重野博士史學論文
　　　　集》卷下　東京市：雄山閣　1939年5月　頁408-412

47　重野安繹　〈論語新古註釋の異同〉

　　　47-1　〈論語新古註釋の異同（1）〉　《斯文學會雜誌》第12號　1890年
　　　　　　6月　頁未詳

　　　47-2　〈論語新古註釋の異同（2）〉　《斯文學會雜誌》第25號　1891年
　　　　　　7月　頁未詳

　　　47-3　〈論語新古註釋の異同（3）〉　《斯文學會雜誌》第32號　1892年
　　　　　　2月　頁未詳　後合併收入薩藩史研究會編　《重野博士史學論
　　　　　　文集》卷下　東京市：雄山閣　1939年5月　頁382-399

48　神田孝平　〈孔子公道ヲ說カサルノ疑〉　《東京學士院雜誌》第6編之2
　　　　1884年5月　頁43-46　後收入《淡涯遺稿》　東京市：神田乃武
　　　　1910年7月　頁96-98

49　細川潤次郎　〈天文板論語考〉　《東京學士院雜誌》第16編之6　1894
　　　　年6月　頁312-323

50　藤田豐八　〈孔子以後の儒學派〉

　　　50-1　〈孔子以後の儒學派〉　《東洋哲學》第1編第8號　1894年10月
　　　　　　頁326-328

　　　50-2　〈孔子以後の儒學派（承前）〉　《東洋哲學》第1編第11號　1895
　　　　　　年1月　頁460-465

　　　50-3　〈孔子以後の儒學派（承前）〉　《東洋哲學》第1編第12號　1895
　　　　　　年2月　頁499-506

紀昀《閱微草堂筆記》學術思想論略
——以儒學觀、經學觀為重心的考察

黃智信

東吳大學

摘要

　　曾經擔任《四庫全書》總纂官，於四庫館辛勤工作多年，始終其事，而全書體例，多經其手定的紀昀（1724-1805），是清代乾嘉時期一位非常重要的學者。由於紀昀為了《四庫全書》的編纂耗費相當多的時間與精力，因此他的論著成書並流傳至今的其實不算太多。除從其詩文集中，或可藉以歸納並考察其較為完整的學術思想外，其他論著，以各自體例所限，能反映紀氏的學術思想之處較為有限。至於《四庫全書總目》一書，固然卷帙龐大，且全書的提要多經紀昀的考核刪訂。然而，書中的立論與評斷，仍然受限於官方的政治立場與學術取向，而難以完全將之作為紀昀的個人著作看待。

　　紀昀所撰《閱微草堂筆記》一書卻不然，雖是一部文言筆記小說，但一方面此書係紀氏晚年所親撰，加以內容頗豐，其中所能呈現的學術觀點亦不少。

　　以篇幅所限，本文擬先將《閱微草堂筆記》中反映紀昀儒學觀與經學觀的篇章大體勾稽出來，略做梳理，並藉以歸納此書於兩方面所呈現之要點。文中探究此書對待儒學與儒者的態度、考察書中所論經學與治經方法；並舉實例，具體揭示此書於群經所作之闡釋。期能通過本文之拋磚引玉，有助於引發更多學者探索此一值得重視的論題。

關鍵詞：紀昀　閱微草堂筆記　筆記小說　經學思想　乾嘉學術

一　前言

　　紀昀（1724-1805）是清代乾嘉時期一位非常重要的學者，曾經擔任《四庫全書》總纂官，於四庫館辛勤工作十年，始終其事。全書體例，多經其手定。

　　徐世昌（1855-1939）等編纂之《清儒學案》，於紀昀傳中云：

> 紀昀字曉嵐，一字春帆，晚號石雲，獻縣人。乾隆甲戌年（十九年，1754年）進士，改庶吉士，授編修，累遷侍讀學士。……歷官至禮部尚書、協辦大學士，加太子少保。嘉慶十年（1805）卒，年八十有二，諡文達。先生少而奇穎，讀書過目不忘。在翰林時，詔修《四庫全書》，為總纂官。貫徹儒籍，旁通百家，於六經傳注之得失，諸史記載之異同，子集之支分派別，罔不抉奧提綱，溯源竟委。……成《提要》二百卷，皆評騭精審。……其說經尤深漢《易》，力闢《圖》、《書》之謬。……服官五十餘年，以學問文章著聲公卿間。國家有大著作，非先生莫屬。其學在辨漢、宋儒術之是非，析詩文流派之正偽。主持風會，為世所宗。著有《文集》十六卷，《詩集》十六卷，及《沈氏四聲考》、《史通削繁》、《瀛奎律髓刊誤》、《審定風雅遺音》、《唐人試律說》、《閱微草堂筆記》等書。[1]

可見紀昀是位學識淵深的學者，但是由於紀昀為了《四庫全書》的編纂耗費相當多的時間與精力，因此他的論著成書並流傳至今的，其實不算太多。除詩文集中，或可藉以歸納並考察其較為完整的學術思想外，《四庫全書總目》一書固然卷帙龐大，但編撰既出於眾手，如戴震（1723-1777）、邵晉涵（1742-1796）、周永年（1730-1791）、任大椿（1738-1789）、翁方綱（1733-1818）……

---

[1] 徐世昌等編纂，沈芝盈、梁運華點校：《清儒學案》（北京市：中華書局，2008年10月），卷80，〈縣學案〉，頁3067-3068。

等人，都負責撰寫為數不少的提要；加以是一部重要的官書，因此，雖然全書
的提要多經紀昀考核刪訂，但書中的立論與評斷，仍然受限於官方的政治立場
與學術取向，而難以完全將之作為紀昀的個人著作看待。因之，恐無法將《四
庫全書總目》中的學術觀點，遽以認定其可代表紀昀個人的看法。而紀昀的其
他論著，如《沈氏四聲考》、《史通削繁》、《瀛奎律髓刊誤》、《審定風雅遺
音》、《唐人試律說》等書，以各自體例之所限，能反映紀昀的學術思想之處較
為有限。

《閱微草堂筆記》一書卻不然，全書內容分為〈灤陽消夏錄〉、〈如是我
聞〉、〈槐西雜志〉、〈姑妄聽之〉、〈灤陽續錄〉五個部分，凡二十四卷，約一千
二百則。雖然這是一部文言筆記小說，但一方面此書係紀昀晚年所親撰[2]，加
以內容甚豐，其中所呈現的學術觀點亦不少。

紀昀曾自言：

> 小說稗官，知無關於著述；街談巷議，或有益於勸懲。（卷1，〈灤陽消
> 夏錄序〉，頁1上）[3]

紀昀門人盛時彥也說：

> 〈灤陽消夏錄〉等五書，俶詭奇譎，無所不載；洸洋恣肆，無所不言。
> 而大旨要歸於醇正，欲使人知所勸懲。（《閱微草堂筆記·序》，頁1下）

---

[2] 據〈灤陽消夏錄序〉所載，第一部分的〈灤陽消夏錄〉約編成於乾隆五十四年（1789）。而最
後一部分的〈灤陽續錄〉，於〈灤陽續錄序〉中則署嘉慶戊午年（三年，1798年）。前三部分
（〈灤陽消夏錄〉、〈如是我聞〉、〈槐西雜志〉），多於甫經脫稿，未經寫定之時，即為鈔胥私寫
去，遽為書肆所竊刊。所以，脫文誤字，往往有之。於是，到了第四部分的〈姑妄聽之〉完
成後，交付門人盛時彥校刊。待第五部分完成後，到了嘉慶五年（1800），紀昀門人盛時彥徵
得紀昀同意，將〈灤陽消夏錄〉、〈如是我聞〉、〈槐西雜志〉、〈姑妄聽之〉、〈灤陽續錄〉五個
部分合為一編以重校刊行。故《閱微草堂筆記》一書的編寫，雖然中間跨越的時限甚長，但
成書於紀昀之晚年則是可以確定的。

[3] 本文所引之《閱微草堂筆記》，係據《續修四庫全書》（上海市：上海古籍出版社，2002年3
月）影印清嘉慶五年（1800）北平盛氏望益書屋刻本，下引皆同此。

可見，紀昀、盛時彥師徒二人對於小說「使人知所勸懲」的這一作用，是極為強調的。小說的此一功能，《閱微草堂筆記》自然重視，於書中也多所發揮。除此之外，盛時彥對於其師著作的其他奧妙處，還有如下之抉發：

> 時彥嘗謂先生諸書，雖托諸小說，而義存勸誡，無一非典型之言，此天下之所知也。至于辨析名理，妙極精微；引據古義，具有根柢，則學問見焉。敘述剪裁，貫穿映帶，如雲容水態，迥出天機，則文章亦見焉。讀者或未必盡知也，第曰：「先生出其餘枝，以筆墨遊戲耳。」然則視先生之書去小說幾何哉？夫著書必取鎔經義，而後宗旨正；必參酌史裁，而後條理明；必博涉諸子百家，而後變化盡。譬大匠之造宮室，千楹廣廈，與數椽小築，其結構一也。故不明著書之理者，雖詁經評史，不雜則陋；明著書之理者，雖稗官脞記，也具有體例。（卷18，〈姑妄聽之跋〉，頁41下-42上）

文中，強調乃師之作，「學問」、「文章」兼備，不可徒以「筆墨遊戲」視之。盛氏認為著書如能「取鎔經義」、「參酌史裁」、「博涉諸子百家」，亦即能「明著書之理」，則雖為「稗官脞記」，也「具有體例」。而紀昀此書，其內容既然能「義存勸誡」、「辨析名理」、「引據古義」，其「敘述剪裁」，又能「迥出天機」，自然可以稱得上是部「深明著書之理」的著作了。

事實上，其後的學者，對於紀昀《閱微草堂筆記》一書，也是如此珍視相待的。例如評騭人物，經常不稍假以辭色的李慈銘（1830-1895），於《越縵堂讀書記》之「閱微草堂筆記五種」條中，稱讚此書說：

> 臥閱《閱微草堂》五種。文勤此書，專擬干令升、顏黃門一流，而識議名雋過之，其字句下間附小注，原本六書雅訓，一字不苟，是經師家法也。[4]

---

[4] 見（清）李慈銘撰，由雲龍（1877？-1961）輯：《越縵堂讀書記》（上海市：上海書店，2000年6月），頁875。

文中讚美《閱微草堂筆記》一書於「識議名雋」方面的成就，尚且超越干令升（〔晉〕干寶）、顏黃門（〔北齊〕顏之推）。同時，書中於「字句下間附小注，原本六書雅訓，一字不苟」，又顯示出紀昀之能守「經師家法」。《越縵堂讀書記》同條之中，李慈銘又云：

> 案文勤五種，雖事涉語怪，實其攷古說理之書。其中每下一語，必溯本原，間及考證，無不噚覈，又每事必具勸懲，尤為有功名教。……幸後人勿以小說視之也。[5]

認為《閱微草堂筆記》「雖事涉語怪」，但全書性質實屬「攷古說理之書」；同時，「又每事必具勸懲」，故「尤為有功名教」。可見，李慈銘除了同樣看出《閱微草堂筆記》發揮了小說「具勸懲」的特性外，也重視書中「溯本原，間及考證，無不噚覈」的內容，而勸此書的讀者「勿以小說視之」。

又如同治間學者許奉恩，於所撰《里乘》一書的〈自序〉中說：

> 河間紀文達公《閱微草堂筆記》，屬辭比事，義蘊畢宣，與《聊齋》異曲同工，是皆龍門所謂「自成一家之言」者也。[6]

《里乘》書前〈提要〉中，也說：

> 有清一代，筆記小說夥矣，要以蒲、紀二氏為最擅場。《聊齋誌異》以文詞勝，《閱微草堂》以論斷勝，皆千古不磨之作。[7]

5　（清）李慈銘撰，由雲龍輯：《越縵堂讀書記》，頁876。

6　（清）許奉恩：《里乘》（臺北市：新文豐出版公司，1997年3月《叢書集成三編》影印《筆記小說大觀》本），〈序〉，頁1上。

7　見《筆記小說大觀》本《里乘》書前〈提要〉。

從上述兩條引文，可見許氏將《閱微草堂筆記》與《聊齋誌異》並列為清代小說之翹楚，「《聊齋誌異》以文詞勝，《閱微草堂》以論斷勝」，兩者各有千秋，都屬龍門（〔西漢〕司馬遷）所謂「自成一家之言」的著作。

而紀昀又是如何看待自己的這部著作呢？他在自我剖析記錄這些筆記條目的動機與宗旨時，說：

> 三十以前，講考證之學，所坐之處，典籍環繞如獺祭。三十以後，以文章與天下相馳驟，抽黃對白，恒徹夜構思。五十以後，領修秘籍，復折而講考證。今老矣，無復當年之意興，惟時拈紙墨，追錄舊聞，姑以消遣歲月而已。……誠不敢妄擬前修，然大旨期不乖於風教。（卷15，〈姑妄聽之序〉，頁1上-1下）

文中，簡要回顧自己一生的學術歷程是：考證學→文章之學→考證學，至晚年，「追錄舊聞」，記下了這些大量的筆記條目，「以消遣歲月」。然而，這些筆記，除了其「大旨期不乖於風教」的特性外，他一生豐富的閱歷與學養，也大量的灌注其中。因而，從《閱微草堂筆記》一書中，實可藉以歸納出紀昀學術思想之梗概。

正因《閱微草堂筆記》是一部極具特色且內涵豐富的著作，故而研究此書的相關論著，數量甚多，成績亦頗可觀。其中，從文學層面考察者，多關注於此書的故事情節、鬼神描寫，及其與其他小說之間的比較。而考察其思想內涵者，亦多泛論其書所蘊含的各種思想。

筆者於閱讀此書時，為書中所反映豐富的學術思想所吸引，惜乎此書於儒學與經學思想的具體內涵為何，尚缺乏討論較為深入的相關專著。因篇幅所限，本文擬先將此書中反映紀昀儒學與經學觀的篇章大體勾稽出來，略做梳理，並藉以歸納此書於兩方面所呈現之要點。希望能拋磚引玉，有助於引發更多學者探索此一值得重視的論題。

二 《閱微草堂筆記》對於儒學與儒者的態度

(一) 對儒學的態度

> 東光馬大還，嘗夏夜裸臥資勝寺藏經閣，覺有人曳其臂曰：「起！起！勿褻佛經。」醒見一老人在旁，問汝為誰，曰：「我守藏神也。」……問：「儒書汗牛充棟，不聞有神為之守，天其偏重佛經耶？」曰：「佛以神道設教，眾生或信或不信，故守之以神；儒以人道設教，凡人皆當敬守之，亦凡人皆知敬守之，故不煩神力，非偏重佛經也。」問：「然則天視三教如一乎？」曰：「儒以修己為體，以治人為用；道以靜為體，以柔為用；佛以定為體，以慈為用。其宗旨各別，不能一也。至教人為善，則無異；於物有濟，亦無異。其歸宿則略同。……蓋儒如五穀，一日不食則饑，數日則必死。釋、道如藥餌，死生得失之關，喜怒哀樂之感，用以解釋冤怨，消除拂鬱，較儒家為最捷；其禍福因果之說，用以悚動下愚，亦較儒家為易入。特中病則止，不可專服常服，致偏勝為患耳。儒者或空談心性，與瞿曇、老聃混而為一，或排擊二氏，如禦寇仇，皆一隅之見也。」問：「黃冠緇徒，恣為妖妄，不力攻之，不貽患於世道乎？」曰：「此論其本原耳。若其末流，豈特釋道貽患，儒之貽患豈少哉！即公醉而裸眠，恐亦未必周公、孔子之禮法也。」大還愧謝，因縱談至曉，乃別去。竟不知為何神。或曰，狐也。（卷4，〈灤陽消夏錄四〉，頁26下-28上）

此則說明儒學「以人道設教」、「以修己為體」、「以治人為用」，因此「儒如五穀，一日不食則饑，數日則必死」，居有極重要的地位。釋、道也有其可以發揮的功能，無論是排擊釋、道二氏，或視之如寇仇，都是不必要的。

（二）對儒者的態度

1 通論歷代之儒者

> 裘文達公言，嘗聞諸石東村曰……一夜，寓直宣武門城上乘涼，散步至
> 麗樵之東，見二人倚堞相對語。心知為狐鬼，屏息伺之。……其一又
> 曰：「……三千弟子，惟孔子則可，孟子揣不及孔子，所與講肄者，公
> 孫丑、萬章等數人而已。洛、閩諸儒，無孔子之道德，而亦招聚生徒，
> 盈千累萬，梟鸞並集，門戶交爭，遂釀為朋黨，而國隨以亡。東林諸儒
> 不鑒覆轍，又騖虛名而受實禍。今憑弔遺蹤，能無責備於賢者哉！」方
> 相對歎息，忽回顧見人，翳然而滅。（卷10，〈如是我聞四〉，頁24-25）

此則通論孔子以下之儒者，指出洛、閩與東林諸儒，多因門戶之爭以釀禍。

> 嘗聞五臺僧明玉之言曰：「闢佛之說，宋儒深而昌黎淺，宋儒精而昌黎
> 粗。然而披緇之徒，畏昌黎不畏宋儒，銜昌黎不銜宋儒也。蓋昌黎所
> 闢，檀施供養之佛也，為愚夫婦言之也；宋儒所闢，明心見性之佛也，
> 為士大夫言之也。天下士大夫少而愚夫婦多，僧徒之所取給，亦資於士
> 大夫者少，資於愚夫婦者多。使昌黎之說勝，則香積無煙，祇園無地，
> 雖有大善知識，能率恒河沙眾，枵腹露宿而說法哉！……使宋儒之說
> 勝，不過爾儒理如是，儒法如是，爾不必從我；我佛理如是，佛法如
> 是，我亦不必從爾。各尊所聞，各行所知，兩相枝拄，未有害也。故不
> 畏宋儒，亦不甚銜宋儒。」然則唐以前之儒，語語有實用；宋以後之
> 儒，事事皆空談。講學家之闢佛，於釋氏毫無所加損，徒喧哄耳。（卷
> 18，〈姑妄聽之四〉，頁19下-20下）

此則引僧人明玉之論，說明闢佛之說雖然表面上看起來是「宋儒深而昌黎淺，
宋儒精而昌黎粗」，但宋儒之闢佛，影響只及於士大夫；韓愈之闢佛，影響到

的卻是廣大的一般群眾。因而紀昀以為「講學家之闢佛，於釋氏毫無所加損，徒喧哄耳」，同時更做出了這樣的論斷：「唐以前之儒，語語有實用；宋以後之儒，事事皆空談」，對宋儒的批駁，下語極重。

2 對宋儒的譏刺

> 交河汲孺愛，青縣張文甫，皆老儒也。並授徒於獻。嘗同步月南村北村之間，去館稍遠，荒原闃寂，榛莽翳然。張心怖欲返，曰：「墟墓間多鬼，曷可久留。」俄一老人扶杖至，揖二人坐，曰：「世間何得有鬼？不聞阮瞻之論乎？二君儒者，奈何信釋氏之妖妄。」因闡發程、朱二氣屈伸之理，疏通證明，詞條流暢。二人聽之皆首肯，共歎宋儒見理之真，遞相酬對，竟忘問姓名。適大車數輛遠遠至，牛鐸錚然，老人振衣急起曰：「泉下之人，岑寂久矣。不持無鬼之論，不能留二君作竟夕談。今將別，謹以實告，毋訝相戲侮也。」俯仰之頃，欻然已滅。是間絕少文士，惟董空如先生墓相近，或即其魂歟？（卷1,〈灤陽消夏錄一〉，頁2上-2下）

此處引晉代持無鬼論的阮瞻之說，來證明「世間何得有鬼？」認為世間有鬼，乃「釋氏之妖妄」。並闡發程、朱因陽二氣之理，以「共歎宋儒見理之真」，其實所見扶杖而至之老人即是鬼。

> 六合以外，聖人存而不論。然六合之中，實亦有不能論者。……其中必有理焉，但人不能知耳。宋儒於理不可解者，皆臆斷以為無是事，毋乃膠柱鼓瑟乎？李又聃先生曰：「宋儒據理談天，自謂窮造化陰陽之本。於日月五星，言之鑿鑿，如指諸掌，然宋歷十變而愈差。自郭守敬以後，驗以實測，證以交食，始知濂、洛、關、閩，於此事全然未解。即康節最通數學，亦僅以奇偶方圓，揣摩影響，實非從推步而知。故持論彌高，彌不免郢書燕說。夫七政運行，有形可據，尚不能臆斷以理，況乎太極先天求諸無形之中者哉？先聖有言，君子於不知蓋闕如也。」

（卷4，〈灤陽消夏錄四〉，頁22下-23下）

此則批評宋儒「於理不可解者，皆臆斷以為無是事」。對於宋儒之據理以談天，造成「宋歷十變而愈差」的情況，更是深致不滿。

> 大學士伍公彌泰言，向在西藏，見懸崖無路處，石上有天生梵字大悲咒，字字分明，非人力所能，亦非人跡所到。當時曾舉其山名，梵音難記，今忘之矣。公一生無妄語，知確非虛構。天地之大，無所不有。宋儒每於理所無者，即斷其必無，不知無所不有，即理也。（卷6，〈灤陽消夏錄六〉，頁10下）

此則與上一則同，均在批評「宋儒每於理所無者，即斷其必無，不知無所不有，即理也。」

3 對並世儒者的嘲諷

> 愛堂先生言：聞有老學究夜行，忽遇其亡友。學究素剛直，亦不怖畏，問：「君何往？」曰：「吾為冥吏，至南村有所勾攝，適同路耳。」因並行。至一破屋，鬼曰：「此文士廬也。」問：「何以知之？」曰：「凡人白晝營營，性靈汩沒，惟睡時一念不生，元神朗澈，胸中所讀之書，字字皆吐光芒，自百竅而出，其狀縹緲繽紛，爛如錦繡。學如鄭、孔，文如屈、宋、班、馬者，上燭霄漢，與星月爭輝；次者數丈，次者數尺，以漸而差，極下者亦螢螢如一燈，照映戶牖。人不能見，唯鬼神見之耳。此室上光芒高七八尺，以是而知。」學究問：「我讀書一生，睡中光芒當幾許？」鬼囁嚅良久曰：「昨過君塾，君方晝寢，見君胸中高頭講章一部，墨卷五六百篇，經文七八十篇，策略三四十篇，字字化為黑煙，籠罩屋上，諸生誦讀之聲，如在濃雲密霧中，實未見光芒，不敢妄語。」學究怒斥之，鬼大笑而去。（卷1，〈灤陽消夏錄一〉，頁2上-2下）

此則嘲笑一位老學究自以為一生勤學，自當光芒逼人，其實所學不過八股制藝而已，學識甚為淺陋。

> 相傳有位塾師，夏夜月明，率門人納涼河間獻王祠外田塍上，因共講《三百篇》擬題，音琅琅如鐘鼓，又令小兒誦《孝經》，誦已復講。忽舉首見祠門雙古柏下，隱隱有人，試近之，形狀頗異，知為神鬼。然私念此獻王祠前，決無妖魅。前問姓名，曰：「毛萇、貫長卿、顏芝，因謁王至此。」塾師大喜，再拜請授經義。毛、貫並曰：「君所講話已聞，都非我輩所解，無從奉答。」塾師又拜曰：「《詩》義深微，難授下愚。請顏先生一講《孝經》可乎？」顏回面向內曰：「君小兒所誦，漏落顛倒，全非我所傳本。我亦無可著語處。」俄聞傳王教曰：「門外似有人醉語，聒耳已久，可驅之去。」余謂此與愛堂先生所言學究遇冥吏事，皆博雅之士，造戲語以詆俗儒也。然亦空穴來風，桐乳來巢乎？（卷2，〈灤陽消夏錄二〉，頁3下-4上）

此則與前一則「學究遇冥吏事」一樣，都是博雅之士用以嘲諷俗儒的。紀昀錄之以諷刺當時的俗儒對群經的妄加解釋，已達荒謬的程度，即使古代著名經師再世，也無法為之清楚講授經義。

> 武邑某公，與戚友賞花佛寺經閣前。地最豁廠，而閣上時有變怪，入夜即不敢坐閣下。某公以道學自任，夷然弗信也。酒酣耳熱，盛談〈西銘〉萬物一體之理，滿座拱聽，不覺入夜。忽閣上厲聲叱曰：「時方饑疫，百姓頗有死亡。汝為鄉宦，既不思早倡義舉，施粥捨藥，即應趁此良夜，閉戶安眠，尚不失為自了漢。乃虛談高論，在此講民胞物與，不知講至天明，還可作飯餐，可作藥服否？且擊汝一磚，聽汝再講邪不勝正！」忽一城磚飛下，聲若霹靂，杯盤几案俱碎。某公倉皇走出，曰：「不信程朱之學，此妖之所以為妖歟！」徐步太息而去。（卷4，〈灤陽消夏錄四〉，頁14下-15上）

此則諷刺以道學自任的俗儒，只知放言高論〈西銘〉之理，而無所作為。以其侈談「不信程朱之學，此妖之所以為妖歟」，譏諷其毫無自省的能力。

> 有兩塾師鄰村居，皆以道學自任。一日，相邀會講，生徒侍坐者十餘人，方辯論性天，剖析理欲，嚴詞正色，如對聖賢。忽微風颯然，吹片紙落階下，旋舞不止，生徒拾視之，則二人謀奪一寡婦田，往來密商之札也。此或神惡其偽，故巧發其奸歟？然操此術者眾矣，固未嘗一一敗也。聞此札既露，其計不行，寡婦之田竟得保。當由煢嫠苦節，感動幽冥，故示是靈異，以陰為阿護云爾。（卷4，〈灤陽消夏錄四〉，頁24下-25上）

此則嘲弄以道學自任的兩個塾師，外表看起來的雖是「嚴詞正色，如對聖賢」，暗地裡卻在做「謀奪寡婦田」的勾當，藉以譏笑此種人的表裡不一。

> 相傳魏環極先生嘗讀書山寺，……見一人方整飭書案。……問：「汝何怪？」磬折對曰：「某狐之習儒者也。以公正人，不敢近，然私敬公，故日日竊執僕隸役，幸公勿訝。」先生隔窗與語，甚有理致。自是雖不敢入室，然遇先生不甚避。先生亦時時與言。一日，偶問：「汝視我能作聖賢乎？」曰：「公所講者，道學，與聖賢各一事也。聖賢依乎中庸，以實心勵實行，以實學求實用；道學則務語精微，先理氣，後彝倫，尊性命，薄事功，其用意已稍別。聖賢之於人有是非心，無彼我心，有誘導心，無苛刻心；道學則各立門戶，不能不爭，既已相爭，不能不巧詆以求勝。以是意見，生種種作用，遂不盡可令孔孟見矣。公剛大之氣，正直之情，實可質鬼神而不愧，所以敬公者在此。公率其本性，為聖為賢亦在此。若公所講，則固各自一事，非下愚之所知也。」公默然遣之。後以語門人曰：「是蓋因明季黨禍，有激而言，非篤論也。然其抉摘情偽，固可警世之講學者。」（卷16，〈姑妄聽之二〉，頁8上-8下）

此則藉著狐之習儒者的言論，批評魏環極之道學「務語精微，先理氣，後彝倫，尊性命，薄事功」，且「各立門戶，不能不爭，既已相爭，不能不巧詆以求勝」，與聖賢之學「依乎中庸，以實心勵實行，以實學求實用」，且「於人有是非心，無彼我心，有誘導心，無苛刻心」。強調道學與聖賢二者各為一事，道學非即聖賢之學。雖然魏環極認為此論「因明季黨禍，有激而言，非篤論也」，不盡以為然。但也不得不承認其說「抉摘情偽，固可警世之講學者」。

除此之外，書中批評「講學家」的內容還有不少，例如：

> 講學家執其私見，動曰此理之所無，不亦慎乎？（卷19，〈灤陽續錄一〉，頁12上-12下）

又如：

> 君子與人為善，固應不沒其寸長。講學家持論務嚴，遂使一時失足者，無路自贖，反甘心於自棄，非教人補過之道也。（卷19，〈灤陽續錄一〉，頁17上）

以上兩則，對於講學家成見之深與待人之嚴，既有所譏諷，也表現出他的不滿。

三 《閱微草堂筆記》之通論經學與治經方法

（一）通論經學

> 朱子穎運使言守泰安日，聞有士人到岱岳深處，忽人語出石壁中曰：「何處經香，豈有轉世人來耶？」……有耆儒冠帶下迎，士人駭愕，問：「此何地？」曰：「此經香閣也。」士人叩經香閣之義，曰：「其說長矣，請坐講之。昔尼山刪定，垂教萬年。大義微言，遞相授受。漢代諸儒，去古未遠，訓詁箋注，類能窺見先聖之心，又淳樸未漓，無植黨

爭名之習，惟各傳師說，篤溯淵源。沿及有唐，斯文未改。迨乎北宋，勒為注疏十三部，先聖嘉焉。諸大儒慮新說日興，漸成絕學，建是閣以貯之。……世儒於此十三部，或焚膏繼晷，鑽仰終身，或鍛鍊苛求，百端掊擊，亦各因其性識之所根耳。君四世前為刻工，曾手刊《周禮》半部，故餘香尚在，吾得以知君之來。」因引使周覽閣廡，款以茗果。送別，曰：「君善自愛，此地不易至也。」……案此事荒誕，殆尊漢學者之寓言。夫漢儒以訓詁專門，宋儒以義理相尚，似漢學粗而宋學精。然不明訓詁，義理何由而知？概用詆誹，視猶土苴，未免既成大輅，追斥椎輪，得濟迷川，遽焚寶筏。於是攻宋儒者，又紛紛而起故。余撰《四庫全書‧詩部總序》，有曰：「宋儒之攻漢儒，非為說經起見也，特求勝於漢儒而已。後人之攻宋儒，亦非為說經起見也，特不平宋儒之詆漢儒而已。」……平心而論，《易》自王弼始變舊說，為宋學之萌芽，宋儒不攻；《孝經》詞義明顯，宋儒所爭，只今文古字句，亦無關宏旨，均姑置勿議；至《尚書》、《三禮》、《三傳》、《毛詩》、《爾雅》諸注疏，皆根據古義，斷非宋儒所能；《論語》《孟子》，宋儒積一生精力，字斟句酌，亦斷非漢儒所及。蓋漢儒重師傳，淵源有自；宋儒尚心悟，研索易深。漢儒或執舊文，過於信傳；宋儒或憑臆斷，勇於改經。計其得失，亦復相當。唯漢儒之學，非讀書稽古，不能下一語；宋儒之學，則人人皆可以空談。（卷1，〈灤陽消夏錄一〉，頁12上-14上）

此則分析漢學、宋學甚詳，說明漢學「以訓詁專門」、「重師傳，淵源有自」、「非讀書稽古，不能下一語」，但缺失在於「或執舊文，過於信傳」。而宋學則「以義理相尚」、「尚心悟，研索易深」，但缺失在於「或憑臆斷，勇於改經」、「人人皆可以空談」。群經中，於《尚書》、《三禮》、《三傳》、《毛詩》、《爾雅》方面，漢儒成績較為突出，在《論語》、《孟子》方面，則宋儒擅勝場。

後漢燉煌太守裴岑〈破呼衍王碑〉，在巴里坤海子上關帝祠中。屯軍耕墾，得之土中也。其事不見《後漢書》，然文句古奧，字畫渾樸，斷非

後人所托。以僻在西域，無人摹搨，石刻鋒稜猶完整。乾隆庚寅，游擊劉存仁（此是其字，其名偶忘之矣，武進人也。）摹刻一木本，灑火藥於上，燒為斑駁，絕似古碑。二本並傳於世，賞鑒家率以舊石本為新，新木本為舊。與之辯，傲然弗信也。以同時之物，有目睹之人，而真偽顛倒尚如此，況以千百年外哉！《易》之象數，《詩》之小序，《春秋》之三傳，或親見聖人，或去古未遠，經師授受，端緒分明，宋儒曰：「漢以前人皆不知，吾以理知之也。」其類此夫。（卷10，〈如是我聞四〉，頁29下-30上）

此則論「《易》之象數，《詩》之小序，《春秋》之三傳，或親見聖人，或去古未遠，經師授受，端緒分明」，故經說較為可信。

余於漢儒之學最不信《春秋》陰陽、《洪範五行傳》；於宋儒之學最不信《河圖》、《洛書》、《皇極經世》。（卷11，〈槐西雜志一〉，頁16下）

此則紀昀自言其於漢、宋之學各有不信之處。因此，雖其治學門徑略近於漢學，卻未執著於漢儒之說。

（二）論治經方法

何勵庵先生言，相傳明季有書生，獨行叢莽間，聞書聲琅琅。怪曠野那得有是，尋之，則一老翁坐墟墓間，旁有狐十餘，各捧書蹲坐。老翁見而起迎，諸狐皆捧書人立。……書生借視其書，皆《五經》、《論語》、《孝經》、《孟子》之類，但有經文而無注。問：「經不解釋，何由講貫？」老翁曰：「吾輩讀書，但求明理。聖賢言語本不艱深，口相授受，疏通訓詁，即可知其義旨，何以注為？」書生怪其持論乖僻，憫憫莫對。姑問其壽，曰：「我都不記。但記我受經之日，世尚未有印板書。」又問：「閱歷數朝，世事有無同異？」曰：「大都不甚相遠，惟唐以前，但有儒者。北宋後，每聞某甲是聖賢。為小異耳。」書生莫測，

一揖而別。後於途間遇此翁，欲與語，掉頭逕去。案此殆先生之寓言。
先生嘗曰：「以講經求科第，支離敷衍，其詞愈美而經愈荒；以講經立
門戶，紛紜辯駁，其說愈詳而經亦愈荒。」語意若合符節。又嘗曰：
「凡巧妙之術，中間必有不穩處。如步步踏實，即小有蹉失，終不至折
肱傷足。」（卷3，〈灤陽消夏錄三〉，頁7下-8上）

此則引何勵庵藉一老翁之口，說明「讀書但求明理」，「聖賢言語本不艱深，口
相授受，疏通訓詁，即可知其義旨，何以注為？」同時，暢論「以講經求科
第，支離敷衍，其詞愈美而經愈荒；以講經立門戶，紛紜辯駁，其說愈詳而經
亦愈荒。」說明解經之文不需華麗，但求能了解經義。且須力戒以講經立門
戶，開啟無謂之爭端。

按世稱龍能致雨，而宋儒謂雨為天地之氣，不由於龍。余謂《禮》稱天
降時雨，山川出雲，故《公羊傳》謂觸石而出，膚寸而合，不崇朝而雨
天下者，惟泰山之雲，是宋儒之說所本也。《易・文言傳》稱雲從龍，
故董仲舒祈雨法，召以土龍，此世俗之說所本也。大抵有天雨，有龍
雨。油油而雲，瀟瀟而雨者，天雨也；疾風震雷，不久而過者，龍雨
也。觀觸犯龍潭者，立致風雨，天地之氣，能如是之速合乎？洗鮓答誦
梵咒者，亦立致風雨。天地之氣，能如是之刻期乎？故必兩義兼陳，其
理始備。必規規然膠執一說，毋乃不通其變歟。（卷5，〈灤陽消夏錄
五〉，頁18上-18下）

此處以為天降時雨，原因固然有出於宋儒主張的天地之氣所致。但《易・文言
傳》既稱雲從龍，亦必有所謂的龍雨。紀昀主張「必兩義兼陳，其理始備」，
因此治經須知通變，不可膠固。

四 《閱微草堂筆記》對於群經之闡釋

（一）《易》

> 塞外有雪蓮，生崇山積雪中，狀如今之洋菊，名以蓮耳。其生必雙，雄者差大，雌者小。然不並生，亦不同根，相去必一兩丈，見其一，再覓其一，無不得者。……此花生極寒之地，而性極熱。蓋二氣有偏勝，無偏絕。積陰外凝，則純陽內結。〈坎卦〉以一陽陷二陰之中，〈剝〉、〈復〉二卦，以一陽居五陰之上下，是其象也。然浸酒為補劑，多血熱妄行，或用合媚藥，其禍尤烈。蓋天地之陰陽均調，萬物乃生；人身之陰陽均調，百脈乃和。……是未知《易》道扶陽，而乾之上九，亦戒以亢龍有悔也。嗜慾日盛，羸弱者多，溫補之劑易見小效，堅信者遂眾。故余謂偏伐陽者，韓非刑名之學；偏補陽者，商鞅富強之術。初用皆有功，積重不返，其損傷根本，則一也。雪蓮之功不補患，亦此理矣。（卷3，〈灤陽消夏錄三〉，頁7下-8上）

此則以雪蓮之「生極寒之地，而性極熱」，因而服用時，要注意陰陽之調和，不可過盛。正如「《易》道扶陽，而乾之上九，亦戒以亢龍有悔也。」

> 牛公悔庵嘗與五公山人散步城南，因坐樹下談《易》。忽聞背後語曰：「二君所論，乃術家《易》，非儒家《易》也。」怪其適自何來，曰：「已先坐此，二君未見耳。」問其姓名，曰：「江南崔寅。今日宿城外旅舍，天尚未暮，偶散悶閒行。」山人愛其文雅，因與接膝究術家儒家之說，崔曰：「聖人作《易》，言人事也，非言天道也；為眾人言也，非為聖人言也。聖人從心不逾矩，本無疑惑，何待於占？惟眾人昧於事幾，每兩歧罔決，故聖人以陰陽之消長，示人事之進退，俾知趨避而已。此儒家之本旨也。顧萬物萬事，不出陰陽，後人推而廣之，各明一

義。楊簡、王宗傳，闡發心學，此禪家之《易》，源出王弼者也；陳
摶、邵康節，此道家之《易》，源出魏伯陽者也；術家之《易》，衍於
管、郭，源於焦、京，即二君所言是矣。《易》道廣大，無所不包，見
智見仁，理原一貫。後人忘其本始，反以旁義為正宗，是聖人作
《易》，但為一二上智設，非千萬世垂教之書，千萬人共喻之理矣。經
者常也，言常道也；經者逕也，言人所共由也。曾是《六經》之首，而
詭秘其說，使人不可解乎？」二人喜其詞致，談至月上未已，詰其行
蹤，多世外語，二人謝曰：「先生其儒而隱者乎？」崔微哂曰：「果為隱
者，方韜光晦跡之不暇，安得知名？果為儒者，方返躬克己之不暇，安
得講學？世所稱儒稱隱，皆膠膠擾擾者也，吾方惡此而逃之。先生休
矣，毋污吾耳！」劃然長嘯，木葉亂飛，已失所在矣。方知所見非人
也。（卷6，〈灤陽消夏錄六〉，頁5下-7上）

此則旨在說明「聖人作《易》，言人事也，非言天道」。文中並區分《易》學的
各個流派，認為「聖人以陰陽之消長，示人事之進退，俾知趨避」，此乃儒家
《易》之本旨也；術家《易》卻「詭秘其說，使人不可解」。

古以龜卜；孔子繫《易》，極言蓍德，而龜漸廢；《火珠林》始以錢代
蓍，然猶煩六擲。《靈棋經》始一擲成卦，然猶煩排列。至神祠之籤，
則一掣而得，更簡易矣。（卷6，〈灤陽消夏錄六〉，頁25上-25下）

此則說明從以龜為卜，如何漸次發展至神祠之籤的過程，中間經歷孔子繫
《易》之極言蓍德、《火珠林》之以錢代蓍、《靈棋經》之一擲成卦，最終發展
至一掣而得的神祠之籤，最為簡易。

申丈蒼巔言，劉智廟有兩生應科試，夜行失道。見破屋，權投宿息。院
落半圮，亦無門窗，擬就其西廡坐。……質明將行，又聞樹後語曰：
「東去二里，即大路矣。一語奉贈：『《周易》互體，究不可廢也。』」

不解所云，叩之又不應。比就試，策果問互體。場中皆用程、朱說，惟二生依其語對，並列前茅焉。（卷13，〈槐西雜志三〉，頁20上-20下）

紀昀精研漢《易》，故藉此則以說明科場之中闡述互體之說仍有價值，究不可廢，較之引程、朱說，專論《易》理，成績更為突出。所謂互體，係指一卦之中，分別取其二三四爻與三四五爻，而得另二卦，於是一卦之中又包含另二卦，是謂互體。

（二）《書》

雜說稱孌童始黃帝（錢詹事辛楣如此說，辛楣能舉其書名，今忘之矣。），殆出依托。比頑童始見《商書》，然出梅賾偽古文，亦不足據。《逸周書》稱：「美男破老。」殆指是乎？《周禮》有不男之訟，注謂天閹不能御女者。然自古及今，未有以不能御女成訟者；經文簡質，疑其亦指此事也。（卷12，〈槐西雜志二〉，頁21上）

此則強調梅賾偽古文《尚書》之不可信。

引據古義，宜徵經典；其餘雜說，參酌而已，不能一一執為定論也。《漢書‧五行志》以一產三男列於人痾，其說以為母氣盛也，故謂之咎徵。……大抵〈洪範〉五行說多穿鑿，而此條之難通為尤甚；不得以源出伏勝，遂以傳為經。國家典制，凡一產三男，皆予賞齎。一掃曲學之陋說，真千古定議矣。（卷18，〈姑妄聽之四〉，頁40下-41上）

此則說明〈洪範〉五行說雖源出伏勝，但仍多不可信之處。並說明治經於各種雜說，「參酌而已，不能一一執為定論也」。

（三）《詩》

旱魃為虐，見〈雲漢〉之詩，是事出經典矣。《山海經》實以女魃，似

因《詩》語而附會。然據其所言，特一妖神焉耳。近世所云旱魃則皆僵
屍，掘而焚之，亦往往致雨。夫雨為天地之訢合，一僵屍之氣燄，竟能
彌塞乾坤，使隔絕不通乎？雨亦有龍所做者，一僵屍之伎倆，竟能驅逐
神物，使畏避不前乎？是何說以解之？（卷7，〈如是我聞一〉，頁2下-3
上）

此則引《詩經‧大雅‧雲漢》：「旱魃為虐，如惔如焚」，說明古時認為旱災乃
旱神為虐作怪所引起，後用以指大地發生旱災。後來的發展，以旱魃為僵屍，
掘而焚之，則往往可致雨。

（四）《禮》

德州宋清遠先生言，呂道士不知何許人，善幻術，……後在旅館，符攝
一過往貴人妾魂，妾蘇後登車，識其路逕門戶，語貴人急捕之，已遁
去。此《周禮》所以禁怪民歟。（卷1，〈灤陽消夏錄一〉，頁18上-19上）

此則引《周禮‧天官‧冢宰》：「閽人：掌守王宮之中門之禁。喪服、凶器不入
宮，潛服、賊器不入宮，奇服、怪民不入宮。」說明幻術之為害甚大，故懂得
幻術之怪民為《周禮》所當禁止入宮之列。

外祖張雪峰先生，性高潔。……舅氏健亭公，年十一二時，乘外祖他
出，私往院中樹下納涼。聞室內似有人行，疑外祖已先歸，屏息從窗隙
窺之，見竹椅上坐一女子，靚妝如畫。椅對面一大鏡，高可五尺，鏡中
之影，乃是一狐。懼弗敢動，竊窺所為。………姚安公嘗為諸孫講〈大
學‧修身章〉，舉是事曰：「明鏡空空，故物無遁影。然一為妖氣所翳，
尚失真形，況私情偏倚，先有所障者乎？」又曰：「非惟私情為障，即
公心亦為障。正人君子，為小人乘其機而反激之，其固執決裂，有轉致
顛倒是非者。……故正心誠意，必先格物致知。」（卷2，〈灤陽消夏錄
二〉，頁7下-8上）

此則引紀昀父親所論〈大學・修身章〉「正心誠意，必先格物致知」，才不致為外物所蒙蔽，而顛倒是非。紀昀父親紀容舒，以曾任雲南姚安府知府，故稱姚安公。

> 李孝廉存其言，蠹縣有凶宅。一耆儒與數客宿其中，夜間窗外撥剌聲，耆儒叱曰：「邪不干正，妖不勝德。余講道學三十年，何畏於汝！」窗外似有女子語曰：「君講道學，聞之久矣。余雖異類，亦頗涉儒書。〈大學〉扼要在誠意，誠意扼要在慎獨，君一言一動，必循古禮，果為修己計乎？抑猶有幾微近名者在乎？君作語錄，斷斷於諸儒辯，果為明道計乎？抑猶有幾微好勝者在乎？夫修己明道，天理也；近名好勝，則人欲之私也。私欲之不能克，所講何學乎？此事不以口舌爭，君捫心清夜，先自問其何如，則邪之敢干與否，妖之能勝與否，已了然自知矣。何必以聲色相加乎？」耆儒汗下如雨，瑟縮不能對，徐聞窗外微哂曰：「君不敢答，猶能不欺其本心。姑讓君寢。」又撥剌一聲，掠屋簷而去。（卷4，〈灤陽消夏錄四〉，頁25上-26下）

此則強調「〈大學〉扼要在誠意，誠意扼要在慎獨」，如未能修己明道，只一味近名好勝，則何能侈言「邪不干正，妖不勝德」？

> 任子田言，其鄉有人夜行，月下見墓道松柏間有兩人並坐，一男子年約十六七，韶秀可愛，一婦人白髮垂項，傴僂攜杖，似七八十以上人。倚肩笑語，意若甚相悅，竊訝何物淫嫗，乃與少年狎昵。行稍近，冉冉而滅。次日詢是誰家塚，始知某早年夭折，其婦孀守五十餘年，歿而合窆於是也。《詩》曰：「穀則異室，死則同穴。」情之至也。《禮》曰：「殷人之祔也，離之；周人之祔也，合之。善夫！」聖人通幽明之禮，故能以人情知鬼神之情也。不近人情，又烏知《禮》意哉？（卷10，〈如是我聞四〉，頁34上-34下）

此則論聖人制禮，本乎人情。若不近人情，則無以知《禮》意。

（五）《春秋》

> 董曲江言：默庵先生為總漕時，署有土神馬神二祠，惟土神有配。其少
> 子恃才兀傲，謂土神于思老翁，不應擁豔婦，馬神年少，正為嘉耦。遂
> 移女像於馬神祠，俄眩仆不知人。默庵先生聞其事，親禱移還，乃蘇。
> 又聞河間學署有土神亦配以女像，有訓導謂黌宮不可塑婦人，乃別建一
> 小祠遷焉，土神憑其幼孫語曰：「汝理雖正，而心則私，正欲廣汝宅
> 耳，吾不服也。」訓導方侃侃談古禮，猝中其隱，大駭，乃終任不敢
> 居。是實二事相近，或曰：「訓導遷廟猶以禮，董瀆神甚矣，譴當
> 重。」余謂董少年放誕耳，訓導內挾私心，使己有利，外假公義，使人
> 無詞，微神發其陰謀，人尚以為能正祀典也。《春秋》誅心，訓導譴當
> 重於董。（卷1，〈灤陽消夏錄一〉，頁15上-15下）

此則說明董少年雖行為放誕，有不合於禮處，但相較於訓導之貌似守禮，然內
挾私心，紀昀以為從「《春秋》誅心」的標準來衡量，「訓導譴當重於董」。

> 又去余家三四十里，有凌虐其僕夫婦死而納其女者。女故慧黠，經營其
> 飲食服用，事事當意。又凡可博其歡者，冶蕩狎昵，無所不至。皆竊議
> 其忘仇。蠱惑既深，惟其言是聽。女始則導之奢華，破其產十之七八。
> 又讒間其骨肉，使門以內如寇仇。繼乃時說《水滸傳》宋江柴進等事，
> 稱為英雄，慫恿之交通盜賊，卒以殺人抵法。抵法之日，女不哭其夫，
> 而陰攜卮酒，酹其父母墓曰：「父母恒夢中魘我，意恨恨似欲擊我，今
> 知之否耶？」人始知其蓄志報復。曰：「此女所為，非惟人不測，鬼亦
> 不測也，機深哉！然而不以陰險論。《春秋》原心，本不共戴天者也。」
> （卷1，〈灤陽消夏錄一〉，頁22下-23上）

此則說明此女雖對仇家使出各種歹毒的手段報復，但因事涉虐殺父母的不共戴

天之仇，紀昀以「《春秋》原心」為出發點，強調此女的作為之情有可原。

> 余偶以告戴東原，東原因言：「有兩生燭下對談，爭《春秋》周正夏正，往復甚苦，窗外忽太息言曰：『左氏周人，不容不知周正朔，二先生何必詞費也。』出視窗外，惟一小僮方酣睡。」……儒者日談考證，講「曰若稽古」，動至十四萬言，安知冥冥之中，無在旁揶揄者乎？（卷5，〈灤陽消夏錄五〉，頁14上-14下）

此則說明《左氏春秋》距離《春秋》的時代較相近，因此記載有其可以信據之處，儒者日談長篇大論的考證，恐怕只是僅成費詞而已。

> 左丘明身為魯史，親見聖人，其於《春秋》，確有源委。至唐中葉，陸淳輩始持異論。宋孫復以後，哄然佐鬥，諸說爭鳴，皆曰左氏不可信，吾說可信。何以異於是耶？蓋漢儒之學務實，宋儒則近名。不出新義，則不能聳聽；不排舊說，則不能出新義。諸經訓詁，皆可以口辯相爭，惟《春秋》事跡鑿然，難於變亂。於是謂左氏為楚人、為七國初人、為秦人，而身為魯史，親見聖人之說搖，既非身為魯史、親見聖人，則傳中事跡，皆不足據，而後可惟所欲言矣。沿及宋季，趙鵬飛作《春秋經筌》，至不知成風為僖公生母，尚可與論名分、定褒貶乎？元程端學推波助瀾，尤為悍戾。偶在五雲多處（即原心亭。）檢校端學《春秋解》，周編修書昌因言：「有士人得此書，珍為鴻寶。一日，與友人游泰山，偶談經義，極稱其論叔姬歸酅一事，推闡至精。夜夢一古妝女子，儀衛尊嚴，屬色詰之曰：『武王元女，實主東嶽。上帝以我艱難完節，接跡共姜，俾隸太姬為貴神，今二千餘年矣。昨爾述豎儒之說，謂我歸酅為淫於紀季，虛辭誣詆，實所痛心！我隱公七年歸紀，莊公二十年歸酅，相距三十四年，已在五旬以外矣。以斑白之嫠婦，何由知季必悅我？越國相從，《春秋》之法，非諸侯夫人不書，亦如非卿不書也。我待年之媵，例不登諸簡策，徒以矢心不二，故仲尼有是特筆。程端學何

所依憑而造此曖昧之謗耶？爾再妄傳，當齾爾舌。』命從神以骨朵擊
之。狂叫而醒，遂毀其書。」余戲謂書昌曰：「君耽宋學，乃作此
言！」書昌曰：「我取其所長，而不敢譚所短也。」是真持平之論矣。
（卷12，〈槐西雜志二〉，頁8下-9下）

此則論左丘明之《春秋》，確有源委。並通論其下《春秋》學之發展，以為應
取其所長，而不譚所短。文中云：「漢儒之學務實，宋儒則近名」，可見其對於
漢學有較高的評價。

姚安公曰：「……孫復作《春秋尊王發微》，二百四十年內，有貶無褒；
胡致堂作《讀史管見》，三代以下無完人。辨則辨矣，非吾之所欲聞
也。」（卷12，〈槐西雜志二〉，頁22下）

此則，紀昀引其父之說，分別指出宋代學者孫復《春秋尊王發微》與胡致堂
（即胡寅）《讀史管見》二書中難以讓人信服之處。

（六）《孟子》

王半仙嘗訪其狐友，狐迎笑曰：「君昨夜夢至范住家，歡娛乃爾。」范
住者，邑之名妓也。王回憶實有是夢，問何以知。曰：「人秉陽氣以
生，陽親上，氣恒發越於頂，睡則神聚於心，靈光與陽氣相映，如鏡取
影。夢生於心，其影皆現於陽氣中，往來生滅，倏忽變形一二寸小人，
如畫圖，如戲劇，如蟲之蠕動，即不可告人之事，亦百態畢露，鬼神皆
得而見之。狐之通靈者，亦得見之，但不聞其語耳。昨偶過君家，是以
見君之夢。」又曰：「心之善惡亦現於陽氣中。生一善念，則氣中一線
如烈燄；生一惡心，則氣中一線如濃煙。濃煙冪首，尚有一線之光，是
畜生道中人；並一線之光而無之，是泥犁獄中人矣。」王問：「惡人濃
煙冪首，真夢影何由復見？」曰：「人心本善，惡念蔽之。睡時一念不
生，則此心還其本體，陽氣仍自光明，即其初醒時，念尚未起，光明亦

尚在。念漸起則漸昏，念全起則全昏矣。君不讀書，試向秀才問之，《孟子》所謂夜氣，即此是也。」王悚然曰：「鬼神鑒察，乃及於夢寐之中。」（卷3，〈灤陽消夏錄三〉，頁26下-27上）

此則以鬼神與狐之通靈者見人之夢寐，即可知人之善惡，以應證《孟子‧告子上》所論夜間存養之氣，若「夜氣不足以存，則其違禽獸不遠矣。」

（七）《孝經》

李又聃先生言：有張子克者，授徒村落，岑寂寡儔。偶散步場圃間，遇一士，甚溫雅。各道姓名，頗相款洽。自云：「家住近村，里巷無可共語者。得君如空谷之足音也。」因共至塾。見童子方讀《孝經》，問張曰：「此書有今文古文，以何為是？」張曰：「司馬貞言之詳矣。近讀《呂氏春秋》，見〈審微〉篇中引諸侯一章，乃是今文。七國時人所見如是，何處更有古文乎？」其人喜曰：「君真讀書人也。」……一夕，忽問：「君畏鬼乎？」張曰：「人，未離形之鬼；鬼，已離形之人耳。雖未見之，然覺無可畏。」其人惡然曰：「君既不畏，我不欺君，身即是鬼。……」……邀使數來。考論圖籍，殊有端委。偶論太極無極之旨，其人怫然曰：「於《傳》有之：『天道遠，人事邇。』《六經》所論皆人事，即《易》闡陰陽，亦以天道明人事也。捨人事而言天道，已為虛杳；又推及先天之先，空言聚訟，安用此為？謂君留心古義，故就君求食，君所見乃如此乎？」拂衣竟起，倏已影滅。再於相遇處候之，不復睹矣。（卷12，〈槐西雜志二〉，頁10下-11下）

此則以為《孝經》為今文，非古文。對於討論《易》學，卻捨人事，而只言天道之太極無極的做法，抱持反對的態度。

（八）《爾雅》

郭璞注《山海經》、《穆天子傳》，於西王母事鋪敘甚詳。其注《爾雅‧

釋地》,於「西至西王母」句,不過曰「西方昏荒之國」而已,不更益
一語也。蓋注經之體裁,當如是耳。(卷22,〈灤陽續錄四〉,頁14下)

此則論同樣是對於西王母的解釋,郭璞於注《山海經》、《穆天子傳》時,鋪敘
甚詳;於注《爾雅》時,卻只說明「西方昏荒之國」而已。所以如此,在於當
時對於注經時須更講求嚴謹簡要,與注小說之書可以力求詳備有所不同。

五　結語

　　經由以上的分析,可以試將紀昀《閱微草堂筆記》中所呈現的儒學與經學
思想,大致歸納有以下幾項要點:

　　其一,紀昀認為儒學「以人道設教」、「以修己為體」、「以治人為用」,具
有極重要的地位,但釋、道也有其可以發揮的功能,因此三者可以並存,無論
是排擊釋、道二氏,或視之如寇仇,都是不必要的。

　　其二,書中通論孔子以下之儒者,指出「唐以前之儒,語語有實用;宋以
後之儒,事事皆空談」,韓愈之闢佛,影響到的是廣大的一般群眾,宋儒之闢
佛,影響只及於士大夫。批評宋儒「於理不可解者,皆臆斷以為無是事」,「不
知無所不有,即理也。」對於宋儒之據理以談天,造成「宋曆十變而愈差」的
情況,深致不滿,更認為洛、閩與東林諸儒,多因門戶之爭以釀禍。

　　其三,嘲諷當時的一位老學究自以為一生勤學,自當光芒逼人,其實所學
不過八股制藝而已,學識甚為淺陋。而當時的俗儒對群經的妄加解釋,認為已
達荒謬的程度,即使古代著名經師再世,也無法為之清楚講授經義。對於講學
家成見之深與待人之嚴,既有所譏諷,也表現出他的不滿。更嚴重的是這些以
道學自任的塾師,外表看起來雖是「嚴詞正色,如對聖賢」,暗地裡卻做盡
「謀奪寡婦田」的壞事。

　　其四,書中分析漢學、宋學甚詳,說明漢學「以訓詁專門」、「重師傳,淵
源有自」、「非讀書稽古,不能下一語」,但缺失在於「或執舊文,過於信傳」。
而宋學則「以義理相尚」、「尚心悟,研索易深」,但缺失在於「或憑臆斷,勇

於改經」、「人人皆可以空談」。群經中，於《尚書》、《三禮》、《三傳》、《毛詩》、《爾雅》方面，漢儒成績較為突出，在《論語》、《孟子》方面，則宋儒擅勝場。以為「《易》之象數，《詩》之小序，《春秋》之三傳，或親見聖人，或去古未遠，經師授受，端緒分明」，故經說較為可信。紀昀自言其於漢、宋之學各有不信之處。「於漢儒之學最不信《春秋》陰陽、《洪範五行傳》；於宋儒之學最不信《河圖》、《洛書》、《皇極經世》。」因此，雖其治學門徑略近於漢學，卻未為漢儒經說所囿。

其五，說明「讀書但求明理」，「聖賢言語本不艱深，口相授受，疏通訓詁，即可知其義旨，何以注為？」同時，暢論「以講經求科第，支離敷衍，其詞愈美而經愈荒；以講經立門戶，紛紜辯駁，其說愈詳而經亦愈荒。」說明解經之文不需華麗，但求能瞭解經義。且須力戒以講經求科第或立門戶，導致學術之空疏或開啟無謂之爭端。並主張治經須知通變，不可膠固。

其六，紀昀《閱微草堂筆記》於群經多有自己具體且深刻的認識，與精闢而獨到的見解。例如：於《易》，主張「聖人作《易》，言人事也，非言天道」。於《書》，認為梅賾偽古文《尚書》之不可信，而〈洪範〉五行說亦多不可信之處。於《禮》，論聖人制禮，本乎人情。若不近人情，則無以知《禮》意。於《春秋》，重視「《春秋》誅心」與「《春秋》原心」。於《爾雅》，強調注經時須講求嚴謹簡要等。這些觀點，都有值得參考的地方。

崔述的疑古、疑經思想及其局限性

李康範

（韓國）中央大學

摘要

　　崔述東壁者，卓然屹立於乾嘉考證之中流，力排偽史而清理古史，開闢疑古新徑。幼而家貧，窮幾餓死，但鍥而不舍，至終不休，窮二十有七年之久，遂成《考信錄》十二種。

　　其疑古、辨偽之學多得於先君教讀之法，又頗受朱熹「道問學」之教，獨行辨偽之路。而終察所疑者皆出於傳、記，經文皆可信，但間或有可疑者。是以專以辨古史之虛實為先務，而論得失者次之。

　　凡其說出於戰國以後者，或及於堯、舜以前者，必詳為考其所本，而不敢遂真以為三代之事也。以為三代以上，經史不分，經即其史，史即今所謂經者也。

　　惜學者日讀孔子之書而不知其為人，不能辨其真偽，是以作《洙泗考信錄》，雖冀「觀理欲其無成見」，但終不脫「衛道」之念，胡適歎一線之差，邵東方咎孤陋寡聞，Quirin 謂調和「考證」與「義理」之間。

　　東壁居於偏僻之地，與江南考據學者來往稀少，罕有肯過而問焉者，又不求聞達，匿於巖穴一百餘歲，民國初顧頡剛繼之以開「古史辨派」，其「獨立」之學，終獲知音！

關鍵詞：崔述（東壁）　《考信錄》　《洙泗考信錄》　疑古　疑經　衛道

一　序言

　　諸多學術史及經學史均將清代稱為考證學的時代。尤其是把乾隆、嘉慶時期合稱為「乾嘉時期」，描寫為考證學的黃金時期，同時也是清代學術的鼎盛時期。如此的定位雖不免有些教條之感，但也可以說是相當客觀的。縱然有些學者提出異議，但仍被廣泛接受，且影響力頗鉅。但如果把這一「黃金時期」簡單地描述為某一種學術思想一枝獨秀，那顯然是不妥當的。自清代初期，以朱子學為中心的宋學依靠科舉制度，一直占據著官方學問的中心。另一方面，漢學（考證學）在民間作為新的學問方法，則得到了廣泛的認可。但在漢學與宋學（理學）之間的空際，分明存在著少數的「異端」學者，他們不拘泥於特定的某一學派，努力開創著屬於自己的學問之路。

　　如此的「異端」學者中，最引人矚目的，當數章學誠（實齋，1738-1801）及崔述（東壁，1740-1816）。章學誠在如今的史學史及文獻學史上，占據著不可動搖的地位。中國、臺灣及日本等地，都曾召開關於他的專題研討會，對其研究非常廣泛而活躍。[1]相比之下，對崔述的研究成果則顯得捉襟見肘。在韓國這種傾向也非常嚴重，章氏作為「六經皆史說」的中心，對其研究頗為廣泛，對崔述到目前為止，只出現了一篇學位論文。[2]本文的目的並不在於對這位孤獨的學者進行新的發掘。崔述生平不曾得到世人的承認，孤獨一世，雖與自身所處的時代相摩擦，但對其學問中具有先驅意義的部分，我們應予以恰當的評價，正確認識他為清代學問基礎的奠定所作出的貢獻。尤其是他的著述與思想，為後代新學說的產生播下了種子。這是崔述引起筆者關注的根本原因。

　　筆者撰寫此稿的另一個原因，則是源於筆者對崔述觀點的變化。最初筆者

---

[1] 如二〇〇三年十一月二十八至二十九日於臺灣淡江大學舉辦的「第四屆文獻學術研討會——文獻的學理與應用」。主題雖為文獻學，發表的二十七篇論文中，二十二篇是有關章學誠的文史學與文獻學的。論文集《章學誠研究論叢》（臺北市：臺灣學生書局，2005年2月）。

[2] 朴德教：《崔述詩經學研究》（延世大學碩士論文，1990年）。在清代《詩經》學上，崔述的《讀風偶識》與姚際恒的《詩經通論》、方玉潤的《詩經原始》被稱為「獨立（思考）派」的三大《詩經》著述之一，但並未收錄於本文論及的《考信錄》。

對崔述看法是極為主觀和感性的。他將大量的史料進行了清晰的整理和詳細的考證，一一列舉出有疑點的部分，勇敢地進行論爭。對此，筆者在懷疑的同時，感到讚歎不已。驚訝「對經竟然可以如此地進行懷疑和打破」，這可能是出於所有研讀儒家經典的人長久以來形成的弊端——對經典的一種敬畏感，一種無形的束縛。而這種讚歎之情持續良久，使筆者一直沉溺於對他單純的追崇與美化之中。同時崔述與其唯一的弟子陳履和之間令人感動的佳話[3]，也給筆者留下了極其深刻的印象。艷羨的同時，一直將其視為雖然孤獨，但極為標準的學者。

時間流逝，筆者開始對如此卓越的學者為何長久以來沒有得到恰當的評價，產生了疑問。原因可能在於學界對他的迴避，他與時代的摩擦，或者崔述本身學術水平的不足。他死後近百年，仍然只重視考證學及後來復活的今文經學的清代學界，對他做出的有失恰當的評價，以及二十世紀初的短暫的閃亮，都不能說是對崔述學問價值的正確定位。但這種疑問隨著筆者視野的擴展，開始慢慢解開。筆者不再陷於對《考信錄》的讚歎，同時參考其他學者批判性的研究，認識到了他的先驅性的同時，也看到了他平生無法擺脫源於道學家的[4]個人崇拜的陳腐性。筆者對他的態度，由單純的敬畏與讚歎，開始變得客觀而冷靜。對造成他的不遇與孤獨的社會環境來進行一番考察，則是本稿的另一個重要目標。崔述生平不遇，業績卓著，但也有其局限性。本稿可以說是筆者對崔述的視角，由主觀轉為客觀的努力的結果。本文的宗旨在於以疑古思想為中心，通過他的代表作《考信錄》，考察他的學術成果。

3　一般認為崔述沒有「弟子」。陳履和因崇拜崔述的部分著述，在前往北京參加科舉時，順路拜訪崔述，約兩個月的時間，共同探討學問。此後偶爾有書寫往來，卻沒有再見。崔述離世前，囑其家人，於自己死後，陳履和定會前來，務必將自己的遺稿全部交給陳履和。陳履和含淚接過遺稿，崔述死後八年間，東奔西走，傾家蕩產，出版了《考信錄》（部分於崔述生前出版）。今日龐大的全集《崔東壁遺書》（臺北市：世界書局，1979年）才得以問世。詳細參考《考信附錄》卷之2末尾所附陳履和之〈跋文三則〉及〈陳履和刻書始末〉。

4　「道學」有兩層含義，朱子的弟子（包括三傳、四傳的弟子）自稱自身才真正繼承了孔子之道，為了將自北宋五子經過朱子傳承至自身的學統，與其他儒林的儒學相區別，自稱為道學。《宋史》中〈道學傳〉位於〈儒林傳〉之前，就體現了這種觀念。其中一部分人漸漸成為孔教的信徒，變得沒有絲毫的融通性，固執己見，後世將其貶義地稱為道學家，與漢代「山東學究」相似。本稿取後面之義。

二　疑古、疑經的開始及考史標準的確立

（一）家學及疑古、疑經的開始

　　崔述字武承，號東壁，為直隸大名府魏縣人。他出身貧寒，四處奔波，卻難以糊口。[5]他的成長地大名與當時民間學術考證學的主要舞臺江南相距甚遠，不利於與江南學者們的廣泛交流。由於家貧以至於無錢購書，對他來說，如同江南一部分富有的士大夫一般聘請學識淵博的家庭教師、學問上的交流及參加各種團體構建良好的人際關係，都是可望而不可即的。乾隆二十七年（1762），他在順天府參加鄉試，成為少年舉人，但在以後北京舉行的會試中，屢屢落榜，生活貧困，只得靠編撰地方志糊口。後來赴任福建羅源縣知縣，但已經是五十七歲。當時，軍人為偽造擒拿海賊之功，常常將商船誣告為海盜船隻，崔述則屢屢解除冤情，伸張正義，作為地方官員，威望極高。[6]但此後，其學問之路仍顯孤獨，乾嘉年間的學者，除與孔廣森有些交遊之外，與其他學者則沒有什麼交往。[7]這一點可以說是崔氏古史考證上的一個致命的弱點，但反之，也使他能夠從當時考證學者們盲目追崇漢儒之經說，尤其是東漢古文經學的「信漢」潮流中，解脫出來，獨自開創自己的疑古說。

5　〈考信錄自序〉中記述道：「余幼而家貧，少長即被水患。田廬悉沒⋯⋯三十以後，所遇漸多齟齬。⋯⋯藉使少年時節如中年所遇，當不免於窮餓以死。」（〈少年遇合記略〉，頁21-22。收錄於《考信附錄》卷之1）

6　《清史稿》（北京市：中華書局，1986年）卷482〈儒林三〉，頁13270。

7　與孔廣森的關係，《洙泗考信餘錄》末尾的〈孔檢討（廣森）大戴記補註序錄〉中，也對此有所記錄。崔述自稱後學中「弟子」陳履和，學長中汪師韓為自己的知己。顧頡剛加入標點編輯的《崔東壁遺書》後篇・下（全書共八冊）附有他採集收錄的《崔東壁先生親友事文彙輯》，對理解崔述的家系及師友，是非常好的參考資料。他將崔述的家系與師友關係分為一親家、二妻家、三同地交遊（呂游、俞光滏、殷希文3人）、四異地交遊（朱煐、陳萬里、陳履和、黃文治4人），同時收錄有他們的略傳及書信。從他所交遊的七人，我們可以發現在學問及影響力方面，都極為平凡，沒有一位卓越的學者。《考信錄》末尾附有〈少年遇合記略〉，這篇短文中記載的青年時期的5位師友（朱煐、朱士琬父子，秦學溥、秦朴父子，史貽謨）的簡短的傳記，也是如此。

1 家學及與漢學、宋學的關係

　　為了了解崔述學術的發展歷程，首先有必要考察一下自幼對他影響極大的父親，及以訓導為中心的家學。其父元森（1709-1771）受盛行於明末的王學的影響，極其推崇王陽明，同時也非常尊崇朱子。受父親的影響，崔述也曾沉醉於理學，但與父親不同的是，比起陽明，更傾向於朱子。[8]如此的學問傾向似乎與考證學一邊倒的時代潮流相悖，如序論中談到的，朱子學尤其是在北方仍影響力極大。[9]後日成為學術主流的江南考證學者，雖然否認自身對宋學的繼承，崔述則受到了朱子極大的影響。尤其是其父教導的讀書法，與朱子的幾乎完全一致。[10]由此胡適以為崔元森之學乃是宋學當中的朱子學，其子崔述亦是宋學中的朱子學。邵東方認為這種說法過於概括，補充道：

> 崔述早年隨父親篤信理學，成年則將學問之宗旨確立於朱子的考據學。其學問傾向正如他自己所表述的，他的著述中從未言及心性與義理。[11]
> 因此如胡適所言不能將其父子簡單地歸於朱學，朱學中父親偏向於義理

8　關於崔述的家學與學術發展狀況及生平的年譜，最早出現的是姚紹華一九三〇年的畢業論文《清崔東壁先生述年譜》（臺北市：臺灣商務印書館，1980年）。胡適〈科學的古史家崔述〉大部分的內容為年譜，雖為七十年前的論著，但仍不失為重要的參考資料。收錄於《崔東壁遺書》第一冊。近期出版的吳量愷的《崔述評傳》（南京市：南京大學出版社，2001年4月）附錄〈崔述生平要略〉，也整理得極為詳細。

9　對「清代是否為考證學時代」，近二十年間中國學界一直有爭議。雖然許多學者回答是肯定的。筆者則更同意朱維錚及葛兆光的在官方與民間二元結構中，理學與考證學並存的見解。將清代稱為考證學時代，是後代根據學問成果而做出的結論。對此，參見拙稿〈清代初期考據學發展的背景研究〉，第二次中國語文學研究會國際學術大會（2004年9月18日，首爾）發表論文。

10　邵東方：〈關於崔述學術的幾個問題〉，頁22-23。收錄於《崔述與中國學術史研究》（北京市：人民出版社，1998年）。本文所引用邵氏的其他論文也出於此書。

11　崔述曾公言「從無一言及於心性者」，理學家們對空言心性的強烈抨擊是一個事實。但Michael Quirin指出崔述並不是從未言心性，例如《孟子事實錄》。Michael Quirin〈考證中的學術、價值、方法與詮釋〉，頁380-381及注36。收錄於《中國史學史研討會：從比較觀點出發論文集》（臺北市：稻鄉出版社，1999年）。以下Quirin的論文皆出於此書。

（道德的思辨），兒子則偏向於考據（知識的實證）。[12]

　　邵氏所言「朱子的考據（考證）學」未免顯得有些生硬，但非常恰當地說明了朱子所強調的學問的兩種方法的繼承。因朱子的義理之學博大精深，其考證學則相對被世人所忽視，但如「鵝湖之爭」所顯露的，是因為朱子極其強調「道問學」，即通過大量的閱讀來積累知識的重要性。由此可以判斷崔述的學問是按照朱子學的一個分枝——道問學的影響下，沿著考證學的方向樹立起來的。[13]但只是根據朱子對其學問的影響及被認為是理學之「反動」[14]的考證之態度，就將他的學問判定為「漢宋折衷」，未免不夠全面。即使嘉慶末期漢學（考證學）雖日漸衰退，但仍為學問的主流，同時宋學（理學）以桐城派為中心，雖為少數，卻已形成了二者對立的局面。阮元幕下的江藩於一八一八年（嘉慶二十三年）完全從漢學的立場出發，撰成《國朝漢學師承記》，發出了論爭的信號。自稱宋學嫡統的桐城派方東樹則著述了《漢學商兌》，擁護宋學，進行反擊，「漢宋之爭」隨即浮出了水面。[15]但這一論爭在知識分子中間並沒有產生大的反響，一方面是由於「漢學」與「宋學」在當時社會已經失去了其實用性，更重要的則是隨著鴉片戰爭的爆發，「近代」的開始，終止了這一論爭。無論如何，在「漢宋之爭」所標誌的分派論戰之中，因為阮元與陳澧一派試圖對漢、宋取各自的優點，進行折衷，經學史上將其態度評價為「漢宋折衷」。但崔述此時已經離世，其學問也與他們完全不同，將其稱為折衷派，則有欠妥當。崔述學問的基礎雖然源於朱子，可並沒有繼續推進朱子學，言及

---

[12] 對邵東方：〈關於崔述學術的幾個問題〉，頁23-25內容的概括。原文省略。前面胡適之言也引用於此。

[13] 邵東方：〈崔述在清代儒學定位之重新考察〉，頁123。

[14] 梁啟超在《近三百年學術史》第一章，將清代考證學判定為宋明理學的「反動」以後，出現了許多關於考證學淵源的見解。除反動說外，錢穆、余英時的「內在理路說」占據主流，侯外盧等一部分大陸學者則提出了「市民階級說」等。詳見注9的拙稿。

[15] 對《國朝漢學師承記》的漢學「偏向性」，桐城派方東樹的反駁，見拙稿〈通過《國朝漢學師承記》看乾嘉的漢宋之爭及其性質〉，《中國語文學論集》第21號（2002年10月，首爾），頁631-636及〈方東樹《漢學商兌》的宋學擁護及反漢學傾向研究〉，《中國語文學論集》第25號（2003年11月，首爾），頁572-584。

「性」與「理」，不同於漢學家們，完全不信賴東漢古文學。與這兩個「門戶」毫無牽連，獨自發展了自身的疑古學。因此，崔述的學術如第三章所述，明顯地顯現出了「衛道」道學的一面，感性上可以說他與宋學更加接近，但把他視為二十世紀獨樹一幟的疑古學先驅，則更具意義。[16]

2 疑古的開始

進一步具體考察其父的教育方法，可以發現崔述的疑古精神與辨偽能力，相當一部分源於其父教育上的啟發。對此崔述回顧道：

> 先君教述，………經文雖已久熟，仍令先讀五十遍，然後經、註合讀亦五十遍。於溫註時亦然。……謂讀註當連經文，固也，讀經則不可以連註。讀經文而連註讀之，則經文之義為註所間隔而章法不明，脈絡次第多忽而不之覺，故必令別讀也。[17]

崔元森如此的教育方法並，非其獨創。他受朱子影響極深，不過是沿襲了朱子讀書法。朱子所謂的讀書法，在其文章中處處可見。如《朱子語類》中寫道：

> 學者觀書，先須讀得正文，記得注解，成誦精熟。注中訓釋文意、事物、名義，發明經指，相穿紐處，一一認得，如自己做出來底一般，方能玩味反復，向上有透處。[18]

雖然沒有什麼獨創之處，但如此的讀書法卻成了培養崔述疑古精神的訓練過程。而父親令崔述只讀合於經之注的教誨，則使他改變了注疏完全理解經意而

---

[16] 邵東方認為崔述不僅「漢宋皆批」，同時「漢宋兼采」，只反對性命、義理，並非反對宋學傳統體系，因此更接近於宋學。〈崔述在清代儒學定位之重新考察〉，頁151。

[17] 崔述：《考信附錄》卷之1，〈先君教述讀書法〉，頁13。

[18] 黎靖德編：《朱子語類》（北京市：中華書局，1986年），卷11。

成一體的想法。[19]可以說他以此為轉機開始樹立獨自的學問疑古，這一點值得矚目。他曾回憶年輕時修學的過程，道：

> 近三十歲，是漸自悔專求之于六經，不敢他有所及。日積月累，似若有得。乃知秦漢以來傳注之言，往往與經牴牾，不足深信。[20]

雖然以六經經文為原則的立場並沒有改變，對作為經文注釋的傳注，深信不疑的態度則漸漸有了變化。三十歲時，他開始感到經文與傳注應該分開來看，對自己的讀書法，他獲得了如下的成果：「先君教述讀注，惟圈外注有與經旨未洽者不讀，其餘皆讀，不肯失其本來之面目也。」[21]

但對於一味執著於經之本意的崔述的態度，邵東方批判道：「經典之意義與真理性是靠後人的注疏這一漫長的過程才得以體現的，並非固定於經書之原意。」[22]邵氏之言指出崔述忽視了後人通過注疏反映出的新的學問及思想潮流。但後代的注釋或基於服務於當時政治統治的目的，或如六朝時期反映了無法迴避的時代思潮，以及如宋代理學者們為了給自身的形而上學提供理論根據，將經文視為一種跳板或安全閥。邵氏的批判則顯得過度偏向於後代與政治相結合的實用觀。崔述致力於恢復六經時代的純粹性，並「重建」古史，因此對「純雜混淆」的後代之注，應首先予以肯定。

3 疑經的開始及學問的孤立性

此後崔述的懷疑不只停留於傳注，並開始轉向經文。當然六經為精粹的大前提沒有改變，他開始認識到部分經文也存在問題，這是他正式疑經的開始。

---

[19] 中國經學中經、傳、注、疏，按照順序，有著嚴格的主從關係。注不可超出經、傳的範圍，疏只能作為注的解釋。有著所謂「注不駁（駁）經，疏不駁注」的原則。原則雖然嚴格，但下位的注做出與上位相悖的解釋的情況，也常有發生，對此進行異同分析，是歷代經學研究的重要主題。

[20] 崔述：〈與董公常書〉，頁1-2。《崔東壁遺書》6冊，收錄於《無聞集》卷之3。

[21] 同注17。

[22] 對邵東方：〈關於崔述學術的幾個問題〉頁31內容的概況。原文引用省略。

從對傳注的懷疑，更加進一步開始積極地辨偽。對此，他曾回憶道：

> 余少年讀書，見古帝王、聖賢之事往往有可疑者。初未嘗分別觀之也。
> 壯歲以後，抄錄其事，記其所本，則向所疑者皆出于傳、記，而經文皆
> 可信，後知六經之精粹也。惟《尚書》中多有可疑者，……私怪其故，
> 復加檢閱，則《尚書》中可疑者皆在二十五篇之內，而三十三篇皆無
> 之，始知齊、梁《古文》之偽。[23]

　　通過以上的內容可知，他的疑經是他平生所探求的古經與古史辨偽的重要
領域的擴大及覺醒的契機。下面我們首先簡單回顧一下清代初期考證學的胎
動。與胡渭一起被評價為清代初期考證學奠基者的閻若璩（1636-1704），著述
《尚書古文疏證》，幾乎完全解開了有關《尚書》偽作的諸多懸案。[24]對《古文
尚書》的懷疑，對崔述個人來說，是一大發現，至少證明了青年時代的他與清
代初期考證學等研究成果及學術潮流完全疏離的關係。這再次印證了崔氏學問
的孤立性，這種孤立性在《考信錄》字裡行間隨處可見。例如《考信錄》的論
證中雖為極少數，但偶爾會引用唐宋學者的文章，卻不見清代學者之說。這不
是因為他有意排斥同時期學者之說，原因在於學問交流的缺乏。[25]如果把這說
成是他暗中摸索過程中的一種疏忽，似乎是勉強在為他進行辯護。無法通過學
問的交流，擴大視野，並使自身的學問得以深化，這一點對他是致命的弱點。
　　以上考察了崔述的家學及學問的性質，疑古、疑經的開始以及學問的孤立

---

23 崔述：《考信錄提要》（臺北市：世界書局，1979年）卷下，頁4-5。

24 閻若璩於康熙十九年（1680）首先完成《尚書古文疏證》四卷，康熙三十二年（1693）將原
　稿帶到杭州，與朱彝尊、毛奇齡、姚際恆等討論，可推斷此時草稿已經大致完成。但在尚未
　定稿之前即離世，四十多年後，乾隆十年（1745），其後代將此書出版。前後相隔近百年，相
　當於崔述六歲時《尚書古文疏證》問世。馬文大、陳堅編著：《清代經學圖鑑》（北京市：國
　際文化出版公司，1998年8月），頁82-84。

25 此外，對井田制是否得以施行，崔述的考證與惠士奇等揚州學者的考證，結果是一致的，但
　二人卻無任何交流，這再一次證明了他的孤立性。詳細內容參考楊向奎：〈崔述《東壁學
　案》〉，頁125-126。《清儒學案新編》（濟南市：齊魯書社，1994年）。本文楊向奎之文章皆引於
　此書。

性等。這是崔述古史觀逐漸形成的重要轉折點，同時他所處環境的不利影響，也是無法迴避的。下面來考察一下，他通過不斷的暗中摸索，所確立的學問的目的與原則。

（二）著述目的及考史標準的確立

1 著述目的的確立——虛實的考證

通過如此漫長的培養辨偽能力的過程，其著述的目的也逐漸明確起來。同時他也確立了如下的一種態度，就是反對讀經書時對文章的意思任意的推測，肆意延長或縮短以及篡改原文。[26]由此確立了「未及正者補之，已正而世未深信者闡而明之」[27]的目標。但「補充及闡明」是他設定的理想目標，下面的內容更加坦率的說出了自己的目標：

> 大抵文人學士多好議論古人得失，而不考其事之虛實。余獨謂虛實明而後得失或可不爽。故今為《考信錄》，專以辨其虛實為先務，而論得失者次之，亦正本清源之意也。[28]

得失指的是對過去的史實及人物的行為的評價，是議論的對象。虛實指的是判斷史料真偽的結果，是考證的對象。崔述極為坦率地指出，自身的古史考證中，對「虛實」的考證為首要任務，其後的「得失」或許並不明確。從這簡短的一句話，我們大概可以感知崔述學術的性質，對「虛實」與「得失」按先後與輕重，區別對待的著述態度，致使他得到了「善於打破並無創新」的評價。[29]

---

26 邵東方：〈經義求真與古史考信〉，頁165。
27 崔述：《考信錄提要》（臺北市：世界書局，1979年）卷上，頁2。
28 與上注同，頁34。
29 邵東方：〈崔述的疑古考信和史學研究〉，頁49。

2 考史辨偽的標準——堯、舜以後，戰國以前的文獻

我們有必要考察一下他為辨「虛實」而採用的對資料分類、處理的辦法。首先他將戰國時代前後作為判斷資料是否可以信賴的標準。

> 凡其說出於戰國以後者，必詳為考其所本，而不敢以見於漢人之書者遂真以為三代之事也。[30]

對戰國時代的著述不信任的原則，並不陌生。普遍認為中國古文獻的偽作始於戰國時代策士們的偽造，其後秦始皇的焚書給文獻傳授帶來了致命性的打擊。如題目《考信錄》所示，崔述是在追隨司馬遷在〈伯夷列傳〉中表明，並在〈五帝本紀〉中苦心思索的「考信於六藝」這一大前提。[31]對漢代的著述則警惕性更高，這是由於他認為戰國策士偽造、焚書之後，偽作問題變得更加複雜。因此他雖然繼承了司馬遷所標榜的「考信」精神，可對西漢開國百年後著述的《史記》，則表示不能完全信賴。

那麼崔述對戰國以前的資料完全信賴嗎？答案是否定的。對此，他以六藝為標準，標明上限，與司馬遷同樣將堯、舜視為歷史的始點，對六經沒有言及的以前的歷史，則表示懷疑。

> 上古之世，雖有包犧、神農諸聖人相繼而作，然草昧之初，洪荒之日，創始者難為力，故天下猶未平。至堯在位百年，又得舜以繼之，禹、皋陶、稷、契諸大臣，共襄盛治，然後大害盡除，大利盡興，制度禮樂，可以垂諸萬世。由是炙其德、沐其仁者，作為〈典〉、〈謨〉等篇，以紀其實，而史於是乎始。[32]

---

30 崔述：《考信錄提要》卷上，頁9。
31 關於司馬遷記述〈五帝本紀〉不是由堯、舜而是由黃帝開始的「苦悶」，見拙稿〈《五帝本紀》的敘述起點及五德終始說〉，頁619-630。《中國語文學論集》第22號（2003年2月，首爾）。
32 崔述：《考信錄提要》卷下〈總目〉，頁9。

視堯、舜為歷史始點的根據，源於《尚書》的經文，崔述在這裡以「大利」表達了文明與「制度、禮樂」所代表的文化意義，提高了「信史」的可信性。但他依《尚書》推測了文字記錄以前的歷史發展狀況，並沒有否認司馬遷所敘述的先於黃帝的包犧、神農等三皇的存在。即雖然承認三皇時代的存在，因沒有記錄，對具體史實的描寫不免會摻雜後人的揣測及臆想，因此只能以六經作為根據。他如此的態度與司馬遷「《尚書》獨載堯以來」的標準及孔安國所言「孔子討論墳典，斷自唐、虞以下」[33]極為相似。因此，他極力反對將歷史敘述的起點無限期地提前。

> 大抵古人多貴精，後人多尚博，世益古則其取舍愈慎，世益晚則其采擇益雜，故孔子序《書》，斷自唐、虞，而司馬遷作《史記》，乃始於黃帝，然闕刪其不雅馴者。近世以來，所作《綱目前篇》、《綱鑑捷錄》等書，乃始於庖犧氏或天皇氏，甚至有始於開闢之初盤古氏者，且並不雅馴而亦載之。……嗟夫，嗟夫！彼古人者誠不料後人之學之博之至於如是也！[34]

簡短的幾句話，他批判了後人對三皇，甚至是天地開闢之神盤古的敘述態度。眾所周知，他的這一觀點極大地影響了二十世紀初期「古史辨派」學者，尤其是顧頡剛的「層累造成說」。[35]

---

33 司馬遷：《史記‧五帝本紀》（北京市：中華書局，1985年），頁46。

34 崔述：《考信錄提要》，卷上〈釋例〉，頁31-32。

35 顧頡剛33歲時，將疑古方面的論文及書信收集起來出版的《古史辨》第1冊，對20世紀初期的學界帶來了極大的震動，宣告了「古史辨運動」的開始。他在第1冊〈自序〉中，記敘了對自身的學問成長與對「層累造成說」帶來影響的因素。王汎森將其整理為（一）崔述的《考信錄》、（二）胡適提倡的科學的研究方法、（三）孟姜女研究的啟示、（四）清末今文家對歷史的解釋四個方面。詳見顧頡剛：《古史辨自序》（中華書局，1982年），頁42-70，及王汎森：《古史辨運動的興起》第一章〈顧頡剛層累造成說的特質與來源〉（臺北市：允晨文化實業公司，1987年），頁36-62。關於崔述對顧頡剛的影響筆者將另撰文詳述。

3 「經史不分」觀念及章學誠「六經皆史」說

傳世資料中，偽造或在史料中摻入假的成分，致使其失真的情況極多。崔述以極其敏銳的目光，對他人忽略或盲從的部分，進行探究及懷疑。這出於孟子所言「盡信書則不如無書（〈盡心‧下〉）」之信念，同時意味著對經書認識的轉換。即只將經書視作古史考證的根據，「考其先後，辨其真偽」時，經書不應該是盲目崇拜的對象，而是古史的材料。[36]他寫道：

> 三代以上，經史不分，經即其史，史即今所謂經者也。後世學者不知聖人之道，體用同原，窮達一致，由是經史始分。其敘唐、虞、三代事者，務廣為記載，博采旁搜，而不折衷於聖人之經。其窮經者，則……不復考古帝王之行事。[37]

崔述「經史不分」的觀念出於代表真理的經蘊含於史之中的認識。即聖人之道的本體（體）具現於聖人實際施行的政教（用）之中，由此記錄聖人之道的經即可視為記錄聖人行事的史。所以記錄聖人之事的《尚書》及《春秋》，既為經，也為史。由於後人不知體用相同的根本，而將經史分開，越到後來則更偏向於「廣博」，肆意採集資料，使經史之間的距離加大而變得雜駁。

> 夫經史者，自漢以後，分別而言之耳，三代以上，所謂經者，即當日之史也。《尚書》，史也，《春秋》，史也。經與史恐未可分也。[38]

以上的敘述不禁令人聯想起章學誠所標榜的「六經皆史說」。但看來相似的二人的思想，與其學術各自的發展方向和目的，則迥然不同。章學誠重視

---

36 楊向奎：〈崔述《東壁學案》〉，頁122。

37 崔述：〈洙泗考信錄自序〉，頁3。《考信錄提要》卷下，頁15也有同樣的內容。

38 崔述：〈洙泗考信錄餘錄〉卷之1。邵東方，再引於〈崔述在清代儒學定位之重新考察〉，頁103。

學術的本源，因三代的六經皆出於史官之手，故認為經屬於史。而且三代的學術經史不分，因此經書即為歷史記錄的遺產，與崔述相反，認為並不含道，這是與崔述最大的差異。但在經學占據主流的乾嘉時期，追求「史學自主（autonomy of history）」，將包括經書的所有資料視為史料這一點，則是一致的。[39]

此外《考信錄》字裡行間體現出了不辜負天地父母而竭盡自我全力之意志。[40]主張應該排除偏見，並闡明了他做學問的原則：「余生平不好有成見，於書則就書論之……」[41]這可以說是他在學術方面所堅持的一貫的原則，也可以說是學者對自身學問態度的一種標榜，於此不再贅述。

4 《考信錄》的完成與時代的矛盾

崔述確立了如此的做學問之原則後，大概三十歲左右的時候，開始構思《考信錄》，並著手準備。但為解決生計問題，不得不東奔西走，四十四歲才開始執筆著述。又經過八年，五十二歲時，完成了《考信錄》十二種中[42]的《洙泗考信錄》與《補上古考信錄》的草稿。其後繼續撰寫《唐虞考信錄》等其他《考信錄》，同時不斷修訂《洙泗考信錄》，如此又用了十九年的時間。因此《考信錄》最終定稿時，他已經七十一歲（嘉慶15年，1810年），從開始執筆到完成，共花了二十七年的時間。

崔述雖然千辛萬苦之下完成了《考信錄》，當時卻沒有得到任何人的關注。

---

[39] 對章、崔的「六經皆史說」的比較，參看邵東方：〈崔述在清代儒學定位之重新考察〉，頁103-104。「史學自主」最初見於余英時：〈章實齋與柯靈烏的歷史思想〉，邵東方為借用。但是否適用於崔述，還有待商榷。余英時：《歷史與思想》（臺北市：聯經出版事業公司，1981年3月），頁200。

[40] 「……如之何其可以自安於怠惰而不一言，以負天地而負父母乎！」崔述：《考信附錄》卷之2〈書考信錄後〉，頁2。

[41] 姚紹華：《清崔東壁先生述年譜》（臺北市：臺灣商務印書館，1980年），頁87再引用。

[42] 《考信錄》十二種的目錄如下：《考信錄提要》二卷、《補上古考信錄》二卷、《唐虞考信錄》四卷、《夏考信錄》二卷、《商考信錄》二卷、《豐鎬考信錄》八卷、《洙泗考信錄》四卷、《豐鎬別錄》三卷、《洙泗餘錄》三卷、《孟子事實錄》二卷、《考古續說》二卷、《考信錄附錄》二卷等。詳見吳量愷：《崔述評傳》（南京市：南京大學出版社，2001年）附錄二〈崔述生平要略〉，附錄三〈崔述遺著已刻（板本）與未刻書錄〉。

這首先是由於當時學術的氛圍，崔述無法避免與時代的摩擦。他曾回憶道：

> 四十以後，為《考信錄》及《王政考》，自二三君子外，非惟不復稱
> 之，抑且莫肯觀之。惟滇南陳履和 ……是時余官閩中， ……而自余歸
> 後，全錄陸續皆成，……其肯寓之目而掛之齒頰者，不過一二人，其餘
> 罕有肯過而問焉者。是何學愈淺則稱之者益多，學益進則願觀之者益少
> 哉！[43]

　　一般認為崔述為做學問，關起門來，不與世人交往。其實並非如此，他當
然也渴望著能夠通過交遊和討論得到認同。這段文章表達了他希望得到世人的
了解，卻事與願違的傷感情懷。當時遠離考證學主流江南學界而「孤行」的學
者，還有章學誠。學問傾向與領域以及對後世的影響，二人之間存在著極大的
反差，但都稱得上是當時學界的邊緣人物。他們孤獨感的另一面，隱含著希望
得到世人承認的渴求。自稱「乖時人好惡」[44]的章學誠及直接吐露內心傷感之
情的崔述，二人的態度雖有不同，但本質則是一致的。雖為少數，但章學誠還
有如邵晉涵這樣的知己，相比之下，崔述的境遇則更顯得淒清。崔述無法與其
他學者進行學問上的交流，甚至沒有任何知己，只能獨自開創自己的學問之
路，如此的學問環境對他也造成了極大負面影響。

　　崔述所處的地理環境，對他來說，也是一種制約。他生活的大名，學風沉
滯，水準低下，很難遇到能夠理解《考信錄》的知己。因此《考信錄》最初完
成時，沒有引起任何同時代學者的重視。楊向奎指出，崔述的學問方向與其他
學者背道而馳，更重要的是，他活動的區域遠離當時作為學問中心的江南。即
北方作為政治中心，除了孫夏峯、顏元、傅山等幾名思想家，沒有卓越的老師
及做學問的環境，儒生們不過是為獲取功名而讀一些時文。當時文化學術的中

---

[43] 崔述：《考信附錄》卷之2〈書考信錄後〉，頁1。

[44] 章學誠寫給錢大昕唯一的一封書信〈上錢辛楣宮詹書〉，寫道：「學誠從事於《文史》、《校
讎》，蓋將有所發明，然辯論之間，頗乖離時人好惡，故不欲多為人知，所上敝帚，乞勿為外
人道也。」再引於錢穆：《近三百年學術史》（臺北市：臺灣商務印書館，1980年），頁381。

心在江南，惠棟、戴震、段玉裁、王念孫等當代的學問大家都活動於皖南與蘇南地區。相對來講，崔述的研究方法雖與他們相似，但一直一個人在北方孤軍奮戰。而一五○多年後，真正認識到其價值的，則為蘇南的顧頡剛與皖南的胡適，這也不失為一件有趣的事實。[45]

　　進入二十世紀初期，「古史辨學派」的猛將顧頡剛才給《崔東壁遺書》加了標點，並使之刊行。[46]這項工作自一九一一至一九三六年，整整耗費了十五年的時間，讀者由此可以較容易地接近此書，同時這也成為了疑古學者崔述學問上得到再評價的契機。不僅加了標點，此書較其他《崔東壁遺書》增添了近四分之一的內容，直到今天仍可稱為最完美的全集。[47]

　　以上考察了崔述考史辨偽的著述目的及標準、經史不分的觀念以及同時期學者的反應等等。他對古史的見解雖然具有時代先驅者的一面，同時也不免對此需要進一步細緻的考察。如此孤陋的一面，集中體現在具現他的著述目的及標準的「真實」的孔子傳記——《洙泗考信錄》中。對他付出一生的心血著述而成的這部傳記，所體現的所謂「衛道」觀念，後世很多學者紛紛提出了批評。

---

45 楊向奎：〈崔述《東壁學案》〉，頁131-132。胡適在〈崔東壁遺書序〉中高度評價崔述為時代之先驅。「他的著作，因為站在時代的前面，所以在這一百多年中，只受了極少數人的欣賞，而不會得著多數學人的承認。」(《崔東壁遺書》第1冊，頁2)

46 《古史辨》(北京市：中華書局，1990年)第一冊收錄有胡適與顧頡剛購買《崔東壁遺書》並加入標點，對編輯《辨偽叢刊》的意見等的相互往來的信函。十二〈告得東壁遺書書〉、十三〈論偽史及辨偽叢刊書〉、十八〈轉致玄同先生論崔述書〉等。
　本稿所引用的世界書局《崔東壁遺書》(包括《考信錄》)即為顧頡剛的標點本。每一段落標有小標題，便於閱讀，但每卷頁碼均由一開始，不便於查閱。一九八三年，中華書局出版了頁數統一，加入新式標點的新版本。

47 例如嘉慶本《東壁書鈔》收錄了崔述的《詩稿》、《莏田賸筆》及其弟崔邁的《崔邁遺集》四種等共七卷，與「顧頡剛本」相對照的話，即可發現嘉慶本以後崔述見解的變化。同時可以發現除了父親，弟弟對他也有不小的影響和幫助。《莏田賸筆》收錄的二十一封信函，有很多有關傳記的資料。

三 「衛道」思想及批判性的探討

（一）《洙泗考信錄》的「衛道」思想

崔述在按照自己所闡明的原則下完成的《洙泗考信錄》中，表明了著述的動機。如前所述，他將焦點集中在孔子。即其考史研究的背後，隱藏著為孔子寫一部真實的傳記的渴望，他寫道：

> 余每怪先儒高談性命，竟未有考辨孔子之事跡者，以致沿訛踵謬而人不知有聖人之真。……學者日讀孔子之書而不知其為人，不能考其先後，辨其真偽；偽學亂真而不知，邪說誣聖而不覺，是亦聖道之一憾也。[48]

以古史辨偽為核心的著述，最終目標在於通過「考其先後，辨其真偽」的過程，寫一部不摻雜偽造及有損於聖人形象的真準的傳記。崔述對孔子的熱望，從《考信錄》著述的順序也可感知。如前所述，崔述並沒有按照時間順序，由《補上古考信錄》寫起，而是最先著手於傳記《洙泗考信錄》，而且最早完成了其草稿。同時他不斷進行補充和修正，可見他為了把抽象的目標——寫一部「真實」的孔子傳記付諸實踐，耗費了多麼大的心血。與此同時，他提出了自身獨特的判斷孔子諸多事跡的原則：

> 人之情好以己度人，以今度古，以不肖度聖賢。往往逕庭懸隔，而其人終不自知也。……以己度人，雖耳目之前而必失之，況欲以度古人，更欲以度古之聖賢，豈有當乎？……故《考信錄》但取信於經，而不敢以戰國、魏晉以來度聖人者，遂據之為實也。[49]

---

[48] 崔述：《洙泗考信錄》卷之4，頁40-41。
[49] 崔述：《考信錄提要·上》，頁6-8。

對聖賢雖深懷敬畏之心，但與前面提到的考史之原則，大同小異。那麼對如何來描述「聖人」孔子，崔述一定已經胸有成竹，有他自身的見解。這在《洙泗考信錄》中，也有所述，下面來考察一下他所追求的聖人的本旨：

（一）聖人之言所世皆當尊信不疑，不必於聖人言外，別立一意也。

（二）余謂讀經不必以經之故浮尊之，而但當求聖人之意。

（三）聖人之道，在六經而已矣。二帝、三王之事，備載於《詩》、《書》，孔子之言，具於《論語》。文在是，即道在是。[50]

上述內容摻雜著對「聖人」盲目而主觀的敬畏心及有關客觀文獻根據的說明，綜合起來，就是說載有聖人之言的「聖書」是獨立的也是客觀的，並不受後世注釋者主觀的影響。[51]那麼對他來說，唯一的「聖人」孔子究竟是一個什麼樣的形象呢？通過下面對《史記・孔子世家》的批判，可略窺一二。

（一）〈世家〉：孔子，嘗為季氏史。

崔述：孔子豈為季氏家臣者哉！

（二）〈世家〉：孔子適齊，為高昭子家臣，欲以通乎景公。

崔述：聖人而為小人之家臣以干時君乎！

（三）〈世家〉：行攝相事，有喜色。

崔述：攝相而有喜色，亦非聖人之度。[52]

他對孔子的極力捍衛，不禁令人想起〈滕文公・下〉中孟子對中了陽貨之謀略的孔子的辯護。但一連串的否定句，則顯示他的辨偽似乎漸漸陷入了難以自拔的泥潭。他一改其他《考信錄》冷靜客觀的分析，而使用了極為強調主觀情感的詞語，如「非」、「乎」、「豈」等。他如此全盤否定與《論語》一起作為關於孔子最可信賴的一手資料〈孔子世家〉的原因，令人費解。大概由於《史記》是他不信賴的漢代著作，而更重要的是，《史記》中描寫的孔子並非為聖人而是「人間孔子」的形象。[53]除了《史記》，他對何休的〈公羊春秋序〉等

---

[50] 崔述：《洙泗考信錄》卷之2。

[51] 邵東方：〈經義求真與古史考信〉，頁164。

[52] 胡適：《科學的古史家崔述》，頁122再引用。收錄於《崔東壁遺書》第1冊。

[53] 楊向奎：〈崔述《東壁學案》〉，頁124。

漢代注及劉向的《新序》等諸子書的批判，也體現了極為崇拜的態度。[54]

由於崔述一直將孔子奉為聖人標準，對不符合於這一標準的六經經文，當然持懷疑態度。但「聖人」不過是一個缺乏客觀根據的極為抽象的標準，由於過度執著於「聖人」，他對在著述時期上存在問題的《禮記・檀弓》，甚至對「滿載孔子之言」的《論語》的部分內容，也表示懷疑。因對聖人盲目的崇拜，以至於他對《論語》也提出了批評。例如公山弗擾招孔子這部分，他引用《春秋傳》反駁道孔子一定伐了弗擾，「（弗擾）是亂臣賊子也，孔子肯輔之乎」！極力為孔子辯護。對孔子見南子則憤慨道：「聖人誠非小人之所能污！」[55]

結果崔述認為《論語》的後五篇為古書中最常見的型態，「皆後人之所續」，諸多之處應懷疑，前十五篇基本可信，但並不是完全可以信賴。[56]對〈檀弓〉及《論語》的史料價值，學者們各持己見，判斷是否為偽作的研究成果也頗多。但令人矚目的是，他為了否定〈檀弓〉及《論語》的部分內容，捍衛「聖人孔子」，引用了自己曾經表明最不值得信賴的《韓詩外傳》、《新序》、《列女傳》等漢人的著述作為根據，而打破了原則。[57]這可以說是崔述論及《論語》過程中，犯下的最大失誤。而更加嚴重的是，他甚至援引比起漢人的傳、書虛構色彩更濃的故事及寓言，來作為古史說明的根據。他忽略了這些內容從產生背景根本不符合歷史的這一事實，同時遠離了他自己所強調的，由於漢代以後的書籍雜駁，不應予以信賴的原則。

如此，他從孔子出發，逐漸擴大到全部上古史史料的真偽問題，始終沒有脫離「衛道、衛聖、衛經」。因此雖然他把自身的學術立場標榜為反道學及反

---

[54] 胡適：《科學的古史家崔述》58歲條，頁122。例如劉向《新序》中對孔子成為司寇時所抒發的感慨，評價道：「然聖人盛德感人，綏之斯來，動之斯和，其和當不止此。」何休〈公羊春秋序〉中對「孔子曰『行在《孝經》』」，評價道：「孝雖莫大於聖人，然聖人之心，必不自以為孝。」等等。

[55] 崔述的論證並非如此簡單，而是長達約3頁的論證文。詳見《洙泗考信錄》卷之2，頁14-16。

[56] 崔述對《論語》提出質疑的具有代表性的內容如下：（1）《論語》終莫解其由。最後考《論語》源流，始知今所傳者乃漢張禹滙合更定之本，而非漢初諸儒所傳之舊本也。（《考信錄提要》卷下，頁4-5）（2）今之《論語》非孔門《論語》之原本，亦非漢初《魯論》之舊本也。……果孔門之原本，何以彼此互異？然則其有後人之所增入明甚。……是以〈季氏〉以下諸篇，文體與前十五篇不類……（《洙泗考信錄》，卷之2，頁17。）

[57] 詳見胡適：〈崔東壁遺書序〉，頁5-6。他引用此三書來反駁《論語》中佛肸招孔子這一記錄。

佛學，[58]但一直未能擺脫道學家的一面。出於此目的的考證，自然在批判宋明
道學家的弊病──「度聖人者」的同時，無法避免借此作為評判得失的標準傾
向。因此對於孔子，則輕易地打破了自身一再強調的「辨其虛實為先務」原
則，犯下了先確定聖人的標準，然後教條地「先信而後考」的錯誤。這一點正
如楊向奎所評價的：「有此三衛，遂以理想中的『聖人之真』，代替了事實中的
『歷史之實』。」[59]這是他考史研究上的一個致命的弱點。

　　消耗了最長的時間和精力所寫出的「傑作」，由於流於個人感情，出現了
諸多的矛盾和問題，淪為受到後世批判的「低劣之作」。由此甚至引起了後人
對他古史考證的目的是否在於「實事求是」的懷疑。邵東方指出崔述考證的目
的不在於「實事求是」，而是如理學家們一樣，「闡釋蘊藏於經書中的儒家聖人
精義，以實現聖人之道的理想世界」。[60]按照邵氏的說法，崔述自己所標榜的
一貫堅持的所謂「就經論其義，究聖賢之精義」，與其說是源於其考證精神，
不如說是儒家的一種慣用的說辭。為了探求這一答案，有必要批判地考察一下
「衛道」思想形成的背景。

（二）對「衛道」思想批判性的探討

1 時代的局限及儒家的理想主義

　　該如何理解崔述花費了最大的心血，卻與考證精神相悖的「衛道」呢？集
中於《洙泗考信錄》的批判，可以從崔述的時代局限性與儒家的理想主義兩方
面來考察。前者以胡適為代表，他從時代變遷的角度出發，指出了崔述作為封
建知識分子的「尊經、衛道」的局限性。

　　　被「尊經衛道」的思想束縛住了，無論他的眼光怎樣犀利，見解怎樣高

---

58 「乃近世諸儒類多摭拾陳言，盛談心性，以為道學，而於唐、虞、三代之事罕所究心。亦有
　參以禪學，自謂明心見性，反以經傳為膚末者。而向來相沿之誤，遂無復有過而問焉者矣！」
　（〈考信錄提要〉卷之上，頁2）

59 楊向奎，前揭書，頁123。

60 邵東方：〈關於崔述學術的幾個問題〉，頁17。

超，不打破這一關，總只在這圈子內旋繞。他有些見解和現代人只差了一線。這一線是十八世紀和二十世紀的界限，也就是「聖經王道」的迷夢揭發之前和揭發之後的區分。[61]

　　胡適的這一年譜發表於一九三一年，直到今天，在崔述學術的先驅意義及時代局限性分析方面，仍可稱作最為重要的基礎資料。專制王朝統治下的知識分子，自然無法擺脫封建思想的束縛，胡適以此來說明崔述的局限性，未免有些過於公式化，具有濃烈的啟蒙主義色彩。即胡適留美歸來，以全盤西化論者自居，有意識地將「尊經」及「衛道」置於自己大力提倡「民主」與「科學」的對立面，極力加以排斥。在胡適看來，對將君主獨裁統治合理化的「聖經」的「尊經」，是封建帝王統治的遺物，與「民主」是相互對立的。同樣「衛道」的對象大部分為以宗教一般的信念所守護的「聖人之道」，與「科學」是相對立的。因此為了實現「民主」與「科學」，就必須克服「聖經王道的迷夢」。以如此的邏輯，崔述則理應受到批判。但胡適對在清朝開創了與其他考證學者截然不同的學問世界的崔述，也如此一概而論，則顯得過於流於俗套，不夠嚴謹。二十世紀以前，甚至直到今天，可以說沒有哪一位學者可以完全擺脫這一束縛。雖然可以以「一線」之差異來為積極向現代的學問方法邁進的崔述辯護，但這只意味著與其他學者比較起來，崔述只是稍稍更具有「二十世紀」的面貌。而在胡適看來，這也許是崔述永遠無法逾越的價值觀的差異。

　　現代具有代表性的崔述研究專家邵東方，對他也是持批評態度的。他認為崔述為古史考辨付出了一生的心血，有別於對清代的「信而好古」的時代潮流極為敏感的古文、今文經史學者，獨自成為清代唯一的有系統地整理古史的學者，應該予以認可。但因他只停留在「整理」，因此評價道「復舊而無創新」。即整體上因崔述停留於「尊經衛道」，所以學術上並無突破，雖然有「獨到精當之處」，但仍不免「孤陋寡聞」的弱點。[62]邵氏對崔述的考史、辨偽及「周

61 胡適：《科學的古史家崔述》六十二歲條，頁131。此文由一、家世，二、年譜上，三、年譜下三部分組成。所謂胡適的《年譜》則指此文。

62 邵東方：〈崔述的疑古考信和史學研究〉，頁45-46。原文引用省略。

公攝政稱王」、《竹書紀年》等崔述所提出的諸多懸案，以及最近的研究成果，進行了較為全面的整理，試圖對他重新評價，得到了學界的矚目。但對於崔述的相對於時代的先驅性及作為「創新」之象徵的一面，其態度較胡適則顯得更加保守。同時將對《洙泗考信錄》的「尊經衛道」批判，擴大到崔述學術的全部，存在著以一代全的問題。

　　除了時代的局限性影響外，我們還可以通過《洙泗考信錄》所體現的道學家的心理，來分析他的「衛道」思想。他提出了「說經欲其自然，觀理欲其無成見」[63]的原則，而為何每當面對孔子時，就功虧一簣呢？崔述的心裡是否勾勒著道學家們所憧憬的儒家理想社會？他一生試圖除卻摻雜於古史中的偽史，這表明在他的心目中已經有了一部純淨的古史，在這部「純淨的古史」中，脫離了歷史真實的孔子形象，則被想像成為理想社會的主人公。這也可以稱作儒家的烏托邦的理想與現實間的差異帶來的一種強迫觀念與偏見。這一點正如楊向奎指出的，是因為崔述以成見替代了自己的理想。[64]因此，崔述的目的可以概括為對聖賢與經典一種宗教般的狂信和對歷史真偽的探求，即道學的傾向與考證的態度兩個方面。許冠三則認為此兩者不能不互相矛盾，又前者壓倒後者，全篇始終無法脫離「衛道」的色彩。[65]這或許可以回答前面提出的疑問，即崔述古史考證的目的，究竟為「實事求是」？還是理學論者所說的儒家理想世界的實現？他雖以「實事求是」作為目標，取得了諸多的成果，卻無法從對理想世界的憧憬中解脫出來，或者根本沒有做如此的嘗試。

2 調和的嘗試

　　以上考察了對崔述「衛道」思想的批判及推論。這些論者或單獨對衛道提出批判，或將他的衛道視為與考史相對立的學問態度，指出衛道的弊害。但有一點該注意的是，這些批判只適於《洙泗考信錄》，而並不適於其他《考信

---

[63] 崔述：《考信錄附錄》卷之1〈贈陳履和序〉，頁34。
[64] 「人人往往以成見作為理想。崔述以孔子為至聖完人，是他的成見，也是理想。」（楊向奎：《清儒學案新編》第7冊，頁124）。
[65] 許冠三：《史學與史學方法》（香港：自由出版社，1958年），頁218-219。

錄》。如果我們將目光擴大至《考信錄》或整部《崔東壁遺書》，此觀點則顯得有欠妥當。擁有大量學術著作的學者，在著述過程中，其觀點或許會有些改變，但作者花費一生精力，不斷修正的作品，在思想上與其他著作沒有任何關係，則可能性極小。這彷彿是相信一位卓越的小說家或畫家會創作出極為不同的作品世界。即使存在這種可能性，從讀者的角度，單獨針對《洙泗考信錄》進行思想的鑒定與批判，對其他著述則只對其考證進行探討，也稱不上是一種理想的解讀法。雖然體現出相異的學問傾向，但我們需要去探究其間的脈絡及連接點。如上所述，崔述極力批判理學，沒有留下一篇關於理學的文章，唯獨對於孔子現出了最為理學的（道學的更為恰當）態度，同時保持著徹底的考證學者的一面。在這二者之間存在著怎樣的連接點？Michael Quirin 通過對《考信錄》進行全面的考察，試圖尋找這一疑問的答案。Quirin 沒有將二者對立起來，而是積極尋找將二者連接起來的一貫的脈絡，他在言及崔述之前，首先提出了：「清代考證學者著作的假設基礎，真的是批判性地處理與他們自身個體及他們自己的道德判斷無涉的對象嗎？」這一根本問題。即考證學致力於對文字、名物的考證，它與道德判斷及思想之間到底有著怎樣的聯繫？他認為道德與考證學並不是各自獨立存在的，並指出崔述是最好的例子。[66] 當然正如 Quirin 所述，只是將崔述作為最好的例子，而這一觀點是否適用於所有考證學者，則是另一個引起激烈論爭的問題。[67] 他認為崔述強調了「事」與「理（理學）」二者各自相對的獨立性，即認為他沒有拘泥於心學及理學，相對竭力自由地進行了考證。緊接著他認為《考信錄》是解讀貫穿於崔述所有著述思想的很好的鑰匙。即他的研究對象（考證）及價值判斷的根據（理學），是互相緊密相連的，而這一點則如前面所描述的，皆源於其父親的教育方式：

---

[66] Michael Quirin：〈考證中的學術、價值、方法與詮釋〉，頁380。收錄於《中國史學史研討會：從比較觀點出發論文集》（臺北市：稻鄉出版社，1999年12月）。這篇文章與中國學者之觀點不同，比較有新鮮感，主要是與西方的歷史觀相比較，言及崔述的內容並不多。

[67] 對於清代考證學是否有思想，八〇年代中期以後，逐漸從馮友蘭及牟宗三等的「完全忽略」的影響下擺脫出來，開始探究考證學思想方面的影響。對此參考收錄於余英時的〈從宋明儒學的發展論清代思想史〉，《歷史與思想》（臺北市：聯經出版事業公司，1981年）及最近郭康松：《清代考據學研究》（武漢市：崇文書局，2003年）的第二章〈清代考據學與文字獄〉及第九章〈對清代考據學批評之批評〉。

嚴格的儒家教育經驗，是崔述此後一切著述的脈絡，沒有跡象顯示他曾
想突破儒家的倫理和道德教訓。相反的，他的批判性學術必須被視為他
的倫理和道德信念的成果。[68]

按照這一思想脈絡，學術成了實踐理想的最重要的活動，而道德實踐則成
為學術的最終目標。崔述認為自身對經籍及歷史的研究，是符合儒家規範的健
全生活的出發點。即在不該只將學術本身視為有價值的活動的前提下，即使知
識再淵博，如果獨立於倫理、道德及實踐的話，在倫理道德方面，也是遠遠不
夠高尚的。因此，崔述徹底地修正了自身的價值判斷，與研究對象互相脫節的
現象，強調將考證與倫理道德連接起來。Quirin 解釋崔述如此的想法，源於為
儒家信念辯護的強烈動機（an aplogetic impetus）。[69]

總結一下兩種觀點，即 Quirin 認為崔述的考證與道德緊密相連，體現為
衛道的倫理道德觀點，除《洙泗考信錄》之外，貫穿其所有著述，《洙泗考信
錄》並不是獨樹一幟，重點放在調和論。中國學者則認為相互矛盾的兩種思想
是對立的，批判道衛道壓倒了考證精神，因此大大折損了其著述的整體價值。
對於同一現象因各自的側重點不同而做出了相反的評價。筆者則認為如 Quirin
一樣從整體脈絡出發，削弱抑制後者對前者的評價辦法，是比較客觀的。按照
Quirin 的觀點，崔述的衛道及考證，如前面提到的許冠三所謂的此兩者不能不
互相矛盾，又前者壓倒後者，全篇始終無法脫離「衛道」的色彩。二分法的說
法更容易「緩衝式地」修正後，予以接受。即崔述雖終生追求「實事求是」，
卻無法擺脫理想世界觀念對他的束縛，所以帶來了如此主客觀相互混，雜糾纏
不清的結果。如此，我們則應該客觀的評價這二者的功與過，不要再犯只強調
其過和忽視其功的錯誤。

以上對《洙泗考信錄》的「衛道」觀念，進行了批判性的考察。此外，他

---

[68] 參考注66的文章，頁381。

[69] 參考Quirin前面引用的文章，頁382-383。Quirin在自己的注中指出崔述在寫給陳履和的信函
中，強調了如此的態度，實際上《苃田賸筆殘稿》收錄的9封信不過是相互問候及談及學術進
展狀況。〈第二札〉中只強調了不要為功課而傷害了身體，Quirin則將此誤解為身體與道德實
踐的聯繫。詳見《苃田賸筆殘稿》，頁13-25。

對有關孔子一生的所有資料，無一遺漏，詳細批判的功勞，也不可否認。這裡引用胡適的所謂：「崔述的《洙泗考信錄》確然可算是二千年來洗刷最乾淨，最富於評判精神的一部《孔子傳》。」[70]代為評價。

四　結論

以上以《考信錄》為中心，考察了崔述的疑古、疑經思想及著述目的，考史標準的確立，同時代的反應。「衛道」思想以及對「衛道」思想批判性的探討。本文的內容可做如下整理：

第一，崔述雖發出了現代意義的疑古與辨偽的信號，但與清代考證學研究的成果及學術思潮的走向，完全相悖，同時生活區域的地理因素，也對他極為不利。

第二，崔述的疑古精神、辨偽能力及倫理道德的形成，均基於其家學，其學問基本上是受朱子「道問學」的影響，向考據學方向發展起來的。

第三，極力強調經不應該失去本來的面目，不相信秦、漢以後的著述及傳注，並逐漸對《古文尚書》及《論語》的一部分經文，持懷疑態度。

第四，辨偽的重心比起得失，更重視辨別虛實，因此受到了善於破壞卻不善於創新的批評。

第五，將堯、舜視為歷史的起點，不相信六經未曾言及的堯、舜以前的歷史（三皇及盤古），這極大地影響了二十世紀初期顧頡剛的「層累造成說」。

第六，將經視為古史的材料，「經史不分」的觀念在追求「史學自主」方面，與章學誠的「六經皆史說」相似。

第七，將為孔子寫出一部真實的傳記，視為自身考史的終極目標，但過於沉溺於孔子為聖人的觀念，為否定「人間孔子」的面貌，打破了自身樹立的考史原則。

第八，胡適對《孔子傳》提出了最為尖銳的批評，但指出了時代的局限

---

[70] 胡適：《科學的古史家崔述》58歲條，頁121。收錄於《崔東壁遺書》第1冊。

性。邵東方則批評了崔述的復舊無創新及孤陋，這些反映了他並沒有從儒家的理想主義中解脫出來。

第九，Quirin 認為崔述雖然強調考證與理學各自相對的獨立性，但其考證與倫理道德緊密結合。

崔述的學問雖具有先驅意義，但《清史稿》對其評價道：「述之為學，考據詳明如漢儒，而未嘗墨守舊說……辨析精微如宋儒，而未嘗空談虛理……然勇於自信，任意軒輊者亦多。」[71]由此，筆者有時不禁會產生《考信錄》中如果沒有《洙泗考信錄》，後人又該對他做出怎樣的評價的聯想。即由於後世的批判皆集中於《洙泗考信錄》，而以一代十，使得其他部分也得不到中肯的評價，這不免令人感到遺憾。做出更加客觀而具有均衡感的評價，仍然是我們該解決的問題。

時間上，清代與民國緊緊相連，對崔述的評價卻黑白分明。作為清代的無名學者崔述，被有意貶低輕視。民國時期，或許是由於五四運動時代的需要，被胡適與顧頡剛等過度誇大。二者均顯現出了偏執的一面，如今需要在其間尋找到一個均衡點。

整體上，崔述學術的性格可概括為「獨立」的。這不僅適用於被歸入清代《詩經》學獨立派的《讀風偶識》，也代表了貫穿於包括《考信錄》的《崔東壁遺書》所有著作的精神。同時也是對乾嘉時期考證學熱潮中，他所表現的二十七年「獨行」的另一種描述。

---

[71] 趙爾巽等撰：《清史稿》卷482〈儒林三〉（北京市：中華書局，1982年），頁13270-13271。

參考文獻

崔　述　《崔東壁遺書》　臺北市：世界書局　1979年

崔　述　《考信錄》　臺北市：世界書局　1979年

司馬遷　《史記‧本紀》　北京市：中華書局　1985年

黎靖德編　《朱子語類》　卷11　北京市：中華書局　1986年

趙爾巽等撰　《清史稿‧儒林三》　北京市：中華書局　1986年

楊向奎　《清儒學案新編》第7冊　濟南市：齊魯書社　1994年

顧頡剛　《古史辨》第1冊　北京市：中華書局　1982年

姚紹華　《清崔東壁先生述年譜》　臺北市：臺灣商務印書館　1980年

錢　穆　《近三百年學術史》　臺北市：臺灣商務印書館　1980年

顧頡剛　《中國辨偽史略》　上海市：上海古籍出版社　1998年1月

許冠三　《史學與史學方法》　香港市：自由出版社　1958年

王汎森　《古史辨運動的興起》　臺北市：允晨文化實業公司　1987年

馬文大、陳堅編著　《清代經學圖鑑》　北京市：國際文化出版公司　1998年
　　　　8月

吳量愷　《崔述評傳》　南京市：南京大學出版社　2001年4月

郭康松　《清代考據學研究》　武漢市：崇文書局　2003年

중국철학연구회：《논쟁으로보는중국철학》예문서원　1995　서울

미우라쿠니오　김영식옮김：《인간주자》　창작과비평사　1996　서울

陳仕華主編　《章學誠研究論叢》　臺北市：臺灣學生書局　2005年2月

胡　適　〈科學的古史家崔述〉收錄於《崔東壁遺書》1冊　臺北市：世界書
　　　　局　1979年

錢　穆　〈讀崔述洙泗考信錄〉　《綜合月刊》　11期　1974年

錢　穆　〈崔東壁遺書序〉　收錄於《中國學術思想史論叢八》　臺北市：東
　　　　大圖書公司　1980年

余英時 〈章實齋與柯靈烏的歷史思想〉 《歷史與思想》 臺北市：聯經出版事業公司 1981年

余英時 〈從宋明儒學的發展論清代思想史〉 《歷史與思想》 臺北市：聯經出版事業公司 1981年

余英時 〈清代學術思想史重要觀念通釋〉 《中國思想傳統的現代詮釋》 臺北市：聯經出版事業公司 1981年

Michael Quirin 〈考證中的學術、價值、方法與詮釋學〉收入於《史學史研討會：從比較觀點出發論文集》 臺北市：稻鄉出版社 1999年

邵東方 〈關於崔氏學術的幾個問題〉、〈崔述在清代儒學定位之重新考察〉、〈經義求真與古史考信〉、〈崔述的疑古考信和史學研究〉

以上收錄於《崔述與中國學術史研究》 北京市：人民出版社 1998年

楊向奎 〈崔述《東壁學案》〉 收錄於《清儒學案新編》7冊 濟南市：齊魯書社 1994年

李康範 〈清代初期考據學發展的政治背景研究（韓文）〉 首爾市：第2次中國語文學研究會國際學術大會發表論文 2004年9月18日

李康範 〈通過《國朝漢學師承記》看乾嘉時期的漢宋之爭及其性質（韓文）〉 首爾市：《中國語文學論集》第21號 2002年10月

李康範 〈方東樹《漢學商兌》的宋學擁護及反漢學傾向研究（韓文）〉 首爾市：《中國語文學論集》第25號 2003年11月

李康範 〈《五帝本紀》的敘述起點及五德終始說（韓文）〉 首爾市：《中國語文學論集》第22號 2003年2月

現代人對經書的解讀
——以章太炎笑周公為例

蔣秋華

中央研究院

摘要

現代學者解說古書，難免抱持今人的觀點，來論斷古代的事情，而且常有出言譏誚之舉，這種不夠客觀的態度，對古書來說，是極不公允的。古人的記事，有其所具備的特殊背景與因素，後人若不能設身處地為其著想，反而以批判的態度面對，必然無法明瞭事物的真實情況。

本文試著從民初國學大師章太炎（1869-1936）對《尚書・金縢篇》有關周公行事的解說談起，以考察現代學者面對曾經具有神聖地位的經書，所反映出來的心態，以及其與傳統經解之間的差異。

關鍵詞：章太炎、周公、可笑、金縢、解讀

一　前言

　　經學是中國傳統最重要的學術，自孔子（西元前551-前479年）整理六經，並以之教授弟子，經由弟子的推廣傳播，形成儒家學派。到了漢武帝時，接受董仲舒（西元前179-前104年）的建議，罷黜百家，獨尊儒術，並設立五經博士，從此經學與政治結合，千千萬萬的讀書人，在利祿之途使然之下，莫不奮身投入，以拾取一己之功名爵祿。而經書也成了神聖之物，講讀者需以虔敬之心對待，不可有絲毫懷疑之意。宋人雖然大膽疑經改經，但是探其目的，不過欲使經書之道理更加明朗正確，終究仍是尊經[1]。

　　尊貴的經書，直至清末廢除科舉制度之後，失去了功利的作用，其地位才開始下降，更受到西方新式學術的衝擊，其衰退的情況，可謂一落千丈，令人不忍卒睹。在新舊思潮激盪之下，學者對於經書的態度，大有轉變，民國以來的學界，懷疑、譏諷經書的人，層出不窮。

　　本文試著從民初國學大師章太炎（1869-1936）對《尚書・金縢篇》的解說談起，以考察現代學者如何面對曾經具有神聖地位的經書，所反映出來的心態，以及其與傳統經解之間的差異。

二　現代學者解說〈金縢〉

　　《尚書》是一部古老的典籍，記錄了古代帝王諸侯與臣子間的話語，以及治理朝政的方針，其間塑造了具有崇高品德和高妙智慧的神聖帝王及賢明臣子，如堯、舜、禹、湯、文王、武王等聖君，皋陶、伊尹、周公、君奭等賢臣。其中以周公在《尚書》裡出現的次數最多[2]，而在後世所引起的爭議也最大，〈金縢〉一篇更是疑點重重，論說紛紜，莫衷一是。以下即先舉章太炎對

---

[1] 參見楊新勛：《宋代疑經研究》（北京市：中華書局，2007年3月），頁283-293。

[2] 如見於〈金縢〉、〈大誥〉、〈康誥〉、〈酒誥〉、〈梓材〉、〈召誥〉、〈洛誥〉、〈多士〉、〈無逸〉、〈君奭〉、〈多方〉、〈立政〉等篇。

此篇兩處文句的注解。

　　章太炎是國學大師，以精通小學著稱，被視為古文經學的代表。他的經學以《左傳》為主，撰有多種論著，因批駁今文經學家康有為（1858-1927），聲名大著，影響也較大。在《尚書》方面，他也有幾種相關的著作[3]，生前即有兩部關於《尚書》的專著《太史公古文尚書說》、《古文尚書拾遺》流傳，二〇一三年二月，北京中華書局出版章太炎講、諸祖耿（1899-1989）整理的《太炎先生尚書說》一書，這是章氏逝世將近八十年後，新出的一部著作。此書乃章太炎晚年在「國學講習會」的講辭，弟子諸祖耿詳錄所聞，區為「《尚書故言》、《尚書略說》、《書序》、《尚書》二十九篇全文講義」四部分，並附錄四種，以為其師疏釋《尚書》之大全。初稿於一九三八年整理完成，因種種原故，拖延到廿一世紀初，才得以出版。《太炎先生尚書說》雖非章氏親撰，但是由其弟子整理記錄其演說辭而成，依舊可以視為他的學術成果。

　　《尚書・金縢》記載武王克商二年，生了重病，周公向祖先禱告，願以自己替死，並將禱詞藏於金縢之匱裡。結果武王病好了，周公也無事。待武王去世，有人造謠，說周公有奪王位的野心，引起成王的猜疑。周公避居在外，某年秋天出現大雷電和大風雨，把農作物都吹壞了。成王與大臣打開匱子，讀了周公欲替死的禱詞，始悟天變導因於不信任周公。於是親自出郊，迎周公還朝。文中的疑點頗多，歷代學者爭論不斷，尤其針對周公的禱詞，更是批評得相當嚴厲，甚至以為非周公所作。

　　〈金縢篇〉的周公禱詞曰：「予仁若考能，多材多藝，能事鬼神，乃元孫不若旦多材多藝，不能事鬼神，乃命于帝庭，敷佑四方，用定爾子孫于下地，四方之民，罔不祇畏。」此處的斷句或作「予仁若考，能多材多藝，能事鬼神」，即第一個「能」字的屬上或屬下的差異。章太炎於此段下注曰：

　　　《史記》作「予仁順巧能」，於「能」字斷句。此周公誑祖考也，實可

3　有關章太炎之《尚書》著作，參見蔣秋華：〈章太炎《尚書》著作考述〉，《政大中文學報》第21期（2014年6月），頁37-58。

笑。[4]

他的解說極簡單，只引《史記》作為他斷句的依憑，接著便指責周公的禱告是欺騙祖先的行為，這種作法，在他看來，是「實可笑」。

又〈金縢篇〉接著的周公禱詞曰：「今我即命于元龜，爾之許我，我其以璧與珪，歸俟爾命。爾不許我，我乃屏璧與珪。」章太炎於此段下注曰：

> 即，就也。屏，藏也。此又脅迫之詞也。可笑。[5]

解說也是相當精簡，除了對兩個字的說明外，又指責周公的言詞帶有威脅祖先的意味，再度出現「可笑」二字的譏諷語。對周公短短的禱詞，一再以「可笑」譏刺，這已不是解釋經文，而是發揮一己的評斷了。這種溢出注釋之外所闡發的個人意見，章太炎並非獨特的一人，而是注家常有的手法。

其實在章太炎之前，已有學者對周公的祝禱行為，出語諷刺。

民國十四年（1925），顧頡剛（1893-1980）在《語絲》上面，發表了一篇〈金縢今譯〉的文章。他在文章當中，除了將〈金縢篇〉翻譯成白話文，同時也探討了歷來經學大師對經文某些詞語的爭議，以及他自己對於各種異說的體會。

顧頡剛對於〈金縢篇〉「今我即命于元龜，爾之許我，我其以璧與珪，歸俟爾命。爾不許我，我乃屏璧與珪」這一段話的翻譯如下：

> 現在我在大龜上面接受你們的命令。你們如果許我，我就把璧和珪獻與你們，回去等候你們的命令。若是你們不許我，我就要把璧和珪藏起來了。[6]

---

[4] 章太炎講、諸祖耿整理：《太炎先生尚書說》（北京市：中華書局，2013年2月），頁115。

[5] 章太炎講、諸祖耿整理：《太炎先生尚書說》，頁115。

[6] 顧頡剛：〈金縢今譯〉，《語絲》第40期（1925年8月17日），頁3。

就經文而言，所譯沒有什麼問題。但是顧頡剛的批評，卻帶有十足的諷刺意味，其曰：

> 用我們的頭腦來看這篇記載，真要發笑起來。三王在天之靈是要生病的。生了病沒有人服事，就要向人間取了他們的長孫來，全不計較這位長孫在這個時候能來與否。他們又是貪著玉器，只要周公把珪和璧獻與他們，就可騙得他們回心轉意；而周公遂可借此威嚇他們，說：「你們若不聽我話，我就要不給你了！」彷彿用了糖果來哄小孩似的，這是何等的有趣呵！[7]

笑三王（太王、王季、文王）要人服事，既不知選適當的時機，又貪圖玉器，可以被收買；而周公竟然像哄小孩一般，用璧與珪來欺騙、威嚇祖先。如此的行徑，當然與世人心目中的周公形象，有很大的出入。顧頡剛接著說：

> 我們通常從《綱鑑易知錄》等書中得來的周公的印象，總以為是一位極漂亮、極重實際的政治家。那知讀了此篇，竟是一個裝神作怪的道士！他築起了幾座臺，招了先靈，自己頭頂了圓玉，手捧了長方的玉，旁邊站著了通表疏的法師，占卜吉凶的起課先生；試一設想，真不禁啞然失笑了。孟子說：「周公思兼三王，以施四事：其有不合者，仰而思之，夜以繼日，幸而得之，坐以待旦。」這明明是一個思想極精密的人，和這篇記載那裡能合攏呢來！[8]

透過《綱鑑易知錄》[9]的記載，世人對於周公所存留的印象，大抵是十分美好

7　顧頡剛：〈金縢今譯〉，《語絲》第40期，頁5。

8　顧頡剛：〈金縢今譯〉，《語絲》第40期，頁5。

9　吳乘權等輯、施意周點校：《綱鑑易知錄》（北京市：中華書局，1960年5月）。此書為清康熙年間浙江文人吳乘權、周之炯、周之燦所編纂，內容上自盤古開天起，下迄於明朝末年（1644），屬於綱目體的通史著作，一共一百○七卷，是清代許多士人讀史的參考書。周公事蹟見卷2-3〈周紀〉，總頁54-63。對周公代死之事，則見頁57：「武王有疾，周公以王室未安，

的，是一位非常注重實際的政治人物，應該就像《孟子》書中所說，是個「思兼三王」[10]的思想相當精細的人。然而在儒家極為看重的《尚書》這一部經典裡，所呈現的周公形象，竟是如同道士一般，裝神作怪，築起祭臺，召喚祖先的靈魂，不僅自己粉墨登場，頭頂圓玉，手捧長方之玉，身旁還有與他相互配合的法師、卜卦者，不禁讓顧頡剛如同章太炎一樣，「啞然失笑」。他們的共通處，都是對周公所行祈禱之事，感到可笑。

此外，顧頡剛還引用了《元秘史》中的一段記載，曰：

> 兔兒年，幹[11]歌歹皇帝征金國，命者別為頭哨，遂敗金兵，過居庸關。幹歌歹駐軍龍虎台，分命諸將攻取各處城池。
>
> 幹歌歹忽得疾，昏憒失音。命師巫卜之，言乃金國山川之神，為軍馬擄掠人民，毀壞城郭，以此為祟。許以人民財寶等物禳之，卜之不從，其病愈重。惟以親人代之則可。
>
> 疾少間，忽開眼索水飲，言說：「我怎生來？」其巫說：「此是金國山川之神為祟；許以諸物禳之，皆不從，只要親人代之。」
>
> 幹歌歹說：「如今我根前有誰？」當有大王拖雷說：「洪福的父親將咱兄弟內選著，教你做了皇帝，令我在哥哥根前行，忘了的提醒，睡著時喚醒。如今若失了皇帝哥哥呵，我誰行提說著，喚醒著，多達達百姓教誰管著；且快金人之意。如今我代哥哥，有的罪孽都是我造來！我又生的好，可以事神。師巫，你呪說着！」
>
> 其師巫取水呪說了。拖雷飲畢，略坐間，覺醒，說：「比及我醒時，將我孤兒寡婦抬舉教成立者！皇帝哥哥知者！」說罷，出去，遂死了。其

殷民未服，根本易搖，故請命太王、王季、文王，欲以身代王死。史錄其策祝之文，藏於金縢之匱。王翼日乃瘳。」

10 《孟子‧離婁下》：「孟子曰：『禹惡旨酒，而好善言；湯執中，立賢無方；文王視民如傷，望道而未之見；武王不泄邇，不忘遠。周公思兼三王以施四事。其有不合者，仰而思之，夜以繼日；幸而得之，坐以待旦。』」

11 「幹」字為「斡」字之誤，下同。

緣故是這般。（右見《元秘史》卷十五[12]。斡歌歹即元太宗窩闊台，元
太祖第三子；拖雷，太祖第四子。）[13]

這是一個關於蒙古族創業階段的故事，說的是元太祖成吉思汗（1162-1227）
的第三個兒子元太宗窩闊台（1186-1241）征討金國期間，因受金國山川之神
的作祟而病危，巫師占卜之後，指出只有以親人代之，方可解危。成吉思汗的
第四個兒子，也就是窩闊台的弟弟拖雷（1192-1232），認為罪過在他，且他較
能事神，願意代死，結果透過師巫的呪術，拖雷真的死了。其間神話或是巫術
的成分相當濃厚，但是拖雷的死究竟是自願？還是遭受陷害？歷史學者看法各
異，不過，顧頡剛卻以為此與周公欲代武王死之事相類似，相信拖雷是代替兄
長而死的。因此，顧頡剛曰：

> 這件事和〈金縢篇〉的故事真是像極了。斡歌歹與武王正在創業之際而
> 不能死，這個時勢是一樣的。親人可以代替，這種見解也是一樣的。弟
> 願代兄，這件事實也是一樣的。拖雷說：「如今我代哥哥，有的罪孽都
> 是我造來。」與《史記》所載「奸神命者皆旦也」何等相像！拖雷說：
> 「我又生得好，可以事神。」更是活靈活現的「予仁若考能多材多藝，
> 能事鬼神」的一句話了！所可惜的，這是敵國的山川之神而不是他們的
> 祖宗，所以他是真的死了。更可惜的，蒙古族中沒有像孔子一般的聖人
> 來替他表章，所以他是湮沒了。[14]

他認為史書在事件的情勢上、親人可以代死的觀念、弟願代兄死等方面，所做
的記載都與〈金縢篇〉的事蹟十分相近，甚至連拖雷自薦的詞語，也相當近
似，只是結局卻不一樣，願意代死的拖雷竟然應驗而亡。同時顧頡剛為其嘆

---

[12] 此事實見忙豁侖紐察脫察安撰，李文田注：《元朝秘史》（上海市：上海古籍出版社，1995
年，《續修四庫全書》本），卷14，頁14上-15上。

[13] 顧頡剛：〈金縢今譯〉，《語絲》第40期，頁5。

[14] 顧頡剛：〈金縢今譯〉，《語絲》第40期，頁5-6。

息，因為沒有聖人的表彰，導致其事不能得到廣大的宣傳，而鮮為人知。

顧頡剛徵引《元秘史》的類似事件，以與〈金縢篇〉相對照，推考其意圖，大概認為這些史書中所載錄的奇異事件，並不是孤立的。他又說：

> 我們在此可以知道：一個人在那樣的時勢中，在那樣的社會裡，自然會得做出那樣的事來。周公在商周之際鬼神主義極盛的政治社會裡，他那種鬼畫符式的舉動，正是他的多材多藝的表現。[15]

顧頡剛認為周公所處的時代，正是社會盛行鬼神主義的時候，所以他能夠弄出如此把戲，反倒顯現他具有很多的材藝。換言之，周公的作為，後人看似荒唐可笑，卻與當時的生活背景，是相當符合的[16]。

顧頡剛的論文，並不是單純的注解經書，而是翻譯經文，並進行分析討論，因而引用類似的史例，探索古人所生存的時代風尚，亦即需從事件發生的時空來考量，有什麼樣的情境，便可能產生什麼樣的事情。

民國十六年（1927），衛聚賢（1898-1990）發表〈金縢辯偽〉一文，考察〈金縢〉的真偽。他詳細列出了十二條可疑之點，結論是「不惟今本〈金縢〉為偽物，即原本〈金縢〉也不可靠，可見《今文尚書》也有了問題」[17]。其中的第四點是對「予仁若考能，多材多藝，能事鬼神，乃元孫不若旦多材多藝，不能事鬼神，乃命于帝庭，敷佑四方，用定爾子孫于下地，四方之民，罔不祗畏。嗚呼！無墜天之降寶命，我先王亦永有依歸」一段的質疑，其言曰：

> 按此「鬼神」二字係指三王呢？抑指上帝呢？若指三王，則三王上有「丕子之責于天」，下有「亦永有依歸」，何為使其子孫王發而事他呢？

---

[15] 顧頡剛：〈金縢今譯〉，《語絲》第40期，頁5。

[16] 顧頡剛的說解，後被收入顧頡剛、劉起釪：《尚書校釋譯論》（北京市：中華書局，2005年4月），頁1252-1253。劉起釪並補充說：「由此可知周公〈金縢〉的故事是完全符合當時歷史實際的，而篇中所載周公冊祝之文，不論是它的思想內容，還是一些文句詞彙，也都基本與西周初年的相符合。」

[17] 衛聚賢：〈金縢辯偽〉，《國學月報》第2卷第12期（1927年12月），頁676。

> 若鬼神指上帝，是上帝直要王發事他，應直禱上帝，何以反禱三王呢？
> 況「予仁若考能」，自以為「仁」恐非情理。[18]

他認為要服事的鬼神，若指三王（太王、王季、文王），但他們在天上有「丕子之責」，對人間的子孫要讓他們安定，方可使自己「永有依歸」，那麼為何還要武王來服事？若鬼神指上帝（經文有「乃命于帝庭」），則應向上帝禱告，何以反禱告於三王？另外，周公自稱具有仁德，也不是人之常情。總之，對於禱詞的內容出於周公之口，深不以為然。

第五點是對「今我即命于元龜，爾之許我，我其以璧與珪，歸俟爾命。爾不許我，我乃屏璧與珪」一段的質疑，其曰：

> 「屏」，《廣雅・釋詁》作藏字解。按上文告三王時為「植璧秉珪」，此處為「屏璧與珪」，當是告三王的話；又按此段開首為「今我即命于元龜」，亦係對三王的口氣；而孫星衍《尚書今古文注疏》作命龜以下至與珪為命龜詞解，非是。此段既係告三王的話，這和給小孩玩耍一樣，說是你「許我」，我就給你「璧與珪」，你「不許我」，我就藏了「璧與珪」不給你。周初去野蠻時代未遠，人的迷信程度當深，而周公對於鬼神豈宜有如此輕信的舉動嗎？[19]

根據經文前有「植璧秉珪」，後有「屏璧與珪」，以及此段開始有「今我即命于元龜」之語，衛聚賢因而認為禱詞的對象是三王。又反駁孫星衍（1753-1818）的《尚書今古文疏證》將「爾之許我」至「我乃屏璧與珪」當成對元龜的禱詞[20]，認為仍是告於三王的禱詞；但是如此以要脅口氣的禱祝，如同小兒玩耍般，以周公的身分而言，怎會有這麼幼稚的行為呢？雖然他也承認當時距離野蠻的時代不遠，人們仍然保有相當深的迷信，他還是不贊成周公會有此不恰適

---

18 衛聚賢：〈金縢辯偽〉，《國學月報》第2卷第12期，頁678。

19 衛聚賢：〈金縢辯偽〉，《國學月報》第2卷第12期，頁678。

20 其說見孫星衍：《尚書今古文注疏》（北京市：中華書局，1986年12月），卷13，總頁327。

的作法。歸根究柢，就是認為周公面對祭禱對象時的舉措宜端正，不可有任何輕佻的行為。

衛聚賢所提出的兩個疑點，主要是禱詞對象及內容的爭議，關於前者，他認為並非向上帝，乃應屬向三王的祈求，只是周公不該有如此不明智的舉動；至於後者，則他雖然沒有出語諷刺，依然是從相信周公才能的立場，否定禱詞的內容出自周公之口。

以上三位現代學者對〈金縢篇〉所做的解說，他們一致認為周公不當發出如此不適切的禱語。之所以會有這種觀感，純粹是由後世的眼光，來評判古人的行事，如此一來，所獲得的結論，自然擺脫不了「以今律古」的主觀立場，而以迷信來譏笑古人的作法。

三　古代學者解說〈金縢〉

相較於現代學者之懷疑、譏笑〈金縢篇〉中周公的不當之舉，古代的學者大都採取信任、肯定的態度，來解說周公的行事。

如偽《孔傳》曰：

> 死生有命，不可請代，聖人敘臣子之心，以垂世教。[21]

此處作者雖然知曉人之壽命是無法向天請求替代的，但是他認為孔子選擇此篇編入《尚書》之中，目的在教導世人臣子應有為君擔憂之心。很明顯的，這是用教化的觀點，來闡明周公之舉宜獲得稱賞。

唐人孔穎達（西元574-648年）曰：

> 「責」讀如《左傳》「施捨己責」之「責」，「責」謂負人物也。「太子之責于天」，言負天一太子，謂必須死，疾不可救於天。必須一子死，則

---

21 題孔安國傳、孔穎達正義、黃懷信整理：《尚書正義》（上海市：上海古籍出版社，2007年12月），卷12，總頁495。

當以旦代之。死生有命，不可請代，今請代者，「聖人敘臣子之心，以
垂世教」耳，非謂可代得也。鄭玄弟子趙商問玄曰：「若武王未終，疾
固當瘳。信命之終，雖請不得。自古已來，何患不為？」玄答曰：「君
父疾病方困，忠臣孝子不忍默爾，視其歆欷，歸其命於天，中心惻然，
欲為之請命。周公達於此禮，著在《尚書》，若君父之病不為請命，豈
忠孝之志也？」然則命有定分，非可代死，周公為此者，自申臣子之
心，非謂死實可代。自古不廢，亦有其人，但不見爾，未必周公獨為
之。[22]

除闡發偽《孔傳》之說，又引鄭玄（西元127-200年）與弟子趙商的問答之
語，指出周公應知命之不可以請代，然其願意以己代兄之死，實乃不忍坐視武
王病危而己無所作為，故明知其不可而仍舊行之，這就展現了他的忠孝之志，
也是聖人錄此篇作為後世教化之用的原因。孔穎達更進一步指出，周公的這種
作法應該不是少數的特例，其他類似作為而不為人知者，只因沒有被記載下來
罷了。

　　宋代也有人懷疑周公代死之行為，因而向程頤（1033-1107）詢問，他答
曰：

　　　然則周公不知命乎？曰：「周公誠心欲代其兄，豈問命耶？」[23]

表示周公欲代其兄武王而死，所展現的就是一片誠心，並不考慮天命是否可能
的問題。宋人蘇軾（1037-1101）也對於世人懷疑生命是否可以相代？而答曰：

　　　我仁孝能事父祖，且多材多藝，于事鬼神為宜，乃元孫才藝不若旦，而
　　　有人君德度，留以王天下為宜。死生有可相代之理，世多疑之，予觀近

---

22 題孔安國傳、孔穎達正義、黃懷信整理：《尚書正義》，卷12，總頁497。
23 見程顥、程頤：《河南程氏遺書》，卷18，王孝魚點校：《二程集》（臺北市：里仁書局，1982
　　年），總頁227。

> 世匹夫匹婦為其父母，發一至誠之心，以動天地鬼神者，多矣，況周公
> 乎？且周公之禱，非獨弟為兄、臣為君也，乃為天下，為先王禱也。上
> 帝聽而從之，無足疑者。以己之多偽，而疑聖人之不情也。[24]

他認為一般人對於自己的父母親的生死，往往也會發出至誠之心，希望能感動
天地鬼神，以身相代。而周公此時的禱祝，不僅是「弟為兄、臣為君」這麼單
純，更是「為天下，為先王」，所以上帝給予允諾，並不足為疑。

　　另一位宋人蔡沈（1167-1230），在其書中對「今我即命于元龜，爾之許
我，我其以璧與珪，歸俟爾命。爾不許我，我乃屏璧與珪」一段，解說：

> 即，就也。歸俟爾命，俟武王之安也。屏，藏也。屏璧與珪，言不得事
> 神也。蓋武王喪，則周之基業必墜，雖欲事神，不可得也。其稱爾稱
> 我，無異人子之在膝下，以語其親者。此亦終身慕父母，與不死其親之
> 意，以見公之達孝也。[25]

他雖然沒有更多的發揮，卻指出周公向三王的禱告是為了國家的安危，也是孝
心的表達。

　　清人楊方達在引用程頤之說後，曰：

> 觀此諸說，則〈金縢〉之書自無可疑，凡過為周公疑者，皆未足以知聖
> 人之心事者也。[26]

同樣認為懷疑周公者，都是不能明白他的真正心意。

---

[24] 蘇軾，舒大剛、張尚英校點：《東坡書傳》，舒大剛、李文澤主編：《三蘇經解集校》（成都
　市：四川大學出版社，2017年10月《巴蜀全書》本），上冊，卷11，總頁302。

[25] 蔡沈著、嚴文儒校點：《書集傳》（上海市：華東師範大學出版社，2010年，《朱子全書外編》
　本），卷4，總頁157-158。

[26] 楊方達：《尚書通典略》（臺南市：莊嚴文化事業公司，1997年6月，《四庫全書存目叢書》
　本），卷下，頁12下。

清人劉沅（1768-1855）曰：

> 此篇史臣特記周公請代武王一事，以忠愛之誠格天，為萬世臣子
> 法。……奈後儒不知史臣記敘本旨，摘一二句疑竇，妄生枝節。……文
> 人未知聖人分量，安知聖人書籍？逞其私見，妄作詆訶，所謂不知量者
> 歟！[27]

他也認為周公的作法是想用忠愛之心來打動上天，史臣記敘此篇之本旨，自有
將此事當成萬世為臣之法的用心。一般文人不能知曉聖人的心意，當然讀不懂
經書之本意，才會有無妄的譏評。

以上所引幾位前代學者的說法，均對周公行事予以肯定，稱其具有「忠
孝」或「忠愛」之心志，凡是不能知曉其苦心者，自然會產生懷疑。而且孔子
特意將此篇編入《尚書》中，最大的目的即在借此教化世人。

其實古人也並非全無異議，如明人王廉反覆詳究〈金縢〉一篇，舉出五
事，疑其非古書，其中第三事曰：

> 又曰：「今我即命於元龜……我乃屏璧與珪。」夫人子有事於先王，而
> 可以珪璧要之乎？使周公而然，非達孝者矣。[28]

謂周公作為人子，在向祖先祈禱時，怎可用祭品來要脅他們，如此作法是不通
孝道。

清人袁枚（1716-1797）對〈金縢篇〉的內容亦有所懷疑，曾撰〈金縢
辨〉上下篇，上篇曰：

> 〈中庸〉曰「事死如事生」，《孟子》曰「人能充無受爾汝之實，則義不

可勝用也」，又曰「享多儀，儀不及物」。然則爾汝者，古人挾長之稱，
而圭璧者，所以將敬之物也。公呼先王為爾，不敬；自夸材藝，不謙；
終以圭璧要之，不順。若曰許我則以璧與珪，不許我則屏璧與珪，如握
果餌以劫嬰兒，既驕且吝，慢神蔑祖，而太王、王季、文王甘其爾汝之
稱，又貪其珪璧之誘，於昭于天者，何其啟寵納辱之甚也？夫周公，古
之達孝也，孝父與孝兄孰切？當文王崩，何以不禱？或曰武王得天下，
主幼國危，關係甚大，公故急而為之耳。然則文王大勳未集，年又九十
七歲，周公以為老耶？賤耶？直當死時耶？[29]

依據〈中庸〉之言，侍奉死者應如生前一般，不能有所差別。他又依據《孟
子》之言，認為從禱詞的稱呼過於輕忽，是大不敬；自誇具有材藝，是不夠謙
遜；用祭品要脅，是不夠恭順。何況要脅的手段，如同以果餌引誘小孩，且讓
祖先披上貪婪之名，都是不恰當的。又謂周公以孝著稱，對父兄都應盡孝道，
何以在文王九十七歲尚未完成事功時，不為其禱告，以延其生命？反而在武王
生病時，急忙為其禱告。因此，袁枚以為〈金縢篇〉的記事有可疑之處。

　　王廉、袁枚兩家對〈金縢篇〉的懷疑，是最具代表性的反面意見，經常被
後人參考、引用，上文所引述衛聚賢的論點，雖未說明受到何人的影響，卻與
袁枚的說詞十分相似。

　　王夫之（1619-1692）曰：「〈金縢〉一篇，其可疑者不一。惟朱子亦云：
『有非人情者。』情所不協，必理所不出也。」[30]他承續朱熹（1130-1200）
以〈金縢篇〉有非符合人情之言，認為不能與人情相協和，則必不合於理。於
是他臚列〈金縢〉中的十三可疑之處，並總結曰：

群疑所聚，有心有目者所共知。其得存于既刪之餘者，蓋孔子以節取
之，而為著居東作詩、雷雨反風之實，以見公忠而見謗之苦衷，與周初

---

[29] 袁枚：《小山倉房文集》（臺南市：莊嚴文化事業公司，1996年，《續修四庫全書》本），卷22，
　　頁16下。

[30] 王夫之：《尚書稗疏》，卷4上，《船山全書》（長沙市：嶽麓書社，1988年），第2冊，總頁151。

王室多故之蹟。其出自史臣文勝之傳聞者，亦以連章而無以施其芟割，則存乎後人之善論也。孟子于〈武成〉取二三策而不信其餘，曰：「盡信書則不如無書。」可為讀〈金縢〉者之一法。[31]

對於世人所抱持的種種疑惑，王氏認為人有眼目，自可判其是非。至於此篇能夠被保存在《尚書》之中，則是孔子為表達周公「居東作詩、雷雨反風之實」，借以反映周公「忠而見謗之苦衷，與周初王室多故之蹟」。然而由於史官處理得並不恰適，其所呈現的問題，便需要靠有識者的指瑕。而且搬出孟子（西元前372？-前289年）「盡信書不如無書」之語，作為研讀〈金縢篇〉的方法，言下之意，即此篇之內容不能完全相信。因此，王夫之又曰：

〈金縢〉文理多互相糾繆，讀者宜以意逆之，可耳。[32]

仍是沿用孟子「以意逆志」的套路，要讀者自行判讀。王夫之對於經文的不信任，可以代表所有質疑者的觀點，然而他把誤謬推託記事的史官，這也是出於對神聖經書的尊崇心理下，轉移問題焦點的一種慣常詮解方式。

四　結語

　　章太炎在注解《尚書·金縢篇》時，對於周公的行事，出現兩次「可笑」的用語，這已不是純粹的詮釋經義，而是帶有批判性的個人見解，尤其他所發言的對象是古人極為敬重的周公，屬於儒家聖賢一類的人物，這對傳統治經者而言，是相當罕見的。然而章氏所處的時代，科舉取才之制已廢除，經書的重要性大不如前，加上疑古風氣日漸成形，因而對古書、古人的懷疑，屢見不鮮。章氏雖非追逐時尚者，但因時勢的變遷，觀念與態度亦隨著轉換，致有質疑經書的作為。

---

[31] 王夫之：《尚書稗疏》，卷4上，《船山全書》，第2冊，總頁156。

[32] 王夫之：《尚書稗疏》，卷4上，《船山全書》，第2冊，總頁157。

現代學者解說古書時，避免不了套上今人的識見，來審視古代的事情，而且往往出言譏誚，這是不客觀的態度，對古人來說，是相當不公允的。古人的記事，應有其所具備的時空條件或特殊因素，後人如果不能設身處地為其著想，一味以批判的心態來對待，不僅無法體會當時的情境，也掌握不了事物的真正緣由。

顧頡剛、衛聚賢等人所處的世代，古史辨的疑古思想正如火如荼的擴散，對於傳統的事物，尤其是經書的權威，幾乎都抱持懷疑的眼光，予以重新檢視，甚至推倒。章太炎雖非疑古學者，但因置身於風潮之中，免不了也有以今律古的批判性說解。

與顧頡剛、衛聚賢差不多同時的唐文治（1865-1954），於一九三六年發表了〈尚書金縢篇研究法〉一文，以為〈金縢篇〉的文義有三可疑、二大可疑，若無法剖析明白，則無法彰顯周公的苦心。因此，他用問答體的方式，為之闡發。其中可疑之二是：

> 問：爾不許我，我乃屏璧（璧）與珪二句，似有要約之意，豈所以對先王乎？

提問者認為周公以珪璧要脅先王，這難道是子孫應有的行為？唐文治對此問題的回答：

> 答曰：此可疑者二也。惟按當時事實，克商二年，武庚甫立，殷頑民蠢蠢欲動，倘武王遽崩，根本搖動，不獨救民水火之功全歸消滅，即鎬京基業，亦復岌岌可危，尚何有於珪璧哉？此乃以實告，非要約也。下文「公曰：體，王其罔害」云云，此驚喜之辭，益可見至誠之流露矣。[33]

雖然他認為〈金縢〉文中有疑點，但考察當時的背景，周室的根基尚未穩固，

---

[33] 唐文治：〈尚書金縢篇研究法〉，《國專月刊》，第4卷第4號（1936年），頁70-71。

一旦武王逝世，不僅失去解救黎民百姓脫離苦難的機會，連自家的基地也可能喪失，屆時還談什麼璧與珪？所以唐文治認為周公不過是將實情告訴祖先，並沒有要脅的意思。而且待占卜到吉兆時，所發出的驚喜話語，更展現周公的一片赤誠。他能夠跳脫現代人的思維，認真體會古人的舉動背後所隱藏的動機，所以解讀出與懷疑論者差異極大的結論。雖然唐文治的論點依舊回歸到古人，似乎沒有什麼太多的新意，但是他明確傳達了古人的真正心意，值得研究者好好反省思考。

參考文獻

題孔安國傳、孔穎達正義、黃懷信整理　《尚書正義》　上海市：上海古籍出版社　2007年12月

程顥、程頤撰，王孝魚點校　《二程集》　臺北市：里仁書局　1982年

蘇軾撰，舒大剛、張尚英校點　《東坡書傳》　舒大剛、李文澤主編　《三蘇經解集校》　成都市：四川大學出版社　2017年10月　《巴蜀全書》本

蔡沈著、嚴文儒校點　《書集傳》　上海市：華東師範大學出版社　2010年　《朱子全書外編》本

王　廉　〈金縢非古書〉　收入程敏政編　《明文衡》　臺北市：臺灣商務印書館　1986年　《文淵閣四庫全書》本

王夫之　《尚書稗疏》　《船山全書》　長沙市：嶽麓書社　1988年　第2冊

楊方達　《尚書通典略》　臺南市：莊嚴文化事業公司　1997年6月　《四庫全書存目叢書》本

孫星衍　《尚書今古文注疏》　北京市：中華書局　1986年12月

袁　枚　《小山倉房文集》　臺南市：莊嚴文化事業公司　1996年　《續修四庫全書》本

吳乘權等輯、施意周點校　《綱鑑易知錄》　北京市：中華書局　1960年5月

忙豁侖紐察脫察安撰，李文田注　《元朝秘史》　上海市：上海古籍出版社　1997年　《續修四庫全書》本

劉　沅　《尚書恆解》　成都市：巴蜀書社　2006年9月　《槐軒全書》本

章太炎講、諸祖耿整理　《太炎先生尚書說》　北京市：中華書局　2013年2月

楊新勛　《宋代疑經研究》　北京市：中華書局　2007年3月

顧頡剛　〈金縢今譯〉　《語絲》　第40期　1925年8月17日

衛聚賢　〈金縢辯偽〉　《國學月報》　第2卷第12期　1927年12月

唐文治　〈尚書金縢篇研究法〉　《國專月刊》　第4卷第4號　1936年

蔣秋華　〈章太炎《尚書》著作考述〉　《政大中文學報》　第21期　2014年
　　6月

莫可非「治《經》成文」之法
──兼論香港《自由人》、《自由報》中的經學資料

盧鳴東

（香港）香港浸會大學

摘要

　　《自由人》和《自由報》是香港二十世紀中葉由南來學人創辦的小型報章。二報出版共四十載，當中刊載了豐富的經學文章，彌足珍貴，反映香港早年在經學文獻上的獨有面貌。莫可非（1909-1970）是這兩份報章的專欄作家，除了在報中寫過為數不少深具學術價值的文章外，在其行文之中亦流露出南來學人在港的生活狀況，面對治學與維生所帶來的各種困難。他認為當時香港在英國殖民地教育政策下，國文教育和國文老師都不受重視，然而，知識必須依據文章才能夠傳承，這方面經學也不例外。因此，他採用清人章學誠「《六經》皆史」的觀點，以及桐城派「義法」之說，反駁傳統「重經輕文」的看法，並在恢復《六經》本質之餘，提供撰寫文章的典範，由此體現出《經》、文之間的匯流關係。

關鍵詞：南來學人　《六經》皆史　因事明道　桐城派　詩教

一　緒言

　　經學的表述形式載有不同面向。傳統的經學研究純而不雜，探討對象專一，兼且不論是經典注釋、人物學派、經義思想、章句訓詁、名物考據等各種經學議題，都具有其學術價值的材料，包括傳世文獻或出土文獻作依據，以資研究。其實，不只是經學範疇，大凡從事研究工作，材料鑒定都是落筆前的首要考慮。具有學術性質的文獻讀本，立旨鮮明，內容清楚明晰。但非為學術研究的刊物，撰寫題材龐雜，即使涉及值得關注的課題內容，並對學術研究含有相當的參與度，惟限於收錄地方不屬於學術書刊，兼且表述形式與常規的學術研究有別，造成這些看起來不太重要的材料多被遺忘，最終被埋沒於故紙堆中。

　　二十世紀的香港受到中國政局急劇變化影響，兩岸三地的人口出現大規模遷移，不少國內的政要人物和知識分子撤離原來的生活居所，前赴港、臺定居。這在一九一二年和一九四九年這兩個時段，南來香港的人口流動最為活躍。一九一二年中華民國成立，晚清廣東翰林遺老避亂南下香港旅居，有部分在港從事教育活動。例如賴際熙（1865-1937）和區大典（1877-1937）在香港大學文學院出任漢文講師，講授經史課程。同時，賴際熙創辦學海書樓，打造民間講學平臺，邀請在港名儒講授儒家經典。一九四九年中華人民共和國成立，國內知識分子南來香港，有些只作短暫逗留，後來移居臺灣或海外；也有些旅居香港，致力推廣文教建設活動。例如錢穆（1895-1990）、唐君毅（1909-1978）創立新亞書院，設立文史、哲學教育科目，為香港培育優秀的經史人才；徐復觀（1904-1982）創辦《民主評論》（1949-1966），在港宣揚中華傳統文化等。

　　至於開辦報社，發行報紙，也是南來學人在港積極參與政治文化活動的一個重要表徵。在國、共兩黨的長期對抗下，香港文人的政治意識鮮明。來自國內的在港知識分子採用辦報撰文的方式，充當喉舌，對國內外及世界各地的時局動態，經濟民生，發表言論，宣示立場。這種帶有政治動機的報章，在當時

香港的報業市場中是沒法維持穩定的銷路，在經營上也經常出現困難。然而文人辦報的一個常見特點，是不同於一般商業性質的報章，它不以賺取利潤為首要目的，財政收支平衡也是次要考慮因素。縱然報社只能勉強維持經營成本，甚至負債累累，辦報人依然願意自掏腰包，四處募捐，堅持發行。所以促成這種使命感，既是由於他們為了表現個人的政治立場，也是出自宣揚中華文化的一份熱誠。當時南來學人在港的獨有文化生態，主要是由以上兩者交織形成。

自一九四九年南來學人在港積極舉辦文化活動，通過主持文化座談會，發表政論，對中外時局交換意見，造就了不少政治文化團體產生，也同時促使《自由人》和《自由報》誕生。《自由人》由左舜生、伍憲子、金候城、雷嘯岑等十四位創辦人發起，社址設於香港高士威道二十號四樓，這個地方原來是他們舉辦文化座談會的場地。自一九五一年三月七日《自由人》創刊，後來因為創辦人相繼離港，兼且入不敷出，經濟無法維持，遂於一九五九年九月十二日停刊。直至一九六〇年二月十七日，雷嘯岑（1896-1982）繼承《自由人》的辦報方針，並沿用它舊有的社址，創辦了《自由報》，直至一九八九年九月二十八日結束。總的來說，《自由人》和《自由報》歷時近四十載。

相對香港其他大型報章，諸如《工商日報》（1925-1984）、《華僑日報》（1925-1995）、《星島日報》（1938-）、《香港商報》（1952-）、《明報》（1959-）、《東方日報》（1969-）等，因為南來學人財力有限，造成《自由人》和《自由報》缺乏充裕的營運經費，導致發行規模不大。二報在港註冊發行，分銷臺灣；每星期發行兩次，逢星期三、六出版，每次一張，共分四個版面。第一、二版是時事政論，主要探討中外政局和國際大事；第三版連載散文、小說等文字創作；第四版刊載學術短文，討論課題包括傳統文獻、古典文學、中華文化及歷史掌故等。一般而言，報章的讀者群來自社會不同階層，接觸層面廣泛，故此，辦報人為了提高銷量，確保收入來源，報章內容難免走向商業化和多元化的路線，以迎合讀者口味。可是，由於南來學人秉持宏揚中華文化的一種辦報心態，因而《自由人》和《自由報》的創辦宗旨具有不一樣的定位。

一九六〇年十二月二日，《自由報》刊載徐學慧〈報格〉一文，反映了當時南來學人把辦報工作視為從事文化活動來看待。〈報格〉記載：

　　辦報紙不能視為是一種商業活動，因為要從事商業活動，實在是無需乎辦報紙的。每一個報人都應該把自己看成為是正從事於一種文化活動，也必須有這種認識，纔能感覺到報格之可貴。[1]

　　雷嘯岑在一九六〇年辭去《香港時報》總主筆職務，幾經艱苦，募集資金，創辦《自由報》[2]。他指出「從《自由人》到《自由報》，一脈相承，性質無改」，並於「創刊號」中說明「本報的言論方針是國家至上，民生第一，……對於現實的庶政得失要隨時加以批判論列，對於政府當局亦不憚鞭策諫諍之煩，期待他們改革進步。」[3]南來學人大多具有政黨背景，雷嘯岑也不例外。他在一九四九年七月抵港，居港前曾任國民黨政要，並擔任國內多份報章主筆[4]。《自由報》內刊登的不少政治性文章，以及各種議論內容都載有鮮明的政治色彩，這個現象無疑與辦報人的身分背景有密切關係。與此同時，辦報也是南來學人宏揚中華文化的主要途徑之一，因此，對於出版近四十載的《自由人》和《自由報》來說，當中所以刊載了為數不少的經學文章，實非偶然，有些更是當時得令的學人著述，彌足珍貴。這除了反映二十世紀五〇年代以來「南來學人」在港的學術研究成果外，也可以把它們視為香港經學文獻的重要資料。

---

[1]　《自由報》，1960年12月2日，第3版面。徐學慧亦曾在《自由報》中主持「望海樓隨筆」專欄，後來就有關文稿結集成書，並採用專欄的同一名稱出版。徐學慧：《望海樓隨筆》（香港：南亞書局，1959年）。

[2]　雷嘯岑指出《自由報》的創辦，是由在香港經營棉紗業嚴欣淇捐港幣二萬元作營運經費，其親家黃石華捐出一萬元繳付報紙註冊押金。參雷嘯岑：《憂患餘生之自述》（臺北市：傳記文學出版社，1982年10月），頁212。

[3]　《自由報》，1960年2月17日，第1版面。

[4]　雷嘯岑，湖南嘉禾人。一九二〇年考入東京私立早稻田大學專門部政治經濟科，一九二五年回國後，歷任南昌行營機要秘書、安徽省政府委員兼教育廳廳長、鄂豫皖三省總司令部秘書、湖北省第七區行政督察專員。一九三七年七月，任重慶《西南日報》總主筆；一九三八年六月任四川省機關報《華西日報》社社長兼總主筆；一九四二年一月重慶市教育局局長；一九四六年冬任南京《和平日報》總主筆；一九四九年一月，任上海《中央日報》主筆。參張珂：〈民國人物小傳〉，《傳記文學》第42卷第3期（1983年3月），頁140-141。陳賢慶、陳賢杰編著：《民國軍政人物尋踪》（南京市：南京出版社，1991年12月），頁361。

二 治學與維生

莫可非，原名汝彭，字可非，廣西岑溪曇容人。他的父親是晚清秀才，自幼師承私塾，大學就讀廣州國民大學，畢業後受聘擔任岑溪中學教師，之後在四〇年代初期聯合莫氏諸族賢，創立岑溪文德中學，即現在的南渡中學。日本侵華初期，莫可非罷去教席，從事軍中文職，駐守桂平。直至一九三九年，他辭去軍職，協助李宗仁、郭德潔夫婦桂林兒童教養院教務長，之後在當地擔任德智中學校務主任。桂林被日軍攻陷，莫可非先後在容縣高中和岑溪中學任教。抗戰勝利後，他先後出任廣西玉林、蒼梧兩縣縣府秘書，期間亦曾兼任一家報社總編輯[5]。一九四九年，中華人民共和國成立，莫可非與大部分南來知識分子一般，前赴香港定居。

抵港以後，莫可非重執教鞭，受聘於真光中學擔任教師，又到嶺南中學教授歷史和國文等課程，之後在新亞書院任教。在香港中文大學成立以後，他正式擔任中大新亞書院教授，直至一九七〇年二月去世。除了擔任中學和大學老師外，莫可非自一九五九年一月三日開始，已在《自由人》設立「釋耒集」專欄撰文，筆名「曲齋」。期間一直沒有中斷，最後一篇文章刊載在一九六一年二月十八日《自由報》內。一九六二年十一月，莫可非篩選並整理刊載在《自由人》和《自由報》中的文稿，付梓出版，名命為「稊稗集」，書中共收錄一六一篇短文。

昔日南來學人在港期間的活動資料，現時已經不易覓得，而有關莫可非的生平，上述梗概已經是筆者現今所能見到的內容。根據莫可非本人記述，教書和寫稿是南來學人來港後的生活憑藉，也是當時的主要謀生方式。他在〈學道與治生〉中指出：

---

5 〈莫可非傳略〉，原名為〈莫可非先生生平事跡簡介〉，此文載於二〇〇九年岑溪市委舉辦的「紀念莫可非先生誕辰一百周年座談會」。參見《莫氏宗親網》，http://www.moszq.com/t-5126-1.html.

> 在香港，專門學術性之報刊，固無人敢冒險經營，即有之亦必不能持
> 久。且其所倡言之學術文化運動，亦必不能產生預期之結果，知識分子
> 居香港，縱有文化之生活，但必無文化之生命。……及戰爭結束，繼之
> 以大陸易手，內地學人相率避跡海隅，自身既與政治絕緣，其欲從此再
> 立基礎，進行文化學術之活動者，自必大有人在。然其所以之憑藉，則
> 已蕩然無存，欲再如昔日之從容治學，已絕對不可，故均不得不藉教
> 書，寫稿以維其生計。在港教書則鐘點多，寫稿則稿費廉，生業好，則
> 荒其學業，傾全力於學業，又無以持其生業。[6]

南來學人具有深厚的國學知識，他們來港以前，已經在各類型的教育單位講學
授課，還活躍於國內舉行的學術活動中。可以說，做學問是他們的終生抱負，
也是賴以維生的方式。居港以後，時過境遷，他們身處異地，自身失去政治身
分支撐，專為人師，又因為離開了原來熟悉的學術環境，文化生態發生變化，
舉步維艱。在港他們缺乏經濟條件，即使有志在港出版學術報刊或著述，以及
推動學術文化活動，亦會顯得困難重重，兼且各人忙於生計，故在「生業」之
外，無暇兼顧「學業」。不過，南來學人的遷徙流動，雖然導致他們在自身文
化條件上出現變化，但亦因此帶動了學術著述形式的創新。自此，在港的報章
專欄和學校講義成為他們傳授學問的新生途徑，形成了經學知識傳授的新生載
體。這些文獻資料原來是南來學人為了表揚中華文化，並作為謀生工具而出
現，因此，相對傳統經學文獻而言，它們是具有特定的時代意義和價值。

　　《稊稗集》是莫可非在其《自由人》和《自由報》刊登的文章之中，挑選
結集而成的書稿。錢穆為此書寫〈序〉，予以肯定。〈錢序〉記載：

> 莫子之文，是誠古人之文，今世之文也。覽其篇題，上自治道民生、風
> 氣、教化，著述精微，人物長短；下至閭巷猥纖，俗情世態，無不包

6　莫可非：〈學道與治生〉，《稊稗集》（香港：出版者缺，1962年12月），頁160。

舉，而僅得十二萬字，是何其言之富而辭之約乎！[7]

錢穆認為此書取材豐富，內容包羅萬有，不專一旨。可見，莫可非在報中刊登的文章，非完全針對學術課題撰寫，這是與傳統學術著述不同的地方。此書沒有沿用報中「釋耒集」的專欄名稱，而把書名改為「稊稗集」，自是賦有深意，比喻巧妙。考其書集命名的原因，莫可非在〈自序〉中曰：

> 集中文字於刊載時，原題曰：「釋耒集」，以時感發，倉卒成篇，顛倒疏鹵，略無倫類。頃粗為比次，別其部分，改名曰「稊稗集」，原夫莊生寓言，道或在於「稊稗」，而有虞盛治，義不廢於蕘。[8]

報章散篇短論，多為筆者一時感足而發，各篇立意不必相同。猶如在田耕野地，農人放下工具，稍事歇息，其中閒話家常，內容不拘紛雜，敘述不嫌粗糙，這是此書命名「釋耒集」的原因。不過，「釋耒集」的文章縱使旨意有異，各篇都出於莫可非一人之手，所以，每篇的內容用辭、立場見解同出一轍，課題自是息息相關。因此，他把各篇連繫成文，當有可觀足道之處。固然，稊稗不及五穀，精粗不同；報章專欄與經典文獻性質迥異，地位亦不能相匹，但莫可非認為其文有道可尋，致使堯、舜之道不必隱沒在柴草之中。這是他所以採用《莊子》書語，把「釋耒集」改命名為「稊稗集」的原因。

尋溯語源，莫可非所謂「道或在於稊稗」，語帶雙關，意義深遠。《莊子·知北遊》記載「道無所不在」，之後又稱「在稊稗」[9]。莫可非引用此語，旨在說明報章雜文雖地位卑微，但亦有條件成為載道之具。文章的價值不必一定處於經典之下，而尋常文章亦具有載道的功能，故此，道「無所不在」，這是莫可非治學的基調。〈家法與義法〉記載：

---

7 莫可非：《稊稗集》，〈錢序〉。

8 莫可非：《稊稗集》，〈自序〉。

9 （清）郭慶藩：《莊子集釋》（北京市：中華書局，1997年），第3冊，頁749-750。

> 夫家法嚴則經術蕪，義法密則古文靡；六經四史，固為學問，道德所自
> 出，而陶、謝之詩，周、姜之詞，未必即為傷風敗俗之尤物。鳴琴之
> 治，醇酒之政，其道雖譎而不正，而實有裨於生民。莊子曰：「道在稊
> 稗」，若遇荒年，又安見其不如五穀乎？[10]

莫可非認為經生拘束於家法，致使經術繁蕪，而為了避免流於俗學不純，又以明道為貴，貶抑文辭。至於文士雖然具備才華，文思泉湧，而馳騁於文辭之間，但又經常憂慮文章偏離六經要旨，往往高舉「文以載道」口號，要求文辭內容必須有關人倫風化，造成文章失去其應有本質，遂與文藝絕緣。對於重經生、輕文士的傳統觀念，莫可非不以為然。他指出陶淵明寄情田園，詩文多取材酒與自然；謝靈運詩講究字句，雕琢工麗，以嘆詠大自然景物稱著；周邦彥詞以寫情詠物為主，又多寫風月相思；姜夔精於音律，多寫紀遊詠物之作。上述各人的詩詞內容，其道雖不合乎「六經四史」，但亦有益於生民，故推衍而言，莫可非認為「稊稗」的價值應不處於「五穀」之下。

　　可見，莫可非所謂的「道」，毋庸置疑是指聖人的大道，但與此同時，凡是有益於生民的文章，也是不能忽視它的存在意義。作為一位南來的國內學人，莫可非當時在有限的學術空間和資源條件中，倡議文章與載道的關係，這固然是出於他在長期治學過程中的一種深切體會，然而也是為了彰顯其專欄文章的價值，避免因為與傳統文獻形式的不同，僅被看成為一般供讀者消閒娛樂的報章內容。事實上，他在「釋耒集」刊登的文章，每能參用經學著述內容，通過各種的表述方式作出不同程度的宣揚和詮釋，或有用作旁證評論國家大事，抒發見解；或是其個人授課講義，點出經義要旨；也有是其治《經》心得，對讀《經》方法的一些建議，當中不但包含聖人之大道，也反映了他治《經》為文的治學觀點。

　　例如，一九六〇年七月十六日，莫可非在「釋耒集」專欄中撰寫了一篇命名〈貪污〉的文章：

---

[10] 〈家法與義法〉，《稊稗集》，頁61-62。

一九五〇年，大局瓦解，美國發表對華白皮書，實我政府貪污無能，使
我國上下蒙羞。然以近事證之，則今流亡海外之同胞，不必勞身焦思，
以治生計，仍得居別墅，擁美妾，畜洋犬，資遣兒女赴英美留學，優遊
卒歲者，無一非民國之貴官也。謂此等人居官而不貪，有是理乎？官且
如此，吏尚可問乎？然則白皮書之來，固自有以召之之故矣。夫〈魏
風・伐檀〉、〈碩鼠〉之篇，詩人為之「太息」；〈甫刑〉頒于周室，法律
為之靡敝；冉求為季氏聚斂，孔子斥之；孟子見梁惠王，先止其言利，
見於《詩》、《書》經傳者已如此，則屬民以自養之政治，由來非一日
矣。[11]

一九四九年國民黨退守臺灣，在短短數年間，國民黨兵敗如山倒，無疑使人驚
訝。莫可非認為，對於國民黨政權旁落，最後撤離中國大陸，退守臺灣，黨內
官員貪污腐敗，無疑是致命傷。他徵引《詩經》中的〈伐檀〉、〈碩鼠〉，諷刺
貪官污吏的可惡，過度索求而不知足；以《楚辭・離騷》比喻民生塗炭，當權
者無能；《尚書・呂刑》表示律法衰敗；引用《論語》、《孟子》聖賢之言論，
指責當權者搜刮民財，見利忘義。各種例證都說明墨吏自古有之，藉此譏諷國
民黨高官貪贓枉法。莫可非引用經典為佐證，評論時政，這在其專欄文章中是
十分常見，然而，這是為了配合《自由人》和《自由報》的辦報宗旨，遂採用
經義輔助說明，表達政見。

　　莫可非居港年間，教學與寫稿二者，每有互動。他自一九五一年秋季從大
陸來港[12]，到中學教授國文，至一九五五年受聘於新亞書院，與南來學人錢
穆、唐君毅、左舜生等一起在院內授課。[13]他經常把課堂講授的經學知識，通
過專欄文章推廣至報章的讀者層面內。一九六〇年六月十一日，他在「釋耒
集」專欄刊登了一篇命名「〈論語〉」的文章：

---

[11] 《自由報》，1960年7月16日，第4版面。

[12] 莫可非：〈四十九週年國慶紀念感言〉，《稊稗集》，頁186。

[13] 當時新亞校址分別在九龍深水埗桂林街及九龍城嘉林邊道。參黃祖植編著：《桂林街的新亞書
院》（香港：容膝齋，2005年），頁26-27。

去年秋季開學，余受聘為某學院諸生授《論語》，自余始讀《論語》，迄
今已三十餘年。因其為少年時所習，強半猶能記誦，自覺孔子于《論
語》中所恆言者，獨仁與禮最為兢兢。……總孔子言仁諸說，則仁者，
人類本性之自然流露也，人能不悖其本性，則近于仁矣。禮則依乎人
情，隨時而適，根于仁心，不悖于禮，則所謂道也。[14]

莫可非在新亞書院課堂中講授《論語》，嘉惠諸生，亦同時透過報章專欄作者
的身分，在「釋耒集」中說明治經的方法。〈論語〉中經孔子論及的諸種德行
甚多；而他在專欄中以不足千字的內容，扼要地揭示「仁」和「禮」是箇中精
髓，大道之所在。就在這有限的傳播空間中，莫可非通過專欄撰文向香港社會
各界宣揚經學知識。類似〈論語〉研究的文章，在「釋耒集」中是常見。例如
〈聞與達〉（1960年3月9日）說明〈顏淵〉篇中「聞」與「達」含義不同，指
孔子反對人們假裝仁愛，騙取名望；〈論仁與智〉（1960年3月16日）引用《孟
子・公孫丑上》、《論語・述而》，分析智慧的重要性不下於仁愛，它的作用在
亂世之中尤其顯著。

　　雖然，報章的讀者群不一定是經學專家，甚至是熟悉儒家經典的知識分
子，但這些因素都不是莫可非最大的考慮。雖面對的是香港當時的普羅大眾，
其專欄撰文依然負載豐富的經學專門知識。一九六〇年五月二十一日，莫可非
在「釋耒集」發表〈讀經〉一篇短文，直指今人讀經當取法清儒皮錫瑞，其徵
引《經學歷史》曰：

今欲簡明有用，當如《漢志》所云：「存大體，玩經文」而已。如《易》
主惠言《虞氏》義，參以焦循《易章句》，通釋諸書。《書》主伏《傳》、
《史記》，輔以兩漢今文家說。《詩》主魯、齊、韓三家，參以《毛傳》、
《鄭箋》。《春秋》治《公羊》何注、徐疏，兼採陳立之書。治《左氏》
者，主賈、服遺說，參以杜解。《三禮》主鄭注、孔、賈疏。[15]

---

[14] 莫可非：《自由報》，1960年6月11日，第4版面。
[15] 《自由報》，1960年5月21日，第4版面。

皮氏列出的經學書單，簡約樸實，包括歷朝經學大家之說。他認為有志讀《經》者須以學習經文為主，而每《經》輔以古人注疏作參考，已經足夠。莫可非之所以採納皮氏之說，是基於西漢開始，家法嚴密，經生難越雷池；加上歷代釋經的傳、箋、注、疏等數量，汗牛充棟，異說紛紜，致使今人誦經苦不堪言，窮老盡氣，也不能通達一經。另外，他的專欄文章如〈文士與經生〉、〈詩義不可求〉、〈治史〉、〈致用與求是〉、〈傳統文化〉、〈漢宋人異論〉、〈大同〉、〈聖人〉、〈原道明道與載道〉、〈資格〉等均與經學課題有密切關係。又如〈詩與文〉、〈以詩為文〉、〈文理〉、〈古文之弊〉等各篇，亦涉及到文章與經學匯流等內容。

三 《六經》本質——以《經》為文

報章專欄選材活潑，賦予作者廣闊的寫作空間，內容形式不拘一格。莫可非每有採用居港時的生活材料，撰寫文章，用來抒發生活遭遇及其內心感受。抵港後，他曾在中學或書院擔任教席，對於香港當時偏重知識傳授，忽視國文寫作的殖民地教育政策，深感不滿。他在〈文弊〉中指出：

余自思來港十年，自始即以教國文為生計，惟平時既不敢妄冀別人之禮遇，故別人縱輕蔑之，自亦無動於中。……余又審知文學院之課程，除國文外，講師職責，均在知識之灌注；而國文一科，除灌注知識外，又須啟發其慧知，培養其功力，學文主要之目的在寫作。一文科學生，若不能執筆為文，則其知識縱極豐富，理論縱極周詳，終不得冒文人之名，曰：「我能教人為文也。」不幸則今日之所謂文人者，強半均屬此類，其由來又不自今日始，故雖欲文之不弊，不可得也。昔姚姬傳論文，主義理、考據、詞章，不可偏廢。以清代言，則義理、考據，實較辭章為易於得名，文章之道，寖以失墜。後人輕詆桐城文論，無復有人拾其餘緒，不知姚氏所言，實天下之公論，桐城固不得而私之者也。王充曰：「著作者為文儒，說經者為世儒，世儒當時雖尊，不遭文儒之

書，其跡不傳，夫以業自顯，孰與須人乃顯。」[16]

在英國殖民地教育政策底下，國文老師不受尊重，國文寫作不受重視，理當不足為怪。可是，莫可非認為知識本身必須依靠文章才能夠表述，猶如王充在《論衡》中所言，「世儒」據有「文儒」襄助，才能夠把經義傳承下去。這裡，他的筆鋒已把現實的遭遇轉移到文章價值去討論，乃通過居港生活的體驗引入清人為文之道，以及文章與經學傳承的關係。他認為桐城派文論主張義理、考據、辭章各有所重，三者不可偏廢，其旨出於強調文章可貴之餘，同時也反對傳統尚道輕文，重經生、賤文人的觀念。他指出：「後世以文章、經術對舉，文辭與經術，遂判然為兩途，經生、文人，互相軹詆，且有一為文人，便無足觀之說，抑亦言之過甚之詞也。」[17]莫可非始從當前香港國文教育情況，聯想起古代經生和文士的地位差異，之後論及桐城派文論和經學傳承的條件。由此反映他在行文之時，思路活潑，每能貫通今昔，展開議論，雖然內容簡約，但其治經旨趣已可見一斑。

連繫「釋耒集」內其他與此課題相關的文章，莫可非是從探討《六經》本質開始，作為評價文章價值的基礎。〈家法與義法〉記載：「六經四史，固為學問，道德所自出。」在學術分類上，「六經四史」分別歸入經、史兩部，《詩》、《書》、《易》、《禮》、《樂》、《春秋》，以及司馬遷的《史記》、班固的《漢書》、范曄的《後漢書》和陳壽的《三國志》，俱為學問和道德所出的根源。可見，在道德傳承的關係上，莫可非把經、史的性質等同，認為兩者功能一致。這種觀點是來自章學誠的經史觀。在〈讀經〉中，莫可非根據《文史通義》曰：「《六經》皆史也，古人不著書，古人未嘗離事而言理，《六經》皆先王之政典也。」並引用錢穆《國學概論》認為《六經》「名之曰《經》，此皆後起之事，非孔子以前所本然也。」[18]由此概括：

---

[16] 莫可非：〈學道與治生〉，《稊稗集》，頁69。

[17] 莫可非：〈文士與經生〉，《稊稗集》，頁74。

[18] 《自由報》，1960年5月21日，第4版面。

由前言之，《六經》為先王舊典，後儒不得不習；由後言之，孔子雖未嘗作一經，而孔子以《詩》、《書》、《禮》、《樂》教弟子，取法先王舊典，則孔子於舊典中加以比次論列，似亦應有之事，亦不得存而不論。[19]

章學誠所謂的「史」，不是指在學術分類上的「史學」或專指的歷史檔案。就區別私人著述而言，「《六經》皆史」的「史」，是先王的政事典章文獻，所指的是官學。因此，《六經》的本質是夏、商、周三代的政教典章，經孔子取得用來教授弟子，故孔子有整理《六經》之功。至於《六經》所以被尊奉為《經》，這只是出自後來儒生的推崇。章學誠曰：「古之所謂經，乃三代盛時，典章法度見于政教行事之實，而非聖人有意作為文字以傳後世也。」莫可非引用「《六經》皆史」的觀點，是為了釐清《六經》的本質，藉此恢復它們本來的面貌，從而進一步提出「經史同一」的見解。

雖然，經、史意旨不同：讀經為明教化，美風俗，培養個人品德，貢獻社會；治史辨利害，決嫌疑，為理解古今成敗、人事得失提供歷史借鑒。二者功能有別，其用各異。莫可非指出：「昔曾國藩治學，有『剛日讀經，柔日讀史』之說，余以為承平之世，士大夫宜深於讀經而略于治史，衰亂之世，宜深于治史而略於讀經。」[20]但實際上，《六經》記載皆是先王典章制度，莫非人倫日用之行事，既屬「史」的範圍，而其道蘊涵行事之中，明示世人，故同樣有「經」的職能。經不離史，「以事言謂之史，以道言謂之經」，道依事彰顯，故經、史之別，就如一紙兩面，實無分別。司馬遷對孔子作《春秋》曰：「我欲載之空言，不如見之于行事之深切著明也。」[21]後人沿此推斷，認為《六經》沒有不是「因事明道」[22]，而持此說者亦以史家為主。莫可非在〈治史〉

---

[19] 同上。

[20] 莫可非〈治史〉，《稊稗集》，頁107。

[21] （漢）司馬遷〈太史公自序〉，《史記》（北京市：中華書局，1959年9月），第10冊，頁3297。

[22] 明代王守仁在《語錄一‧傳習錄上》中曰：「以事言謂之史，以道言謂之經，事即道，道即事。《春秋》亦經，五經亦史。《易》是包犧氏之史；《書》是堯舜以下史；《禮》、《樂》是三代史；其事同，其道同，安有所謂異？」又曰：「《五經》亦只是史，史以明善惡，示訓戒。善可為訓者，特存其迹以示法，惡可為戒者，存其戒而削其事以杜奸。」參正中書局編輯委員會主編：《王陽明傳習錄》（臺北市：正中書局，1954年），頁8。章學誠就從「即器明道」

中指出：

> 考之往古，經、史實未嘗分途。《史記・梁世家》褚先生補曰：「不通經
> 術，不知古今之大體。」《漢書・翼奉傳》則曰：「陳成敗以示賢者，故
> 名曰『經』，賢者見經，則知人道之務，《詩》、《書》、《易》、《禮》、
> 《樂》、《春秋》是也。」以事言謂之史，以道言謂之經，學者不離事以
> 空言道，則經、史一也。故以治史之法以治經，亦可以知古今之大體，
> 足以陳成敗以示賢者矣。……亂世經生，每病其迂闊，然則今日若能以
> 治史之道治經，則經學江河流而不廢，將於此觀之矣。[23]

不同於傳統經解方式，史家的視野是從治史的角度看待經的本質和功能，重視
《六經》在歷史上賦予的借鏡作用。適逢亂世，莫可非有感時代衰亂，經學無
補於救國存亡，遂倡導以史治經之途，藉此重構經學價值，恢復世人對經世致
用的重新理解。其中，也表示出他對宋人空談義理，以及清人訓詁博辨，考據
名物等治經方法的不滿。

　　事實上，莫可非認為孔子傳道的精神，在於因事明道，務在適時而行，故
曰：「孔子之聖，未嘗離事而言理，故主乘殷之輅，服周之冕，樂則韶舞，其
所以因革而損益之者，亦如夏葛而冬裘，渴飲而飢食，不敢立異以為高，務在
適於時而已。」[24]因此，凡是陳義過高，考證過度，也不足為道。同時，道因
時損益，《六經》是三代時的明道工具，但它們不是道的本身，絕非永恆，後
世傳其旨意即可。《文史通義・史釋》記載：「故無志于學則已，君子苟有志于
學，則必求當代典章以切于人倫日用，必求官司掌故而通于經術精微，則學為

的觀念，指出經、史為一。《文史通義・答客問上》曰：「嗟乎！道之不明久矣。《六經》皆史
也，形而上者謂之道，形而下者謂之器。孔子之作《春秋》也，蓋曰：『我欲託之空言，不如
見諸行事之深切著明。』然則典章事實，作者之所不敢忽，蓋將即器而明道耳。」參倉修良
編注：《文史通義新編新注》（杭州市：浙江古籍出版社，2005年10月），頁253。
[23] 莫可非：〈治史〉，《稊稗集》，頁108。
[24] 莫可非：〈漢宋人異論〉，《稊稗集》，頁104-105。

實事而文非空言。」[25]莫可非認為，各代具有一時的文章著述，記錄當時行事之實，苟能據其事，適於通變而行，則其道自能明之日新。他贊同韓愈倡言「文以明道」之旨，以為「蓋昌黎言道，切指事情，質而言之曰：『先生之教』」，其內容歸納如下：

> 凡此所言，均《六經》六旨，仁義道德之教，孝弟忠信之德，兵農錢穀之政，以至義夫節婦之常行，市井細民之憂樂；或則瑰奇絕特之山川，蕩意移情之風物，莫不可以收入之文，亦莫不足以闡發經傳之微旨，不必皆儼然危坐，學經師，作莊語也。[26]

世事紛雜，萬象包羅，非《六經》盡可悉數闡發。相對來說，歷朝文章取材豐富，纖芥不遺，內容蘊涵道德教化、夫婦節行、政治錢糧，兵農民生等題材，亦常以市井瑣事、山川奇貌、風光景物，入文撰寫。莫可非認為，文章就其記載的事理，闡發經道，載有傳道之功。因此，《六經》傳道並非單一格局，而莫可非發揚「文為經用」，「援文入經」的治《經》主張，足見其對經學研究所持的一種開放態度。

四　文章典範——以《經》成文

在評議歷代治《經》的方法上，莫可非指出宋代和清代的儒生各有弊端：前者治經本有實求致用之志，「標榜以天下成己任，具先憂後樂之懷抱」，但至傾向於心性理欲的議題討論後，卻是忘掉初衷，流於空談。後者因為文字獄起，儒生飽受文網迫害，故治經旨在「求是」，不講「致用」，勞於「辨錯字，考生日」[27]，與社會生活現實完全脫節，專為考證而考證。二者之中，他又認為清儒的弊端對古文造成不少負面影響。本來，治經和撰文，各不相干，不必

25　倉修良編注：《文史通義新編新注》，頁271。

26　莫可非：〈原道明道與載道〉，《稊稗集》，頁58。

27　莫可非：〈致用與求是〉，《稊稗集》，頁102。

須要相提並論，然而，乾嘉考據風盛，文人順應潮流，以考據為貴，於是以考據之法治古文，造成「考據入文」的現象，由此文章變得蕪穢繁瑣。莫可非認為，文章自有其成文之法，不必附庸考據，因此，他根據儒家經典為楷模，向文人提供寫作古文的指導和規範。

　　文章自有成法，內容意旨及行文形式是兩個重要原素。至於形式是否達到雅正簡潔的要求，意旨能否準確地傳達，則成為裁定文章優劣的關鍵。桐城派「義法」之說，主張「言有物」和「言有序」[28]；「義」既重視文意，「法」又兼顧形式，兩者密不可分。這是莫可非對文章的兩個基本要求。他引用范曄〈獄中致甥侄書〉，申論己說：

> 「常謂情志所託，故當意為主，以文傳意。以意為主，則其旨必見；以文傳意，則其詞不流。然後抽其芬芳，振其金石耳。」至曰：「以意為主，則其旨必見；以文傳意，則其詞不流。」則又與後世言「義法」者，實相表裡。蓋其旨必見，詞達也；其詞不流，雅潔也。詞達其旨而不流，則文之能事畢矣。[29]

情志是內容意旨所在，能夠運用文辭傳達其意，自是言之有物，避免空泛虛浮的弊端，而意旨既能傳達，便不會出現文不達意的情況。莫可非強調的，是文章須要立意，而立意須以性情為本。另外，文辭須要雅潔，而雅潔亦是對行文練字的一種要求，他認為要做這兩點要求，文章才能恰如其分。

　　《六經》之中，《詩經》最具備文學性，因詩文本發自內心性情，而其用可以歸於調理性情，具備教化功能，故聖人以此為教。[30]莫可非據此立說，認

---

[28] 方苞曰：「《春秋》之制義法。自太史公發之，而後之深於文者亦具焉。義即《易》之所謂『言有物』也，法即《易》之所謂『言有序』也。義以為經而法緯之，然後為成體之文。」〈又書貨殖傳後〉，《方望溪全集》（香港：廣智書局，1959年），頁290。

[29] 莫可非：〈文辭之士〉，《稊稗集》，頁75。

[30] 〈毛詩序〉曰：「詩者，志之所之也。在心為志，發言為詩。情動於中，而形於言；言之不足，故嗟嘆之；嗟嘆之不足，故永歌之；永歌之不足，不知手之舞之，足之蹈之也。」國立編譯館主編：《毛詩正義》（臺北市：新文豐出版社，2001年），第3冊，頁37。

為從文體而言，詩、文無疑有別，但二者同出自性情，源於詩教。因此，寫詩之法可以通於古文，以其立意相同之故。從儒家經典的解讀過程中，莫可非援用韓愈古文及其文論，進而闡發其說。韓愈在〈贈高閒上人序〉中記載：「堯、舜、禹、湯治天下，養叔治射，庖丁治牛，師曠治音聲，扁鵲治病，僚之於丸，秋之於奕，伯倫之於酒，樂之終身不厭，奚暇外慕？」莫可非指出：

> 事未有根於性情，而可以樂之終身不厭者，然則昌黎言文，其偏重處仍在性情，則其本於詩教，以作詩之法治古文，非阿私之論也。[31]

莫可非認為，「詩教為文」是撰文之法，他憶述少時習誦韓愈文章，對此曾有過親身體會。〈以詩為文〉記載：

> 少時習韓文，父兄師友，往往教以〈原道〉、〈原毀〉或〈諍臣論〉、〈禘祫議〉等篇，雖強為記誦，而實未嘗有得於其心，則去性情遠，不足以疏瀹心靈，俾誦習者有所啟發也。蓋事義因時而異，性情則終古如此，故為文而不本於詩教，雖有崇論宏議，亦已殘之芻狗而已。[32]

文人導源詩教，為文當以性情為主，則其文自能「言有物」。就讀者而言，閱讀這些文章，能夠疏通性情，洗滌心靈，培養溫柔敦厚的品格，足見文章也有教化功能。莫可非認為，因為性情古今不別，各人閱讀時感受理當如一，之所以未能獲得啟迪共鳴，感蕩心靈的成效，是由於讀者尚未能體會到作者的性情，或限於個人生活經驗，尚未有足夠程度以資理解。莫可非沿自詩教淵源，揭示出性情是撰文的憑藉。

對於文章的表達形式，莫可非採用「文理」訂立為文的標準。《文心雕龍·頌讚》曰：「自商已下，文理允備。」[33]字面意思是文字組織的條理，用

---

31 莫可非：〈以詩為文〉，《稊稗集》，頁77-78。

32 〈以詩為文〉，《稊稗集》，頁78。

33 楊明照：《文心雕龍校注拾遺》（上海市：上海古籍出版社，1982年），頁70。

現代的說法，即是「文法」，包括遣詞和造句兩方面。如何證明文章具備「文理」呢？莫可非援引韓愈〈進學解〉之說，指出：「韓昌黎發其旨曰：『記事必提其要，纂言必鈎其元』。故提要鈎元，實文人應有之能事，能之，則文理在其中矣。」[34] 敘事能夠傳達人事的精髓、精義；記言能夠舉出箇中要義，摘出要領，自然有其文理所在。這是針對「文理」的作用而言，而「文理」本身的內涵是什麼呢？莫可非曰：「竊嘗思之：文之功用，記言、記事而止，屬於古之左史、右史，其體則存於《尚書》與《春秋》，後之作者，記事莫精於《左氏》，而記言莫精於《論語》。」[35] 這裡，莫可非舉出《左傳》和《論語》這兩種行文方式，作為文章書寫形式的指導規範。

其援引《左傳》的例子：

> 《左傳》首章敘隱公之即位之文曰：「惠公元妃孟子。孟子卒，繼室以聲子，生隱公。宋武公生仲子，仲子生而有文在其手曰：『為魯夫人。』故仲子歸於我。生桓公而惠公薨，是以隱公立而奉之。」[36]

莫可非評曰：

> 凡五十八字，敘人凡七：「曰惠公、曰孟子，曰聲子、曰隱公，曰宋武公，曰仲子，曰桓公。」其名號凡三：「曰元妃，曰繼室，曰魯夫人。」其生卒凡五；「曰孟子卒，曰生隱公，曰生仲子，曰桓公生，曰惠公薨。」而魯、宋兩國，數十年間之夫婦，妻妾，父子，兄弟，姊妹之系屬，悉了然於此，中間絕不著一無謂之字，是真所謂記事必提其要者也。[37]

---

[34] 〈文理〉，《稊稗集》，頁54。

[35] 同上，頁53-54。

[36] 同上，頁54。

[37] 同上。

他舉《左傳》為例,認為上文短短五十八字,敘述了人物名號、生卒年分、親屬關係等豐富內容,絕無一字是冗贅之詞。故此,可以用「言簡義賅」、「短小精悍」、「扼要簡潔」來形容。莫可非引用方苞論文曰:「吳越間遺老尤放恣,無雅潔矣。」[38]由此說明「雅潔」是其對行文形式的要求。他續指出:「義法之說,首倡於方氏,故宗主桐城者,文尚雅潔,惟刻意求雅潔,則往往蹈謹守八室空套之陋習,其文遂如枯木寒鴉,淡而無味,此則桐城後起諸作者之通病也。」[39]「雅潔」不取決於行文篇幅長短,實在要求作者別出心裁,去粗取精,詳略適中,以表現文章精要為上乘。

其援引《論語・顏淵》的例子:

> 樊遲問仁,子曰:「愛人。」問知,子曰:「知人。」樊遲未達,子曰:「舉直錯諸枉,能使枉者直。」樊遲退,見子夏。曰:「鄉也吾見夫子而問之。子曰:『舉直錯諸枉,能使枉者直』,何謂也?」子夏曰:「富哉言乎!舜有天下,選於眾,舉皋陶,不仁者遠矣。湯有天下,選於眾,舉伊尹,不仁者遠矣。」[40]

莫可非評曰:

> 《論語》記言,其體殊於《謨》、《誥》,而句核字省,不遺其大,尤為精約而近雅,……問仁,問知,孔子但曰:「愛人」、「知人」。因樊遲之未達,旋折以出子夏之語,層次井然而未嘗費力。非老於文學者孰能為之?[41]

孔子因材施教,循循善誘,樊遲因未能領略其意,故只簡略地引用「愛人」、

---

38 〈著述〉,《稊稗集》,頁47。
39 〈古文之弊〉,《稊稗集》,頁82-83。
40 同上。
41 同上。

「知人」回答其疑問。行文之間,文辭精煉,乾脆俐落,既能帶出要領,又絕不拖泥帶水。之後立即通過子夏解答樊遲提問,先後援引二例,申論大意,其中語意精確,次序清楚。文章整體佈局清晰可見,井然有序,讓讀者從文章脈絡中理解到樊遲、子夏二人識見的差異,以及夫子授學傳道的用心。對於這篇儒家經典文章,莫可非從文學眼光作出評議,認為此篇為上乘佳作,當出自文學老手。

五 結語

一代有一代的經學研究,地域不同,經學表述形式也存在差異。自上世紀五十年代,香港經學研究適逢歷史機遇,因時局動亂,大批南來學人來港定居,為香港經學研究揭開新序幕,也為經學研究注入新生動力,綻放異彩。用來刊載新聞消息、時事評論、馬賽體育、娛樂消遣、天氣報導等報章內容,成為了經學文章的發表園地,這種文化現象在香港獨有的時空中出現,可謂別具意義。歷時近四十載的《自由人》、《自由報》刊登了豐富的學術性文章,當中載有不少鮮為人知的經學資料。相對傳統文獻而言,它們在數量上和質量上無疑微不足道,但報中點滴積存的經學雜文,卻可以視為上世紀香港經學發展的一面寫照,莫可非的文章便是一個很好的案例。

整理報章內的經學資料,與一般處理文獻資料的方法略有不同。以《自由人》、《自由報》為例,若要全面搜集報中的經學文獻資料,乃需要按照一定方法進行:

(一)經學範疇分類,建立目錄

《自由人》和《自由報》刊載的文章有經義分析,經儒介紹和篇章疏解等經學內容,也有呼應政治時局,討論經學與倫理、民主和科技等相關議題的文章,因此,研究的首要工作是對經學範疇作出分類。除了劃分「經義說明」、「人物介紹」、「經典註解」這些在經學目錄中常見的課題外,也要根據個別文章的實際內容,設立「經學與中華文化」、「經學與倫理、民主和科技」、「新書

評價」等項目，以反映時代面貌，藉此勾勒傳統經學範疇在傳承中的創新。根據《自由人》和《自由報》中所反映的經學範疇，分類情況示例如下：

一、經義說明：馬樹禮〈君子而時中〉（1965年9月29日）；韋政通〈儒家「義利之辨」辨〉（1965年4月10日）

二、人物介紹：清園〈主張儒家一尊的董仲舒〉（1968/4/5）；吳怡〈朱子〉（1970年12/12）

三、經典註解：狷士〈《孟子》新解上、下〉（1952年12月3-6日）；左舜生〈釋《論語》兩章〉（1955年3月26日）；王邦雄〈《論語》儒學人文的理想〉（1982年9月27日）

四、新書評價：王世昭評價許同萊的〈讀《論語類輯》〉（1954年8月21日）

五、經學與中華文化：唐君毅〈中國文化精神之價值〉（1953年12月12日）

六、經學與倫理、民主和科技：韋政通〈《春秋》價值重估──迎接科學的挑戰〉（1965年6月12日）

七、經學與中華文化復興運動：黃嘯菴〈宏揚孝道與復興文化〉（1970年12月9日到12月26日）

因為刊登在報章中的經學文章，短小精悍，與一般文獻著述形式不同，諸如莫可非的「釋耒集」、李辰冬主持的「詩經論壇」等專欄。若是文章按時連續登載在專欄中，固然容易尋查，但報中的一些單篇刊載或連載的文章，例如葉金濤的《從學庸談孔子人生觀》（1970年2月18日到3月25日）分為十期連載，就需要建立目錄，使能有效地作系統搜尋，避免遺漏。

（二）尋查撰稿人的生平資料

《自由人》和《自由報》的撰稿人不少是當時的著名學者，有關他們的生平資料，前人已經整理出來，例如錢穆、唐君毅、徐復觀、左舜生、韋政通、李辰冬等，他們廣為學者熟悉。例如錢穆曾曾在《自由報》中刊登的學術性文章：

一、錢穆：〈中國文化中的武功和武德上〉（1969年1月1日）

二、錢穆：〈中國文化中的武功和武德下〉（1969年1月4日）

也有學者在報中為錢穆的學術專著作書評，例如羅自芳：《中國思想史上》（1953年8月8日）、《中國思想史下》（1953年8月12日）。另外，也有學者之間的論學對談，例如曾子友：《與徐復觀先生論儒學與國父思想》（1953年3月7日）。可是，報中也出現了一些不常見的陌生名字，須加注意：（一）若撰稿人使用筆名，盡可能根據工具書及相關資料尋查其真實姓名。例如本文研究的莫可非，原名莫汝彭，「可非」只是其字，而他又採用「曲齋」的筆名寫稿，這樣更令人難以尋查其原來身分。根據二〇〇九年由岑溪市委舉辦的「紀念莫可非先生誕辰一百周年座談會」的一篇紀念文章，名為〈莫可非先生生平事跡簡介〉，才能發現他在港的足跡。（二）撰稿人的專業領域不是經學研究，卻在報中撰寫經學文章。例如南來學者毛以亨（1894-1970）早年畢業於北京大學政治系，之後獲巴黎大學政治學博士學位、里昂大學文學博士學位。一九四九年他到香港大學任教，後來在《自由人》中接連發表〈梁漱溟與北宋呂學〉（1954年3月10-12日）、〈西漢六經總論〉（1954年11月3-13日）、〈西漢易學通論〉（1954年11月27日-12月8日）等文章。（三）不少旅居臺灣的學者，亦經常在報中刊登經學文章，例如杜松柏、王邦雄、林繼平、封恆等，特別在一九七五年後，臺灣師範大學國文系張起鈞教授接手《自由報》社長職位，臺灣學者的投稿量因此大幅度增加。當時李辰冬在臺師大國文系任教，亦因為與張起鈞的密切關係，於一九七六年三月起在《自由報》中主持「詩經論壇」，供從事《詩經》研究者投稿，直至一九七七年十二月二十日結束。

（三）發掘經學議題的時代意義

一些刊登在報中的經學文章，乃能反映學者們對於當時的一些熱門經學議題上的關注。例如由李辰冬主持的「詩經論壇」，包括其本人在內，在報中刊載很多臺灣學者撰寫的《詩經》文章，當時亦曾引起一些議論。在作者方面，李辰冬主張《詩經》是尹吉甫一人所作，但侯紹文在《自由報》中連續七期登載〈詩經並非尹吉甫一人作品考證〉（1976年11月12日到12月3日），駁斥李氏

之說；之後李氏亦不甘示弱，連載十二期刊登〈詩經為尹吉甫一人所作辯——
敬答侯紹文先生的質疑〉（1976年12月7日到1977年1月18日），反駁侯氏說法。
現存李辰冬的《詩經》著述主要有三種：《詩經通釋》（2012）、《詩經研究》
（2002）、《詩經研究方法論》（1978），據此先行參照李氏的研究成果，當有助
於理解當時報中的爭議內容。再者，二報中曾經探討的經學議題，在性質上亦
與當時在港出版的學術雜誌刊登的論文接近，這也許是撰稿人在不同刊物撰寫
相同議題文章之故，亦有可能是反映當時不同學者對同一議題的關注。例如吳
森〈基督宗教和儒家思想如何融合調和的我見〉（1980年6月17日），這些在報
章中帶有宗教性議題的文章，可以與當時由香港基督教團體出版的論文作比
較，例如「Ching Feng」（《景風》英文版）（1964-）、《景風》（1958-1987）、
《道風》（1934-1977）、《學風》（1960-1966）及《神學與生活》（1977-1979）
等，據此發掘在香港特定時空中出現的經學新議題。這在研究「兩岸三地」的
經學傳承和創新上，理應可以大放新氣象。

簡帛文字「轟如」與「疌膚膚」考釋

范麗梅

中央研究院

摘要

　　本文考釋戰國郭店楚簡、上博楚簡，以及漢初馬王堆帛書中的兩個字詞。首先考釋郭店楚簡〈性自命出〉與上博楚簡〈性情論〉中的「轟如」一詞，指出「轟」字應與「矧」、「粲」、「哂」諸字相通，皆具有文獻例證，諸詞形容笑或大笑的樣子，而簡文的「聞笑聲，則矧如也斯喜」，則謂聽聞笑聲，則面露大笑之容而有喜悅之情。其次考釋郭店楚簡〈五行〉、馬王堆帛書〈五行〉、〈五行說〉中的「疌膚膚」、「索繡繡」、「衡盧盧」一詞，通過整理先秦兩漢相關的異文材料，指出此詞應讀作「赫戲戲」，與上古文獻中的「赫戲」、「赫赫」、「赤赤」、「虩虩」、「壑壑」、「爀爀」等詞彙意義相同。〈五行〉所謂的「赫戲戲達諸君子道」，正與同篇所謂的「虩（赫）虩（赫），聖也」的意涵相扣，指達至聖人或君子道的光明顯耀的境界。上述兩個字詞的解釋，不僅有助於簡文全篇脈絡的理解，同時也能連繫先秦兩漢相關的文獻，使得其中所蘊含的儒家思想能夠取得更深入的理解。

關鍵詞：性自命出　性情論　五行　轟如　疌膚膚　索繡繡　衡盧盧

一 楚簡〈性自命出〉、〈性情論〉「羴如」

郭店楚簡〈性自命出〉簡二十四有一句話:

> 聞笑聲,則羴如也斯喜。[1]

其中「羴」字,對應上博楚簡〈性情論〉簡十四亦作「羴」。[2]「羴如」究竟何指,學者提出的意見不同。〈性自命出〉整理者讀作「鮮如」而無說。[3]〈性情論〉整理者則以「羴」假借為「馨」,訓作「亶行」,指令人仰慕的德行。但又以為或讀為「鮮」、「粲」。[4]李零先生指出「鮮如」猶「粲然」,讀「鮮」為「粲」,認為是形容笑貌。[5]劉釗先生則認為「鮮如」形容快樂貌,「鮮」應訓為「鮮明」。[6]而涂宗流先生則以「善」、「妙」來解釋「鮮」。[7]陳霖慶先生以為應從李零先生讀「鮮如」、「粲然」,但以為「粲」、「鮮」指「開朗」之意。[8]

事實上,此句簡文上下文意是指所有的聲音,若出自於人之性情越信實,這樣它聽入人之耳,去啟發感動人的心就越深厚。因此下文便舉「聞笑聲」、「聞歌謠」、「聽琴瑟之聲」、「觀賚武」、「觀韶夏」等例子,說明由不經意之聞,到注意聆聽,到耳目皆觀,這些不同層次的聲或樂,對於人心之感發。而「羴如」一詞很明顯就是對「聞笑聲」的形容。因此上述解釋中,恐怕以李零先生的說法比較準確,然而其說缺乏文獻例證。以下不揣簡陋,就教於方家。

---

[1] 荊門市博物館:《郭店楚墓竹簡》(北京市:文物出版社,1998年5月),頁62。

[2] 馬承源主編:《上海博物館藏戰國楚竹書(一)》(上海市:上海古籍出版社,2001年11月),頁84。

[3] 荊門市博物館:《郭店楚墓竹簡》(北京市:文物出版社,1998年5月),頁180。

[4] 馬承源主編:《上海博物館藏戰國楚竹書(一)》(上海市:上海古籍出版社,2001年11月),頁240。

[5] 李零:《郭店楚簡校讀記(增訂本)》(北京市:北京大學出版社,2002年3月),頁109。

[6] 劉釗:《郭店楚簡校釋》(福州市:福建人民出版社,2003年12月),頁96。

[7] 涂宗流:《郭店楚簡先秦儒家佚書校釋》(臺北市:萬卷樓圖書公司,2001年2月),頁160。

[8] 陳霖慶:〈性情論譯釋〉,《上海博物館藏戰國楚竹書(一)讀本》(臺北市:萬卷樓圖書公司,2004年7月),頁177。

查考文獻，「轟」應與「矧」、「粲」、「哂」諸字相通，先說「矧」：「轟」，書紐元部；「矧」，書紐真部，聲紐相同，韻部旁轉可通。二字擬音如下：[9]

【轟】書元 ＊ɕǐan

【矧】書真 ＊ɕǐen

至於文獻例證，《禮記・曲禮上》：「父母有疾……笑不至矧，怒不至詈。」《釋文》：「矧，本又作『哂』。」鄭《注》：「齒本曰矧，大笑則見。」[10]齒本應即牙齦，「矧」即指大笑而露出牙齦，形容開懷大笑的樣子。

又作李零先生已指出的「粲」，清紐元部，與「轟」，書紐元部，其聲紐同為齒音，韻部相同，可通。二字擬音如下：

【轟】書元 ＊ɕǐan

【粲】清元 ＊ts'an

至於文獻例證，《穀梁傳・昭公四年》：「軍人粲然皆笑。」范甯《注》：「粲然，盛笑貌。」[11]亦形容大笑的樣子。

此外，又作「哂」，書紐文部，與「轟」，書紐元部，其聲紐相同，韻部旁轉，可通。二字擬音如下：

【轟】書元 ＊ɕǐan

【哂】書文 ＊ɕǐən

至於文獻例證，《論語・先進》：「夫子哂之。」何《注》：「馬曰：哂，笑。」《玄應音義》：「哂然」《注》引《三蒼》：「小笑也。」《廣雅・釋詁一》：「哂，

9　本文的上古音採郭錫良的擬音，以下不再出注。詳郭錫良：《漢字古音手冊（增訂本）》（北京市：商務印書館，2010年8月）。

10　鄭玄注、孔穎達等正義：《禮記正義》，《十三經注疏》（臺北市：藝文印書館，1955年），頁43。

11　范甯注、楊士勛疏：《春秋穀梁傳注疏》，《十三經注疏》（臺北市：藝文印書館，1955年），頁166。

笑也。」《疏證》:「微笑謂之哂,大笑亦謂之哂。」[12]

通過以上文獻例證,可知簡文「蕘如」與「矧如」、「粲如」、「哂如」意思相當,皆形容笑或大笑的樣子。簡文「聞笑聲,則矧如也斯喜」即謂聽聞笑聲,則面露大笑之容而有喜悅之情。

二　簡帛〈五行〉「疋膚膚」、「索纑纑」、「衡盧盧」

出土文獻中的〈五行〉共有郭店楚簡與馬王堆帛書兩個文本。其中馬王堆帛書還有相關的解說文字即〈五行說〉,三者對於先秦兩漢經典文本流傳的情況具有非常重要的研究價值。此外,〈五行〉所載關於孔孟之間子思學派的學說思想,更是研究先秦兩漢儒學史不可或缺的重要材料。自郭店楚簡公佈以來,馬王堆帛書也相應的受到高度的重視,相關的注解與研究勝義紛陳,然而對於郭店文本中「疋膚膚」,與馬王堆文本「索纑纑」、「衡盧盧」此一重要關鍵字詞卻沒有很好的解釋。本文主要通過整理先秦兩漢相關的異文材料來論證此一詞彙的考釋。[13]

郭店楚簡〈五行〉簡四十二至四十四論述君子集大成與成德情況時,有如下文字:

> 疋膚膚達諸君子道,謂之賢。[14]

相同的一段話又出現在馬王堆帛書〈五行〉:

---

[12] 何晏集解,邢昺疏:《論語注疏》,《十三經注疏》(臺北市:藝文印書館,1955年),頁100。王華權、劉景雲編撰,徐時儀審校:《一切經音義三種校本合刊》(上海市:上海古籍出版社,2008年),頁90。張揖撰,王念孫疏證:《廣雅疏證》(南京市:江蘇古籍出版社,2000年),頁38。

[13] 本文寫於二〇〇七年七月,曾於北海道大學、東北大學、政治大學、文獻與詮釋研究論壇主辦之「中日博士生學術研討會——第二屆東亞經典詮釋中的語文分析學術研討會」上發表。

[14] 荊門市博物館:《郭店楚墓竹簡》(北京市:文物出版社,1998年5月),頁34、151。

　　索繡繡達於君子道，謂之賢。[15]

以及〈五行說〉行三〇四至三一五：

　　「衡盧盧達【於君子道，謂之賢】」，衡盧盧也者，言其達於君子道也。
　　能仁而遂達於【君子道】，謂之賢。[16]

其中形容達諸君子道的情境，郭店楚簡有所謂「疋膚膚」一詞，而馬王堆帛書
〈五行〉作「索繡繡」，〈五行說〉作「衡盧盧」。此詞學者多所考釋，如馬王
堆漢墓帛書整理小組以「索」為「素」的假借字，但未進一步考釋。[17]而龐樸
以為即《呂氏春秋・尊師》所載的「索盧參」。[18]國家文物局古文獻研究室的
整理認為「索」與「衡」皆「率」字之誤，而「繡」與「盧」讀為「儢」，引
《荀子・非十二子》解為「學道之人不費力而可達到目的。」[19]池田知久以為
「索」作索求之意，「繡繡」大概是表現索求樣態的副詞。[20]魏啟鵬則讀
「疋」為「赫」，解為盛，有明德之貌。而讀「膚」為「曠」，表日照光明之
貌。並進一步解釋「有志者篤而行之，達於大成之境界，盛德至矣哉，故有顯
盛昭明之貌。」[21]此外，魏啟鵬校釋帛書本則認為「索繡繡」當從後文〈說〉
作「衡盧盧」，「衡」借為「赫」，解為盛。而「盧盧」通「爍爍」、「朗朗」、
「烺烺」、「曠曠」，皆光顯昭明之貌。[22]廖名春讀「疋」為「胥」，訓為
「皆」；訓「膚」為「大」，解為「都非常通達於君子之道」。[23]王志平讀「胥

15 龐樸：《帛書五行篇研究》（濟南市：齊魯書社，1988年8月2版），頁28。

16 龐樸：《帛書五行篇研究》（濟南市：齊魯書社，1988年8月2版），頁36-37。

17 馬王堆漢墓帛書整理小組：《馬王堆漢墓帛書（壹）》（北京市：文物出版社，1974年9月）。

18 龐樸：《竹帛《五行》篇校注及研究》（臺北市：萬卷樓圖書公司，2000年6月），頁74。

19 國家文物局古文獻研究室：《馬王堆漢墓帛書（壹）》（北京市：文物出版社，1980年3月），頁
　25注28。

20 池田知久著、王啟發譯：《馬王堆漢墓帛書五行研究》（北京市：線裝書局，中國社會科學出
　版社，2005年4月），頁392。

21 魏啟鵬：《簡帛五行箋釋》（臺北市：萬卷樓圖書公司，2000年7月），頁49。

22 魏啟鵬：《簡帛五行箋釋》（臺北市：萬卷樓圖書公司，2000年7月），頁80。

23 廖名春：〈郭店楚簡《五行》篇校釋札記〉，《中國哲學史》第3期（2001年），頁33-34。

膚膚」等為「胥慺慺」，解為皆敬謹的意思。[24]以上各家說法大多未能合乎〈五行〉全篇的脈絡，同時就文字使用的情況來看，各家也未能就這些字的通假或異文情況提出考釋的堅實基礎。只有魏啟鵬的釋讀不僅合乎〈五行〉全篇脈絡，還有合乎儒家思想的背景作為依據，同時也提出這些字在後世通假的情況，所讀具有高度的參考價值。唯其說拆解此一詞彙，分作兩個詞彙來解釋則有待商榷。並且魏說所引證的文獻材料，諸如《文選》、《文苑英華》、《篇海》等中古文獻，其時代都比較晚，證據力略顯不足。

　　簡文「疋膚膚」、「索繡繡」、「衡盧盧」應是一個詞，不能分開來解釋。依據諸字古音：疋，疑紐魚部，或山紐魚部；膚，幫紐魚部；索，心紐鐸部；繡，來紐魚部；衡，匣紐陽部；盧，來紐魚部。其韻部皆在主要元音相同，而韻尾可對轉的魚、鐸、陽三部，具備通假的條件。諸字擬音如下：

　　　【疋】疑魚 ＊ŋea／山魚 ＊ʃia
　　　【膚】幫魚 ＊pǐwa
　　　【索】心鐸 ＊săk
　　　【繡】來魚 ＊la
　　　【衡】匣陽 ＊ɣeaŋ
　　　【盧】來魚 ＊la

　　在上古文獻中，此詞又作「赫戲」，赫，曉紐鐸部；戲，曉紐歌部，其古音正與簡文諸字具有同樣的主要元音以及可以對轉的韻尾。其擬音如下：

　　　【赫】曉鐸 ＊xeăk
　　　【戲】曉歌 ＊xǐa

「赫戲」一詞見於《楚辭‧離騷》：「陟陞皇之赫戲兮，忽臨睨夫舊鄉。」王逸

---

[24] 王志平：〈說「索繡繡」〉《簡帛語言文字研究（第一輯）》（成都市：巴蜀書社，2002年11月）。

《注》：「皇，皇天也。赫戲，光明貌。」洪興祖《補注》：「西京賦云『叛赫戲以煇煌』，赫戲，炎盛也。戲與曦同。」[25]黃靈庚：「赫戲，連語，字無定體，其作曦者，以訓詁字為之也。《文選》卷十五《思玄賦》注引作戲，而羅、黎二本《玉篇》『分部』『羲』條引並作羲，《慧琳音義》卷九四倒乙作曦赫，然引《韻詮》亦作赫曦，卷九四引又作炎羲。」[26]簡文的「疋膚膚」、「索繣繣」、「衡盧盧」又作「赫戲」，正如黃靈庚所說表現出「字無定體」的情況。

上古文獻中亦作「赫赫」、「赤赤」、「虩虩」、「壑壑」、「爀爀」等等。赫，曉紐鐸部；赤，昌紐鐸部；虩，曉紐鐸部；壑，曉紐鐸部；爀，曉紐鐸部，其古音正與簡文諸字具有同樣的主要元音以及可以對轉的韻尾。諸字擬音如下：

【赫】曉鐸 * xeăk

【赤】昌鐸 * tʻiăk

【虩】曉鐸 * xiăk

【壑】曉鐸 * xăk

【爀】曉鐸 * xeăk[27]

文獻例證如《詩經・大雅・大明》：「明明在下，赫赫在上。」馬王堆〈五行說〉作「赤赤」[28]、郭店〈五行〉作「虩虩」[29]、〈晉公盆〉作「虩虩」[30]、馬王堆〈五行〉作「壑壑」。又如《詩經・大雅・常武》：「赫赫明明，王命卿士。」《經典釋文》作「爀爀」。[31]又如《詩經・小雅・節南山》：「赫赫師尹，

25 洪興祖：《楚辭補注》（臺北市：藝文印書館，1986年12月），頁83。

26 黃靈庚：《楚辭異文辨證》（鄭州市：中州古籍出版社，2000年9月），頁139。

27 此根據「赫」字擬音。

28 馬王堆帛書〈五行〉與〈五行說〉相關異文根據龐樸所附圖版，見龐樸：《帛書五行篇研究》（濟南市：齊魯書社，1988年8月2版）。又參照馬王堆漢墓帛書整理小組：《馬王堆漢墓帛書（壹）》（北京市：文物出版社，1974年9月）。

29 郭店竹書〈五行〉相關異文據荊門市博物館編：《郭店楚墓竹簡》（北京市：文物出版社，1998年5月）。

30 青銅器銘文相關異文根據中國社會科學院考古研究所編：《殷周金文集成》（北京市：中華書局，1984-1994年）。

31 傳世文獻相關異文根據王先謙：《詩三家義集疏》（臺北市：明文書局，1988年10月）。

民具爾瞻。」郭店、上博〈緇衣〉作「虩虩」。[32]

　　這一類形容詞除了字無定體，同時其組合也各有變化，簡文諸例只是重疊了後一字。在上古文獻中還有其他相同的例子，如形容幽遠不清的「杳冥」一詞便是，在文獻中此詞有不同的組合方式，包括「杳冥冥」、「杳以冥冥」、「杳冥」、「杳杳」、「窈窈冥冥」等，例如：

>　《楚辭・九歌・東君》：「撰余轡兮高駝翔，杳冥冥兮以東行。」
>　《楚辭・九歌・山鬼》：「杳冥冥兮羌晝晦，東風飄兮神靈雨。」
>　《楚辭・九歎・怨思》：「經營原野，杳冥冥兮。」
>　《楚辭・九章・涉江》：「深林杳以冥冥兮，猿狖之所居。」
>　《楚辭・惜誓》：「馳騖於杳冥之中兮，休息虖崑崙之墟。」
>　《楚辭・七諫・自悲》：「莫能行於杳冥兮，孰能施於無報？」
>　《楚辭・九章・哀郢》：「堯舜之抗行兮，瞭杳杳而薄天。」
>　《楚辭・九章・懷沙》：「眴兮杳杳，孔靜幽默。」[33]
>　《莊子・在宥》：「至道之精，窈窈冥冥；……為女入於窈冥之門矣。」[34]

由此可知「仉膚膚」等詞，實已見於戰國時代的文獻，不必如魏啟鵬所舉《文苑英華》卷二十九喬潭《群玉山賦》「赫嚧嚧、高崇崇，秘精義乎其中」之時代較晚的中古文獻。

　　通過以上討論，可知簡帛〈五行〉「仉膚膚」、「索繡繡」、「衡盧盧」等詞應讀作「赫戲戲」，與「赫戲」、「赫赫」、「赤赤」、「虩虩」、「墾墾」、「爀爀」等詞彙意義相同。〈五行〉所謂的「赫戲戲達諸君子道」，正與同篇所謂的「虩（赫）虩（赫），聖也」的意涵相扣，指達至聖人或君子道的光明顯耀的境

---

[32] 上博楚簡相關異文根據馬承源主編：《上海博物館藏戰國楚竹書（一）》（上海市：上海古籍出版社，2001年11月）。

[33] 洪興祖：《楚辭補注》（臺北市：藝文印書館，1986年12月），頁131、137、481、217、375、410、226、235。

[34] 郭慶藩編、王孝魚整理：《莊子集釋》（臺北市：萬卷樓圖書公司，1993年3月），頁381。

界。此讀應有助於簡帛〈五行〉文本的解釋，同時也連繫了先秦兩漢相關文獻的關係，使得其中的儒家思想得以進一步深入地闡釋。

說「三壽」與「參壽」
——讀清華簡（五）〈殷高宗問於三壽〉札記

陳 致

（香港）香港浸會大學

摘要

　　本文依據清華簡〈殷高宗問於三壽〉一文探討「三壽」一詞在金文、簡文和傳世文獻中文義。根據金文中「三壽」和「參壽」兩詞的用法，本文認為以往的觀點，「三壽」即為「參壽」的說法，容有可議。本文認為「三壽」與「參壽」可能最初各有所指。「參壽」是指壽如參星，如以角、亢、箕、翼擬壽之例；而「三壽」反而可能後起，因「參」字通「三」而衍生出來，並賦予新的意涵，形成上、中、下三壽之義。

關鍵詞：三壽　清華簡　殷高宗問於三壽　金文

　　二〇一六年五月十日至十二日，應清華大學出土文獻研究與保護中心趙平安教授、艾爾蘭根大學朗宓榭教授、以及達特茅斯大學艾蘭教授的邀請，參加「Human Nature, Morality, and Fate in the Tsinghua University Bamboo Manuscripts, *Tang chuyu Tang qiu* 湯（〈處於湯丘〉）, *Tang zai Chi men*（〈湯在啻門〉）, and *Yin Gaozong wen yu san shou*（〈殷高宗問於三壽〉）」國際會議。三日良會，收穫甚豐。

　　會前在艾爾蘭根大學訪學的王進鋒先生窮月日之力，為《清華簡》（伍）中的〈湯處於湯丘〉、〈湯在啻門〉、〈殷高宗問於三壽〉三篇作了詳盡的集釋，給與會者提供了極大的便利。這篇小文章，就是根據自己讀書會中所作的筆記，筆者進一步探討〈殷高宗問於三壽〉中「三壽」的詞義。結合金文中的「三壽」與「參壽」兩詞，本文認為以往的觀點，「三壽」即為「參壽」的說法，容有可議。本文認為「三壽」與「參壽」可能最初各有所指。「參壽」是指壽如參星，如以角、亢、箕、翼擬壽之例；而「三壽」反而可能後起，因「參」字通「三」而衍生出來，並賦予新的意涵，形成上、中、下三壽之義。

　　關於〈殷高宗問於三壽〉篇，李均明有詳細的介紹。[1]原有二十八簡，現有為二十七簡，第三簡缺。簡背有一至二十八的編號，但其中原第十號與第十五號位置錯誤，編者已更改。

　　第一簡：[2]「參（三）壽與從」

第一簡	1	清華簡伍	隸文	髙	宗	觀	於	卲	水	之	上	參	壽	與	從	髙	宗		
			隸定釋文	髙	宗	觀	於	沼	水	之	上，	三	壽	與	從。	髙	宗		
		他釋																	
	2	清華簡伍	隸文	乃	問	於	少	壽	曰	尔	是	先	生	尔	是				
			隸定釋文	乃	問	於	少	壽	曰：「	爾	是	先	生，	爾	是	之人			
		他釋																	

---

[1] 李均明：〈清華簡《殷高宗問於三壽》概述〉，《文物》2014年12期，頁85-88；李均明：〈清華簡《殷高宗問於三壽》「利」說解析〉，《國學學刊》2015年4期，頁8-12。

[2] 此表乃王進鋒先生所製，見王進鋒編集：〈清華簡（伍）三篇集釋〉，刊佈於"Human Nature, Morality, and Fate in the Tsinghua University Bamboo Manuscripts, 'Tang chuyu Tang qiu', 'Tang zai Chi men, and Yin Gaozong wen yu san shou.'" Friedrich-Alexander Universität Erlangen-nürnberg, May 10-12, 2016，頁5。

「三壽」一詞見於《詩・魯頌・閟宮》：「如岡如陵，三壽作朋」，其意原指上壽、中壽、下壽，三等老人，與「三老」同義。鄭玄箋云：「三壽，三卿也。」也就是三老五更中的三老。《漢書》李奇注：「王者父事三老，兄事五更。」清代學者馬瑞辰在《毛詩傳箋通釋》有詳細的引證和說明：「三壽猶三老也。昭三年《左傳》『三老凍餒』，杜（預）注：『三老，謂上壽、中壽、下壽，皆八十以上。』《文選》李善注引《養生經》：『黃帝曰：上壽百二十，中壽百年，下壽八十。』皆三壽即三老之證。」[3]馬瑞辰所引《文選》此注在張衡〈東京賦〉「降至尊以訓恭，送迎拜乎三壽。」在這裡確乎是三老之義。然其時代已降至東漢。

關於三壽的年齡，《莊子》中有不同的說法，〈盜跖〉篇云：「人上壽百歲，中壽八十，下壽六十。」[4]《太平經解承負訣》則云：「凡人有三壽，應三氣，太陽、太陰、中和之命也。上壽一百二十，中壽八十，下壽六十。」[5]從這裡看出戰國時代已有上、中、下三壽之說。

另外一個說法是「三壽」當為「參壽」，謂人的壽命如參星之高之永。郭沫若在《兩周金文辭大系圖錄考釋》宗周鐘銘的考釋中即持此說，其主要根據是金文中的「參壽」一詞。郭沫若在宗周鐘銘文的考釋中說：

> 參壽隹利：參壽即《魯頌・閟宮》「三壽作朋」之三壽。古銘刻多見此語。字作參者，如本鐘及者減鐘之「若召公壽，若參壽」是。字作三者，如晉姜鼎之「三壽是利」，眞仲壺之「勻三壽懿德」及三壽區之「三壽是□」。是當以參為本字，意謂壽如參星之高也。[6]

王挺斌先生的〈利用清華簡來解釋《詩經・魯頌・閟宮》「三壽作朋」〉一文列舉了關於三壽和參壽的諸家說法，計有四種：一為三壽為卿說；二為三壽為

3　馬瑞辰：《毛詩傳箋通釋》（北京市：中華書局，1989年），頁1147。
4　方勇纂要：《莊子纂要》（北京市：學苑出版社，1989年），頁633。
5　《太平經》乙部卷二第十一，明正統《道藏》本。
6　郭沫若：《兩周金文辭大系圖錄考釋》〈考釋〉，頁53。

上、中、下三壽說；三為壽與岡陵等而為三；四是郭氏的三壽為參壽說。並且對郭氏「參壽」為壽如參星說表示懷疑。

從西周中期到春秋時期，金文中的三（參）壽有以下數例：

一、西周中期畠仲觶（集成6511）云：「畠中（仲）乍（作）倗生歆（飲）壺匂三壽懿德萬年」。

二、西周晚期厲王鈇鐘（宗周鐘）銘文：

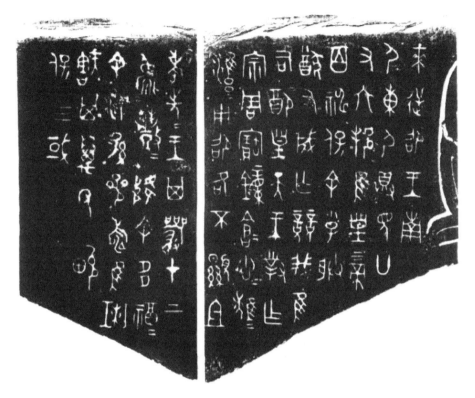

「王對乍（作）宗周寶鐘，倉倉恩恩，離離雝雝，用卲各不（丕）顯且（祖）考先王，先王其嚴才（在）上，彙彙數數，降余多福，福余沈（沖）孫，**參壽**隹（唯）利，鈇其萬年，畯保四或（國）。」這裡的用的是「參壽」，「參」字作，上從「厽」，下為人形，本義應指三星在人頭上，是指星宿無疑。字在金文中僅此一見，具體義涵難以測知。其字形或以為从工从來从刀，或以為从工从利。最早阮元已隸定為「利」字，今之學者多從之。[7]但釋為「利」字有幾點不好解釋：其一，周金中「利」字左旁卜面一筆都如「禾」字有折下之一劃，本像禾穗累垂之貌。春秋早期上曾大子鼎（集成2750）「哀哀利錐」的「利」字作形，西周中期利鼎銘文之利字作諸形，都有這筆。此字卻無。其二，銘文中這一段是韻文，字當與前二句句尾之「福」字，後二句句尾之「或（國）」字相押。釋為「利」字，則出韻矣。利在脂部，王

7　吳鎮鋒編著：《商周青銅器銘文暨圖像集成》29，15633〈鈇鐘〉，頁142。

力擬音為 ĭei，高本漢擬音為 i̯əd。福與國在之部或職部，其元音當為 ĭwək（王力）或 i̯ŭk（高本漢）。其三，釋為「利」字，文義亦不雅訓。

學者之所以採「利」字，主要是因傳世摹拓晉姜鼎銘有「三壽是利」一詞。然晉姜鼎銘中之「利」字，以摹拓來看，也未必即是「利」字，其左傍也無折下之一筆禾穗累垂之形。

故除「利」字外，學者亦有他說。吳式芬引許翰說，即指出「利」字不能入韻，乃疑其字為「刻」之異體或假借，義與「克」通；[8]郭沫若贊同釋其字為「刻」，並進一步認為其字或為「晐」（賅）字。[9]這些都難以定論。筆者擬另撰文討論這一問題。

三、春秋早期者減鐘（集成195，260）銘文云：「用旂眉壽于其皇且皇考，若召公壽，若參壽。卑（俾）女（汝）𤰫𤰫音音，龢龢倉倉，其登于上下，聞于四旁（方）。子子孫孫，永保是尚。」

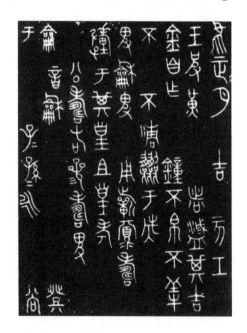

8　吳式芬：《攈古錄》卷3-2，頁58〈宗周鐘〉。郭沫若採釋刻之說，但認為疑讀為晐（賅）備之晐。

9　郭沫若：《兩周金文辭大系圖錄考釋》〈考釋〉，頁53。

四、春秋早期晉姜鼎（集成2826）銘云：「畍（允）保其子孫，三壽是利。」

五、一九七八年河南固始侯古堆一號墓出土春秋晚期編鎛，八件中七件有
　　銘文，其內容為：

惟正月初吉丁亥，□□罢（擇）其吉金，自乍（作）龢鐘。戕戕倉倉，嘉平元
貢，子（孔）樂父兄。萬年無諆，□□參壽，諆（其）永鼓之。百歲之外，述
以之音。[10]

六、又有鄙子成周鈕鐘九件，亦有銘文相類，云：「肄肄倉倉嘉平元貢子
（孔）樂父兄萬年無諆（其）□□參壽其永鼓」。[11]

從金文中文例來看，上舉六例中，其中例一、例四寫作「三壽」，例二、例
三、例五、例六皆寫作「參壽」。後者很可能都應該如郭沫若所云作：「參壽」
解，謂人的壽命如參星之高。

誠如郭氏所說，者減鐘銘文所謂：「用旂眉壽于其皇且皇考，若召公壽，
若參壽。」從文意判斷，這裡的「參壽」，不應該是上中下三壽，而是某一種
壽命。固始侯古堆編鎛銘文云：「萬年無諆，□□參壽，諆（其）永鼓之。百
歲之外，述以之音。」喻示出這個「參壽」就是「百歲」之義。先秦文獻中，
參以數字義固常借為三，而以參星其字之本義，則三未有借為參之例。此也是
郭說之難以完全讓人信服之處。

自漢代以來，人固多以為「三壽」或「參壽」指「三老」或「三卿」。如
宋人薛尚功即認為：「又言『保其子孫，三壽是利』。則三壽者，與詩人言『三
壽作朋』同意。蓋晉姜作此鼎，非特保我子孫而外之三卿，亦冀壽考也。」[12]
此即從鄭玄對〈閟宮〉一詩中「三壽作朋」的箋注：「三壽，三卿也。」

而〈殷高宗問於三壽〉中的「參（三）壽」雖然字做「參」，其義則與傳
世文獻中的「三壽」相脗合。所指為少壽、中壽和彭祖「三壽」。或為後世如
《太平經》中所言上中下三壽之來源。但持此也不能證明兩周金文中之「參
壽」必如是。

---

10 《固始侯古堆一號墓》，頁55；《文物》1981年1月，頁4；《固始侯古堆》，頁49-52。
11 《固始侯古堆一號墓》，頁125-133附錄四〈固始侯古堆出土樂器研究〉。《固始侯古堆》，頁52-
61。
12 《歷代鐘鼎彞器款識法帖》卷10，《文淵閣四庫全書》本。

　　還有一個可能是古有「參壽」與「三壽」兩個概念。「參壽」本義為壽如參星之永，字或本作「參」，其後「參」字與「三」字假借浸多，反衍生出「三壽」之說。「參壽」謂壽如參星，而具體或指百歲，如者減鐘銘文，義同秦公鐘、鎛銘文中之大壽萬年；後者或指三老，或指上中下三壽。

　　古人每以星擬壽，例不勝舉。如《管子‧四時》第十四云：「然則柔風甘雨所至，百姓乃壽，百蟲乃蕃，此謂星德。」以二十八宿中不同的星宿儗人壽之永，亦所常見。《荀子‧富國》第十：「彼苟有人意焉，夫誰能忿之？若是則忿之者，不攻也，為名者否（伏），為利者否（伏），為忿者否（伏）。則國安於盤石，壽於旗翼。」旗即「箕」，與「翼」皆為二十八宿之一。《爾雅‧釋天》云：「壽星，角亢也。」故金文中有「參壽」，亦以星擬壽，良有以也。「參」字字形本像參宿之三星在上，光茫下照及人。甲骨文中有![字](合集1096）字。是商周金文中「參」字之異體。上半从晶（三星），下半从人。西周金文又多加彡旁。則參壽之變為三壽，亦是自然之理。

隋代儒教的地域性
——以「山東儒者」為中心

古勝隆一

（日本）京都大學

摘要

　　《隋書‧儒林傳》中載有十四名學者，他們的出身有地域的因素。即：由北周加入隋代學界的集團；由北齊加入隋代學界的集團；由陳加入隋代學界的集團，此三者的共存，是《隋書‧儒林傳》所反映的隋代學界的面貌。其中的第二「由北齊加入隋代學界的集團」即當時所謂「山東儒者」很重要，在隋代學界中占據優勢，本文留意其與北朝儒學傳統的脈絡，展開論述。另外，將論及當時地理觀念中之「山東」位置，強調冀州與兗州之儒教文化的特別意義。

關鍵詞： 隋代儒教　山東儒者　徐遵明　熊安生

一　序

隋代是前承南北朝，後啟唐代的重要時代。在考察中古時期儒學的歷史的時候，隋這一時代也具有極其重要的意義。在南北朝時代展開的儒學，在隋這一統一國家得到融和，在之後的唐代，以隋代的儒學成果為基礎——毋寧說是挪用隋代儒學的成果——以《五經正義》的形式加以集成，賦予其權威。

隋代儒學能夠具有那樣重要意義的理由，完全緣由隋這一國家所具備的政治的強大。如果沒有北中國的政治的統一，北中國的儒學的融和無從談起。如果沒有南北中國的統一，南北中國的儒學統一也無可能。在此意義上，隋代的儒學帶有濃厚的政治色彩。因此，為了瞭解隋代的儒學，超過了探究其他時代的儒學時所需要的，必須理解儒者與國家的互動。不消說，為此最重要的資料就是《隋書·儒林傳》。

《隋書·儒林傳》中載有十四名學者，考察他們的出身，可以很清楚地看出地域的因素。即：（一）由北周加入隋代學界的集團；（二）由北齊加入隋代學界的集團；（三）由陳加入隋代學界的集團，此三者的共存，是《隋書·儒林傳》所反映的隋代學界的面貌。在本文中，特別是上述中的第二「由北齊加入隋代學界的集團」——這一集團當時被稱作「山東儒者」——關於其在隋代學界中占據的優勢，留意其與北朝儒學傳統的脈絡，試著展開論述。

二　隋代儒者的地域性

《隋書·儒林傳》有十四位隋代儒者，筆者初步梳理隋儒的本貫、仕途、官職等，如表一所示。

表一　隋代儒者

姓名	字	本貫	仕途	官職・爵
元善		河南洛陽	梁→周→隋	國子祭酒
辛彥之		隴西狄道	周→隋	國子祭酒
何妥	栖鳳	西城	梁→周→隋	國子祭酒
蕭該		蘭陵	梁→周→隋	國子博士・山陰縣公
包愷	和樂	東海	隋	國子助教
房暉遠	崇儒	恆山真定	齊→周→隋	國子博士
馬光	榮伯	武安	齊→隋	太學博士
劉焯	士元	信都昌亭	齊→周→隋	太學博士
劉炫	光伯	河間景城	齊→周→隋	太學博士
褚暉	高明	吳郡	陳→隋	太學博士
顧彪	仲文	餘杭	陳→隋	秘書學士
魯世達		餘杭	陳→隋	國子助教
張沖	叔玄	吳郡	陳→隋	漢王侍讀
王孝籍		平原	齊→隋	

閱讀此表，可知隋代學界三個集團共存的事實。

（一）由北周加入隋代學界的集團中的有元善、辛彥之、何妥、蕭該。其中，除了辛彥之是隴西人之外，其他三人都是由梁而入北周的人物。可見隋代北周系儒者中有很多是自梁而來的移民。

（二）由北齊加入隋代學界的集團中的有房暉遠、馬光、劉焯、劉炫、王孝籍。

（三）由陳加入隋代學界的集團中的有褚暉、顧彪、魯世達、張沖。

　　值得特書的是，如果也加上出身於東海的包愷，屬於第二集團的學者們，都是出身於以現在的地理而言屬於河北省的恆山真定、武安、信都昌亭、河間景城、平原等極其狹小的範圍。這些學者就是在表一中，名字標示底紋的學者。如果以下面介紹的《隋書・地理志》的地理劃分而言，相當於「冀州」、

「兗州」。

　　不僅在《隋書‧儒林傳》中可以指出這一傾向，翻看隋以前的歷史，也同樣可以。首先，根據《北齊書‧儒林傳》將北齊儒者的本貫整理如表二所示。

表二　北齊儒者的本貫（據《北齊書‧儒林傳》）

姓名	字	本貫	姓名	字	本貫
李鉉	寶鼎	渤海南皮	馬元熙	長明	河間
刁柔	子溫	渤海	張景仁		濟北
馮偉	偉節	中山安喜[1]	權會	正理	河間鄭
張買奴		平原	張思伯		河間樂城
劉軌思		渤海	張雕虎[2]		中山北平
鮑季詳		渤海	孫靈暉		長樂武強[3]
邢峙	士峻	河間鄭	馬子結		扶風
劉晝	孔昭	渤海阜城	石曜	白曜	中山安喜
馬敬德		河間	孫萬壽[4]	仙期	長樂武強

因為標示底紋的人，全部都出身於上述冀州、兗州，結果除了馬子結以外，所有的學者都是這兩個地方的人。由此可見，在北齊的學界中兩地的學者具有極其巨大的存在感。根據《隋書‧地理志》的九分法，北齊的領域包括豫州（河南）、兗州（山東西北部）、冀州（河北）、青州（山東東部）、徐州（山東南部、江蘇北部），而其中只有冀州、兗州突出的事實，需要特別注意。

　　其次，根據《周書‧儒林傳》，北周儒者的本貫如表三所示。

---

[1] 依隋制，中山屬博陵。

[2] 《北齊書‧儒林傳》原作「張雕」，中華書局校記云：「《北史》卷八十一作「張彫武」，序作「張彫」；本書卷八後主紀武平四年十月作「張彫虎」，《通志》卷十六齊本紀作「張雕虎」。錢氏《考異》卷三十一、卷四○都有說。其人本名雕虎，本書和《北史》避唐諱或去「虎」字，或改「虎」作「武」。其作「彫虎」者後人所改」。

[3] 依隋制，長樂屬信都。

[4] 孫萬壽見於《北齊書‧儒林傳》孫靈暉傳的附傳，云：「子萬壽，聰識機警，博涉羣書，禮傳俱通大義，有辭藻，尤甚詩詠。齊末，陽休之辟為開府行參軍。隋奉朝請、滕王文學、豫章長史。卒於大理司直。」關於此人，詳見於《隋書‧文苑傳》。

表三　北周儒者的本貫

盧誕		范陽涿	樊深	文深	河東猗氏
盧光	景仁	范陽涿	熊安生	植之	長樂阜城
沈重	德厚	吳興武康	樂遜	遵賢	河東猗氏

　　觀看此表，雖然冀州、兗州地域的存在感在北周的學界並不強，但出身於冀州長樂的熊安生，年屆高齡而被強烈邀請從北齊移居北周，可知北周也有冀州儒學傳統的傳承。

　　以上，概括了北周、北齊、隋代學界的地域性，可以看出冀州、兗州兩地的儒者是非常醒目的存在。

三　《隋書·地理志》的地理劃分

　　《隋書·地理志》根據《尚書·禹貢》的「九州」將隋代的領土劃分為九類。也即：雍州（陝西、寧夏、內蒙古、甘肅、青海）、梁州（四川、湖北北部、陝西南部、貴州）、豫州（河南）、兗州（山東西北部）、冀州（河北）、青州（山東東部）、徐州（山東南部、江蘇北部）、揚州（安徽、江蘇、浙江、江西、廣東、廣西）、荊州（湖北、湖南）。

　　《隋書·地理志》並非單純的行政劃分的記錄，也涉及各地區的文化，是傳達當時的空間認識的寶貴資料。先就《隋書·地理志》來看冀州、兗州的情況。

　　首先，冀州包含如下諸郡：

> 信都郡、清河郡、魏郡、汲郡、河內郡、長平郡、上黨郡、河東郡、絳郡、文城郡、臨汾郡、龍泉郡、西河郡、離石郡、雁門郡、馬邑郡、定襄郡、樓煩郡、太原郡、襄國郡、武安郡、趙郡、恆山郡、博陵郡、河間郡、涿郡、上谷郡、漁陽郡、北平郡、安樂郡、遼西郡

上述諸郡之中，添加底紋予以強調的部分，是見於上述表一、表二、表三的儒者的出身地。可知雖說是冀州，但也只在有限的幾個郡之中有儒者誕生。

關於冀州，《隋書・地理志》中有如下敘述。

冀州於古，堯之都也。舜分州為十二，冀州析置幽、并。……。

（一）信都、清河、河間、博陵、恆山、趙郡、武安、襄國，其俗頗同。人性多敦厚，務在農桑，好尚儒學，而傷於遲重。前代稱冀、幽之士鈍如椎，蓋取此焉。俗重氣俠，好結朋黨。其相赴死生，亦出於仁義。故班志述其土風，悲歌慷慨，椎剽掘冢，亦自古之所患焉。前諺云「仕官不偶遇冀部」，實弊此也。

（二）魏郡，鄴都所在，浮巧成俗。雕刻之工，特云精妙。士女被服，咸以奢麗相高。其性所尚習，得京、洛之風矣。……。

（三）汲郡、河內、得殷之故壤。考之舊說、有紂之餘教。汲又衛地，習仲由之勇，故漢之官人，得以便宜從事。其多行殺戮，本以此焉。今風俗頗移，皆向於禮矣。

（四）長平、上黨，人多重農桑，性尤樸直，蓋少輕詐。

（五）河東、絳郡、文城、臨汾、龍泉、西河，土地沃少塉多、是以傷於儉嗇。其俗剛強，亦風氣然乎。

（六）太原山川重複，實一都之會。本雖後齊別都，人物殷阜，然不甚機巧。俗與上黨頗同，人性勁悍，習於戎馬。

（七）離石、雁門、馬邑、定襄、樓煩、涿郡、上谷、漁陽、北平、安樂、遼西，皆連接邊郡，習尚與太原同俗，故自古言勇俠者，皆推幽、并云。然涿郡、太原，自前代已來，皆多文雅之士，雖俱曰邊郡，然風教不為比也。[5]

在《隋志》中，冀州下細分「信都、清河、河間、博陵、恆山、趙郡、武

5　《隋書》卷30〈地理志中〉。

安、襄國」「魏郡」「汲郡、河內」「長平、上黨」「河東、絳郡、文城、臨汾、
龍泉、西河」「太原」「離石、雁門、馬邑、定襄、樓煩、涿郡、上谷、漁陽、
北平、安樂、遼西」等七個地域。其中，在與儒學的關聯方面令人注目的是，
居於首位的在冀州的東部的「信都、清河、河間、博陵、恆山、趙郡、武安、
襄國」諸郡，不僅是在第一節所見的儒者的出身地，《隋志》也在記述諸郡的
風氣「其俗頗同」的基礎上，寫明「好尚儒學」。

在隋代，雖說是北朝儒學，相比北周系，北齊系更具優勢，早在山崎宏
〈隋代の學界〉一文中對此就有恰當的指摘。[6]若更加詳細地說，在北齊系中
冀州尤為重要，在冀州之中又以位於冀州東部的「信都、清河、河間、博陵、
恆山、趙郡、武安、襄國」諸郡特別值得注目，這可從《隋書·地理志》的記
述中看出。

除了以上諸郡之外，還有應該注目的地域。那就是與冀州東部諸郡的東南
部接壤的兗州諸郡。再次參考《隋書·地理志》的記述：兗州包括東郡、東平
郡、濟北郡、武陽郡、渤海郡、平原郡。就表一、表二、表三可見者而言，濟
北郡是張景仁的本貫，渤海郡是李鉉、刁柔、劉軌思、鮑季詳、劉晝的本貫，
平原郡是王孝籍、張買奴的本貫。關於這一地域的風氣，《隋志》有如下敘述：

> 兗州於《禹貢》為濟、河之地。……。兗州蓋取沇水為名，亦曰兗，兗
> 之為言端也，言陽精端端，故其氣纖殺也。東郡、東平、濟北、武陽、
> 平原等郡，得其地焉，兼得鄒、魯、齊、衛之交。舊傳太公唐叔之教，
> 亦有周孔遺風。今此數郡，其人尚多好儒學，性質直懷義，有古之風烈
> 矣。[7]

上述冀州東部的地域，被稱作「好尚儒學」，此兗州也被認為「多好儒學」。

李浩〈《隋書》中的文化地理觀〉一文，就《隋書·地理志》檢討唐以前
地域社會保持的風氣和傳統，作為討論唐代文學的地域性的前提。此一方法，

6　山崎宏：〈隋代の学界〉，《中國佛教·文化史の研究》（京都市：法藏館，1981年）。
7　《隋書》卷30〈地理志中〉。

在思考隋以前的文化地理上也有效，《隋志》就是絕佳的資料。關於北朝儒學的傳統，《隋志》已經明言冀州東部地域以及兗州這兩個相接壤的地域，存在著儒學的傳統。這應當成為考察隋唐學術的基本的框架。

四　徐遵明和熊安生

在本文第一節和第二節闡述了就地理而言冀州東部地域以及兗州具有儒學的傳統，在該地域，誕生了許多見載於正史儒林傳的學者。

在此雖然並沒有辦法充分論述北朝儒學的歷史，但是，暫述兩位在北朝儒學發揮著重大作用的學者。那就是北魏的徐遵明（西元475-529年）和北齊的熊安生二人。

首先，徐遵明傳見《魏書》卷八四〈儒林傳〉。據該傳述其生平如次。徐遵明，字子判，陝西華陰人。十七歲時，與同鄉毛靈和等留學「山東」。先赴上黨，從王聰習《毛詩》、《尚書》、《禮記》，一年辭去，移「燕趙」，師事張吾貴。所謂「燕趙」，即河北省的北部地域，正好相當於《隋志》所云「信都、清河、河間、博陵、恆山、趙郡、武安、襄國」諸郡。同樣在《魏書·儒林傳》中可見的張吾貴的傳中，稱其為中山人，在該地聲名卓著。中山，是隋的博陵郡。

但是，徐遵明不滿意張吾貴的教育，投入范陽郡（《隋志》的上谷郡）孫買德的門下。但是，徐遵明也不滿足於孫買德的教育，寄身於平原郡的唐遷家里自學，更讀陽平郡（《隋志》的武陽郡）的藏書。如此轉益多師習得學問的徐遵明的門下，開始逐漸聚集生徒。

> 是後教授，門徒蓋寡，久之乃盛。遵明每臨講坐，必持經執疏，然後敷陳，其學徒至今浸以成俗。遵明講學於外二十餘年，海內莫不宗仰。頗好聚歛，有損儒者之風。
>
> 後廣平王懷聞而徵焉。至而尋退，不好京輦。孝昌末，南渡河，客於任城。以兗州有舊，因徙居焉。永安初，東道大使元羅表薦之，竟無禮

辟。二年，元顥入洛，任城太守李湛將舉義兵，遵明同其事。夜至民
間，為亂兵所害，時年五十五。[8]

如此，可知雖然徐遵明出身於陝西華陰，但他十七歲時移居「山東」，在那裡
學習和從事教育。又，永熙二年（西元533年），遵明的弟子李業興為恢復徐遵
明的名譽而寫上表，正如「故處士兗州徐遵明」所述，傳有「以兗州有舊，因
徙居焉」，可知是具有實質意義的移居。

徐遵明的活動地域，到達冀州的東部和兗州，與上述北齊的學者出生的地
域基本一致。

又，《北齊書》卷四十四〈儒林傳〉有「凡是經學諸生，多出自魏末大儒
徐遵明門下」，詳述其師承關係，可見徐遵明的影響力非常大。[9]其弟子們，當
然以出身冀州東部和兗州的人為主。李郁（《魏書》卷53〈李郁傳〉）、呂思禮
（《周書》卷38〈呂思禮傳〉）、樂遜（《周書》卷45〈儒林傳〉、〈樂遜傳〉）、馬
敬德（《北齊書》卷44〈儒林傳〉、〈馬敬德傳〉）、平鑒（《北齊書》卷26、〈平
鑒傳〉）等人是徐遵明的學生，在此不加詳述。

其次敘述熊安生，他也是徐遵明的學生。熊安生的傳見《周書·儒林
傳》。熊安生，字植之，長樂（《隋志》的信都郡）阜城人。從陳達受習《春

8　《魏書》卷84〈儒林傳〉、〈徐遵明傳〉。

9　《北齊書》卷44〈儒林傳·序〉「凡是經學諸生，多出自魏末大儒徐遵明門下。河北講鄭康成
　　所注《周易》。遵明以傳盧景裕及清河崔瑾，景裕傳權會，權會傳郭茂。權會早入京都，郭茂
　　恆在門下教授。其後能言《易》者多出郭茂之門。河南及青、齊之間，儒生多講王輔嗣所注
　　《周易》，師訓蓋寡。齊時儒士，罕傳《尚書》之業，徐遵明兼通之。遵明受業於屯留王總，
　　傳授浮陽李周仁及渤海張文敬及李鉉、權會，並鄭康成所注，非古文也。下里諸生，略不見
　　孔氏注解。武平末，河間劉光伯、信都劉士元始得費甝義疏，乃留意焉。其《詩》、《禮》、
　　《春秋》尤為當時所尚，諸生多兼通之。三禮並出遵明之門。徐傳業於李鉉、沮儁、田元
　　鳳、馮偉、紀顯敬、呂黃龍、夏懷敬。李鉉又傳授刁柔、張買奴、鮑季詳、邢峙、劉晝、熊
　　安生。安生又傳孫靈暉、郭仲堅、丁恃德。其後生能通禮經者多是安生門人。諸生盡通《小
　　戴禮》，於《周》、《儀禮》兼通者十二三焉。通《毛詩》者多出於魏朝博陵劉獻之。……。河
　　北諸儒能通《春秋》者，並服子慎所注，亦出徐生之門。張買奴、馬敬德、邢峙、張思伯、
　　張雕、劉晝、鮑長暄、王元則並得服氏之精微。又有衛覬、陳達、潘叔度雖不傳徐氏之門、
　　亦為通解。又有姚文安、秦道靜初亦學服氏，後更兼講杜元凱所注。其河外儒生俱伏膺杜
　　氏。其《公羊》、《穀梁》二傳，儒者多不措懷。《論語》、《孝經》，諸學徒莫不通講」。

秋》三傳，從房虬受《周禮》。其後長年從徐遵明學習。又，東魏天平（西元534-537年）中開始，其時已是徐遵明死後，熊安生從李寶鼎學禮，遂通五經。主講禮，弟子達千人。北齊河清（西元562-565年）中，陽休之特奏，遂成國子博士。天和三年（西元568年），北周以尹公正為正使派遣使節到北齊之際，熊安生的對應流傳到北周，傳入高祖的耳中，名聲高漲。

> 及高祖入鄴，安生遽令掃門。家人怪而問之，安生曰：「周帝重道尊儒，必將見我矣。」俄而高祖幸其第，詔不聽拜，親執其手，引與同坐。……。又詔所司給安車駟馬，隨駕入朝，并敕所在供給。<u>至京，敕令於大乘佛寺參議五禮。宣政元年，拜露門學博士、下大夫，其時年已八十餘。尋致仕，卒於家。</u>[10]

如此，熊安生在他的晚年才入北周，基本上他活躍在北齊，在北齊各地講學，本傳甚至謂「安生，在山東時，歲歲遊講，從之者傾郡縣」。又，關於學生，「安生既學為儒宗，當時受其業擅名於後者，有馬榮伯、張黑奴、竇士榮、孔籠、劉焯、劉炫等，皆其門人焉。」這些可以舉出名字的弟子，都出身於冀州和兗州。

在北齊學界，熊安生是最為重要的學者。《禮記正義》也採用了很多他的學說。熊安生對「山東」後學的影響是極其巨大的。關於其學說和教育的具體情況，擬另稿闡述。至少，從徐遵明到熊安生傳承的冀州、兗州地域的學術傳統，至隋代也非常活潑。

五　山東儒學的地位

以長安為中心的西邊的人，對從北朝到隋代冀州、兗州繁榮的儒學，是如何看待的呢。

---

10 《周書》卷45〈儒林傳〉、〈熊安生傳〉。

據《周書》卷三十八〈蘇亮傳〉，出身雍州武功的蘇亮因博學，在北魏時舉秀才。到洛陽，在那裡與河內的常景相見。常景感歎蘇亮的博學，說「秦中才學，可以抗山東者，將此人乎？」這還是北魏時代的逸聞，可見那時候「山東」學術的名氣已經很大。

又，隋朝宗室的一員蔡王智積（高祖之甥），在身邊安置了叫公孫尚儀的山東儒士，以砥礪學問。如此，重用「山東」學者，直接與稱他「簡靜」的評價相關。

這樣，北周的高祖對熊安生極盡禮遇，與其說是熊安生個人的優秀，不如說是以「山東」學者們所負盛名為其基礎的。

如此，統一北中國的隋文帝，招致「山東」的儒者，這在當時的常識是自然的傾向。也即，開皇五年（西元585年），招致馬榮伯等「山東」學者。[11]另外，在此也想指出，關於文帝招攬「山東」人才，雖然其年代不明，但《文館詞林》卷六九一載隋文帝「令山東卅四州刺史舉人勅」的勅文。[12]

但是，開皇五年招攬的「山東」學者的實力，似乎名實不相副。《隋書・儒林傳》馬光傳有如下記述：

> 馬光，字榮伯，武安人也。少好學，從師數十年，晝夜不息，圖書讖緯，莫不畢覽，尤明三禮，為儒者所宗。開皇初，高祖徵山東義學之士，光與張仲讓、孔籠、竇士榮、張黑奴、劉祖仁等俱至，並授太學博士，時人號為六儒。然皆鄙野，無儀範，朝廷不之貴也。……唯光獨

---

11 《隋書》卷1〈高祖紀上〉「（開皇五年四月）乙巳，詔徵山東馬榮伯等六儒。戊申，車駕至自洛陽」。

12 隋文帝「令山東卅四州刺史舉人勅」（《文館詞林》卷691）：「勅某官某甲：君臨天下，所須者材。苟不求材，何以為化。自周平東夏，每遣搜揚，彼州俊人，多未應起。或以東西舊隔，情猶自疏。或以道路懸遠，慮有困乏。假為辭託，不肯入朝。……朕受天命，四海為家，關東關西，本無差異，必有材用，來即銓敘。虛心待之，猶飢思食。彼州如有仕齊七品以上官，及州郡懸鄉望縣功曹以上，不問在下任代，材幹優長，堪時事者，仰精選舉之。縱未經仕官，材望灼然，雖鄉望不高，人材卓異，悉在舉限。或舊有聲績，今實老病，或經犯賊貨枉法之罪，並不在舉例。凡所舉者，分為三番。……」。

存。……山東三禮學者，自熊安生後，唯宗光一人。[13]

其云「皆鄙野，無儀範，朝廷不之貴」，並不是說他們學問不好，而是說他們不雅，行為舉止比較粗野，沒有風度，所以朝廷不重視他們。但是，這大概並不意味著「山東」學者的水準普遍降低。《隋書‧儒林傳》所載的山東儒者，以劉焯、劉炫為首，學問上都有極高的評價。

六　「燕趙多奇士」──代結語

本文到目前為止，經常使用「山東」這一詞語。那麼「山東」具體指稱的範圍是哪裡呢。廣義上說，是華山以東，上述徐遵明本傳有云「山東求學」，來到上黨，也即此義吧。狹義是指太行山以東。進一步，就學者而言，如上所述，可以說「山東」學者是以冀州和兗州為中心。

離開上黨的徐遵明，赴「燕趙」，從學於張吾貴。正如《北齊書》卷四十四，儒林傳，邢峙傳「遊學燕趙之間，通三禮、《左氏春秋》」所述，燕趙是具有學問傳統的地域，其地域正相當於冀州、兗州。

關於此「燕趙」，被敘述為「燕趙多奇士」。《隋書》李德林傳，記述了如下北齊時代的事情：

> 李德林，字公輔，博陵安平人也。……。任城王湝為定州刺史，重其才，召入州館。……。於是舉秀才，入鄴，于時天保八年也。王因遺尚書令楊遵彥書云：「燕趙固多奇士，此言誠不為謬。今歲所貢秀才李德林者，文章學識，固不待言。觀其風神器宇，終為棟梁之用。[14]

此語也見於《魏書》卷五十三、李孝伯傳的史臣之語「燕趙信多奇士。李孝伯風範鑒略，蓋亦過人遠甚。」《隋書》卷五十八中的史臣之語稱魏澹（趙郡之

---

[13] 《隋書》卷75〈儒林傳〉、〈馬光傳〉。

[14] 《隋書》卷42〈李德林傳〉。

人）等人為「燕趙之俊」，《隋書》卷七十六，文學傳的序中也可見「燕趙奇俊」之語。

雖然那些「燕趙」的「奇俊」們並非都是儒者，但在這個地域中，產生了最為重要的學者，則是毋庸置疑的。

（譯者：廖明飛）

儒者形象的現代演繹及其文化意義
——以電影《孔子：決戰春秋》之顏回形象所作之探討[*]

儒者形象的現代演繹及其文化意義
——以電影《孔子：決戰春秋》之顏回形象所作之探討[*]

金培懿

臺灣師範大學

摘要

　　本文以二〇一〇年於中國全國各地盛大上映，由胡玫導演的電影《孔子：決戰春秋》為研究對象，聚焦片中顏回人物角色形象之形塑，以及「顏回之死」這一問題，藉由考察導編胡玫究竟基於何種認識而來形構顏回這一角色之性格、形象，又可能是基於何種原因而來改編虛構顏回死因，同時配合分析導演胡玫拍製該片的主要理念，與當時中國藝術文化之發展政策之間的關聯，以闡明電影及導演所欲達成的文化傳播訴求與思想傳達目的，說明二十一世紀現代中國藉由電影傳媒所演繹出的儒者形象，究竟隱藏著何種政治思維與文化意涵。

　　本文首先透過剖析胡玫藉以形塑演繹顏回形象的三個重要環節：（一）忠心耿耿「誓死追隨孔子」的顏回形象；（二）振振有詞表明「士不可不救國」的顏回形象，（三）永遠「尊孔崇道之踐德者」的顏回形象，除了描繪出胡玫所形塑演繹出的理想儒者形象為何？同時也說明此種儒者形象的演繹，存在著何種對顏回刻意的改造或誤解？並進一步爬梳此種演繹存在著何種問題？而導演之所以如此演繹，其究竟試圖傳達何種聲音。

* 本文係筆者執行教育部「補助邁向頂尖大學研究計畫——國立臺灣師範大學漢學研究中心頂尖計畫第六年跨文化視域下的儒家倫常：儒家倫常的跨界發展與歷時性轉化」（106JIA0700）子計畫之部分成果，感謝補助。

　　本文繼而聚焦於「顏回之死」這一幕，從兩個面向來進行思考：一是顏回該有何種死亡型態才能符合其身為孔子傳人的復聖形象？試圖釐清導編胡玫所以大膽改易「顏回之死」的目的與企圖究竟為何？二是電影中為何特別以「簡冊」來作為「道」的象徵？本文試圖叩問的問題是：以顏回之死而換來的簡冊——「六經」系統學問，由儒門弟子帶著繼續前行，它們若是經過無情冰湖水洗禮後的中國儒家文化「種子」的話，則誰可以是那劫後留下的文化的新生生力軍呢？他們應該如何擔負起儒家思想文化的傳承大業呢？關於這一大哉問，本文則是從導演拍製《孔子：決戰春秋》的意圖來進行思考，而這一問題亦攸關聖賢偉人故事敘事如何方能獲得其有效性這一問題。筆者以為說故事者的文化素養、人生體驗、思想深度、生命關懷乃至生命格局等，或許才是攸關聖賢偉人故事敘事能否成功動人的最主要關鍵。而為具足此等條件，說故事者不僅要藉由聖人之言的「經典知識」以達溫故知新，同時更要能摹想領悟聖人的「默識之知」，才有可能體認掌握到道德的普世價值與意義，這樣的道德才不會只是某個時代語境下，專屬於特定人物，為特定政權服務的樣板道德，也才有可能召喚自國人民並與他者共振。

關鍵詞：孔子電影　顏回　儒者形象　胡玫　現代演繹

一 前言：現代中國之「孔子」影劇發展

二十世紀的第二次大戰，曾讓中國民族經歷空前浩劫，然諷刺的是，中國傳統文化的巨大劫難與道德淪亡之極，並未發生在戰爭時期；而是於戰後二十年的一九六六年五月開始，進入其「十年浩劫」的黑暗時期。此事由中國近代以來所拍攝的「孔子」相關影劇發展視之，亦可得到一致的驗證。堪稱近代中國的首部「孔子」電影，乃是一九四○年費穆導演的《孔夫子》。此後歷經國府遷臺、新中國成立、文化大革命，到停止「以階級鬥爭為綱」，進而開始第一階段的「改革開放」政策實施結束的一九八九年為止，此間近五十年，以「孔子」為代表的中國傳統儒家文化，一路受盡批駁唾棄，更遑論要藉由影視而來抓住中國觀眾的眼球！

然而，就在「六四天安門事件」發生後，中共當局在檢討十年改革開放的失誤乃在思想政治教育，力圖避免改革開放使得中國淪為一個「完全西方附庸化」的資產階級共和國時，「孔子」話題在睽違半個世紀後，終於得以重登舞臺，此即一九九○年由張新建、劉子雲導演；王繪春主演的十六集《至聖先師：孔子》電視連續劇的問世。該劇嚴謹依據史籍記載而來拍製，詳細描繪出孔子一生之經歷，導演傳達了一位堅持固守、身體力行周禮，並畢生試圖以此輔政而使天下昌盛，同時以此教育門生，繼而將之整理編纂成經典以傳於後世的「先師聖哲」孔子形象，該劇堪稱是至今評價最高的「孔子」影劇作品。[1]

一九九二年以後，中國改革開放的路線基本確定，該年十月十二日至十八日於北京舉行的「中國共產黨第十四次全國代表大會」中，更將所謂：建設有中國特色社會主義的理論和黨的基本路線，寫進黨章。此後中國邁入了一個國際關係和平發展，國內社會維持穩定，經濟長期快速成長的階段。二○○五年以還，隨著胡溫政權將更多的平等主義與民粹主義加進中共政府政策中，改革開放政策於焉進入第三階段，四年後的二○○九年，執導過《宰相劉羅鍋》、

---

[1] 該劇一舉獲得中國全國精神文明建設「五個一工程」獎；全國電視劇「飛天獎」特別獎；最佳美術獎；最佳音樂獎，並獲得最佳男主角、最佳照明兩項提名榮譽獎。

《大清藥王》的韓剛導演，推出了三十六集的《孔子》電視連續劇，該劇通過「國家重大歷史題材領導小組」審查，獲允播出許可。故事主角梅燕是一位出生於中國知識分子家中的八○年代中國新生代，梅燕在留美八年後，由於其指導教授推崇孔子之故，梅燕因為欲撰寫一篇研究孔子的博論故而返回中國。故事就由以梅燕為代表的現代中國青年欲返國撰寫孔子相關論文的這一條敘事主軸線展開，其在長期受到以美國為代表的西方文明浸染影響後，藉由返國撰作學術論文，故必須重新挖掘審視史料，以求正確理解孔子，進而客觀考察、研究孔子思想，並省思當代中國人之生活思想文明。導演全劇突顯了兩大主題：一是即使是一位留美的、受過西方學術訓練的精英青年，其依然得面對一位無法在短時間中被理解的先師聖哲「孔子」，因為這是一位歷經了兩千年造神而不斷被嚴重誤解的孔子。二是當代的中國人究竟該如何在浮躁、空虛、失落與迷茫中重尋中華民族之心靈家園，並在此追尋過程中獲得精神超越與自我救贖。

導演韓剛表明該劇取材自記錄孔門師生與時人語錄的《論語》，以及《史記》、《左傳》等正史文獻，野史均不在考慮範圍。換言之，韓剛試圖向觀眾表達的是：其拍製的《孔子》乃是「不杜撰」的孔子，並企圖藉由此正確、不杜撰的孔子來追求中華民族之傳統文化心靈。關於中國人究竟該如何藉由孔子而來理解追求中華文化這一議題，其實一九九六年沈好放導演所執導的電視劇《東周列國・春秋篇》中有孔夫子「高山仰止」故事，飾演該劇孔子一角的仍是一九九○年張新建《孔子》劇中的王繪春。全劇以春秋時期的成語典故，例如唇亡齒寒、一鳴驚人、臥薪嘗膽等，以及傳說史實，如趙氏孤兒、伍子胥過昭關等內容為故事核心，試圖帶領觀眾領略華夏文明之根據，以及中華古文化之深意。導演韓剛更主張「孔子」是一個國際題材，故為求形塑該劇之國際性，遂任用日本男演員石田壹成飾演顏回，並請韓國女歌手李貞賢擔任南子一角，試圖藉由多元國際性演員而來突顯該劇之「國際性」（或者說「東亞性」）。

韓剛版《孔子》問世後隔年的二○一○年，韓剛導演的老同學張黎，與劉淼淼共同執導了另一齣電視連續劇《孔子春秋》。相較於韓剛所理解的聖人孔

子，乃是因為其「學無常師」，故能習得貴族君子之「六藝」，進而以正直人格與博雅學識和禮樂素養，獲得貴族、平民之賞識。張黎與劉淼淼則是將孔子與陽虎、少正卯並列，敘述三人如何走上人生殊途，而處於亂世中的思想、道德衝突，又是如何令故舊友人因此分道揚鑣，分別成為聖人孔丘；惡人陽虎；政客少正卯！以及孔子又是如何以「忠孝」為始而踏上周遊列國的旅途。全劇遂圍繞仁、義、禮、智等儒家道德體系以展開劇情敘事。劇中孔夫子於諸侯爭霸、戰亂頻仍的春秋末年，廣收門徒，講學於魯國杏壇。倡導禮、義、廉、恥之道德與誠、正、修、齊、治、平的修身治國思想。正因孔夫子誨人不倦，因材施教，故能有弟子如子路好「勇」；顏回能「仁」；子貢多「才」。

　　張黎、劉淼淼之《孔子春秋》上演的二〇一〇年，由胡玫編導的電影《孔子：決戰春秋》亦於該年一月上映。作為七十年來中國本土最新的一部「孔子」電影影劇，相較於上述一九四〇年以還的「孔子」影劇，胡玫延續費穆《孔夫子》與張新建《孔子》之作法，不僅一定程度於史有據地拍製敘述孔子後半生的故事，也承繼了韓剛所強調的「國際性」，除此之外，更在張黎、劉淼淼《孔子春秋》中所提及的諸多孔門道德德目中，特別看重標舉出孔子的核心思想──「仁」。然而，胡玫《孔子：決戰春秋》卻又在史實之上大膽「改編虛構」；而且在強調孔子或儒家思想應該具有更高於「國際性」的超越普世價值的同時，卻不斷強調孔子這一先師聖賢文化的解釋權應該放在「我們中國人自己手裡」；因而遂以「非常電影化的表演」來「虛構」顏回之死，使得歷來強調「史實劇」的現代中國孔子影視劇，加入了強烈的「戲劇虛構」元素。從該片上映後的諸多正反兩面評價看來，電影中特意改編虛構而試圖極大化觀影「效益」的「顏回之死」這一幕，其與事實不符但卻是導演編劇獨具「匠心」這點，遂成了眾多觀眾觀後感中的核心議論焦點，甚至也成了專業影評人或相關電影研究者非議該片的主要原因之一[2]，其受關注度堪稱超越了「孔

2　例如浙江經濟職業技術學院副教授馬小敏直言：「電影上映之後頗受詬病的便是顏回救書簡喪命。……導演想用非常誇張的電影化表現手法以悲壯來凸顯人物形象的高大，以及對中國文化不惜生命代價的追求。但這一幕卻受到觀眾質疑，在生命攸關之際，究竟是保全書籍還是求全生命？在當代人看來，尊重個體生命價值無疑是更加重要的，儘管在胡玫看來捨棄生命是為了更大程度地獲取意義，卻未必能夠得到受眾的認可。」詳參馬小敏：〈聖人在否──論

子」這一電影男主角。而誠如以下所引導演胡玫自身的說明一般，復聖顏回是後人在闡述孔子或儒家思想時，無法忽略的孔門弟子，胡玫說：

> 顏回是孔子眾多弟子中的典型人物，我們把眾多弟子的特點都歸結到他身上。……我認為他集中了七十二賢人的精神。我相信，正是因為有孔子的這些重要弟子，儒家思想才能發揚廣大，傳承至今。[3]

　　本文因此聚焦於《孔子：決戰春秋》片中顏回人物角色形象之形塑，以及「顏回之死」這一問題，藉由考察導編胡玫究竟基於何種認識而來形構顏回這一角色之性格、形象，又可能是基於何種原因而來改編虛構顏回死因，同時配合分析導演胡玫拍製該片的主要理念，與當時中國藝術文化之發展政策之間的關聯，以闡明電影及導演所欲達成的文化傳播訴求與思想傳達目的，說明二十一世紀現代中國藉由電影傳媒所演繹出的儒者形象，究竟隱藏著何種政治思惟與文化意涵。

二 「孔門」顏回到「胡玫」顏回

　　前述韓剛《孔子》電視劇中，安排了一個由端木這一記者角色為中心所組

胡玫《孔子》中知識分子形象建構〉，《當代電影》2017年第1期，頁173。另一位學者才穎則說：「影片也有一處敗筆，那就是顏回之死。劇中的顏回是為救書卷反覆潛入冰水之中而活活凍死，這當然屬於藝術想像允許的範疇，但卻不符合『實事求是』原則。顏回是孔子最得意的弟子，當顏回奮不顧身搶救書卷時，孔門眾師兄弟卻趴在冰面上聲嘶吶喊，無一人相助也無一人勸阻，這實在讓人匪夷所思。孔子的偉大不在於他的書卷，而在於他本人。救那些原始材料沒那麼重要，顏回在影片中是最得孔子真傳的人，但卻死得本末倒置，顏回精神的藝術處理沒有取得與文獻中的『顏回』相似的效果。」詳參才穎：〈淺析電影《孔子》的「歷史真實」與「藝術真實」〉，《成都電子機械高等專科學校學報》第13卷第2期（2010年6月，頁85。觀眾黎小姐的電影觀後感則是：「我就想不明白，有必要要為了幾卷竹簡犧牲性命嗎？更奇怪的是，當時孔門其他弟子都和孔子一起趴在冰窟邊緣呼喊痛哭，既無一人和顏回一道下水撈竹簡，也無一人下水阻止顏回的愚蠢行為。」詳見朱志軍、賀劍、林伶輯：〈今天，如何看待孔子〉，《重慶社會科學》2010年第3期，頁121。

3　鍾蓓：〈胡玫：《孔子》的意義不在票房〉，《世界博覽》2010年第4期，頁29。

成的「子貢基金會」，藉此表達中國現代文化青年有志一同地籌措經費，想方設法於偏遠山區建立「希望小學」，彼等積極參與社會救濟的熱忱，體現出一種儒家的淑世、濟世、救世精神與健動性的生命實踐動能。相較於此，導演胡玫則更著墨於無有建樹的顏回。電影《孔子：決戰春秋》中出場人物眾多，由中國演員任泉所飾演的顏回一角，出鏡率不低，鏡頭下其言行雖不張揚，但角色性格卻異常鮮明，最後更憑藉著「救書溺斃」的極度電影化情節渲染，而在觀眾心中留下「以身殉道」的崇高形象。筆者以為，導演胡玫所形塑出的顏回這一角色人物形象，不僅是導演所說的「典型」儒者人物，更是儒者形象的總合展現，而「救書溺斃」則是該人物形象塑造的高潮片段，與電影主旨意義傳達的極端化表現手法。其實除了救書溺斃這一場景之外，全劇鏡頭底下顏回的言行表現，無不強烈傳達出導演於今日中國所欲宣揚的儒者形象，無不充滿著意義與象徵性，故在闡明導演編劇改編虛構「顏回之死」的可能意圖之前，且讓我們來看看電影中形塑顏回人物角色形象的，有關顏回言行的三個主要環節。這三個環節分別形構出忠心耿耿「誓死追隨孔子」的顏回形象、振振有詞表明「士不可不救國」的顏回形象，以及永遠「尊孔崇道之踐德者」的顏回形象。下文則就電影中此三大顏回形象，而來剖析胡玫所形塑演繹的儒者形象，究竟試圖傳達何種聲音，又存在著何種問題。

（一）「誓死追隨孔子」的顏回

首先，關於導演如何形塑顏回成為一位忠心耿耿「誓死追隨孔子」的儒門弟子形象，我們可以從電影中孔子因為墮三都不利而決意去魯時，顏回乃是一馬當先誓死追隨夫子一事看出。導演安排了這樣一個場景，就是當孔子準備去魯周遊列國，獨自牽著馬匹踽踽獨行於荒郊時，在郊外一片黃土野草中，不意顏回竟然早已跪在那兒，面對孔子質疑其為何在此，顏回的回答是：

夫子是形，弟子是影，回要跟夫子一起走！（1:08:18）

聽到顏回這樣動人的回答，孔子勸顏回返魯入官府謀職，總比與自己飄泊在

外，與親人生離來的好，所以孔子再說：

> 顏回，你有才幹，在官府，能找到好的差事。可跟著我，卻要拋妻別
> 子，背井離鄉，你會後悔的。（1:08:45）

聽聞孔子的告誡，顏回則堅決地回答說：

> 不，絕不！（1:08:51）

孔子再進一步逼問：

> 顏回，你看，前面沒有平坦的道路，也沒有富貴的生活，只有大野蒼
> 茫，你不怕？（1:09:00）

顏回再次堅定地搖頭，自始至終表明矢志追隨孔子的決心。在一連串的追問確
認後，面對一心決意追隨自己的弟子，孔子最後對於自己不得不離開祖國一
事，不禁向顏回拋擲出自己內心的疑惑與不解，問出一句：

> 告訴我，我究竟錯在哪裡？（1:09:22）

面對夫子內心的困惑，顏回則從容坦白地指出夫子錯把自己的全部理想，都寄
託在了魯君身上，並如下說道：

> 如果人不能改變世界，那麼就應當去改變自己的內心！（1:09:00）

　藉由這一幕師生對話場面，導演淋漓盡致地刻劃出「誓死追隨孔子」的顏
回形象，因為他是「第一個」表明矢志追隨夫子去魯周遊的弟子，觀眾更因此
而了解到顏回與孔子之間深重堅篤的師生情誼，同時也見識到顏回「求道」不

落入後，義無反顧，不惜捨棄富貴、親情，乃至安適生活的求道意志，或者說是對於求道的執著。相對於一般凡人，顏回不受世間俗情所羈絆，不受榮華富貴所誘惑，不受名利權勢所左右，毅然追隨「超凡」的孔子，追求「超越」的道，這樣一個絲毫不為世俗價值觀所影響撼動的顏回，堪稱是眾所皆知的「一簞食，一瓢飲，在陋巷，人不堪其憂，回也不改其樂。」[4]這一形象的具體化展現，而其安貧樂道的人物性格也生動鮮明。除此之外，這樣一種矢志追隨孔子，一意求道，無懼無悔之儒門人物性格，也為其後電影中「救書溺斃」的顏回形象設下了伏筆。

而隨著顏回一而再，再而三地申明自己決意追隨孔子的心志，電影觀眾或恐亦不免捫心自問：我們在人生旅程中究竟後悔什麼？恐懼什麼？又什麼才是我們應該後悔和恐懼的呢？這些觀眾在觀看這一幕時心中可能浮現的「大哉問」，導演卻巧妙地藉由聖人孔子之口而說出：「告訴我，我究竟錯在哪裡？」（1:09:23）導演讓聖人孔子說出觀影人心中的可能自省，但卻由顏回來解惑。所以該幕最後，電影中的顏回甚至成為孔子（或者也可以說是觀眾們）的心靈導師，其為孔子解惑並指路，亦即面對孔子去魯周遊的猶疑與困惑（或者說是觀眾們的自我生命反省），顏回說出了令人深省的睿智話語，其指出了「改變世界」抑或「改變己心」乃是行走人生江湖者都必須面臨的抉擇問題。

（二）「士不可不救國」的顏回

又關於振振有詞地表明「士不可不救國」的顏回形象，導演基本上是在「喪家之犬」的歷史故事脈絡中，安排進面臨齊國侵魯，季孫氏乃派人請冉求回魯相助的這一場景，而此事遭到以子路為代表的孔門諸門生的強烈反對，理由是孔門諸弟子以為魯君既然負義在先，如今只因遭逢危難才又想起孔門師生。此時，顏回卻獨排眾議，如下說道：

> 夫子，您常說學以致用，國危用將，大司徒派人召冉求回國，可見魯國

---

4 （宋）朱熹：《論語集注》，卷3，〈雍也第六〉，頁87。

　　　已危在旦夕，我們身為魯國人豈能袖手旁觀？（1:30:21）

　　顏回此番所謂秉持「學以致用」，在國家有難時當發揮愛國心實踐所學，絕對不容作壁上觀的論調，孔子大為贊同，遂讓弟子返魯助戰。導演此種安排設定，不僅突顯了知孔子者唯顏回的這一顏回乃孔子「知音」的形象，更藉由顏回獨排眾議的說詞傳遞出：儒者實踐所學長才，並始終對祖國家園關懷不棄，這並非不智之愚忠；而是一種「以德報怨」的高尚情操！胡玫導演藉由這一場景，讓脾氣火爆的子路成為顏回的對照，進而演繹出一位理性、感性兼具，情理兼容的儒者顏回。而此一弟子顏回所以深得孔子之心，乃因其深刻理解孔子「去魯」但並不「棄魯」，因為一位真正發揮所學，淑世救人的儒者，豈有旁觀國難之理？因此，魯君雖對孔門師生忘恩負義，然顏回卻在孔子所謂：「以直報怨，以德報德」（《論語・憲問》）的教誨上，更上一層樓地超然實踐「以德報怨」，就因為那辜負孔子、有所不是的魯國，正是自己的生身土地啊！

　　與子路對照下的顏回，彷彿是智、仁、勇兼備之真勇者，顏回之勇的展現形式在於內化且無處不在；其不僅對孔子的迷惘無畏敢言；其返魯助戰的振振說詞也似乎展現了深思熟慮的果敢，包含著憂國憂民的仁心，堪稱是視野宏觀之勇。然這樣的理解恐怕是很「胡玫」式的。因為，關於「不念舊惡」，確實是孔子對伯夷、叔齊的表彰，但孔子亦說：「唯仁者能好人，能惡人。」又對於被問及：「以德報怨，何如」時，孔子最先的反問是：「何以報德？」也就是說，孔子考慮到了如果對「德」對「怨」都一致相同地報之以「德」，則此種作法無疑是對「施德者」的不公！所以孔子才說要「以直報怨」，這既是使人知所懲戒，也是為了避免寬恕本身不至於淪為減輕罪惡的幫凶。如果像電影中所演繹強調的「士不可不救國」，主張實踐所學「以德報怨」的顏回，其又將如何懲戒不義之魯君與季氏呢？還是在胡玫導演看來，遭逢父母之邦的存亡問題，祖國甚至不必請求其受害人民寬恕，且那受害人民當然還得義無反顧地報效祖國？縱使祖國不義在先！若如是，則筆者想問的是：這樣的孔子思想詮釋難道不會淪為對公理正義的嘲弄？又此種顏回儒者形象的現代演繹，難道不會淪為「以國殺人」的偽君子嗎？

（三）「尊孔崇道之踐德者」顏回

相較於上述導演安排對照子路無所取材之勇與顏回兼具三達德之勇，電影在描繪「孔子困於陳蔡」的情節中，顏回聽夫子撫琴而心有所感，此時導演援用了《史記·孔子世家》中關於子路、子貢與顏回三人對夫子之道的理解、評價與認同，其間差異何在的經典對話，安排顏回說出了：

> 夫子道<u>高</u>，故當事者<u>難用</u>，只能說明他們<u>愚鈍</u>！（1:34:51）

按《史記·孔子世家》顏回回答孔子所謂：「吾道非邪？吾何為於此？」這一探問，其原文如下：

> 夫子之道至大，故天下莫能容。雖然，夫子推而行之，不容何病，不容然後見君子！夫道之不脩也，是吾醜也。夫道既已大脩而不用，是有國者之醜也。不容何病，不容然後見君子。

孔子的提問既有試圖求得弟子理解以抒發自我心志鬱滯的企盼，同時亦希望藉此啟發弟子思考人應當如何「處困」？並由此觀察其思維境界之高低與言語表達技術之巧拙。相對於子路直言、昧於現實，不僅對孔子之道信心鬆動，竟然還勃然大怒；子貢則善巧言說，柔和婉轉，面對現實主張應變脫困，然對夫子而言，子貢此種方便法門卻是對自我價值信念的背叛與對理想的未能堅持，不僅見不到真正的錦繡未來，也是無法高瞻遠矚的目光如豆。而顏回就不同了，其回答不僅一開始就肯定了夫子之道的博大精深，更說明了夫子之道所以不能見容於世的原因就在其學究天人，聖德偉懋。況且夫子宣導推行仁政，乃是為天地立心，為生民立命的良心偉業，設若不能見容於世，亦無須自嘆自怨。夫子這俗世不容的鴻鵠大志，正是君子與凡夫區別之所在。既然夫子周遊列國，戮力為往聖繼絕學，為萬世開太平，但卻乏人問津，則這就是列國國君之恥辱，而非夫子的問題啊！

按《史記》記載，顏回的回答表明了其不因身處困境就對孔子失去信心，誠所謂造次必於是，顛沛必於是也。其對孔子以及孔子思想價值的理解，想必不僅讓孔子深覺「吾道不孤」，亦可寬慰孔子釋懷於世俗得失、成敗毀譽，更能肯定孔子遇困仍弦歌不衰，正是在厄不窮的從容真君子！但是導演胡玫卻演繹了一位遇困而不免憤世嫉俗的儒者顏回，在導演的理解中，世人與列國君王所以不能採用孔子之道，是因為他們愚鈍故無法理解「高深」的孔子之道！這樣的理解與《史記》原載的顏回話語之間，相距不啻千里。颯爽暢快而不阿諛，義正嚴詞而不刻薄的顏回話語，竟然轉變為批評夫子之道高深難用，同時辱罵當事者愚鈍的狂狷話語。此種情緒性言語，實在有違《論語》中所記載的那個「不違如愚」[5]、「不遷怒」[6]、「犯而不校」[7]的顏回性格。

如上所述，導演為了形塑一位「尊孔衛道」的顏回，居然讓顏回誤解了孔子之道，還讓顏回成了蔑視君上之狂傲儒士。又為了形塑「全德」顏回之人物形象，導演更安排了孔門師生受困於陳，在接連七日受困挨餓，孔門師生終於剩下了最後一碗馬肉湯可分食的情況之下，顏回不僅禮讓不食，導演應該是為了突顯顏回對同門友愛無私的「愛人」精神，竟讓電影中的顏回說出如下一句：

我不餓，你們喝吧。（1:37:49）

觀影的多數觀眾若讀過《論語》，應該對顏回曾經問孔子何為「仁」的這一問答印象深刻？而孔子的回答是：「克己復禮為仁」[8]。然而「克己」之意並非指在連日的挨餓之後，顏回還應該矯情地說出「我不餓」。導演或許想藉由此種體貼、客氣、謙讓的說詞，而來突顯屬於「克己」的、「德性」科的，在孔門中是相對年幼的弟子顏回該有的謙讓守禮形象，所以當顏回說完這句話以後，

5　朱熹：《論語集注》，卷1，〈為政第二〉，頁56。

6　朱熹：《論語集注》，卷3，〈雍也第六〉，頁84。

7　朱熹：《論語集注》，卷4，〈泰伯第八〉，頁104。

8　朱熹：《論語集注》，卷6，〈顏淵第十二〉，頁131。

鏡頭帶到的是一幫爭搶馬肉湯的孔門諸弟子。但這不僅荒謬有違常理，這樣的話語恐怕也不可能取信於其他一同受困挨餓的孔門年長弟子們。然導演編劇為了形塑一個超越人性基本欲求的道德實踐者儒者形象，不惜讓電影裡顏回的踐德言行流於矯情造作，而此種言行實在是一種連「善意欺瞞」都稱不上的「道德表演」，生搬硬湊的道德話語表演，除了對顏回人物形象的理解不具參考價值，還引人發笑，因為此類道德表演話語，既生硬又不感人，還有違正常人性。

其實，在這一幕孔門師生受困陳國的場景中，導演編劇為了形塑出一種孔門師生即使處困而命在旦夕，卻仍舊相互謙讓，無私友愛的氛圍，在顏回說出這句話語之前，此前就也讓個性直率的子路，在受困挨餓數日後，當顏回端給孔子最後一碗馬肉湯，孔子就要喝下時，身體虛弱的子路忽然嗆咳，孔子見狀便把這最後一碗馬肉湯拿到子路面前，子路竟然違背其原本質樸近於「粗野」的率真性格，也與顏回如出一轍地說出了「謙讓」話語：

夫子，我不餓，你喝吧！（1:36:47）

導演或許是想藉此傳達即使「粗野」如子路者，其長期受孔子教化，傾心臣服敬愛孔子，故而可以在身體受餓羸弱之際，不忘忍欲敬師，謙讓不食。但筆者以為電影此種漠視人物角色個人性格，一味往極端演繹的道德，不僅喪失基本人性，也淪為表演工具。而《孔子：決戰春秋》中最極端且充滿戲劇性的表演話語，當推導演對「顏回之死」的改編虛構莫屬。

三　顏回之死：英年早夭到救書溺斃

顏回「救書溺斃」的情節，堪稱是《孔子：決戰春秋》全片最大的史實改動與虛構敘事。導演胡玫自己就如下說道：

顏回之死是一段非常電影化的表演。我們畢竟是電影，所以要找一些篇

幅和段落展現電影的才華和電影才有的語言。顏回是孔子眾多弟子中的典型人物，我們把眾多弟子的特點都歸結到他身上。根據《史記·孔子世家》和《論語》，我們對顏回有所改造。對顏回這個人物，我認為他集中了七十二賢人的精神。我相信，正是因為有孔子的這些重要弟子，儒家思想才能發揚廣大，傳承至今。顏回用生命從冰窟裡搶救書簡的段落，烘托了他對中國文化不惜的生命追求。[9]

觀眾當然明白：歷史劇的劇情未必得全部依據史實。誠如學者紀連海所說的：「歷史題材故事片允許一定程度情節的虛構。」[10]但歷史劇敘事改編或虛構的合理有效性，或者說觀眾對改編虛構的接受度、理解度、承受度究竟到哪裡，則是歷史劇編導們不得不審慎思考的問題。此一問題即是曲阜師範大學孔子文化學院駱承烈教授所提醒的：

影片要謹慎對待歷史事件！[11]

顏回作為《孔子：決戰春秋》片中的崇高人物形象，其人格崇高性被導演選擇所謂「耗盡生命以救書」的悲壯形式來作最大張力的詮釋，試圖宣揚一位「對中國傳統文化不惜的生命追求」的儒者形象！在此姑且不論顏回救書溺斃的情節是否合理？諸如冰裂之前已聽聞轟隆巨響，此乃冰裂徵兆，遊歷在外多年的孔門師生對所處環境的警覺性為何如此後知後覺？又一行車馬經過結冰湖面，按理這湖面冰裂，範圍應該不會只侷限於某一處，怎麼這座冰湖就恰恰在顏回馬車底下冰裂沉墜？而原本有機會逃命的顏回，竟然一反其平常對孔子之言「不違如愚」[12]，對孔子之教導無不悅納的平日言行常態[13]，此刻卻無視孔

---

[9] 鍾蓓：〈胡玫：《孔子》的意義不在票房〉，《世界博覽》2010年第4期，頁29。

[10] 朱志軍、賀劍、林伶輯：〈今天，如何看待孔子〉，《重慶社會科學》2010年第3期，頁119。

[11] 朱志軍、賀劍、林伶輯：〈今天，如何看待孔子〉，《重慶社會科學》2010年第3期，頁120。

[12] 朱熹：《論語集注》，卷1，〈為政第二〉記載：「子曰：吾與回言終日，不違如愚。退而省其私，亦足以發，回也不愚。」頁56。

[13] 朱熹：《論語集注》，卷6，〈先進第十一〉記載：「子曰：回也，非助我者也，於吾言無所不說。」頁124。

子的傾情呼喚，也不顧同門師兄弟的哀嚎勸阻，一遍又一遍地來回沉浮，執著於「救書」而罔顧性命，簡直淪為一位不辨輕重，執迷不悟的庸儒。導演與編劇難道不知孔子並不贊成無謂的殺身成仁，《論語》如下記載道：

> 宰我問曰：「仁者，雖告之曰『井有仁焉』，其從之也？」子曰：「何為其然也？君子可逝也，不可陷也，不可罔也。」[14]

針對宰我以有人溺於井中，而來設問孔子此時仁者應該採取何種行動才是？由孔子的回答我們可以知道：如果說拯救井中溺水之人是愛人之「仁」，則顧及救人應該權衡己力不做無謂犧牲亦是愛人之「仁」。故明人張居正才會在注解《論語》該章時說道：

> 仁者雖切於救人，然必己身得生而後可以救人之死。若從人入井，則無益於彼，而先喪其身，愚之甚矣。[15]

時入晚清，程樹德也援引蘇軾如下注說：

> 拯溺，仁者之所必為也。殺其身無益於人，仁者之所必不為也。[16]

既然，不能因彼井中溺人之命而害此井外救溺人之命，何況是以此活生生之顏回而救落水之簡冊？顏回豈是如此一位無法「適變」的頑固蠢儒？而且顏回既然奉行孔子之「仁」學教誨，其不應在對殺身與成仁之間的思想深刻性，與夫子之間有著如此巨大的落差！電影中執意救書的顏回形象，與其說是歷史上的孔門弟子——復聖顏回；毋寧說是胡玫導演理想中的或是深具目的性意義的儒者顏回！

---

[14] 朱熹：《論語集注》，卷3，〈雍也第六〉，頁90-91。

[15] 詳參（明）張居正：《四書直解》（北京市：九州出版社，2010年）。

[16] （清）程樹德：《論語集釋》（北京市：中華書局，1990年8月），卷12，〈雍也下〉，頁416。

　　除此之外，若就電影拍攝技術而言，此一顏回救書溺斃場面，是否能傳達一種捨命救書的劇烈視覺衝擊效果，而使觀眾在情感上激發出對顏回竟然不惜以身「殉道」的感動，繼而深思並認同顏回「捨命救簡」此舉的崇高嚴肅意義？若從相關專業影評就技術面所作的評論，這恐怕也是失敗的。[17]而且觀眾在觀影參與電影敘事過程中，這一幕顏回「救書溺斃」的場景，是否能與觀眾素來奠基歷史事實，早在觀影前其自身即已理解獲得的顏回形象合理重疊連結？這些問題攸關電影中顏回「救書溺斃」場景，能否帶領觀眾認同導演所謂對中國傳統文化要「不惜生命追求」的訴求。

　　然而，只要是對孔門師生有基本客觀歷史知識理解的觀眾都知道，顏回救書溺斃，乃是一個完全不合史實的電影情節，它堪稱是電影中一段眾所皆知的虛構故事，應該沒有一位觀眾會誤會顏回是救書溺斃的，它是導演編劇的精心杜撰與刻意添入。因為關於顏淵之死，根據史籍文獻記載與今人之考證，雖然其亡故之年說法不一，但卻很清楚地記載顏回早夭。[18]但英年早逝的顏回究竟死於何因？文獻則無明載，此點正是電影故事可以做文章之處。歷來人們對顏回之死的認知，基本上是將其「早夭」事實，與《論語》中所謂顏回過著所謂：「一簞食，一瓢飲，在陋巷。人不堪其憂，回也不改其樂」[19]的貧困生

---

[17] 北京電影學院導演系碩士付宇從專業的角度批評顏回「救書溺斃」一幕說：「顏回捨身救書，按說應該是一段既有戲劇力量，又有情感力量的精彩戲分。可是，導演只用了寥寥無幾的幾種鏡頭表現：1. 孔子特寫；2. 眾人圍在冰上的中全景；3. 顏回手抓書特寫；4. 水下顏回中全景；5. 顏回托舉書浮出水面特寫。這個段落大概就這幾個鏡頭來回使用，於是乎，觀眾看不到顏回怎樣驚嚇緊張到一門心思救書，再到最終願意放棄生命的整個過程心理變化，也看不到冰面上其他人物對顏回救助和勸阻（只有無謂的哭號），情感的張力由此消失殆盡。與此同時，觀眾也看不到水冷冰寒、顏回的生命一點點流失的細節，看不到眾人幾次欲救顏回而失敗的過程，看不到生死交替的危機與抉擇，戲劇力量同樣消失殆盡。」付宇：〈故事、戲劇與電影語彙的糾結──評電影《孔子》的導演創作〉，《電影批評》2010年第2期，頁67。

[18] 《列子》〈立命〉言顏回壽十八；《史記》〈仲尼弟子列傳〉謂顏回二十九髮盡白，早死；《孔子家語》載顏回三十二而死。然諸典籍皆未明言顏回享年有幾。惟按《史記》〈仲尼弟子列傳〉明言顏回少孔子三十歲，以此推知之，後人研究遂有言顏回死於三十九、四十、四十一、四十二歲之差，各人看法或有出入，但基本上就在四十歲上下。相關研究詳參鍾龍琛：〈關於顏回生卒年爭論的一些批判反省〉，《哲學與文化》第35卷第3期（2008年3月），頁135-149。

[19] 朱熹：《論語集注》，卷3，〈雍也第六〉，頁87。

活，且「顏淵死，顏路請子之車以為之槨」[20]的死後都無法厚葬之經濟困窘處境，以及《史記》中所謂：「回年二十九髮盡白，蚤死」[21]的說法相互結合，而產生「安貧樂道」的顏回應當是因為貧病早衰而夭亡的認知。所以，安貧樂道，進而因為「貧病」而早夭的顏回，無論其是十八歲就早夭，或是約略亡於四十歲上下的英年時期，皆是不得天年。這就是為何不僅是胡玫的《孔子：決戰春秋》，本世紀中國現代「孔子」相關影劇毫無例外，皆採用四十歲以下外形「年輕」的男演員來詮釋顏回「早夭」的原因所在。[22]而且此種英年煥發的角色形象，更讓觀眾感受到以有德而死於不惑之年，甚至是而立之後的壯年期，也還是讓人強烈地有種年輕、英發、有德賢人「早夭」的深刻遺憾，但絕對不會是「意外事故身亡」！

如上所述，觀眾對顏回之死一事其實早有認識與定見，導演編劇卻不顧顯而易見的「與史實不符」的漏洞，以及劇情安排的不合理瑕疵，這當然是一個「刻意引人深省」的安排。關於《孔子：決戰春秋》電影中這一幕引發非議的「顏回救書溺斃」，其中導演究竟試圖形塑何種儒者形象？又試圖傳遞何種文化思想訴求？筆者以為我們可以從兩個面向來進行思考：一是顏回該有何種死亡型態才能符合其身為孔子傳人的復聖形象？二是電影中為何特別以「簡冊」來作為「道」的象徵？導演編劇的目的、企圖何在？

首先，讓我們先從第一個面向來思考。蓋「早夭」的顏回在胡玫描述孔子五十一歲到七十三歲的人生後半段故事的電影中，顏回是必然得死的，問題在於被孔子認可是孔門最好學之弟子的顏回[23]、老師孔子眼中「見其進也，未見

---

20 朱熹：《論語集注》，卷6，〈先進第十一〉，頁124。

21 （漢）司馬遷：《史記》（北京市：中華書局，2013年），第7冊，卷67，〈仲尼弟子列傳第七〉，頁2188。

22 韓剛《孔子》中飾演顏回的日籍男演員石田壹成，生於1974年，其擔綱顏回一角時，年紀三十五歲；張黎、劉森森《孔子春秋》中飾演顏回的中國男演員唐曾，生於1985年，其擔綱顏回一角時，年紀二十五歲；至於胡玫《孔子：決戰春秋》中飾演顏回的中國男演員任泉，生於1975年，其擔綱顏回一角時，年紀也是三十五歲。

23 孔子評價顏回說：「有顏回者好學，不遷怒，不貳過。不幸短命死矣。今也則亡，未聞好學者也。」朱熹：《論語集注》，卷3，〈雍也第六〉，頁84。

其止也」的顏回[24]、「聞一知十」的顏回[25]、「其心三月不違仁」的顏回[26]、「人不堪其憂,回也不改其樂」的賢哉顏回[27]、「用之則行,捨之則藏」的顏回[28]、致力修養自我達到「克己復禮」的顏回[29],以及孔子評價若有機會參與政治,則可以「不傷財,不害民,不繁詞」的顏回[30]、乃至是「以德行著名,孔子稱其仁焉」的顏回[31]等等,按典籍所載,顏回確實是孔子最認可在求學、求道意志上最為積極,在德行上達到孔門所標榜的最高境界——「仁」;在政治能上具備高度才幹的顏回,然如此之顏回又怎會因貧困而餓死或病死呢!若顏回長期處於貧病交加,為何孔門師兄弟卻不伸出援手呢?關於後人的此類疑問,史籍文獻卻無有記載,徒留一個貧苦而髮白早衰的顏回形象,讓人想當然爾地認為顏回恐怕就是病死或餓死的!

但是,活得如此精彩的賢人,卻死得如此平庸嗎?蓋儒家思想乃至孔門師生人物形象,隨著歷史發展而獲得其各自不同且漸次豐富複雜化的形象意涵。換言之,追究電影中的角色人物是否展現出該人物之真實歷史面貌,恐怕亦非導演拍製電影《孔子:決戰春秋》的主要目的。相對於孔子或其他同門師兄弟的死亡,顏回之死正因為在「真實具體」的文獻記載中過於「平庸」性,乃至缺乏「儀式」性!例如相較於孔子對自身死亡的夢境預言,充滿著一種神秘宗教性與偉大理想終究未能實踐的深刻巨大遺憾哀傷,使得孔子自哀自憐的喟嘆:「泰山其頹乎?樑柱其壞乎?哲人其萎乎?」聽來宛若理想主義的輓歌!發人深省。

又或者相較於子路基於對孔悝的道義感,竟然不顧同門子羔之勸告,無懼

---

[24] 朱熹:《論語集注》,卷5,〈子罕第九〉,頁114。

[25] 朱熹:《論語集注》,卷3,〈公冶長第五〉,頁77。

[26] 朱熹:《論語集注》,卷3,〈雍也第六〉,頁86。

[27] 朱熹:《論語集注》,卷3,〈雍也第六〉,頁87。

[28] 司馬遷:《史記》,第7冊,卷67,〈仲尼弟子列傳第七〉,頁2187。

[29] 朱熹:《論語集注》,卷6,〈顏淵第十二〉,頁131。

[30] (魏)王肅傳,羊春秋注釋,周鳳五校閱:《新譯孔子家語》(臺北市:三民書局,1996年),卷2,〈致思第八〉,頁98。

[31] 王肅傳,羊春秋注釋,周鳳五校閱:《新譯孔子家語》,卷9,〈七十二弟子解第三十八〉,頁501。

死亡威脅而返回衛國質問衛太子蒯聵，要其釋放孔悝。不料太子蒯聵不僅不釋放孔悝，還派石乞與盂黶擊殺子路，按《左傳・哀公十五年》的記載，石乞與盂黶「以戈」擊殺子路，子路帽纓斷了，死前最後一刻竟然基於「君子死，冠不免」的禮數儀節，扶正帽冠「結纓而死」！[32]子路之死，不僅充滿戲劇性，其堅持君子死而冠不免，不僅高度展現了其長期於孔門中的薰陶素養，使得其平常「質勝文」而顯得粗野的形象，瞬間翻轉為如假包換之「彬彬君子」，且其「結纓而死」的畫面更完全展現出其凜然面對死亡威脅而無懼的「勇者」子路形象，故此種「結纓而死」的死法，宛若一場儒者臨死謹守禮節的儀式，使得其死亡充滿動人的嚴肅性。

而不得不死的顏回，若同樣按照史籍記載令其死於貧病、勞苦，未免太不能與前文所述其乃孔子認可之唯一傳人，亦即所謂「復聖」的這一賢能有德，具有深重意涵的形象相應！既然不能以歷來所謂貧困早夭的死亡型態而死，則其究竟該如何「死」呢？對導演編劇而言，這恐怕是個棘手問題。究竟如何「死亡」才是顏回死亡的理想型態？求道、踐道、樂道，安於貧苦而死的顏回，確實太不符合偉人史傳磅礴史詩式的電影敘事話語，而且也太不具備攫獲觀眾眼球的誇張戲劇性話語效果，特別是如前所述，在此前的電影故事情節中，顏回已經被形塑成一位兼具智、仁、勇三達德的人物形象，若按典籍所載，令其死於貧病，則其間所產生的失落感恐怕更深。

因此，或許是為了彌合輝煌偉岸人格與病死、餓死於陋巷之平庸死法之間的落差，也或許是為了成就一位令觀眾難忘且值得銘記、追悼的復聖顏回形象，導演與編劇於是讓電影中的顏回透過反覆浮沉「救書」以傳達其求道、踐道、衛道之堅定意志，以與先前電影中斷捨一切世俗羈絆，全心決意跟隨孔子的顏回形象相呼應。最終再以「溺斃」情節連結「殉道」意象，完善一路求道、踐道、衛道而朝向「殉道」的完整顏回形象。導演並藉此顏回形象而來宣導一位為追求中國傳統文化的今日儒者，其亦應當與顏回一樣，不惜生命地追

---

32 （周）左丘明傳，（晉）杜預注，唐孔穎達疏：《春秋左傳正義》，《十三經注疏》（臺北市：藝文印書館，1997年），卷59，頁24。

求。同時藉此強烈地表達出所謂「知其不可而為之者」[33]的千古儒者形象,導演似乎試圖於二十一世紀的今日,標榜此種儒者不受現實條件限制而來侷限其個人健動性的淑世、濟世、救世心志與作為,若落實在維護中國傳統文化上,則更應該義無反顧地被加以實踐。而這就是導演胡玫所宣說的:

> 全片的電影語言要做到「潤物細無聲」。[34]

與顏回「救書溺斃」一樣,堪稱同性質的虛構敘事手法,亦可見於導演在電影中設計了南子被暗殺一事。電影中的南子為何也必須與史實不符、被不明人士所暗殺身亡,筆者以為導演此一手法或許正是為了成就一個完人、聖人孔子。胡玫如下說道:

> 暗殺南子是虛構的,但她必須得死在這裡。如果她不死,那麼後面孔子周遊列國的時候,眼神就不單純了。如果還有一個女人存在,孔子的眼睛就會有雜質了,他的心靈就必須攜帶著那一絲惦念,這是不可以的,破壞主題。[35]

導演胡玫此處所說的「主題」所指為何?蓋史籍並未記載南子死於何時,然根據典籍所載,孔子在不得以的情況下見了南子後,面對子路的質疑與憤慨,孔子也對天賭咒道:「予所否者,天厭之!天厭之!」[36]中國歷來的《論語》注解書多認為這是孔子藉此表明自心清白,因為見此惡人南子,孔子本來就有「可見之禮」,故南子雖為美而淫之惡女,又與孔子有何關係?孔子並沒有不合於禮,不由其道。但是,南懷瑾先生則力辯此歷來解說,以為若如此理解孔

---

[33] 朱熹:《論語集注》,卷7,〈憲問第十四〉,頁158。

[34] 賈磊磊:〈遙望千年的歷史影像——胡玫訪談〉,《電影藝術》2010年第2期(2010年3月),頁80。

[35] 賈磊磊:〈遙望千年的歷史影像——胡玫訪談〉,《電影藝術》2010年第2期(2010年3月),頁80。

[36] 朱熹:《論語集注》,卷3,〈雍也第六〉,頁91。

子的這番賭咒，則聖人孔子豈不是：

> 被說成像偷了嘴，怕大人打那樣，哪有這種事，這是三家村學究們的見
> 解。[37]

南懷瑾先生以為孔子的這番賭咒的意思是要告訴弟子們說：

> 你們看法和我看法不一樣，我所否定的，我認為不可救藥的人，一定是
> 最大惡極。不但人討厭他，就是天也討厭他，那麼這種人便不需要與他
> 往來。[38]

南懷瑾先生的說明就是：孔子心地光明，並非以「好色」之心來面見衛靈
公寵妃南子，既沒有不可見人之心，則何須賭咒自我為天所厭棄。又南子並非
罪大惡極之人，不過是美而淫，致令衛靈公為其著迷，而且孔子周遊列國時在
衛國停留居住最久，可見當時除了衛靈公、蘧伯玉等人護衛孔子之外，能左右
衛國政權的南子也是護衛孔子的。南懷瑾先生更從《論語》篇章次序編輯的角
度而來指出《論語·雍也》篇在子見南子章之後，便編排進了〈中庸之為德
也〉章，而由此種前後章次安排可見他的理解無誤。南懷瑾先生的意思是一般
人對人事的批評：

> 當罵你壞的時候，什麼都是壞的，沒有好的；當捧你的時候，什麼都是
> 好的，沒有壞的。但是不管捧與罵，都是有問題的。我們不要忘記了自
> 己的本分，自己要很清楚自己，不要為這毀譽所動搖，要問自己真正的
> 作為。所以孔子在這裡所講的道理，說明了子見南子的真相。[39]

---

[37] 南懷瑾：《論語別裁》上（臺北市：老古文化，1977年5月3版），〈雍也第六·衝冠一「路」為紅顏〉，頁299。

[38] 南懷瑾：《論語別裁》上，〈雍也第六·衝冠一「路」為紅顏〉，頁298。

[39] 南懷瑾：《論語別裁》〈雍也第六·衝冠一「路」為紅顏〉，頁300-301。

也就是說，南懷瑾先生認為此章所以放在〈子見南子〉章之後，就在呼應他所說的一般人都把南子看成了極惡之淫女，都走偏鋒，未能用中和之道來評斷她；而孔子則是能平和執守中道地來看待南子，因此於禮可見，見之合於道，豈有不可告人之處！故縱使受到弟子懷疑，謹守本分的孔子也自知本心，問心無愧，故不為毀譽所動搖，並藉此機會教誨弟子莫要人云亦云地視南子為極惡之人，失守中庸。

而筆者以為導演對子見南子的認識，基本上與南懷瑾先生的這番見解相同，所以電影中的南子形象塑造，重點不在其美而淫；而是奔放自由，熱愛讀詩，故其常私自出走於宮外，徜徉於自然，讀書於天地之間，而且電影中的南子又聰慧機敏，富於權術，能左右衛國政權。除此之外，導演編劇更安排進南子建議衛靈公禮聘孔子，希望能讓孔子來教導自己的孩子。所以在「子見南子」這一幕，導演編劇先讓南子與孔子論仁者愛人、論學詩、論為政、論修德以後，讓傾心於孔子的南子對孔子提出日後再見的要求，卻讓孔子以「微臣從沒見過，如此好德如好色的人」（1:21:20）（《論語・子罕》）這句歷來諸家《論語》注解，多認為是在批判衛靈公迷惑於南子美色，雖然禮遇孔子但卻不修仁德、不行仁政的名言，作為「子見南子」該幕中孔子對南子的教誨台詞，以呼應南子初見孔子時的質問：

> 聽說你常講仁者愛人，是吧。那你那個人字裡，包不包括像我這種名聲不好的女人呢？」（1:18:22）。

而這樣的劇情台詞安排，也突顯了孔子有教無類，不以南子為不可教誨之惡女。同時這句話既指出了南子色足而德不足，同時也說明了孔門師生所以最終必須離開衛國的原因，正是南子對孔子所說的：

> 男人的本性就是貪財好色，為此爭得頭破血流，這也是天性，要克服，難啊！（1:20:25）

亦即衛君終究無心於仁禮之政。所以該幕之後鏡頭便轉到孔門師生離開衛國一幕。導演編劇甚至還讓南子成為直探孔子心中孤寂的解語花，在她用盡各種言語肢體不斷誘惑孔子卻失敗後，南子竟然說出以下這句深知孔子心中之孤寂苦楚卻又讚嘆孔子人格之高尚的動人話語：

> 世人也許很容易了解夫子的痛苦，但未必能領會，夫子在痛苦中所領悟到的境界。（1:21:45）

然而，導演為何在大幅度導正南子淫亂惡女形象，以及確認孔子確實會見南子時堅守士君子本分後，卻又堅持南子在會見孔子之後必須一死，否則孔子之眸子與心志便不再清明與純粹，會摻入雜質？導演為了什麼「主題」或者說是為了何種目的，而不允許孔子的生命中有一絲惦念、一點雜質呢？導演究竟防範著什麼？又顧忌著什麼？

筆者想問的是：人類與生俱來的情感天性，是成聖過程中必須被淘洗的「雜質」嗎？然《禮記·檀弓》明文記載了七十二歲的孔子聽聞子路之死而忘情失禮痛哭於中庭。一位一輩子相信、堅守並戮力傳承禮，同時也已然將禮內化為自身生命之一部分的老年孔子，所以無法守禮控制自己的悲傷，甚至亂了禮數，對前來吊喪子路的賓客「拜之」！《禮記》雖然描繪出晚年失禮的孔子，卻也讓後人看見孔子真情流露的一面，所以孔子應該是一位真性情之人，怎會是一位不帶任何雜質，或者說不具任何情感弱點的無聊方正、枯燥無味之人。又如孔門師生困於匡、顏淵其後趕到，孔子不也忘情地說出：「吾以女為死矣。」[40]由此看來，顏淵的生死未卜，不也是孔子心中的惦掛？還是導演胡玫不允許孔子心中有任何一點男女私情？若是，則此種先師聖哲的情感不會太過乾枯而違背人性嗎？

繼而，關於顏回「救書溺斃」的場景安排，若是導演試圖以之連結「殉道」意象，則筆者想問的是：「道」為何可以簡化為以「簡冊」來代表之？關

---

40 朱熹：《論語集注》，卷6，〈先進第十一〉，頁128。

於這個問題，導演胡玫曾表示過：<u>孔子的六經體系乃是整個中華文明之靈魂，竹簡所承載的文明是一種不可複製的文明</u>，竹簡使得孔子思想得以編纂傳世不致多有缺失，所以顏回救簡是義無反顧的拯救中華文明於亡溺的象徵。[41]而筆者所以認為導演此種簡化「道」以為「簡冊」的作法有所不妥，乃因電影中還安排了「子見老子」一幕，而且導演也主張：

> 我們是認可中國思想發展是以儒道互補為軌跡的。正是這種互補的發展，成為中國思想哲學發展的精神。[42]

設若導演對儒道二家的思想有基本的理解，則其選擇以「簡冊」來代表儒家的「道」，或者是代表不可複製的文明靈魂，則此種手法恰恰是不智的，因為如此則已然落入莊子所說的「糟粕」論中。《莊子》中有如下一則記載：

> 桓公讀書於堂上，輪扁斲輪於堂下。釋椎鑿而上，問桓公曰：「敢問公之所讀為何言邪？」公曰：「聖人之言也。」曰：「聖人在乎？」公曰：「已死矣。」曰：「然則君之所讀者，古人之糟粕已夫。」桓公曰：「寡人讀書，輪人安得議乎？有說則可，無說則死。」輪扁曰：「臣也，以臣之事觀之。斲輪，徐則甘而不固，疾則苦而不入。不徐不疾，得之於手，而應於心，口不能言，有數存焉於其間。臣不能以喻臣之子，臣之子亦不能受之於臣。是以行年七十而老斲輪。古之人與其不可傳也，死矣。然則君之所讀者，古人之糟粕已夫。」[43]

莊子藉斲輪老人之口想要表達的是：那些後世之人，其以為只要透過記載聖人

---

[41] 賈磊磊：〈遙望千年的歷史影像——胡玫訪談〉，《電影藝術》2010年第2期（2010年3月），頁78。

[42] 賈磊磊：〈遙望千年的歷史影像——胡玫訪談〉，《電影藝術》2010年第2期（2010年3月），頁78。

[43] （清）王先謙：《莊子集解》（北京市：中華書局，1987年10月），卷4，〈天道第十三〉，頁120-121。

之言的「六經」，便可理解聖人之道的這一想法，其實是要遇到挫折的！因為包括斲輪這樣的職匠技術在內，專家職人的畢生經驗或是一種身體感覺，乃是一種「默識之知」，本非言語所能表達。而人生體驗與歷史經驗亦復如是，故何況是「聖人之道」？其最核心的部分，無不是一種「默識之知」。

換言之，七十二弟子追隨孔子身邊，一同周遊列國，其是就像是一種「師徒制」的長期學習與薰陶，夫子的學思想法、歷史理解、生活經驗、生命體悟等等，無不是一種「默識之知」的傳授，不追隨其身旁，一同與其共感共振，恐怕是無法偷學而來，此即親炙聖人之效。所以後人若以為只要藉由經典便可得「聖人之道」，那恐怕是過於天真。那些偉大人物之偉大思想最核心部分的「默識之知」，總是在歲月的淘洗中不復原貌。故其實在某種程度上，經典只是我們後人藉以摹想體驗過往偉大人物核心思想中之「默識之知」的憑藉物，所以我們才必須拾其「糟粕」，只為知曉人當下之處境與未來之所當為。

但導演卻讓電影中的顏回捨棄了活生生的孔子，而固執地搶救沉落於冰湖水底的簡冊，此種手法不僅陷顏回於唯書是重、抱守糟粕的書呆子，同時亦無法突顯出顏回靈明自覺的一面。蓋《荀子》和《孔子家語》皆記載說：子路、子貢與顏回，分別前後回答了孔子所謂：「智者若何？仁者若何？」的提問，而子路回答道：「智者使人知己，仁者使人愛己。」子貢則回答說：「智者知人，仁者愛人。」而顏回則是回答說：

智者自知，仁者自愛。[44]

針對三位弟子的回答，孔子讚許子路與子貢「可謂士矣」；但卻稱讚顏回說：「可謂士君子矣。」孔子所以讚許顏回為「士君子」，而不是只停留於「士」的層次，正是因為顏回總能自覺道德首先是用來自我要求的。而且若據典籍所載，顏回的學習方法乃是在聽聞夫子的教誨後便「心解力行」，關於此點，孔子亦數度明言：

---

[44] 羊春秋注釋，周鳳五校閱：《新譯孔子家語》，卷2，〈三恕第九〉，頁134。

> 子曰：「語之而不惰者，其回也與！」[45]
>
> 孔子曰：「回也如愚；退而省其私，亦足以發，回也不愚。」[46]

而關於著重反覆思考孔子之教導並戮力實踐之的學習法，顏回自己也如下表達道：

> 顏淵問仁。子曰：「克己復禮為仁。一日克己復禮，天下歸仁焉。為仁由己，而由人乎哉？」顏淵曰：「請問其目。」子曰：「非禮勿視，非禮勿聽，非禮勿言，非禮勿動。」顏淵曰：「回雖不敏，請事斯語矣。」[47]

由此可知，顏淵堪稱是孔門弟子中最理解聖人之道乃是一種聽聞後必須幾經思維而獲得的「默識之知」，最終要的則是必須付諸實踐！而此種「心解力行」的學問正是聖人之學的核心，絕非唯書為重，抱守糟粕的知識文明。因此，儒者所應追求的道，或是今日吾人所應守護的傳統文明，較之於形式豈不是應該更著重於內涵。另外，傳道人顏回難道就應該完全絕對性地遵循、護守其師「故」道，甚至不惜生命地「護道」而因此「殉道」嗎？關於這一問題孔子早就說過：

> 溫故而知新，可以為師矣。

蓋我們藉由莊子所謂的糟粕／聖人經典以凝望過往，並試圖練習、重複偉大的目的，絕對不在固守或回到過去，而是在回應當代與展望未來。

然而，導演終究還是選擇了此種以「簡冊」象徵譬喻「聖人之道」的手法，且讓電影中的顏回死於「救書」，以完遂一位求道、踐道、護道進而殉道

---

[45] 朱熹：《論語集注》，卷5，〈子罕第九〉，頁114。而關於此章之前人注解，《論語集注》援引了范祖禹注解說：「顏子聞夫子之言，而心解力行，造次顛沛未嘗違之。如萬物得時雨之潤，發榮滋長，何有於惰，此群弟子所不及也。」

[46] 司馬遷：《史記》，第7冊，卷67，〈仲尼弟子列傳第七〉，頁2188。

[47] 朱熹：《論語集注》，卷6，〈顏淵第十二〉，頁131-132。

的儒者顏回形象。想當然爾，其中必有導演的用意或企圖。如果冰裂、書沈、回死，乃是電影中孔門儒家思想的某種毀滅性浩劫的象徵，則作為觀眾的我們最想問的問題是：以顏回之死而換來的簡冊——「六經」系統學問，由儒門弟子帶著繼續前行，它們若是經過無情冰湖水洗禮後的中國儒家文化「種子」的話，請問導演，誰可以是那劫後留下的文化的新生生力軍呢？他們應該如何擔負起儒家思想文化的傳承大業呢？這一大哉問，或許也可以從導演拍製《孔子：決戰春秋》的意圖來進行思考。

四　結論：「孔子」為何敗給「阿凡達」

本文試圖透過胡玫編導的《孔子：決戰春秋》，而來思考以胡玫為代表的今日中國文化人，其於二十一世紀所以有必要重新審視「孔子」或是「儒家思想」的用意與目的究竟何在？而透過本文之考察研究，胡玫編導的《孔子：決戰春秋》，雖然是一部以孔子後半生傳記為電影敘事之主要內容的史傳式電影，但作為該劇配角的顏回這一角色，在導演編劇的精心策劃下，卻堪稱是電影諸多角色中最吸睛，人物形象最為鮮明的角色，同時我們也可藉此窺知導演編劇心目中的理想儒者，其究竟該有何種形象。而且電影中顏回「救書溺斃」這一大幅度改動史實的虛構情節，不僅最具象徵意義，應該也是最能傳達出導演胡玫所以拍製此片的最大訴求所在。

（一）矯情極端的道德話語表演

故本文乃就《孔子：決戰春秋》而來考察「孔門」顏回如何被改造成「胡玫」顏回，並分就「誓死追隨孔子」的顏回、「士不可不救國」的顏回、「以道為尊之踐德者」顏回等三個面向加以探討。結果發現：經「胡玫」改造過後的孔門弟子顏回，在古代典籍所記載的「孔門」顏回的基礎上，更被改造成一位既是可解先師孔子心中之惑的靈魂夥伴，更是觀影大眾的心靈導師。而顏回一角所展現出的儒者形象，乃是一個義無反顧，執著「求道」，不惜捨棄富貴、親情與安適生活。既不受世間俗情所羈絆，亦不受榮華富貴所誘惑，更不受名

利權勢所左右,是一個毅然追隨「超凡」的孔子,追求「超越」的聖道,絲毫不為世俗價值所撼動的儒者。同時這樣一位儒者在父母之邦有難時,即便這父母之邦曾經不仁不義,他也應該敢勇於與孔子所謂的「以直報怨」不同,盡棄前嫌地「以德報怨」,務必力救祖國於危難存亡之際。繼而導演胡玫為了形塑一位「尊孔衛道」的儒者顏回,遂演繹出一位遇困而不免憤世嫉俗的顏回。而且為了形塑「全德」儒者這一顏回形象,導演更進一步將顏回演繹成一位盡除人性基本欲求的道德實踐者,不惜讓電影裡顏回的踐德言行流於矯情造作,此類道德表演話語,既生硬又不感人,還有違正常人性。

而「胡玫」式顏回形塑的最高潮,就在電影中顏回「救書溺斃」這一幕,該幕也是《孔子:決戰春秋》全劇最大的史實改動與虛構敘事。胡玫自稱這是非常「電影化」的表演,為了讓電影中的顏回可以突顯眾孔門弟子之特點,故讓顏回兼具智、仁、勇三達德,為使得電影中的顏回可以以一人突顯出孔門七十二賢弟子的「精神」,所以劇中刻意改編史實讓顏回「救書溺斃」,只為烘托孔門第一賢儒顏回應該是對中國文化不惜犧牲生命地追求!並藉此完遂一位從求道、踐道、衛道到最終不惜殺身以殉道的儒者形象。因為在導演編劇看來,此種為孔子思想、中國傳統儒家文化殺身殉道的「死亡」形式,方能彌合歷史真實之顏回其輝煌偉岸人格與病死、餓死於陋巷之平庸死法之間的落差,也才能突顯兩千年來所謂儒家人物「知其不可而為之」的健動性生命形象特質。所以電影中顏回「救書溺斃」一幕,雖是顏回這一角色生命的「終點」,卻也是觀眾銘記、追悼殉道顏回的「起點」,這樣的死亡形式充滿儀式意味與意義象徵。導演所以罔顧歷史真實的「孔門」顏回,目的是為了向觀眾表達,即使在二十一世紀的今日,儒者此種不受現實條件限制而來侷限其個人任重道遠健動性的淑世、濟世、救世心志與作為,若落實在維護中國傳統文化上,則更應該義無反顧地被加以實踐,甚至不惜犧牲性命。亦即,為了要達成仁人君子的品格,要不忘父母之邦地愛國,還要誓死保衛中國傳統文化,所以無論是顏回或孔子,電影中他們的「人性面」必須被大幅消減,才能顯現出其如何「超凡入聖」,故電影中南子見了孔子後必須得被暗殺身亡,否則她恐怕將成為「好德」者孔子心中的一絲絲「好色」人性懸念,從此成為羈絆聖人踏上成聖旅程

的的絆腳石。

　　如上所述，《孔子：決戰春秋》中導演將「孔門」顏回改編、演繹成「胡玫」顏回，導演更宣稱此種斧鑿後所要達成的電影語言，必須做到：

　　　　潤物細無聲。[48]

然事與願違！誠如導演所指出的：「到現在我們還生活在孔子的思想之中，他的思想和學說與我們今天的日常生活息息相關。」[49]筆者以為：正因為觀眾生活中的孔子思想，乃是經過時間淘洗與歷史淘汰的淬鍊，與時俱進而來，故能古典常新，所以在今日我們實在不樂見一位被剔除掉人性，被過度美化包裝，持續被造神的先師聖哲孔子或復聖顏回，因為這樣的做法恐非孔子、儒家或是中國傳統文化之福。筆者所以持此論點，乃因誠如胡玫在拍製此部電影時所作的考量，是在思考先師聖哲孔子：

　　　　「為什麼是一個偉人？」「留給我們的精神財富究竟是什麼？」[50]

而既然導演認為孔子留給觀眾的精神財富，就是整部電影中所標榜孔子的中心思想——「仁」，而所謂的「仁」又是指兩個人之間的關愛，亦即「愛人」，也就是今日所謂的「人道主義」。則愛人與提倡人道主義的孔子或任何一位孔門弟子，其能不具備普遍之人性而對人付出真正的愛嗎？而且，既然導演說孔子愛人的「仁」思想，是其在歷代被接納崇仰、最偉大之處，也是穿越二千五百年時空，至今仍然照耀我們人類發展的重要思想。則尊重個體生命之價值，在今日無疑地應該會更加獲得觀眾之共鳴才是。但是，在胡玫的電影語言中，卻

---

[48] 賈磊磊：〈遙望千年的歷史影像——胡玫訪談〉，《電影藝術》2010年第2期（2010年3月），頁80。

[49] 賈磊磊：〈遙望千年的歷史影像——胡玫訪談〉，《電影藝術》2010年第2期（2010年3月），頁77。

[50] 馬阿三：〈胡玫訪談：回望《孔子》〉，《大眾電影》2010年第3期，頁34。

選擇捨棄生命乃是為了更大程度地獲取「意義」，諸如為國家、為傳統文化悲壯捨身！則導演此種對中國傳統文化的絕對擁護，難道不會牴觸了其先前所理解的所謂愛人、以人為本的人道主義這一孔門中最核心的「仁」思想嗎？抑或是即使導演理解到孔子的核心思想乃是愛人，以人為本，但導演仍然堅持賢如顏回在內的任何人，都必須服膺於以儒家為代表的中國傳統文化？甚至為其「殉道」？

（二）「中國」凌駕於一切之上

另外，關於胡玫認為：孔門弟子乃是儒家思想發揚光大的關鍵文化傳承角色。換言之，如果孔子是中國傳統「古典」文化的整合再造者，孔門弟子則是儒家文化的「常新」發展者。而既然《論語》、《史記》等文獻中所記載的顏回，安貧樂道、聰穎機敏、好學、虛心、寬容、慎獨、修道毅力過人。孔門中的顏回形象乃是品行高尚、知錯能改，不僅虛懷若谷，平時事師更懷恭謹之情，與同門相處禮讓不爭，德智兼備，又具仁愛之心，稱其為「孔門第一」弟子亦不為過，故孔子亦稱顏回「賢哉」，亦即顏回德行僅略遜於「聖者」，並視顏回為自身學思之「傳人」！則胡玫《孔子：決戰春秋》中試圖藉由改編史實乃至虛構顏回「救書溺斃」這一極端電影化表演效果，而來突顯「愛人」之孔子到「能仁」之顏回的敘事操作策略，或許也是為了強烈傳達儒家「殺身成仁」、「捨生取義」死亡價值觀而不得不採取的編導手段。因為在導演的認知中，一位孔子思想、儒家文化的第一傳人，其生命首要任務就在維護孔門儒家文化的續存，並藉此極力表達中國人應為中國文化殺身、捨生的「能」動、驅動訴求。然問題就在於：此種編導手法卻將儒家對「仁」、「義」等「普世道德價值」的堅持，窄化成為：「對中國文化不惜生命的追求」！

而當仁、義被窄化為對「中國文化」不惜性命地追求，對「中國」這一祖國無條件的奉獻時，即使電影《孔子：決戰春秋》拍製當初，導演原本是想藉此向世界證明並傳遞孔子思想、中國傳統文化中具有「普世價值」、「普世意義」，但是當「中國」凌駕於一切生命、意義、價值之上時，電影所宣導、傳遞的那些價值與意義，很遺憾地它常常已經就不是普世的。同理可證，如果胡

玫堅持中國先師聖賢文化解釋權，應該要放在中國人自己手裡的話，則如此詮釋出來的孔子思想或儒家等中國傳統文化，它還是東亞漢字文化圈乃至全世界所能夠「共享」，或者說是天下人所能夠共振共鳴，進而願意共有的偉大思想嗎？當初，導演胡玫為了電影劇本苦思不得其解，進而轉求昔日舊合作夥伴江奇濤時，曾劈頭就三問江奇濤：

> 你知道孔子是誰嗎？知道咱們是中國人嗎？你知道你有責任嗎？[51]

筆者也非常同意今日中國人應當要知道孔子，要認知到自己是中國人，也應該要對中國傳統文化擔負起其自身應盡之責任，但我們必須認識到：孔子或儒家傳統文化並非「中國」可以獨占壟斷的囊中之物。

（三）說故事者與聖賢之間的巨大落差

本文最後，且讓我們更進一步來思考：「孔子」為何會敗給「阿凡達」這一問題。《孔子：決戰春秋》在開拍前，海外媒體即已紛紛報導，由此可知該片受到的關注，或者也可以說「孔子」仍然是話題人物。此種現象背後所透顯出的意義即是，隨著該部電影被銷往海外，以孔子為代表的中國傳統儒家文化價值觀，亦將輸出於中國以外的世界各地。[52]然《孔子：決戰春秋》於二〇一〇年一月二十二日在中國全國上映，中國國內觀眾的反響卻不如預期。針對這一現象，戲劇家魏明倫說：

---

[51] 馬阿三：〈胡玫訪談：回望《孔子》〉，《大眾電影》2010年第3期，頁35。

[52] 中國藝術研究院文化發展中心主任賈磊磊在訪問胡玫時就明白說道：「《孔子》特別巧，國務院頒布了一個關於電影產業指導意見，我們仔細看了這個，咱們國家包括對電影的表述跟過去特別大的區別，就是他現在特別強調電影的外向性作用，現在把電影作為傳播中國文化，提升國家文化軟實力的載體，《孔子》在這個方面做了一個特別好的範例，一個是對中國傳統文化價值觀的弘揚，再一個就是對我們對西方人或者是世界講述孔子故事的時候，沒有考慮到《孔子》面臨的海外市場會怎麼樣？」詳參賈磊磊：〈遙望千年的歷史影像——胡玫訪談〉，《電影藝術》2010年第2期（2010年3月），頁80。足見胡玫拍製《孔子：決戰春秋》是有國家政策主導，而且是要達成弘揚傳統文化並進而將之作為向海外傳播中國文化的載體。從這一層面而言，胡玫的孔子或是孔門人物，已經被範限在某眾樣板人物角度來觀看。

電影要展現國人精神內核。……《孔子》的上座率卻未能盡如人意，業
內初步統計數據顯示，雖然發行規模很大，但《孔子》首日全國票房大
約一千萬，落後於當日票房冠軍近千萬。我認為，票房並非中國電影復
興的唯一目標，電影還是要展現中國人的精神內核，才值得尊敬。[53]

但是筆者不禁想問：設若胡玫《孔子：決戰春秋》是一部能展現中國人精神內
核的電影，其為何不能引發多數中國人的內心共鳴？則其「中國人」的設定為
何？錯在中國觀眾嗎？還是電影傳述的價值精神方式哪裡出了差錯？觀眾上座
率，電影票房或許不能代表一部電影的全部意義，但絕對攸關著電影編導所試
圖傳達的文化精神、思想意旨能否順利傳遞給觀眾。而魏明倫並未明言的是：
在二〇一〇年一月二十二日當天上映的電影中，拔得票房頭籌者，其實就是
3D 技術出神入化的《阿凡達》。

針對票房失利這點，導演自己的說法是：

它（電影《孔子》）的意義遠遠超過它的票房帶來的價值，而且它本來
就不是一部商業片。……我很清楚電影和文學是兩種完全不同的介質，
電影承載不了更多的思想。電影的功能更多的是娛樂功能，普世價值要
大於更為深刻的思想價值。它不太可能做到那麼深刻、完滿。它也必然
遭到一些知識分子的質疑，這是必然的。[54]
你不可以把孔子這樣一個悲天憫人的，這麼孤獨的思想者、偉大的思想
家，塑造成一個喜劇人物。……我們面對的受眾群體不一樣，我們所面
對的電影觀眾，以成人為主體，面對這個受眾群，正劇《孔子》具有更
大的普世意義。[55]

然真正的原因真得是如此嗎？急於推崇傳統，卻未必能把握傳統價值之深刻真

---

[53] 朱志軍、賀劍、林伶輯：〈今天，如何看待孔子〉，《重慶社會科學》2010年第3期，頁121。

[54] 鍾蓓：〈胡玫：《孔子》意義不在票房〉，《世界博覽》2010年第4期，頁28。

[55] 〈遙望千年的歷史影像──胡玫訪談〉，《電影藝術》2010年第2期（2010年3月），頁76。

髓；或是對於道德的推崇，不能深入其所以提出之社會背景與時代脈絡，結果只是讓聖人孔子，復聖顏回自行口述其道德之崇高，則缺乏深刻意涵辯證的滿口仁義道德，其實容易淪為口號呼喊與教條宣傳。

因此，《孔子：決戰春秋》票房的失利，果真只是導演胡玫以為的是觀眾年齡層的問題，或是孔子乃至中國傳統思想本身的嚴肅不具娛樂性，又或者是偉人敘事史傳電影就不應論商業操作嗎？本文重點不在探討諸如運鏡、配樂等電影拍攝技巧手法；也無須在此辨析 3D 技術如何攫住年輕世代的眼球。筆者想問的是那些成年觀眾們不肯走進電影院觀賞胡玫《孔子》的原因為何呢？筆者作為一位觀賞過《孔子：決戰春秋》的「成年」觀眾，筆者猜測觀眾更想明白的是：周禮如此這般正統可貴，諸侯們究竟是跨越了其內心的哪道底線，才使得禮制對彼等而言形同虛設，朝向無法無天？而群雄割據多以虛假禮義號召天下，孔子又是以何判準，別具慧眼而來明辨真假仁義？而且孔子是在何種百姓疾苦與權貴豪取強奪中，確立其愛人的「仁」說思想？以及弟子們又是在何種質疑與反覆挫折中不斷來回思索，才終於確認自己矢志追隨孔子，並以「仁人君子」作為自身人生的終極追求目標？還有孔門師生周遊列國、行走江湖期間，又是經歷何種不同家派思想的挑戰，才在自他相互辯證中確立自家學派的價值追求，萬夫莫敵？而此等問題正是孔子以及包含顏回在內的孔門弟子們，為了真正「決戰春秋」、「決戰對立家派」、「決戰人性弱點」、「決戰自我」，乃至「決戰人類歷史發展」、「決戰永恆」的深刻辯證。而其恰恰皆不是以「口說格言」的方式可以處理的，電影中孔子抑或顏回脫口而出，宛若自言自語的表演性仁義道德字句，終究淪為口號式的電影語言，不僅無法吸引觀眾進場觀影，恐怕也不易感動群眾，更遑論召喚中國人向可貴的傳統道德回歸。

筆者以為：要確保聖賢偉人敘事的有效性，首先，影劇編導應該堅守一個基本原則，其不僅要能摒棄任何預設立場，不帶主觀偏見，不為特定對象服務地來理解詮釋偉大人格與偉大思想之外[56]，說故事者的文化素養、人生體驗、

---

56 依據《世界博覽》特約記者鍾蓓的說法，胡玫的名片上：「緊挨著胡玫名字的身分是『全國人大代表』，第二行並列的小一個字號的『全國文聯委員』、『國家一級導演』，第三行是『北京市政協委員』，第四行是『中國電視藝術家協會副主席』，第五行是『中國電視劇導演協會副

思想深度、生命關懷乃至生命格局等，或許才是攸關聖賢偉人故事敘事能否成功動人的最主要關鍵。而為具足此等條件，誠如前述曲阜師範大學孔子文化學院駱承烈教授所提醒的：影片要謹慎對待歷史事件！其不僅要藉由可信的傳世文獻中所記載的聖人之言，亦即「經典知識」以達溫故知新，同時更要能摹想領悟聖人的「默識之知」，才有可能體認掌握到道德的普世價值與意義，這樣的道德才不會只是某個時代語境下，專屬於特定人物，為特定政權服務的樣板道德，也才有可能召喚自國人民並與他者共振。[57]因為，道德從來就不是拿來宣傳的，孔子不也說過：

> 德不孤，必有鄰。[58]

我們衷心企盼邁入二十一世紀已然日益強盛的中國，無論對內抑或對外，皆能夠真正理解「道盛德至善，民之不能忘」[59]，方能在面對已然成形的亞洲時代，風行草偃，近悅遠來！

主席』，尺寸見方卡片靠左邊的四分之一印著一枚國徽。」詳見鍾蓓：〈胡玫：《孔子》意義不在票房〉，《世界博覽》2010年第4期，頁28。鍾蓓的此番說明，一定程度證明了導演胡玫的特定官方立場。

[57] 學者鄔廣勝亦言：「《孔子》電影出現的問題是我們目前電影界關於『偉人敘事』普遍存在的問題，也就是導演、編劇、電影演員與被表演的傳主之間在閱歷，特別是在精神層面上的巨大差距使得電影的藝術效果不能盡如人意。」詳參鄔廣勝：〈關於聖人形象的敘事——從電影《孔子》與《甘地》看中西聖人之不同〉，《溫州大學學報：社會科學版》，第26卷第1期（2013年1月），頁16。

[58] 朱熹：《論語集注》，卷3，〈里仁第四〉，頁74。

[59] 朱熹：《大學章句》，《四書章句集注》（北京市：中華書局，1983年），〈傳之三章〉，頁5。

顧門中的勵耘弟子
——牟潤孫經史之學的面向及其所反映的師承關係

車行健

政治大學

摘要

　　牟潤孫，原名傳楷，字潤孫，後以字行。生於北京，祖籍山東省福山縣。一九二九年考入燕京大學國學研究所，一九三二年畢業。指導老師為陳垣及顧頡剛，復從柯劭忞受經史之學。牟潤孫的學問主要表現在經學與史學兩方面，其經學傳承自柯紹忞，史學則主要師承於柯劭忞與陳垣。柯紹忞和陳垣對其學術具有最直接、最重要的搏塑力量。

　　牟潤孫生前曾有所謂「南來之學」之說，其南來之學的概念，雖然主要指的是將陳垣的學術傳播至南方，但也包括其終生禮敬，於師承淵源未嘗一日或忘的柯劭忞，所謂「蓼園之學也南來」。惟獨其與顧頡剛的關係頗令人好奇，從現今留存的相關記述中似可看到二人間時有不諧甚或離齬緊張的狀況，牟潤孫後來甚至疏離顧門而完全投入陳垣勵耘書屋門下。

　　本文先從分析牟潤孫經、史兼具的學術面向及其學術淵源入手，再進一步深入探討牟氏與陳垣和顧頡剛之間微妙的師門關係與學術關聯。從一開始的學問的不契，再加上個性的不同與做事態度的差異，最終發展至二人師生關係的不諧，因而使牟潤孫陷入「身在顧門，心在勵耘書屋」的尷尬處境，甚至形同「破顧門」、「入陳室」的情況。

關鍵詞：牟潤孫　陳垣　顧頡剛　柯劭忞　南來之學

一　前言

　　牟潤孫（1908-1988），原名傳楷，字潤孫，後以字行。生於北京，祖籍山東省福山縣。一九二九年考入燕京大學國學研究所，一九三二年畢業。指導老師為陳垣（1880-1971）及顧頡剛（1893-1980），復從柯劭忞（1850-1933）受經史之學。曾任教於河南大學、輔仁大學、上海同濟大學、上海暨南大學等校。[1]一九四九年自上海渡海來臺，一九五〇年經傅斯年（1896-1950）推薦，至臺灣大學中文系任教。[2]一九五四年接受錢穆（1895-1990）邀請至香港，擔任新亞書院文史系主任、新亞研究所導師兼圖書館館長，一九五八年轉任歷史系主任，仍兼新亞研究所導師。一九六三年任香港中文大學歷史系講座教授。一九六八年應聘美國俄亥俄州立大學客座教授，一九七三年自香港中文大學歷史系退休，轉任香港中文大學研究所研究員。[3]主要著作有《注史齋叢稿》上下冊和《海遺叢稿》初編二編共四冊[4]，所述涉及經史闡析、史事考證、政事述論、思想闡發、人物回憶、往事追述、名物商討、小說戲曲之評論等[5]，涵蓋

* 　本文為科技部專題研究計畫「民國時期罕傳經學論著之整理與研究：以羅倬漢、陳延傑與蘇維嶽三家之著作為中心（III）」（計畫編號：NSC 102-2410-H-004-175）之部分研究成果。初稿發表於香港浸會大學中國語言文學系、新亞研究所主辦之「香港經學研究的回顧與前瞻」國際學術研討會，2015年5月7日。

[1] 　以上關於牟氏生平簡歷俱參中華書局編輯部：〈出版說明〉，《注史齋叢稿》（增訂本）（北京市：中華書局，2009年6月），上冊，頁1；及李學銘：〈牟潤孫教授編年事略〉，《注史齋叢稿》，下冊，頁786-795。

[2] 　牟潤孫：〈傅孟真先生逝世二十周年感言〉，《海遺叢稿》二編（北京市：中華書局，2009年3月），頁186。案：據《國立臺灣大學中國文學系系史稿（1929-2014）》（臺北市：國立臺灣大學中國文學系編印，2014年11月）所載，牟潤孫係於該年8月始任教於臺大中文系，1953年8月升任教授，1954年離職。在臺大期間他曾開授過古籍導讀、《左傳》及國文領域等課程。（見頁299）

[3] 　以上俱見李學銘：〈牟潤孫教授編年事略〉，《注史齋叢稿》（增訂本）（北京市：中華書局，2009年6月），下冊，頁789-793。

[4] 　此據牟氏去世後北京中華書局於2009年所出版的版本而言，此版本由其弟子重新編定，與牟氏生前出版的版本在冊數、文章篇數，甚至書名等方面都不太相同（如《海遺叢稿》原作《海遺雜著》）。本文以新編本為據。

[5] 　參中華書局編輯部：〈出版說明〉，《注史稿叢稿》，上冊，頁1。

層面相當廣泛，內容頗為豐富，可謂囊括了牟潤孫一生最重要的學術論著。[6]

牟潤孫生前曾有所謂「南來之學」的說法，在〈敬悼先師陳援庵先生〉文中他是這麼說的：

> 筆者在上海教書時，先師就有「吾道南矣」的話。說句狂妄的話，我願化悲哀為力量，今後將以我有生之年，傳播先師的學說，以期無負于於他老人家的教導。[7]

可見其所謂南來之學的概念是與陳垣的學術有關的，此義，牟氏的弟子逯耀東（1933-2006）有所闡明：

> 牟先生常說，援庵先生之學北傳，他又將援庵先生之學帶回南方來。……牟先生自一九三三年入燕京大學研究所，直到後來離開北京南下，前後二十年間，追隨援庵先生左右，習得援庵先生的治學方法。……後來他用援庵先生治學的方法，在臺灣、香港教了些學生。牟先生說這些學生有的因而進入史學之門，他們的成就縱有高低的不同，或他們縱然不提治學的淵源出自勵耘書屋，但他們受援庵先生的影響，是顯而易見的。這是牟先生說援庵先生之學北傳後，他又將援庵之學帶回南方的原因。[8]

雖然陳垣「吾道南矣」之「南」，當如牟氏另一弟子李學銘所理解的，是概念

6　儘管如此，這兩部文集誠如〈出版說明〉所聲明的，並非牟氏全部著述，其中頗有漏收者，如〈從楊昌浚說到段芝貴——再論監察糾舉制度〉文中提及其有〈從《楊乃武與小白菜》說起〉，刊登於1979年7月29日的香港《新晚報》「風華」版。（《海遺叢稿》初編，北京市：中華書局，2009年3月，頁102。）又如《禹貢》半月刊第5卷第11期（1936年8月1日），頁49-55亦刊有牟氏翻譯日人桑原隲藏（1871-1931）著的〈創建清真寺碑〉之譯稿。

7　牟潤孫：〈敬悼先師陳援庵先生〉，《海遺叢稿》二編，頁88。

8　逯耀東：〈心送千里——憶牟潤孫師〉，收入《海遺叢稿》二編，引文見頁327-328。

較大的南方[9]，但就牟氏的實際狀況來看，他將陳垣學術南傳的地方主要就在臺灣和香港，這顯然跟他的臺、港經歷有直接的關係。但畢竟他待在香港的時間遠遠超過臺灣，所以他的南來之學主要還是傳播在香港一地，而非臺灣。

牟潤孫既以傳播弘揚其師陳垣學術自任，但牟氏的老師不只陳垣一位，尚有柯劭忞和顧頡剛。牟潤孫拜入柯邵忞門下時，柯劭忞年歲已高，親炙時間雖不長，然牟潤孫依然終生禮敬，於師承淵源，更是未嘗一日或忘。[10]故李學銘也將牟氏南來之學的概念推擴至於柯劭忞，謂「蓼園之學也『南來』」，提醒人們在談到牟潤孫南來之學的淵源時，固然不可忽略陳垣，但也不可不提柯劭忞。[11]惟獨與顧頡剛的關係頗令人好奇，從現今留存的相關記述中似可看到二人間時有不諧甚或齟齬緊張的狀況，牟潤孫後來甚至疏離顧門而完全投入陳垣勵耘書屋門下。但這類遠離顧門的情況在顧頡剛弟子中也非罕見，大體說來，顧門弟子疏遠絕離師門有三種情況或類型：一、疏離者，因環境隔絕或性格齟齬等原因，疏於來往或斷絕音訊，但學問仍承襲顧頡剛，甚至繼續傳播顧門學問。顧頡剛在廣州中山大學時期的弟子何定生（1911-1970）即為其代表。[12]二、叛離者，在學問立場上與顧頡剛公開決裂，公然批判，甚至劃清界線，於師門和學問併皆棄離。楊向奎（1910-2000）可謂此類型的代表。[13]三、悖離者，介於上述二者之間，師門雖未棄絕，但學問卻背離。牟潤孫或可屬之。牟潤孫對顧頡剛的悖離不只是性格和為人處世的差異，更是治學方式及風格的扞格，本文擬從牟氏與陳垣、顧頡剛之間的微妙師承關係角度入手，來探討牟氏

---

[9] 李學銘：〈牟潤孫先生與「南來」之學〉，《讀史懷人存稿》（臺北市：萬卷樓圖書公司，2014年8月），頁299。

[10] 1931年牟氏二十四歲時受業於柯劭忞，柯氏時年八十二歲，兩年後柯氏即辭世。相關敘述見牟潤孫：〈蓼園問學記〉，《海遺叢稿》二編，頁64。

[11] 李學銘：〈牟潤孫先生與「南來」之學〉，《讀史懷人存稿》，頁300-301。

[12] 關於顧頡剛與何定生的師生關係請參車行健、徐其寧合撰：〈顧頡剛與何定生的師生情緣〉，《中國文哲研究通訊》第20卷第2期（2010年6月），頁53-66；此文又收入拙著：《現代學術視域中的民國經學——以課程、學風與機制為主要觀照點》（臺北市：萬卷樓圖書公司，2011年9月），頁191-212。何定生與顧頡剛的學術關係請參拙著：〈何定生與古史辨的詩經研究〉，《中國文哲研究通訊》第24卷第1期（2014年3月），頁107-132。

[13] 關於楊向奎與顧頡剛學問的關係請參拙著：〈論楊向奎的經今古文學觀〉，《政大中文學報》第21期（2014年6月），頁59-96。

與此二人的學術連結，以及其中所反映的治學路數與學風的異同。

二　牟潤孫經、史兼具的學術面向及其學術淵源

身為柯劭忞、陳垣與顧頡剛及門弟子的牟潤孫，其主要學術表現也在經學、史學兩方面，他對此是深有自覺的。在香港期間，他曾寄與陳寅恪（1890-1969）一冊他就任香港中文大學中國歷史講座教授的就職講演《論魏晉以來之崇尚談辯及其影響》，後來得到陳寅恪「『烏臺』正學兼而有之」的評語。[14]牟潤孫對此評語的理解是：「『烏臺』是御史臺，借以指史學。正學，正統之學，即經學。」為此，他由衷地表達了對陳寅恪「知音難遇」之感。[15]能得到陳寅恪如此的評賞，牟氏當確係經學、史學兼擅，甲部、乙部俱通的一位當代學人。

但曾為陳寅恪詩做過箋釋的胡文輝則對此函有不同的理解，他質疑牟氏誤解了陳寅恪的意思，其云：

> 我覺得陳氏在表面詞義之下，似另有一層影射；作為當事人，牟氏恐怕並未完全理解陳先生的深意。
>
> 按：以「烏臺」指史學，以「正學」指經學，未免故作迂曲，陳氏作為史學大家，根本不必玩這種雕蟲小技。而最值得留意的，是原件中的「烏臺」兩字加了引號，「正學」兩字加了專名線（《書信集》省略了專名線），若按牟氏的解釋，就不合標點符號的規範，顯得不倫不類。要知道，如果是以「烏臺」表示御史臺，則本應加專名線為宜；如果是以「正學」表示正統之學，則又應加引號為宜。現在則正好顛倒，兩不相稱，何也？
>
> 我以為，加引號的「烏臺」，疑指蘇軾著名的「烏臺詩案」；蘇軾反

---

[14] 見陳寅恪：《陳寅恪集》（北京市：生活・讀書・新知三聯書店，2009年9月第2版），《書信集》，頁283。

[15] 以上俱見陳寅恪：《陳寅恪集》之《書信集》，頁284。

對王安石新法，賦詩托諷，被下御史臺問罪，此處可借指文字獄。加專名線的「正學」，則當指明初方孝孺，蜀獻王曾聘方氏為世子師，名其宅屋曰「正學」，故世號正學先生；方孝孺忠于建文帝，對篡位的燕王朱棣（明成祖）抗命不從，被凌遲處死，並株連十族，被難多達八百餘人，此處可借指政治株連。如果這樣，則「烏臺」加引號指事件、「正學」加專名線指人名，就都顯得文從字順了。

一九六六年六月六日，「文化大革命」在廣州展開……陳氏此函，正寫于此年十一月間，所謂「烏臺」、「正學」兼而有之云云，若指文字獄和政治株連而言，就完全吻合當時的政治形勢了。也正因為那樣草木皆兵的形勢，陳氏才會在信中突兀甚至無禮地請牟氏「以後不必再寄書為感」，顯然，那是因為害怕「裡通外國」的罪名啊。

所以，「烏臺」、「正學」當係一語雙關，表面上雖是恭維牟氏的論著，而深層含義則是影射當時的政治恐怖。余英時先生曾將陳氏《再生緣校補後序》稱為「答海外讀者的一通密電」（《陳寅恪晚年詩文釋證》），則陳氏此函，亦可謂「答海外友人的一通密電」也。[16]

然而不論牟氏對陳寅恪回函的反應是否是一場「美麗的誤會」，但由牟氏自詡的心情來看，無疑也承認經、史之學兼擅是其治學特色。

牟潤孫經、史之學的形成與陶塑除了其師門傳授外，尚有其他的學術淵源，包括啟蒙、私淑及欽敬友善之師友的影響等，此皆由其著作自述可見者，以下依次論敘。首先就其學問啟蒙而言，梁啟超（1873-1929）在牟氏青少年時代給予他極大的影響，甚至引導他走向史學之路。[17]他先是跟隨父親看《東方雜誌》、看報紙才逐漸崇拜梁啟超。[18]到了十五歲那年，他在《晨報》看到了梁氏的〈國學入門書要目及其讀法〉，覺得耳目一新，眼界為之開闊。後來

---

[16] 胡文輝：〈陳寅恪致牟潤孫函中的隱語〉，《人物百一錄》（杭州市：浙江大學出版社，2014年1月），頁226-229。

[17] 牟潤孫：〈論治目錄之學與書籍供應——從梁任公《國學入門書要目》說起〉，《海遺叢稿》初編，頁225。

[18] 牟潤孫：〈買書漫談〉，《海遺叢稿》二編，頁289。

又買了梁氏的《清代學術概論》，讀後非常崇信。十六歲以後就按目求書，梁啟超在《東方雜誌》發表的〈清代學者整理舊學總成績〉成了指導他的索引，他專門看梁氏提及的那些書。在大學休學期間，甚至照著梁啟超的路子，寫了一些東西，並以此做為報考燕京大學國學研究所的論文著述審查資料。面試他的陳垣對其頗為賞識，把他招收了進來。[19]從梁超啟那裡，讓他獲益最大的應是學習到研究學問要如顧炎武（1613-1682）探求古韻般地找尋證據，運用歸納方法，歸納許多證據方可找出結論。又因梁啟超在《清代學術概論》中首先推崇顧炎武，從此顧氏在其心中留下極崇高而深刻的印象。[20]由顧炎武而延伸至清代學術，後來也成為牟氏治學的一個主要領域，新編本《注史齋叢稿》中甚至將其清代學術相關論著專門獨立成一個類目。欲探其肇始發端之跡，則固不能不承認此係梁啟超啟迪之功。他直到晚年回首前塵往事，仍然語帶感激的說：「引我進入學術之門者，總不能說不是任公先生。」[21]

梁啟超之外，陳寅恪對他的影響也不小，他曾公開為文承認自己私淑其學。[22]但牟氏對陳寅恪的接受也歷經了一段曲折的歷程。他一開始時並不太能讀陳寅恪的文章，因為陳氏的文章，或論蒙古源流，或論西夏譯經，或論梵藏譯經，均讓他感到枯燥無味，殊難接受。後來還是受到陳垣的啟發，對他指出陳寅恪文章的優點及學問的淵博、通曉語言的眾多，才讓他茅塞頓開，從此對陳寅恪崇拜萬分，以私淑弟子自居。[23]在他心目中，陳寅恪的地位是無比崇高巨大的，除了他的受業恩師柯劭忞和陳援庵之外，就當推陳寅恪了。他嘗自謂：

> 陳寅老發表什麼東西，我全都細念。甚至，陳寅老給清華大學出對子後，寫的那封給劉文典的信，我都能背下來。寅老審查馮友蘭《中國哲

---

19 以上俱見牟潤孫：〈談談我的治學經歷〉，《海遺叢稿》二編，頁295-296；〈論治目錄之學與書籍供應——從梁任公《國學入門書要目》說起〉，《海遺叢稿》初編，頁226。

20 牟潤孫：〈論治目錄之學與書籍供應——從梁任公《國學入門書要目》說起〉，《海遺叢稿》初編，頁226。

21 牟潤孫：〈論治目錄之學與書籍供應——從梁任公《國學入門書要目》說起〉，《海遺叢稿》初編，頁229。

22 牟潤孫：〈敬悼陳寅恪先生〉，《海遺叢稿》二編，頁124。

23 牟潤孫：〈發展學術與延攬人才——陳援庵先生的學人丰度〉，《海遺叢稿》二編，頁120-121。

學史》報告，我也念得很熟。的確，我對寅老十分崇拜。[24]

他對陳寅恪學術的崇拜表現在治中古學術與政治的領域上，逯耀東也注意到了牟氏〈論魏晉以來之崇尚談辯及其影響〉、〈唐初南北學人論學之異趣及其影響〉與〈從唐代初期的政治制度論中國文人政治之形成〉這一系列作品，皆是陳寅恪所謂「不古不今」之學的魏晉隋唐之史的範疇。不僅寫作的形式與方法，十分類似陳寅恪，且其中某些論點也是對陳說的擴充補正。[25]

　　啟蒙、私淑之外，牟氏又有其欽敬友善的師友，對其學問皆有相當程度的影響，如經史兼擅，精通古書體例及錄略之學的余嘉錫（1884-1955）、啟發其文化人類學知識的李宗侗（玄伯，1895-1974）、精研中西交通史的向達（1900-1966）和方豪（1910-1980）等。他跟余嘉錫同為柯劭忞門下，所不同者，余嘉錫是柯劭忞光緒二十七年（1901）典試湖南所取的得意門生，而牟潤孫則直至1931年才受業於柯劭忞。另外一方面，他又與余嘉錫的哲嗣余遜（1905-1974）同列陳垣勵耘書屋門牆，又同為輔仁大學同事，他視其為畏友，事之如兄。他說在晉謁余嘉錫之前，已間接得聞教誨，其後摳衣登堂，親受啟示。雖非「讀已見書齋」弟子，但實際上無異於立雪執贄。[26]余嘉錫的《四庫提要辨證》、《目錄學發微》、《世說新語箋疏》、《余嘉錫論學雜著》等書都是他在平日談論中常常提及的。[27]但他對余嘉錫的欽敬卻非僅止於純粹學術的一面，他嘗感歎世人徒知余嘉錫是經史考據大家，但卻很少人知道他深於義理之學，真正是朱子的信徒。他以為一個真正儒家學人，必須兼「尊德性」與「道問學」而

---

[24] 牟潤孫：〈談談我的治學經歷〉，《海遺叢稿》二編，頁299。

[25] 逯耀東：〈心送千里──憶牟潤孫師〉，收入《海遺叢稿》二編，332-333。逯耀東舉牟氏在〈唐初南北學人論學之異趣及其影響〉文中評論陳寅恪所謂唐代統治階層為關隴胡漢集團之說實較偏重統治權一事，而忽略了文化上仍有南北歧見，而此又關乎延攬人才以佐政之事。牟氏以此致憾於陳寅恪對隋唐制度淵源僅論及南朝前半期之文化制度，而未語及於思想學術，思欲有所補充修正。此外，牟氏〈從唐代初期的政治制度論中國文人政治之形成〉一文也是在陳寅恪未論及唐代文人政治的形成之情況下，而為文進一步申述此問題。

[26] 牟潤孫：〈學兼漢宋的余季豫先生〉，《海遺叢稿》二編，頁219。

[27] 李學銘：〈烏臺正學兼有的牟潤孫教授〉，《海遺叢稿》二編，頁310。

一之，而他認為余嘉錫真正做到了這一點。[28]

　　牟氏接觸李宗侗的學問亦是透過陳垣。據其自述，李宗侗在故宮盜寶案發後，蟄居上海租界，翻譯法國文化人類學談古代希臘祭祀祖先禮俗的書（謹案：當為古朗士〔Numa Denis Fustel De Coulanges, 1830-1889〕的《希臘羅馬古代社會研究》），陳垣讀後傾倒備至，廣為宣揚，教其讀此書。牟氏到臺大後，常向李宗侗請教母系社會問題[29]，而這也表現在他用文化人類學的觀點所寫的相關論著，如〈春秋時代母系遺俗《公羊》證義〉、〈宋人內婚〉、〈漢初公主及外戚在帝室中之地位試釋〉、〈呂雉奪權與母系遺俗〉等文。[30]

　　向達可說是牟潤孫在大陸時期極為親密的摯友，二人因天津《大公報》「圖書副刊」而結緣，當時他們時常為「圖書副刊」寫稿，署名「海遺」。牟氏後來定居香港，為《新晚報》寫稿時，為紀念他和向達的交誼而仍沿用此筆名。[31]向達專攻中西交通史和敦煌學，後者雖非牟氏所精擅之領域，然亦有〈敦煌唐寫姓氏錄殘卷考證〉一文，其中頗有與向達商榷是非者。[32]中西文通史則是牟氏早年治學的方向，而這也讓他與向達有了共同的愛好，他欲撰《徐光啟年譜》，向達就將他所知道的材料告訴了他。[33]除了向達之外，身為陳垣函授弟子的方豪也在中西交通史方面與牟氏有共同的語言。牟潤孫與方豪誼屬同門，對其學問知之甚深，會悟者亦多。在他看來，方豪最專精的當屬明清之際，基督教傳入中國後，中西文化交流的那一段歷史，這涉及明清史、宗教史與中西交流史的範圍，這在相當大的程度與陳垣的治學領域相重疊，事實上，出身於杭州天主教修道院的方豪，當年正是透過私下與陳垣通信的因緣，才走上治中國史學的路。故陳垣的著作，方豪無一不取而讀之，而所治之學與治學

28　牟潤孫：〈學兼漢宋的余季豫先生〉，《海遺叢稿》二編，頁229。

29　牟潤孫：〈發展學術與延攬人才——陳援庵先生的學人丰度〉，《海遺叢稿》二編，頁121；又參〈漢初公主及外戚在帝室中之地位試釋〉，《注史齋叢稿》，上冊，頁247。相關討論又參逯耀東：〈心送千里——憶牟潤孫師〉，收入《海遺叢稿》二編，頁331。

30　此四文均收入《注史齋叢稿》，上冊，頁350-366。

31　以上俱參牟潤孫：〈悼念向達〉，《海遺叢稿》二編，頁194。

32　此文收入《注史齋叢稿》，上冊。

33　牟潤孫：〈悼念向達〉，《海遺叢稿》二編，頁195；〈發展學術與延攬人才〉，《海遺叢稿》二編，頁119。

法門亦悉出自陳垣的啟迪。[34]但牟氏後來還是沒能完全走向中西交通史這條
路，他自歎《徐光啟年譜》始終未完成，且也因資料難取得的原因放棄了研究
中西交通史。但即使如此，他與方豪共同受業於勵耘書屋的因緣及與向達真摯
的友誼也確實在他的學術發展歷程中留下了重要的痕跡。[35]此所以在其文集中
仍留存了中西交流史，以及宗教史與明清之際史的相關論著。

　　除此之外，據李學銘教授回憶，還有一些當代學人也是牟潤孫所佩服的，
如錢鍾書（1910-1998）、吳晗（1909-1969）和朱東潤（1896-1988）等。錢氏
的《談藝錄》、《宋詩選注》、《七綴集》、《管錐篇》；吳晗的《朱元璋傳》、朱東
潤的《張居正大傳》等書，都是牟氏認為有考證、有文筆，能深入淺出的史學
佳作。[36]對牟氏的學問，當亦能有一定程度的啟迪。

三　牟潤孫與顧頡剛、陳援庵的師門關係與學術連結

　　牟潤孫既自負於經學、史學兼具，其經學傳承自柯紹忞，史學則師承於陳
垣，柯劭忞、陳垣固為其授業師，二人對其學術可說具有最直接、最重要的搏
塑力量。然而其在燕京大學國學研究所的另一導師顧頡剛，於其學術影響又如
何呢？

　　如果說何定生為顧頡剛門下大弟子，為顧頡剛在廣州中山大學時期所親炙
的學生，跟隨他休學一路北返北平。牟潤孫則是顧頡剛回到北平後所開始收的
正式學生，且為級別較高的研究生，於顧門中自有其地位。但牟潤孫進入顧頡
剛的門下卻不是他主動選擇投入的，而是考入燕大國學研究所後，由所裡分派
給顧頡剛的。據他自己的回憶，當時顧頡剛雖很賞識他，但他對顧頡剛的《古

---

[34] 以上俱參牟潤孫：〈跋《方豪六十自定稿》〉，《海遺叢稿》初編，頁287；〈方杰人司鐸六十壽
序〉，《海遺叢稿》二編，頁230；〈悼亡友方杰人——陳援庵先生與方豪〉，《海遺叢稿》二編，
頁211。

[35] 牟潤孫：〈跋《方豪六十自定稿》〉，《海遺叢稿》初編，頁288；又參〈崇禎帝之撤像及其信
仰〉，《注史齋叢稿》，下冊，頁717。

[36] 李學銘：〈烏臺正學兼有的牟潤孫教授〉，《海遺叢稿》二編，頁310。

史辨》卻並不十分贊同，反而喜歡陳垣的治學方法。[37]學問的不契似乎也影響了師生二人的相處，再加上個性的不同與做事態度的差異，最終發展至二人師生關係的不諧，因而使牟潤孫陷入「身在顧門，心在勵耘書屋」的尷尬處境。

　　牟潤孫在顧頡剛門下與其相處的狀況，在顧頡剛日記和書信中仍可略見其梗概。牟潤孫最先出現在顧頡剛的日記中是在一九二九年十月七日星期一，顧頡剛當時記的就是「我的學生：……國學研究所學生：班書閣、牟傳楷。」[38]在十月十六日的日記中他又記道：「班書閣偕牟傳楷來，此二人皆派與予之研究生也。」[39]又據他同月二十三日所記，燕京大學國學研究所共招收五位研究生，牟潤孫和班書閣是歸他指導的史學領域的兩名學生。[40]從此之後顧頡剛與牟潤孫師徒二人來往日趨密切，時有一日兩見的情形。[41]顧頡剛所寫的日記完整地呈現了二人相處的實況，包含實際的接觸，如晤面、談話、吃飯等；以及非實際的接觸，如通信記錄、日記中對其相關活動之間接記載和載錄他人轉述牟氏話語等。從一九二九年十月直至一九三六年八月，共有一四四天的日記提到牟潤孫，其中一九三〇年的五十五天為最多，平均每個月有4.5天會與他有所接觸。一九三一年的二十六天次之，一九三二年的十七天又次之。直到一九三四年後才有明顯的減少，一九三六年甚至只有兩天。[42]且從一九三二年後，

---

[37] 牟潤孫：〈談談我的治學經歷〉，《海遺叢稿》二編，頁296-297。

[38] 顧頡剛：《顧頡剛日記》（臺北市：聯經出版事業公司，2007年5月），第2卷，頁330。案：牟潤孫在〈敬悼顧頡剛先生——兼談顧先生的疑古辨偽與提攜後進〉一文中聲稱他是顧頡剛在燕京大學國學研究所收的第一個研究生。（見《海遺叢稿》二編，頁217。）然而當時分給顧頡剛指導的研究生還有班書閣，且據《顧頡剛日記》所記，排名似還在牟潤孫前面，則此「第一」似乎還不易遽下判斷。

[39] 顧頡剛：《顧頡剛日記》，第2卷，頁333。

[40] 顧頡剛：《顧頡剛日記》，第2卷，頁336。

[41] 如1929年11月5、12日；12月4日；1930年3月22日；4月18日；5月28日等。

[42] 顧頡剛在日記中所記載的具體日期如下：1929年10月7、16、23、27日；11月2、4、5、12、27日；12月4、9、11、18、23、26日。1930年1月13日；2月2、17、18、28日；3月1、10、12、14、21、22、25日；4月3、18、25、27、29日；5月6、9、12、22、28日；6月4、15、18、21、24、28、29日；7月5、17、21、28日；8月8、12、19、28日；9月1、5、13、16、22、25、29日；10月8、9、14、16、29日；11月19、28日；12月3、11、15、31日。1931年1月21日；2月6、11、16、24日；3月6、18日；4月1日；6月2、4、8、24日；7月6日；8月24日；9月4、16、25、28日；10月19日；11月1、9、17、23日；12月6、10、12日。1932年1月11、17日；2月13日；3月18日；4月27日；5月10日；6月13、14、18、21日；7月2、4、7日；

顧頡剛與牟潤孫的來往漸漸由實際的接觸轉變為非實際的接觸，這明顯反映在顧頡剛在日記中記錄他寫信給牟潤孫的次數上。牟潤孫一九三二年從燕京大學國學研究所畢業後有四年的時間在中學教書[43]，因此也就自然地從顧頡剛的視界中淡出，《顧頡剛日記》對二人關係的記載也就正好反映了這樣一個由往來熱絡密切到逐漸疏遠的過程。

但此時顧頡剛與牟潤孫的師徒關係卻絕非僅是牟潤孫離校教書而自然的疏離冷淡這麼單純，橫亙在二人之間的似乎是更多的緊張矛盾，如顧頡剛在一九三四年四月二十六日的日記中記載道：

> 煨蓮（謹案：即洪業〔1893-1980〕）告我，牟潤孫在城內大罵我，謂我「野心太大，想做學閥，是一政客」。噫，看我太淺者謂我是書呆，看我過深者謂我是政客。某蓋處於材不材之間，似是而非也。[44]

更嚴重者，在隔年的七月十七日的日記中，顧頡剛又記道：「寫牟潤孫信，申誡之。」[45]為何事申誡牟潤孫？日記未言，但此信連同牟潤孫的答書卻一併收錄在《顧頡剛全集》中的《書信集》，原信是如此寫的：

> 數度枉過，歉仄奚似。兩函均讀到，敬悉。此間局面過小，添員綦難。今欲為兄告者，只要兄努力以成其學，弟總有法子解決兄之困難。弟年來頗對兄不滿，所以然者，以兄天稟之高，根底之善，而因循玩忽，六年來未有一事成功。在研究所時，集蕃姓材料頗多，弟累勸成書，曾未許見。其後編《歐陽修辨偽書語》，請作一序，亦至今未成。稍後，弟

8月16日；9月1日；11月12日；12月31日。1933年1月3日；2月5、10日；3月31日；4月2、7、11、15、16、26日；5月21日；6月28日；7月7日。1934年2月11日；3月10、18日；4月3、26日；7月3日。1935年2月23日；5月6日；7月9、16、17、23、25、26日；8月9、13日。1936年4月22日；8月24日。

43 李學銘：〈牟潤孫教授編年事略〉，《注史齋叢稿》，下冊，頁788。

44 顧頡剛：《顧頡剛日記》，第3卷，頁182。

45 顧頡剛：《顧頡剛日記》，第3卷，頁367。

編《禹貢》，地理沿革史者，兄有志專研之學也，初計宜有文來，而迄今兩載，曾無隻字投下。禹貢學會初辦時，即承填入會書，而至今會費分文未繳。精神如此散漫，安能作事！弟愛兄之才至矣，而兄之使我失望乃如此，兄亦知弟心痛否耶？為今之計，亟宜挺起脊梁，力自振作，每日必讀若干書，必寫若干字，有精神固做，無精神亦做，勿肆意於酬應，勿費時於閒談，如此數月，當能使兄之研究工作上軌道，夫然後弟有勞兄作事之可能。弟本性喜苦幹，喜獨闢道路，喜認清了路徑，不厭不倦的向前走，因之我亦希望人家如此，因之凡不能如此者，弟不願輕認為同志也。率直布臆，諸希鑒諒。如兄接此函後，對弟說表同情，則請從今日起，每日記日記，記筆記，每一星期送弟處覽之。如覺得如此嚴正生活不堪其苦，則弟亦不敢相強，但望兄知弟非優閒生活中之人物而已。[46]

從顧頡剛的信中可知，牟潤孫當是託顧頡剛謀職求事，但所謀何事，信中未明言，日記也未詳記。考顧頡剛於該年三月獲北平研究院史學研究會聘為該院歷史組主任，七月一日正式上任，聘了不少故舊與門生，或任會員，或司編輯，或做助理，但牟潤孫不與焉。[47]牟潤孫兩度致函顧頡剛謀事者，或即北平研究

---

46 顧頡剛：〈致牟潤孫〉，《顧頡剛全集》（北京市：中華書局，2010年12月），第41冊，《顧頡剛書信集》卷3，頁42-43。

47 參顧潮：《顧頡剛年譜》（增訂本）（北京市：中華書局，2011年1月），頁260-262。案：顧頡剛在1935年3月29日接獲北平研究院代理院長李書華（1889-1976）邀聘的電訊後，即在日記中記下他個人的感想：「因為個人研究計，燕大環境已極好，惟為提拔人才計，則殊不足以發展。如北平研究院能給我三千元一月，方有提倡文化之具體辦法。」（顧頡剛：《顧頡剛日記》，第3卷，頁324。）在同年5月5日的日記中，他列出了所欲提拔的人才名單：「預備介紹至北平研究院史學研究所之人：馮家昇──〈四裔傳〉、《遼史》；孫海波──《史記》；鄧嗣禹──〈職官志〉；連士升──〈食貨志〉；吳世昌──北平半月刊、藝術陳列所；陳懋恆──《史記》；楊向奎──《史記》；王育伊；邵君樸──《儀禮》；楊效曾──〈食貨志〉；李子魁；李素英──北平半月刊。」（同上，頁339-340）北平研究院史學研究會歷史組後來最終聘了吳豐培、張江裁、吳世昌、劉厚滋等任編輯，常惠、許道齡、劉師儀、石兆原等任助理，孫海波、徐文珊、馮家昇、白壽彝、王守真、鄺平章、楊向奎、顧廷龍、王振鐸、童書業、楊效曾、王育伊等任名譽編輯，洪業、許地山、張星烺、陶希聖、聞宥、孟森、吳燕昭、錢穆、呂思勉、轟崇岐任史學研究會會員。（顧潮：《顧頡剛年譜》，頁262。）在這些名單中均不見牟潤孫之名。由此可知，自始至終，牟潤孫皆非顧頡剛屬意的人才。

院歷史組之職務。

　　牟潤孫接到如此嚴厲的申斥信，隨即在隔日寫了一封致歉的信函，承認自己「因循怠荒，一無成就」，如顧頡剛訓斥者，雖自知其非，卻沉溺不自拔，在顧頡剛當頭棒喝下，頗思立定腳根努力向上。因此決定自即日起，自定日程，埋首讀書，杜絕酬應，並照指示每日作日記、記筆記，每週送呈顧頡剛批閱。他反省自己的毛病在於怠荒、無恒與精神不集中，他認為得到其師的策勉，當能滌除舊習而走上自新之途。[48]

　　在顧門中得到顧頡剛如此愛之深責之切待遇的，牟潤孫顯然不是惟一的一個，他的同門「大師兄」何定生在隨顧頡剛北返後，也因與顧頡剛在生活上的摩擦，再加上個人情感的挫折，荒廢了學業，而遭到顧頡剛的責備，最後疏離了顧頡剛的門庭。[49]但與何定生不同的是，牟潤孫與顧頡剛的齟齬並非只是單純性格或生活作風上的問題，而有著更複雜的學問取捨與師承選擇的問題。

　　在治學的問題上，牟潤孫始終就與顧頡剛所專擅的疑古辨偽不契，他之入顧頡剛門下，也並非他主觀的意願。這使得他在接受顧頡剛指導的過程中，一直顯得格格不入。顧頡剛在書信中指責他在為《歐陽修辨偽書語》作序一事上，態度消極散漫，從牟潤孫的角度來看，則顯然並非如顧頡剛所認知的。他晚年提及此事是這麼說的：

> 頡剛先生要我編一本《歐陽修辨偽集語》，我鈔錄完了之後，始終沒交卷。頡剛先生問我為什麼？我回答說：「我興趣改變了。」[50]

其實牟潤孫從一開始就對辨偽之學不感興趣，梁啟超雖是啟蒙他的人，但他卻對梁啟超所說的辨偽及某些今文說法不感興趣。[51]由此看來，他對顧頡剛所說

---

[48] 牟潤孫：〈答顧頡剛書〉，《顧頡剛全集》，第41冊，《顧頡剛書信集》卷3，頁43。

[49] 參車行健、徐其寧合撰：〈顧頡剛與何定生的師生情緣〉，《中國文哲研究通訊》第20卷第2期；又收入拙著：《現代學術視域中的民國經學——以課程、學風與機制為主要觀照點》。

[50] 牟潤孫：〈敬悼顧頡剛先生——兼談顧先生的疑古辨偽與提攜後進〉，《海遺叢稿》二編，頁216。類似的敘述又見於氏撰：〈談談我的治學經歷〉，《海遺叢稿》二編，頁297。

[51] 牟潤孫：〈論治目錄之學與書籍供應——從梁任公《國學入門書要目》說起〉，《海遺叢稿》初編，頁227。

的「興趣改變了」，顯是託詞。真正的原因應是他此時已為陳垣的治學方法所吸引，他的學術方向與興趣說完全轉向了勵耘學風。所以他對顧頡剛的指導表現出抗拒的心態，甚至連顧頡剛開的《尚書研究》也在聽了兩次後，就不去上課了。[52]

牟潤孫在憶及顧頡剛指導他進行研究工作時是這樣說的：

> 頡剛先生給我出了一個沒法兒作的題目《清代禁書考》。我去那兒找這些禁書呢？很難，我沒法作，我也不習慣他的這種指導方法。他對于後學，經常是「你這篇文章好，我給你發表」。而陳垣老不同，陳垣教學生是：「你不要胡寫啊，小時候亂作，老了要後悔的。不能亂寫文章啊！」兩個老師完全不一樣。顧先生給我定這題目，陳垣老是所長，也對我說這材料很難辦，我領你到故宮看，故宮有人搞，……他們那兒有材料，但他們不肯給你，你去那兒看看得了。當然人家是不肯給我了，我也就沒有作。後來陳垣老說：「我給你出個題目。」就是研究入居中國的外國人的蕃姓。……讓我搜集這些，作《蕃姓考》，結果我的論文是陳垣老指導的。現在回想起來覺得挺荒唐的，因為人家有制度，有導師，怎麼能撇開導師而直接由所長指導呢？[53]

語氣間對陳垣與顧頡剛的抑揚極其明顯，雖然說自己荒唐（連帶拒編《歐陽修辨偽書語》一事也說自己荒唐），但從其口氣來看，還是不免有自鳴得意的味道。而他一連用了兩次「沒法作」來表達顧頡剛給他出的《清代禁書考》題目不合理，並藉著陳垣的權威及到故宮觀書一事，來支持這個論點，更是對顧頡剛不留情面的嘲諷。但顧頡剛讓牟潤孫做這個題目絕非天馬行空，毫無理由的神來一筆式的指導，而是與顧頡剛自己的治學歷程息息相關的。因為早在一九一六年，顧頡剛便藉著休學養病的空閒，利用家中的藏書，歷半年時間，寫成

---

52 牟潤孫：〈敬悼顧頡剛先生——兼談顧先生的疑古辨偽與提攜後進〉，《海遺叢稿》二編，頁214-215。
53 牟潤孫：〈談談我的治學經歷〉，《海遺叢稿》二編，頁296-297。

《清代著述考》二十冊，編列五百餘人。通過這項工作，使其對清代學術有了深入的領會。[54]因此從顧頡剛的角度來看，他不會認為這個題目不能作。相反地，牟潤孫因為畏於資料蒐集之困難而放棄研究的，尚不只此例，《徐光啟年譜》的未能完成，亦是出於同樣的原因，甚至因此中斷了其中西交通史的研究。如此一來，豈不反而更加印證了顧頡剛對其「因循玩忽」批判的鞭辟入裡。

畢業論文改由陳垣指導，對於顧頡剛來說，縱非破出師門，但想必仍是極大的難堪。其實牟潤孫「出顧門」、「入陳室」的舉動也具體而微地反映了當時顧頡剛與陳垣的緊張關係。《顧頡剛日記》保留了陳、顧不合的一些蛛絲馬跡，如一九三〇年十月一日記道：

> 今日以《燕京學報》稿費單請援庵先生簽字，他正在挑剔（這是老例，非此不足以表示其所長之地位），希白（謹案：即容庚〔1894-1983〕）在旁插口道，「你看文章太寬，什麼人的文章都是好的」（這也是他的老話，今日又說一遍而已）。我被兩種氣夾攻，一時憤甚，即道，「我不編了！」因此之故，終日頭痛，夜且失眠。予之為人，在討論學問上極能容忍，而在辦事上竟不能容忍如此。《學報》事到年底必辭，記此勿忘。[55]

在同年十一月二十日更記道：

> 陳援庵先生近年太受人捧，日益驕傲，且遇事包而不辦，又不容人辦，故燕大研究所雖有巨款而無成績，且無計畫，其訑訑之聲音顏色，直拒人於千里之外。此間有吳雷川作校長，有陳援庵作所長，自應成官僚化矣，予現在編《燕京學報》，不能不與之接觸，每見輒感不快，決定明

---

54 顧潮：〈前言〉，《顧頡剛全集》，第56冊，《清代著述考》卷1，頁1。
55 顧頡剛：《顧頡剛日記》，第2卷，頁444。

年擺脫矣。[56]

這中間固然有人事相處的矛盾，更有雙方對待學術態度的差異。就後者而言，其實就反映了嚴謹與寬容的兩種學風。陳垣告誡牟潤孫文章不要妄作，對顧頡剛所編的《燕京學報》諸多挑剔，這種態度與傅斯年如出一轍。當年顧頡剛在廣州中山大學出版《民俗學會叢書》，出到一二冊時，傅斯年就說「這本無聊」，「那本淺薄」。傅斯年對學術出版抱持的態度是「大學出書應當是積年研究的結果」。蓋其在歐洲待了七年，甚欲步法國漢學後塵，與之爭勝，故旨在提高學術水平。但顧頡剛則以為欲與人爭勝，必先培育一批人，積疊材料加以整理，所以較從「誘掖引導」的角度，來提倡學術。[57]

顧頡剛與牟潤孫的師生關係導入了「陳垣因素」後，無異雪上加霜。顧頡剛在一九三五年七月十七日寫給牟潤孫的那封嚴厲的申誡信應該就是這種複雜的關係所累積的負面能量的總爆發。而寫這封信的前一天，顧頡剛除在赴北平研究院途中遇到牟潤孫外，還耳聞了一件令他不開心的事：

> 肖甫（謹案：即趙貞信〔1902-1989〕）告我，援庵先生以其接近我，而我今任院事，疑必邀之，遂解其女中職務。又聞季龍（謹案：即譚其驤〔1911-1992〕）言，亦大致如是，輔仁功課已不能繼續。氣量之小如此，如何成事。此豈非「為淵驅魚」耶！[58]

或許這件事就是觸發他對牟潤孫不滿情緒的導火線也未可知。

從較嚴格的學術標準來看，如陳垣、傅斯年所持者，則不只顧頡剛所力主提倡普及的學術態度為輕率，就是顧頡剛本人所優而為之的疑古辨偽學風也不夠嚴謹。此所以服膺勵耘學術的牟潤孫終身持續不斷地批評顧頡剛所代表的疑

---

56 顧頡剛：《顧頡剛日記》，第2卷，頁461。

57 以上俱參顧潮：《歷劫終教志不灰——我的父親顧頡剛》（上海市：華東師範大學出版社，1997年12月），頁124-125、128。

58 顧頡剛：《顧頡剛日記》，第3卷，頁367。

古辨偽學風。如其在〈學兼漢宋的余季豫先生〉一文中評述余嘉錫深明古書體例，甚不以五四之後盛行的辨偽風氣為然，並引其《四庫提要辨證》對〈管子提要〉的評論，指出余氏在藉由抨擊《四庫提要》「往往以後世之見議論古人」的同時，其實是為當時瀰漫辨偽風氣下受過疑古學說薰陶的人，所說的一番補偏救弊的言論。其下又提及余氏在為〈六經奧論提要〉所作的辨證中指出顧頡剛撰《鄭樵著述考》疑《六經奧論》非鄭樵所著，譏諷其未讀全祖望（1705-1755）的集子。牟潤孫對余氏的評論語帶悻然地做了如此的小結：「對頡剛先生這篇未成熟之作，季老僅說『或者未考全氏集歟』，已是很客氣了。」[59]

又如他在評述陳寅恪〈元西域人華化考序〉一文裡對清代經學流弊所說的「以夸誕之人而治經學，則不甘以片段之論述為滿足，因其材料殘闕寡少及解釋無定之故，轉可利用一二細微疑似之單證，以附會其廣泛難徵之結論」這段話，做了一番演繹：

> 五四以後疑古史的人沿著清末今文派經學家的妄說，好作奇詭之論，寅恪先生此文確是針對著一般荒唐學人說的。[60]

豈其師顧頡剛亦其所謂「荒唐學人」歟？

牟潤孫不但不喜疑古辨偽學風，甚至覺得這種治學方式是根本的謬誤，他在一九七二年時寫〈讀《陳寅恪先生論集》〉時嘗用充滿無比信心的口吻說道：

> 時代到了今日，疑古風氣雖不及五四之盛，而說到《左傳》還有人以為析自《國語》；對于《周禮》，還有人以為是出于劉歆之手。我指出寅恪先生對古書的看法，不僅要說明他的治學態度和遠見，更因為今日地下材料出土眾多，古書之不當亂疑，已成為治史學應有的常識，而執迷不

---

[59] 以上俱見牟潤孫：〈學兼漢宋的余季豫先生〉，《海遺叢稿》二編，頁220-221。

[60] 以上俱見牟潤孫：〈讀《陳寅恪先生論集》〉，《海遺叢稿》二編，頁139-140。

悟的疑古之徒居然尚大有人在，不能不引為遺憾。[61]

論調一何似現今中國大陸學界所高倡的「走出疑古時代」！但他所指斥的「執迷不悟的疑古之徒」可能已不包括顧頡剛了。因為他所理解的晚年顧頡剛已從早期對古史古書無所不懷疑的態度中慢慢淡消下來。[62]

　　古書既不當亂疑，之前為學界所判定的偽書似也不能一概而論，他對所謂偽《古文尚書》也有別於以往的積極態度，其云：

> 我覺得對偽書不能一概而論，比如閻若璩費了老大力氣，辨偽《古文尚書》，差不多也可以成為定案吧！但是，能說偽《古文尚書》完全是王肅虛造嗎？其中有真材料，它是東晉不曉得什麼人，對所見《古文尚書》的材料，不懂得采用像宋人那種輯佚書的辦法，一條一條輯，不連綴也不要緊。但他不，他想把它連起來，恐怕其中還有翻譯，于是「藝術加工」成為一個整篇的文章，所以別人認為這是假的。實際上《古文尚書》，現在有許多人發現其中有真的。所以，我覺得像歐陽修那樣的「辨偽」做得有些過分。[63]

又云：

> 筆者一直相信《尚書》古文部分，是東晉時，孔安國得到殘缺不完整的古文《尚書》，將它滙輯在一起。為了連綴成文，字句間可能有所添改，以致改變了本來面目，使人生疑（孔安國為東晉人，由他編成古文《尚書》，是陳夢家首先考證出來的）。其中有真史料是毫無疑問，如說它全部出于偽托，恐有些過分。[64]

---

61 牟潤孫：〈讀《陳寅恪先生論集》〉，《海遺叢稿》二編，頁143。
62 牟潤孫：〈敬悼顧頡剛先生——兼談顧先生的疑古辨偽與提携後進〉，《海遺叢稿》二編，頁216。
63 牟潤孫：〈談談我的治學經歷〉，《海遺叢稿》二編，頁297。
64 牟潤孫：〈敬悼先師陳援庵先生〉，《海遺叢稿》二編，頁83。

其實從辨偽學的角度來看，偽書本來就有程度的不同，不論是全部偽或部分偽，都可稱為偽書，因此也就需要進行辨偽工作。更何況還有後人連綴成文，藝術加工的地方，若不加以考辨，冒然接受，豈非囫圇吞棗，全盤信以為真？而漢人基於利祿的動機，本就有炮製偽書，以獵取利益的事例。牟氏方之輯佚，亦恐未盡然也。

四 結論

牟潤孫與其師顧頡剛在對待疑古辨偽的態度上有極大的差異，自始至終，牟潤孫從來沒有接受顧頡剛所倡導的疑古辨偽的學風，從這個角度來說，牟潤孫並非顧頡剛真正的學生，而只是名義上由他所指導的學生。因而也可以說，他從未真正進入「顧門」中，實非顧門弟子。但無論如何，名義還是存在的，而其在燕京大學國學研究所中也實實在在地接受過顧頡剛的實際指導，《顧頡剛日記》所留存的紀錄已足可說明一切。無論如何，這份師生情誼還是存在的，此所以牟潤孫終其一生仍以師禮對待顧頡剛。

但牟潤孫卻對顧頡剛辨偽疑古學風有所悖離，他們之間的學術關聯與交集，可說幾乎不存在，只存在不相契合的學術連結，而此就是其對顧頡剛疑古辨偽學風的批判。然而誠如顧頡剛另一位著名的弟子劉起釪（1917-2012）所認為的，顧頡剛最大的貢獻就在於「對歷史資料進行批判地審查的工作」，這個工作又正是現代史學必不可少的基礎。[65]因而即使如此反對疑古辨偽學風的牟潤孫，在從事相關學術研究工作時，也時有乞靈此術的時候。如他雖承認《春秋命曆序》所記載的帝王或氏族名號都是真實的，但對各帝王的世系年數以及次序傳承，他認為就現存的紙上材料，結合已出土的地下材料，仍尚不容易整理明白，作出清楚準確的斷定。[66]此豈非「對歷史資料進行批判地審查的工作」？又如其以為《漢書》〈高帝紀贊〉敘其先世由來諸語係出自附會，毫無足採。蓋班固所據者雖為《左傳》，《左傳》固非劉歆析自《國語》，然而文

---

[65] 劉起釪：《顧頡剛先生學述》（北京市：中華書局，1986年5月），頁155、276。
[66] 牟潤孫：〈中國早期文字與古史研究〉，《注史齋叢稿》，上冊，頁234。

公十三年《傳》「其處者為劉氏」一語，無論是否為後人所加，然士會至高祖之世系孰能詳之？[67]此亦豈非疑古辨偽態度之展現？由此看來，古書豈不能疑、不當疑？

---

67 牟潤孫：〈漢初公主及外戚在帝室中之地位試釋〉，《注史齋叢稿》，上冊，頁246。

十九世紀七、八十年代
中國書畫家的日本遊歷[*]

陳　捷

（日本）東京大學

摘要

　　十九世紀七十年代以後，中日兩國民間往來逐漸增多，兩國間書畫、古董商品的流通也繁盛一時。來自日本的旺盛購買力不僅擴大了上海書畫市場的需求，而且吸引了一批活動於上海地區的中國書畫家前往日本遊歷、賣畫。本文根據當時往來於中日兩國間的人物的日記、旅行記及通信、筆談記錄和新聞報導等資料，從東渡日本的背景、在日本的遊歷活動及中國文人、書畫家在日本的出版活動這三個方面對這一時期中國書畫家的日本遊歷進行考察，通過大量具體實例的分析指出，十九世紀七、八十年代中國書畫家到日本遊歷並不是個

---

[*] 本文最初是為二〇〇七年十月十八日至十九日在臺灣中央研究院近代史研究所召開的「日本在中國近現代美術體制發展中的角色」（The Role of Japan in the Institutional Development of Modern Chinese Art）工作坊撰寫的發言稿，後由Joshua A. Fogel教授親自翻譯，收錄於他主編的英文論文集 *The Role of Japan in Modern Chinese Art* (New Perspectives on Chinese Culture and Society, pp.13-41, Berkeley, Calif.: Global, Area, and International Archive, University of California Press, 2013.1)，日文稿「一八七〇─一八〇年代における中国書画家の日本游歴について」發表於《中国─社会と文化》第24號（2009年7月，頁161-178），中文稿曾收入日本關西大學文化交涉學教育研究中心和（中國）出版博物館編《印刷出版與知識環流──十六世紀以後的東亞》，pp.435-454，上海人民出版社，2011年），這次略有修改，並補入了日文本和中文本發表時因篇幅限制刪去的插圖。自一九九九年在中央研究院中國文哲研究所初次見到林慶彰教授，近二十年來，一直承蒙林教授指點提攜，獲教良多。僅以此小文敬賀先生七秩華誕。

別人物的偶然行為,而是在特定時代背景下的共同的行動選擇,有十分相似的共同特徵,是這一特別歷史時期的獨特的文化現象。

關鍵詞:近代中日文化交流　中國訪日書畫家　日本遊歷　近代旅行文化

　　十九世紀七十年代以後，中日兩國民間往來逐漸增多，兩國間書畫、骨董商品的流通也繁盛一時。來自日本的旺盛購買力不僅擴大了上海書畫市場的需求，而且吸引了一批活動於上海地區的中國書畫家前往日本遊歷、賣畫。關於十九世紀中葉以後訪日的中國書畫家的情況，以往雖然有以鶴田良武關於「來舶畫人」的系列論文為代表的研究[1]，但基本上屬於對個別書畫家有關資料的梳理。筆者認為，十九世紀七、八十年代中國書畫家到日本遊歷並不是個別人物的偶然行為，而是在特定時代背景下的共同的行動選擇，因此，有必要對他們赴日的時代背景和到日本以後的活動的共同特徵進行分析。本文擬根據當時往來於中日兩國間的人物的日記、旅行記及通信、筆談記錄等資料，對這一時期中國書畫家的日本遊歷進行考察。

一　十九世紀七、八十年代中國書畫家東渡 日本的背景

　　在江戶幕府長期施行鎖國政策的情況下，長崎港既是日本輸入中國物品的唯一官方通道，也是日本能夠直接接觸中國人並了解中國情況的唯一窗口。當時到長崎的中國商人已有一些通曉文事的人在經商的同時從事書畫活動，如伊孚九、江稼圃等人。鶴田良武根據彭城百川《元明清書畫人名錄》（1777年刊）「來舶諸子」和荒木千洲《續長崎畫人傳》（1851年刊）「來舶諸子」項統計，兩書著錄的「來舶畫人」除去重複共有一百三十一人[2]。在日本人不能到海外旅行的當時，他們的存在是日本人與中國人面對面直接交流的難得機會。一些長崎地區以外的文人學者也往往尋找機會到長崎，向他們了解來自中國的各種信息。他們的文事活動對中國文化在日本的傳播起到了積極的影響。

---

[1] 鶴田武良對江戶時代以後在日本進行書畫活動的「來舶畫人」有一系列研究。關於十九世紀中葉以後在日活動的畫人的研究有：〈陳逸舟と陳子逸——来舶画人研究四〉（《國華》第1044號）、〈王克三と徐雨亭——来舶画人研究六〉（《國華》第1070號，1984年），〈金邠について——来舶画人研究〉（《美術研究》第314號）、〈王寅について——来舶画人研究〉（《美術研究》第319號）、〈羅雪谷と胡鉄梅——来舶画人研究〉（《美術研究》第324號）等。

[2] 鶴田武良：〈来舶画人研究——蔡簡‧謝時中‧王古山〉，《美術研究》第312號。

　　直到幕府末年，除了薩摩、長州等南部大藩的走私貿易和個別日本人私自
違禁出海以外，這種情況基本沒有改變。我們在十九世紀六十年代以後的記錄
中看到的一些與日本人有文事往來的旅日中國人的身分仍然是船主、商人或者
是暫時前來避難的地方士紳。他們活動的地區也還是集中於長崎。例如蘇州人
陳子逸和蔣變鼎、梁溪人錢懌、乍浦人王克三和徐雨亭等都是如此[3]。蘇州人陳
子逸的父親陳允升（逸舟）自己也曾到過長崎，日本畫家瀧和亭、擅長書法篆
刻的豪商小曾根乾堂等均曾向他學習。陳子逸到長崎主要是為了躲避江南地區
的戰亂，他的朋友蔣變鼎字子賓，在長崎期間收集了了很多日本漢詩，準備編
輯日本漢詩選集。後年在蘇州見到長崎的漢方醫生岡田篁所時，蔣變鼎已經考
中舉人，成為蘇州地方的名流，還念念不忘請岡田篁所代為收集日本人著作[4]。
錢懌字子琴，到同治初年已經到過長崎五次，與當地文人學者有密切往來。岡
田篁所一八七二年（明治五年，同治十一年）到中國旅行時的目的之一就是訪
問錢懌。

　　到了十九世紀七十年代，這種情況有了很大的變化。首先，除了從事商
業、服務業和一些技術性行業的人以外，有不少文人、學者和書畫家以觀光遊
歷、教授漢學或者出賣書畫為目的前往日本。另一個變化是，前往日本的文人
書畫家們的活動區域從長崎轉移到神戶、京都、大阪和東京等地。發生前一個
變化的歷史背景首先是中日兩國之間關係的發展。十九世紀七十年代既是中日
兩國建立近代式國家關係的重要時期，也是近代以來兩國民間往來的出發點。
一八七一年，兩國締結了《中日修好條規》，翌年，日本在香港、福州和上海設
置了領事館，一八七三年，上海領事館改為總領事館。一八七五年二月，三菱
汽船開設了橫濱與上海之間的定期航路，兩國之間的往來比以前更加便利[5]。
一八七七年，受日本西南戰爭影響而推遲派遣日程的清國駐日公使團到達日

---

[3] 關於這一時期在長崎的中國畫家的活動，可參看注1所引鶴田武良的有關研究。

[4] 見岡田篁所：《滬吳日記》。關於該日記，可參看筆者：〈岡田篁所の《滬吳日記》につい
　　て〉，《日本女子大學紀要 人間社會學部》第11號，2001年3月。

[5] 關於日本近代在亞洲海運的發展，可參看片山邦雄：《近代日本海運とアジア》（東京都：御
　　茶の水書房，1996年3月）和松浦章：《近代日本中国台湾航路の研究》（大阪市：清文堂出
　　版，2005年6月）。

本，在東京增上寺設置了清國駐日公使館。在這樣的背景之下，中日兩國之間的民間往來不斷擴大，往來於兩國之間的人數逐漸增加。與日本之間各種人際關係和交流渠道的建立和旅行本身的便利化讓不少文人和書畫家們感到越海訪問日本不再是一件可望而不可及的事。而發生後一個變化的原因之一是，隨著日本在外國壓力下被迫開放神戶、橫濱等港口，特別是明治維新以後，長崎做為國際性貿易港口的重要性逐漸被神戶、橫濱等處代替，不少原來居住在長崎的中國人也轉移到神戶、大阪和橫濱等地[6]。更重要的是，能夠與赴日文人、書畫家們進行交流或者有可能成為他們書畫的欣賞者和需求者的新興政治家和隱居的舊幕臣、文人學者、書畫家、出版商以及各種商人、實業家們多聚集在作為政治和文化中心的東京、商業中心的大阪和傳統的文化中心京都，以這些大城市為落腳點，比較容易迅速地結識各界名流，建立各種人際關係，以便展開文事和畫事活動。

　　較早到達長崎以外地區從事文事活動的中國人中首先應該提及吳江人金邠。金邠字嘉穗，號篠菴，又號芷山。他接受尾州藩藩主的邀請，於一八七一年三月（明治四年二月）到名古屋擔任尾州藩藩校明倫堂漢學教授，尾州藩出身的明治漢詩詩壇重要人物森槐南、永坂石棣和畫家奧田抱生等都曾受過他的指導。一年之後，因明治政府在實行廢藩置縣的同時進行學制改革，金邠在明倫館只做了一年就被解聘，於一八七二年四月（明治五年三月）離開名古屋回國。金邠在日本有一些書畫作品傳世，還有他與日本學者談論畫事的筆談片段留下，可以從中窺見他與日本人進行交流的實際情形。此外，東京藝術大學附屬圖書館脇本文庫藏有刻本《篠庵金先生墨跡》一冊，由楷書千字文（紅印本）和以行書書寫的兩篇金氏的文章（墨印本）構成，是金邠書寫付刻的習字課本。金邠在長崎時與漢方醫生岡田篁所關係較為密切[7]，和春德寺住持畫家鐵

6　如廣東南海人馮鏡如就是一個典型的例子。他在太平天國戰亂中渡海到長崎，曾與長崎及到長崎遊歷的日本文人、書畫家有書畫方面的交流。後來轉到橫濱開設文經商店（又稱文經活版所），從事外國文具的銷售和印刷業，後年曾幫助梁啟超出版《清議報》，又支持孫文的革命活動，擔任橫濱興中會會長。

7　見岡田篁所：《滬吳日記》卷下，第4葉b-第5葉a，第34葉b。

翁禪師也有往來，在京都時與畫家富岡鐵齋有過交往，並曾經為鐵齋刻印[8]。

由於金邠在名古屋任教時間只有一年，活動範圍與人際交往都比較有限，在日本留下的記錄也寥寥無幾。和他相比，另一位接受明治政府聘用到東京外國語學校任教的葉煒顯然有更大的影響。葉煒號松石，浙江嘉興人。受日本駐上海總領事館推薦赴日，於一八七四年（明治七年、同治十三年）二月至一八七六年（明治九年、光緒二年）七月擔任東京外國語學校的外國人教師[9]。在此期間，他與日本漢詩文界的名家森春濤、小野湖山、中村敬宇等都有親密交往，森春濤主持的明治時期最重要的漢詩文雜誌之一《新文詩》刊登的詩文常常可以看到他的評語，可見他與該雜誌的密切關係。一八七六年任滿回國前，東京的日本友人連日為其舉辦送別宴會，回國途中路過京都、神戶等地時寫下的詩作以及日本友人和不曾謀面的讀者們的唱和詩立刻被刊登在《朝野新聞》、《郵便報知新聞》等大報上，《新文詩》還為其出版了一期送別專輯，成為東京詩壇的一段佳話。葉煒回國以後將他與日本友人的唱和詩與往來書信匯為一冊，取名《扶桑驪唱集》，後來在南京刊刻出版。回國四年之後的一八八○年（明治十三年、光緒六年）夏，葉煒再次自費到日本遊歷。這次他主要在關西地區活動，先住在大阪，第二年春天移居京都，後因罹病回到大阪療養，直到一八八二年（明治十五年、光緒八年）二月回國[10]。

與金邠、葉煒受聘前往日本教學不同，廣東番禺畫家羅清是較早自費到日本賣畫的例子。羅清號雪谷，大約在一八七○年（明治三年）到一八七一年（明治四年）秋天赴日，一八七五年（明治八年）十月以後寄住東京淺草元淺草寺境內森田六三郎家，以賣畫為生。一八七六年（明治九年）秋至一八七七

---

8 關於金邠在日本的活動，可參看鶴田武良：《金邠について──来舶画人研究》（《美術研究》第314號）。

9 葉煒的前任周愈（號幼梅）也是蘇州出身的畫家，明治六年（1873）八月到明治七年（1874）一月在東京外國語學校任教，解聘後留居日本，下文提到的孫點於一八八七年（光緒13年）在東京見到他說他客扶桑二十年，已垂垂老矣。不過周愈有吸食鴉片的惡習，日本人對其學問評價較低。

10 關於葉煒在日本的活動及其與日本文人的交往，請參看拙著《明治前期日中学術交流の研究──清国駐日公使館の文化活動》第一部第一章〈清国公使館設置以前の日中民間往来と文化交流〉（東京都：汲古書院，2003年2月）。

年（明治十年）夏之間回國[11]。羅清以畫指頭畫著稱，作畫時以指代筆，在指甲中藏少許棉花蘸墨，所畫蘭竹頗受顧客喜愛。明治時期東京著名的遊樂園淺草「花敷屋」創建者山本金藏的長子、江戶·明治文化研究者山本笑月在其《明治世相百話》中〈舊日深山五名人 怪人·奇人和通人〉一節中回憶舊時淺草公園觀音堂西側的五位著名的奇人時云：

> 又有中國畫家羅雪谷，善作指頭畫。以小指指甲蘸墨畫山水花鳥，皆俗畫也。有小犬頗可愛，主人彈月琴，則必坐其前，頻頻點頭，作歌狀。怪人之犬亦怪也[12]。（原為日文，筆者譯，以下同）

從這段記錄可見，羅清在當時曾經是淺草一帶的知名人物。他的指頭畫雖然被山本笑月評為「俗畫」，但是因為畫法獨特，所以頗為時人矚目，畫的銷路似乎也不錯。根據前引東京《都市紀要》所附〈自明治四年至明治九年末居留地外居住外人表〉，羅清寄住元淺草寺境內森田六三郎家時登記的職業是「書畫傳習」，也就是傳授書畫。《東京曙新聞》明治十二年五月十九日報導云：

> 淺草公園一帶自清人羅雪谷作指頭畫，漸漸傳染。仙媒刻者管原雪齋近日亦作指頭畫，同地之席畫屋吞海得雪齋傳授，亦開始作指畫矣[13]。

日語中「仙媒」一詞指將茶葉由茶筒移入茶壺時使用的茶匙，「仙媒刻者」當是在茶具上雕刻字畫的藝人，「席畫屋」則是以當眾即席作畫的方式賣畫的藝

---

[11] 關於羅清，可參看實藤惠秀：《近代日中交涉史話》（東京都：春秋社，1973年），頁122；鶴田武良：《羅雪谷と胡鉄梅——来舶画人研究》，《美術研究》第324號（1983年6月）。寄居元淺草寺境內森田六三郎家的記錄見《都市紀要（4）：筑地居留地》附表A〈自明治四年至明治九年末居留地外居住外人表〉，日本東京都情報聯絡室，1957年。

[12] 引自〈その昔奧山名物五人男 変人·奇人·通人ぞろい〉，山本笑月：《明治世相百話》（東京都：中公文庫，1983年）。

[13] 見《東京曙新聞》明治十二年五月十九日。據筆者查考，這位管原雪斎還編有《下野誌略》，可見他在史地方面也具有一定學識。

人。由此可知，羅清的指頭畫頗有影響，周圍的日本手工藝人和民間畫家也開始效仿。羅清到東京時，居住在外國人居留地以外的中國人還很少，所以時常有日本人請他為自己的出版物題詞作序。早稻田大學圖書館藏《大河內文書》中的《羅源帖》十八卷，記載了一八七五年至一八七六年舊藩主大河內輝聲（源桂閣）與羅清的筆談，可以從中了解他與日本人交往的基本情況。

　　金邠、羅清和葉煒都是在清國公使館設立之前到日本的。與羅清、葉煒先後到東京並有書畫方面活動的還有自一八七五年（明治八年）十一月在東京通旅籠町製筆商高木五郎兵衛處傳授製筆技藝的馮畊三，此外還有王仁乾（惕齋）、王治本（桼園）、王藩清（字體芳，號琴仙）等浙江慈溪王氏的族兄弟們。日本西南戰爭以後，社會趨向穩定，到一八七七年（明治十年）以後，上海的文人、書畫家圈內開始經常談論去日本的話題。特別是王寅（冶梅）[14]、衛壽金（鑄生）等與上海文人關係密切的人訪問日本以後，不少人躍躍欲試，希望效仿他們的榜樣。《朝野新聞》明治十三年四月十三日刊登到上海經營藥店樂善堂的岸田吟香給該報主筆成島柳北的書簡中說：「支那文人言欲往日本者甚多，皆以至日本則必可獲大利，實可笑也。」[15]這時候的上海文人圈裡，似乎興起了一股小小的「出國熱」。秀水人陳鴻誥（曼壽）、桐城人胡璋（鐵梅）、上文談到的葉煒以及他的友人郭宗儀（少泉）等，都紛紛前往日本。成島柳北主持的《朝野新聞》陸續刊登岸田吟香從上海寫給日本友人的通信，隨時報導這些書畫家們的最新消息。如關於陳鴻誥，岸田吟香寫到：

> 有蘇州人曰陳曼壽者，將往日本，擬先遊覽京阪之後赴東京。此人頗有學問，亦能詩，最擅隸書、篆刻。已求小生致書東京諸大家，請為之宣傳介紹。[16]

---

14 鶴田武良據王寅光緒十五年為京都鳩居堂主人熊谷古香畫《平林煙雨圖》跋「前十有二年，余遊日本京都，深荷古香熊谷先生適館授餐，款待殷勤，中心銘感，無日忘之」之語和光緒三年二月在上海作《篤義行樂圖》，推測王寅第一次到日本應該在光緒三年（明治十年，1877）。見《王寅について——来舶画人研究》，《美術研究》第319號。

15 〈上海ノ岸田吟香翁ヨリ柳北ヘ贈リシ書簡〉，《朝野新聞》明治十三年四月十三日論說欄。

16 〈上海ノ岸田吟香翁ヨリ柳北ヘ贈リシ書簡〉，《朝野新聞》明治十三年四月十三日論說欄。

陳鴻誥是葉煒和衛壽金的朋友，在葉煒的影響下，曾多次計畫東渡日本，皆未能實現。這一次在衛壽金幫助下終於順遂了心願[17]。和很多到日本遊歷的人一樣，陳鴻誥在出發前也請在上海的日本人向日本的名人們寫了介紹信。岸田吟香在介紹陳鴻誥的特長時說他是有相當水平的學者，能詩，最擅長隸書和篆刻。正如下文將要提到的，岸田吟香對陳鴻誥的這些議論後來也影響到日本文人對陳鴻誥的評價。

在同一封書簡中，岸田吟香還談到胡璋（鐵梅）也計畫赴日的消息。

> 曼壽之外，又有畫工名胡鐵梅者，近日亦將往日本賺錢。（中略）鐵梅於上海畫家位居第三，擅畫芋塊山水，亦能畫花卉。據云於此地求其畫全紙山水潤筆洋銀二元，花卉一元至一元五。恐其至日本後大吹法螺，故特為報知。然較之以往赴日之畫工，或略佳乎！[18]

鶴田武良根據岡田篁所《修竹樓座右日記》明治十二年（1879）七月十八日有人告訴篁所「名畫手」胡鐵梅將於八月中到長崎的記載，認為胡璋可能在是年八月中旬以後接近八月末的時候到達日本。如果是這樣，則胡璋前一年已經到過日本。岸田吟香評論胡璋在上海畫界位居第三，擅畫山水和花卉，還把胡璋在上海的潤格告訴日本友人，以防他到日本以後自我吹噓濫要高價。不過他也承認，胡璋比以前去日本的畫工水平要高一些。

在刊登了這封書簡的一個多月以後，《朝野新聞》明治十三年（1880）五月十九日又登載了岸田吟香的另一封來信，報導了葉煒和郭宗儀（少泉）也將東渡的消息：

---

17 陳鴻誥為葉煒《扶桑驪唱集》題辭中有「笑我遠行何日送，年年辜負苦吟身」之句，並自注曰：「鴻誥屢擬有日本之遊，至今未果。」在《申報》上登載的詩作和後來在日本刊刻的詩集《味梅華館詩鈔》收錄的一些作品也表達了他對赴日遊歷的迫切願望和如願以償時的興奮心情。

18 〈上海ノ岸田吟香翁ヨリ柳北ヘ贈リシ書簡〉，《朝野新聞》明治十三年四月十三日論說欄。

> 此番葉松石再次東遊，本預定乘坐今晚出帆之高砂丸號，然旅費未能湊
> 齊，將延至下一船期。有書家名郭少泉者亦將同行。此人雖以墨蘭張門
> 戶，然並非特別著名，在書家之中屈居末指。然性情溫順，為人所愛，
> 即在上海亦多見其書作。[19]

從這段報導可知，葉煒這次東渡前的經濟狀況相當窘迫，因為沒有籌措到旅
費，只好等下一班船期。計畫與葉煒同行的書畫家郭宗儀是葉煒和陳鴻誥的好
友，岸田對他的繪畫和書法評價都不甚高，但是認為他性格溫順可愛。一八八
三年（明治十六年）年末岸田吟香到蘇州、杭州旅行時，就是郭宗儀陪同岸田
一路前往，給岸田許多照顧[20]。

　　岸田吟香的書簡不僅傳達了文人、書畫家們赴日前的具體情況和同時代人
對他們的評價，而且讓我們感受到，在當時的上海，確實有一種文人、書畫家
紛紛要到日本遊歷的氣氛。那麼，促使這些文人、書畫家們爭相赴日的原因是
什麼呢？

　　從當時中國國內的背景看，十九世紀中期以後上海逐漸發展為江南地區最
重要的商業都市，書畫界的市場化傾向也逐漸明顯。隨著書畫的商品化，以出
賣書畫作品為生的職業書畫家逐漸增多。此外，為了躲避太平天國的戰亂，很
多江蘇、浙江地區的士紳移居上海，其中一部分文人因失去原有財產，只能靠
出賣書畫維持生計。對於很多文人和書畫家來說，文章和書畫首先是他們養家
糊口的手段。岸田吟香在給友人成島柳北的另一封信中說：

> 支那人筆下往往記風流韻事、閑雅淡泊，然毫無風趣之俗事、不風雅事
> 之多，往往出人意外。商人原本如此，即所謂紳士文人書畫家者亦一概
> 只帶銅臭。（中略）舉一例而言：大堂幅山水洋銀十六圓、花卉洋銀十
> 二圓、中堂幅幾許、其他四條幅對聯云云，小紙片一尺四角幾許、七寸

---

[19] 〈淡淡社（舊一圓吟社）諸君への書簡〉，《朝野新聞》明治十三年五月十九日。

[20] 岸田吟香：〈吳中紀行〉，《朝野新聞》明治十七年二月二日至同年四月二十六日，其中三月十
　　三日題為〈蘇州紀行〉。

則若干、五寸角紙則五十錢等等，均有定價。紙幅略寬出一寸，即以尺相測，加潤筆之價矣。求書畫者亦討價還價，然輕易不得降也。即張子祥、胡公壽等名人亦如此。[21]

在岸田吟香眼中，在當時的上海，書畫已經完全成為商品。著名書畫家也用紙張尺寸來衡量作品價值，像商人一樣斤斤計較潤筆多少，連張熊（子祥）、胡遠（公壽）這樣有名的人物亦不例外。顧客一方則毫無顧忌地直接討價還價，如同購買普通物品。岸田吟香所目睹的這種與「風流」「閑雅」完全乖離的上海書畫界的狀況在上述歷史脈絡中纔比較容易理解。

在上海書畫市場形成和發展過程中，來自日本的對中國書畫和文物的大量需求構成了一種極為有力的刺激。

自日本取消禁止民間人士出海的禁令以後，每年都有一些骨董商前往中國收集購買書畫、文物，因各種目的到中國的日本人也會或多或少地購買一些中國文物和書畫帶回日本。在早期到中國從事考察、貿易或遊歷的日本人的日記和旅行記中，常常可以看到有中國人到他們的住處兜售文物書畫的記載，而拜訪當地書畫家和到骨董店、書畫店購物，也是中國旅行中必不可少的安排[22]。關於當時前往中國收購文物、書畫的日本商人的情況，岸田吟香在他的上海通信中是這樣描述的：

年年自日本來上海之骨董商人甚夥，其中著名者有長崎人佐野瑞巖、野口三次郎及其他二三人。據云去年一年向支那支付骨董貨款達十八萬

---

21 〈吟香翁ヨリ柳北ヘノ書簡〉，《朝野新聞》明治十三年三月十四日雜錄欄。

22 可參看高杉晉作：〈遊清五錄〉（《日本近代思想史大系—開國》東京都：岩波書店，1991年）、名倉敦：〈海外日錄〉《支那見聞錄》（東洋文庫藏抄本，小島晉治監修《幕末明治中國見聞錄集成》第11卷影印，東京都：ゆまに書房，1997年6月）、納富介次郎：〈上海雜記〉、日比野輝寬：〈贅肬錄〉（東方學術協會《文久二年上海日記》，大阪市：全國書房，1946年5月）、高橋由一：〈上海日記〉（青木茂編：《高橋由一油畫史料》，東京都：中央公論美術出版，1984年3月）、岡田篁所：〈滬吳日記〉、上田久兵衛的日記（陳捷：〈一位日本武士眼中的中國——上田久兵衛的中國旅行記〉，《中日文史交流論集——佐藤保先生古稀記念》，頁53-85，上海市：上海辭書出版社，2005年9月）等。

圓。大抵每人攜來貨款多則二三萬圓，少則三四千圓。[23]

聞近來支那人中亦頗有專替日本人收集骨董以為生計者，或為日本人之
手下，於揚州、蘇州及內地其他地方各處走動。日本人亦與其同行，身
著日本服，頻頻探訪古器古玩。有一夫婦常相伴自西京來上海，接受京
都、大坂顧客訂貨，收購骨董後寄回。今夜將有一人出發赴揚州，據稱
亦為前往求古物者。[24]

某支那人再三見告曰：自西京、大坂、長崎等地來上海收購骨董者常在
七八人至十人左右，其餘至揚州、姑蘇、金陵、常州府、湖州等處，以
高價收購香爐、花瓶及茶碗碎片者，一年大約三四十萬圓。是皆因日本
○○大人愛玩，故至此之極，敝以為誠無益之至也。[25]

根據岸田聽到的議論，有人說日本人明治十二年（1879）在中國購買骨董的資
金為十八萬圓，也有人說每年購買骨董資金有三、四十萬圓。儘管對具體金額
有不同看法，但可以肯定的是，有不少日本骨董商以上海為落腳點，在揚州、
蘇州、南京、常州、湖州等地大量收集文物，而且出現了以幫助這些日本骨董
商收集文物維生的中國人。在當時中國人的著作中，也可以看到對日本骨董商
人活動的零星記錄和關於日本人嗜好中國書畫文物的記載。例如圖文兼備的上
海導遊書《申江名勝圖說》中便有〈東賈搜奇留心辨偽〉一圖（圖一），描繪
了日本商人在上海搜求古物的情形，並介紹說日本「國中大抵好書畫，嗜金
石。士大夫家收藏既富，輒能別其真偽，品其高低。苟當其意，雖片石寸縑，
千百金亦所弗吝，必購歸之。」[26]這一評價，可以代表當時在上海搜購中國書
畫文物的日本人給周圍中國人留下的印象。

---

[23] 《朝野新聞》明治十三年（1880）二月二十一日。

[24] 《朝野新聞》明治十三年（1880）二月二十二日。

[25] 〈上海ノ岸田吟香翁ヨリ柳北へ贈リシ書簡〉（續）《朝野新聞》明治13年（1880）4月14日。

[26] 《申江名勝圖說》，清光緒十年（1884）海上樣雲館刊本。

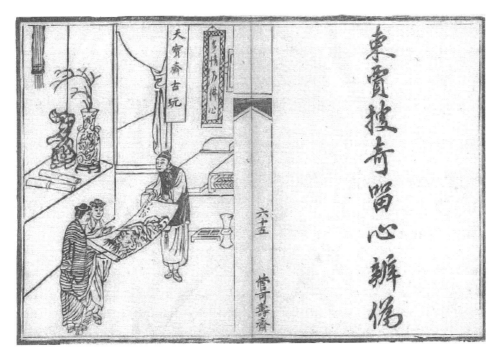

圖一　〈東賈搜奇留心辨偽〉　（《申江名勝圖說》卷下）

　　從以上論述可知，到上海等地收集中國書畫文物顯然已經不是幾位有中國趣味的文人墨客或少數骨董商人的個別行為，書畫文物已成為日本從中國進口貿易中的一項重要商品。岸田吟香曾經在其上海通信中說：「日本人來支那經商者多困於無利可圖。三井及廣業商會或有不同，其餘除妓女之外均無利潤。」[27]參照岸田吟香的這段報導，更能清楚地了解書畫文物生意在當時中日貿易中的地位。

　　日本骨董商人們之所以頻繁出入上海，不惜一擲千金地收購古物，是因為日本國內市場對中國書畫和文物的需求很大，從中國購買古物回國轉賣的商業利潤豐厚。岸田在《朝野新聞》明治十三年（1880）二月二十二日的通信中寫道：

27　岸田吟香：〈滬遊雜報〉，《東京日日新聞》明治十三年二月二十四日。三井及廣業商會均有日本政府的背景，故與一般民間商人情況不同。

此事難有終止，究其原因，去年秋有長崎人於蘇州附近購得土中所出周
代古銅盤，盤中有蟾蜍之形。持歸日本，以六百圓賣與大坂某舊貨店，
然其原價僅不足百圓云。由長崎前往上海之骨董商人往往始自一二千
圓，不久即攜帶上萬圓巨款，一年之中往來數次。[28]

從岸田舉出的這個具體實例看，長崎商人在蘇州用不到一百圓購得的一件周代
銅盤，帶回日本後在大阪竟賣到六百圓。骨董商人們最初僅從一、二千圓做
起，不久以後就可以帶著上萬圓的資金每年數次往返於長崎與上海之間。儘管
岸田吟香認為這些骨董商人的行為「誠無益之至」、「雖為盛行之商法，於日本
則絲毫無益也」[29]，但他也不得不承認這股骨董熱毫無降溫的跡象。

在日本的中國骨董市場擴大的同時，對中國當代書畫的需求也頗為可觀。
在給成島柳北等人的信中，岸田吟香對當時上海書畫家的情況與日本人的需求
也有具體的描寫：

此地畫家以張子祥名氣最大。胡公壽名聲則不及其在日本，乃只顧抽鴉
片、白天一直昏睡之污穢老人也，故評價甚惡。書家則以吳鞠潭、湯壎
伯、褚平巖、蔣幼節（亦能治印）等人為上，其中鞠潭最善。近來赴日
本之衛鑄生於上述諸人中屬下等。又有胡鐵梅、朱夢廬、楊伯潤等，乃
近日來上海者，皆善畫，然潤筆則大不如日本，與染坊染布同格也。[30]

近年如衛鑄生等輩低水平先生購買下等船票前往日本，大賺其錢而歸。
恰逢上海近日生絲茶葉生意不景氣，書畫潤筆不如人意，故人人爭言欲
往日本欲往日本。然此事之罪皆在日本人缺乏見識。（中略）近日於本
地本願寺別院聞言，凡日本人於上海所求字畫，其潤筆均開特別高價。
此皆自日本歸來之書畫先生所商定，照其在日本所收潤筆改訂舊格，且

---

28 《朝野新聞》明治十三年二月二十二日。
29 《朝野新聞》明治十三年二月二十二日。
30 〈吟香翁ヨリ柳北ヘノ書簡〉，《朝野新聞》明治十三年三月十四日雜錄欄。

為他日再遊日本時地步云。如此之事或有之。凡書畫骨董店舖似皆專為東洋人裝飾佈置也。[31]

從這些敘述可知，当時日本人對上海書畫家作品需求量很大，上海書畫家的作品在日本可以得到比在中國國內高得多的潤筆。如衛壽金這樣在國內評價並不太高的書畫家在日本卻能獲得豐厚的收入，這給很多文人、書畫家提供了一個極富刺激性的啟示。特別是當時上海的生絲和茶葉貿易正處於不景氣的時期，以商業繁榮為後盾的書畫市場也受到影響。在這種情況下，到日本遊歷既可豐富經歷，增加見聞，又有可能獲得經濟上的收益，這對上海的文人、書畫家們自然具有很大的吸引力。岸田諷刺說，上海的書畫家們紛紛想去日本賺錢，「其罪皆在日本人之缺乏見識也」，點出了上海書畫家遊歷日本的願望與日本人對中國書畫需求之間的關係。岸田轉述他在日本東本願寺上海別院聽到的議論說，當時在上海為日本人作書畫時要求的報酬會高出一般的潤格，這是因為曾到日本的書畫家們按照他們在日本的收費標準調整潤格，這樣做的目的之一也是為以後再到日本遊歷賣畫時作準備。岸田還提到當時書畫骨董店的擺設裝飾也都完全迎合日本人，可見來自日本的需求對當時上海書畫骨董市場的重要性。

二　在日本的遊歷活動

以上，我們考察了十九世紀七八十年代中國文人、書畫家嚮往東渡日本的歷史背景。那麼，當夢寐以求的東渡終於實現的時候，這些文人、書畫家們是如何度過他們在日本的日子的呢？以下從三個側面考察他們在日本的活動。

（一）與日本各界人士的交往

從赴日文人、書畫家們的自述和岸田吟香等人的證言可知，他們到日本的主要目的是希望在增加閱歷的同時，通過各種文事、畫事活動獲得經濟上的收

31　〈岸田翁書簡ノ續〉，《朝野新聞》明治十三年（1880）四月十四日論說欄。

益。由於當時為人寫字作畫沒有專門的經紀商，主要方式是通過熟人介紹或參加在大城市或地方上舉行的各種書畫會。為了達到贏利的目的，首先要結識日本各界人士，提高在日本的知名度，建立廣泛的人際關係網絡。赴日的文人、書畫家們之所以能夠成行，大多是靠熟悉的日本人或先到日本的朋友的幫助，在東渡之前要去拜見在中國的日本人以及和日本有聯繫的人並請其代為介紹。臨行前還會有各種辭行與送別活動，有關的詩文有時刊載於報章。例如衛壽金赴日前就有不少辭行、送別的聚會，其中一些詩作陸續刊登在《申報》上，如光緒四年十月二十二日《送衛鑄生之日本》、十一月十三日《送衛鑄生游日本》、十一月二十七日《大江東去・送衛鑄生詞長之日本》），直到光緒五年正月初六日，《申報》還刊載了陳鴻誥之子陳善福的《即席送衛鑄生之日本》。這些活動除了感情和禮儀方面的因素以外，還可以建立一些和日本的新的聯繫，獲得各種有關日本的信息。

到日本之後，他們一般是以東京、大阪、神戶或京都為立足點，通過朋友介紹，參加各種日本文人的聚會、宴集，拜訪各界人士，逐步建立和擴大在日本的人際關係網絡。例如陳鴻誥一八八〇年四月九日（光緒六年三月一日、明治十三年）乘高砂號（陳鴻誥寫作「禿格薩谷」乃「高砂」TAKASATO 之譯音）出發前往日本，經長崎、神戶到達京都，住在鴨川旁邊的曉翠樓。四月十九日（舊曆三月十一日），他和衛壽金、朱季方（印然）等人同遊諏訪山。當時，衛壽金和朱季方住在大阪，在京都的中國書畫家除了陳鴻誥以外，還有慈谿人馮澐（號雲卿）和王寅。馮澐和王寅同住在與曉翠樓相距不遠的京都第三十一組河原町三條上下丸屋町的旅舍松村屋[32]。不久以後，陳鴻誥在旅舍結識了

---

[32] 李筱圃《日本紀游》記載：「四月初三日庚子，鼎泰號友朱季方與常熟衛鑄生名金來候。鑄生工書法，客游於此者。（略）是夜宿大阪。初四日辛丑，早飯後與胡小蘋同乘輪車至西京。（略）至上京第三十一組河原町三條上下丸屋町松村屋客寓。會浙江慈谿人馮澐，號雲卿，以工書客此。（略）是夜宿松村屋客寓。樓上無卓椅，地有絨毯，坐臥皆於是，而屋宇修潔無纖塵。同寓有江寧人王冶梅，鄰寓有嘉興陳曼壽，皆以工書善畫客遊於此。中國人之寓日本西京者祇此馮、王、陳三人而已。」按李筱圃到日本的目的是觀光遊歷，根據他的《日本紀游》，他光緒六年三月二十六日從上海出發，二十九日到達長崎，以後乘船經神戶、橫濱到達東京，於五月十一日回到上海。

詩人原田西疇，又認識了與曉翠樓一巷之隔的退享園草堂主人、著名詩人江馬天江，「數數相往來，詩酒交歡，幾無虛日。蓋二人相得莫逆，類乎有夙契者焉。」[33] 此後，著名詩人小野湖山也從東京來到京都，陳鴻誥恰好帶著岸田吟香寫給小野湖山的介紹信，兩人相見甚歡。由於原田西疇的熱心努力和小野湖山的推重，這年夏天，由原田西疇選錄的陳鴻誥詩集《味梅華館詩鈔》二卷由前川善兵衛在大阪出版。這本薄薄的詩集，為陳鴻誥以後在日本的活動奠定了基礎（圖二）。

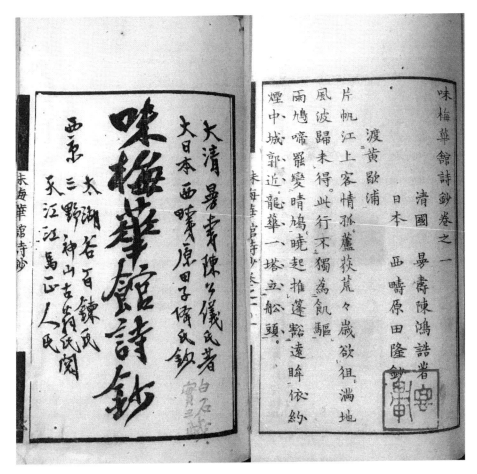

圖二　陳鴻誥撰　原田西疇選錄《味梅華館詩鈔》封面及卷一卷端

---

[33] 江馬天江：《味梅華館詩鈔》跋。

　　明治時期著名的文學家依田學海於明治十八年（1885）四月十五日出發周
遊東西兩京、奈良、大阪等地，並將沿途所作紀行文請畫家配圖，編成《學海
畫夢》二卷，由片桐正氣（楠齋）評點，於同年十月出版。該書卷之上最後的
〈南都懷舊〉配有胡璋《春日山圖》，卷之下配有朱季方繪《舞灣觀松》，卷之
下《近水鬭詩》則記錄了四月二十八日在與大阪的外國人居留地一江之隔的片
桐楠齋的近水樓舉行詩宴時日本文人與中國人朱季方、黃超曾（吟梅）、衛壽
金、胡璋等飲酒作詩的場景和當時的詩作。堀西米中所繪的插圖生動地描繪了
詩人們各自凝神沈思的情形，可以幫助我們想像到日本的中國文人經常參加的
詩會的場面（圖三）[34]。活躍於大阪的畫家森琴石的《浪華大川端　詩會圖》
則描繪了在大阪大川端附近舉辦的另一次詩會，可以和《學海畫夢》中的〈近
水鬭詩〉相參看（圖四）[35]。

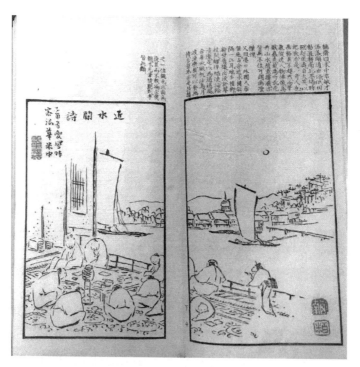

圖三　堀西米中〈近水鬭詩〉　　（依田學海《學海畫夢》卷下）

---

[34] 依田學海：《學海畫夢》二卷，片桐正氣評點，大阪市：湯上市兵衛出版，1885年（明治十八
　　年）10月。

[35] 私人藏。浪華是大阪的別稱。

圖四　森琴石〈浪華大川端 詩會圖〉（私人藏）

《學海畫夢》中片桐楠齋對朱季方《舞灣觀松》的評語說：「朱君印然畫出於胡公壽，詩書並佳。以其寓與余近水樓相邇，來往殊多。來必鬪詩，往必論畫，所謂天涯之一知己也。可憐硯田不稔，遂去浪華。」從片桐楠齋的評語看，朱季方雖然和一些漢詩人有很密切的交往，但是在大阪的收穫仍不如人意。關於朱季方不受歡迎的原因，片桐楠齋評點說：「朱君雖風度灑落，筆墨遒鍊，而商氣未免，詩畫動任放縱，竟不為高人所愛。今之華人概皆此類，不獨印然也。」可見他的商人習氣影響了他詩畫的人氣。

　　到日本的中國文人、書畫家們在自己的著作中很少提到他們是如何開展自己的「業務」的。但是從現在傳世的一些他們與日本文人、書畫家之間的書信和筆談記錄中則可以窺見當時的情形。如森琴石與一位姓名無可考的中國書畫家的筆談中有以下對話（圖五）[36]：

---

36 森琴石與中國書家筆談資料。關於此項資料的詳細內容，擬另撰文介紹。

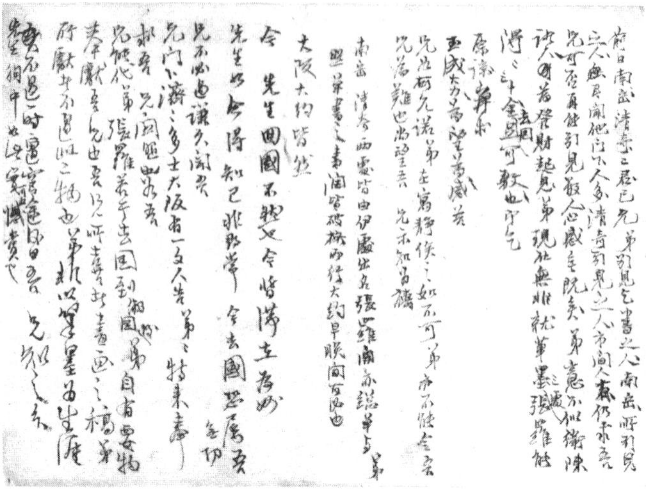

圖五　森琴石與中國書家筆談資料（私人藏）

清人：弟□心感，總求觀照。容日修函奉答再命賜。敬佩敬佩。弟暫
　　　別。前日清奇、南嶽二人皆由他處匯單與弟命書之。

琴石：對聯敬求六朝法書，款賜北島華谷[37]。華谷弟門人也。潤單破
　　　照，伏希交際。六朝，請裁之。

清人：華谷對一付，弟去寓隨後書之。行書六十錢可。如書四五付，每
　　　付六十錢可。請吾兄門生乞書亦照單可否？如吾兄多多引見，照
　　　破格之潤無妨也。

琴石：□華谷商議，後日可布也。

清人：無論橫直條對聯各件，如書潤尚四五金。每枚照破格八十錢，至
　　　少至少，敬候尊示。

　　　並請不出金，如能有好貨賣也。只要能敷去國費，弟足矣。定然
　　　大力。弟知貴門人多，總求春風多多照應。吾兄所說定書潤，〔
　　　遵〕（尊）命也。至於對聯漢碑文，弟亦可書之，更勝於□也。
　　　獻吾兄又何妨也。比前日奉獻直條更妙也。

　　　四五體字弟能書。前日草□只說四體，猶有一體，弟未嘗言之，
　　　恐貴國不認頭也。因吾兄法家，以實告之。弟不貪財也。

---

[37] 北島華谷，名熊三郎，元治元年出生於攝津的畫家，是森琴石的弟子。

如吾兄能照應，貴門人能得十餘金，弟加意書□矣。碑文對聯奉吾兄法家，一見必得意也。漢碑文正格，衛、朱、王諸君不過一家而已。弟四五家，不□金為何？有好貨買也。

吾兄大力，果如此照應，弟後日定書漢碑對聯一付奉獻老兄也。弟在寓靜候好音示我，暫告別。請吾兄約在幾日間達知弟處，弟即便過訪也。

琴石：頃日我皇帝明日來阪，市街人心多事，故風流甚雜風之秋。待今暫謀門弟子，可告好音也。

清人：既吾兄過愛，弟遇有知己也。弟意欲與吾兄共蘭誼，未知吾兄意見如何。望攀之至。弟意欲與吾兄訂盟，吾兄為何□。

琴石：訂盟者可共至交也。至交者即心交也。□然。

清人：既蒙過愛，後日弟奉呈盟書，高攀吾兄也。

清人：前日南嶽、清奇二君已允弟引見乞書之人。南嶽所引見之人耳聞他門下人多，清奇引見之人市間人。

有仍求。吾兄可否再能引見，鄙人心感無既矣。弟意不擬衛、陳諸人為發財起見。弟現在無非就筆墨三處張羅，能得二三十金去國足可敷也。即乞原諒。□求玉成大力，為望為感。吾兄如可允諾，弟在寓靜俟之。如不可，弟亦不能令吾兄為難也。尚望吾兄示知為禱。

南嶽、清奇兩處皆由伊處出名張羅，開〔一〕（亦）總單與弟，照單書之。書潤皆破格而行，大約早晚間可〔畢〕（必）矣。

琴石：大阪大約皆然。

今先生回國，不然也，今暫滯在為妙。先生如今得知己非□常。今去國恐屬無功。

清人：吾兄不必過謙。久聞吾兄門下濟濟多士。大阪有一文人告弟，弟特來奉求吾兄觀照也。如吾兄能代弟張羅若干去國，到敝國後，弟自有要物奉獻吾兄也。吾兄所喜者，書畫之稿。弟所獻者，不過此二物也。弟非以筆墨為生涯，不過一時遭窮途。後日吾兄知之矣。

森琴石字吉夢，初號蘆橋，後改為琴石、栞石，又號鐵橋、雲根館等，畫室名聽香讀畫廬。師事南畫家鼎金城，明治十年代在大阪以「響泉堂」之名從事銅版畫創作，從繪製地圖和小說、詩文集、導遊書、辭典、教科書等各種日常用書的插圖到編輯出版名人畫譜、書畫入門書，獨立編輯或參與繪刻的書籍達一百種以上。他和王寅、衛壽金、朱季方、胡璋等都有密切的交往，還曾經長期留胡璋在他家寄住（圖六）。

圖六　胡璋〈森琴石三十八歲小像〉（私人藏）

當時，在大阪、神戶一帶活動的中國書畫家經常求助於他的介紹。這位不知姓名的書畫家顯然也通過森琴石的介紹從他的弟子們那裡拿到了訂單。此人在筆談中表現得十分窘迫，森琴石一方面熱心地為他介紹顧客，一方面建議他到地方旅行尋找機會（見下文），不要急著回國。

（二）到日本地方遊歷

由於東京、大阪、神戶和京都等城市的需求在一定時期內會達到飽和，書畫家們有時需要離開大城市到地方旅行，以開拓更多的機會。文人和書畫家到地方巡迴是日本江戶時期就有的現象，明治時期也仍有不少這樣的事例。如漢學家岡千仞到北海道的遊歷、書法家日下部鳴鶴到全國各地指導書法的旅行等。森琴石與上面那位中國書畫家筆談時也曾建議他到關西各地去，並舉自己和王治本等人的例子現身說法，答應為其介紹知己：

> 琴石：此地同上海，商買專之地，風流無雅士，故文墨之士居住甚難。
> 　　　先生乞官得內地旅行免狀，關西諸州遊行，實為妙。弟盡力弟之
> 　　　知己紹介，筆業盛隆，又黃白收納之，可為周旋也。
> 　　　先生我國通常之語曰：一日早為（得）習耳。
> 清人：關西諸州在何處？
> 琴石：四國，阿波國、讚岐國、土佐國、伊豫國曰四國。中國則山陽
> 　　　道、山陰道、九州，以此曰關西。貴國之人王治本君去年在伊豫
> 　　　州與弟同州同客，甚筆事盛。今現在山陽道馬關，亦筆事隆盛
> 　　　也。一昨年治本翁游於此地（自注：大阪）一週，日無筆事，只
> 　　　每日奔走空日而已。弟非虛言，同業，以實情交際，故以實言告
> 　　　先生。
> 　　　貴國之墨客於我國得多金，皆僻遠之地。弟衛鑄生、胡鐵梅、朱
> 　　　印然、王治本皆為紹介。弟之以添書游諸國，為得多金也。

但是，對於赴日的中國書畫家來說，由於語言不通，地理不熟，如果沒有可靠的翻譯或熟悉的日本人同行，到地方的旅行會困難重重。如森琴石所說，王治本曾經到日本各地進行這種巡迴遊歷，但有一個重要條件是他長年住在日本，對日本各方面的情況已經比較熟悉。這種時候，通過在東京、大阪等地結識的日本人介紹地方名士提供各種方便條件非常重要。森琴石就曾經為衛壽金、胡

璋、朱季方和王治本等介紹自己在各地的弟子和朋友。從現在保留的胡璋致森琴石的書簡中可知，他的北陸之行是通過森琴石的聯絡介紹，去敦賀、三國、武生等地時帶了畫家內海吉堂的介紹信，到能登時則請了加賀的北方心泉陪同（圖七）[38]。

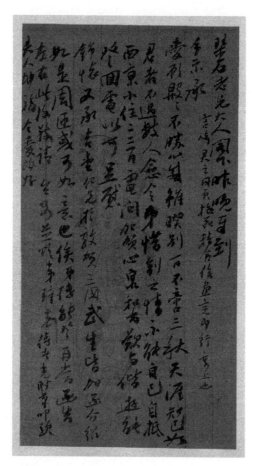

圖七　胡璋致森琴石書簡（私人藏）

　　對於不懂日語又不熟悉日本情況的中國書畫家來說，還有一種出行方式是與日本書畫家同行或參加地方主辦的書畫會，可以有日本友人照顧或依靠書畫會主辦者的安排。如胡璋就曾經和森琴石一起到岡山遊歷。但這種旅行有時也可能備嘗艱辛。如一八八七年初（光緒十三年一月）從上海到日本尋求生計的

---

[38] 胡璋致森琴石書簡，明治十九年六月一日。關於這些書簡的具體情況，擬另稿介紹。

安徽來安人孫點到東京的一個多月以後，有一位甲州（今山梨縣）的書畫商鈴木善次郎持當時著名漢詩人、漢學塾二松學舍創始人三島中洲的介紹信來訪，希望孫點前往參加他主辦的書畫會。這次旅行有日下部鳴鶴和三島中洲同行，但是旅途道路崎嶇泥濘，疲憊不堪。當地人不解文雅，主辦者又狡黠吝嗇。勞頓數日，每人所得只有三十圓。所以孫點在日記中感嘆說：

> 是行也，往返七八日，而道途勞甚，所得又甚微，誠覺多事。惟山水甚佳，差強人意。然倘非鶴、洲二君同行，恐必受會主之欺甚矣。外交不易，而行路甚難。內地之遊，灰心懶意矣。[39]

此後，孫點還是和日下部鳴鶴商量過到日本內地遊歷之事，但是日下部的回答是「內地之行非解語大不便，即有譯人，然其心不易測。且內地如鈴木氏者亦不敢決其必無，徒勞無補，殊非上計。」[40]連日下部這樣富有日本國內遊歷經驗的人都大潑冷水，孫點到內地遊歷的計畫也就只好不了了之了。

由於以上種種情況，赴日的中國文人、書畫家的遭際往往不同。陳鴻誥到日本以後，儘管很快和京都的漢詩人們結為好友，但字畫的收入一直不太好。這一情況很快傳到東京，在大河內輝聲收藏的王治本筆談資料中，可以看到一八八○年（明治十三年）五月十八日王治本和日本文人龜谷省軒有如下的對話[41]：

> 龜谷：近有人從大阪歸，說衛大富，陳大窘。
> 王：陳氏詩詞頗佳，惜無識者。聞衛日得金二三十圓。

可見中國書畫家們的收入也是當時文人們關心的話題之一。而這種「衛富陳窘」的現象，往往是和機遇有關的。

---

39 孫點《夢梅華館日記》稿本。
40 同前注。
41 早稻田大學圖書館藏《大河內文書・泰園筆話》。

（三）中國文人、書畫家在日本的出版活動

上文已經提及金邠曾在名古屋刊刻《楷書千字文》等作為學生們的課本，也談到由於原田西疇的熱心努力，陳鴻誥到日本短短幾個月就在大阪出版了詩集《味梅華館詩鈔》。到達日本一年之後的一八八一年七月（明治十四年、光緒七年六月），陳鴻誥在福原周峰的陪同下到大阪附近的堺看望以前在大阪結識的漢詩人土屋鳳洲（弘），並為土屋鳳洲及其友人、門人揮毫。土屋親自把陳鴻誥送回大阪，並將陳鴻誥到堺訪問期間與日本人之間的筆談編為《邂逅筆語》，於同年九月出版登記，十月以鉛字排印出版（圖八）[42]。陳鴻誥到堺的旅行以及《邂逅筆語》的出版顯然加深了陳鴻誥與土屋鳳洲的相互理解和信賴。

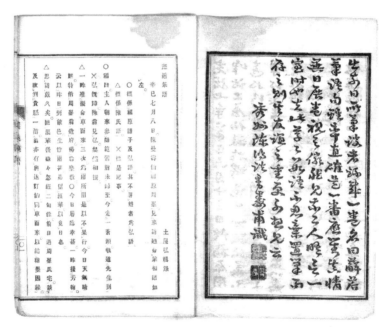

圖八　土屋弘編《邂逅筆語》卷首

一八八三年（明治十六年、光緒九年），陳鴻誥將自己在日本期間相識或有「神交」的六十二位日本詩人的詩作編為一書，加上自己的評語，題為《日本同人詩選》，仍然由土屋鳳洲在大阪出版。這也是歷史上第一部由中國人選編

---

[42] 《邂逅筆語》一卷，一八八一年十月出版，編輯及出版人為大阪士族土屋弘。

出版的日本漢詩集。此外，葉煒在日期間也有兩部著作刊行，即一八八一年（明治十四年、光緒七年）由門生與日本友人們在東京刊行的隨筆《夢鷗囈語》和一八八二年（明治十五年、光緒八年）在大阪刊行的靜養中的著作《煮藥漫鈔》。事實上，編著和出版自己的著作，也應該看作是不少赴日文人、書畫家在日期間的重要活動之一。在日本友人和出版商的協助下，這一時期的旅日中國人在日本出版了一批詩文集、畫譜等著作。這些著作的出版既是著者的日本友人們援助的結果，同時也反映了當時日本社會的一部分閱讀需要[43]。這些出版物有些對擴大著者們在日本的影響發揮了作用，有些由於出版策劃較有特色，後來流傳較廣，也有些只是曇花一現，後世鮮為人知。以下我們選擇介紹其中較為著名的王寅的畫譜。

在日期間最為積極主動地推動自己著作出版的當屬王寅。一八七九年（明治十二年，光緒五年）他寄寓於京都鳩居堂的時候，就注意觀覽鳩居堂熊谷古香以及京都知名人士收藏的名畫墨跡，並加以縮模，從該書加島信成明治十二年十二月序可知，王寅最初便有意將其編為一書。此書正式出版是在數年之後，書名題為《歷代名公真蹟縮本》，袖珍本四冊，由陳鴻誥題簽，明治十六年（1883、光緒九年）五月十七日出版登記、十二月二十日出版，出版人為加島信成，發行人為大阪的出版商吉岡平助和上海法大馬路東壁山房，說明作者同時也在上海發售此書，可見編輯出版此書不僅僅以日本讀者為對象，也充分意識到上海圖書市場的需求。王寅在日本最早出版的書是明治十四年（1881、光緒七年）出版的《冶梅石譜》二冊，發行人為大阪的倉澤柾七。該書於明治十四年三月五日出版登記、三月二十八日獲得版權許可，由日本人九富鼎校，陳鴻誥題簽並題辭，又有日本人藤原南嶽序和王寅自序，由江馬天江‧福原周峰跋，水墨套印（圖九）。

---

43 這一時期日本先後編輯或翻刻了不少當時中國書畫家的畫譜，如明治十三年三月大阪赤志忠雅堂翻刻陳允升《紉齋畫賸》、明治十四年三月太田德次郎在東京出版《清人張子祥畫譜》、明治十四年六月長尾無墨模集、高木和助在東京出版《張子祥胡公壽兩先生畫譜》、明治十五年十一月赤志忠七在大阪翻刻吳淦藏《蝴蝶秋齋所藏畫冊》等，說明當時日本社會在需要中國畫家的書畫作品的同時，對畫譜類的出版物也有需求。

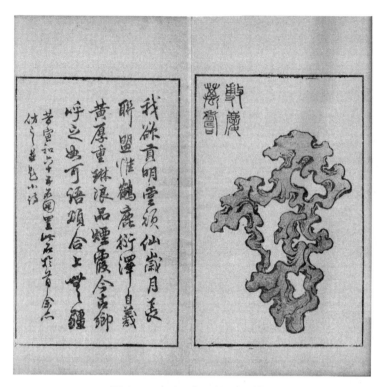

圖九　王寅《冶梅石譜》

　　一八八二（明治十五年、光緒八年）是王寅在日本收穫最豐富的一年。在短短的幾個月裡，他先後出版了《冶梅畫譜‧人物冊》二冊（明治十五年十一月）等畫譜，出版人都是大阪的吉岡平助和岐阜縣士族加島信成。值得注意的是，《冶梅石譜》以外的畫譜的出版人或發行人吉岡平助就是為森琴石出版《墨場必攜　題畫詩集》等著作的大阪出版商[44]，森琴石也曾為吉岡平助繪刻地圖、導遊書和各種書籍的插圖[45]，二人既是朋友，也是事業上的夥伴和合作者。從森琴石與吉岡平助的密切關係，我們可以推想，王寅能夠在短時間內先後刻成幾種畫譜，這中間或許也有森琴石的介紹斡旋之功[46]。

---

[44] 座落在大阪齋心橋邊的寶文軒（又稱寶文館書店）的創業者。

[45] 如吉岡平助作出版人、明治十四年五月三十日刻成出版的佐野元恭著《（和漢對照插畫）明治新用文大成》，由書家名和對月書寫、森琴石大阪響泉堂配銅版插圖，以寫新生活中的應用文範例、書法和精美的插圖為賣點，頗為暢銷。

[46] 王寅回國以後，於一八九一（光緒十七年、明治二十四年）在上海刊行了《冶梅梅譜》。

結語

　　以上，我們根據十九世紀七、八十年代中日兩國文人的日記、旅行記及通信、筆談記錄等資料，對這一時期中國書畫家紛紛東渡日本遊歷的現象進行了分析。近代以來兩國間往來的便利固然是旅行人口增加的重要因素，具體到中國書畫家赴日的背景時，還應當考慮到上海書畫市場與日本的特殊關係。此外，當時中國書畫家東渡的主要目的雖然是為了經濟上的收益，但是在遊歷過程中往往與日本各界建立了較為廣泛的人際關係，有不少人與日本文人、書畫家達到了比較深入的交流。如森琴石和胡璋的交往就是一個典型的例子。赴日書畫家們在日本各地不僅留下了相當多的書畫作品，還在當時日本文人、書畫家的著作中以題辭、題畫、書寫題簽、撰寫序跋、批加評語、詩歌唱和等各種方式留下了很多痕跡，不少人還在日本出版了自己的著作。東渡的中國文人、書畫家的活動不僅加深了中日兩國文人、書畫家之間的相互了解，還使得日本與上海書畫界之間的交流通道得以拓寬。十九世紀九十年代以後，特別是甲午戰爭以後，日本社會的中國觀發生很大變化，這也影響到普通人對中國書畫需求的降溫。中國書畫家為解決生計爭相到日本賣字鬻畫的行動也成為十九世紀七、八十年代特有的文化現象。

日本的中國學

連清吉、沈日中、陳凌弘

（日本）長崎大學、泉州師範學院、閩南師範大學

摘要

日本漢文學史是日本文學史的一環，也是中國文學史的再現。日本古代至近世的學術思想史是中國學術思想史的再現。

近代以來，東洋史學是代表明治時代的新學問。對於日本的學術，或從文化史學的視角、傳統儒學史的遠紹，探究日本儒學史的流變，或用西洋哲學史的方法，析理江戶時代各學派的哲學，或以思想史的視野，架構日本思想史，或以「國文學」的觀點，論述日本漢文學史。於經學的研究，古代王室與明經家於五經的解讀，江戶儒者於經書的註釋，近代京都中國學者於經書的研究，或可謂之為「日本經學研究系譜」。中國戲曲雜劇古典小說的研究是大正至昭和前期於中國文學研究的顯學。京都中國學者的敦煌學與世界漢學並駕齊驅，清代歷史與文學的研究早於中國與歐美的學界。東北大學中國哲學研究所於先秦兩漢諸子的研究，九州大學中國哲學研究所於宋明理學與佛學的研究，成就斐然，皆有可觀。

漢字與儒學架構了漢字文化圈與儒學文化圈，形成東亞文化。如果內藤湖南以氣象的流動，說明中國學問於一百五六十年後，飄洋渡海影響日本，以螺旋循環史觀，論述中日學術相互影響，是中日學術文化交流史的事實，則民國以來，研究百年的中國學，或當代高呼的「新國學」與「新漢學」，是否能在二十一世紀成為東亞漢字儒學文化圈之中國學研究者的研究對象，甚且影響其

思惟方式與論理結構，則是當今中國研究者的歷史定位。

關鍵詞：日本漢文學　日本儒學　中國經典訓點釋譯　東洋史學　日本近代中
　　　　國學

一　日本中國學的形成經緯

　　從古代到江戶時代，除了遣隋使、遣唐使、留學中國的僧侶和生員通曉漢語以外，日本的文人學者不會說漢語，卻能創作漢詩文，用漢語註釋論述中國經典。日本古來，於中國典籍的理解，有以日文的語法語音訓讀中國經典之「漢文訓讀」的創制，幼時於「寺子屋」、私塾、庠序、私塾「素讀」或父兄授受，熟讀背誦中國的經典詩文，及長則能創作漢詩文，註疏中國經典。探究其不能言說漢語而能撰述漢文學的因由，乃日本的中國學源遠流長。內藤湖南（1866-1934）以氣象學的觀點，說：

> 地球同一緯度的氣溫移動是波浪的曲線，中日文化思想的傳播與影響亦然，中國的學問經過一百五六十年後，在日本流傳結實。[1]

古代是漢唐學術文化的遠紹，中世是隋唐佛學，近世是宋明理學，近代是清朝考證學的選別發展。對於中日學術文化的關係，內藤湖南既取譬於渾沌狀態的豆漿，加入「鹹鹽」點化後，凝聚形成豆腐的過程，說日本文化的原型像豆漿，中國文化是日本文化的「鹹鹽」，凝聚形成的日本文化是豆腐。[2]又架構「螺旋循環史觀」，說明日本受容中國學術文化後，與時俱進，像螺旋狀的向上飛躍精進。[3]近代以來，融合東西學問的精華，沈潛轉化而成就如王國維所說的「有心印而無雷同」[4]的日本近代中國學。宮崎市定以為內藤湖南「螺旋

---

[1] 內藤湖南：〈履軒學の影響〉，《先哲の學問》（東京都：筑摩書房，1987年9月），頁144-145。

[2] 內藤湖南：〈日本國民の文化的素質〉，《日本文化史研究（下）》（東京都：講談社學術文庫，1976年10月），頁101-103。

[3] 〈學變臆說〉，《內藤湖南全集》第1卷，1970年9月，頁351-355。桑原武夫於內藤湖南《日本文化史研究》的解說，指出：內藤湖南的天體運行螺旋循環說，類似義大利哲學家Giambattiata Vico（1668-1744）的螺旋循環史觀，唯內藤湖南的論述較為明晰。《日本文化史研究（下）》，頁175-176。關於內藤湖南的螺旋循環史觀，參陳凌弘：〈內藤湖南近世文學地勢二元中心論〉，東亞漢學研究學會《東亞漢學研究》第6號（2017年4月），頁456-468。

[4] 王國維：〈送日本狩野博士游歐洲〉，《觀堂集林》卷24，頁3-4，《王國維遺書》4，上海市：上海古籍書店，1983年9月。

循環史觀」，可推演為文化空間之橫向往復循環，東亞文化中心之中國學術文化既正向傳播到漢字文化圈的周邊地區，周邊地區受到中國文化影響刺激而產生文化自覺，創造獨自的學術文化，周邊地區新生的學術文化或以政治外交與經濟貿易為媒介，反方向的流入中心所在的中國。[5]

日本接受中國學的所在及其沿革變遷的究竟，或足資論考探索。

二　日本漢文學史的兩面性：
日本文學史的一環與中國文學史的再現

神田喜一郎（1897-1984）說：所謂日本漢文學，是日本人用中國文字，以中國語法，創作的文學，且脈絡相承，源遠流長至中日甲午戰爭（1894-1895），為日本文學的一環。六世紀的飛鳥時代是日本漢文學的黎明期，聖德太子（西元574-622年）〈十七條憲法〉以北周蘇綽為太祖作六條詔書為底本。近江朝（西元667-672年）文學漸開，王室能為漢詩者輩出。奈良朝（西元710-794年）的漢文學以臺閣體為主流，初唐格調，典雅莊重。平安朝（西元794-1192年）前期是日本漢文學第一個鼎盛期，以七言詩為主流而喜好王維、孟浩然沖淡深遠的詩風。空海（西元774-835年）的《文鏡秘府論》是日本最初的文學論，也是中國文學批評的重要著作。平安後期，白居易的詩文流行，風靡一世。五山文學以京都五山禪僧為中心而發達的文學，興起於鎌倉時代末期，隆盛於南北朝（1336-1392），持續至室町時代（1393-1573）中期，祖述唐宋大家的古文，別開日本漢文學的新生面，是日本漢文學第二個鼎盛期。江戶時代（1603-1866）的漢文學分為三期，慶長元年（1596）至貞享四年

---

[5] 宮崎市定演繹內藤湖南的東洋史觀說：東亞文化的中心在中國，中原文化首先流傳到周邊的地區，周邊民族受到中國文化的刺激，也形成文化的自覺。中世以後隨著周邊民族的勢力增強，文化擴張的運動也改變其方向，逐漸由周邊向中心復歸。此正向運動與相反運動，作用與反作用交替循環即是東亞文化形成的歷史。中國與周邊地區的文化發展固然是橫向發展的軌跡。（〈獨創的なシナ學者內藤湖南博士〉，《宮崎市定全集24隨筆（下）》，1994年2月，頁254-255。）關於內藤湖南的學問，參連清吉：《日本近代的文化史學家：內藤湖南》（臺北市：臺灣學生書局，2004年10月）。

（1687）是第一期，繼承五山文學，元祿初（1688）至安永末（1780）是第二期，大家輩出，木下順庵（1621-1698）祖述盛唐詩風，「詩喜雄渾追北地（李夢陽）」（《錦里文集》），開創江戶漢文學的先驅。荻生徂徠（1666-1728）推崇李攀龍、王世貞，首唱古文辭，門下弟子出類拔萃，服部南郭（1683-1759）是徂徠門下最善詩文者，

山梨稻川（1771-1826）研究《說文》，又善作詩，俞樾《東瀛詩選》稱其詩「文藻富麗，氣韻高邁」，為日本詩人之翹楚。當時文人推崇徂徠學風，以秦漢盛唐的詩文是尚，盛極一時，為日本漢文學第三個鼎盛期。天明初（1781）至慶應末（1866）是第三期，菅茶山（1748-1828）、山本北山（1752-1812）等人提倡清新性靈，輕快平易的詩作，普及於士民。梁川星巖（1789-1858）是近代詩人的領袖，賴山陽（1780-1832）崇尚明清詩風，創作七古長篇，開拓新機軸。廣瀨旭莊（1807-1863）才氣煥發，學東坡詩，俞樾激賞，謂廣瀨旭莊與山梨稻川並稱。明治初期，小野湖山（1814-1910）、大沼枕山（1818-1891）、森春濤（1818-1888）並稱而詩風各異，湖山學東坡，枕山以陸游為宗，春濤紹述袁枚。森槐南（1863-1911）天才，詩學吳偉業，活躍詩壇。明治中期的漢文學，以森春濤、森槐南父子的詩風為主流。明治二十年代以後，漢文學大家凋落，又由於中日戰爭的勝利，日本人對中國文化的敬意消散，漢文學也隨之衰微。[6]

古代到中日甲午戰爭，日本文人學者持續模仿創作中國歷代詩文，史漢的歷史散文，漢魏五言詩，六朝駢文，唐宋以迄明清的古文與近體詩與時推移，述作開展，一部中國古典文學再現於日本文學史上。

---

6 神田喜一郎：〈日本の漢文學〉，《神田喜一郎全集》第9卷（東京都：同朋舍，1984年10月），頁132-184。神田喜一郎又有《日本における中國文學-日本填詞史話上・下-》，收錄於《神田喜一郎全集》第六・七卷（東京都：同朋舍，1985年4月，1986年12月）。有關神田喜一郎的日本漢文學論，參沈日中：〈神田喜一郎の日本漢文學論〉，《東亞漢學研究》特別號（東亞漢學研究學會，2016年2月），頁440-450。至於日本漢文學的著作，則有芳賀矢一：《日本漢文學史》（東京都：富山房，1928年11月），岡田正之：《日本漢文學史》（東京都：吉川弘文館，1954年12月），久保天隨：《日本漢學史》（東京都：早稻田大學出版部，1905年1月），牧野謙次郎：《日本漢學史》（東京都：世界堂書店，1943年12月），豬口篤志《日本漢文學史》（東京都：角川書店，1984年5月），三浦叶《明治漢文學史》（東京都：汲古書院，1998年6月）等。

三 日本學術思想史：中國學術思想史的再現

（一）古代的經學

應仁天皇十六年（西元285年）百濟博士王仁來日，朝貢《論語》十卷、《千字文》一卷。繼體天皇十年（西元516年）五經博士漢高安茂、馬丁安，欽明天皇十五年（西元554年）五經博士王柳貴、易博士王道良相繼渡海東瀛，傳授以《五經》為中心的儒學。推古天皇十二年（西元604年）發佈聖德太子用漢文撰述的〈十七條憲法〉。根據武內義雄（1886-1966）的考證，〈十七條憲法〉第一條「以和為貴」出自《禮記・儒行》和《論語・學而》「禮之用和為貴」，「上和下睦」出自《左傳成公十六年》「上和下睦」和《孝經》「民用和睦，上下無怨」，第三條「君則天之地則地之」出自《左傳宣公四年》「君天也」，「天覆地載」出自《禮記・中庸》「天之所覆，地之所載」，「四時順行」出自《易・豫卦》「天地以順動，故日月不過而四時不忒」，第四條「上不禮而下不齊」出自《論語・為政》「上不道之以德，齊之以禮，有恥且格」，第五條「石投水」出自《文選・運命論》「其言也如以石投水，莫之逆也」，第六條「無忠於君，無仁於民」出自《禮記・禮運》「君仁臣忠」，第七條「賢哲任官」出自《尚書・咸有一德》「任官唯賢材」，「剋念作聖」出自《尚書・多方》，第八條「公事靡鹽」出自《詩・鹿鳴四牡》「王事靡鹽」，第九條「信是義本」出自《論語・學而》「信近於義」，第十二條「國靡二君，民無兩主」出自《禮記・坊記》「天無二日，士無二王」，第十五條「背私向公是臣之道矣」出自《韓非子・五蠹》「蒼頡之作書也自環謂之私，背私謂之公」和《左傳文公六年》「以私害公非忠也」，第十六條「使民以時」出自《論語・學而》「節用而愛人，使民以時」。應仁天皇至推古天皇的三百餘年間，以《五經》為中心的儒學浸潤於日本朝廷，《五經》、《論語》、《孝經》等儒家經典廣為王室碩學鴻儒所熟讀，故能引經據典而制作日本最古的憲法。武內義雄又根據仁井田陞（1904-1966）《唐令拾遺》，比較唐令與養老令（西元718年）的大學教學科目：

養老令	唐令
大經（禮記‧春秋左氏傳）	禮記‧春秋左氏傳
中經（毛詩‧周禮‧儀禮）	毛詩‧周禮‧儀禮
小經（周易‧尚書）	周易‧尚書‧春秋公羊傳‧春秋穀梁傳
以上各為一經	以上各為一經
孝經孔安國、鄭玄註	孝經 舊令、孔安國、鄭玄註
	新令、開元御註
論語鄭玄、何晏註	論語 鄭玄、何晏註
	老子 舊令、河上公註
	新令、開元御註
學者兼習	學者兼習

養老令以唐令為本，斟酌日本國情而修訂。[7]〈十七條憲法〉於中國先秦經典文字的徵引，律令的制定取法於唐令，明經博士以五經、孝經和論語的修習為宗尚，是知日本古代以漢唐註疏為學問的根底。寬平三年（西元891年），藤原佐世奉敕撰編撰《日本國見在書目錄》[8]，根據《隋書經籍志》的體例，分經史子集四部，收錄易家以迄別集、總集四十家，漢魏至隋唐的書目，可以彌補中國正史經籍志藝文志的缺漏。就漢籍書目而言，雖晚於《隋書經籍志》，而分別早於《舊唐書經籍志》四十餘年，《新唐書藝文志》一百多年，於中國目錄學史有頗為重要的地位。就日本學術傳承而言，又足以顯示日本文化的淵源。

（二）中世至近世的儒學

西村天囚（1865-1924）強調日本的宋學發軔於鎌倉時代，以薩摩藩（今鹿兒島）禪僧的《四書》訓點與刊行而普及。其於所著《日本宋學史‧緒言》

---

7 武內義雄：《儒教の精神―二日本儒教その一-明經博士の學業》（東京都：岩波新書，1939年11月），頁133-143。

8 東京都：名著刊行會，1996年1月。

說：明治文運之盛，淵源於德川三百年之教化，德川三百年之教化濫觴於鎌倉室町二期之風尚。鎌倉時代傳來，室町時代研究，以為德川三百年之普通讀本者，論孟學庸之《四書集註》也。《四書》以訓點之力而普及於海內。《四書》訓點雖創於不二和尚，而其書不傳，桂菴禪師祖述其說，文之和尚潤色之，如竹散人刊行之，始行於海內。薩摩藩儒者伊地知季安《漢學紀源》詳述宋學傳來原委，謂桂菴禪師在海內騷亂之戰國，於薩摩刊刻朱子大學章句，首唱宋學。然巨勢正純《本朝儒宗傳》、跡部光海《本朝儒學傳》、松下見林《本朝學原》皆未言及桂菴師弟之傳承。室鳩巢《不忘錄》雖說桂菴之功，語而不詳。河口靜齋《斯文源流》、那波魯堂《學問源流》、杉浦正臣《儒學源流》主於德川文學，概起筆於惺窩羅山，於足利時代皆忽之附諸。今人說宋學者，於《國學院雜誌》（1900年8月）有花岡安見〈朱子學の由來〉，於《東洋哲學》（1901年11月）有足利衍〈朱子學の傳來と其學派〉，單行之書，有久保天隨《日本儒學史》，井上哲次郎《日本朱子學派の哲學》等，然論宋學淵源者，不能過《漢學紀源》一書，乃參考《漢學紀源》，著作《日本宋學史》，論述宋學由來與傳來淵源，禪林、南北朝與薩摩之宋學，德川時代宋學變遷，明治王政維新與宋學。[9]

　　安井小太郎（1858-1938）講述日本儒學史，謂古代漢文與儒學盛行，武家幕府時代，五山僧侶嫻熟於漢文學的創作，然未有精通於儒學者。京都清原家傳承五經之學，然鮮有講論著述儒學者，故日本之儒學史可謂創始於德川初期。至於程朱之學於鎌倉時代後嵯峨天皇、後深草天皇之際傳入，雖流傳於僧侶之間，然僧侶以佛教為本，未聞以儒學立門戶者。樹立門戶講授程朱之學者始於藤原惺窩，故以藤原惺窩為德川時代儒學的創始者，置之於日本儒學史的開端。藤原惺窩的門人林羅山拔擢於德川家康，選為近侍，掌理文教。其子林鵝峰授命為大學頭，林家的朱子學遂立為官學。中江藤樹（1608-1648）初學朱子學，三十三歲，讀《王龍溪語錄》，翌年，讀《王陽明全書》，仰慕陽明學，乃棄程朱而入王學。寬文（1661-1672）年間，山鹿素行（623-1685）、伊藤仁齋（1627-1705）、荻生徂徠（1666-1728）競相批評朱子學而樹立己說。

---

[9]　大阪市：杉本梁江堂，1909年9月，頁1-8。

伊藤仁齋提倡古義學，著述《論語古義》《孟子古義》《語孟字義》等書，發揮
聖人著書立說的旨意。其子伊藤東涯（1670-1736）學術深粹，溫厚篤實，人
稱君子，紹述仁齋學問，門人咸集，古義學乃盛行於天下。荻生徂徠學識富
贍，著述《論語徵》、《辨名》、《辨道》，提倡古文辭學，以經說解釋孔子之
道，謂長人安民為仁，以禮樂刑名為聖人之學。門下弟子，如太宰春臺、服部
南郭、山井鼎等人，各有專攻，於經學、詩文、校勘皆有成就，徂徠學風靡一
時。古義學與古文辭學盛行之時，是江戶儒學第一巔峰。寶曆（1751-1763）
之後，井上蘭臺、井上金峨、山本北山等人，折衷古注、新注、仁齋、徂徠之
說。元文（1736-1740）至天明（1781-1788）之間，皆川淇園、中井履軒
（1732-1817）等人，研讀註釋先秦古書。文化文政（1804-1829）至嘉永安政
（1848-1859），朱子學、陽明學、漢唐註疏學、考證學的大家並起，盛極一
時，是江戶儒學第二盛期。大田錦城（1765-1825）著述《九經談》，兼採漢
宋，參取明清而成一家之言，為日本考證學的嚆矢。其後，海保漁村、島田篁
村繼起。松崎慊堂（1771-1844）先從林述齋治朱子學，其後轉攻漢唐註疏
學，縮刻《開元石經》。與松崎慊堂同時的有狩谷棭齋、山梨稻川鑽研經學與
《說文》、《爾雅》，樹立漢唐註疏一派。松崎慊堂門下的鹽谷宕陰善於文學，
安井息軒（1799-1876）[10]兼採漢唐古注與清儒考證之學，又出入於仁齋、徂徠
與朱子學。佐藤一齋再興陽明學，弟子山田方谷、吉村秋陽、東澤瀉繼起，陽
明學大行至明治時代。[11]

（三）近代的中國學：祖述清朝考證學

明治（1867-1910）以後，以京都中國學者為中心，祖述清朝考證學而樹

---

[10] 服部宇之吉說：安井息軒執公而好不阿，能取古今之長而捨其短，考據最力，論斷最慎。〈四
書解題〉，《漢文大系》卷1（東京都：冨山房，1909年12月發行，1988年9月增補版。關於安
井息軒的學問，參町田三郎先生：〈安井息軒研究〉，《江戶の漢學者たち》（東京都：研文出
版，1998年6月）。連清吉：〈安井息軒：集日本考證學的大成〉，《日本江戶時代的考證學家及
其學問》（臺北市：臺灣學生書局，1998年12月），頁103-143。

[11] 《日本儒學史》（東京都：冨山房，1939年4月）。安井小太郎論述江戶儒學史，參閱連清吉：
〈安井小太郎：整理日本考證學的成果-就安井小太郎的《日本儒學史》而言〉，《日本江戶時
代的考證學家及其學問》，頁145-175。

立以古典文獻考證為宗尚的日本近代中國學。島田虔次（1917-2000）說：「京都中國學的學風是與中國人相同的思維和感受，來理解中國」。[12]吉川幸次郎（1904-1980）以為樹立此一學風的是狩野直喜（1868-1947）與內藤湖南。至於二人之所以抱持與中國人相同的思維與感受，作為學問研究的態度，是對江戶漢學與東京墨守江戶儒學的批判。狩野直喜以為江戶漢學有偏狹與歪曲的流弊，江戶儒學以宋明理學為主體是偏狹，不能洞察中國學問之全貌，以《唐詩選》、《古文真寶》、《文章規範》為讀本是歪曲，不能體得中國文化儒雅的本質。內藤湖南不但以江戶漢學，尤其是寬政二年（1790）異學之禁以後的儒學極為歪曲偏狹而衰微，繼承江戶漢學的東京大學漢學科亦未能順應「文明開化」的時代需求，故無嶄新突破的展開。至於狩野直喜與內藤湖南之所以取向清朝的學問，乃二人皆曾接觸西洋的學問，而以為清朝學問的實證性近似西洋的學問，亦即通過西洋的媒介，確認清朝考證的實證特質是中國傳統學術中，最精進的學問。將清朝考證學，特別是以《皇清經解》為主要文獻的經學，移入日本的是狩野直喜。其最推崇顧炎武的學問，於乾嘉經學尤有專攻，講述「中國哲學史」，於「清の學術と思想」，論述「漢學豫備時代」之顧炎武、黃宗羲、浙東學派的學問，「乾嘉時代の漢學」和「道光以後の學術と思想」。又講述「清朝の制度と文學」[13]，開啟清朝研究的風氣。論述「兩漢學術考」「魏晉學術考」[14]與「清朝學術」，而樹立「學術史」的新領域。內藤湖南講述清朝史學而推崇章學誠的史學，開清朝史學講述的風氣之先，而「清朝史學通論綱目」[15]則為研究清朝學術的綱領。

　　京都中國學的學問宗尚遠紹於清朝學術，內藤湖南祖述章學誠而近於浙派，狩野直喜尊崇顧炎武而近於吳派，吉川幸次郎自稱其以段玉裁的學問方法

---

[12] 吉川幸次郎：〈留學まで〉，《吉川幸次郎全集》第22卷（東京都：筑摩書房，1975年9月），頁332。

[13] 狩野直喜：《清朝の制度と文學》（東京都：みすず書房，1984年5月）。

[14] 狩野直喜：《兩漢學術考》（東京都：筑摩書房，1964年11月），《魏晉學術考》（東京都：筑摩書房，1986年1月）。

[15] 內藤湖南：〈清朝史學通論綱目〉，《清朝史通論》（東京都：平凡社，東洋文庫571，1993年11月），頁259-294。

註釋杜詩，亦近於吳派。[16]

四　中日之中國學的歷史定位

內藤湖南於〈學變臆說〉論述：地球迴繞太陽的天體運行是螺旋循環，人類文明的發展徑路，中心至周邊的正向與周邊回歸中心的反方向都是螺旋狀循環。又說：東洋文化是以中國為中心，中國文化是日本文化的「鹹鹽」，日本文化的原型像「豆漿」，加入「鹹鹽」的中國文化，才形成像「豆漿」的日本文化。若以內藤湖南的螺旋循環史觀，說明中日文化的關係，中國是中心，日本是周邊，受到中國文化的刺激，日本產生文化的自覺，融合固有文化與傳入的中國文化，而形成日本嶄新獨特的文化。日本創新的文化也回流至中國。江戶時代以前，中國文化傳播日本，明治以後，日本維新文化傳入中國，「和製漢字」即是。檢尋日本如何受容與更新中國學的究竟，或能省察中日之中國學的歷史定位。

（一）近世的經學論著

江戶二百六十年間的學問以儒學為宗尚，朱子學盛行，《四書》為儒者，甚至是武士的必讀之書，於《論語》尤有鑽研，註釋亦最多。伊藤仁齋以《論語》為「最上至極宇宙第一書」，以《孟子》「為萬世啟孔門之關鑰」[17]，著述《語孟字義》（1704），考證《論語》、《孟子》的字義，回歸原典，探究孔孟思想的真義。其考證方法與著述旨趣和戴震（1723-1777）《孟子字義疏證》甚無殊異，而著作完成年代早於戴震。

安井小太郎《經學門徑書目》著錄江戶儒者的註釋，《論語》、《孟子》、《四書》之外，以《左傳》為多，而載記增島蘭溪《讀左傳筆記》、安井息軒《左傳輯釋》、竹添光鴻《左傳會箋》。竹添光鴻《左傳會箋·自序》說：

16　吉川幸次郎：〈留學まで〉，頁414-415。

17　分別見於《論語古義·總論》，《孟子古義·總論》。

近儒之注左氏者，予所涉獵在皇朝則中井氏積德，增島氏固，太田氏元
貞，古賀氏煜，龜井氏昱，安井氏衡，海保氏元備，皆有定說，而龜井
氏最詳。[18]

即參酌中井履軒《左傳雕題》、大田錦城《左傳標註》、古賀侗庵（1787-
1847）《左傳探頤》、龜井昭陽（1772-1836）《左傳纘考》、海保漁村（1798-
1866）《左傳集注》的著述。實則江戶儒者於《左傳》的註釋，尚有帆足萬里
（1778-1852）《左傳標註》、東條一堂（1778-1857）《左傳標識》。所謂「龜井
氏最詳」，岡村繁先生稱竹添光鴻祖述龜井昭陽《左傳纘考》[19]，龜井昭陽與
帆足萬里交遊，內藤湖南說：帆足萬里受中井履軒的影響，東條一堂《左傳標
識》相似於中井履軒《左傳雕題》，安井息軒《左傳輯釋》於《左傳雕題》亦
多引述。[20]江戶以來於《左傳》註疏的系譜可以考察知悉。

江戶時代雖以孔孟思想的探究為究極，元文（1736-1740）、天明（1781-
1788）以來，或有古代經學再生的學問意識而涉獵經傳註疏。中井履軒沈潛於
經學與古音的研究，著述《諧韻瑚璉》（1769）、《履軒古韻》（1770）、《七經雕
題》（1813），內藤湖南稱之為「新學的先驅」，其於日本儒學史的地位可匹配
於顧炎武於中國近代學術史的地位。顧炎武開啟清朝三百年經學的先河，中井
履軒為江戶經學、聲韻、金石文字研究的先驅，其經學著述對豬飼敬所、帆足
萬里、東條一堂、安井息軒有深遠的影響。[21]

大田錦城於幕府醫官的多紀家躋壽館講授儒家經典，與多紀元簡知交。多
紀家珍藏宋元明清刊本，大田錦城乃得以披閱漢籍經典。其代表作《九經談》
（1804）引證宋元明清諸儒述作，論述中國經學流變，考證經典的真偽，豬飼
敬所稱之為「識見正大，援引宏博，海內無二」，安井小太郎以之為日本考證

---

18 竹添光鴻：《左傳會箋・自序》，服部宇之吉編《漢文大系》第10卷（東京都：冨山房，1911
年11月），頁3。

19 岡村繁先生解說龜井昭陽《左傳纘考》，荒木見悟・岡村繁・町田三郎先生編集《龜井南冥・
昭陽全集》第3卷（福岡市：葦書房，1978年8月），頁3-5。

20 內藤湖南：〈履軒學の影響〉，頁149。

21 內藤湖南：〈履軒學の影響〉，頁138-154。

學之嚆矢，金谷治先生從考證方法確立的觀點，謂日本考證學派成立於大田錦城。[22]海保漁村傳承大田錦城的學問，門下島田篁村講授《皇清經解》，島田篁村的弟子狩野直喜祖述清朝考證學，強調經學研究，自稱「我是考證學」，創始京都中國學[23]。大田錦城的考證學至狩野直喜的京都中國學是日本近世後期到近代經學研究的傳承系譜。

龜井昭陽於《五經》皆有考釋，自稱：「余之用畢世力於《詩》《書》，猶先考之於《論語》。它日書成，以問於世，後世必有公論」[24]。楠本碩水（1832-1916）說：龜井昭陽「於經說遠出伊藤仁齋、物徂徠之上，但僻處西阪，其學僅行於一方而不廣及天下耳」[25]西村天囚〈異彩の學者〉謂

> 龜井昭陽以鄭玄自居，私淑中井履軒，為江戶時代經學巨擘，當時經生鮮能出其右者。龜井塾諸生寫師之著述為課程之一，有《尚書》之講釋則寫《尚書考》，有《左傳》之講釋則寫《左傳纘考》，展轉傳寫，未刊之書亦能行於世。然寫本有限，且維新後，漢學衰微，先人苦心之寫本或委之蠹魚，或補敗障者。逮今不訪求篤志之龜門子弟，裒集其遺書，九州希有大儒心血之大著述遂歸於散逸湮滅而不保，有心有力之人盍不圖公行昭陽全集耶。[26]

九州大學荒木見悟・岡村繁・町田三郎先生編集《龜井南冥・昭陽全集》，龜

---

22 金谷治先生：〈日本考證學派の成立──大田錦城を中心として〉，源了圓編：《江戶後期の比較文化研究》（東京都：ぺりかん社，1990年1月），頁38-88。日本江戶時代的考證學，參連清吉：《日本江戶時代的考證學家及其學問》（臺北市：臺灣學生書局，1998年12月）。

23 自稱「我是考證學」，見小島祐馬〈通儒としての狩野先生〉，《東光》第5號（東京都：弘文堂，1973年4月），頁7。新村出說：狩野直喜是京都中國學的開祖。《廣辭苑》第五版（東京都：岩波書局，1998年11月），頁540。

24 龜井昭陽：〈家學小言〉第25章，《龜井南冥・昭陽全集》第6卷，1981年8月，頁471。其《周易纘考》、《毛詩考》、《古序翼》、《左傳纘考》、《禮記抄說》、《學記抄說》、《論語語由述志》、《孟子考》、《學庸考》、《孝經考》收錄於《全集》第二卷至第五卷。

25 《碩水先生遺書》卷11，岡田武彥、荒木見悟、町田三郎、福田殖先生編：《楠本端山・碩水先生全集》（福岡市：葦書房，1980年8月），頁229。

26 〈異彩の學者〉於1907-1908，在《大阪朝日新聞》連載。

井昭陽《周易纘考》、《毛詩考》、《古序翼》、《左傳纘考》、《禮記抄說》、《學記抄說》、《論語語由述志》、《孟子考》、《學庸考》、《孝經考》收錄於《全集》第二卷至第五卷，足資論考九州儒者於經學著述之究竟。

（二）近世的諸子學研究

　　江戶時代於先秦諸子研究，武內義雄以為：日本學者異乎林希逸《口義》而開始提出獨自見解，是由於荻生徂徠提倡古文辭學，研究諸子的結果。[27]關於江戶時代老莊研究的內容，武內義雄〈日本における老莊學〉可為指引，嚴靈峰《無求備齋老莊列三子集成》（臺北市：藝文印書館）所收錄日本儒者文人之著述，足資考究。至於《管子》研究，安井息軒《管子纂詁》是日本註釋《管子》的白眉之作。《管子纂詁》於一八六四年二月刊行，一八六六年四月修訂而成《管子纂詁考譌》。一八六六年十月，安井息軒請託渡英的中村敬宇，停泊上海之際，為《管子纂詁》作序。一八七〇年一月，得蘇松太兵備道應寶時〈管子纂詁序〉，於是「排百冗而再考之，正其謬妄，補其不足，一百一十有四，訂誤脫四十有四。應序所論，取其是而駁其非，又十有八，凡得一百七十五條，合之考譌，以附纂詁」，[28]同年十月刊行改訂版《管子纂詁》。町田三郎先生說：應序指陳《管子纂詁》可議者凡二十五條，與俞樾《諸子平議》卷三，〈管子・侈靡〉的考證庶幾無異。應寶時與俞樾同年中舉，同治五年編修《上海縣志》，俞樾亦參與其事。俞樾《諸子平議》之草稿或為應寶時及其幕僚所見知。郭沫若《管子集校・敘錄》遂曰：

　　應序中尚提及一人，謂「嘗舉以質同學生尹鋆憙，再三商榷，似無以易之」。余疑尹或為應序之代筆者。是則剽竊俞說者，如非應寶時本人，則必為此「同學生」也。

---

[27] 武內義雄：〈日本における老莊學〉，《武內義雄全集》第6卷（東京都：角川書店，1978年9月），頁232。荻生徂徠於先秦諸子的訓讀釋譯，有《晏子考》、《管子考》、《韓非子考》、《讀荀子》、《讀韓非子》、《讀呂氏春秋》、《吳子國字解》、《孫子國字解》等，見載《補訂版國書總目錄》（東京都：岩波書局，1991年1月），頁167-168。

[28] 明治庚午（1870）冬十月，安井息軒《管子纂詁・序》。

安井息軒如何答辯〈應序〉的指陳＝俞樾《諸子平議》的考索，町田三郎先生比對《管子纂詁》與《諸子平議》二書的考證，歸結安井息軒贊同應序＝俞說者七條，質疑者十四條。至於安井息軒的論斷，則以古書用字例之有無、歷史事實之符應、解經之可否、文理旨趣通暢與否，作為文字考證的根據，體現安井息軒之為古典解釋學者的蘊藉。[29]清朝與江戶時代末期的一流學者於十八世紀七十年代既已展開學術論辯的對話，亦為中日學術交流史上劃時代的里程碑。

（三）近代中國學：日本中國學的文藝復興

　　京都中國學是代表明治新時代的「新漢學」，所謂「日本近代中國學」即是京都中國學。吉川幸次郎說：王國維送狩野直喜歐遊詩（1912）的「自言讀書知求是，但有心印而無雷同」，最能體現京都中國學的特質。[30]

1 讀書求是

　　吉川幸次郎是狩野直喜晚年的入室弟子，大學入學之前，「中國文學研究，唯有細密讀書而已」[31]的叮嚀，是啟蒙的門徑，「不咀嚼玩味一字一句的意義，就不是讀書」[32]是憤悱啟發而影響最深的箴言。「師弟授受，以一字之教為始，一字之教為終，……此為先生對文學一貫的態度，一生最極力主張的方法。先生文學鑑賞的方法是細密咀嚼的尊重。……先生所嗜好的是耐人細密咀嚼玩味而緻密內涵的文學」[33]，或為「自言讀書知求是」的旨趣所在。至於「讀書求是」的方法，則是武內義雄祖述王引之「為三代之舌人」[34]而樹立的

---

[29] 町田三郎先生：〈力作の《管子纂詁》〉，《江戶の漢學者たち》（東京都：研文出版，1998年6月），頁187-203。

[30] 吉川幸次郎於狩野直喜《支那學文藪》解說，說：王國維是狩野直喜平生第一知己，「讀書求是，有心印而無雷同」是狩野直喜學問宗尚所在。《支那學文藪》（東京都：みすず書房，1973年4月），頁504。

[31] 吉川幸次郎：〈狩野先生と中國文學〉，《吉川幸次郎全集》第17卷（東京都：筑摩書房，1985年7月），頁247。

[32] 吉川幸次郎：〈留學まで〉，《吉川幸次郎全集》第22卷，1985年12月，頁352。

[33] 吉川幸次郎：〈狩野先生と中國文學〉，頁248。

[34] 武內義雄：〈王引之〉一文，引述龔自珍〈工部尚書高郵王文簡公墓表銘〉，《武內義雄全集》第10卷（東京都：角川書店，1979年10月），頁284-286。

「中國學研究法」。武內義雄強調中國學研究方法的根底是文字學，唯其所謂的文字學既非語源研究，亦非文字形音的探究，而是歸納使用例，以正確解讀古典的文字訓詁學。其又以為中國先秦典籍經劉向、歆父子校定而頗失其舊，後世學者又有不少增益，而難窺其原貌。故讀中國先秦古書，必先考鏡其傳承源流，以回歸漢代之舊，再上溯先秦的原初本貌。於先秦諸子的研究，必先旁搜各種版本，判別取捨而得精善版本，解析文本篇章脈絡文義，對照先秦諸子，探尋他書的引述，然後判定精確的文本。其《老子の研究》[35]即是以歷代圖書目錄和日本的古抄本，考究異本源流，判別正確文本的著作。武內義雄以為《老子》有王弼注本、河上公本和唐玄宗御注本三個系統，校定各系統的祖本而取得最古且最正確的原本，才是精善緻密的校勘。又校定正確的文本之外，還需要對原典進行批判性的修正。其所以校定《老子王弼注》，蓋以《王弼注本》缺乏善本，乃參考王弼的注文，考察本文押韻的關係，探討思想內容，修正《王弼注本》。[36]武內義雄的學問是以清朝訓詁學，尤其是王引之「舌人意識」為底據，審慎的解釋古典的文句為出發點，又兼融訓詁學、校勘學、目錄學，以辨彰中國學術的發展，考鏡典籍著錄的源流。此古典文獻考證的學問方法亦可謂之為京都中國學「讀書求是」的指向。[37]

2 有心印而無雷同的「心得之學」

吉川幸次郎說：狩野直喜率先引進清朝精細的實證學，並作為學問起點，既嚴守清儒「不誤不漏」的方法，審慎徵引，正確標註典故出處，又尊崇「心得之學」，於前人之言不能完全共感，絕無苟從。平生之所以最敬愛宋王應麟《困學紀聞》與清顧炎武《日知錄》，以二書皆為「心得之學」。「魏晉學術

---

[35] 《老子の研究》，《武內義雄全集》第5卷（東京都：角川書店，1989年3月）。

[36] 金谷治：〈誼卿武內義雄先生の學問〉，《金谷治中國思想論集》下卷（東京都：平川出版社，1997年9月），頁423-426。

[37] 武內義雄：《支那學研究法》分〈第一總論〉〈第二文字學〉〈第三目錄學〉論述「中國學研究法」，《武內義雄全集》第9卷，1979年4月。吳鵬譯：《中國學研究法》（臺北市：臺灣學生書局，2016年5月）。

考」的講授，旁徵博引，懇切咀嚼玩味，是「心得之學」顯著的實踐。[38]狩野直喜祖述顧炎武的「世風」說，重視文學形成的時代精神，重新選別時代主流的文學體裁，講述漢魏辭賦、六朝駢文、宋元戲曲雜劇、明清小說。又比較世界主要文明，強調中國文明的價值在於感性的尊重，「儒雅」是中國文學的本質，「儒」是古典文學所內涵的理性和知性，「雅」是洗練（法文的 raffine）而蘊藏著優雅馥郁的芬芳。經過理性與知性鍛鍊的緻密詩文才是中國古典文學的上乘。沈潛於中國的古典文學的蘊涵，主張「儒雅」與「文雅」的融貫是中國文明異於其他文明的特質所在，或可說是狩野直喜的「心得」。[39]

　　吉川幸次郎自述留學中國（1928-1931）的意義是理解中國人的價值觀，受黃侃所說「中國之學，不在發現，在發明」的啟迪而體得中國學的真義。中國學的真諦不在文獻資料的蒐集歸納，而在於文獻內在意義的發掘。大正初期，日本京都中國學者以為權威的羅振玉、王國維的學問是傾向於資料至上主義的「發現」。所謂「發明」是鑽研重要的典籍，發掘其中的要義，亦即發揮前人的學說，而以自身的見解論證究明，進而轉益精進，或突破前人的論述而提出嶄新的學說，或從事新領域的研究[40]。吉川幸次郎自稱「我的古典是杜甫」[41]，「我是為了讀杜甫而誕生的。注釋杜甫要有錢牧齋的學識與見識，今日可以注解杜詩者，除我之外無他」[42]。其於〈杜甫の詩論と詩〉強調：歷來以〈戲為六絕句〉為杜甫論詩的作品而詳細分析，然「戲為」乃即興之作，雖品評齊梁、初唐詩人的詩作，提出「不薄今人愛古人，轉益多師亦汝師」的持平之論，而杜甫論詩的主要詩作，則別有他在，尤其是〈敬贈鄭諫議十韻〉與

---

[38] 《魏晉學術考‧跋》，吉川幸次郎又說：獨自的「心得之學（心印）」為狩野直喜、內藤湖南、鈴木虎雄的學問態度。《魏晉學術考》（東京都：筑摩書房，1968年1月），頁332-334。

[39] 吉川幸次郎說：狩野直喜《支那文學史》具有「創始」「洞察」的意義，以「心得」體認中國文學「儒雅」特質。又重視「風神」（法文「raffine」）而嫌惡「粗略」（法文「sauvage」），故以為明代文學粗略，不是中國文學的本質。《支那文學史‧解說》，《支那文學史》（東京都：みすず書房，1970年6月），頁461-472。

[40] 吉川幸次郎：〈留學時代〉，《吉川幸次郎全集》第22卷（東京都：筑摩書房，1975年9月），頁331-425。

[41] 吉川幸次郎：〈わたしの古典〉，《吉川幸次郎全集》第12卷，1968年6月，頁706。

[42] 黑川洋一：〈杜甫と吉川先生と私〉，《吉川幸次郎全集第十二卷‧月報》，1968年6月，頁6。

〈夜聽許十一誦詩愛而有作〉是其論詩的代表詩篇。〈敬贈鄭諫議十韻〉的「諫官非不達,詩義早知名」,稱譽鄭虔文辭通達,早歲即以詩論之詩作而聞名。「詩義」一詞,〈詩序〉有「詩有六義」之說,謂詩有六個原則存在,杜甫據以造「詩義」的新詞,敘述其根據原則而創作詩賦的意識。至於「破的由來事,先鋒孰敢爭,思飄雲物外,律中鬼神驚,毫髮無遺恨,波瀾獨老成」與〈夜聽許十一誦詩愛而有作〉的「應手看捶鉤,清心聽鳴鏑,精微穿溟涬,飛動摧霹靂,陶謝賦枝梧,風騷共推激,紫鸞自超詣,翠駮誰剪剔」則是分析性的敷陳詩作的方式。吉川幸次郎訓解「詩義」的「義」為「みち」,即詩作的「道」「路」,亦即創作詩賦的方向,進而主張杜詩有「緻密」與「飛躍」的兩個方向,「緻密」是體察客觀存在事物的方向,「飛躍」則是抒發主觀內在意象的方向,「緻密」所刻畫的是輪廓清晰的具象世界,「飛躍」所指涉的是起興超越的抽象世界,二者雖非同一方向,即「緻密」是橫向觀照人間社會與自然景象的視線,「飛躍」是縱向起興超越的「冥搜」昇華,二者並存互補相互完成,此為杜甫的詩歌創作的理論。[43]

朱子說「五經疏中書易最劣」,然吉川幸次郎則強調《五經正義》中,以《尚書正義》最善。《尚書正義》所選定的《尚書孔氏傳》雖是偽古文經,卻是現存最古的《尚書》注本,也是漢代《尚書》注釋的集大成。孔穎達奉勅撰述《尚書正義》的論證雖煩瑣,卻是六朝以來議論駁辯折衝抗詰而得持平穩定的傳疏,允為科考準據的經典注釋。或有不合經義的所在,卻是探究中國中世人文精神史的史料。《尚書正義》所表述的論理是愚者惡人存在,且絕對無法救濟的思維,而異乎中國傳統人性本善的人性論。亦即《尚書正義》雖是《尚書》經傳的義疏,卻也反映六朝至唐初人為命運所支配,有極多限定的思維方式,吉川幸次郎稱之為「決定的運命論」(天生命定)。天生命定的言說,首見於《論語・陽貨》的「子曰,惟上智與下愚不移」,最上的智者與最下的愚者的性格是天生不變的。《尚書正義》則曰「中人」或有變化的可能。上智聖人

---

[43] 〈杜甫の詩論と詩〉,《吉川幸次郎全集》第12卷,頁593-628。吉川幸次郎於杜甫的論述,參連清吉:〈《杜甫詩注》:杜甫千年之後的異國知己〉,《杜甫千年之後的異國知己:吉川幸次郎》(臺北市:臺灣學生書局,2015年6月),頁175-216。

不胡作非為，不必戒。下愚無可匡濟，天生命定，戒之無益。又〈多方〉「聖
必不可為狂，狂必不能為聖」是天生命定論，「謂之為聖，寧肯無念於善，已
名為狂，豈能念善」，則強調上智聖人與下愚狂者的兩極差異。至於經傳所謂
「無念於善」與「狂人能念於善」則有墮落或遷善之可能的論述，是曲解人間
存在的實情。上智與下愚是天賦氣質與習性而不可變易，乃《尚書正義》的哲
學。故「決定的運命論」（天生命定），是中世思想的具現。[44]

內藤湖南主張「唐宋變革論」，從貴族政治崩壞而君主權力確立，士大夫
地位上昇，經學由箋注義疏轉向獨見創說，繪畫藝術由金碧輝煌的壁畫轉趨白
描水墨的卷軸，實物經濟轉型為貨幣經濟，稅租勞役制度的改變，土地私有的
雛形略具，強調唐代是中國的中世，而宋代則是中國近世的開端。[45]宮崎市定
（1901-1995）則從東洋史學的觀點，提出宋代是「東洋的近世」。宮崎市定
說：十四世紀到十六世紀歐洲形成的「文藝復興」是區分中世與近世之劃時代
的重要關鍵，歐洲「文藝復興」是中世黑暗的覺醒，以古代再生為媒介，而創
出近世的文化，其中心思想是回歸希臘、羅馬古典黃金時代的復古思想，於文
學表現形式既有古代拉丁語（FancescoPetrarca）的復興，也有以方言創作文學
（但丁《神曲》）的產生。印刷術的傳入而書籍出版普及，羅盤和火藥的傳入
而科學發達。繪畫、雕刻與建築是藝術的尖峰。歐洲「文藝復興」的精神是復
古、藝術與科學。宮崎市定又說：「文藝復興」的精神與文化現象不但是東西
共通具存，而且中國於十世紀到十一世紀，已有儒學復興，古文運動，口語文
學的流行，印刷術的發明，版刻流傳而文化普及，潑墨山水，文人自由揮灑獨
具風格之卷軸字畫，殊異於中世重視師承之碑刻書法，金碧輝煌之壁畫。又由

---

44 吉川幸次郎說明《尚書正義》的價值和體現中世思想的論述，見〈《尚書正義》譯者の序〉，
《吉川幸次郎全集》第8卷，1970年3月，頁4-11。又吉川幸次郎於《吉川幸次郎全集第十卷‧
自跋》主張中世是「決定的運命論」思想的時代，於〈中國文學に現れた人生觀〉，（《吉川幸
次郎全集》第1卷，1968年11月，頁105-111）強調中國中世文學頗多記述人生的不安限定和人
是微小存在的詩文，所呈現的是悲觀傾向的人生觀。蓋能理解吉川幸次郎對中國中世思潮的
立場。有關吉川幸次郎的中國中世思想論，參連清吉：〈《尚書正義》反映「天生命定」的思
惟〉，《杜甫千年之後的異國知己：吉川幸次郎》，頁73-115。

45 內藤湖南：〈概括的唐宋時代觀〉，〈近代支那の文化生活〉《內藤湖南全集》第8卷，1969年8
月，頁111-139。

於大運河連接南北交通貿易，陸路與海上絲路暢通，文化交流活絡，經濟貿易發達，宋代的中國成為東西文化經貿的據點。[46]

內藤湖南以中國為主體，通貫中國歷史的變遷，宮崎市定則從東洋史學的視角，探尋中國歷史的沿革，內藤史學到宮崎史學是「史學的突破」[47]。

3 日本中國學的文藝復興

明治三十三年（1900），內藤湖南說：東西學術薈萃的日本宜居於創造第三新文明的地位，然漢學耆老墨守德川末期的弊風，毫無進步。清朝學者則儼然如「歐西近人之學士」習得合理性的學問方法。日本學界應將學問提昇至清朝考證學的水平，確立研究方法，開拓東洋學術，甚至世界文明的新局面。[48]町田三郎先生說：在中國學研究的領域，實現以科學合理的精神為根底，將研究成果提昇到世界學問水準是大正九年（1920）以內藤湖南、狩野直喜為中心而創刊的《支那學》雜誌。《支那學》的創刊是明治中末期以來，胎動確立近代中國學之各種活動的結晶，尤其是內藤湖南與狩野直喜所謂的新學風，是以與中國當代考證學之學風同步的學問為目標，既非守舊的漢學，亦非盲目鶩新之輕薄學問的主張，是具有說服力的。[49]內藤湖南與狩野直喜欲於明治新時代樹立新學問是文化使命感，批判江戶時代與繼承江戶學術之東京近代的學問有

---

[46] 宮崎市定的東西文藝復興論，見於〈東洋のルネサンスと西洋のルネサンス〉，《宮崎市定全集19 東西交涉》，1992年8月，頁3-50。宋代是「東洋的近世」，見於《東洋的近世》，《宮崎市定全集2 東洋史》，頁134-241。

[47] 宮崎市定說：內藤湖南史學的研究對象，雖不限定中國，亦涉及蒙古、滿洲、西藏，唯未遍及東洋全境域。所謂東洋史學既研究中國的歷史文化及其對周邊民族的影響，又從東西歷史對比的觀點，論述東洋歷史文化的特質。《宮崎市定全集2 東洋史・自跋》，頁243-244。換句話說宮崎市定史從「東西交涉（交流）」觀點，區分中國歷史，探究中國各時代的特質與沿革變遷，論述中國歷史文化在世界史上的地位。

[48] 內藤湖南：〈讀書に關する邦人の弊風附漢學の門徑〉，《內藤湖南全集》第2卷，1971年3月，頁166-170。

[49] 町田三郎：〈明治漢學覺書〉，《明治の漢學者たち》，頁23，連清吉譯《明治的漢學家》，頁25。《支那學》雜誌14卷（含《還曆記念號》1卷、《東光支那別卷》1卷，1920年9月～1948年10月於東京都：弘文堂發行），刊載日本（京都）與中國（羅振玉、王國維、張爾田、羅福成、錢寶琛、郭沫若等）於中國學的論述，介紹中國當代學術消息，為近代中日學術交流是的貴重史料。

偏狹和歪曲的流弊，不能作為引領新時代的學問，是文化自覺。選別具有西洋
實證合理性格的清朝考證學與世界漢學的取向，用以開創「新學先驅」的「日
本近代中國學」，既首倡研究的中國戲曲雜劇古典小說是大正至昭和前期中國
文學研究的顯學，鑽研敦煌學與世界漢學並駕齊驅，清代歷史與文學的研究早
於中國與歐美學界。又提出無雷同於中國既成定說的述作，則是以清朝考證學
為媒介，與世界漢學接軌的意識而成就古代的再生。若以宮崎市定的文藝復興
論，定位京都中國學，或可謂之為日本近代中國學之文藝復興。

（四）日本學問的近代化展開

近代以來，於中國學的研究，武內義雄於東北大學開展先秦諸子的研究，
金谷治（1920-2006）、町田三郎（1932-）先生繼起，鑽研先秦兩漢諸子學。
有九州二程子之稱的岡田武彥（1908-2004）、荒木見悟（1917-2017）兩位先
生於陽明學的再體驗與儒佛會通的闡述，皆有獨見精到之處。津田左右吉
（1873-1961）旁通中國經學、先秦諸子學與日本文化史學，或可謂與內藤湖
南分庭抗禮於日本東西的中國學界。[50]東洋史學是代表明治時代的新學問，宮
崎市定說：東洋史學是明治期日本人創立的學問，具有「日本的」，特別是
「明治的」特色。[51]對於日本的學術，或從文化史學的視角、傳統儒學史的遠
紹，探究日本儒學史的流變，或用西洋哲學史的方法，析理江戶時代各學派的
哲學，或以思想史的視野，架構日本思想史，或以「日本漢學問的兩面性」、
「國文學」的觀點，論述日本漢文學史，要皆為近代學術的展開，樹立新的學
問領域。[52]至於西洋哲學雖非中國學的領域，明治以來百餘年的翻譯詮釋與梳

---

50 增淵龍夫：《歷史家の同時代史的考察について》（東京都：岩波書局，1983年12月）。

51 《宮崎市定全集2 東洋史・自跋》，頁339。那珂通世著述《支那通史》（1888），創立新史學，
桑原騭藏《中等東洋史》（1898），羽田亨創刊《東洋史研究》（1935），而宮崎市定為「東洋
史學巨峰」，《宮崎市定全集・刊行にあたって》（東京都：岩波書局，1990年，全集刊行記事
轉載於礪波護〈東洋史學宮崎市定〉，《京大東洋學百年》，京都大學學術出版會，2002年5月，
頁224。

52 內藤湖南：《近世文學史論》以時地為文化形成的經緯，通辨江戶儒學的變遷與地域風土所蘊
育的學問特質。西村天囚主張日本儒學發軔於薩摩，著述《日本宋學史》。安井小太郎《日本
儒學史》以學案的體裁，綜述日本江戶儒學各學派的流變。井上哲次郎與蟹江義丸編《日本

理鑽研，尤以西田幾多郎（1870-1945）融合東西哲學而成就「西田哲學」為中心之「京都學派」的論辯述作，則是日本近代學術的結晶。

如果內藤湖南以氣象的流動，說明中國學問於一百五六十年後，飄洋渡海影響日本，以螺旋循環史觀，論述中日學術相互影響，是中日學術文化交流史的事實，則民國以來，研究百年的中國學，或當代高呼的「新國學」與「新漢學」，是否能在二十一世紀成為東亞漢字儒學文化圈之中國學研究者的研究對象，甚且影響其思維方式與論理結構，則是當今中國研究者的歷史定位。

倫理彙編》十卷，收錄江戶儒者著述，又以哲學史的觀點，論述《日本朱子學派之哲學》《日本陽明學派之哲學》《日本古學派之哲學》。和辻哲郎以「人類於社會存在之理法」的「倫理學」論述《日本倫理思想史》。村岡典嗣則從思想史的視野，論述《日本思想史研究》。源了圓及其東北大學的門下弟子，研究「德川思想史」。岡田正之、久保天隨、神田喜一郎等人從中國文學與日本漢學問的關係，著述《日本漢文學史》，日野龍夫則從「國文學」的觀點，著述《近世文學史》，中村幸彥編輯《近世の漢詩》，論述《近世文藝思潮》。

全球史視野下中國區域史的曲解

艾爾曼

（美國）普林斯頓大學

摘要

　　一些文化史學者和社會科學家在研究通常被稱之為「儒學」的中國傳統經學時，將「現代化敘事」應用於前現代中國。他們用當下的標準來衡量儒家。當下發生變化，標準亦隨之改變。在稍早以前的「當下」，以工業革命時代的歐洲為標準衡量下的中國顯得貧窮、落後，[1]而這種落後局面被不公正地歸咎於儒學尤其是程朱理學。今日中國之「當下」已然不同於昨日之「當下」，故儒學亦不再被當作通往現代之路的障礙，轉而被視為其促因。這種價值判斷的變化取決於用何種「當下」來衡量哪段「過去」。在一九五〇年代，學者們孜孜以求社會主義在俄國和中國成功的原因，而今二十一世紀他們則大多書寫其消亡。我們在對最近東歐選舉的觀察中已然發現，之前為社會主義蓋棺定論操之過急，這同本世紀早先在亞洲宣佈儒學已死的情形如出一轍。例如一九〇〇年前後的「世界史」，通常書就於這種「現代主義」敘事。

---

[1] Michael Adas. *Machines as the Measure of Man: Science, Technology, and Ideologies of Western Dominance*(Ithaca: Cornell Univ. Press, 1989).

一　幾種目的論幻象

　　一些文化史學者和社會科學家在研究通常被稱之為「儒學」的中國傳統經學時，將「現代化敘事」應用於前現代中國。他們用當下的標準來衡量儒家。當下發生變化，標準亦隨之改變。在稍早以前的「當下」，以工業革命時代的歐洲為標準衡量下的中國顯得貧窮、落後，[2]而這種落後局面被不公正地歸咎於儒學尤其是程朱理學。今日中國之「當下」已然不同於昨日之「當下」，故儒學亦不再被當作通往現代之路的障礙，轉而被視為其促因。這種價值判斷的變化取決於用何種「當下」來衡量哪段「過去」。在一九五〇年代，學者們孜孜以求社會主義在俄國和中國成功的原因，而今二十一世紀他們則大多書寫其消亡。我們在對最近東歐選舉的觀察中已然發現，之前為社會主義蓋棺定論操之過急，這同本世紀早先在亞洲宣佈儒學已死的情形如出一轍。

　　現代化進程本身並非問題之所在。有意識的西化在中國開始於太平天國運動（1850-1864）之後，中國儒學的研究者們長久以來已經在從文化到經濟的各個層面把「西化」進程作為分析的對象。當這種現代化框架被不加批判地套用於洋務運動之前的儒學史時，儘管這種選擇若由中國人做出自有其道理，卻犯了目的論推演的謬誤。將一種適於評價一八六〇年後中國史現象的概念框架用於描述該時代之前的情形，是一種時代錯置。如此我們便止於一種取巧建構的敘事，把歷史現象虛化為與其本真毫不相干的東西，即所謂通往現代性之路上的「障礙」或「促因」。諸如「在帝制中國何以不曾發生科學革命」抑或「為什麼沒有產生工業革命」之類的問題，如今被反過來加以追問：「為何科學革命在現代中國得以發生？中國傳統經濟在其現代工業革命中扮演何種角色？」等等。例如一九〇〇年前後的「世界史」，通常書就于這種「現代主義」敘事。

---

[2]　Michael Adas. *Machines as the Measure of Man: Science, Technology, and Ideologies of Western Dominance* (Ithaca: Cornell Univ. Press, 1989).

自馬克斯・韋伯起，[3]參照「現代化」的尺度對中國儒學進行「積極」或「消極」地解讀已成為流行。後現代主義學者成功揭露了這種過分強調用現代「當下」去衡量前現代「過去」的行為中內在的非歷史主義面向。現代化仍是研究一八六〇年後中國史的一個重要對象，但作為評價太平天國運動之前的儒學及中國社會與大眾文化的總體框架，其已然過時。最近中國傳統社會研究中存在的這種闡釋危險的例子，便是美國的中國學研究界仍在進行的兩場辯論，一是針對部分歷史學家將哈貝馬斯的「公共領域」與「市民社會」概念應用於中華帝國及現代中國，二是關於與前者並行的，香港、臺灣地區的一些哲學及歷史學者借助伽達默爾「哲學詮釋學」，試圖在大陸以外重構儒學。

二 中國研究之哈貝馬斯對陣伽達默爾

「公共領域」／「市民社會」之爭，本質上關於如何定義中華帝國晚期國家——在不同時期以皇廷、宦官抑或官僚等不同實體為代表——與一六〇〇至一九〇〇年間的士紳社會（尤其就江南而言）之間錯綜複雜的關係。認為晚清中國存在「公共領域」的學者提出，在晚明的城鎮中心，儒家化的紳商精英已然發起一場政治與經濟領域的自治運動，與國家爭鋒相對。其反對者認為，書寫中國史時使用「公共領域」概念是將哈貝馬斯就十八世紀歐洲、尤其是英國中產階級所提出的「市民社會」概念誤用為評價中國士紳社會的標準，進而忽視了中國自宋代以來所獨有的、朝廷與其精英之間在政治與社會生活中達成的種種妥協。這些長期妥協成功抑制了宋元明清歷代地方主義者追求政治自治的各種運動。[4]

在此我們應當補充，最近的研究表明帝國、地方精英與農民之間的複雜關係在一四〇〇至一六〇〇年間發生改變。隨著中國人口從大約一・五億增至二・五億，帝國官僚體制向下延伸的能力不可逆轉地遭到削弱。一五五〇至一

3　Max Weber, *The Religion of China*（《中國的宗教》），translated by Hans Gerth (New York: Macmillan, 1954).

4　The "Symposium" in *Modern China* 19, 2, April 1993.

六五〇年間「白銀時代」明朝經濟的貨幣化，難以避免地造成村鎮賦役從實物稅和力役向貨幣稅轉變，遠早於一九一一年辛亥革命，帝國及其官僚體系就已失去對土地與勞力資源的控制。王朝不再直接介入鄉村事務，鄉紳地主在晚明與清代政治、社會生活中的中間人作用得以放大。在中央政府的庇護下，江南及其他地方的紳商精英將其對地方權力的掌控多樣化為多種基於地租與經營的、得到擴張的牟利形式。[5]他們也通過將經濟與社會權力轉化為文化與教育優勢，使得主要只有紳商子弟才能通取得科舉功名從而壟斷帝國官僚體系中的各級職位。科舉制度實實在在地保留了一個充滿張力的官僚競技場，朝廷在此饒有趣味地嘗試保持對其精英的控制，而精英們則肆意利用政府以增強他們的社會地位與經濟實力。[6]

因此，任何將中華帝國晚期國家與社會間的互動描繪為中央政府占據絕對霸權的圖景都是片面的。同樣，任何被塑造為自在自為的「中間領域」的市民社會形象都錯失了朝廷與士紳之間精心構建的政治「夥伴關係」。自近世以來，帝國的國家與社會由朝廷及其不斷演化的精英共同維繫。士紳與商人實現了他們的訴求，或者說獲取了他們應得之物，即由政治體制保證了他們的信仰、社會地位、政治權力、財產和土地。當得到心滿意足的精英們的合法認可之時，朝廷便通過一種優雅、精緻的官僚系統來實現統治，而這種系統則被依據士人主張、從紳商階層中吸納的受過經典教育的官員所充斥。中國帝國晚期，朝廷與社會上層之間這種不尋常的夥伴關係，自從一四〇〇年以來經常受到挑戰，當一九〇五年科舉遭到廢除時隨即消亡。

作為西方概念的自治「公共」空間，對立於精英與統治王朝之間「公」的合作關係的中國/儒家式捍衛，[7]其間的概念性距離讓即使是對「公共領域」更

---

[5] 此處討論，參見拙著*Classicism, Politics, and Kinship: The Ch'ang-chou School of New Text Confucianism in Late Imperial China*(Berkeley: University of California Press, 1990), pp. 16-19，以及 Richard von Glahn, *Fountain of Fortune: Money and Monetary Policy in China, 1000-1700*(Berkeley: University of California Press, 1996), pp. 113-41. 另有文章見於Linda Grove and Christian Daniels, eds. *State and Society in China: Japanese Perspectives on Ming-Qing Social and Economic History* (Tokyo: Tokyo University Press, 1984),各處。

[6] 參見拙著*Civil Examinations and Meritocracy in Late Imperial China.* (HUP, 2013).

[7] 溝口雄三：《中国の公と私》（東京都：研文出版，1995年），各處。

為限定的主張（例如黃宗智精心構建的「第三領域」，同杜贊奇更加細化的「宗教領域」／「文化網路」相比太過於整齊機械）成為時代錯置。舉例來說，馬克斯・韋伯與莫里斯・弗里德曼等社會學與人類學家已把前現代中國宗族組織視為士紳社會的一種特殊排他而製造分裂的特徵，[8]或者視為一種對適宜承接現代政治模式的自治社會的障礙。然而，帝國統治者及其儒家官員則相反將宗族視為親倫紐帶與公共利益的結合，兩種價值觀都包含在義莊，以及基於遺產可分割繼承理念的分家之內，而這兩種制度都由法律為其背書。[9]儒家道德經濟的平均主義理想在理論上通過在全社會依循宗族和家庭進行財產資源的公平分配而得以實現。同時，宋明清歷代，並非基於血緣關係成立的士紳政治同盟——黨，被政府定義為一種危害社會的結黨營「私」而被明令禁止，基於血緣的社會組織被上升為「公」而加以倡導，這恰恰與哈貝馬斯所說「現代」西方觀念大異其趣。[10]

　　前現代帝制國家和儒家士紳與商人家族共同支援宗族組織為「公」的原因並不難理解。儒家教化是一種以祖先崇拜為核心組織日常實踐的社會、歷史及政治形式，它鼓勵把親倫紐帶當作道德行為的文化根基。作為士大夫和統治者之間的合作關係的一部分，這種親情維繫被認為是有益於王朝。政治、經濟與文化資源往往被集中用於形成和維護宗族關係，旨在謀求家族成員在社會、學術與政治領域的成功。因此我們不能以歐洲「公共領域」的擁護者慣用的模式假定，在國家權力擴張與宗族勢利發展之間存在反作用。一九〇〇年以前中國宗族的壯大並非憑藉以一家之「私」抗衡國家，而是國家與通過科舉考試進入官僚體制的精英之間演化而成的「公」的夥伴關係的成果。這其中關涉的是國家、社會間的「夥伴關係」，而非獨立的「公共領域」。

8　Friedman, *Chinese Lineage and Society: Fukien and Kwangtung* (NY: Humanities, Press, Inc., 1971), pp. 29-31, 88-96, 104-117.

9　David Wakefield, *Fenjia: Household Division and Inheritance in Qing and Republican China*分家和清代、民國的財產繼承(Honolulu: University of Hawai'i Press, 1998)

10　參見拙文"Imperial Politics and Confucian Societies in Late Imperial China: The Hanlin and Donglin Academies.中華帝國晚期的帝國政治及儒家社會：以翰林院和東林書院為例" *Modern China* 15, 4 (1989): 379-418.

這種歷史形成的合作關係是無法通過將哈貝馬斯的「市民社會」模型移植到中國來處理的。[11]為使這一借用得以立足而聲稱中國「公共領域」將家庭與宗族利益包括在內的勉力嘗試，反而同哈貝馬斯關於十八世紀歐洲「公共與家庭利益相對立」的觀點背道而馳。最近一本關於宋代統治方式的會議論文集就應和了上述說法。雖然經過謹慎論證，編輯們還是宣稱「中層『公共空間』的概念……在南宋時已經出現，據我們所知這在中國社會與政治話語的歷史中尚屬首次。」[12]當然即是一九四五年後的日本和中國社會史家所稱的，可能植根於宋元明之變遷的中華帝國晚期的「士紳統治」或「士紳階層」，[13]他們以此解釋中央集權的官僚主義國家和牢固確立的地方精英勢力之間的悖論。其他人稱之為「士人文化」。[14]

對於亞洲的儒學研究者來說，「公共領域」之爭揭示了分析方法層面的危險，如果我們不能避免在全球史、中國史、儒學價值觀和中華帝國晚期「市民社會」的發展之間進行生硬的關聯。至少這場關於中國的爭論應當引起日本、韓國或越南研究類似問題學者的警覺。如果宋明清歷代國家從未像封建歐洲通過羅馬法的推行及其對私人權利的強調那樣，[15]在法律上授予市民、商人、手工業行會、佛教與道教寺院或士人書院以政治自治權，那麼，削清代中國、李朝朝鮮、黎氏越南或德川日本之足，適憑空創造的「市民社會」之履的做法，

---

[11] 亦見於Mary Rankin's *Elite Activism and Political Transformation in China: Zhejiang Province, 1865-1911* (Stanford: Stanford University Press, 1986), pp. 92-135, 以及David Strand's *Rickshaw Beijing: City People and Politics in the 1920s* (Berkeley: University of California Press, 1989), pp. 167-197.這兩部注釋嚴謹的著作，在我們超越中國「市民社會」之辯之後，仍舊是重要的學術成果。

[12] Robert Hymes and Conrad Schirokauer, eds., "Introduction," in *Ordering the World: Approaches to State and Society in Song Dynasty China* (Berkeley: Univ. of Calif. Press, 1993), pp. 51-58.

[13] Robert Hymes, "Marriage, Kin Groups, and the Localist Strategy in Song and Yuan Fu-chou," in Patricia Buckley Ebrey and James L. Watson, eds., *Kinship Organization in Late Imperial China* (Berkeley: University of California Press, 1986), pp. 113-134.

[14] Linda Grove, and Christian Daniels, eds., *State and Society in China: Japanese Perspectives on Ming-Qing Social and Economic History.* 杜贊奇的「文化網路」代表了超越精英與大眾階層之間二元對立的初次成功嘗試，他的後繼者基本上將它作為一個既定的前提假設。因此杜贊奇的「宗教領域」從分析層面上與被用於解讀宋、清、民國歷史的精英市民社會的概念相區別。

[15] Perry Anderson, *Lineages of the Absolutist State* (London: Verso, 1974).

所揭示的更多是關於我們自身，而非東亞儒學。

三 「哲學詮釋學」與儒學

　　相似地，研究中國學術史與新儒家哲學的港臺學者（如吳光明和劉述先）近來傾向於援引哈貝馬斯在德國的論敵，漢斯・格奧爾格・伽達默爾，作為「思想盟友」，[16]以期重申中國「傳統」與「哲學詮釋學」，並藉此重樹宋代「程朱理學」之為真理標準。這種做法無論在政治還是學術層面都令人好奇。當一些西方與中國社會文化史家將哈貝馬斯鼓吹為中華帝國晚期「公共領域」的「解放者」時，身處港臺中國哲學的研究者們逐漸集結在伽達默爾意旨深刻的文化保守主義周圍，把它當作將中國過去之儒學重塑為後社會主義時代思想基礎的途徑。

　　追隨哈貝馬斯的漢學家們，先把中國置於力圖擺脫獨裁政治舊習的民主解放道路之上，而後才回頭將這種解放移到明清語境之下。而那些訴諸伽達默爾整體論歷史經驗之說教、重申新儒學之文化功能即為中國本體論問題的唯一正確詮釋（按字面理解，即「對闡釋的研究」，而非注疏）之人聲稱，所有社會理論的詮釋學基礎揭示了這樣一個尚未完全施展的、未實現的認知過程，它超越並根本動搖了社會科學家、歷史學家或樸學家所謂「公正」的闡釋方法。一旦現代「客觀性」的科學權威遭到海德格爾和伽達默爾式挑戰，那麼把哈貝馬斯那種用於歐洲語境（於中國也一樣）、充斥價值判斷及其所產生偏見的現代化理也就遭到質疑，從而簡單淪為另一種闡釋形式。只有當各種經過豐富和改良的、全新的意義開始出現，並超越那些早前科學版本的真理時，真知才能成為可能。[17]如此，作為中國「行之有效的歷史」，新儒學傳統即搖身成為中國文化、歷史經驗的正當和權威之所在，而這與哈貝馬斯式解構權威的、現代主

---

16 關於學術話語中「盟友」的使用，參見Bruno Latour, *Science in Action* (Cambridge: Harvard Univ. Press, 1987), pp. 30-59, 162-73

17 劉述先：〈從方法論的角度論何炳棣教授對「克己復禮」的解釋〉，《二十一世紀》1992年2月號。

義的、對於從傳統中解放的看法大相逕庭。

　　德國保守主義者和港臺新儒家採用非歷史、反文獻學的「詮釋學」，把文本當作各種整體論的、目的論的意義、而非歷史研究的對象，以此消弭關於科學與客觀性的現代主義表述所產生的腐蝕效果，但這種做法同時也退化為無視「文本」與「作者」為歷史建構的前現代失憶狀態。[18]朱熹（1130-1200）及其後學成功地精心創制出一個南宋版本的「詮釋學」，他們稱其為「義理之學」。[19]朱熹的追隨者則為後來的道學正統，即我們經常所稱的「新儒學」，構建了一個日益嚴密的敘述體系。[20]後期帝國的經典學者對這種嚴絲合縫的論述提出質疑，並將他們的工作稱之為還原過去本來面目的「考證之學」。[21]

　　伽達默爾和他的中國追隨者因而擺出的是後現代文化批判姿態，但我認為他們的立場可以更恰當地稱作「經典相對主義」。如蜜雪兒・福柯曾指出的那樣，一個社會會間歇性地突然停止以其過去的方式思考，它的主流聲音也朝著新異的方向發聲：

　　　　因此，在連續不斷、始終如一地上溯到某種無法接近的始源的、理性的編年史中，還存在一些這樣的片段，它們有時非常短暫，各自相異，不可化約為單一的法則，它們分別承載著一段別樣的歷史，無法被約化為

---

[18] Gadamer, *Philosophical Hermeneutics*, translated and edited by David E. Linge (Berkeley: Univ. of Calif. Press, 1976), pp. 107-97. 此外，海德格爾於「算計之思」與「玄想之思」的區分可參見 *Discourse on Thinking*, translated by John Anderson and E. Hans Freund (NY: Harper & Row, 1966), pp. 46-47, 海德格爾自此開始哀歎人類生活的「無根性」與現代交流對人的「原生性」之威脅。

[19] Georgia Warnke, *Gadamer: Hermeneutics, Tradition and Reason* (Stanford: Stanford Univ. Press, 1987), pp. 107-138. 另見 Heidegger 的 "Conversation on a Country Path about Thinking," in his *Discourse on Thinking*, pp. 58-90, 他發明了一種科學家、教師和學者之間的對話，關於那種等待用作為紀念和釋放的思來揭示存在之謎的「崇高關照」。

[20] Tillman, *Confucian Discourse and Chu Hsi's Ascendency* (Honolulu: Univ. of Hawaii Press, 1992).

[21] Thomas A. Wilson. *Genealogy of the Way: The Construction and Uses of the Confucian Tradition in late Imperial China* (Stanford: Stanford University Press, 1995). 近期研究參見浜口富士雄：《清代考拠學の思想史的研究》（東京都：國書刊行會，1994年10月），以及木下鉄矢：《「清朝考証學」とその時代》（東京都：創文社，1995年12月）. Chin-hsing Huang, *Philosophy, Philology, and Politics in Eighteenth-Century China* (Cambridge: Cambridge University Press, 1995).

意識的普遍模式去感知、演化和回憶。[22]

　　歐洲學術史上，話語的斷裂表明了各種概念的形成與它們連結和共存的模式可以在不同時代發生劇烈地改變。十七世紀的歐洲標誌了西方哲學史上的這種斷裂。三個世紀以前出現的「經驗知識的偉大網絡」代表了人們藉以感知世界的知識的通用規則的一次根本轉變。十八世紀啟蒙運動時期，受過良好教育的歐洲人的思想語彙進一步推進了這次轉變，一些精英將基督教理性主義發展為具有懷疑精神的、世俗經驗主義。繼而，強調確鑿的知識必須通過外部事實與不帶偏見的觀察來證實的認識論立場，從對自然世界的研究及與其同時出現的科學革命中汲取了更強的動力。[23]二十世紀後期，我們見證了一次來自後現代主義、對於上述認識論與知識之篤信的有力攻擊。[24]

　　我已在別處詳盡論述過，經驗主義認識論的轉向同樣發生在十七世紀中國的精英之中。儘管種種原因與歐洲情形截然不同，經學家當中還是發生了一次儒學話語的重大轉向，他們從以朱子哲學為代表的新儒家詮釋學，轉而投身於以經驗主義為基礎的哲學研究。與之前的新儒家形成鮮明對照的是，清代考證學者強調實證、嚴密分析以及從古物、歷史記錄與文本中收集的無偏見的證據。儒學中，以抽象觀念和先驗推論為主的研究方法讓位於把具體事實、可證實的制度習俗和歷史事件作為討論的基本對象。[25]

　　不幸的是，清代樸學的角色，被劉述先及其他學者用新儒家哲學詮釋學取而代之，[26]而遭到遺棄，從而使港臺新儒家得以逃避文本之爭，[27]並以儒學傳

---

[22] Foucault, The Archaeology of Knowledge (NY, 1972), p. 8, 以及Foucault, The Order of Things. An Archaeology of the Human Sciences (NY, 1973), p. 50.

[23] Foucault, The Order of Things, pp. 76-77. 亦參見Wilhelm Windelbandt, A History of Philosophy (NY, 1901), Vol. 2, pp. 447ff.另見 Basil Willey, The Seventeenth Century Background (NY, 1953), pp. 11-30.

[24] Richard Rorty, Philosophy and the Mirror of Nature (Princeton: Princeton University Press, 1979).

[25] 參見拙著From Philosophy To Philology: Social and Intellectual Aspects of Change in Late Imperial China (Cambridge, 1984), 各處。更多細述另見拙文"The Unravelling of Neo-Confucianism," Tsing Hua Journal of Chinese Studies, New Series 15 (1983): 67-89.

[26] 前引劉文，頁4-8.

[27] Mark Elvin, "The Collapse of Scriptural Confucianism," Papers on Far Eastern History 41 (1990): 45-76.

人的姿態高舉程朱版本的經典之學。這既是中國市場經濟取得成功後的產物，也是對中國革命政治上遭受挫折的補救。運用詮釋學作為一種闡釋策略，容許了對儒學文化批評的非文獻學解讀。它把儒家學者集中於關於儒家正典的音韻學、訓詁學和文字學領域的爭辯，歸降於一種行為主義般的「黑匣子」——周啟榮的著作稱為「禮教主義」，在伍安祖那裡叫作形而上學「本體論」。[28]作為現代德國與儒家詮釋學基礎的、伽達默爾對人類認知之為可能的本體論預設的強調，使對儒學經典文本歷史的書寫變成了為宗教和哲學自負招魂，且貶低了那些對所謂哲學式「整體論」的惺惺作態提出質疑的學者們。[29]

　　伽達默爾對歐洲哲學與語文學史的二十世紀解讀，是否適用於秦漢以來的中國文本？伽達默爾的海德格爾式方法是否適用於聖經研究、希臘、拉丁文學？解讀文本和作者的詮釋學路徑當真就是歐洲思想史發展的途徑，[30]即文獻學總是詮釋學的子集，而從未從中分離出來成為一種對詮釋學的批判？那麼該如何定位弗里德里希‧尼采？亦或是我們的港臺新儒家身陷伽達默爾論述德國思想的「詮釋學」的富麗辭藻，殊不知它在歐洲中世紀以後的語言學、文獻學

---

[28] 他們各自的文章見於Richard J. Smith and D. W. Y. Kwok, eds., *Cosmology, Ontology, and Human Efficacy: Essays in Chinese Thought* (Honolulu: Univ. of Hawaii Press, 1993), pp. 35-58 (Ng: "Toward an Interpretation of QingOntology") and pp. 179-204 (Chow: "Purist Hermeneutics and Ritual Ethics in Mid-Qing Thought")，這是一本紀念劉廣京的學術文集，其中也收入了我的文章。（參見 pp. 59-80: "The Revaluation of Benevolence [Jen] in Qing Dynasty Evidential Research"）周啟榮進一步將其多元決定論的方法貫徹於他的*The Rise of Confucian Ritualism in Late Imperial China* (Stanford: Stanford University Press, 1994).更多清晰的記述見前引濱口、木下著.

[29] Gadamer, *Philosophical Hermeneutics,* pp. 69-104, and 151-166, on Husserl.關於歐洲人文主義學術研究的興起，參見Anthony Grafton and Lisa Jardine, *From Humanism to the Humanities* (Cambridge: Harvard University Press, 1986).

[30] 關於海德格爾和伽達默爾在他們為己之便的西方哲學詮釋學的論述中適時省略（而不是簡單地給出一個不同的解釋）的西方學術之變遷的歷史記載，可見Anthony Grafton's *Defenders of the Text: The Traditions of Scholarship in an Age of Science* (Cambridge: Harvard University Press, 1991)。借用尼采式的觀點（尼采畢竟是一位傑出的語文學家），可以將伽達默爾的作品稱之為後現代歷史失憶症。參見Nietzsche, *The Gay Science*, translated by Walter Kaufmann (NY: Vintage Books, 1974), 以及他的*We Classicists* (WirPhilologin), translated by William Arrowsmith, in Nietzsche, *Unmodern Observations* (UnzeitgemässeBetrachtungen) (New Haven: Yale University Press, 1990).

和文化批評的歷史演變中幾無立足之地。[31]如果伽達默爾如同海德格爾一樣，在二十世紀使用相對主義時代的方式解讀「真理」，那麼，我們尚不清楚這種視角如何說明更好地理解儒學四書五經中包含了怎樣的真理（而非僅言經典賦予我們關於「中國」的真理）。如何可能拋開所有被尊崇的儒學文本而重塑新儒家？

劉述先和其他當代新儒家在他們的著述中並沒有訴諸正典文本，相反，依循伽達默爾，他們轉投程朱理學作為形而上學和本體論意義上的「真理」。例如，錢穆曾推動了民國早期儒學經典的歷史化和去經典化。[32]而在晚年，客居香港的他卻在其常被徵引的著作《朱子新學案》（臺北市：三民書店，1971年）中推崇朱熹為集大成者。我們究竟應該更青睞哪個「錢穆」？到底應該重視「早期錢穆」及其「漢學」還是「後期錢穆」與其「宋學」的兩難抉擇，不正是二十世紀思想癥結之一斑？正如余英時所言，這種矛盾迫使我們認真對待錢穆的所有著作，以全面觀照他學問生涯之轉變的歷史意義。換句話說，與其把錢穆奉為大師之於「新儒家」這個二十世紀後期令人疑竇叢生的文化事業，難道不是不如「新儒家們」承認錢穆早期著作例如對清代學術史研究中的後儒家的成分？[33]

四　結語

漢斯・格奧爾格・伽達默爾的保守主義觀點，以及化用他如今常為人詬病的導師馬丁・海德格爾來申明那種個人偏見與更為廣泛的社會意義之間的本真性、存在主義合流，都形成於伽氏和尤爾根・哈貝馬斯的公開辯論。論戰中，伽達默爾旗幟鮮明地反對那些人意圖推翻維持當下公共秩序所必需的過去形成的權威，認為他們抱有無政府主義的烏托邦想法。由此可見，當中國歷史與思想的研究者把哈貝馬斯或伽達默爾應用於他們關於帝國晚期「市民社會」或新

---

[31] Warnke, *Gadamer: Hermeneutics*, Tradition and Reason, pp. 5-41.

[32] 可參見錢穆著：《兩漢經學今古文平議》（臺北市：三民書局，1971年9月）。

[33] 錢穆著：《中國近三百年學術史》（臺北市：臺灣商務印書館，1972年）。

儒家「哲學詮釋學」的見解時，他們顯然忘記了哈貝馬斯與伽達默爾間的爭論，而僅僅引入辯論中符合自己先入為主的學術主張的那部分。這是值得反思的。事實上，那些援引伽達默爾的人鮮有提及哈貝馬斯，參與圍繞中國「公共領域」問題之爭的人們也無人引述伽達默爾。

當代「漢學」如此的「選擇性相容」，揭示了儒家思想與中國歷史研究領域中對於引入西方概念的過度強調。我們應當充分警惕陷入兩難的雙方，直到兩邊都能在二十世紀的背景下充分地表述哈貝馬斯與伽達默爾之爭，以及論證為何中國現代史學非要從憑空想像或創造出的中國「公共領域」或是新儒家「哲學詮釋學」這二者中選擇一方。這些問題尚未得到澄清，哈貝馬斯的支持者與伽達默爾的擁護者便不明智地以他們用中國／儒家裝點封面的自傳，即他們本身不是支持漢化版的西方自由民主，就是沉浸在根深柢固的、部分來自德國浪漫主義的文化政治保守主義之中。這樣的個人見解或許值得尊重，也無疑有助於我們身處二十一世紀前葉的自我認知。但倘若我們想要在一般意義上理解儒家／中國的過去以及它們在亞洲的作用，我們需要洞穿並超越此類意識型態化的曲解，無論它們是現代主義還是偽後現代主義。

何偉亞在他關於一七九三年英使馬戛爾尼抵達中國的歷史意義的重要近著中力證，十八世紀晚期馬戛爾尼勳爵的「主權平等」話語，源自當時歐洲關於國家之間相互平等的新興觀點、及與之相伴地在這些國家之間實行商品的天然交換以促進全體國民之福祉。何偉亞把這種文化生產模式稱為向清帝國「表達公共領域的思想與價值觀」。對於何偉亞來說，作為英國貴族思想家的一員，馬戛爾尼代表了英國的「公共領域文化」，它強調英帝國包容與自由的獨特價值觀，以及在區分實用政治的外交事務於空洞的外交禮儀之時，對理性的開明運用。英使團對於自身凌駕於清帝國之上的優越感，加之馬戛爾尼對一切中國事物的所謂「自然主義凝視」，使他們無法理解清廷的外交辭令。在一七九三年乾隆八十壽辰時，馬戛爾尼在滿人皇帝的避暑山莊參加的外交儀式中，發現英國位列緬甸（不久以後成為一個英國殖民地！）之下。[34]

---

[34] James L. Hevia, *Cherishing Men From Afar: Qing Guest Ritual and the Macartney Embassy of 1793* (Durham and London: Duke University Press, 1995).

　　儘管何偉亞注意到尤爾根‧哈貝馬斯的「公共領域」被運用於歐洲史（幸好他沒有跟隨其他人將此概念誤用於清朝）所引發的巨大爭議，以下仍需對此稍加筆墨。如果馬戛爾尼確實是一個歐洲「公共領域」思想家，我們也應該注意到他作為中國的全權特使直接效力於英國統治者，他是英國貴族的一員。誠然，馬戛爾尼向清廷假稱自己是喬治三世的表親。他在十八世紀英國政治文化的社會空間中的位置，處在帝國政府與等級森嚴的貴族精英之間。這意味哈貝馬斯的源自歐洲大陸、有關自治的公共領域概念，儘管能夠被用於批判英國政府，尤其是透過英國新興的「現代」民意，但它在處理馬戛爾尼和英使直面清帝國的問題上並不完全令人滿意。[35]

　　當然，或許更有可能是如下情況。我們所謂「公共領域」與「哲學詮釋學」概念自身的系譜源自近現代文化生產，尤其是西德一九九〇年以前特殊的戰後思想文化。這種文化生產之後被目的論地運用於前現代歐洲以及中國史。哈貝馬斯、伽達默爾之間、進步論的公共領域與保守主義的文化詮釋學的爭論，代表了當代德國在戰後對於自身歷史存在理由的核心關切之一，即從普魯士、納粹統治、史達林式獨裁到自由民主所發生的轉變。

　　身處中華帝國的前現代儒學也為我們提供了一個典型案例。我們過度承載著自身的當代預設，用早先儒家學者充當「彈藥」投入無聲的意識型態戰爭。在中國，我們仍未走出把黃宗羲、一個程朱正統的批評者與王陽明的擁護者、視為「中國盧梭」的誤讀。[36]我們也沒有從整體上擺脫把顏元（1635-1704）、一個近乎偏執的禮學家、認作美國杜威實用主義學派的錯誤印象。[37]在中國和日本，隱居遁世的湖南儒士王夫之仍被困於中國早期唯物主義思想家的名號。[38]在最近的研究中，情況並沒有太多好轉。先前被稱為「左派」的泰州學派學者李贄（1527-1602）、如今被視作皮埃爾‧布迪厄在《學術人》中所描繪的類似

35　同上，p. 63.

36　島田虔次：《中國に於ける近代思惟の挫折》（東京都：筑摩書房，1970年）。

37　對此的糾正，可參見Jui-sung Yang, "A New Interpretation of Yen Yuan (1635-1704) and Early Qing Confucianism in North China" (Los Angeles: UCLA Ph.D. dissertation in History, 1997).

38　Alison H. Black, *Man and Nature in the Philosophical Thought of Wang Fu-chih*(Seattle: University of Washington Press, 1989), pp. 61-63.

於布迪厄般反學術的學術人。[39]布迪厄把埃米爾‧塗爾幹社會學觀點所描繪的國家贊助下、實行有益的社會、政治與文化再生產的公共教育，揚棄地評價充斥為黑暗、霸權的「象徵暴力」景象。對於布迪厄這種產生廣泛影響的再評價，可能需要透過一九六〇年代中國的稜鏡，才能看到布希理論中隱含的有關歐洲革命傳統受到中國革命影響的法國式折射，[40]而這的確有點徹底顛覆東方主義話語的意味。

（譯者：唐珂）

---

[39] Bourdieu, *Homo Academicus*, translated by Peter Collier (Stanford: Stanford Univ. Press, 1988), p. 5.

[40] Roland Depierre, "Maoism in Recent French Educational Thought and Practice," in Ruth Hayhoe and Marianne Bastid, eds., *China's Education and the Industrialized World: Studies in Cultural Transfer* (Armonk, NY: M. E. Sharpe, Inc., 1987), pp. 199-224.

林慶彰先生與臺灣學術研究
──以學位論文為對象的探討

楊晉龍

中央研究院

摘要

　　本文旨在探討了解林慶彰先生二十世紀以來在臺灣學術發展中的地位。借助現代電腦科技提供的搜尋技術，以臺灣各大學截至一○五學年為止，林先生指導研究生的表現，各大學研究生學位論文徵引林先生學術成果的表現為對象，透過實證性的歸納統計後加以分析，因而得知林先生指導七十七位研究生完成八十五篇論文，有二十位留在學界服務，其中五位學生接續指導研究生。再者有來自四十九所大學院校八十二個學系所的一一八九位研究生，總共一二四五篇的學位論文，徵引林先生二○一種論著，以林先生「自著類」的論著一二一種最多，徵引篇數超過五十篇者十二種，年平均徵引數超過五篇的八種。總體而論，《中國經學史論文選集》、《五十年來的經學研究》、《明代經學研究論集》、《清初的群經辨偽學》等八種最受學位論文肯定。研究成果對林先生的學術成就，臺灣學術發展的了解，提供具體的答案。對探討林先生學術及臺灣學術發展的研究者，因而有比較實質的助益功能。

關鍵詞：林慶彰　臺灣學術　學位論文　第二代學者

一　前言

　　臺灣地區人文相關學科現代性質的學術研究，固然曾受日本殖民政府教育政策的栽培影響，但一九四五年二戰結束，日本帝國主義政府敗退離臺，蔣介石（1887-1975）領導的國民黨政府接收臺灣以後，由於語文的隔閡，敵我意識的作祟，日本時代的學術研究成果，因而斷裂而無法繼承延續。真正引導二十世紀以來臺灣人文學術研究發展者，因而必須歸功於跟隨國民政府來臺的大陸學者，這些學者最先任教於臺北地區的臺灣大學（1928成立）、臺灣師範學院（1946改制）等大學院校，其後擴及在臺復校的政治大學（1954）、東吳大學（1954）、輔仁大學（1961），以及新創的淡江文理學院（1958）、中國文化學院（1962）等，這些學者也就是臺灣中文學界稱之為「第一代」的學者，[1]在第一代學者的指導培養下，半個多世紀以來，第二代、第三代、第四代的後學，相繼成長而逐漸茁壯，終至於形成具有本地特色的臺灣中文學術研究。

　　臺灣民間俗語說：「吃果子拜樹頭，吃米飯敬田頭」；庾信（西元513-581年）也有「落其實者思其樹，飲其流者懷其源」之論，[2]此種「飲水思源」的基本觀，自是常人應有的處世態度。筆者因此私以為在進入二十一世紀的今日，認真回顧二十世紀渡海來臺的第一代學者及其引導培養的第二代以後的學者，對臺灣中文相關學術研究的表現及其各方面貢獻的實情，無論就臺灣學術的傳承發展，或就儒家「感恩回報」的基本原則而論，[3]應該都具有研究探討

---

[1]　臺灣中文學界所稱「第一代學者」，參考龔鵬程師：〈學會運作概況〉，龔鵬程師主編：《五十年來的中國文學研究（1950-2000）》（臺北市：臺灣學生書局，2001年3月），頁363。車行健：〈指南山下經師業，渡船頭邊百年功：國立政治大學在臺復校初始階段（1954-1982）的經學教育〉，《中國文哲研究通訊》第27卷第2期（2017年6月），頁47腳注8的討論。

[2]　（北周）庾信著，（清）倪璠纂註：《庾子山集·徵調曲》，迪志文化出版公司：《文淵閣四庫全書電子版（3.0版）》（香港：迪志文化出版公司，2007年），卷6，頁69。以下簡稱「《四庫全書》本」。

[3]　關於儒家「感恩回報」的基本原則，雖然有許多討論，但最原始的出處，當是《論語·陽貨》宰予對孔子提出以「一年喪」取代「三年喪」的意見後，孔子因而批評宰予之言的語意中呈現的內涵。

的實質意義與價值，筆者曾先後為文探討屈萬里先生（1907-1979）、[4]王叔岷師（1914-2008）、[5]林尹先生（1910-1983）；[6]張以仁師（1930-2009）；[7]周鳳五師（1947-2015），[8]筆者較為熟悉學者的學術表現，用以了解及表彰學者在學術研究與學術傳播上對臺灣學術發展的影響與貢獻；同時提供有心了解臺灣人文學術發展有興趣的學者，部分可以接受有效檢證的實證性答案，這樣的研究應該有助於「臺灣學」的正面發展。然而二十世紀以來隸屬於人文研究範圍內的中文領域學者，其中對臺灣學術有重要影響貢獻者，當然不止筆者曾經探討分析的這幾位學者而已，因此延續前述的基本觀，希望繼續考察中文學界學術表現大致可以和前述學者比肩的學者，希望有機會完成一部「二十世紀臺灣中文學者學術傳播史研究」的學術專書。在前述幾位學者外，筆者接著選擇研究的對象，乃是被臺灣中文學界戲稱為學界最勤奮耕耘的「南北學術兩頭牛」中，[9]筆者對其學術生涯較為熟悉的「北牛」：林慶彰先生。目的是探討林先生的學術表現及其對臺灣學術的影響與貢獻，一則用以祝賀林先生七十大壽；再則提供「臺灣學」研究者較為有效的參考答案。同時希望因此而激發更多的相關研究，因而可以更深入的了解二十世紀以來，臺灣學術發展史的實情。

林慶彰先生一九四八年出生於臺南七股，初、高中均就讀北門中學，一九六八年考入世界新聞專科學校「圖書資料科」，學習到對圖書文獻分類編目等基本知識的初步了解；一年後重考進入東吳大學中文系，一九七三年大學畢業，隨即參加中國圖書館學會在臺灣大學舉辦的暑期圖書館工作人員研習會，

---

4 楊晉龍：〈開闢引導與典律：論屈萬里與臺灣詩經學研究環境的生成〉，國家圖書館、中央研究院歷史語言研究所、國立臺灣大學中國文學系等主編：《屈萬里先生百歲誕辰國際學術研討會論文集》（臺北市：國立臺灣大學中國文學系，2006年12月），頁109-150。

5 楊晉龍：〈引導與典範：王叔岷先生論著在臺灣學位論文的引述及意義探論〉，《中國文哲研究通訊》第24卷第3期（2014年9月），頁117-143。

6 楊晉龍：〈林尹先生和臺灣學術關係探論〉，臺北國立臺灣師範大學國文學系主辦「2017年紀念林尹教授學術研討會」論文（2017年11月25日）。

7 楊晉龍：〈張以仁先生與臺灣傳統學術研究：以學位論文為對象的考徵〉，《中國文哲研究通訊》第25卷第4期（2015年12月），頁137-158。

8 楊晉龍：〈臺灣研究生學術視域下的周鳳五教授：接受的考覈〉，臺北中央研究院中國文哲研究所主辦「『戰後臺灣經學研究』第四次學術研討會」論文（2016年11月10-11日）。

9 「南牛」指臺南成功大學中文系的張高評教授。

學習到圖書文獻的分類與編目等更進一步的知識與技巧，終於有效奠定了林先生爾後文獻整理與研究的能力；一九七三年底入營服役，被分發派往澎湖駐防；一九七四年考入東吳大學中文所碩士班，因還在服兵役是以辦理保留學籍，一九七五年復學就讀，師從屈萬里先生學習；一九七五年參加全國公務人員考試，通過「圖書館人員」普通考試，取得公務員的任用資格，一九七八年以《豐坊與姚士粦》獲得碩士學位；隨即考入東吳大學中文所博士班，由於屈先生遽歸道山，是以轉隨昌彼得（1911-2011）與劉兆祐兩先生學習，一九八三年以《明代考據學研究》取得博士學位。一九七八年開始在東吳大學任教，一九九〇年七月應聘進入中央研究院中國文哲研究所籌備處，二〇一五年十一月從中國文哲研究所退休，即使近年來疾病纏身，對教學依然熱情如故。

至於林先生的學術研究表現，第一篇公開發表的學術論文，係就讀碩士班的一九七六年六月，刊登在《東吳大學中國文學系系刊》第二期的〈古小說的漢事傳奇〉；至於一九八〇年二月二十六日在《中央日報》第十一版發表的〈黃河名稱考〉，則是一篇頗受屈先生肯定的論文。林先生自一九七六年以後即筆耕不輟，至今依然，是以成果非常豐碩。[10]林先生無論教學或研究，至今皆已超過四十年，然從未有絲毫厭倦之色，此種「學而不厭，誨人不倦」的堅強毅力與勤奮精神，確實無愧學界最勤奮的「北牛」之美稱。

本文旨在探索了解林慶彰先生的學術表現及其與臺灣學術發展的實質關聯，由於無法進行全面性論著的實質性調查，因此選取較具學術指標性的學位論文做為研究探討的對象，[11]透過「量化」的研究方式，經由兩個方向進行實證性的分析考察：首先，統計林先生指導的研究生及研究生持續在學界發展的實況，以見林先生在臺灣學術教育傳播上的影響；其次，詳細考察研究生學位論文徵引林先生論著的實情，以見林先生在臺灣學術研究上的影響與貢獻。資

---

[10] 林先生截至二〇一五年八月出版、發表、編譯、編輯等的學術論著及一般性雜文等的目錄，可參考張晏瑞等編輯：〈林慶彰教授著作目錄〉，孫劍秋、張曉生主編：《經學研究四十年：林慶彰教授學術評論集・附錄》（臺北市：萬卷樓圖書公司，2015年10月），頁491-559。

[11] 學位論文較具學術指標性的理由，可參閱張高評：〈唐宋文學研究概況〉，龔鵬程師主編：《五十年來的中國文學研究》，頁180。王宏德：〈學術研究趨勢之分析與探討：以100學年度臺灣學位論文為例〉，《國家圖書館刊》102年第1期（2013年6月），頁75-98的討論。

料取得的方式，主要藉由下述網路資料庫的搜尋，包括：臺北國家圖書館《臺
灣博碩士論文知識加值系統》、[12]《師範院校聯合博碩士論文系統》、[13]《臺灣
聯合大學系統博碩士論文》、[14]《華藝線上圖書館》。[15]然因各校傳送學位論文
的速度不一，為使研究更為精確起見，是以研究使用的資料，將以一〇五學年
度（2016年7月-2017年6月）畢業上傳的學位論文為限。然後再以「林慶彰」
及「林慶章」兩個關鍵詞，[16]進入「參考文獻」搜尋。研究進行的程序，除說
明研究動機等的「前言」外，首先討論林先生指導研究生的狀況，以及研究生
投入學界的表現；接著考察學位論文徵引林先生論著的實情；然後再根據研究
生的科系、徵引的論著，以見林先生論著的學術影響區域及林先生在臺灣學界
眼中的專業形象；最終統合前述研究成果，以說明林先生對臺灣的學術教育影
響和學術研究影響貢獻等的實質表現。

二　指導的研究生及學術傳播考實

　　學者對學術的貢獻，除自身學術論著的發明創造外，透過教學傳播學術，
自然也是相當重要的貢獻，但這部分無法獲得有效的完整信息，唯一可考察者
僅有指導研究生寫作論文，以及指導的研究生在學界活動的表現，本節因此首
先考察林先生在指導研究生方面的表現，以見林先生在臺灣學術傳播上實際
的貢獻。

　　林先生六十七學年（1978年7月）開始在大學開課講授，第一位指導的研

---

[12] 網址：http://ndltd.ncl.edu.tw/cgi-bin/gs32/gsweb.cgi/login?o=dwebmge。

[13] 網址：http://140.122.127.247/cgi-bin/gs/gsweb.cgi?o=d1。

[14] 網址：http://etd.lib.nctu.edu.tw/cgi-bin/gs32/gsweb.cgi/login?o=dwebmge&cache=1478146968815。

[15] 網址：http://www.airitilibrary.com/。

[16] 主要的考慮是若用「注音符號」選字，容易出現此種同音不同字的訛誤，經過搜尋，果然有
二十二篇論文誤作「林慶章」，甚至還包括林先生指導的研究生：陳玫玲。其他二十一人為：
林士敦（91）、楊瓊茹（91）、吳士煇（93）、嚴嘉雲（94）、許秀娟（95）、董昱珊（96）、陳
靜儀（97）、張馨心（97）、楊淑帆（98）、白書珙（98）、蘇奕瑋（99）、劉慧蘭（100）、劉先
寶（100）、張嘉芳（100）、侯依初（100）、陳欣怡（101）、林佑儒（101）、吳麗琴（102）、
劉佳音（104）、莊郁麟（105）、楊雅竣（105）等。嚴嘉雲的論文則是「林慶彰」與「林慶
章」並出。括弧「（）」內的數字為研究生畢業學年，以下皆同。

究生係十四年後畢業於八十一學年的碩士生邱惠芬，此後陸續有指導的研究生畢業，第一位指導的博士生是畢業於八十四學年的劉醇鑫。截至一○五學年經由林先生指導而獲得學位的研究生共有七十七位，其中有八位的碩博士論文皆由林先生指導，[17]是以總共指導完成八十五篇的學位論文，包括博士論文二十一篇，[18]碩士論文六十四篇，[19]每年實際指導研究生畢業而取得學位的實際如下表：

林先生指導學位論文實況表

學年	81	82	83	84		85	86	87	88		89		90
篇數	1	2	5	1	1	1	1	1	2	2	2	4	3
學位	碩士	碩士	碩士	博士	碩士	碩士	碩士	碩士	博士	碩士	博士	碩士	碩士

學年	91		92		93	94		95		96		97
篇數	2	2	1	3	2	2	3	1	3	1	1	5
學位	博士	碩士	博士	碩士	碩士	博士	碩士	博士	碩士	博士	碩士	碩士

學年	98	99		100		101	102		103	104		105
篇數	3	1	3	3	6	1	2	5	4	1	2	2
學位	碩士	博士	碩士	博士	碩士	碩士	博士	碩士	碩士	博士	碩士	博士

---

[17] 案即：邱惠芬、馮曉庭、侯美珍、涂茂奇、張博成、簡逸光、何銘鴻、張厚齊等人。

[18] 案即：劉醇鑫、邱秀春、馮曉庭、楊菁、許維萍、陳文采、邱惠芬、侯美珍、吳悅禎、葉純芳、簡瑞銓、簡逸光、張博成、涂茂奇、張厚齊、謝淑熙、黃智明、鍾信昌、孫祖芬、何銘鴻、陳玟玲等之論文。

[19] 案即：邱惠芬、陳明義、蔡長林、馮曉庭、郭麗娟、張育敏、侯美珍、王淑蕙、吳玉燕、游均晶、汪嘉玲、黃智信、蕭開元、張穗蘋、涂茂奇、林耀椿、張博成、繆敦閔、李玉芳、陳怡青、曾遊娜、簡逸光、古敏慧、張敏容、林文心、何銘鴻、鄭誼慧、曾志偉、王淙德、李國蓉、劉康威、任祖泰、周延燕、張厚齊、楊心怡、陳亦伶、張晏瑞、陳水福、吳怡青、王冠文、鄭淑君、藍秀瑋、殷永全、謝智光、曹任遠、林彥廷、蔡雅如、楊子萱、袁明嶸、陳韋哲、邱建綸、蘇琬鈞、蔡育儒、游鎮壕、彭筱芸、劉芷妤、張圻清、許秀貞、廖威茗、陳潔琳、張雅琪、彭莉婷、毛祥年、莊仁鳳等的論文。

自八十一學年開始，直至一〇五學年止，林先生每年都有指導的研究生畢業，少則每學年一位，最多的是一百學年的九位，這是林先生二十五年來指導研究生的實況，同時也是林先生對臺灣學術傳播直接貢獻的一種呈現。

　　林先生指導的研究生，繼續在臺灣學術界活動，這種表現間接呈現林先生對臺灣學術傳播的貢獻。以下即以《科技部研究人才查詢網》、[20]《臺灣大學教師查詢網》，[21]兩個收錄大學教師的搜尋網站為主，並參考《谷歌》搜尋網站，釐清林先生指導的研究生，獲得學位後，繼續在臺灣學界活動的表現，[22]搜尋所得結果如下表：

林先生指導的研究生在臺灣學界活動者

研究生	畢業學年	任職單位
邱惠芬	81碩；91博	長庚科技大學通識中心
陳明義	82碩	修平科技大學應用中文系
蔡長林	82碩	中央研究院中國文哲研究所
馮曉庭	83碩；88博	嘉義大學中文系
侯美珍	83碩；92博	成功大學中文系
王淑蕙	83碩	南臺科技大學通識中心
劉醇鑫	84博	新生醫護管理專科學校通識中心
邱秀春	88博	萬能科技大學通識中心
楊菁	89博	彰化師範大學國文系
許維萍	89博	淡江大學中文系
張博成	89碩；99博	東吳大學中文系
陳文采	91博	臺南應用科技大學時尚設計系
張厚齊	95碩；100博	東吳大學中文系

---

20 網址：https://arsp.most.gov.tw/NSCWebFront/modules/talentSearch/talentSearch.do。（2018年4月30日搜尋）

21 網址：http://ulist.moe.gov.tw/Home/Index。（2018年4月30日搜尋）

22 林先生指導的研究生在境外學術單位任職者，如簡逸光之類，不列入計算。

涂茂奇	89碩；100博	勤益科技大學基礎通識教育中心
陳韋哲	100碩	東吳大學中文系
黃智明	102博	元智大學中文系
鍾信昌	102博	實踐大學博雅學部
孫祖芬	104博	輔英科技大學共同教育中心基本能力教育組
何銘鴻	105博	文藻外語大學應用華語文系
陳玫玲	105博	臺東專科學校通識中心

林先生指導的研究生中，包括專兼任總共有前述二十位研究生，持續在臺灣學術界活動，占林先指導研究生總數的百分之二十三‧五二。這二十位研究生在林先生的指導下，因而具備了學術傳播的條件，同時也實質進行學術傳播的工作，雖然是間接的效果，但應該也可以歸入林先生對臺灣學術傳播影響貢獻的另一種表現。

　　林先生自八十一學年起到一〇五學年，每年均都有指導的研究生獲得學位，總共指導七十七位研究生完成八十五篇碩博士學位論文，除移居域外學界服務者外，留在臺灣本地學術單位服務的研究生有二十位，這些研究生延續了林先生在學術上的傳播工作，其中更有：蔡長林、[23]馮曉庭、[24]侯美珍、[25]楊菁、[26]許維萍，[27]總共五位林先生指導畢業的學生，接續指導研究生的工作，因而形成一個學術傳承散播的「網絡」。以上即是從臺灣學術傳播的角度，考察確認林先生對臺灣學界影響貢獻的實情。

---

[23] 蔡長林指導的研究生已畢業者：陳顥哲（98）、李艷芬（100）、談宣霞（100）、簡瑞文（103）等。

[24] 馮曉庭指導的研究生已畢業者：邱惠燕（100）、吳玫燕（101）、蔡宜君（103）、王蘭媖（103）、陳琇芸（105）等。

[25] 侯美珍指導的研究生已畢業者：周婕敏（102）。

[26] 楊菁指導的研究生已畢業者：施鐈湘（96）、楊尹菁（99）、楊惠行（99）、王薇寧（100）、謝婉馨（100）、王進長（101）等。

[27] 許維萍指導的研究生已畢業者：劉臻（104）。

三　學位論文徵引論著實情

　　林先生在學術上的貢獻，不僅開課教學和指導研究生，以及發表創作性的學術論文而已，林先生同時還花費非常多的時間，甚至自掏腰包，蒐集編纂學術文獻和學術研究目錄，造福甚多學界的研究者，林先生在學術文獻和目錄編纂方面對臺灣，甚至全世界中文研究界的貢獻，絕對是臺灣學界數一數二的重要學者，林先生自一九八一年起，即參與書籍文獻的編纂工作；[28]一九八七年四月即主持編輯目錄學著作，一九八九年完成出版；[29]二〇〇八年開始編輯專業的學術叢書。[30]因此若就林先生實質的學術生涯而論，發表學術論文、編纂學術文獻與目錄，一直都是林先生同等重視的工作，可知若要透過學位論文的徵引，以見林先生對臺灣學術的實質貢獻，比較妥適的做法，當然除了必須關注林先生自身學術論著徵引的情況外，徵引林先生編纂的學術文獻與目錄的情況，當然也應該納入討論。

　　考察臺灣大學院校研究生學位論文徵引林先生論著、編纂文獻及目錄的實際表現，碩士研究生第一位徵引林先生論著者，係淡江大學八十學年畢業的翁聖峰，徵引的是林先生主編的《詩經學研究論集》。博士研究生第一位徵引者係中山大學八十七學年畢業的黃順益，徵引林先生的學術專書《明代考據學研究》。總體而言，截至一〇五學年為止，二十六年來臺灣各大學研究生學位論文徵引林先生論著、編纂文獻與目錄的數量如下表：

---

[28] 林先生主編的第一部學術文獻為：《中國文化新論學術篇——浩瀚的學海》（臺北市：聯經出版事業公司，1981年12月）；第二部主編的學術文獻為：《詩經學研究論集》（臺北市：臺灣學生書局，1983年）。

[29] 案：即《經學研究論著目錄（1912-1987）》（臺北市：漢學研究中心，1989年），此當是林先生第一部編輯出版的目錄學專著。

[30] 案：《民國時期經學叢書》（臺中市：文听閣圖書公司，2008年），當即是林先生編輯的第一部大型學術叢書。

徵引林先生論著與編纂文獻的學位論文數量表

學年	80	81	82	83	84	85	86	87		88		89	
篇數	1	0	0	0	0	0	2	13	7	27	4	32	13
學位	碩士	0	0	0	0	0	碩士	碩士	博士	碩士	博士	碩士	博士

學年	90		91		92		93		94		95	
篇數	31	10	44	11	50	10	46	16	44	14	68	14
學位	碩士	博士	碩士	博士	碩士	博士	碩士	博士	碩士	博士	碩士	博士

學年	96		97		98		99		100		101	
篇數	73	19	95	18	59	19	70	17	70	15	64	26
學位	碩士	博士	碩士	博士	碩士	博士	碩士	博士	碩士	博士	碩士	博士

學年	102		103		104		105	
篇數	51	28	39	18	45	13	26	22
學位	碩士	博士	碩士	博士	碩士	博士	碩士	博士

統計臺灣各大學研究生徵引林先生的論著、編纂文獻與目錄的學位論文，雖自八十學年開始，但其中有五年沒有徵引的紀錄，真正關注林先生相關學術編著成果者，應該從八十六學年開始，除林先生指導的研究生外，直至一〇五學年止，總共有一二四四篇學位論文徵引，博士論文二九四篇，碩士論文九五〇篇。考察總數一二四五篇學位論文的研究生，有五十六位研究生的碩博士論文皆有徵引，[31]因此總共來自一一八九位研究生，且還有七位同名同姓者。[32]若

---

[31] 五十六位碩博士論文皆徵引林先生學術論著與編纂文獻者：翁聖峰、張曉芬、竺靜華、陳冠至、劉秀蘭、林美娟、江右瑜、翁敏修、楊正顯、洪然升、李鵑娟、施輝煌、何淑雅、張瑞麟、胡婉庭、伍純嫻、林佳蓉、盧詩青、魏明政、吳伯曜、孫華璟、簡澤峰、張政偉、歐修梅、蔡琳堂、林菁菁、黃世豪、楊雅婷、李智平、孫守真、蔡翔任、陳昇輝、王家泠、陳孟君、林惟仁、陳怡如、劉正偉、姜義泰、李威侃、廖育菁、徐其寧、陳慧娟、陳韋銓、鍾永興、林俞佑、姜龍翔、許惠琪、劉柏宏、王博玄、黃羽璿、洪靖婷、江毓奇、邱鉦倫、洪博昇、劉月卿、魏綵瑩（魏怡昱）等。

就年度徵引的學位論文數量而論,九十七學年的一一三篇徵引最多;九十六學年的九十二篇其次;一〇一學年的九十篇居三;九十九學年的八十七篇居四;一百學年的八十五篇第五。徵引的學位論文大致以九十七學年達到巔峰,然後向兩端下降。若就整體徵引的表現而論,自八十七學年以後,十九年來每年徵引的學位論文至少都在二十篇以上,甚至高達百篇以上,從這些實際徵引的表現,應該可以證明林先生學術成果對臺灣學界的影響與貢獻。

徵引林先生學術論著、編著等成果的研究生,就出身的學校而論,歸納起來總共來自四十九所大學,[33]除一般設有文史哲相關系所的綜合性大學外,還包括有大葉大學、南臺科技大學、國立臺灣藝術大學、國立藝術學院、國立體育大學、國防大學、臺北科技大學、臺灣海洋大學、樹德科技大學等九所科技藝術性質的大學。這些大學研究生歸屬的系所,除「中文領域」的科系、[34]

---

[32] 七位同名同姓者:陳宜均、陳怡如、林佳蓉、陳俊良、陳惠美、陳琪薇、陳琬婷、黃馨儀等。

[33] 四十九所大學依照研究生徵引論文數量的多寡排列是:高雄師範大學:一四七人、臺灣師範大學:一二五人、政治大學:七十六人、臺灣大學七十人、彰化師範大學六十九人、中國文化大學:五十四人、輔仁大學:四十七人、中央大學:四十四人、淡江大學:四十三人、成功大學:四十一人、玄奘大學(玄奘人文學院):四十一人、東吳大學:三十六人、銘傳大學:三十五人、臺北市立大學:三十四人、南華大學:三十三人、中山大學:三十三人、東海大學:三十一人、清華大學:二十七人、中正大學:二十五人、中興大學:二十五人、華梵大學:二十五人、暨南國際大學:二十三人、雲林科技大學:十九人、逢甲大學:十五人、臺北大學:十四人、東華大學:十四人、世新大學:十四人、屏東教育大學(屏東師範學院):八人、國立臺北教育大學(國立臺北師範學院):七人、嘉義大學:七人、臺南大學:七人、臺東大學(臺東師範學院):七人、元智大學:五人、新竹教育大學:五人、靜宜大學:五人、佛光大學:四人、明道大學:四人、臺中教育大學(臺中師範學院):三人、大葉大學:一人、南臺科技大學:一人、國立臺灣藝術大學:一人、國立藝術學院:一人、國立體育大學:一人、國防大學:一人、臺北科技大學:一人、臺灣海洋大學:一人、樹德科技大學:一人等。

[34]「中文領域」的科系包括:中國文學系、中國語文學系、應用中國文學系、國文學系、國語文學系、漢學資料整理研究所、臺灣文學研究所、臺灣文學與創意應用研究所、臺灣文學與跨國文化研究所、臺灣語言與語文教育研究所、經學研究所、國學研究所、文學系、比較文學系、古典文獻學研究所、語文教學研究所、語文與創作學系、國際漢學研究所、古典文獻與民俗藝術研究所、華語文教學研究所、應用語言文學研究所、兒童文學研究所、中國語文研究所、語文教育學系、翻譯研究所等。

「歷史領域」的科系、[35]「哲學領域」的科系等之外。[36]還有來自與文史哲科系關係比較疏遠的系所,諸如:「傳播類」科系、[37]「法律類」科系、[38]「政治類」科系、[39]「圖書出版類」科系、[40]「地區研究類」科系、[41]「藝術類」科系、[42]「教育類」科系,[43]以及「其他類」科系,[44]總共四十四個學系的七十五名研究生。

考察徵引林先生學術成果研究生出身的學校與系所,即可了解林先生在臺灣學術界影響層面的實際情況。根據前述實證性文獻的統計分析,可知林先生

---

[35] 「歷史領域」的科系包括:歷史系、臺灣文化研究所、客家社會文化研究所、客家文化研究所、東亞學系、漢語文化暨文獻資源研究所、文化資產維護系等。

[36] 「哲學領域」的科系包括:哲學系、宗教系、東方人文思想研究所、哲學與生命教育學系、生命與宗教學系、生死學系等。

[37] 「傳播類」科系包括:大眾傳播研究所(羅麗秋)、資訊傳播學研究所(石馥瑄、沈翔)、傳播管理學研究所(鄭伊琇)等三個學系四名研究生。括弧「( )」內為研究生姓名,以下皆同。

[38] 「法律類」科系包括:法律學系(周志宏、鄒勳文、詹朝欽)、財經法律研究所(王舜魁)等二個學系四名研究生。

[39] 「政治類」科系包括:政治學系(彭繼中、陳靜宜、楊中立、曾宗廉、李茂輝、安井伸介、林凱蒂)、大陸研究所(蔡宗哲)、國際事務與戰略研究所(李國瑞)、都市計畫研究所(李得全)、公共事務研究所(詹雅琬)等五個學系十一名研究生。

[40] 「圖書出版類」科系包括:出版事業管理研究所(嚴嘉雲)、出版學研究所(黃婉玉)、資訊與圖書館學系(陳凱誌)、圖書資訊學系(吳介宇、蔡惠如、范芝熏、詹惠媛、林龍志、劉純純、李明俠、楊玉文)等四個學系十一名研究生。

[41] 「地區研究類」科系包括:日本研究所(劉容朱)、歐洲研究所(曹伯睿)、法國語文學系(劉佳燕)等三個學系三名研究生。

[42] 「藝術類」科系包括:書畫藝術學系(吳麗琴)、藝術史研究所(高明一)、藝術學研究所(張啟文、姜又文、陳祐增)、視覺藝術研究所(郭宜芬、盧姵綺、鄭如意)、美術研究所(游宜群、范品蓁、林秋萍)、造形藝術研究所(熊永生)、視覺傳達設計系(陳怡芳)、音樂學系(王信惠)、民族音樂研究所(張春梅)、舞蹈學系(張以暄)等十個學系十六名研究生。

[43] 「教育類」科系包括:教育學系(陳俞志、薛瑞君、徐秋玲、楊淑媛、王綉菁、黃儀婷)、教育政策與行政學系(王鳳雄)、教育資料科學學系(廖緩宙、林靜芬)、商業教育學系(邱美玲)、國民教育研究所(林珍羽、韓孝輝)、社會科教育學系(樊其玲)、社會教育研究所(陳仲彥)、自然科學教育學系(余婉榆)、技術及職業教育研究所(陳裕宏)、輔導與諮商學系(傅淑娟)、人類性學研究所(林瓊雰)等十一個學系十八名研究生。

[44] 「其他類」科系包括:數學系(林倉億、蘇俊鴻、楊瓊茹)、經濟學系(張筱琳)、社會學系(徐瑋瑩)、休閒事業管理學系(何淑娟)、運動科學研究所(陳五洲)、工業設計學系(張馨心)等六個學系八名研究生。

學術影響的學校，除四十所綜合性的大學之外，同時還擴及其他九所科技類與藝術類的大學。在影響學科系所方面，除「中文領域」的二十五個系所、「歷史領域」的七個系所、「哲學領域」的六個系所之外，同時還影響文史哲科系之外的其他四十四個系所。整體的來看，在一○五學年之前，臺灣研究生的學位論文徵引林先生論著與編輯的學術成果者總共有一二四五篇，來自一一八九名研究生，出自四十九所大學的八十二個系所，這也就是臺灣學術界接受林先生的學術，以及接受之系所的實況，同時也是林先生對臺灣學術實質貢獻的呈現。

四　學位論文徵引論著的實際分析

　　臺灣學界最基層、最具有未來學術發展潛能的大學研究生，截至一○五學年為止，二十六年來總共有一一八九位寫作學位論文之際，不約而同的徵引了林先生的論著或編纂的學術文獻，且由於研究生學位論文的徵引，必須在指導教授同意或至少不反對的前提下，方才有可能出現在畢業的學位論文之內，從而可知研究生的學術徵引，同時表達了研究生及其指導教授對林先生學術研究成果的接受與肯定，這當然也就是林先生學術成果影響臺灣學術的實況。

　　林先生無論本人著作或編輯的文獻、目錄，成果都非常豐碩，根據並非十分完整的蒐集統計，截至二○一五年八月底為止，包括專書和單篇論文已有六四一筆，[45]以四十年時間書寫、編輯數量如此之多的成果，平均每年發表出版都有十二至十六筆以上的成果，真可謂勤奮不懈。然則林先生學術成果實際受到臺灣學界肯定並接受的有哪些論著？這些被接受的論著屬於哪方面的內容？這應該是最直接了解林先生學術實質影響的答案，同時也是對探索「臺灣學」的研究者有意義與價值的參考答案。這種透過實際的探索分析，不僅可以如實地探知林先生影響臺灣研究生學術成果的實情，同時還能進而推知林先生對臺

---

45 張晏瑞等編輯：〈林慶彰教授著作目錄〉，孫劍秋、張曉生主編：《經學研究四十年：林慶彰教授學術評論集・附錄》，頁491-559。如果用比較嚴格的標準，將上下冊歸為一冊；相同書名的叢書或目錄歸為一冊，亦有四六四筆的研究成果。無論六百多或四百多，成果都相當豐碩。

灣整體學術研究方面的影響貢獻。如前所述，八十學年畢業的翁聖峰，最先徵引林先生主編的《詩經學研究論集》，這是臺灣研究生徵引林先生學術成果之始；接著是八十六學年畢業的吳介宇，徵引林先生自著的論文集：《圖書文獻學研究論集》，以及單篇論文：〈《大辭典》的一些疏忽〉。八十六學年後直至一○五學年，均有學位論文徵引林先生的學術成果。

林先生已發表、出版的論著與編輯等學術成果，筆者先將訛誤之書篇名糾正統一後，[46]再依據各該成果的來源，將其大致分成三大類：一是林先生本身研究而發表的「自著類」成果；二是林先生參與並主持翻譯的「編譯類」成果；三是林先生主持、共同主持或審閱的「編輯類」成果。以這「三大類」的分類為準，考察統計自八十學年以來一二四五篇學位論文徵引林先生學術成果的實況是：一三○八篇學位論文徵引「編輯類」成果；八三九篇學位論文徵引「自著類」成果；一五四篇學位論文徵引「編譯類」成果。由於許多學位論文徵引林先生的論著不止一種，是以統計徵引的論文篇數超過一二四五篇。以下即詳細統計探討研究生徵引的論著對象及徵引篇數的多寡，以見這些論著受到研究生及其指導教授青睞的狀況。

首先，觀察「自著類」研究成果徵引的實況，總共有八三九篇學位論文，徵引了林先生的專書、論文集和單篇論文等，總共一二一種的研究成果。全部「自著類」論著受到學位論文徵引的篇數，以及最早徵引該論著學年的具體情況，謹製成下表以明之。

---

[46] 部分研究生徵引之際並不謹慎，導致書篇名訛誤，稍舉2例明之：（一）《中國經學史論文選集》，即有《中國經學史論文集》（楊瑞嘉：87）、《中國經學史論著選集》（廖雲仙：90）、《中國經學史研究論文選集》（劉德明：92）等之名。（二）《學術論文寫作指引》，另有《學位論文寫作指引》（馮翠珍：88）、《學術論文寫作指導》（李婉君：91）、《學術論文寫作引導》（李翠華：99）、《論文寫作指引》（林永盛：100）、《學術論文指導索引》（曾子芸：101）等稱號。括弧「（）」內為研究生姓名與畢業學年。

「自著類」論著的徵引篇數及每篇最早徵引學年等實況表

論著名稱	徵引篇數	學年
《學術論文寫作指引》	146	87
《清初的群經辨偽學》	102	87
《明代經學研究論集》	81	97
《明代考據學研究》	68	87
《清代經學研究論集》	37	88
〈兩漢章句之學重探〉	22	87
〈明末清初經學研究的回歸原典運動〉	17	89
《讀書報告寫作指引》	14	90
〈王陽明的經學思想〉	13	89
〈中國經學史上的回歸原典運動〉	13	95
〈晚明經學的復興運動〉	11	88
《中國經學研究的新視野》	10	101
〈「實學」概念的檢討〉	9	88
〈《五經大全》之修纂及其相關問題研究〉	9	88
〈明代的漢宋學問題〉	9	89
《豐坊與姚士粦》	9	92
〈臺灣近四十年（1953-1992）詩經學研究概況〉	9	93
〈《孔子詩論》與《詩序》之比較研究〉	9	95
〈毛奇齡、李塨與清初的經書辨偽活動〉	8	87
〈當代文學「禁書」研究〉	8	89
〈姚際恆對朱子《詩集傳》的批評〉	7	87
〈從《詩經》看古人的價值觀〉	7	91
《圖書文獻學研究論集》	6	86
〈經學史研究的基本認識〉	6	90
〈顧頡剛論《詩序》〉	6	92

論著名稱	徵引篇數	學年
〈朱子《詩集傳・二南》的教化觀〉	6	95
〈何楷《詩經世本古義》析論〉	5	87
〈「清乾嘉揚州學派研究」計畫述略〉	5	89
〈實證精神的尋求──明清考據學的發展〉	5	89
〈清乾嘉考據學者對婦女問題的關懷〉	5	89
〈劉宗周與《大學》〉	5	91
〈對楊、劉兩先生文評的回應〉	5	95
〈明清實學研究的現況及展望〉	5	95
〈朱子對傳統經說的態度──以朱子詩經著述為例〉	5	98
〈《毛詩序》在詩經解釋傳統上的地位〉	5	99
〈當代新儒家的《周禮》研究及其時代意義〉	4	88
〈《詩經》中人文思想的脈動〉	4	88
〈姚際恆與顧頡剛〉	4	89
〈《詩經》中的人文精神〉	4	89
〈元儒陳天祥對《四書集注》的批評〉	4	90
〈熊十力關係書目〉	4	92
〈顧頡剛與錢玄同〉	4	93
〈民國初年的反詩序運動〉	4	95
〈錢穆先生的經學〉	4	96
〈詩經學史的回顧與前瞻〉	3	86
〈陳奐《詩毛氏傳疏》的訓釋方法〉	3	86
〈日本漢學研究近況〉	3	90
〈張純甫的《左傳》研究〉	3	91
〈焦循《孟子正義》及其在孟子學中之地位〉	3	95
〈屈翼鵬先生的《詩經》研究〉	3	95
〈鄭樵的《詩經》學〉	3	96
〈近二十年臺灣研究三禮成果之分析〉	3	99

論著名稱	徵引篇數	學年
〈劉逢祿《左氏春秋考證》的辨偽方法〉	3	102
〈名家推薦字辭典——臺灣當前字辭典巡禮〉	2	86
〈《大辭典》的一些疏失〉	2	86
〈近十五年來經學史的研究〉	2	87
〈評徐復觀著《中國經學史的基礎》〉	2	87
〈四庫館臣纂改《經義考》之研究〉	2	88
〈古老的民歌《詩經》〉	2	89
〈唐代後期經學的新發展〉	2	89
〈論《國語活用辭典》〉	2	91
〈請多寫學術性書評〉	2	91
〈吳德功《瑞桃齋文稿》所反映的儒學思想〉	2	91
〈熊十力對清代考據學之批評〉	2	92
〈明代詩經學五種提要〉	2	92
〈熊十力的《春秋》學及其時代意義〉	2	92
〈《孟子外書》板本知見考〉	2	93
〈黃道周儒行集傳及其時代意義〉	2	93
〈楊慎之經學〉	2	94
〈釋詩「彼其之子」〉	2	96
〈現有專科目錄體例的探討〉	2	96
〈清初考辨群經風氣的探討〉	2	97
〈傳記之學的形成〉	2	101
〈《偽書與禁書》〉	2	101
〈《通志堂經解》之編纂及其學術價值〉	2	102
〈《中國文化基本教材》舉誤〉	2	103
〈中國經學發展的幾種規律〉	2	104
〈朱睦㮮及其《授經圖》〉	1	88
〈文化中心出版品應廣為流傳〉	1	88

論著名稱	徵引篇數	學年
〈由研究生圖書利用引起的一些問題〉	1	88
〈陳耀文及其考證學〉	1	89
〈《日據時期臺灣儒學參考文獻》之編譯經過及其價值〉	1	90
〈吳德功古文中所反映的思想〉	1	90
〈徐復觀研究經學史的得失〉	1	91
〈姚際恆研究文獻目錄〉	1	92
〈姚際恆研究年表〉	1	92
〈熊十力論讀經應有之態度〉	1	92
〈如何整理戒嚴時期出版的偽書〉	1	93
〈研讀《詩經》的入門書〉	1	94
〈偽書概觀——以華聯（五州）出版社的文史書為例〉	1	94
〈揭開世界現存最大百科全書的奧秘 ——「《古今圖書集成‧經籍典》的文獻價值」專輯緒言〉	1	95
〈萬斯大的《春秋》學〉	1	95
〈竹添光鴻《左傳會箋》的解經方法〉	1	95
〈思想史研究與考據學方法 ——姜廣輝先生在中國思想史研究上的成績〉	1	95
〈當代偽書問題〉	1	96
〈大陸出版品對臺灣學術研究的意義〉	1	96
〈近五十年來經學史的研究〉	1	97
〈知識的水庫——歷代對圖書文獻的整理與保藏〉	1	97
〈經學史的基本認識〉	1	97
〈姚際恆的《春秋》學〉	1	98
〈我研究經學史的一些心得〉	1	98
〈經學與文學的關涉〉	1	98
《當代新編專科目錄述評》	1	98
〈作家與讀者的橋樑——《作家與書的故事》（隱地著）讀後〉	1	99

論著名稱	徵引篇數	學年
〈滄桑的十年，不變的理想——回顧萬卷樓的艱辛路〉	1	99
〈我看中國大陸的「國學熱」〉	1	100
〈鄭樵與顧頡剛〉	1	101
〈鄭振鐸論《詩序》〉	1	101
〈鐘鳴旦教授與中西文化交流研究〉	1	101
〈屈萬里先生和他的《龍門集》 ——編輯《屈萬里先生文存》的意外發現〉	1	101
〈李先芳《讀詩私記》研究〉	1	102
〈張舜徽先生著作在臺灣的翻印及流傳〉	1	102
〈袁仁《毛詩或問》研究〉	1	102
〈楊慎研究論著目錄〉	1	102
〈民國時期經學研究的現況和展望〉	1	104
〈四書學史的研究跋〉	1	104
〈禮的對話：禮學之體與用（實錄）〉	1	105
〈幾種經學史中的禮學論述〉	1	105

　　林先生自著的一百二十一種論著中，以指導研究生寫作論文的專著《學術論文寫作指引》（1996年9月），[47]獲得一百四十六位研究生的青睞，高居「自著類」論著的首位，每年有將近八篇論文徵引；[48]其次是探討經學的專著，包括：《清初的群經辨偽學》（1990年3月）有一○二位研究生徵引，每年平均超過五篇徵引；《明代經學研究論集》（1994年5月）有八十一位研究生徵引，每年平均有九篇論文徵引；《明代考據學研究》（1983年7月）有六十八位研究生徵引，每年平均有超過三篇論文徵引；《清代經學研究論集》（2002年8月）有三十七名研究生徵引，每年平均有超過二篇徵引，這幾部書分居徵引篇數的二至五名，探討研究的都屬於明代與清代經學的範圍。再者林先生極少數涉及漢

---

[47] 括弧「（）」內為初版的出版時間，以下皆同。

[48] 這個平均徵引數量，係根據最早徵引學年到一○五學年共十九年的徵引平均數計算，以下皆同。

代經學研究的單篇論文〈兩漢章句之學重探〉（1990年5月）也有二十二名研究
生的徵引，可見這篇論文也受到不少經學研究者的重視。另外有四十一種論著
僅有一篇論文徵引；二十四種論著僅有二篇徵引，兩者總數占了徵引林先生
「自著類」論著總數的百分之五十六‧二○，這是較低徵引率的論著，雖然徵
引者不多，但依然是受到關注的對象。這是研究生學位論文徵引林先生「自著
類」研究成果的實際狀況。

其次，觀察「編譯類」成果徵引的實際表現。「翻譯」當然不能與「自
著」等同，但根據現在對翻譯過程的一般性了解，翻譯必須透過翻譯者對該學
科知識及語言表述的轉譯，方有可能確實完成，因此翻譯不僅只是不同語言文
字的直白轉換而已，實際上在翻譯過程中總在自覺或不自覺的情況下，加入翻
譯者提供的某些可能與原作者並不相干的「創意」，翻譯實質上比較接近「改
寫」，因此排在「自著類」成果之後討論。實際考察研究生徵引林先生「編譯
類」論著成果的表現，總共有一五四篇學位論文的徵引，實際徵引的狀況如
下表。

「編譯類」論著的徵引篇數及每篇最早徵引學年等實況表

論著名稱	篇數	學年
《經學史》	96	86
《論語思想史》	35	95
〈竟陵派的詩經學——以鍾惺的評價為中心〉	4	88
〈董仲舒災異說的構造解析〉	4	89
〈近代日本漢學家（1）——那珂通世（1851-1908）〉	2	92
〈近代日本漢學家（11）——鈴木大拙（1870-1966）〉	2	96
〈崔述《讀風偶識》的側面——和戴君恩《讀風臆評》的關係〉	1	88
〈鍾伯敬《詩經鍾評》及其相關問題〉	1	88
〈近代日本漢學家（6）——大谷光瑞（876-948）〉	1	92
〈近代日本漢學家（9）——濱田耕作（88-938）〉	1	92
〈近代日本漢學家（23）——青木正兒（887-964）〉	1	92

論著名稱	篇數	學年
〈姚際恆及其著述〉	1	92
〈毛奇齡《論語稽求篇》——清初的《集注》批判〉	1	94
〈林兆恩《四書標摘正義》——三教合一論者的「心即仁」〉	1	98
〈近代日本漢學家（8）——服部宇之吉（867-939）〉	1	99
〈近代日本漢學家（9）——狩野直喜（868-947）〉	1	99
《上代支那正樂考——孔子的音樂論》	1	100

這一五四篇論文，徵引了林先生十七種「編譯類」的論著，其中有兩部最受研究生青睞：一是安井小太郎（1858-1938）等著的《經學史》（1996年10月）有九十六位研究生徵引；一是松川健二（1932-）編《論語思想史》（2006年2月）有三十五位研究生徵引。以《經學史》一書而論，考察同一時段（86-105學年）學位論文徵引不同作者「經學史」著作的實況：皮錫瑞（1850-1908）《經學歷史》八百五十三篇、徐復觀（1904-1982）《中國經學史的基礎》二百三十九篇、馬宗霍（1897-1976）《中國經學史》一百七十九篇、本田成之（1882-1945）《中國經學史》一百七十四篇等，相對於這些老牌經學史徵引的表現，林先生等新翻譯的《經學史》，竟然也有九十六篇，每年徵引超過四篇的徵引量；《論語思想史》每年也平均超過三篇的徵引，顯然都已相當受到重視了。至於其他十五種的翻譯成果，固然徵引數量不高，受到關注的程度不高，但在實質上依然提供某些臺灣研究生寫作論文時的參考。這是林先生「編譯類」論著成果對臺灣研究生學術貢獻的實情。

最後，觀察「編輯類」成果徵引的實況。學術文獻和學術目錄的「蒐輯」與「編輯」工作，長期以來都被認為無法與學術著作的貢獻相比，如果從「學術創發」的角度來看，這種觀點當然沒有問題，但如果從學術貢獻的角度來看，恐怕就大有斟酌之餘地了。因為研究的進行必須要能說明研究議題值得研究的理由，同時學術研究本來就是立基於前人成果之上的累積性工作，因此研究過程必然要針對前人研究成果有所了解，了解得越透澈，研究的意義和貢獻就越能更清楚的表現，這是寫作論文之初非常重要的基礎工作，如果沒有目錄

學的知識，根本難以有效進行。研究過程中必須參考的文獻散居各方，對於研究者必然構成困擾與困難，蒐集相關文獻編輯成冊或叢書，自然是對研究者功德無量的工作。從而可知「目錄」與「文獻」的編輯，對學術研究的重大貢獻，林先生長期在「目錄」工作上的用心耕耘，不客氣的說，應該是臺灣無人比得上，同時也是最有成就與最重要的目錄學編輯學者；林先生同時也相當重視文獻的編輯工作，成果也相當豐碩。考察八十學年以來學位論文徵引林先生「編輯類」成果的實際表現，如下表所示。

「編輯類」論著的徵引篇數及每篇最早徵引學年等實況表

論著名稱	篇數	學年
《中國經學史論文選集》	184	86
《詩經研究論集》	118	80
《經學研究論著目錄》	111	86
《經學研究論叢》	103	86
《五十年來的經學研究》	80	93
《中國學術思想研究輯刊》	69	98
《乾嘉學者的義理學》	55	91
《明代經學國際研討會論文集》	47	87
《朱子學研究書目（1912-1987）》	47	88
《清代揚州學術研究》	39	89
《民國時期經學叢書》	39	98
《乾嘉學術研究論著目錄（1900-1993）》	36	86
《中國文化新論學術篇——浩瀚的學海》	32	87
《點校補正經義考》	28	89
《姚際恆著作集》	26	87
《楊慎研究資料彙編》	20	88
《日據時期臺灣儒學參考文獻》	20	90
《新出土文獻與先秦思想重構》	20	97

論著名稱	篇數	學年
《啖助新春秋學派研究論集》	18	92
《學術資料的檢索與利用》	13	93
《近代中國知識分子在臺灣》	12	94
《日治時期臺灣知識分子在中國》	11	97
《日本研究經學論著目錄（1900-1992）》	9	89
《經典的形成、流傳與詮釋》	9	97
《民國文集叢刊》	9	98
《張壽林著作集》	9	101
《陳奐研究論集》	8	89
《國際漢學論叢》	8	90
《近代中國知識分子在日本》	8	93
《晚清經學研究文獻目錄（1912-2000）》	8	96
《《通志堂經解》研究論集》	8	97
《姚際恆研究論集》	7	86
《朱彝尊《經義考》研究論集》	7	101
《楊復再脩儀禮經傳通解續卷祭禮》	7	101
《晚清四部叢刊》	7	102
《晚清常州地區的經學》	6	100
《首屆國際尚書學學術研討會論文集》	6	100
《李源澄著作集》	6	100
《民國時期哲學思想叢書》	6	100
《清代經學國際研討會論文集》	5	97
《經義考新校》	5	101
《專科目錄的編輯方法》	3	88
《日本儒學研究書目》	3	89
《越南漢喃文獻目錄提要補遺》	3	97
《中國經學相關研究博碩士論文目錄》	3	99

論著名稱	篇數	學年
《中國歷代經書帝王學叢書（宋代編）》	3	101
《清領時期臺灣儒學參考文獻》	3	104
《汪中集》	2	89
《二十七松堂集》	2	96
《晚清四川經學家傳記資料》	2	101
《晚清四川經學家著作提要》	2	101
《晚清四川經學家著作知見錄》	2	101
《晚清四川經學家研究論文集	2	101
《正統與流派──歷代儒家經典之轉變》	2	103
《第二屆國際尚書學學術研討會論文集》	2	104
《蘇輿詩文集》	1	96
〈周易研究著述分類目錄〉	1	97
《國文天地叢書》	1	97
《中國歷代文學總集述評》	1	97
〈辜鴻銘來臺相關報導彙編〉	1	97
〈香港近六十年《詩經》研究文獻目錄〉	1	104
《變動時代的經學與經學家──民國時期（1912-1949）經學研究》	1	105
《當代臺灣經學人物》	1	105

考察統計徵引林先生「編輯類」六十三種成果的學位論文總共有一三〇八篇，以《中國經學史論文選集》（1992年10月）一百八十四篇的徵引最多，每年平均有超過九篇論文的徵引量；其次是《詩經研究論集》（1983年11月）也有一百一十八篇論文徵引，每年平均超過四篇論文的徵引；《經學研究論著目錄》（1989年12月）亦有一百一十一篇的徵引，每年平均超過五篇論文的徵引；《經學研究論叢》（1994年4月）有一〇三篇論文徵引，每年平均超過五篇論文徵引；《五十年來的經學研究》（2003年5月）有八十篇論文徵引，平均每年超過六篇論文徵引；《中國學術思想研究輯刊》（2009年1月）有六十九篇論文徵

引，平均每年超過八篇論文徵引；《乾嘉學者的義理學》（2003年2月）有五十五篇論文徵引，每年有三篇以上論文徵引。這是學位論文超過五十篇徵引的七種「編輯類」成果的實際表現。其他五十六種「編輯類」的成果，無論徵引篇數的多寡，當然也都實質上提供研究生寫作論文的助力，這自然也是林先生對臺灣研究生學術研究上的貢獻。

臺灣的研究生自八十學年到一〇五學年總共二十六年的時間，有一一八九位研究生在完成的一二四五篇學位論文中，徵引林先生「自著類」、「編譯類」、「編輯類」等三大類學術成果的二〇一種論著，若依徵引篇數的多寡排列，超過五十篇以上論文徵引者，以《中國經學史論文選集》一百八十四篇最多，其後依次為：《學術論文寫作指引》一百四十六篇、《詩經研究論集》一百一十八篇、《經學研究論著目錄》一百一十一篇、《經學研究論叢》一〇三篇、《清初的群經辨偽學》一〇二篇、《經學史》九十六篇、《明代經學研究論集》八十一篇、《五十年來的經學研究》八十篇、《中國學術思想研究輯刊》六十九篇、《明代考據學研究》六十八篇、《乾嘉學者的義理學》五五篇等，其中「編譯類」一種、「自著類」四種、「編輯類」七種。若依照每年論文平均徵引篇數多寡排列，以每年徵引平均超過五篇者為例，以《明代經學研究論集》九篇最多，以下依次為《中國學術思想研究輯刊》八篇多、《學術論文寫作指引》近八篇、《中國經學史論文選集》七篇多、《五十年來的經學研究》六篇多；《清初的群經辨偽學》、《經學研究論叢》和《經學研究論著目錄》等都超過五篇，其中「自著類」三種、「編輯類」五種，沒有「編譯類」。

統合前述的整體表現，可以確定研究生徵引林先生的二〇一種論著，以「編輯類」成果最多，其次為「自著類」成果，「編譯類」成果最少。其中《中國經學史論文選集》、《中國學術思想研究輯刊》、《五十年來的經學研究》、《明代考據學研究》、《明代經學研究論集》、《乾嘉學者的義理學》、《清初的群經辨偽學》、《經學史》、《經學研究論著目錄》、《經學研究論叢》、《詩經研究論集》、《學術論文寫作指引》等十二種論著最受研究生青睞，這十二種論著當該就是林先生被徵引的二〇一種論著中，尤其受到關注的研究論著。此外如：《中國經學史論文選集》、《中國學術思想研究輯刊》、《五十年來的經學研

究》、《明代經學研究論集》、《清初的群經辨偽學》、《經學研究論著目錄》、《經學研究論叢》、《學術論文寫作指引》等八種論著，無論總體徵引的論文數量或每年論文平均徵引數量，都名列前茅，更是研究生與指導教授接受度最高的論著。這當然也就是林先生對研究生學術研究實質貢獻的表現，同時也代表臺灣學界對林先生研究肯定的方向與範圍：既是經學學術研究的「經學專家」，同時也是目錄和資料等編輯的「文獻學家」。

五　結論

臺灣現代形式的學術研究，以中文相關研究的學術領域而論，雖源起於日本帝國主義統治臺灣的時代，但日本帝國主義戰敗投降離開臺灣後，當初剛剛在臺灣萌芽的現代學術研究，由於語文上的差距和敵我意識型態的作祟，因而也就跟著開始沒落而失去原有的影響力。真正負起引導建構臺灣現代學術研究的學者，實際上是國共戰爭後，逃避戰禍、迫害，以及跟隨國民黨政府移居臺灣的學者，這也就是中文學界稱為「第一代學者」的諸如：屈萬里先生、林尹先生……等等學者，在第一代學者的用心栽培啟發下，如今大致已成長到第四、第五代學者。學術的發展，原本就是上一代引導影響下一代的累積性過程，在這個學術累積過程中，所有參與的學者雖然影響與貢獻的程度有別，但必然都有其影響與貢獻。然而觀察以往中文相關科系學者的研究，在研究取材上不免表現出類似葛洪（西元283-343年）所謂「貴遠賤近」；[49]或劉勰（西元465-522年）所謂「貴古賤今」，[50]這類在研究對象上比較著重遙遠時代學者的表現與貢獻，對於與自己關係密切的現代學者的表現與貢獻，反而很少加以重視的偏頗現象。筆者以為這是個有必要認真思考的學術重要問題，因此借助現代電腦科技的蒐藏與搜尋等的技術，針對二十世紀重要學者的學術影響與貢獻，設計議題進行研究。根據筆者一九九○年以來的實際觀察，林慶彰先生無

49　（晉）葛洪：《抱朴子外篇・鈞世》（《四庫全書》本），卷3，頁13。
50　（南朝・梁）劉勰：《文心雕龍・知音》（《四庫全書》本），卷10，頁8。

論在學術表現上或文獻編輯上，均有相當豐碩的研究成果，無愧於中文學界「北牛」之稱，是以設計此文，除探討林先生指導研究生等涉及學術傳播的表現外，還透過研究生學位論文徵引的實際表現，以了解並確定林先生在臺灣學術發展上影響與貢獻的地位，用以提供臺灣學術發展研究學者的參考，同時更希望可以因此而引發其他相同理念者，重視臺灣本地學者學術表現與貢獻的研究，因而可以更深入的了解臺灣中文學界學術的發展實況。經由前述實證性的歸納與分析，此文大致可以獲得下述幾項結果。

首先，林先生自一九七八年在大學任教，至今依然沒有從學界退休。指導畢業的第一位碩士生是八一學年取得學位的邱惠芬；第一位畢業的博士生是八四學年取得學位的劉醇鑫。截至一〇五學年由林先生指導取得學位的研究生總共七十七位，完成博士論文二十一篇，碩士論文六十四篇。林先生指導的研究生中有二十位留在學術界服務，其中有五位學生接續指導研究生的工作。此即林先生在臺灣學術傳播上的實質貢獻。

其次，林先生自一九七六年六月發表第一篇學術論文開始，直至今日依然筆耕不輟，出版的各種類型學術成果，以寬鬆的方式計算至少有六百多筆，以較嚴格的標準統計也至少超過四百筆。林先生這些豐碩的學術成果，在八十學年即有畢業的學位論文徵引，八十一學年起有五年未見徵引，八十六學年後即成常態性徵引，截至一〇五學年止，總共有一一八九位研究生完成的一二四五篇學位論文，選擇性的徵引林先生的學術成果，包括博士論文二九四篇，碩士論文九五一篇，其中以九十七學年一一三篇的徵引量最多，八十學年的一篇最少，八十六學年二篇居次，八十七年以後每年都在二十篇到一百篇之間。學位論文的文獻徵引，需要經過指導教授的同意，從而可知林先生的學術成果，除研究生外也同樣獲得一二四五篇學位論文指導老師的肯定。這是林先生學術成果獲得臺灣學界肯定的實際情況。

其三，徵引林先生學術成果的一二四五篇學位論文，來自四十九所大學院校，除一般綜合性大學外，還包括九所科技類大學。研究生來自八十二個學系所，除「中文領域」、「歷史領域」和「哲學領域」外，還有「傳播類」、「法律類」、「政治類」、「圖書出版類」、「地區研究類」、「藝術類」、「教育類」等科

系，以及數學、經濟學、社會學、休閒事業管理學、運動科學、工業設計學等六個系所。這是林先生學術成果影響的學術研究專業範圍的實情。

其四，統計歸納臺灣一一八九位研究生的一二四五篇學位論文，徵引林先生學術成果總共為二三〇一筆，全數來自林先生的二〇一種論著。其中「自著類」一二一種、「編譯類」十七種、「編輯類」六十三種。徵引篇數超過五十篇的有十二種，年平均徵引篇數超過五篇的有八種，統合徵引量與年均徵引數均佳者有：《中國經學史論文選集》、《中國學術思想研究輯刊》、《五十年來的經學研究》、《明代經學研究論集》、《清初的群經辨偽學》、《經學研究論著目錄》、《經學研究論叢》、《學術論文寫作指引》等八種。這些也就是林先生學術成果最受學界肯定的對象。

其五，本文以學位論文為對象，借助電腦搜尋技術的協助，透過統計歸納而進行分析，獲得林慶彰先生在臺灣學術傳播、學術影響與學術貢獻等的實情。研究成果對於林先生的學術成就，以及臺灣學術發展的了解，提供了非常具體的答案。這對於有心探討了解林先生學術及臺灣學術發展的研究者，當該有比較實質的助益功能，此即設計此文進行研究的意義與價值所在。

參考文獻

一　傳統古籍

1　（晉）葛洪　《抱朴子外篇》　迪志文化出版公司：《文淵閣四庫全書電子版（3.0版）》　香港：迪志文化出版公司　2007年

2　（南朝・梁）劉勰　《文心雕龍》　《四庫全書》本

3　（北周）庾信著，（清）倪璠纂註　《庾子山集》　《四庫全書》本

二　學術專著

1　龔鵬程師主編　《五十年來的中國文學研究（1950-2000）》　臺北市：臺灣學生書局　2001年3月

2　孫劍秋、張曉生主編　《經學研究四十年：林慶彰教授學術評論集》　臺北市：萬卷樓圖書公司　2015年10月

三　單篇論文

1　楊晉龍　〈開闢引導與典律：論屈萬里與臺灣詩經學研究環境的生成〉　國家圖書館、中央研究院歷史語言研究所、國立臺灣大學中國文學系等主編　《屈萬里先生百歲誕辰國際學術研討會論文集》　臺北市：國立臺灣大學中國文學系　2006年12月　頁109-150

2　王宏德　〈學術研究趨勢之分析與探討：以100學年度臺灣學位論文為例〉　《國家圖書館館刊》102年第1期　2013年6月　頁75-98

3　楊晉龍　〈引導與典範：王叔岷先生論著在臺灣學位論文的引述及意義探論〉　《中國文哲研究通訊》第24卷第3期　2014年9月　頁117-143

4　楊晉龍　〈張以仁先生與臺灣傳統學術研究：以學位論文為對象的考徵〉　《中國文哲研究通訊》第25卷第4期　2015年12月　頁137-158

5　楊晉龍　〈臺灣研究生學術視域下的周鳳五教授：接受的考甄〉　臺北中

央研究院中國文哲研究所主辦「『戰後臺灣經學研究』第四次學術研討會」論文　2016年11月10-11日

6　車行健　〈指南山下經師業，渡船頭邊百年功：國立政治大學在臺復校初始階段（1954-1982）的經學教育〉　《中國文哲研究通訊》　第27卷第2期　2017年6月　頁45-82

7　楊晉龍　〈林尹先生和臺灣學術關係探論〉　臺北國立臺灣師範大學國文學系主辦「2017年紀念林尹教授學術研討會」論文　2017年11月25日

四　網路資料庫

1　陳郁夫　《古今圖書集成仿真版》　臺北市：東吳大學、國立故宮博物院　2001年

2　劉俊文策畫　《中國基本古籍庫》　北京市：愛如生數字化技術研究中心　2006年

3　劉俊文策畫　《永樂大典》　北京市：愛如生數字化技術研究中心　2007年

4　http://hanji.sinica.edu.tw/　中央研究院《漢籍電子文獻資料庫》

5　http://ndltd.ncl.edu.tw/cgi-bin/gs32/gsweb.cgi/login?o=dwebmge　《臺灣博碩士論文知識加值系統》

6http://140.122.127.247/cgi-bin/gs/gsweb.cgi?o=d1　《師範院校聯合博碩士論文系統》

7　http://etd.lib.nctu.edu.tw/cgi-bin/gs32/gsweb.cgi/login?o=dwebmge&cache=1478146968815　《臺灣聯合大學系統博碩士論文》網站

8　http://www.airitilibrary.com/　《華藝線上圖書館》

9　https://arsp.most.gov.tw/NSCWebFront/modules/talentSearch/talentSearch.do《科技部研究人才查詢網》　2018年4月30日搜尋

10　http://ulist.moe.gov.tw/Home/Index　《臺灣大學教師查詢網》2018年4月30日搜尋

林慶彰先生研究日本漢學
的成果與貢獻

張文朝

中央研究院

摘要

　　本文純為林先生七秩祝壽而寫。林先生在中國經學史上的成就，已是舉世共尊，無須本文贅述，因而綴此小文，略述林先生在日本漢學方面的研究成果及其對臺灣學術的貢獻。林先生在日本漢學方面的研究，有日本專書的翻譯，如安井小太郎編著《經學史》、林履信《洪範體系中之社會經世思想》、江文也《上代支那正樂考》、松川健二編《論語思想史》、江上波夫編《近代日本漢學家：東洋學的系譜》等五書，都是臺灣學界首版之翻譯書，具有引介之貢獻；有主編和編輯《日本研究經學論著目錄（1900-1992）》、《日本儒學研究書目》等經學書目，影響深遠，具有提供研究成果及資源共享之功；有主編《中日韓經學國際學術研討會論文集》、《經學研究論叢》與《國際漢學論叢》等學術刊物及十種專輯，有單篇論文著作十三篇、翻譯三十九篇、評論三篇、學林人物介紹一篇、序跋十篇，都具有提攜後進、引介日本漢學、提供學界發表研究成果平臺之貢獻；邀請日本十三所大學十八位學者來臺訪問研究及演講，訪問日本五個地區、十二所機關學校、訪談過八位學者，深具國際漢學學術交流之意義。林先生鴻碩博洽之學識，洞見先機之視野，開放之胸襟，學術之關懷，成果之豐碩，筆者以為林先生堪稱臺灣當代研究日本漢學的第一人。

關鍵詞：林慶彰　七秩　古稀壽　經學史　日本漢學

一　前言

　　能與林慶彰先生（以下簡稱林先生）相識，要感謝東吳大學中文系丁原基先生（1950-2016）的推薦。筆者雖是東吳日文人，卻是中文系的常客，時不時就去旁聽中文系的課。丁先生在日文系所講授的「中國文學史」是必修課程，所以筆者也就順理成章地成為丁先生的學生。一九八七年六月，畢業在即，因為想畢業後到日本學些與中日思想有關的課程，有中日思想學術背景，回國比較有發展，所以才會請教丁先生去日本留學的相關事情。丁先生認為這需要有中日學術知識的人才能回答，於是建議筆者去找林先生，原來林先生就住在離筆者家不到一公里的地方，林先生建議筆者研究貝原益軒（1630-1714）。第二天，筆者在三民書局購得岡田武彥（1908-2004）著《貝原益軒》，一看出版年月是當年三月才出的，這才佩服林先生對出版書訊的快速掌握及關注。自此登門請益不斷，受益匪淺。倏忽三十載，正逢林先生古稀壽，因而綴此小文，以為祝賀。本文分：前言、專書、單篇論文、主編專輯、與日本學者之交流、結語等節，略述林先生在日本漢學方面的研究成果及其對臺灣學術的貢獻。

二　專書

（一）翻譯書

　　林先生有感於日本學者有很多經學研究的成果，卻未見有譯本，且國人的經學史研究中，也少有人引述介紹，認為要了解日本學者的研究成果，首先就是要能讀通他們的論著。於是與連清吉先生合力翻譯了安井小太郎編著的《經學史》（1996年10月）；[1]之後又獨自翻譯了林履信《洪範體系中之社會經世思

---

[1]　安井小太郎等講述，林慶彰、連清吉譯：《經學史》（臺北市：萬卷樓圖書公司，1996年10月），頁9-11。

想》（2000年10月）與江文也《上代支那正樂考》（2000年10月）；六年後再與金培懿、陳靜慧、楊菁等先生合譯松川健二編《論語思想史》（2006年2月），楊菁先生認為：「此書的刊行，除了將日本儒學的學術成果譯介給國內的學術界外，因國內尚未有如此有系統的《論語》思想史的研究，故此書的出版也可以刺激國內的學術研究，藉他山之石以攻錯，使學術研究往更廣更精的目標前進。」[2]更於二〇一五年七月出版了江上波夫編《近代日本漢學家：東洋學的系譜》第一集，此書是林先生集結了自一九九五年六月起連續兩年發表在《國文天地》的二十四篇譯文，包括那珂通世（1851-1908）、林泰輔（1854-1922）、市村瓚次郎（1864-1947）、白鳥庫吉（1865-1942）、內藤湖南（1866-1934）、高楠順次郎（1886-1945）、河口慧海（1866-1945）、服部宇之吉（1867-1939）、狩野直喜（1868-1947）、鳥居龍藏（1870-1951）、鈴木大拙（1870-1966）、桑原騭藏（1871-1931）、岡井慎吾（1872-1945）、津田左右吉（1873-1961）、新城新藏（1873-1938）、大谷光瑞（1876-1948）、鈴木虎雄（ 1878-1963）、加藤繁（1880-1946）、濱田耕作（1881-1938）、羽田亨（1882-1955）、諸橋轍次（1883-1982）、武內義雄（1886-1966）、青木正兒（1887-1964）、石田幹之助（1891-1974）等二十四位日本漢學家，提供國人簡明扼要地了解近百年來日本漢學家研究的參考書籍。[3]此書至二〇一七年十二月已經三刷出版，可見深受學界人士之愛讀。以上五書，都是臺灣學界首版之翻譯書，具有引介日本漢學之貢獻。

　　《經學史》至今已為一三一篇碩博士論文所引用，可見其影響力之大。而《論語思想史》也有四十篇、《近代日本漢學家：東洋學的系譜》第一集三篇、《上代支那正樂考》二篇、《洪範體系中之社會經世思想》一篇碩博士論文引用，可見其影響力在臺灣學界已逐漸起作用。

2　楊菁：〈中日儒學交會的亮光：記《論語思想史》中文版的刊行〉，收入孫劍秋、張曉生主編：《經學研究四十年：林慶彰教授學術評論集》（臺北市：萬卷樓圖書公司，2015年10月），頁22-23。

3　江上波夫編，林慶彰譯：《近代日本漢學家：東洋學的系譜》第1集（臺北市：萬卷樓圖書公司，2015年7月），頁9-11。

（二）主編和編輯

1 經學書目

　　林先生認為若能編輯一本日本經學的目錄，「不但能拓展國內學者的視野，也是從事國際漢學交流最基礎的工作」。[4]於是在一九九三年編輯了《日本研究經學論著目錄（1900-1992）》。[5]後來「有感於了解日本漢學的重要性，……《日本研究經學論著目錄》，並無法反映日本研究儒學的全貌」，[6]於是又與連清吉、金培懿合編了《日本儒學研究書目》（1998年）。[7]茲分別介紹此二書如下：

　　《日本研究經學論著目錄（1900-1992）》一書厚達九○六頁，收錄自一九○○年至一九九二年間，與日本經學研究相關論著七二六三條，範圍涵蓋「經學總論」、「周易」、「尚書」、「詩經」、「三禮」、「春秋及三傳」、「孔子與論語」、「孟子」、「大學」、「中庸」、「四書」、「孝經」、「爾雅」、「石經」、「讖緯」、附「陰陽五行」等類別。此目錄書無疑是提供從事經學研究者最完備的日本經學資料，從此目錄中，研究者可以知悉日本經學研究的重點與尚待開發的發展趨勢，以為他山之石，更可以拓展研究者的新領域。而書後的附錄更提供了大量的中、日、英文「期刊（923種）」、「論文集（263種）」、「工具書（50種）」，這部分除提供研究者知悉日本出版發達的狀況外，更不得不佩服林先生努力蒐羅的功夫與學識，恐非一般學者所能達到的境界。而其編輯團隊之辛勞，可想而知。若無學術責任心，絕無能成就此艱鉅的成果。[8]林先生認為：

4　林慶彰：〈我的國學之路〉，收入陳恆嵩、馮曉庭編：《經學研究三十年：林慶彰教授學術評論集》（臺北市：樂學書局，2010年11月），頁620。

5　林慶彰主編：《日本研究經學論著目錄（1900-1992）》（臺北市：中央研究院中國文哲研究所籌備處，1993年）。

6　林慶彰：〈我的國學之路〉，收入陳恆嵩、馮曉庭編：《經學研究三十年：林慶彰教授學術評論集》，頁621。

7　林慶彰、連清吉、金培懿合編：《日本儒學研究書目》（臺北市：臺灣學生書局，1998年7月）。

8　馮曉庭、許維萍：〈日本學者研究經學的總帳冊：編輯《日本研究經學論著目錄》之經過〉，收入陳恆嵩、馮曉庭編：《經學研究三十年：林慶彰教授學術評論集》，頁304。

「本目錄既可反映日本學者近九十年間經學研究成果，對中日兩國漢學界的互相了解，對國內經學研究者和研究生等，自有其不尋常的意義。」[9]

五年後，林先生出版《日本儒學研究書目》，此書更達一○二四頁，分成上下兩冊，收錄自上古至一九九八年六月間，有關日本儒學原典與日本儒學之著作、單篇論文，依時代區分成總論、古代至中世、近世、近代、現代，另外加上叢書，共六編，計七九九四條。此書的特色在於：（一）合儒者著作與後人研究成果於一處，節省研究者蒐集的時間。（二）立叢書一類為編，並標明子目書名、卷數、作者，協助研究者得知某儒者的著作被收入哪部叢書中。此書提供自古至現代，各時代的指標性儒學者二三六名，每一儒者的條目都是研究該儒者的著作及後世學者研究成果的專屬資料庫，對研究日本儒學有莫大的助益。

學界對此二書的佳評不斷，如東吳大學中國文學系連文萍先生認為編輯這兩本文獻目錄是「做到連日本漢學家也做不到的事」；[10]泰安師專中文系林祥徵先生認為：「憑藉該目錄（《日本研究經學論著目錄》），可以了解我國有關著作在海外的傳播，更可以了解日本經學研究的新收穫。……從該書目我們還可以了解日本經學研究的新動向。」[11]中國人民大學清史研究所前所長王俊義先生、同所碩士生趙剛先生認為：「全書（《日本研究經學論著目錄》）體大思精，網羅宏富，是日本經學研究的重要成果，也為中國學界聊解東瀛經學研究提供諸多便利。」[12]長庚技術學院通識中心講師游均晶先生認為《日本儒學研究書目》有「一、為儒學家的姓名標音，二、兼收思想、哲學的著作條目，三、合儒者著作和後人研究成果為一書，四、列出各儒學家全集的子目」等特

9　林慶彰：〈《日本研究經學論著目錄》自序〉，《日本研究經學論著目錄（1900-1992）》，頁3。

10　連文萍：〈和全世界漢學家一起做學問：專訪中央研究院中國文哲研究所研究員林慶彰學長〉，收入陳恆嵩、馮曉庭編：《經學研究三十年：林慶彰教授學術評論集》，頁4。

11　林祥徵：〈林慶彰教授經學研究述評〉，收入陳恆嵩、馮曉庭編：《經學研究三十年：林慶彰教授學術評論集》，頁7。

12　王俊義、趙剛：〈林慶彰及其中國經學史研究〉，收入陳恆嵩、馮曉庭編：《經學研究三十年：林慶彰教授學術評論集》，頁81。

點。[13]揚州大學文學院教授朱岩先生謂：「《日本儒學研究書目》甫面於世，便讚不絕口，無論是對日本國學者，還是對其他儒學研究者，該書體現出的合作理念皆指向學術共贏的趨勢，學術熱情與學術期待皆獲提升，大大促進了日本儒學研究。」[14]由此可見林先生在編集經學書目上對學界的貢獻。

其中，《日本研究經學論著目錄（1900-1992）》有時十二篇、《日本儒學研究書目》有四篇碩博士論文引用。

2 會議論文集

林先生在主編會議論文集時，也經常不忘收入與日本漢學相關的論文，如二○一五年與盧鳴東先生合編《中日韓經學國際學術研討會論文集》，其中即有四篇論文與日本漢學相關，分別為林慶彰〈安井小太郎編纂經學入門書目的學術意義〉、賴貴三〈佐藤一齋《易》學初探：以《言志四錄》與〈八卦廣義〉為核心〉、單周堯〈竹添光鴻《左傳會箋》論五情說管窺〉、金培懿〈作為道德／語文教育教材的《論語》：以近代日本中學校教科書／漢文學參考書所作的考察〉；兩位日本學者發表與中國經學相關的論文，分別是末永高康〈《孔子三朝記》中之名〉、野間文史（金培懿譯）〈《春秋左氏傳》其構成與基軸〉。這些都可以感受到林先生在主編論文集時，不忘將日本漢學的成果納入其中，以饗國人。

3 學術期刊

在學術期刊方面，林先生分別創辦了《經學研究論叢》與《國際漢學論叢》。《經學研究論叢》第一輯（1994年4月）至今第二十三輯（2017年10月），共有一三七○筆論文及其他信息，其中收入日本漢學相關的論文及信息則有五十九筆。何淑蘋先生認為《經學研究論叢》有反映域外研究成果、見證人才培

---

[13] 游均晶：〈評《日本儒學研究書目》〉，收入陳恆嵩、馮曉庭編：《經學研究三十年：林慶彰教授學術評論集》，頁323-324。

[14] 朱岩：〈林慶彰先生經學研究貢獻三題〉，收入孫劍秋、張曉生主編：《經學研究四十年：林慶彰教授學術評論集》，頁291。

育歷程等兩大特色與提供園地、鼓吹風氣、填補空白、整理文獻等四大價值。[15]筆者以為何先生的評價可謂確切。日本學者川田建評介此論叢，認為不只是中國學的專家，即使是對近世的國（日）文學系研究者，也是重要的論文集，作為臺灣儒學研究的傳播基地，可以預想將益發受到內外的注意。[16]

　　林先生因憂心臺灣漢學人才不足，缺乏漢學刊物介紹國外漢學研究成果，見大陸漢學刊物陸續出版，更覺得籌編一份漢學刊物的迫切性。因此，於一九九九年創辦了《國際漢學論叢》。自一九九九年七月出版第一輯，至今第五輯，共收七十六篇論文，其中收入與日本漢學相關的論文及日本學者之著作有四十三篇，占其總數一半以上，可見就日本方面的漢學研究成果是豐碩的。

　　《經學研究論叢》被二一七篇、《國際漢學論叢》被十五篇碩博士論文引用，《國際漢學論叢》五輯中，第一輯共被引十六次，第二輯一次，第三輯二次，顯示其具有影響力，假以時日，當更可見其效應。

　　以上就林先生的日本漢學相關單專書翻譯、主編和編輯等項目，彰顯林先生的成果與貢獻。

三　單篇論文

　　林先生的日本漢學相關單篇論文之成果，亦不容小覷。茲依著作、翻譯、圖書評論、學林人物、序跋等項，各項再依發表年先後，說明如下：

（一）著作

1　〈編纂日本儒學史研究文獻目錄芻議〉（1994）

　　此文認為：「當一位初學者要了解日本儒學的發展時，至少可從下列兩個方面入手：一是選讀一兩種扼要的儒學史或學派史，作為入門的初階。……二

---

[15] 何淑蘋：〈培育經學幼苗的園地：《經學研究論叢》簡介〉，收入孫劍秋、張曉生主編：《經學研究四十年：林慶彰教授學術評論集》，頁202-204。

[16] 川田建：〈《經學研究論叢》評介〉，收入孫劍秋、張曉生主編：《經學研究四十年：林慶彰教授學術評論集》，頁245。

是充分掌握儒學史方面的文獻資料，要了解文獻資料，得先從掌握工具書入手。……本文試圖從文獻的角度來了解現有工具書是否足以呈現儒學史資料的全貌，並提出編纂《儒學史研究文獻目錄》的方法。」本文除對現有的日本儒學史研究文獻作出：（一）儒學家的傳記資料、（二）儒學家的著作資料、（三）後人之研究論著資料、（四）儒學家時代背景的資料等分類之外，更檢討了現有日本儒學史參考工具書，認為近藤春雄的《日本漢文學大事典》是其他文獻目錄所不及，但林先生認為其書仍有：（一）遺漏重要專著、（二）遺漏重要全集、叢書、（三）失收期刊中的特集資料、（四）資料著錄不夠明確、（五）資料重複著錄等缺失，由此而導出編纂《日本儒學史研究文獻目錄》的迫切性。筆者以為此文之貢獻最主要在於林先生提出其編輯方法，認為應該要：（一）確定全書之體例、（二）利用前人編輯的儒學資料目錄，利用相關的綜合目錄，抄錄叢書、全集中的儒學資料，抄錄專著、論文集中的儒學資料，抄錄各期刊中儒學的資料等前人的編輯成果。（三）按刊期名、書名編排，並統一體例；按作者名編排，並統一體例；按所訂之類目編排，並修訂類目；編輯作者索引等方法編排資料。認為如能編輯完成此目錄書，至少可發揮：（一）呈現日本儒學資料的總面貌、（二）了解日中文化互動關係的媒介等功能。[17]為實踐此一芻議，於是有一九九八年《日本儒學研究書目》之編輯與出版。

2 〈大田錦城和清初考證學家〉（1998）

此文主要是從大田錦城所著《九經談》中所引清初學者之著作，探討大田錦城與清初儒者之關係，從而澄清其著作有無剽竊之嫌疑。林先生提出兩點結論：（一）認為對大田錦城的批判僅是沒有事實根據的市井流言。且大田錦城在引清儒之說時，有些是直接引用，有些則加以批評或補正，並非單向的接納而已。（二）以辨偽觀點而論，字義考據為大田錦城之強項，卻是清初學者所

---

17 林慶彰：〈編纂日本儒學史研究文獻目錄芻議〉，九州大學中國哲學科第88回懇話會宣讀論文（福岡市：九州大學文學部主辦，1994年9月）。又見《經學研究論叢》第2輯（1994年10月），頁253-264。

忽略者，以此證明大田錦城無剽竊之嫌。[18]筆者以為此文最大的學術貢獻在於澄清大田錦城《九經談》並無剽竊清儒之說，除還大田錦城之清白外，亦為此學術剽竊公案畫上休止符。

3 〈日本儒學精要書目〉（1998）

此書目是與金培懿先生合編。編輯體例以重要之已故儒學家為主，所錄資料條目，皆為專著。其編排大致以學派分類，同一學派者再依生年先後排列。每一儒學家大抵先列全集或重要著作，再錄後人研究成果。筆者以為此書目的主要貢獻在於為研究日本儒學史的初學者提供最簡要之五百七十六筆入門資料，有此書目的指引，則日本儒學研究的重要成果，可以一目瞭然，知所門徑。

4 〈日本漢學研究近況〉（1999）

此文先介紹日本培養漢學人材的學校、學術機構、學會、刊物、出版社。接著依序分經學史、論語、周易、尚書、詩經、三禮、三傳等敘述經學研究；分哲學史、先秦、秦漢、宋明、清代等敘述中國哲學研究；分文學史、詩詞、小說、戲曲、臺灣文學等敘述中國文學研究；分入門書、漢學家傳記、辭典、書目等敘述日本漢學參考書；最後，呼籲應從教育、人才、藏書三方面入手，加強了解日本漢學。筆者以為此文所論範圍涉及文、哲、經三大主要領域，及其傳承機構、文獻，可謂極為廣博。其貢獻在精選重要學者及簡潔地介紹其著作，使國人了解第二次大戰以後，日本研究漢學的最新成果。[19]

5 〈明清時代中日經學研究的互動關係〉（2000）

此文主要在探討明代以後日本的經學著作之傳入，及早期傳入日本的中國經籍之回流到中國，補中國文獻的不足。如：山井鼎和物觀之《七經孟子考文

---

[18] 林慶彰：〈大田錦城和清初考證學家〉，九州大學中國哲學科第98回懇話會宣讀論文（福岡市：九州大學文學部主辦，1998年）。又見《張以仁先生七秩壽慶論文集》（臺北市：臺灣學生書局，2000年8月），頁291-303。

[19] 林慶彰：〈日本漢學研究近況〉，《應用語文學報》創刊號（1999年6月），頁95-125。

補遺》、荻生徂徠《論語徵》的傳入；皇侃《論語義疏》、《古文孝經孔傳》、《孝經鄭注》的回傳等，對中國經學研究產生了不少的影響。[20]本文主要貢獻在於：（一）爬梳明末清初儒學著作之傳入日本及其對日本古學派與考證學派之影響時，舉出古學派方面，特別是荻生徂徠，因而提出復古的主張，正式創立古文辭學派。考證學派方面，則有吉田篁墩（1745-1798）、大田錦城（1765-1825）、安井息軒（1799-1876）、竹添光鴻（1842-1917）等重要學者。（二）在論述山井鼎和物觀《七經孟子考文補遺》的傳入時，詳細說明傳入經過及相關人士，指出受其影響最大者應是阮元，著有〈七經孟子考文補遺序〉，並重新刊刻該書，新刊印《七經孟子考文并補遺》輸入日本。（三）指出皇侃《論語義疏》自乾隆年間回傳入中國後，直到清末，研究討論的風氣一直未中斷，為漢學的研究注入了新的生命。（四）《古文孝經孔傳》和《孝經鄭注》回傳所引起的爭論，指出中國學者大多認為《古文孝經孔傳》為偽書，而《孝經鄭注》亦多可疑，但為中國的漢學研究增加不少生命力。（五）指出於清末傳入中國的荻生徂徠《論語徵》，影響中國學者計有吳英、狄子奇、劉寶楠、俞樾、李慈銘等學者。如此可以讓讀者清楚地回顧從明末至清末，考證學傳入日本，影響日本古學派和考證學派之經過，及中日兩國經學研究的交流實際情況。

6 〈竹添光鴻《左傳會箋》的解經方法〉（2001）

本文論述竹添光鴻作《左傳會箋》的原因在日本保存了最早的隋、唐舊鈔本《左傳》，竹添氏利用這個本子和後來的石經本、宋本等參校，有恢復《左傳》板本原貌的目的。認為此書的解經方法有：（一）利用善本進行校勘，看出字體形制的演變。（二）不受前人「疏不破注」觀念的影響，對杜預注的疏失，皆有所勘正。（三）特重解釋典章制度。（四）有些引用資料不及注明出處，雖引起後人有抄襲之議，但仍不影此書在中、日《左傳》學研究史上的地位。[21]

---

[20] 林慶彰：〈明清時代中日經學研究的互動關係〉，「第三屆國際漢學會議」宣讀論文（臺北市：中央研究院主辦，2000年6月29日）。又見《中國思潮與外來文化》（臺北市：中央研究院中國文哲研究所，2002年12月），頁241-270。又見《中國經學研究的新視野》（臺北市：萬卷樓圖書股份有限公司，2012年12月），頁117-147。

[21] 林慶彰：〈竹添光鴻《左傳會箋》的解經方法〉，「日本漢學國際學術研討會」宣讀論文（臺北

筆者以為此文之貢獻在於簡單扼要地點出竹添光鴻《左傳會箋》數百萬言的解經方法，提供學者研究《毛詩會箋》、《論語會箋》二書的參考。

7 〈太宰春臺《朱氏詩傳膏肓》對朱子的批評〉（2001）

太宰春臺以為中國歷代《詩經》的註解以《毛詩詁訓傳》最符合傳注的標準，認為朱熹的《詩集傳》都是說理之言，不應該稱為傳，所以他在研究《詩集傳》的時候，把朱熹的傳刪去了約五分之二的篇幅，認為要傳注相襯就應該要如此做。所以他不是惡意在攻擊朱熹，而是朱熹的諍友。此文之主要學術貢獻在於：點出太宰氏雖著《朱氏詩傳膏肓》，欲破除朱熹《詩集傳》在《詩經》學上之權威，然而從其對朱熹之批評論點觀之，則見朱熹的《詩集傳》大抵還未達「膏肓」的程度，從而可將太宰氏之書當作反朱學代表作之一。[22]此文為臺灣首出之作，對其後臺灣學者相關之作，有啟迪之功，可視為此文的另一貢獻。[23]

8 〈中日文史通俗雜誌〉（2002）

本文主要舉中國的《文史知識》、《古典文學知識》與日本的《しにか》等通俗性雜誌為例，介紹傳統中國文化。《文史知識》以向廣大的知識青年和文史愛好者介紹中國文史知識，繼承和發揚中華民族的文化傳統為宗旨。《古典文學知識》則以國中以上程度的讀者為對象，系統地介紹中國古典文學的知識，啟發讀者學習古典文學的興趣，提高讀者鑒賞古典文學的水準，同時也為學習和研究古典文學提供相關信息。《しにか》則是日本要了解中國文化最通俗、也發行最廣的雜誌。[24]

市：臺灣大學中國文學系，2001年3月16、17日）。又見張寶三，楊儒賓編：《日本漢學研究初探》（臺北市：喜馬拉雅研究基金會，2002年），頁47-70。

[22] 林慶彰：〈太宰春臺《朱氏詩傳膏肓》對朱子的批評〉，《笠征教授華甲紀念論文集》（臺北市：臺灣學生書局，2001年12月），頁204。

[23] 林慶彰先生的日本《詩經》學研究成果與貢獻，可參考張文朝：〈戰後（1945-2017）臺灣學者對日本《詩經》學之研究〉，《中國文哲研究通訊》第27卷第4期（2017年12月），頁89-116。

[24] 林慶彰：〈中日文史通俗雜誌〉，《國文天地》第17卷第8期（2002年1月），頁12-14。

9 〈竹添光鴻《毛詩會箋》的解經方法〉（2008）

本文先敘其著書動機和體例，再探討竹添氏對詩序、刪詩、讀詩之法，詩皆入樂、協韻等《詩經》基本問題的態度，其次分析《毛詩會箋》的注經方法，有勘正經傳文、申釋詩篇用字之法、申釋篇章之義、解釋名物制度等。本文之貢獻在提出：竹添氏的《毛詩會箋》僅取《毛詩故訓傳》，而不取鄭玄的《毛詩箋》，大概是受太宰春臺以《毛詩故訓傳》為注經的典範，大大地批判朱子的《詩集傳》的影響；認為竹添氏除重視《詩經》中的教化觀點外，也能觀照到詩篇的寫作技巧，是屬於全方位的治經方法。[25]

10 〈日本所藏中國經籍及其學術價值〉（2011）

本文將傳日經籍依注釋型態來分成：（一）漢魏晉經注本，舉《毛詩詁訓傳》卷第六、《春秋經傳集解》殘本一卷、《周禮》鄭氏注十二卷、《周禮》殘本二卷鄭玄注。（二）單疏本，再分唐宋寫本與宋刻本，前者舉唐宋寫本《毛詩正義》秦風殘卷、《周易正義》、《禮記正義》殘本一卷、《春秋公羊疏》三十卷，後者舉《尚書正義》二十卷、《毛詩正義》殘本三十三卷、《禮記正義》殘本八卷、《爾雅疏》十卷五冊，認為：「從文本的純粹性和正確性的角度看，保持舊貌的單疏本是十分珍貴的。」[26]（三）注疏合刊本，舉《周易注疏》十三卷、《尚書正義》二十卷八冊、《禮記正義》七十卷三十五冊、《附釋音毛詩注疏》二十卷三十冊。（四）中國已失傳經籍，舉《講周易疏論家義記殘卷》、（陳）鄭灼撰《禮記喪服小記子本疏義》殘卷一卷、皇侃著《論語義疏》、《古文孝經孔傳》、龔原著《周易新講義》十卷等四項、十一種說明。認為這些經籍有可供校勘之用、可供輯佚之用、有助了解經藉體例、有助了解學術思想之演變、彌補文獻之不足等學術價值。筆者以為此文之重要在於：林先生提出留

---

[25] 林慶彰：〈竹添光鴻《毛詩會箋》的解經方法〉，「第五屆日本漢學國際學術研討會」宣讀論文（臺北市：臺灣大學文學院等主辦，2008年3月28、29日）。

[26] 林慶彰：〈日本所藏中國經籍及其學術價值〉，《東亞漢文文獻整理研究國際學術研討會論文集》（新北市：臺北大學古典文獻學研究所，2011年7月），頁164。

學日本之年輕學人應將介紹傳日罕見經籍之論文翻譯成中文，使國內學者及研究生知道有如此多的珍貴的文獻可作研究，開拓新論題。[27]

11 〈安井小太郎編纂經學入門書目的學術意義〉（2011）

本文先就分類與各類收書數目兩項，探討安井小太郎編纂《經學門徑》的結構，分析《經學門徑》之與《四庫全書》有採用、有修正，然亦有不妥處，如安井氏將朱子《儀禮經傳通解》改入禮記類。而所收書計二百九十四種，中國學者著作二百二十二種，日本學者著作七十二種，每種書下都有或長或短的提要。接著檢視其學術立場，以為安井小太郎秉持：（一）中日學者著作並重，（二）無今古文的成見，（三）兼收漢宋學著作。認為《經學門徑》對所收書之評價是客觀的，即使作為當代的經學入門書目，也沒有過時的問題。[28]筆者以為其貢獻在提出：因為此一書目的出版，可以理解自明治時代起日本雖受西學的影響，但經學研究也有其獨立發展的空間。此觀點不同於一般以為當時已無經學可言的看法。

12 〈太宰春臺的中國經書古義研究〉（2013）

此文以太宰春臺為研究重心，試將江戶時代古學派的著作和乾、嘉學派古義學的著作作比較，並解釋這種經學研究過程中，為何周邊的日本竟然早於作為經學中心的中國。認為太宰氏作《論語古訓》和《詩書古傳》，數十年後，乾、嘉學派學者陳鱣（1753-1817）和阮元（1764-1849）也有類似的著作。而陳鱣《論語古訓》比太宰氏晚了五十七年，所收錄的資料也比太宰氏少。阮元的《詩書古訓》比太宰氏晚了七十八年，所輯錄的資料，不及太宰氏來得完備。本文最大貢獻在引用內藤湖南（1866-1934）的文化理論來作為背景，說明此現象，認為日本傳統的包袱沒有中國那麼重，很快就形成一個結構完整的大學派。中國因傳統包袱比較重，需經過多層的轉折，才逐漸形成乾、嘉學派

---

27 林慶彰：〈日本所藏中國經籍及其學術價值〉，頁159-173。

28 林慶彰：〈安井小太郎編纂經學入門書目的學術意義〉，《經學研究論叢》第19輯（2011年11月），頁251-266。

（古學派），在轉折的過程中，已失去了學術的先機。這是江戶時代經書古義研究要先於中國的部分原因，也是周邊終將形成自己文化的明證。[29]筆者以為此一觀點正是該文對學術貢獻之所在。

13 〈竹添光鴻研究文獻目錄〉（2016）

此文先介紹竹添氏，次提竹添氏的著作，再提後人研究論著。竹添氏的著作又分經學、文學、編著三種，經學有《毛詩會箋》、《左傳會箋》、《論語會箋》、《孟子論文》、《孟子講義》，文學有《棧雲峽雨日記》、《獨抱樓遺稿》，編著有《茶務僉載》、《歷代古文鈔評注》、《評定箋註古文辭類纂》、《元遺山文選》、《清大家詩選參評》、《韡村遺稿》。後人研究論著分傳記資料、著作研究、相關資料，共三十五筆論文。其中《左傳會箋》的相關研究論文最多，達二十三筆，而孫赫男一人就有十四筆論文。[30]筆者以為此目錄提供國內學者研究竹添光鴻的基本文獻，只要有此目錄，則學界有關竹添光鴻的研究成果可以大致掌握，此是本目錄的貢獻所在。

（二）翻譯

林先生翻譯日本漢學相關單篇論文之成果，可依其性質分為（一）儒學研究、（二）詩經研究、（三）姚際恆研究三項，說明如下：

1 儒學研究

此項有五篇譯文，即〈關於漢民族所謂的天〉（黃得時著）、〈洪範體系中之社會經世思想〉（林履信著）、〈儒的意義〉（狩野直喜著）、〈上代支那正樂考：孔子的音樂論〉（江文也著）、〈董仲舒災異說的結構解析〉（岩本憲司著）。前四篇為日據時代臺灣學者所著，林先生翻譯此四文，主要是為了提供

---

[29] 林慶彰：〈太宰春臺的中國經書古義研究〉，「第四國際漢學會議」宣讀論文（臺北市：中央研究院，2012年6月21日）。又見鍾彩鈞主編：《東亞視域中的儒學：傳統的詮釋》（臺北市：中央研究院，2013年10月），頁449-451。

[30] 林慶彰編：〈竹添光鴻研究文獻目錄〉，《國際漢學論叢》第5輯（臺北市：華藝學術出版社，2016年1月），頁277-283。

學者研究日據時期臺灣儒學的參考文獻，都收錄於《日據時期臺灣儒學參考文獻》。[31]二〇〇八年在林先生主導下，由臺北市立教育大學人文藝術學院儒學中心出版《儒學研究論叢：日據時期臺灣儒學研究專號》，收錄十一篇相關論文；[32]二〇一三年舉辦「臺灣經學的萌發與轉型：從明鄭到日治時期」學術研討會，聚集十餘篇相關論文。可說是林先生推動有功。後一篇〈董仲舒災異說的結構解析〉譯文主要是介紹日本學者岩本憲司研究董仲舒的成果給國人認識。[33]

2 《詩經》研究

此項有四篇譯文，都是日本早稻田大學文學部村山吉廣先生所著，即〈竟陵派的《詩經》學：以鍾惺的評價為中心〉、〈崔述《讀風偶識》的側面：和戴君恩《讀風臆評》的關係〉、〈《毛詩原解》序說〉、〈鍾伯敬《詩經鍾評》及其相關問題〉、〈姚際恆的學問下：關於《詩經通論》〉等與《詩經》學相關的論文。[34]由上列各論文之題名，可發現林先生所譯之文，多以明、清學者的《詩經》學為主要對象，可推知林先生有意介紹日本學者研究明、清時代《詩經》學的成果，給臺灣學者認識。這與林先生的學術背景息息相關，正如楊晉龍先生所說：「明代詩經學研究實由林先生所帶動，……更翻譯日本學者村山吉廣探討鍾惺與郝敬詩經學研究的論文。」[35]可知楊晉龍先生對林先生研究明代

---

[31] 林慶彰編：《日據時期臺灣儒學參考文獻》上、下冊（臺北市：臺灣學生書局，2000年10月）。

[32] 葉純芳、張曉生主編：《儒學研究論叢：日據時期臺灣儒學研究專號》（臺北市：臺北市立教育大學人文藝術學院儒學中心，2008年12月）。

[33] 岩本憲司著，林慶彰譯：〈董仲舒災異說的結構解析〉，《經學研究論叢》第7輯（1999年9月），頁241-259。

[34] 村山吉廣著，林慶彰譯：〈竟陵派的詩經學：以鍾惺的評價為中心〉，《中國文哲研究通訊》第5卷第1期（1995年3月），頁79-92。村山吉廣著，林慶彰譯：〈崔述《讀風偶識》的側面：和戴君恩《讀風臆評》的關係〉，《中國文哲研究通訊》第5卷第2期（1995年6月），頁134-144。村山吉廣著，林慶彰譯：〈《毛詩原解》序說〉，《中國書目季刊》第29卷第4期（1996年3月），頁59-64。村山吉廣著，林慶彰譯：〈鍾伯敬《詩經鍾評》及其相關問題〉，《中國文哲研究通訊》第6卷第1期（1996年3月），頁127-134。村山吉廣著，林慶彰譯：〈姚際恆的學問下：關於《詩經通論》〉，《經學研究論叢》第3輯（1995年4月），頁257-274。

[35] 楊晉龍：〈臺灣近五十年詩經學研究概述一九四九～一九八九〉，《漢學研究通訊》第20卷第3期（2001年8月），頁43。

《詩經》學貢獻的肯定。

3 姚際恆研究

此項有六篇譯文，除〈姚際恆及其著述〉的原作者為坂井喚三外，其他五篇都是日本早稻田大學文學部村山吉廣先生所著，即〈姚際恆的學問（上）：關於古今偽書考〉、〈姚際恆的學問（中）：他的生涯和學風〉、〈姚際恆的學問（下）：關於《詩經通論》〉、〈姚際恆論〉、〈姚際恆的《禮記通論》〉，以上各論文都收入《姚際恆研究論集》（1996年）。[36]林祥徵先生讚譽臺灣學者對姚際恆研究文獻的成功，舉林先生所編《姚際恆研究論集》中的八篇翻譯論文，說：「林慶彰（張寶三、余崇生）等人的翻譯既讓我們了解日本學者的獨特視角，也為不懂日文的學者提供方便。」[37]所言甚是。

（三）圖書評論

1 〈談《東洋學文獻類目》〉（1991）

林先生認為《東洋學文獻類目》肩負提供一種涵蓋世界各地及各種語言的文獻資料索引的任務，是檢查漢學文獻最受重視的工具書。接著介紹《東洋學文獻類目》自一九三四年創刊以來的變革簡史，及臺灣出版社的複製情況。筆者以為林先生對《東洋學文獻類目》在文革後，有意漠視對臺灣研究漢學的研究成果提出檢討，是其最大貢獻所在，因為讀者若以為《東洋學文獻類目》所錄的信息已是如此，則將造成對臺灣漢學界不公平的認知，且有損讀者的權益。[38]

---

36 林慶彰、蔣秋華編：《姚際恆研究論集》上、中、下（臺北市：中央研究院中國文哲研究所籌備處，1996年6月）。

37 林祥徵：〈臺灣學者對姚際恆的研究（上）：關於姚際恆研究文獻的整理〉，收入孫劍秋、張曉生主編：《經學研究四十年：林慶彰教授學術評論集》，頁211。

38 林慶彰：〈談《東洋學文獻類目》〉，《中國文哲研究通訊》第1卷第2期（1991年6月），頁132-135。

2 〈評《詩經研究文獻目錄》〉（村山吉廣、江口尚純編）

此文評論日本學者村山吉廣及江口尚純合編《詩經研究文獻目錄》（1992年10月）。此目錄專書中，收入不少臺灣學者的研究成果，如杜正勝的《詩經研究：中國古代歌謠》（該書流水編號104668）、馮作民的《詩經》（同上104669）等等專書及論文。林先生將此目錄專書介紹給臺灣學者認識，謂：此書「內容龐大，體例也最完善」。[39]又稱「是日人編輯文獻目錄中較出色者」，[40]而對此書的價值，則認為：「對中國讀者來說，邦〔日〕文篇仍具有相當之參考價值」。[41]又說：「《本目錄》對日本學者來說，仍是檢查《詩經》文獻較容易得手的工具書。」[42]筆者除認同林先生所說之外，以為林先生評介此書本身已是對學界作出貢獻，更以為《詩經研究文獻目錄》是提供臺灣學者查閱日本學者研究《詩經》學的重要工具書。

3 〈評《中國文學研究文獻要覽》〉（2010）

林先生認為此書有許多編輯上的特色，如：（一）多收廣義的文學相關研究成果，舉凡經、史、子學的著作也收錄。（二）除將論文集收入一類外，其各篇目也依類散入各類中。（三）索引完備，書後附有〈著者名索引〉、〈事項名索引〉，交叉使用，可節省檢索時間。但林先生也對此書提出兩點建議，認為：（一）以學者的卒年排序，並非最理想的編排方式，因為易造成時代先後誤認。（二）可多收日本學者在海外的研究成果。[43]筆者以為此文之貢獻不只是對川合康三先生所編《中國文學研究文獻要覽》而發的期許，同時也是對有志於整理文獻之士，提出能知截長補短的深切期待。

---

39 林慶彰：〈評《詩經研究文獻目錄》〉，《中國文哲研究通訊》第3卷第2期（1993年6月），頁77。
40 林慶彰：〈評《詩經研究文獻目錄》〉，頁81。
41 林慶彰：〈評《詩經研究文獻目錄》〉，頁81。
42 林慶彰：〈評《詩經研究文獻目錄》〉，頁81。
43 林慶彰：〈評《中國文學研究文獻要覽》〉，《國文天地》第25卷第10期（2010年3月），頁88-91。

（四）學林人物

〈臺日學術文化交流的志工：日本長崎大學連清吉教授的學思歷程〉

本文是日本長崎大學漢學教授連清吉先生口述，林先生整理。主要是顯揚連清吉先生為臺日學術文化交流所作的努力，連清吉先生雖然在文中總是將功勞歸於他的恩師町田三郎先生，然而實際上在臺日之間穿針引線、聯絡學者交流的，應該就是連清吉先生本人，林先生稱：「連先生也在町田先生的指示與臺灣師友的支持下，接續臺灣與九州中國學界的交流活動。」[44]應已足以證明。

（五）序跋

林先生在與日本漢學相關的序跋文方面，可分為（一）自著編譯書的序跋文及（二）為他者編譯著書的序跋文。

1 自著編譯書的序跋文

自著書編譯的序跋文，有〈《日本研究經學論著目錄（1900-1992）》序〉、〈《經學史》譯序〉、〈《日本儒學研究書目》序〉、〈《論語思想史》序〉、〈《近代日本漢學家：東洋學的系譜》第一集序〉。林先生在〈《日本研究經學論著目錄（1900-1992）》序〉中謂：「編輯本目錄，就筆者個人來說，是一種學術責任的完成，也為筆者拓展新的研究領域奠定了良好的基礎。」[45]正是有此學術責任感，促使林先生在不受學術界重視的情況下，繼續不斷地推出各種學術目錄，嘉惠學林，方便各界研究。在〈《經學史》譯序〉說：清末民初時，日本經學史的研究成果似乎比中國更為豐碩。[46]再根據連清吉先生引述林先生的說法：「或可作為大學講授經學史的教材。」[47]可知林先生除想要有系統的譯介日本學者的研究成果外，實著意於大學經學人才的培育。這也是林先生有功於

---

[44] 林慶彰：〈臺日學術文化交流的志工：日本長崎大學連清吉教授的學思歷程〉，《國文天地》第29卷第7期（2013年12月），頁94。

[45] 林慶彰：〈《日本研究經學論著目錄（1900-1992）》序〉，序頁4。

[46] 林慶彰：〈《經學史》譯序（二）〉，序頁7。

[47] 連清吉：〈《經學史》譯序（一）〉，序頁5。

臺灣高等教育的表徵。在〈《日本儒學研究書目》序〉說「這是有日本儒學以來第一本研究書目」、「這祇是整理日本儒學文獻的開端，將來在客觀條件更好的情況下，一定有機會完成一部較完善的文獻目錄」。[48]除可感受林先生在此領域辛勤開拓有成的喜悅外，更見其精益求精、追求完美的精神。在〈《論語思想史》譯序〉中說：《論語》早在三世紀時已傳到日本，形成有自己系統的《論語》注釋史，每年都有出版十餘種《論語》研究著作，而能呈現《論語》一書在中國及其周邊的傳播過程的，以《論語思想史》為最重要的一本。[49]足見林先生對此書的重視。在〈《近代日本漢學家：東洋學的系譜》第一集》序〉中認為《東洋學の系譜》一套三冊是研究日本與歐美漢學的最佳入門書，由一家父子三人，合力翻譯，為日本漢學的流傳略盡棉薄之力。[50]筆者以為這確實是學術界的一段佳話。

2 為他者編譯著書的序跋文

為他者編譯著書的序跋文，則有陳東輝著《中日典籍與文化交流史研究》、張文朝編譯《江戶時代經學者傳略及其著作》、佐野公治著，張文朝、莊兵譯《四書學史的研究》、工藤卓司著《近百年來日本學者三禮之研究》、張文朝著《江戶時代における詩集傳の受容に關する研究》等。為陳東輝先生寫〈序〉時，認為作者陳東輝既勤奮又博學，加上日文相當好，所以研究漢學與中日文化交流史就有很大的優勢，讚譽出版《中日典籍與文化交流史研究》是作者長年研究中日學術文化交流的成果，最愛有關長澤規矩也（1902-1980）研究的數篇論文。[51]這當與臺灣沒有學者對長澤規矩也作研究有關。為筆者寫〈序〉時，對於日本江戶時代的經學家眾多，卻又無適合的工具書可以檢索他們的事

[48] 林慶彰：〈《日本儒學研究書目》序〉，《日本儒學研究書目》，序頁3。

[49] 林慶彰：〈譯序〉，松川健二編，林慶彰等譯：《論語思想史》（臺北市：萬卷樓圖書公司，2006年2月），序頁1-2。

[50] 林慶彰：〈《近代日本漢學家：東洋學的系譜》第一集》序〉，《近代日本漢學家：東洋學的系譜》第1集，序頁1-2。

[51] 林慶彰：〈林序〉，收入陳東輝：《中日典籍與文化交流史研究》（臺中市：文听閣圖書公司，2010年11月），序頁2。

蹟和著作的情況下，認為如果能夠就日本江戶時代的經學家編輯一本江戶時期經學人物辭典，應該更容易引導讀者進入日本江戶時期的經學領域，這一點《江戶時代經學者傳略及其著作》就起了相當大的作用。[52]在《四書學史的研究》的〈中文版跋〉文中，認為此書是研究晚明《四書》學最重要的著作，國內卻無人知道有此書，因此有意翻譯出來介紹給更多人吸收其中之研究成果。文中提到此書翻譯的過程，謂從一九九九年起開始翻譯，直到二〇一三年才結束，其間前後總共費時十五年，認為根本的癥結是翻譯這個工作在臺灣有許多學校不列入升等的點數，懂得日文又熟悉經學的學者實在太少，這兩個原因沒有做根本的解決，奢想把日本的漢學著作完整的介紹過來。[53]為工藤卓司先生寫〈序〉時，認為有這一部《近百年來日本學者三禮之研究》書，要了解日本近百年來研究《三禮》的狀況，就易如反掌，這是作者工藤卓司教授對經學最大的貢獻。林先生更期待《日本近百年來經學研究》能集成，將是日本經學研究的劃時代著作。[54]為筆者寫〈序〉時，認為《江戶時代における《詩集傳》の受容に関する研究》可以說是日本江戶時代《詩經》學的通論，以學派為綱，各派的代表學者為目，闡述他們研究《詩經》的特色和方法。[55]

本節所論林先生從事與漢學研究相關的學術活動，都具有提攜後進、引介日本漢學、提供學界發表研究成果平臺等貢獻。

四　主編專輯

林先生所主編專輯中與日本漢學相關的有十種，即「姚際恆專輯（上）」（《經學研究論叢》1995年）、「日本青年漢學家在臺灣專輯」（《國文天地》

---

[52] 林慶彰：〈林序〉，收入張文朝編譯：《江戶時代經學者傳略及其著作》（臺北市：萬卷樓圖書公司，2014年3月），序頁1。

[53] 林慶彰：〈中文版跋〉，收入佐野公治著，張文朝、莊兵譯：《四書學史的研究》（臺北市：萬卷樓圖書公司，2014年11月），頁382-383。

[54] 林慶彰：〈推薦序〉，收入工藤卓司：《近百年來日本學者三禮之研究》（臺北市：萬卷樓圖書公司，2016年3月），序頁2-3。

[55] 林慶彰：〈林序〉，收入張文朝：《江戶時代における詩集傳の受容に関する研究》（臺北市：華藝學術出版社，2017年3月），序頁2-3。

2008年)、「日本學者論乾嘉學術專輯」(《中國文哲研究通訊》2000年)、「日本學者論群經注疏專輯」(《中國文哲研究通訊》2000年)、「日本學者論啖助學派專輯」(《中國文哲研究通訊》2001年)、「日本考證學研究專輯」(《中國文哲研究通訊》2002年)、「日本學者論公羊注疏專輯(一)」(《中國文哲研究通訊》2002年)、「日本學者論公羊注疏專輯(二)」(《中國文哲研究通訊》2002年)、「日本學者論晚清湖湘學術專輯」(《國際漢學論叢》2007年)、「松本雅明《詩經》學評論專輯」(《國際漢學論叢》2014年)。分別說明如下:

1 姚際恆專輯(上)

此專輯原分上、下兩部分,上輯收錄八篇日本學者的著作,譯成中文,下輯收錄八篇國人的著作。關於日本學者的著作,原發表之期刊,國內大多未收藏,林先生多方蒐集,由自己負責翻譯五篇,合其他三篇成一專輯,認為這是近數十年來首次以如此多的篇幅介紹日本學者的經學研究成果,相信對國內經學研究者有些許激勵的作用。

(1)姚際恆及其著述／坂井喚三著,林慶彰譯

(2)姚際恆的學問(上):關於古今偽書考／村山吉廣著,林慶彰譯

(3)姚際恆的學問(中):他的生涯和學風／村山吉廣著,林慶彰譯

(4)姚際恆的學問(下):關於詩經通論／村山吉廣著,林慶彰譯

(5)姚際恆論／村山吉廣著,林慶彰譯

(6)清姚際恆的偽《中庸》說／藤澤誠著,張寶三譯

(7)姚際恆的《禮記通論》／村山吉廣著,余崇生譯

(8)關於姚際恆著《春秋通論》／服部武著,余崇生譯

2 日本青年漢學家在臺灣專輯

此專輯乃《國文天地》雜誌為感謝九位日本青年漢學研究者來臺教導臺灣子弟所特闢的專輯,報導他們的求學過程、學術專長、來臺觀感等。

(1)佐藤將之教授的中國先秦哲學研究

(2)藤井倫明教授的宋明理學研究

（3）金原泰介教授與明清之際學術史研究

（4）川路祥代教授與日治時期臺灣儒學研究

（5）野川博之教授與日本佛學研究

（6）佐野大介教授與中國孝道思想研究

（7）青山大介教授與先秦哲學研究

（8）黑田秀教教授與儒教葬禮研究

（9）工藤卓司先生與漢代思想史研究

3 日本學者論乾嘉學術專輯

此專輯是林先生在文哲所執行重點計畫「清乾嘉學派經學之研究」時，為提供參與學者認識日本學者研究乾嘉學術的成果所作的專輯。

（1）清朝考證學風與近世日本／中山久四郎著，連清吉譯

（2）伊藤仁齋和戴東原／青木晦藏著，愈慰慈、陳秋萍合譯

（3）戴震與日本古學派的思想：唯氣論與理學批判論的展開／岡田武彥著，陳瑋芬譯

（4）崔述《讀風偶識》的著述意圖／藤井良雄著，盧秀滿譯

（5）關於焦循的《論語通釋》／坂出祥伸著，楊菁譯

（6）陳碩甫小傳／山本正一著，李寅生譯

4 日本學者論群經注疏專輯

林先生認為國內學者少有研究群經注疏的議題，而日本學者卻有不少研究成果，因此收錄以下八篇日本論文，譯介給國人認識，並促使學者應加強此一相關議題的研究。

（1）關於五經正義單疏本／長瀨誠著，黃桂譯

（2）現存宋刊單疏本刊行年代考／長澤規矩也著，鍋島亞朱華譯

（3）關於金澤文庫舊藏鎌倉抄本《周易正義》與宋刊單疏本／阿部隆一著，陳捷譯

（4）注疏分合的問題／河又正司著，鍋島亞朱華譯

（5）越刊八行本注疏考／長澤規矩也著，蕭志強譯

（6）正德十行本注疏非宋本考／長澤規矩也著，蕭志強譯

（7）十三經注疏版本略說／長澤規矩也著，蕭志強譯

（8）關於和刻本十三經注疏／長澤規矩也著，蕭志強譯

5 日本學者論啖助學派專輯

林先生有鑑於國內無人研究啖助學派，因此譯介以下六篇日本學者的研究成果，以饗國人，也有提醒學者研究此議題的用意。

（1）中唐新儒學運動的一種考察：劉知幾的經書批判和啖、趙、陸氏的《春秋》學／稻葉一郎著，李甦平譯

（2）啖、趙、陸等之《春秋》學及其周邊／島一著，金培懿譯

（3）關於中唐的新《春秋》學派：以其家系、著作、弟子為中心／戶崎哲彥著，王青譯

（4）關於中唐的新《春秋》學派：以其創始者啖助的學說為中心／戶崎哲彥著，龔穎譯

（5）關於唐代春秋三子的異同／吉原文昭著，孫彬譯

（6）柳宗元的明道文學：其與陸淳《春秋》學之關係／戶崎哲彥著，金培懿譯

6 日本考證學研究專輯

林先生認為學者一般以為日本考證學是受清朝考證學之影響，所以日本學者大田錦城的學問也是因襲於清朝學者，但事實上又如何呢？為提供國內學者認識日本考證學的研究成果，以比較中日學者對考證學研究之異同，因此作成此專輯。

（1）考證學概說／中山久四郎著，連清吉譯

（2）日本考證學派的成立：以大田錦成為中心／金谷治著，連清吉譯

（3）大田錦城的尚書學（一）／石田公道著，連清吉譯

（4）大田錦城的尚書學（二）／石田公道著，連清吉譯

（5）評論大田錦城於《古文尚書》之見解／松崎覺本著，連清吉譯

（6）江戶後期的考證學：松崎慊堂的學問／吉田篤志著，連清吉譯

（7）大田錦城的詩序論：以《毛詩大序十謬》為中心／江口尚純著，金培懿譯

7 日本學者論公羊注疏專輯（一）

林先生以為《公羊疏》的作者問題，國內學界的討論不少，但是終究難以確定，同時日本也有不少研究成果，因此譯介以下八篇論文，給國人認識。因篇幅較大，所以分成兩個專輯出版。

（1）《公羊疏》作者年代考／狩野直喜著，姜日天譯

（2）《公羊傳疏》作者時代考／重澤俊郎著，孫彬譯

（3）關於《公羊疏》／杉浦豐治著，藤井倫明譯

（4）《公羊傳疏》成立年代私考／河口音彥著，藤井倫明譯

（5）關於《公羊疏》成立時代的考察／杉浦豐治著，孫彬譯

（6）關於《春秋公羊疏》（一）：成書和校書記事／森秀樹著，孫彬譯

（7）關於《春秋公羊疏》（二）：《左氏傳疏》以及《孝經疏》／森秀樹著，孫彬譯

8 日本學者論公羊注疏專輯（二）

（1）關於《公羊疏》（一）／杉浦豐治著，李甦平譯，孫彬校

（2）關於《公羊疏》（二）／杉浦豐治著，李甦平譯，孫彬校

（3）關於《公羊疏》（三）／杉浦豐治著，李甦平譯，孫彬校

（4）關於《公羊疏》（四）／杉浦豐治著，李甦平譯，孫彬校

（5）關於《公羊疏》（五）／杉浦豐治著，王青譯

9 日本學者論晚清湖湘學術專輯

此專輯乃林先生於二〇〇三年中央研究院中國文哲研究所經學文獻組執行「晚清經學研究計畫」第三年子計畫「晚清湖湘地區之經學研究」時，提供參

與計畫之學者參考。之後，彙為本專輯，讓更多學者了解海外研究此議題的現況。[56]收錄以下六篇，即：

（1）魏源的經學思想／北村良和著，劉怡君譯

（2）王闓運的貧富論：以《論語訓》為中心／橫久保義洋著，楊菁譯

（3）皮錫端的學問與思想／濱久雄著，劉怡君譯

（4）《翼教叢編》考／有田和夫著，劉怡君譯

（5）《翼教叢編》的政治思想：關於清末變法運動的展開與反動派的動向／大塚博久著，張文朝譯

（6）《勸學篇》和《翼教叢編》：關於清末的保守主義／小林武著，楊菁譯

10 松本雅明《詩經》學評論專輯

林先生以為：「這是有史以來，第一次對松本雅明《詩經》研究做深入評論的專輯，對瞭解松本雅明《詩經》學的淵源和特色，有相當重要的意義。」[57]專輯中收入六篇書評，即：

（1）評松本雅明著《關於《詩經》諸篇成立的研究》／白川靜著，莊兵譯

（2）評《關於《詩經》諸篇成立的研究》／蘭契奧蒂（Lionello Lanciotti）著，雷之波（David Zeb Raft）譯

（3）評松本雅明氏《關於《詩經》諸篇成立的研究》／吉川幸次郎著，林愷胤譯

（4）評松本雅明著《關於《詩經》諸篇成立的研究》／山田統著，藤井倫明譯

（5）評松本雅明著《關於《詩經》諸篇成立的研究》／友枝龍太郎著，呂祥竹譯

（6）《詩經》研究：新舊階層及其思想之發展／赤塚忠著，葉采青譯

以上各專輯之出版，都在一個核心思想下刻意完成的，那就是林先生有感於國內很少有學者、研究生注意到日本漢學的研究成果，因此想藉專輯的出

---

56 林慶彰：〈編者序〉，《國際漢學論叢》第3輯（臺北市：樂學書局，2007年），序頁1。

57 林慶彰：〈編者序〉，《國際漢學論叢》第4輯（臺北市：華藝學術出版社，2014年），序頁2。

版，匯集較多、較集中相關議題，介紹給國人認識。筆者以為林先生主編這些專輯提供臺灣學術界認識日本漢學研究的成果，對日本漢學在臺灣的傳播有相當的激勵作用，是林先生對臺灣學界的另一貢獻，值得表彰。

五　與日本學者之交流

　　林先生除以上所述論著編譯著作與日本漢學相關外，更積極投入與日本學者間的交流，此項中可分為（一）邀請日本學者來臺訪問研究及演講、（二）赴日本訪問及研究等二小項，各項依時間先後說明如下：

1　邀請日本學者來臺訪問研究及演講

　　林先生自一九九二年七月起，陸續邀請日本久留米大學中國哲學研究室荒木見悟先生至中文哲研究所訪問，並作專題演講，講題為〈朱子學與大慧宗杲〉。一九九五年二月十九日，邀請日本久留米大學文學部長岡村繁先生及福岡大學人文學部笠征先生，至文哲所訪問，並作專題演講，講題為〈孝道與情慾：後漢末期儒教的苦惱〉、〈九十年代大陸文學的基本態勢〉。一九九五年九月二十日至二十三日，邀請日本九州大學名譽教授岡田武彥先生，至文哲所訪問，並作專題演講；另邀請日本鹿兒島純心女子大學國際言語文化學部教授連清吉先生，至文哲所訪問，並作專題演講。一九九五年十二月二十二日至二十三日，文哲所召開「明代經學國際研討會」，邀請早稻田大學文學部教授村山吉廣、東京大學文學部教授小島毅、長崎大學環境學部教授連清吉與會發表論文。一九九六年八月十九日，邀請日本九州大學名譽教授、純心女子大學文學院長町田三郎先生，至文哲所訪問一週，並作專題演講，講題為「日本的論語研究史」。一九九九年九月二日至十五日，邀請日本二松學舍大學及日本中國學會會長戶川芳郎先生至文哲所訪問二周，並作專題演講，講題為「井上毅的漢學主義」。一九九九年十二月二十二至二十九日，邀請日本琦玉大學教養學部教授關口順先生至文哲所研究訪問，並作專題演講，講題為「《史記六家要旨》與《漢書藝文志》結構上的差異論其間經學本質之改變」。二〇〇二年九

月，邀請廣島大學文學部中國哲學研究室主任野間文史先生至文哲所演講，講題為「《五經正義》之研究」，同年十二月邀請京都大學中國哲學講座教授池田秀三至文哲所演講。二〇〇三年至二〇〇五年因籌畫及執行「經典與文化的形成」研究計畫，邀請東京大學東洋文化研究所教授丘山新、東京大學文化研究所副教授橋本秀美、東京大學東洋文化研究所教授平勢隆郎、日本筑波大學哲學思想學系教授佐藤貢悅等參與讀書會學術活動，並促成重澤俊郎〈原始儒家思想與經學：經學的本質〉、關口順〈經書觀形成過程之一考察〉（序說）、〈中國思想的訓詁疏註〉等論文的中文翻譯。二〇〇六年八月，邀請日本大東文化大學文學部中國學科教授池田知久至文哲所演講。二〇一〇年十月十八日至二十三日，邀請日本京都大學大學院文學研究科文學部教授池田秀三先生至文哲所訪問，並作專題演講，講題為「黃季剛之禮學」。二〇一三年一月一日至十二月三十一日，邀請日本東京大學東亞思想文化學博士姜智恩女士至文哲所任職博士後研究學者，並成為她的指導教授。

由以上的紀錄可知，林先生自一九九二年七月至起至二〇一三年十二月止，一共邀請過日本鹿兒島純心女子大學、長崎大學、久留米大學、福岡大學、九州大學、廣島大學、京都大學、東京大學、二松學舍大學、早稻田大學、埼玉大學、筑波大學、大東文化大學等十三所大學的教授來臺訪問。教授包括荒木見悟、岡村繁、笠征、岡田武彥、連清吉、村山吉廣、小島毅、町田三郎、戶川芳郎、關口順、野間文史、池田秀三、丘山新、橋本秀美、平勢隆郎、佐藤貢悅、池田知久、姜智恩等十八位先生。

2 赴日本訪問及研究

林先生自一九九一年三月二十九日受東洋文庫北村甫之邀，赴日本東京、京都等大學和學術機構訪問，四月十日返國。在東京方面，共訪問了東洋文庫、靜嘉堂文庫、內閣文庫、東京大學文學部、東京大學東洋文化研究所、二松學舍大學、慶應義塾大學等；京都方面，訪問了京都大學文學部、京都大學博物館等，晤談的日本學者有伊藤漱平、池田溫、興膳宏、松浦友久、樽本照雄、金文京等人。一九九四年四月八日，前往日本福岡，出席「東亞傳統文化

國際學術研討會」，於會中發表論文〈熊十力對清代考據學的批評〉。一九九六年九月十五日至二十一日，受邀至日本大阪大學、京都大學訪問與蒐集研究資料，十八日於大阪大學中國哲學系作一演講，講題為「近年來臺灣研究經學史的新趨勢」。一九九七年八月獲國科會補助，赴日本福岡九州大學中國哲學系研究一年，研究主題是龜井南冥父子的經學研究。研究期間，參加多次日本當地舉辦的國際研討會，如退溪學會的年會、第十屆域外漢籍國際研討會等。一九九八年八月十五日至二十一日，由日本福岡赴東京、京都、大阪等地訪問，十七日，訪問早稻田大學，拜訪文學部教授、日本詩經學會會長村山吉廣先生。二十日，拜訪大阪大學哲學科。三十一日，結束為期一年之研究進修，自日本福岡返國。一九九九年四月三日至十日，為執行國科會專題計畫「民國以來經學書目提要（1912-1949）」，赴日本東京大學、早稻田大學及東京神田神保町古書店蒐集相關資料。二〇〇〇年九月，赴日本京都出席「作為創造泉源的古典」國際學術討論會，並於會中發表論文〈傳統經學的現代意義〉，會後至東京訪問。二〇〇四年五月十二日至十七日，赴日本長崎參加「九州中國學會大會」，發表主題演講〈中國經學史上的回歸原典運動〉，並於九州大學蒐集資料。二〇一五年「林慶彰先生榮退紀念」學術研討會，發表閉幕致詞〈我研究經學史的經過〉，會後蒐集研究資料。

　　總計林先生所訪地區以東京、京都、福岡、大阪、長崎為主。機關有東洋文庫、靜嘉堂文庫、內閣文庫、東京大學文學部、東京大學東洋文化研究所、二松學舍大學、慶應義塾大學、早稻田大學、京都大學文學部、京都大學博物館、大阪大學中國哲學系、九州大學中國哲學系。訪問學者有北村甫、伊藤漱平、池田溫、興膳宏、松浦友久、樽本照雄、金文京、村山吉廣等。參與各種學會，如「東亞傳統文化國際學術研討會」、退溪學會的年會、第十屆域外漢籍國際研討會、「作為創造泉源的古典」國際學術討論會、「九州中國學會大會」、「林先生榮退紀念」學術研討會。發表過〈熊十力對清代考據學的批評〉、〈近年來臺灣研究經學史的新趨勢〉、〈傳統經學的現代意義〉、〈中國經學

史上的回歸原典運動〉、〈我研究經學史的經過〉等論文。[58]

　　本節所論林先生與日本學者之邀約訪學，深具國際漢學學術交流之意義，實非國內一般學者人人都能達到的成就。而林先生與日本學者往返書信之多，足以成冊出書，亦可見林先生與日本學者之交流形式，不一而足。

六　結語

　　林先生雖為中文人，但他一再強調中文人除了要懂中文之外，更要懂一些外文，特別是日文。他也要求有留學經驗的學者應該盡力為學界介紹、翻譯該國的漢學成果，服務學界。他不只是說說而已，他自己身體力行，除了撰寫日本經學、漢學等相關論文之外，更編輯、翻譯日本經學、漢學等相關學術書目、專書、專輯、論文，服務學界。眾多學者、研究生透過林先生的著作與譯作，了解、知悉日本漢學、日本經學的研究成果，或據林先生所揭示的議題，繼續深入研究；或引用林先生的論點，以為論述的依據，此正是林先生日本漢學研究對臺灣學術起了重大影響的實證。如以上所述，林先生自身對日本漢學的關懷及與日本漢學界之交流、不時呼籲臺灣學者注意日本漢學的研究成果、提攜後進研究日本漢學、主辦學術研討會提供臺灣學者及研究生口頭發表研究日本漢學所見、主編學術刊物提供學界研究者及研究生發表研究日本漢學成果。此等鴻碩博洽之學識，洞見先機之視野，開放之胸襟，學術之關懷，成果之豐碩，筆者以為林先生堪稱臺灣當代研究日本漢學的第一人。

---

[58] 本節「與日本學者之交流」之內容，整理自林慶彰編：《中央研究院第32屆院士候選人提名相關資料》（2017年8月），頁219-220。

參考文獻

川田建　〈《經學研究論叢》評介〉　收入孫劍秋、張曉生主編　《經學研究四十年：林慶彰教授學術評論集》　臺北市：萬卷樓圖書公司　2015年10月　頁243-245

王俊義、趙剛　〈林慶彰及其中國經學史研究〉　收入陳恆嵩、馮曉庭編　《經學研究三十年：林慶彰教授學術評論集》　臺北市：樂學書局　2010年11月　頁66-84

安井小太郎等講述，林慶彰、連清吉譯　《經學史》　臺北市：萬卷樓圖書公司，1996年10月

朱　岩　〈林慶彰先生經學研究貢獻三題〉　收入孫劍秋、張曉生主編　《經學研究四十年：林慶彰教授學術評論集》　臺北市：萬卷樓圖書公司，2015年10月　頁286-291

江上波夫編，林慶彰譯　《近代日本漢學家：東洋學的系譜》第1集　臺北市：萬卷樓圖書公司　2015年7月

何淑蘋　〈培育經學幼苗的園地　《經學研究論叢》簡介〉　收入孫劍秋、張曉生主編　《經學研究四十年：林慶彰教授學術評論集》　臺北市：萬卷樓圖書公司　2015年10月　頁200-205

村山吉廣著，林慶彰譯　〈竟陵派的詩經學：以鍾惺的評價為中心〉　《中國文哲研究通訊》第5卷第1期　1995年3月，頁79-92

村山吉廣著，林慶彰譯　〈姚際恆的學問下：關於《詩經通論》〉　《經學研究論叢》第3輯　1995年4月　頁257-274

村山吉廣著，林慶彰譯　〈崔述《讀風偶識》的側面：和戴君恩《讀風臆評》的關係〉　《中國文哲研究通訊》第5卷第2期　1995年6月　頁134-144

村山吉廣著，林慶彰譯　〈《毛詩原解》序說〉　《中國書目季刊》第29卷第4期　1996年3月，頁59-64

村山吉廣著，林慶彰譯　〈鍾伯敬《詩經鍾評》及其相關問題〉　《中國文哲研究通訊》第6卷第1期　1996年3月　頁127-134

岩本憲司著，林慶彰譯　〈董仲舒災異說的結構解析〉　《經學研究論叢》第7輯　1999年9月　頁241-259

松川健二編，林慶彰等譯　《論語思想史》　臺北市：萬卷樓圖書公司，2006年2月

林祥徵　〈林慶彰教授經學研究述評〉，收入陳恆嵩、馮曉庭編　《經學研究三十年：林慶彰教授學術評論集》　臺北市：樂學書局　2010年11月頁6-12

林祥徵　〈臺灣學者對姚際恆的研究（上）：關於姚際恆研究文獻的整理〉收入孫劍秋、張曉生主編　《經學研究四十年：林慶彰教授學術評論集》　臺北市：萬卷樓圖書公司　2015年10月　頁206-212

林慶彰　〈談《東洋學文獻類目》〉　《中國文哲研究通訊》第1卷第2期1991年6月　頁132-135

林慶彰主編　《日本研究經學論著目錄（1900-1992）》　臺北市：中央研究院中國文哲研究所籌備處　1993年

林慶彰　〈《日本研究經學論著目錄》自序〉　《日本研究經學論著目錄（1900-1992）》　臺北市：中央研究院中國文哲研究所籌備處　1993年　頁1-4

林慶彰　〈評《詩經研究文獻目錄》〉　《中國文哲研究通訊》第3卷第2期1993年6月　頁77-81

林慶彰　〈編纂日本儒學史研究文獻目錄芻議〉　九州大學中國哲學科第88回懇話會宣讀論文　福岡市：九州大學文學部主辦　1994年9月

林慶彰　〈編纂日本儒學史研究文獻目錄芻議〉　《經學研究論叢》第2輯1994年10月，頁253-264

林慶彰、蔣秋華編　《姚際恆研究論集》上、中、下　臺北市：中央研究院中國文哲研究所籌備處　1996年6月

林慶彰　〈《經學史》譯序（二）〉　臺北市：萬卷樓圖書公司　1996年10月序頁7

林慶彰　〈大田錦城和清初考證學家〉　九州大學中國哲學科第98回懇話會宣讀論文　福岡市：九州大學文學部主辦　1998年

林慶彰　〈《日本儒學研究書目》序〉　《日本儒學研究書目》　臺北市：臺灣學生書局　1998年　序頁3

林慶彰、連清吉、金培懿合編　《日本儒學研究書目》　臺北市：臺灣學生書局，1998年

林慶彰　〈日本漢學研究近況〉　《應用語文學報》創刊號　1999年6月　頁95-125

林慶彰　〈明清時代中日經學研究的互動關係〉　「第三屆國際漢學會議」宣讀論文　臺北市：中央研究院主辦　2000年6月29日

林慶彰　〈大田錦城和清初考證學家〉　《張以仁先生七秩壽慶論文集》　臺北市：臺灣學生書局　2000年8月　頁291-303

林慶彰編　《日據時期臺灣儒學參考文獻》上、下冊　臺北市：臺灣學生書局　2000年10月

林慶彰　〈竹添光鴻《左傳會箋》的解經方法〉　「日本漢學國際學術研討會」宣讀論文　臺北市：臺灣大學中國文學系　2001年3月16、17日

林慶彰　〈太宰春臺《朱氏詩傳膏肓》對朱子的批評〉　《笠征教授華甲紀念論文集》　臺北市：臺灣學生書局，2001年12月　頁187-204

林慶彰　〈竹添光鴻《左傳會箋》的解經方法〉　張寶三，楊儒賓編　《日本漢學研究初探》　臺北市：喜馬拉雅研究基金會　2002年　頁47-70

林慶彰　〈中日文史通俗雜誌〉　《國文天地》第17卷第8期　2002年1月　頁12-14

林慶彰　〈明清時代中日經學研究的互動關係〉　《中國思潮與外來文化》臺北市：中央研究院中國文哲研究所　2002年12月　頁241-270

林慶彰　〈江戶時代古學派的經書古義研究：以太宰春臺為研究重心〉　「首屆中國經學學術研討會」宣讀論文　北京市：清華大學歷史系　2005年11月5、6日

林慶彰　〈譯序〉　《論語思想史》　臺北市：萬卷樓圖書公司　2006年2月序頁1-2

林慶彰　〈編者序〉　《國際漢學論叢》第3輯　臺北市：樂學書局　2007年1月　序頁1

林慶彰　〈竹添光鴻《毛詩會箋》的解經方法〉　「第五屆日本漢學國際學術研討會」宣讀論文　臺北市：臺灣大學文學院等主辦　2008年3月28、29日

林慶彰　〈評《中國文學研究文獻要覽》〉　《國文天地》第25卷第10期　2010年3月　頁88-91

林慶彰　〈我的國學之路〉　收入陳恆嵩、馮曉庭編　《經學研究三十年：林慶彰教授學術評論集》　臺北市：樂學書局　2010年11月　頁615-626

林慶彰　〈林序〉　收入陳東輝　《中日典籍與文化交流史研究》　臺中市：文听閣圖書公司　2010年11月　序頁2

林慶彰　〈日本所藏中國經籍及其學術價值〉　《東亞漢文文獻整理研究國際學術研討會論文集》　新北市：臺北大學古典文獻學研究所　2011年7月　頁159-173

林慶彰　〈安井小太郎編纂經學入門書目的學術意義〉　《經學研究論叢》第19輯　2011年11月　頁251-266

林慶彰　〈太宰春臺的中國經書古義研究〉　「第四國際漢學會議」宣讀論文　臺北市：中央研究院　2012年6月21日

林慶彰　〈明清時代中日經學研究的互動關係〉　《中國經學研究的新視野》　臺北市：萬卷樓圖書公司　2012年12月　頁117-147

林慶彰　〈太宰春臺的中國經書古義研究〉　鍾彩鈞主編　《東亞視域中的儒學：傳統的詮釋》　臺北市：中央研究院　2013年10月　頁431-451

林慶彰　〈臺日學術文化交流的志工：日本長崎大學連清吉教授的學思歷程〉　《國文天地》第29卷第7期　2013年12月　頁92-96

林慶彰　〈編者序〉　《國際漢學論叢》第4輯　臺北市：華藝學術出版社　2014年　序頁2

林慶彰　〈林序〉　收入張文朝編譯　《江戶時代經學者傳略及其著作》　臺北市：萬卷樓圖書公司　2014年3月　序頁1

林慶彰　〈中文版跋〉　收入佐野公治著，張文朝、莊兵譯　《四書學史的研究》　臺北市：萬卷樓圖書公司　2014年11月　頁382-383

林慶彰　〈《近代日本漢學家：東洋學的系譜》第一集》序〉　《近代日本漢學家：東洋學的系譜》第1集　臺北市：萬卷樓圖書公司　2015年7月　序頁1-2

林慶彰　〈竹添光鴻研究文獻目錄〉　《國際漢學論叢》第5輯　臺北市：華藝學術出版社　2016年1月　頁277-283

林慶彰　〈推薦序〉，收入工藤卓司　《近百年來日本學者三禮之研究》　臺北市：萬卷樓圖書公司　2016年3月　序頁2-3

林慶彰　〈林序〉　收入張文朝　《江戶時代における詩集傳の受容に関する研究》　臺北市：華藝學術出版社　2017年3月　序頁2-3

林慶彰編　《中央研究院第32屆院士候選人提名相關資料》　2017年8月

張文朝　〈戰後（1945-2017）臺灣學者對日本《詩經》學之研究〉　《中國文哲研究通訊》第27卷第4期　2017年12月，頁89-116

連文萍　〈和全世界漢學家一起做學問：專訪中央研究院中國文哲研究所研究員林慶彰學長〉　收入陳恆嵩、馮曉庭編　《經學研究三十年：林慶彰教授學術評論集》　臺北市：樂學書局　2010年11月　頁1-5

連清吉　〈《經學史》譯序（一）〉　安井小太郎等講述，林慶彰、連清吉譯　《經學史》　臺北市：萬卷樓圖書公司　1996年10月　序　頁5

游均晶　〈評《日本儒學研究書目》〉　收入陳恆嵩、馮曉庭編　《經學研究三十年：林慶彰教授學術評論集》　臺北市：樂學書局　2010年11月　頁321-325

馮曉庭、許維萍　〈日本學者研究經學的總帳冊：編輯《日本研究經學論著目錄》之經過〉　收入陳恆嵩、馮曉庭編　《經學研究三十年：林慶彰教授學術評論集》　臺北市：樂學書局　2010年11月　頁301-304

楊　菁　〈中日儒學交會的亮光：記《論語思想史》中文版的刊行〉　收入孫劍秋、張曉生主編　《經學研究四十年：林慶彰教授學術評論集》　臺北市：萬卷樓圖書公司　2015年10月　頁19-23

楊晉龍　〈臺灣近五十年詩經學研究概述一九四九-一九八九〉,《漢學研究通訊》第20卷第3期　2001年8月　頁28-50

葉純芳、張曉生主編　《儒學研究論叢：日據時期臺灣儒學研究專號》　臺北市：臺北市立教育大學人文藝術學院儒學中心　2008年12月

附錄　林慶彰先生日本漢學研究著譯編輯年表（止於2017年）

1991年6月	〈談《東洋學文獻類目》〉	臺北市中央研究院中國文哲研究所	中國文哲研究通訊第1卷第2期頁132-135
1993年	《日本研究經學論著目錄》	臺北市中央研究院中國文哲研究所籌備處	林慶彰編
1993年6月	〈評《詩經研究文獻目錄》〉	村山吉廣、江口尚純編	中國文哲研究通訊第3卷第2期頁77-81
1993年10月	〈《日本研究經學論著目錄（1900-1992）》序〉	臺北市中央研究院中國文哲研究所籌備處	林慶彰《日本研究經學論著目錄（1900-1992）》序頁1-4
1994年10月	〈編纂日本儒學史研究文獻目錄芻議〉	桃園縣中壢市聖環圖書公司	經學研究論叢第2輯頁253-264
1995年4月	坂井喚三〈姚際恆及其著述〉	桃園縣中壢市聖環圖書公司	經學研究論叢第3輯頁217-228
1995年4月	村山吉廣〈姚際恆的學問（上）：關於古今偽書考〉	桃園縣中壢市聖環圖書公司	經學研究論叢第3輯頁229-240
1995年4月	村山吉廣〈姚際恆的學問（中）：他的生涯和學風〉	桃園縣中壢市聖環圖書公司	經學研究論叢第3輯頁241-256
1995年4月	村山古廣〈姚際恆的學問（下）：關於詩經通論〉	桃園縣中壢市聖環圖書公司	經學研究論叢第3輯頁257-274
1995年4月	村山吉廣〈姚際恆論〉	桃園縣中壢市聖環圖書公司	經學研究論叢第3輯頁275-288
1995年4月	村山吉廣〈姚際恆的《禮記通論》〉	桃園縣中壢市聖環圖書公司	經學研究論叢第3輯頁305-312

1995年6月	村山吉廣〈竟陵派的詩經學：以鍾惺的評價為中心〉	臺北市中央研究院中國文哲研究所	中國文哲研究通訊第5卷第1期頁79-92
1995年6月	村山吉廣〈崔述讀風偶識的側面：和戴君恩讀風臆評的關係〉	臺北市中央研究院中國文哲研究所	中國文哲研究通訊第5卷第2期頁134-144
1995年6月	田中正美〈近代日本漢學家（1）：那珂通世（1851-1908）〉	臺北市國文天地雜誌社	國文天地第11卷第1期頁44-49
1995年7月	鎌田正〈近代日本漢學家(2)：林泰輔（1854-1922）〉	臺北市國文天地雜誌社	國文天地第11卷第2期頁33-39
1995年8月	中嶋敏〈近代日本漢學家（3）：市村瓚次郎（1864-1947）〉	臺北市國文天地雜誌社	國文天地第11卷第3期頁70-75
1995年9月	松村潤〈近代日本漢學家（4）：白鳥庫吉（1865-1942）〉	臺北市國文天地雜誌社	國文天地第11卷第4期頁48-53
1995年10月	溝上瑛〈近代日本漢學家（5）：內藤湖南（1866-1934）〉	臺北市國文天地雜誌社	國文天地第11卷第5期頁44-49
1995年11月	雲藤義道〈近代日本漢學家（6）：高楠順次郎（1886-1945）〉	臺北市國文天地雜誌社	國文天地第11卷第6期頁60-65
1995年12月	高山龍三〈近代日本漢學家（7）：河口慧海（1866-1945）〉	臺北市國文天地雜誌社	國文天地第11卷第7期頁25-31
1996年	〈清乾嘉考證學派與日本考證學派之比較研究〉	臺北市行政院國家科學委員會	出國研究人員報告書
1996年1月	宇野精一〈近代日本漢學家（8）：服部宇之吉（1867-1939）〉	臺北市國文天地雜誌社	國文天地第11卷第8期頁17-23

1996年2月	狩野直禎〈近代日本漢學家（9）：狩野直喜（1868-1947）〉	臺北市國文天地雜誌社	國文天地第11卷第9期頁20-26
1996年3月	村山吉廣〈毛詩原解序說〉	臺北市中國書目季刊社	中國書目季刊第29卷第4期頁59-64
1996年3月	村山吉廣〈鍾伯敬詩經鍾評及其相關問題〉	臺北市中央研究院中國文哲研究所	中國文哲研究通訊第6卷第1期頁127-134
1996年3月	白鳥芳郎〈近代日本漢學家（10）：鳥居龍藏（1870-1951）〉	臺北市國文天地雜誌社	國文天地第11卷第10期頁20-26
1996年4月	古田紹欽〈近代日本漢學家（11）：鈴木大拙（1870-1966）〉	臺北市國文天地雜誌社	國文天地第11卷第11期頁20-25
1996年5月	礪波護〈近代日本漢學家（12）：桑原騭藏（1871-1931）〉	臺北市國文天地雜誌社	國文天地第11卷第12期頁20-26
1996年7月	福田襄之介〈近代日本漢學家（13）：岡井慎吾（1872-1945）〉	臺北市國文天地雜誌社	國文天地第12卷第2期頁12-18
1996年8月	溝上瑛〈近代日本漢學家（14）：津田左右吉（1873-1961）〉	臺北市國文天地雜誌社	國文天地第12卷第3期頁32-38
1996年9月	藪內清〈近代日本漢學家（15）：新城新藏（1873-1938）〉	臺北市國文天地雜誌社	國文天地第12卷第4期頁28-34
1996年10月	安井小太郎《經學史》	臺北市萬卷樓圖書公司	與連清吉合譯
1996年10月	〈《經學史》譯序〉	臺北市萬卷樓圖書公司	安井小太郎等著，林慶彰、連清吉合譯《經學史》序頁7-12

1996年10月	上山大峻〈近代日本漢學家（16）：大谷光瑞（1876-1948）〉	臺北市國文天地雜誌社	國文天地第12卷第5期頁44-50
1996年11月	興膳宏〈近代日本漢學家（17）：鈴木虎雄（1878-1963）〉	臺北市國文天地雜誌社	國文天地第12卷第6期頁20-25
1996年12月	梅原郁〈近代日本漢學家（18）：加藤繁（1880-1946）〉	臺北市國文天地雜誌社	國文天地第12卷第7期頁18-23
1997年1月	小野山節〈近代日本漢學家（19）：濱田耕作（1881-1938）〉	臺北市國文天地雜誌社	國文天地第12卷第8期頁30-35
1997年2月	間野英二〈近代日本漢學家（20）：羽田亨（1882-1955）〉	臺北市國文天地雜誌社	國文天地第12卷第9期頁21-27
1997年3月	原田種成〈近代日本漢學家（21）：諸橋轍次（1883-1982）〉	臺北市國文天地雜誌社	國文天地第12卷第10期頁14-19
1997年4月	金谷治〈近代日本漢學家（22）：武內義雄（1886-1966）〉	臺北市國文天地雜誌社	國文天地第12卷第11期頁15-19
1997年5月	水谷真成〈近代日本漢學家（23）：青木正兒（1887-1964）〉	臺北市國文天地雜誌社	國文天地第12卷第12期頁16-20
1997年6月	和田久德〈近代日本漢學家（24）：石田幹之助（1891-1974）〉	臺北市國文天地雜誌社	國文天地第13卷第1期頁16-20
1998年	《日本儒學研究書目》	臺北市臺灣學生書局	與連清吉、金培懿合編
1998年6月	〈日本儒學精要書目（上）〉	臺北市書目季刊社	書目季刊第32卷第1期頁66-87

1998年7月	〈《日本儒學研究書目》序〉	臺北市臺灣學生書局	林慶彰、連清吉、金培懿合編《日本儒學研究書目》第一冊序頁1-4
1998年9月	〈日本儒學精要書目（下）〉	臺北市書目季刊社	書目季刊第32卷第2期頁74-98
1999年6月	〈日本漢學研究近況〉	臺北市臺北市立師範學院應用語言文學研究所	應用語文學報　創刊號　頁95-125
1999年9月	岩本憲司〈董仲舒災異說的結構解析〉	臺北市臺灣學生書局	經學研究論叢第7輯頁241-259
2000年6月	日本學者論乾嘉學術專輯	臺北市中央研究院中國文哲研究所	中國文哲研究通訊第10卷第2期頁1-135
2000年8月	〈大田錦城和清初考證學家〉	臺北市臺灣學生書局	張以仁先生七秩壽慶論文集頁291-303
2000年10月	江文也《上代支那正樂考》	臺北市臺灣學生書局	日據時期臺灣儒學參考文獻下冊頁780-935
2000年10月	林履信《洪範體系中之社會經世思想》	臺北市臺灣學生書局	日據時期臺灣儒學參考文獻上冊頁323-390
2000年10月	黃得時〈關於漢民族所謂的天〉	臺北市臺灣學生書局	日據時期臺灣儒學參考文獻上冊頁739-754
2000年10月	江文也〈上代支那正樂考：孔子的音樂論〉	臺北市臺灣學生書局	日據時期臺灣儒學參考文獻上冊頁780-938
2000年10月	狩野直喜〈儒的意義〉	臺北市臺灣學生書局	日據時期臺灣儒學參考文獻上冊頁939-958

2000年10月	林履信〈洪範體系中之社會經世思想〉	臺北市臺灣學生書局	日據時期臺灣儒學參考文獻上冊頁370-387
2000年10月	〈《日據時期臺灣儒學參考文獻》編者序〉	臺北市臺灣學生書局	日據時期臺灣儒學參考文獻上冊序頁1-15
2000年12月	日本學者論群經注疏專輯	臺北市中央研究院中國文哲研究所	中國文哲研究通訊第10卷第4期頁1-63
2001年6月	日本學者論啖助學派專輯	臺北市中央研究院中國文哲研究所	中國文哲研究通訊第11卷第2期頁1-131
2001年12月	〈太宰春臺《朱氏詩傳膏肓》對朱子的批評〉	臺北市臺灣學生書局	笠征教授花甲紀念論文集頁187-204
2002年1月	〈中日文史通俗雜誌〉	臺北市國文天地雜誌社	國文天地第17卷第8期頁12-14
2002年3月	〈竹添光鴻《左傳會箋》的解經方法〉	臺北市喜馬拉雅研究基金會	日本漢學研究初探頁47-70
2002年3月	日本考證學研究專輯	臺北市中央研究院中國文哲研究所	中國文哲研究通訊第12卷第1期頁1-110
2002年6月	日本學者論公羊注疏專輯（一）	臺北市中央研究院中國文哲研究所	中國文哲研究通訊第12卷第2期頁1-106
2002年12月	〈明清時代中日經學研究的互動關係〉	臺北市中央研究院中國文哲研究所	中國思潮與外來文化頁241-270
2002年12月	日本學者論公羊注疏專輯（二）	臺北市中央研究院中國文哲研究所	中國文哲研究通訊第12卷第4期頁79-176
2005年11月	〈江戶時代古學派的經書古義研究〉	北京市清華大學歷史系	首屆中國經學學術研討會宣讀論文

2006年2月	松川健二編《論語思想史》	臺北市萬卷樓圖書公司	與金培懿、陳靜慧、楊菁合譯）
2006年2月	〈《論語思想史》序〉	臺北市萬卷樓圖書公司	松川健二編，林慶彰、金培懿、陳靜慧、楊菁合譯《論語思想史》序頁1-3
2007年6月	日本學者論晚清湖湘學術專輯	臺北市樂學書局	國際漢學論叢第3輯頁1-96
2008年2月	日本青年漢學家在臺灣專輯	臺北市國文天地雜誌社	國文天地第23卷第9期頁4-49
2008年3月28、29日	〈竹添光鴻《毛詩會箋》的解經方法〉	臺北市臺灣大學文學院等主辦	第五屆日本漢學國際學術研討會宣讀論文
2010年3月	〈評《中國文學研究文獻要覽》〉	石川梅次郎監修、吉田誠夫等編	國文天地第25卷第10期頁88-91
2010年11月	〈《中日典籍與文化交流史研究》序〉	臺中市文听閣圖書公司	陳東輝《中日典籍與文化交流史研究》序頁1-3
2011年	〈日本所藏中國經籍及其學術價值〉	新北市臺北大學古典文獻學研究所	東亞漢文文獻整理研究國際學術研討會論文集，頁159-173
2011年11月	〈安井小太郎編纂經學入門書目的學術意義〉	臺北市臺灣學生書局	經學研究論叢第19輯頁251-266
2013年10月	〈太宰春臺的中國經書古義研究〉	臺北市中央研究院	東亞視域中的儒學:傳統的詮釋頁431-451
2013年12月	〈臺日學術文化交流的志工:日本長崎大學連清吉教授的學思歷程〉	臺北市國文天地雜誌社	國文天地第29卷第7期頁92-96

2014年1月	松本雅明《詩經》學評論專輯	臺北市華藝學術出版社	國際漢學論叢第4輯頁1-64
2014年3月	〈《江戶時代經學者傳略及其著作》序〉	臺北市萬卷樓圖書公司	張文朝編譯《江戶時代經學者傳略及其著作》序頁1-3
2014年11月	〈《四書學史的研究》中文版跋〉	臺北市萬卷樓圖書公司	佐野公治著，張文朝、莊兵譯《四書學史的研究》頁381-383
2015年4月	《中日韓經學國際學術研討會論文集》	臺北市萬卷樓圖書公司	與盧鳴東合編
2015年7月	《近代日本漢學家：東洋學的系譜》第1集	臺北市萬卷樓圖書公司	江上波夫編，林慶彰譯
2015年8月	〈《近代日本漢學家：東洋學的系譜》第一集序〉	臺北市萬卷樓圖書公司	江上波夫編，林慶彰譯《近代日本漢學家：東洋學的系譜》第1集序頁1-2
2016年1月	〈竹添光鴻研究文獻目錄〉	臺北市華藝學術出版社	國際漢學論叢第5輯頁277-283
2016年3月	〈《近百年來日本學者三禮之研究》序〉	臺北市萬卷樓圖書公司	工藤卓司《近百年來日本學者三禮之研究》序頁1-3
2017年3月	〈《江戶時代における詩集傳の受容に関する研究》序〉	新北市華藝學術出版社	張文朝《江戶時代における詩集傳の受容に関する研究》序頁1-3
2017年8月	《中央研究院第32屆院士候選人提名相關資料》	自行印刷	林慶彰編

以上引用自張宴瑞等編：《林慶彰教授著作目錄1975-2017年6月》、林慶彰編：

《中央研究院第32屆院士候選人提名相關資料》（2017年8月）。

註：出版日期以第一次出版者為記，若無則以宣讀日期為主。

林慶彰教授簡歷

1. 東吳大學中國文學系兼任講師（1978年9月-1981年6月）

2. 東吳大學中國文學系專任講師（1981年8月-1983年7月）

3. 東吳大學中國文學博士（1983年6月）

4. 東吳大學中國文學系專任副教授（1983年8月-1990年7月31日）

5. 東吳大學中國文學系兼任教授（1990年8月-迄今）

6. 中央研究院中國文哲研究所籌備處副研究員
   （1990年8月1日-1994年10月12日）

7. 中央研究院中國文哲研究所籌備處副研究員兼代理籌備處主任
   （1992年7月1日-1992年7月31日）

8. 日本九州大學文學部訪問研究員
   （1994年7月-1994年9月）（1997年9月-1998年8月）

9. 中央研究院中國文哲研究所研究員（1994年10月13日-2015年10月31日）

10.中央研究院中國文哲研究所研究員兼副所長
   （2002年9月1日-2003年11月30日）

11.臺灣師範大學國際與僑教學院漢學研究所兼任教授（2007年8月-2009年7月）

12.香港中文大學中國文化研究所古籍研究中心學術顧問（2009年2月-迄今）

13.國際尚書學會名譽會長（2012年4月-迄今）

14.香港浸會大學饒宗頤國學院學術顧問（2014年1月-迄今）

15.曲阜師範大學孔子文化研究院特聘研究員（2014年8月-2017年4月）

16.中國經學研究會理事長（2015年8月-迄今）

17.東吳大學端木愷講座教授（2015年8月-迄今）

18.中央研究院中國文哲研究所兼任研究員（2015年11月-迄今）

19.福建師範大學經學研究所副所長（2018年1月-迄今）

20.福建師範大學文學院儒學研究中心主任（2018年1月-迄今）

林慶彰教授著作目錄

張晏瑞、陳水福原編、廖威茗增補

編輯說明

一、本目錄為林慶彰老師自一九七五年至二〇一八年八月底的著作總目，基本上反映了林老師在這四十多年間學術活動的成果。

二、本目錄分專書和單篇論文兩大類。專書類又分：（1）自著書、（2）翻譯書、（3）主編和編輯三類。主編和編輯類又分為（1）經學書目、（2）經學家文集、（3）經學論文集、（4）會議論文集、（5）學術期刊、（6）經義考研究、（7）專門叢書、（8）其它共八類。

三、單篇論文類為了要凸顯林老師在研究經學史方面的貢獻，特別將經學史的部分加以細分，此單篇論文類經學史一小項，即佔用八個類。茲將此一項目的全部類目排列如下：（1）經學總論、（2）尚書和三禮、（3）詩經、（4）經學史總論、（5）先秦至唐代經學史、（6）宋元經學史、（7）明代經學史、（8）清代經學史、（9）民國經學史、（10）日本經學史、（11）越南經學史、（12）日文翻譯、（13）文獻學、（14）學林人物、（15）時事與文化評論、（16）序跋、（17）主編專輯共十七類。各類下視情況又細分為數小類。

四、各類中的著作條目皆按發表時間先後編排，各條目先著錄第一出處，再依時間先後著錄其他出處。

五、專著部分之目錄項分別是書名、出版地、出版者、冊頁數、出版年月日；論文發表在期刊的，目錄項分別是篇名、刊名、卷期、頁數、出版年月

日；發表在報紙的，目錄項分別是篇名、報紙名、版次、出版年月日；收入論文集的，目錄項分別是篇名、論文集名、頁數、出版地、出版者、出版年月日。

六、這四十多年間國際學術界對林老師的學術活動作報導者有之，對著作提出批評也有之，各方面意見皆已收入《經學研究三十年》和《經學研究四十年》二書中，這裡僅摘錄較具學術深度的條目，收入附錄〈研究評論目錄〉，以見學術界對林老師學術的評價。

七、本目錄在張晏瑞、陳水福原編的基礎上加以增訂，類目稍作調整，最後經林老師審訂，恐還有遺漏或分類不當的地方，懇請海內外學術先進賜予指教。

一　專書

（一）自著

1. 豐坊與姚士粦

　　臺北市　東吳大學中國文學研究所碩士論文　221頁　1978年6月

　　臺北市　萬卷樓圖書公司　193頁　2015年7月

2. 明代考據學研究

　　臺北市　東吳大學中國文學研究所博士論文　612頁　1983年7月

　　臺北市　臺灣學生書局　612頁　1983年7月

3. 圖書文獻學研究論集

　　臺北市　文津出版社　485頁　1990年1月

4. 清初的群經辨偽學

　　臺北市　文津出版社　450頁　1990年3月

　　上海市　華東師範大學出版社　450頁　2011年5月

5. 明代經學研究論集

　　臺北市　臺灣學生書局　381頁　1994年5月

6. 學術論文寫作指引

　　臺北市　萬卷樓圖書公司　400頁　1996年9月

7. 讀書報告寫作指引（與劉春銀合著）

　　臺北市　萬卷樓圖書公司　315頁　2001年11月

8. 清代經學研究論集

　　臺北市　中央研究院中國文哲研究所　508頁　2002年8月

9. 學術論文寫作指引（第二版）

　　臺北市　萬卷樓圖書公司　439頁　2011年9月

10. 學術論文寫作指引（文科適用）

　　北京市　九州出版社　331頁　2012年3月

11.偽書與禁書

新北市　華藝學術出版社　174頁　2012年11月

12.中國經學研究的新視野

臺北市　萬卷樓圖書公司　221頁　2012年12月

13.顧頡剛的學術淵源

臺北市　萬卷樓圖書公司　199頁　2017年6月

（二）翻譯

1. 經學史（安井小太郎等著）（與連清吉合譯）

臺北市　萬卷樓圖書公司　310頁　1996年10月

2. 洪範體系中之社會經世思想（林履信著）

日據時期臺灣儒學參考文獻　上冊　頁370-387　臺北市　臺灣學生書局
2000年10月

3. 上代支那正樂考──孔子的音樂論（江文也著）

日據時期臺灣儒學參考文獻　下冊　頁784-935　臺北市　臺灣學生書局
2000年10月

4. 論語思想史（松川健二編）（與金培懿、陳靜慧、楊菁合譯）

臺北市　萬卷樓圖書公司　676頁　2006年2月

5. 近代日本漢學家──東洋學の系譜　第一集　（江上波夫編　林慶彰譯）

臺北市　萬卷樓圖書公司　202頁　2015年7月

（三）主編和編輯

經學書目

1. 當代新編專科目錄述評

臺北市　臺灣學生書局　341頁　2008年10月

2. 專科目錄的編輯方法

臺北市　臺灣學生書局　228頁　2001年9月

3. 經學研究論著目錄（1912-1987）

臺北市　漢學研究中心　2冊　1989年12月

4. 經學研究論著目錄（1988-1992）

臺北市　漢學研究中心　2冊　1995年6月

5. 經學研究論著目錄（1993-1997）（與陳恆嵩合編）

臺北市　漢學研究中心　3冊　2002年4月

6. 經學研究論著目錄（1998-2002）（與蔣秋華合編）

臺北市　漢學研究中心　4冊　2013年12月

7. 朱子學研究書目（1900-1991）

臺北市　文津出版社　218頁　1992年5月

8. 乾嘉學術研究論著目錄（1900-1993）

臺北市　中央研究院中國文哲研究所籌備處　334頁　1995年5月

臺北市　中央研究院中國文哲研究所　2006年10月

9. 晚清經學研究文獻目錄（與蔣秋華合編）

臺北市　中央研究院中國文哲研究所　865頁　2006年10月

10. 中國經學相關研究博碩士論文目錄（與蔣秋華合編）

臺北市　萬卷樓圖書公司　929頁　2009年10月

11. 日本研究經學論著目錄（1900-1992）

臺北市　中央研究院中國文哲研究所籌備處　878頁　1993年10月

12. 日本儒學研究書目（與連清吉、金培懿合編）

臺北市　臺灣學生書局　2冊　1998年7月

經學家文集

1. 屈萬里先生文存（與劉兆祐師合編）

臺北市　聯經出版事業公司　6冊　1985年2月

2. 蔡元培張元濟往來書札

臺北市　中央研究院中國文哲研究所籌備處　1990年6月

3. 姚際恆著作集

臺北市　中央研究院中國文哲研究所籌備處　6冊　1994年6月

4. 二十七松堂集（與林子雄合編）

　　臺北市　中央研究院中國文哲研究所籌備處　4冊　1995年6月

5. 汪中集（編審）

　　臺北市　中央研究院中國文哲研究所籌備處　2000年3月

6. 蘇輿詩文集（與蔣秋華合編）

　　臺北市　中央研究院中國文哲研究所　277頁　2005年11月

7. 李源澄著作集（與蔣秋華合編）

　　臺北市　中央研究院中國文哲研究所　4冊　2008年12月

8. 張壽林著作集（與蔣秋華合編）

　　臺北市　中央研究院中國文哲研究所　8冊　2011年12月

9. 清領時期臺灣儒學參考文獻

　　新北市　華藝學術出版社　420頁　2013年11月

10.日據時期臺灣儒學參考文獻

　　臺北市　臺灣學生書局　上下2冊　2000年10月

經學論文集

1. 中國經學史論文選集

　　臺北市　文史哲出版社　2冊　1992年10月、1993年3月

2. 中國文化新論學術篇──浩瀚的學海

　　臺北市　聯經出版事業公司　585頁　1981年12月

3. 中國人的思想歷程

　　合肥市　黃山書社　387頁　2012年5月

4. 詩經研究論集（一）

　　臺北市　臺灣學生書局　510頁　1983年11月

5. 詩經研究論集（二）

　　臺北市　臺灣學生書局　549頁　1987年9月

6. 啖助新春秋學派研究論集（與蔣秋華合編）

　　臺北市　中央研究院中國文哲研究所　639頁　2002年9月

7. 楊慎研究資料彙編（與賈順先合編）

　　臺北市　　中央研究院中國文哲研究所籌備處　　2冊　　1992年10月

8. 姚際恆研究論集（與蔣秋華合編）

　　臺北市　　中央研究院中國文哲研究所籌備處　　3冊　　1996年6月

9. 朱彝尊《經義考》研究論集（與蔣秋華合編）

　　臺北市　　中央研究院中國文哲研究所籌備處　　2冊　　2000年9月

10. 《通志堂經解》研究論集（與蔣秋華合編）

　　臺北市　　中央研究院中國文哲研究所　　2冊　　2005年8月

11. 陳奐研究論集（與楊晉龍合編）

　　臺北市　　中央研究院中國文哲研究所籌備處　　638頁　　2000年12月

12. 五十年來的經學研究

　　臺北市　　臺灣學生書局　　353頁　　2003年5月

13. 當代臺灣經學人物

　　臺北市　　萬卷樓圖書公司　　259頁　　2015年8月

會議論文集

1. 明代經學國際研討會論文集（與蔣秋華合編）

　　臺北市　　中央研究院中國文哲研究所籌備處　　625頁　　1996年6月

2. 乾嘉學者的義理學（與張壽安合編）

　　臺北市　　中央研究院中國文哲研究所　　2冊　　2003年2月

3. 清代揚州學術研究（與祁龍威合編）

　　臺北市　　臺灣學生書局　　2冊　　2001年4月

4. 晚清常州地區的經學

　　臺北市　　臺灣學生書局　　814頁　　2009年5月

5. 首屆國際尚書學學術研討會論文集（與錢宗武合編）

　　臺北市　　萬卷樓圖書公司　　575頁　　2012年12月

6. 正統與流派——歷代儒家經典之轉變（與蘇費翔合編）

　　臺北市　　萬卷樓圖書公司　　648頁　　2013年1月

7. 嶺南大學經學國際學術研討會論文集（與李雄溪合編）

　臺北市　萬卷樓圖書公司　1093頁　2014年3月

8. 第二屆國際尚書學學術研討會論文集（與錢宗武合編）

　臺北市　萬卷樓圖書公司　696頁　2014年4月

9. 中日韓經學國際學術研討會論文集（與盧鳴東合編）

　臺北市　萬卷樓圖書公司　982頁　2015年4月

10. 變動時代的經學與經學家──民國時期（1912-1949）經學研究（與蔣秋華總策畫）

　臺北市　萬卷樓圖書公司　7冊　2013年12月

11. 經典的形成、流傳與詮釋（與蔣秋華合編）

　臺北市　臺灣學生書局　2007年11月

學術期刊

1. 經學研究論叢　第1輯

　桃園縣中壢市　聖環圖書公司　391頁　1994年4月

2. 經學研究論叢　第2輯

　桃園縣中壢市　聖環圖書公司　403頁　1994年10月

3. 經學研究論叢　第3輯

　桃園縣中壢市　聖環圖書公司　399頁　1995年4月

4. 經學研究論叢　第4輯

　桃園縣中壢市　聖環圖書公司　395頁　1997年4月

5. 經學研究論叢　第5輯

　臺北市　臺灣學生書局　359頁　1998年8月

6. 經學研究論叢　第6輯

　臺北市　臺灣學生書局　365頁　1999年6月

7. 經學研究論叢　第7輯

　臺北市　臺灣學生書局　379頁　1999年9月

8. 經學研究論叢　第8輯

　臺北市　臺灣學生書局　389頁　2000年9月

9. 經學研究論叢　第9輯

　　臺北市　臺灣學生書局　331頁　2001年1月

10. 經學研究論叢　第10輯

　　臺北市　臺灣學生書局　343頁　2002年3月

11. 經學研究論叢　第11輯

　　臺北市　臺灣學生書局　485頁　2003年6月

12. 經學研究論叢　第12輯

　　臺北市　臺灣學生書局　429頁　2004年12月

13. 經學研究論叢　第13輯

　　臺北市　臺灣學生書局　397頁　2006年3月

14. 經學研究論叢　第14輯

　　臺北市　臺灣學生書局　405頁　2006年12月

15. 經學研究論叢　第15輯

　　臺北市　臺灣學生書局　447頁　2008年3月

16. 經學研究論叢　第16輯

　　臺北市　臺灣學生書局　418頁　2009年5月

17. 經學研究論叢　第17輯

　　臺北市　臺灣學生書局　488頁　2009年12月

18. 經學研究論叢　第18輯

　　臺北市　臺灣學生書局　450頁　2010年9月

19. 經學研究論叢　第19輯

　　臺北市　臺灣學生書局　452頁　2011年11月

20. 經學研究論叢　第20輯

　　臺北市　臺灣學生書局　516頁　2013年1月

21. 經學研究論叢　第21輯

　　新北市　華藝學術出版社　257頁　2014年4月

22. 經學研究論叢　第22輯

　　新北市　華藝學術出版社　301頁　2015年4月

23. 經學研究論叢　第23輯

新北市　華藝學術出版社　236頁　2017年10月

24. 國際漢學論叢　第1輯

臺北市　樂學書局　362頁　1999年7月

25. 國際漢學論叢　第2輯

臺北市　樂學書局　414頁　2005年2月

26. 國際漢學論叢　第3輯

臺北市　樂學書局　409頁　2007年6月

27. 國際漢學論叢　第4輯

新北市　華藝學術出版社　269頁　2014年1月

28. 國際漢學論叢　第5輯

新北市　華藝學術出版社　312頁　2016年1月

經義考研究

1. 點校補正經義考（編審）

臺北市　中央研究院中國文哲研究所籌備處　8冊　1997年6月-1999年8月

2. 經義考新校（主編）

上海市　上海古籍出版社　10冊　2011年1月

專門叢書

1. 民國時期經學叢書　第1輯

臺中市　文听閣圖書公司　60冊　2008年9月

2. 民國時期經學叢書　第2輯

臺中市　文听閣圖書公司　60冊　2008年9月

3. 民國時期經學叢書　第3輯

臺中市　文听閣圖書公司　60冊　2009年9月

4. 民國時期經學叢書　第4輯

臺中市　文听閣圖書公司　60冊　2009年9月

5. 民國時期經學叢書　第5輯

　　臺中市　文听閣圖書公司　60冊　2011年9月

6. 民國時期經學叢書　第6輯

　　臺中市　文听閣圖書公司　60冊　2011年9月

7. 民國文集叢刊　第1編

　　臺中市　文听閣圖書公司　150冊　2008年12月

8. 中國學術思想研究輯刊　第1編

　　臺北縣　花木蘭出版社　180冊　2009年1月

9. 中國學術思想研究輯刊　第2編

　　臺北縣　花木蘭出版社　180冊　2009年1月

10. 中國學術思想研究輯刊　第3編

　　臺北縣　花木蘭出版社　28冊　2009年3月

11. 中國學術思想研究輯刊　第4編

　　臺北縣　花木蘭出版社　28冊　2009年3月

12. 中國學術思想研究輯刊　第5編

　　臺北縣　花木蘭出版社　20冊　2009年9月

13. 中國學術思想研究輯刊　第6編

　　臺北縣　花木蘭出版社　30冊　2009年9月

14. 中國學術思想研究輯刊　第7編

　　臺北縣　花木蘭出版社　24冊　2010年3月

15. 中國學術思想研究輯刊　第8編

　　臺北縣　花木蘭出版社　35冊　2010年3月

16. 中國學術思想研究輯刊　第9編

　　臺北縣　花木蘭出版社　20冊　2010年9月

17. 中國學術思想研究輯刊　第10編

　　臺北縣　花木蘭出版社　40冊　2010年9月

18. 中國學術思想研究輯刊　第11編

　　臺北縣　花木蘭出版社　40冊　2011年3月

19.中國學術思想研究輯刊　第12編

　　臺北縣　花木蘭出版社　55冊　2011年9月

20.中國學術思想研究輯刊　第13編

　　臺北縣　花木蘭出版社　26冊　2012年3月

21.中國學術思想研究輯刊　第14編

　　臺北縣　花木蘭出版社　34冊　2012年9月

22.中國學術思想研究輯刊　第15編

　　臺北縣　花木蘭出版社　18冊　2013年3月

23.中國學術思想研究輯刊　第16編

　　臺北縣　花木蘭出版社　25冊　2013年3月

24.中國學術思想研究輯刊　第17編

　　新北市　花木蘭出版社　34冊　2013年9月

25.中國學術思想研究輯刊　第18編

　　新北市　花木蘭出版社　16冊　2014年3月

26.中國學術思想研究輯刊　第19編

　　新北市　花木蘭出版社　25冊　2014年9月

27.中國學術思想研究輯刊　第20編

　　新北市　花木蘭出版社　21冊　2015年3月

28.中國學術思想研究輯刊　第21編

　　新北市　花木蘭出版社　27冊　2015年9月

29.晚清四部叢刊　第一編　經部

　　臺中市　文听閣圖書公司　31冊　2010年11月

30.晚清四部叢刊　第二編　經部

　　臺中市　文听閣圖書公司　30冊　2010年11月

31.晚清四部叢刊　第三編　經部

　　臺中市　文听閣圖書公司　32冊　2010年11月

32.晚清四部叢刊　第四編　經部

　　臺中市　文听閣圖書公司　31冊　2010年11月

33.晚清四部叢刊　第五編　經部

　　臺中市　文听閣圖書公司　30冊　2011年9月

34.晚清四部叢刊　第六編　經部

　　臺中市　文听閣圖書公司　30冊　2011年9月

35.晚清四部叢刊　第七編　經部

　　臺中市　文听閣圖書公司　30冊　2012年9月

36.晚清四部叢刊　第八編　經部

　　臺中市　文听閣圖書公司　30冊　2012年9月

37.晚清四部叢刊　第九編　經部

　　臺中市　文听閣圖書公司　30冊　2013年3月

38.晚清四部叢刊　第十編　經部

　　臺中市　文听閣圖書公司　30冊　2013年3月

西方學者中國經典詮釋叢書（與貝克定教授總策畫）

1.孔子之前　夏含夷（Edward L. Shaughnessy）著　黃聖松等譯

　　臺北市　萬卷樓圖書公司　2012年8月

2.朱熹與大學　賈德訥（Daniel K. Gardner）著　楊惠君譯

　　臺北市　萬卷樓圖書公司　2015年8月

人物傳記

1.李光筠先生紀念集

　　臺北市　萬卷樓圖書公司　252頁　1992年

2.近代中國知識分子在臺灣（與陳仕華合編）

　　臺北市　萬卷樓圖書公司　2冊　2002年10月

3.近代中國知識分子在日本

　　臺北市　萬卷樓圖書公司　3冊　2003年7月

4.日治時期臺灣知識分子在中國

　　臺北市　臺北市文獻委員會　316頁　2004年12月

其它

1. 學術資料的檢索與利用

　　臺北市　萬卷樓圖書公司　395頁　2003年3月

2. 近現代新編叢書述論

　　臺北市　臺灣學生書局　507頁　2005年9月

3. 中國歷代文學總集述評

　　臺北市　萬卷樓圖書公司　583頁　2007年10月

4. 書評寫作指引（與何淑蘋合編）

　　臺北市　萬卷樓圖書公司　351頁　2014年2月

5. 國文天地300期第1-25卷總目暨分類目錄

　　臺北市　萬卷樓圖書公司　1冊　2014年7月

二　單篇論文

（一）經學總論

1. 傳統經學の現代意義

　　古典學の再構築國際研討會宣讀論文　神戶　神戶外國語大學　2002年9月

2. 中國經學的中心與周邊

　　韓國第二十五屆中國學國際學術大會主題演講論文　韓國中國學會主辦

　　2005年8月

　　中國經學研究的新視野　頁103-115　臺北市　萬卷樓圖書公司　2012年12月

3. 經學對中國文學的影響

　　通俗與雅正——經學與文學學術研討會主題演講論文　臺中市　中興大學

　　2006年3月

4. 經學與文學的關涉

　　中國文學新詮釋——關涉與意涵　頁23-49　臺北市　立緒文化事業公司

　　2006年8月

5. 儒家經典與東亞文明

　　臺南市　成功大學通識中心人文講座講稿　2006年3月31日

6. 中國經典中的人文精神

　　九十五學年度成功大學法鼓人文講座講稿　2006年

7. 中國經典權威消解的幾個原因

　　2010中國經學國際學術研討會主題演講論文　2010年

　　南京師範大學文學院學報　2011年1期　頁1-7轉頁131　2011年3月

　　中國經學研究的新視野　頁47-64　臺北市　萬卷樓圖書公司　2012年12月

8. 中國經典權威形成的幾個原因

　　中國經學研究的新視野　頁25-46　臺北市　萬卷樓圖書公司　2012年12月

9. 「實學」概念的檢討

　　中國文哲研究通訊　第2卷4期　頁119-123　1993年11月

（二）尚書和三禮

1. 應當重視《尚書》研究

　　第二屆國際《尚書》學學術研討會論文集　頁1-2　臺北市　萬卷樓圖書公司　2014年4月

2. 重新認識《尚書》的學術價值

　　第二屆國際《尚書》學學術研討會論文集　頁305-310　臺北市　萬卷樓圖書公司　2014年4月

3. 研讀《禮記》的方法

　　國文天地　第21卷1期　頁25-30　2005年6月

（三）詩經

1. 古老的民歌《詩經》

　　幼獅月刊　第59卷6期（總378期）　頁20-23　1984年6月

2. 《詩經》基本書目

　　詩經研究論集（一）　頁503-51　臺北市　臺灣學生書局　1983年11月

3. 研讀《詩經》的入門書

　　國文天地　第18卷11期　頁1-21　2003年4月

4. 黃河名稱考

　　中央日報　第11版　1980年2月26日

5. 釋詩「彼其之子」

　　書目季刊　第19卷4期　頁60-61　1986年3月

　　詩經研究論集（二）　頁389-393　臺北市　臺灣學生書局　1987年9月

6.《詩經》中人文思想的脈動

　　詩經研究論集（一）　頁187-194　臺北市　臺灣學生書局　1983年11月

7. 從《詩經》看古人的價值觀

　　中國人的價值觀國際研討會論文　臺北市　漢學研究中心主辦　1991年5月

　　中國人的價值觀國際研討會論文集　上冊　頁203-217　臺北市　漢學研究
　　中心　1992年6月

　　中國人的價值觀──人文學觀點　頁35-38　臺北市　桂冠圖書公司　1993
　　年6月

　　河北師院學報　1993年2期　頁71-79轉119　1993年6月

　　中國古代、近代文學研究（複印報刊資料）　1993年10期　頁38-47

　　中國經學研究的新視野　頁149-170　臺北市　萬卷樓圖書公司　2012年12月

8.《詩經》中的人文精神

　　錢穆先生紀念館館刊　第5期　頁12-22　1996年12月

9. 詩經學史的回顧與前瞻

　　中國文哲研究的回顧與前瞻學術討論會宣讀倫文　臺北市　中央研究院中國
　　文哲研究所籌備處主辦　1990年12月

　　中國文哲研究的回顧與展望論文集　頁349-382　臺北市　中央研究院中國
　　文哲研究所籌備處　1992年5月

10.詩序在詩經解釋傳統上的地位

　　中國經典的詮釋傳統研究計畫第八次研討會宣讀論文　臺北市　臺灣大學通
　　識教育中心主辦　2000年3月

中國哲學　第23輯（經學今詮續編）　頁92-118　瀋陽　遼寧教育出版社
2001年10月

11.詩經研究的現代意義

人文研究與語言教育研討會宣讀論文　臺北市　臺灣師範大學　2003年10月

人文研究與語文教育——文字、文學、文化　頁101-116　臺北　臺灣師範
大學　2004年7月

12.《孔子詩論》與《詩序》之比較研究

經學研究集刊　創刊號　頁1-12　2005年10月

新出土文獻與先秦思想重構　頁391-406　臺北市　臺灣書房出版公司　2007
年8月

13.《毛詩序》在詩經解釋傳統上的地位

經學今詮‧續編　中國哲學　第23輯　頁92-118　瀋陽市　遼寧教育出版社
2001年10月

中國經學研究的新視野　頁171-195　臺北市　萬卷樓圖書公司　2012年12
月

（四）經學史總論

1.經學史研究的基本認識

國文天地　第3卷6期　頁60-63　1987年11月

中國經學史論文選集　上冊　頁1-8　臺北市　文史哲出版社　1992年10月

2.我研究經學史的一些心得

中國思想史研究通訊　2006年1輯　頁17-19轉頁4　2006年

3.中國經學史上的回歸原典運動

平成十八年度（第五十四回）九州中國學會大會特別演講論文　長崎大學環
境科學部　2006年5月

中國文化　第30輯　頁1-8　2009年10月

中國經學研究的新視野　頁83-102　臺北市　萬卷樓圖書公司　2012年12月

4.中國經學史上の原典回歸運動（藤井倫明譯）

中國哲學論集　第31、32合併號　頁1-21　2006年12月

5. 中國經學發展的幾種規律

經典詮釋多元主題研究與教學學術研討會專題演講論文　臺北市　臺灣大學

鄭吉雄教授主持「當代經典詮釋多元整合學程研究計畫」主辦　2008年6月

28、29日

經學研究集刊　第7期　頁107-116　2009年11月

6. 中國經學史上簡繁更替的詮釋形式

中國經學研究的新視野　頁65-81　臺北市　萬卷樓圖書公司　2012年12月

（五）先秦至唐代經學史

1. 傳記之學的形成

先秦兩漢古籍國際學術研討會論文集（何志華主編）　頁14-29　北京市

社會科學文獻出版社　2011年1月

2. 史記所述儒家經典作者的檢討

「正統與流派—歷代儒家經典之轉變」國際學術研討會主題演講論文　慕尼

黑大學漢學系、中央研究院中國文哲研究所共同主辦　2010年7月

經學研究論叢　第18輯　頁49-65　2010年9月

中國經學研究的新視野　頁1-24　臺北市　萬卷樓圖書公司　2012年12月

3. 兩漢章句之學重探

漢代文學與思想學術研討會宣讀論文　臺北市　政治大學中國文學系所主辦

1990年5月

漢代文學與思想學術研討會論文集　頁255-278　臺北市　政治大學中國文

學系所　1990年

中國經學史論文選集　上冊　頁277-297　臺北市　文史哲出版社　1992年

10月

4. 唐代後期經學的新發展

孔子誕辰二五四〇週年紀念與學術討論會議宣讀論文　北京市　中國孔子基

金會主辦　1989年10月

東吳文史學報　第8期　頁159-163　1990年3月

中國經學史論文選集　上冊　頁670-677　臺北市　文史哲出版社　1992年
10月

（六）宋元經學史

1. 舉辦「宋代經學國際研討會」的意義
中國文哲研究通訊　第12卷3期　頁1-5　2002年9月

2. 歐陽修詩本義對毛傳、鄭箋的批評
紀念歐陽脩一千年誕辰國際學術研討會宣讀論文　臺北市　臺灣大學中國文
學系　2007年9月28、29日
紀念歐陽脩一千年誕辰國際學術研討會論文集　頁83-98　臺北市　國立臺
灣大學中國文學系　2009年6月

3. 論鄭樵
開封大學學報　1997年1期　頁49-52　1997年3月

4. 鄭樵的《詩經》學
宋代經學國際研討會宣讀論文　臺北市　中央研究院中國文哲研究所　2002
年11月
宋代經學國際研討會論文集　頁311-328　臺北市　中央研究院中國文哲研
究所　2006年10月

5. 朱子對傳統經說的態度──以朱子詩經著述為例
國際朱子學會議宣讀論文　臺北市　中央研究院中國文哲研究所籌備處主辦
1992年5月
國際朱子學會議論文集　上冊　頁183-202　臺北市　中央研究院中國文哲
研究所籌備處　1993年

6. 朱子《詩集傳・二南》的教化觀
朱子與東亞文明研討會議宣讀論文　臺北市　漢學研究中心主辦　2000年11
月
朱子學的開展──學術編（鍾彩鈞主編）　頁53-68　臺北市　漢學研究中
心　2002年6月

7. 元儒陳天祥對《四書集注》的批評

　　元代經學國際研討會宣讀論文　臺北市　中央研究院中國文哲研究所籌備處

　　主辦　1998年12月

　　元代經學國際研討會論文集　下冊　頁705-720　臺北市　中央研究院中國

　　文哲研究所籌備處　2000年10月

（七）明代經學史

1. 實證精神的尋求──明清考據學的發展

　　中國文化新論學術篇──浩翰的學海　頁289-342　臺北市　聯經出版事業

　　公司　1981年12月

　　港臺及海外學者論中國文化（下）　頁287-322　上海市　上海人民出版社

　　1988年6月

2. 明人文集所收《詩經》資料的學術價值

　　國科會中文學門90-94研究成果發表會宣讀論文　彰化市　國立彰化師範大

　　學文學院　2006年11月

　　臺灣學術新視野　經學之部　頁107-124　臺北市　五南圖書公司　2007年

　　6月

3. 明代詩經學五種提要

　　經學研究論叢　第4輯　頁71-82　桃園縣中壢市　聖環圖書公司　1997年4月

4. 明代詩經著述四種提要

　　詩經研究叢刊　第2輯　頁198-207　北京市　學苑出版社　2002年1月

5. 明代的漢宋學問題

　　東吳文史學報　第5期　頁133-150　1986年8月

　　明代經學研究論集　頁1-31　臺北市　文史哲出版社　1994年5月

6. 《五經大全》之修纂及其相關問題探究

　　中國文哲研究集刊　第1期　頁361-383　1991年3月

　　明代經學研究論集　頁33-59　臺北市　文史哲出版社　1994年5月

7. 陸深《儼山集》中的《詩微》研究

第二屆傳統中國研究國際學術研討會宣讀論文　上海　上海社會科學院歷史研究所主辦　2007年7月21、22日

8. 袁仁《毛詩或問》研究

龍宇純先生七秩晉五壽慶論文集　頁45-56　臺北市　臺灣學生書局　2002年11月

9. 王陽明的經學思想

陽明學學術討論會宣讀論文　臺北市　臺灣師範大學人文教育中心主辦　1988年12月

陽明學學術討論會論文集　頁143-154　臺北市　國立臺灣師範大學人文教育中心　1988年12月

明代經學研究論集　頁61-77　臺北市　文史哲出版社　1994年5月

10. 王陽明的經學思想（渡邊賢譯）

二松學舍大學人文論叢　第57輯　頁157-173　東京都　二松學舍大學　1996年10月

11. 晚明經學的復興運動

書目季刊　第18卷3期　頁3-40　1984年12月

明代經學研究論集　頁79-145　臺北市　文史哲出版社　1994年5月

12. 楊慎之經學

國立中央圖書館館刊　第18卷2期　頁189-210　1985年12月

明代經學研究論集　頁147-180　臺北市　文史哲出版社　1994年5月

13. 楊慎之《詩經》學

孔孟月刊　第20卷7期　頁30-34　1982年3月

詩經研究論集（二）　頁515-523　臺北市　臺灣學生書局　1987年9月

14. 楊慎在明代學術史上的地位

中國社會與文化學術研討會──晚明思潮與社會變動宣讀論文　臺北市　淡江大學主辦　1987年12月

晚明思潮與社會變動　頁1-26　臺北市　弘化文化事業公司　1987年12月

15.梅鷟《尚書譜》研究

　　經學研究論叢　第1輯　頁113-138　桃園縣中壢市　聖環圖書公司　1994年
　　4月

　　明代經學研究論集　頁181-212　臺北市　文史哲出版社　1994年5月

16.陳耀文及其考證學

　　東吳文史學報　第4期　頁101-112　1982年4月

17.朱謀瑋《詩故》研究

　　中國文哲研究集刊　第2期　頁2491-288　1992年3月18

　　明代經學研究論集　頁1-31　臺北市　文史哲出版社　1994年5月

18.朱睦㮮及其《授經圖》

　　中國文哲研究集刊　第3期　頁455-485　1993年3月

　　明代經學研究論集　頁213-248　臺北市　文史哲出版社　1994年5月

19.何楷《詩經世本古義》析論

　　中國文哲研究集刊　第4期　頁319-347　1994年3月

　　明代經學研究論集　頁299-331　臺北市　文史哲出版社　1994年5月

20.黃道周儒行集傳及其時代意義

　　明代經學國際研討會宣讀論文　臺北市　中央研究院中國文哲研究所籌備處
　　主辦　1995年12月

　　明代經學國際研討會論文集　頁411-430　臺北市　中央研究院中國文哲研
　　究所籌備處　1996年6月

21.劉宗周與《大學》

　　劉蕺山學術思想研討會宣讀論文　臺北市　中央研究院中國籌備處研究所
　　1996年5月

　　劉蕺山學術思想論集　頁317-336　臺北市　中央研究院中國文哲研究所籌
　　備處　1998年5月

22.《孟子外書》板本知見考

　　孔孟月刊　第19卷1期　頁40-43　1980年9月

　　明代經學研究論集　頁289-297　臺北市　文史哲出版社　1994年5月初版

23.李先芳《讀詩私記》研究

　　第五屆詩經國際學術研討會宣讀論文　石家莊市　中國詩經學會　主辦

　　第五屆詩經國際學術研討會論文集　頁249-306　北京市　學苑出版社

　　2002年7月

24.明末清初經學研究的回歸原典運動

　　國際孔學會議宣讀論文　臺北市　中華民國孔孟學會主辦　1987年11月

　　國際孔學會議論文集　頁867-882　臺北市　國際孔學會議秘書處　1988

　　年6月

　　孔子研究　1989年2期　頁110-119　1989年6月

　　明代經學研究論集　頁333-360　臺北市　文史哲出版社　1994年5月

　　經學檔案　頁56-73　武漢市　武漢大學出版社　2011年12月

（八）清代經學史

1.清初考辨群經風氣的探討

　　復興崗學報　第43期　頁319-343　1990年6月

2.毛奇齡、李塨與清初的經書辨偽活動

　　第二屆清代學術研討會宣讀論文　高雄市　國立中山大學中國文學系所主辦

　　1991年11月

　　第二屆清代學術研討會論文集　頁123-144　高雄市　國立中山大學中國文

　　學系　1991年11月

　　清代經學研究論集　頁1-36　臺北市　中央研究院中國文哲研究所　2002年

　　8月

3.萬斯大的《春秋》學

　　1993年浙東學術國際研討會宣讀論文　寧波市　寧波大學主辦　1993年3月

　　清史研究　1994年2期　頁94-99　1994年6月

　　論浙東學術　頁320-333　北京市　中國社會科學出版社　1995年2月

　　清代經學研究論集　頁37-64　臺北市　中央研究院中國文哲研究所　2002

　　年8月

4. 姚際恆治經的態度

　第四屆清代學術研討會宣讀論文　高雄市　國立中山大學主辦　1995年11月

　第四屆清代學術會議論文集　高雄市　國立中山大學中國文學系　1995年11月

　清代經學研究論集　頁65-108　臺北市　中央研究院中國文哲研究所　2002年8月

　姚際恆研究論集　上冊　頁165-205　臺北市　中央研究院中國文哲研究所　1996年6月

5. 姚際恆對《古文尚書》的考辨

　清初的群經辨偽學　頁207-215　臺北市　文津出版社　1990年3月

　姚際恆研究論集　上冊　頁325-337　臺北市　中央研究院中國文哲研究所　1996年6月

6. 姚際恆對朱子《詩集傳》的批評

　第二屆詩經國際學術研討會宣讀論文　石家莊市　中國詩經學會主辦　1995年8月

　中國文哲研究集刊　第8期　頁1-24　1996年3月

　清代經學研究論集　頁109-149　臺北市　中央研究院中國文哲研究所　2002年8月

　姚際恆研究論集　中冊　頁645-682　臺北市　中央研究院中國文哲研究所　1996年6月

7. 姚際恆對朱子《詩集傳》的批評（節本）

　第二屆詩經國際學術研討會論文集　頁493-505　北京市　語文出版社　1996年8月

8. 姚際恆的《春秋》學

　町田三郎教授退官紀念中國思想論叢　下冊　頁124-141　福岡市　中國書店　1995年3月

　清代經學研究論集　頁151-178　臺北市　中央研究院中國文哲研究所　2002年8月

姚際恆研究論集　下冊　頁999-1024　臺北市　中央研究院中國文哲研究所　1996年6月

9. 姚際恆對《大學》的考辨

清初的群經辨偽學　頁381-386　臺北市　文津出版社　1990年3月

姚際恆研究論集　下冊　頁863-870　臺北市　中央研究院中國文哲研究所　1996年6月

10.姚際恆對《中庸》的考辨

清初的群經辨偽學　頁397-409　臺北市　文津出版社　1990年3月

姚際恆研究論集　下冊　頁963-979　臺北市　中央研究院中國文哲研究所　1996年6月

11.姚際恆及其在近代學術史上的地位

中國文哲研究通訊　第4卷2期　頁139-151　1994年6月

姚際恆研究論集　上冊　頁111-137　臺北市　中央研究院中國文哲研究所　1996年6月

12.姚際恆研究資料彙編

姚際恆研究論集　下冊　頁1113-1232　臺北市　中央研究院中國文哲研究所　1996年6月

13.姚際恆研究年表

經學研究論叢　第4輯　頁243-256　桃園縣中壢市　聖環圖書公司　1997年4月

姚際恆研究論集　下冊　頁1233-1255　臺北市　中央研究院中國文哲研究所　1996年6月

14.姚際恆研究文獻目錄

經學研究論叢　第4輯　頁257-270　桃園縣中壢市　聖環圖書公司　1997年4月

姚際恆研究論集　下冊　頁1257-1283　臺北市　中央研究院中國文哲研究所　1996年6月

15.王棳竑的朱子學

清代思想與文學研討會宣讀論文　高雄市　國立中山大學中國文學系主辦
1989年11月

第一屆清代學術研討會論文集　頁109-122　高雄市　國立中山大學中國文學
系　1989年11月

清代經學研究論集　頁209-232　臺北市　中央研究院中國文哲研究所　2002
年8月

16.「清乾嘉揚州學派研究」計畫述略

漢學研究通訊　第19卷第4期　頁581-587　2000年11月

17.清乾嘉考據學者對婦女問題的關懷

乾嘉學者之義理學第四次研討會宣讀論文　臺北市　中央研究院中國文哲研
究所籌備處主辦　2000年12月

清代經學研究論集　頁275-307　臺北市　中央研究院中國文哲研究所　2002
年8月

18.四庫館臣篡改《經義考》之研究

兩岸四庫學第一屆中國文獻學學術研討會宣讀論文　臺北市　淡江大學主辦
1998年5月

兩岸四庫學第一屆中國文獻學學術研討會論文集　頁239-262　臺北市　臺
灣學生書局　1998年9月

清代經學研究論集　頁233-273　臺北市　中央研究院中國文哲研究所　2002
年8月

19.焦循《孟子正義》及其孟子學中之地位

孟子學國際研討會宣讀論文　臺北市　中央研究院中國文哲研究所籌備處主
辦　1994年5月

孟子思想的歷史發展　頁217-241　臺北市　中央研究院中國文哲研究所籌
備處　1996年5月

清代經學研究論集　頁309-343　臺北市　中央研究院中國文哲研究所　2002
年8月

20.陳奐《詩毛氏傳疏》的訓釋方法

清代經學國際研討會宣讀論文　臺北市　中央研究院中國文哲研究所籌備處
1992年12月

清代經學國際研討會論文集　頁383-398　臺北市　中央研究院中國文哲研
究所籌備處　1994年6月

清代經學研究論集　頁373-401　臺北市　中央研究院中國文哲研究所　2002
年8月

21.劉逢祿《左氏春秋考證》的辨偽方法

周易、左傳學國際研討會宣讀論文　臺北市　中華民國經學研究會主辦
1999年5月

應用語文學報　第4期　頁15-28　2002年6月

清代經學研究論集　頁403-430　臺北市　中央研究院中國文哲研究所　2002
年8月

22.方東樹對揚州學者的批評

海峽兩岸清代揚州學派學術研討會宣讀論文　揚州市　揚州大學人文學院主
辦　2000年4月

清代揚州學術研究　上冊　頁211-230　臺北市　臺灣學生書局　2001年4月

清代經學研究論集　頁345-372　臺北市　中央研究院中國文哲研究所　2002
年8月

23.張金吾編《詒經堂續經解》的內容及其學術價值

應用語文學報　第2期　頁35-49　2000年6月

清代經學研究論集　頁431-462　臺北市　中央研究院中國文哲研究所　2002
年8月

24.劉文淇《左傳舊疏考正》研究

清代揚州學派學術研討會宣讀論文　臺北市　中央研究院中國文哲研究所
2001年5月3、4日

清代經學研究論集　頁463-488　臺北市　中央研究院中國文哲研究所　2002
年8月

25.清乾嘉考證學派與日本考證學派之比較研究

行政院國家科學委員會第36屆出國研究人員研究報告書　1999年3月30日

26.揚州學者的十三經注疏研究（大綱）

田漢雲主編清代揚州學派研究論文集　頁12-21　南京市　鳳凰出版社
2016年10月

（九）民國經學史

民國時期

1. 研究民國時期經學的困難及因應之道

河南社會科學　第15卷1期　頁21-24　2007年1月

2. 民國初年的反詩序運動

第三屆詩經國際學術研討會宣讀論文　石家莊市　中國詩經學會主辦　1997
年8月

貴州文史叢刊　1997年5期　頁1-12　1997年10月

第三屆詩經國際學術研討會論文集　頁260-282　香港　天馬圖書公司　1998
年6月

中國經學研究的新視野　頁197-222　臺北市　萬卷樓圖書公司　2012年12月

3. 民國時期的中國經學史研究

香港　香港浸會大學饒宗頤國學院專題演講稿　2015年

4. 民國時期幾位被遺忘的經學家

政大中文學報　第21期　頁15-35　2014年6月

5. 民國時期經學研究的現況和展望

孔孟月刊　第54卷1、2期合刊（總637、638期）　頁104-116　2015年10月

6. 民國時期的鄭玄研究

中國經學　第7輯　頁31-46　桂林市　廣西師範大學出版社　2015年11月

7. 辜鴻銘來臺相關報導彙編（林慶彰編、藤井倫明譯）

中國文哲研究通訊　第11卷3期　頁167-212　2001年9月

近代中國知識分子在臺灣（二）　頁217-263　臺北市　萬卷樓圖書公司
2002年10月

8. 辜鴻銘在臺灣

近代中國知識分子在臺灣（二）　頁97-119　臺北市　萬卷樓圖書公司　2002
年10月

9. 辜鴻銘在日本

近代中國知識分子在日本（三）　頁267-289　臺北市　萬卷樓圖書公司
2003年7月

10. 當代新儒家的《周禮》研究及其時代意義

第三次儒學會議宣讀論文　臺北市　中央研究院中國文哲研究所籌備處主辦
1995年5月

當代儒學論集——挑戰與回應　頁105-129　臺北市　中央研究院中國文哲
研究所籌備處　1995年12月

11. 熊十力論讀經應有的態度

中國哲學與文化的現代詮釋研討會宣讀論文　舊金山　中國哲學與文化研究
基金會主辦　1999年8月

傳承與創新——中央研究院中國文哲研究所十周年紀念文集（鍾彩鈞主編）
頁603-622　臺北市　中央研究院中國文哲研究所籌備處　1999年12月

12. 熊十力的《春秋》學及其時代意義

儒學與現代世界國際研討會宣讀論文　臺北市　中央研究院中國文哲研究所
籌備處主辦　1996年7月

國學研究　第7卷　頁377-396　2000年7月

13. 熊十力對清代考據學的批評

東亞細亞傳統文化會議宣讀論文　福岡市　1994年4月

東亞文化的探索——近代文化的動向　頁23-42　臺北市　正中書局　1996
年11月

14. 鄭樵與顧頡剛

宋學與東方文化國際研討會宣讀論文　鄭州市　中原宋學會主辦　1996年5月

泰安師專學報　1999年第2期　頁8-15　1999年3月

15.姚際恆與顧頡剛

　　中國文哲研究集刊　　第15期　　頁431-456　　1999年9月

16.顧頡剛與錢玄同

　　中國文哲研究集刊　　第17期　　頁405-430　　2000年9月

17.顧頡剛與崔述

　　嶺南學報　　復刊第7期　　頁33-58　　2017年5月

18.顧頡剛的經學觀

　　二十世紀前半葉人文社會學術研討會宣讀論文　　臺北市　　東吳大學主辦
　　2000年11月

　　中國經學　　第1輯　　頁66-90　　2005年11月

　　二〇世紀人文大師的風範與思想（上半葉）　　頁241-295　　臺北市　　臺灣學
　　生書局　　2007年1月

19.顧頡剛論《詩序》

　　應用語文學報　　第3號　　頁77-86　　2001年6月

20.顧頡剛論詩序（西口智也譯）

　　村山吉廣教授古稀紀念中國古典學論集　　東京都　　汲古書院　　2000年5月

21.錢穆先生的經學

　　漢學研究集刊　　創刊號　　頁1-12　　2005年12月

22.陳延傑及其《詩序解》

　　王叔岷先生學術成就與薪傳研討會宣讀論文　　臺北市　　臺灣大學中國文學系
　　2001年6月28、29日

　　王叔岷先生學術成就與薪傳論文集　　頁411-428　　臺北市　　臺灣大學中國文
　　學系　　2001年8月

23.鄭振鐸論《詩序》

　　中華國學研究　　創刊號　　頁52-56　　2008年12月

24.抗戰時期的《詩序》研究

　　經學研究論叢　　第21輯　　頁93-106　　新北市　　華藝學術出版社　　2014年4月

新中國時期

1. 我與《中國古代史籍校讀法》四十年的情緣

   中華讀書報　10版　2012年9月19日

2. 呂思勉先生著作在臺灣的翻印及流傳

   偽書與禁書　頁109-124　新北市　華藝學術出版社　2012年11月

3. 高亨先生著作在臺灣的翻印及流傳

   偽書與禁書　頁125-138　新北市　華藝學術出版社　2012年11月

4. 張舜徽先生著作在臺灣的翻印及流傳

   書目季刊　第45卷第3期　頁49-67　2011年12月

   偽書與禁書　頁139-159　新北市　華藝學術出版社　2012年11月

臺灣日治時期

1. 日據時期臺灣儒學參考文獻的編纂及其價值

   第二屆臺灣儒學國際研討會宣讀論文　臺南市　國立成功大學主辦　1999年
   12月

   第二屆臺灣儒學國際研討會論文集　頁729-743　臺南市　國立成功大學中
   國文學系　1999年12月

2. 日據時期臺灣儒學研究經驗談——從《日據時期臺灣儒學參考文獻》談起儒
   學研究論叢——日據時期臺灣儒學研究專號　頁1-12　臺北市　臺北市立教
   育大學人文藝術學院儒學中心　2008年12月

3. 吳德功《瑞桃齋文稿》所反映的儒學思想

   明清時期的臺灣傳統文學研討會宣讀論文　臺中市　東海大學主辦　2000年
   4月1日

   明清時期臺灣傳統文學論文集　頁338-357　臺北市　文津出版社　2002年
   10月

4. 張純甫的《左傳》研究

   第三屆臺灣儒學國際研討會宣讀論文　臺南市　國立成功大學中國文學系
   2002年9月

儒學與社會實踐——第三屆臺灣儒學國際研討會論文集　頁351-376　臺南市　國立成功大學中國文學系　2003年2月

5. 林履信的《尚書‧洪範》研究

漢學研究國際學術研討會宣讀論文　雲林縣斗六市　雲林科技大學漢學資料整理研究所　2002年11月

6. 林履信著作目錄

學術論文寫作指引（第二版）　頁129-141　臺北市　萬卷樓圖書公司　2011年11月

學術論文寫作指引（大陸版）　頁117-127　北京市　九洲出版社　2012年3月

戰後臺灣

1. 臺灣戒嚴時期經學類違礙圖書考

國學　第3集　頁471-491　2016年6月

2. 近四十年臺灣《詩經》學研究概況

詩經學國際研討會議宣讀論文　石家莊市　河北師範學院主辦　1993年8月

詩經國際學術研討會論文集　頁27-41　保定市　河北大學出版社　1994年6月

文學遺產1994年4期　頁119-125　1994年7月

3. 近二十年臺灣研究三禮成果之分析

慶祝沈文倬先生九十華誕暨禮學與中國傳統文化國際學術研討會宣讀論文　杭州　浙江大學古籍研究所主辦　2006年6月20-22日

禮學與中國傳統文化　頁160-167　北京市　中華書局　2006年12月

4. 近十五年來經學史的研究

（上）漢學研究通訊　第6卷3期（總23期）　頁139-143　1987年9月

（下）漢學研究通訊　第6卷4期（總24期）　頁185-189　1987年12月

5. Lin, Ching-chang (1991). "A Synopsis of Studies on the Chinese Classics Published during the Last Fifteen Years（Gilbert L. Mattos譯）." Early China vol. 16. pp. 235-276.

6. 臺灣研究經學史的現況（1987-1992）

　　東洋文庫講演稿　　東京都　　東洋文庫　　1992年

7. 徐復觀研究經學史的得失

　　徐復觀學術思想國際研討會宣讀論文　　臺中市　　東海大學主辦　　1992年12月

　　徐復觀學術思想研討會論文集　　頁99-116　　臺中市　　東海大學哲學研究所
　　1992年12月

8. 屈萬里先生和他的《龍門集》──編輯《屈萬里先生文存》的意外發現

　　傳記文學　　第46卷3期　　頁82-86　　1985年3月

　　圖書文獻學研究論集　　頁397-408　　臺北市　　文津出版社　　1990年1月

9. 屈翼鵬先生的詩經研究

　　書目季刊　　第18卷4期　　頁178-191　　1985年3月

　　屈萬里院士紀念論文集　　頁181-194　　臺北市　　臺灣學生書局　　1985年5月

　　從幾個論題看台港詩經研究的異同

　　中國文哲研究通訊　　第27卷3期　　頁47-59　　2017年9月

10. 從幾個論題看台港詩經研究的異同

　　中國文哲言鳩通訊　　第27卷3期　　頁47-59　　2017年9月

11. 屈萬里先生與圖書辨偽

　　屈萬里先生百歲誕辰國際學術研討會宣讀論文　　臺北市　　臺灣大學中國文學
　　系　　2006年12月

　　屈萬里先生百歲誕辰國際學術研討會論文集　　頁93-107　　臺北市　　臺灣大學
　　中國文學系　　2006年12月

　　偽書與禁書　　頁1-22　　新北市　　華藝學術出版社　　2012年11月

12. 劉兆祐先生與圖書辨偽

　　劉兆祐教授春風化雨五十年紀念文集　　頁47-60　　臺北市　　臺灣學生書局
　　2010年9月

　　偽書與禁書　　頁23-40　　新北市　　華藝學術出版社　　2012年11月

13. 我的國學之路

　　貴州文史叢刊　　2002年1期　　頁1-5　　2002年1月

14.我在九州大學的學術活動

　　國文天地　第10卷10期　頁104-111　1994年10月

15.完成中國經學史

　　文訊月刊　革新號第29期　頁10-11　1991年6月

16.經學研究三十年

　　中央研究院週報　第1126期　2007年6月28日

香港

1. 香港經學文獻的檢索與利用

　　香港經學研究的回顧與展望國際學術研討會主題演講論文　香港　浸會大學

　　中國語言文學系　2015年5月6-7日　古籍整理研究學刊　2015年4期　頁1-10

2. 香港近五十年詩經研究述要

　　人文中國學報　第16期　頁383-430　2010年9月

3. 香港近六十年《詩經》研究文獻目錄

　　中國文哲研究通訊　第20卷4期　頁167-192　2010年12月

（十）日本經學史

1. 日本所藏中國經籍的學術價值

　　東亞漢文文獻整理研究國際學術研討會論文集　頁188-198　新北市　臺北

　　大學古典文獻學研究所　2011年

2. 日本漢學研究近況

　　應用語文學報　創刊號　頁95-125　1999年6月

3. 日本儒學精要書目

　　（上）書目季刊　第32卷1期　頁66-87　1998年6月

　　（下）書目季刊　第32卷2期　頁74-98　1998年9月

　　儒家思想在現代東亞（日本篇）　頁381-455　臺北市　中央研究院中國文

　　哲研究所籌備處　1999年6月

4. 明清時代中日經學研究的互動關係

　　第三屆國際漢學會議宣讀論文　臺北市　中央研究院主辦　2000年6月

　　中國思潮與外來文化　頁241-270　臺北市　中央研究院中國文哲研究所
　　2002年12月

　　中國經學研究的新視野　頁117-147　臺北市　萬卷樓圖書公司　2012年12月

5. 中日文史通俗雜誌

　　國文天地　第17卷8期　頁12-14　2002年1月

6. 編纂日本儒學史研究文獻目錄芻議

　　九州大學中國哲學科第88回懇話會宣讀論文　福岡市　九州大學文學部主辦
　　1994年9月

　　經學研究論叢　第2輯　頁253-264　桃園縣中壢市　聖環圖書公司　1994年
　　10月

7. 清乾嘉考證學派與日本考證學派之比較研究（研究報告）

　　臺北市　行政院國家科學委員會　1996年（出國研究人員報告書）

8. 江戶時代古學派的經書古義研究

　　首屆中國經學學術研討會宣讀論文　北京市　清華大學歷史系　2005年11月

9. 太宰春臺《朱氏詩傳膏肓》對朱子的批評

　　笠征教授花甲紀念論文集　頁187-204　臺北市　臺灣學生書局　2001年12月

10. 大田錦城和清初考證學者

　　九州大學中國哲學科第98回懇話會宣讀論文　福岡市　九州大學文學部主辦
　　1998年

　　張以仁先生七秩壽慶論文集　頁291-303　臺北市　臺灣學生書局　2000年
　　8月

11. 太宰春臺的中國經書古義研究

　　第四國際漢學會議宣讀論文　臺北市　中央研究院　2012年6月

　　鍾彩鈞主編　東亞視域中的儒學：傳統的詮釋（第四屆國際漢學會議論文集
　　4）　頁431-451　臺北市　中央研究院　2013年10月

12. 竹添光鴻《左傳會箋》的解經方法

　　日本漢學國際學術研討會宣讀論文　臺北市　臺灣大學中國文學系　2001年3月16、17日

　　日本漢學研究初探（張寶三　楊儒賓編）　頁47-70　臺北市　喜馬拉雅研究基金會　2002年3月

13. 竹添光鴻《毛詩會箋》的解經方法

　　第五屆日本漢學國際學術研討會宣讀論文　臺北市　臺灣大學文學院等主辦　2008年3月28、29日

14. 安井小太郎編纂經學入門書目的學術意義

　　經學研究論叢　第19輯　頁251-266　臺北市　臺灣學生書局　2011年11月

15. 竹添光鴻研究文獻目錄

　　國際漢學論叢　第5輯　頁277-283　臺北市　2016年1月

（十一）越南經學史

1. 越南儒學研究文獻目錄（與劉春銀合編）

　　中國文哲研究通訊　第20卷1期　頁187-257　2010年3月

2. 黎貴惇《群書考辨》研究

　　越南儒學與東亞文化國際學術研討會宣讀論文　河內市　越南社會科學院哲學研究所　2009年6月19日至25日

　　黎貴惇的學術與思想　頁11-28　臺北市　中央研究院中國文哲研究所　2012年12月

3. 吳時任《春秋管見》所反映的倫理思想

　　越南儒學傳統與創新國際研討會宣讀論文　河內市　越南社會科學院哲學研究所　2010年9月2日至7日

4. 從《書經衍義》看黎貴惇的刑罰觀

　　越南儒學與近代東亞國際學術研討會宣讀論文　臺北市　中央研究院中國文哲研究所　2012年10月4日、6日

（十二）日文翻譯

儒學研究

1. 關於漢民族所謂的天（黃得時著）

   日據時期臺灣儒學參考文獻　上冊　頁739-754　臺北市　臺灣學生書局
   2000年10月

2. 洪範體系中之社會經世思想（林履信著）

   日據時期臺灣儒學參考文獻　上冊　頁370-387　臺北市　臺灣學生書局
   2000年10月

3. 儒的意義（狩野直喜著）

   日據時期臺灣儒學參考文獻　上冊　頁939-958　臺北市　臺灣學生書局
   2000年10月

4. 上代支那正樂考──孔子的音樂論（江文也著）

   日據時期臺灣儒學參考文獻　上冊　頁780-938　臺北市　臺灣學生書局
   2000年10月

5. 董仲舒災異說的結構解析（岩本憲司著）

   經學研究論叢　第7輯　頁241-259　臺北市　臺灣學生書局　1999年9月

詩經研究

1. 竟陵派的詩經學──以鍾惺的評價為中心（村山吉廣著）

   中國文哲研究通訊　第5卷1期　頁79-92　1995年6月

2. 毛詩原解序說（村山吉廣著）

   中國書目季刊　第29卷4期　頁59-64　1996年3月

3. 鍾伯敬詩經鍾評及其相關問題（村山吉廣著）

   中國文哲研究通訊　第6卷1期　頁127-134　1996年3月

4. 崔述讀風偶識的側面──和戴君恩讀風臆評的關係（村山吉廣著）

   中國文哲研究通訊　第5卷2期　頁134-144　1995年6月

姚際恆研究

1. 姚際恆及其著述（坂井喚三著）

經學研究論叢　第3輯　頁217-228　桃園縣中壢市　聖環圖書公司　1995年4月

姚際恆研究論集　上冊　頁19-37　臺北市　中央研究院中國文哲研究所1996年6月

2. 姚際恆的學問（上）——關於古今偽書考（村山吉廣著）

經學研究論叢　第3輯　頁229-240　桃園縣中壢市　聖環圖書公司　1995年4月

姚際恆研究論集　上冊　頁287-310　臺北市　中央研究院中國文哲研究所1996年6月

3. 姚際恆的學問（中）——他生涯和學風（村山吉廣著）

經學研究論叢　第3輯　頁241-256　桃園縣中壢市　聖環圖書公司　1995年4月

姚際恆研究論集　上冊　頁39-64　臺北市　中央研究院中國文哲研究所1996年6月

4. 姚際恆的學問（下）——關於詩經通論（村山吉廣著）

經學研究論叢　第3輯　頁257-274　桃園縣中壢市　聖環圖書公司　1995年4月

姚際恆研究論集　中冊　頁385-415　臺北市　中央研究院中國文哲研究所1996年6月

5. 姚際恆論（村山吉廣著）

經學研究論叢　第3輯　頁275-288　桃園縣中壢市　聖環圖書公司　1995年4月

姚際恆研究論集　上冊　頁65-87　臺北市　中央研究院中國文哲研究所1996年6月

6. 姚際恆的《禮記通論》（村山吉廣著）

經學研究論叢　第3輯　頁305-312　桃園縣中壢市　聖環圖書公司　1995年4月

姚際恆研究論集　下冊　頁839-851　臺北市　中央研究院中國文哲研究所1996年6月

日本漢學

1. 近代日本漢學家（1）——那珂通世（1851-1908）（田中正美著）
   國文天地　第11卷1期　頁44-49　1995年6月

2. 近代日本漢學家（2）——林泰輔（1854-1922）（鎌田　正著）
   國文天地　第11卷2期　頁33-39　1995年7月

3. 近代日本漢學家（3）——市村瓚次郎（1864-1947）（中嶋　敏著）
   國文天地　第11卷3期　頁70-75　1995年8月

4. 近代日本漢學家（4）——白鳥庫吉（1865-1942）（松村　潤著）
   國文天地　第11卷4期　頁48-53　1995年9月

5. 近代日本漢學家（5）——內藤湖南（1866-1934）（溝上　瑛著）
   國文天地　第11卷5期　頁44-49　1995年10月

6. 近代日本漢學家（6）——高楠順次郎（1886-1945）（雲藤義道著）
   國文天地　第11卷6期　頁60-65　1995年11月

7. 近代日本漢學家（7）——河口慧海（1866-1945）（高山龍三著）
   國文天地　第11卷7期　頁25-31　1995年12月

8. 近代日本漢學家（8）——服部宇之吉（1867-1939）（宇野精一著）
   國文天地　第11卷8期　頁17-23　1996年1月

9. 近代日本漢學家（9）——狩野直喜（1868-1947）（狩野直禎著）
   國文天地　第11卷9期　頁20-26　1996年2月

10. 近代日本漢學家（10）——鳥居龍藏（1870-1951）（白鳥芳郎著）
    國文天地　第11卷10期　頁20-26　1996年3月

11. 近代日本漢學家（11）——鈴木大拙（1870-1966）（古田紹欽著）
    國文天地　第11卷11期　頁20-25　1996年4月

12.近代日本漢學家（12）──桑原騭藏（1871-1931）（礪波　護著）

國文天地　第11卷12期　頁20-26　1996年5月

13.近代日本漢學家（13）──岡井慎吾（1872-1945）（福田襄之介著）

國文天地　第12卷2期　頁12-18　1996年7月

14.近代日本漢學家（14）──津田左右吉（1873-1961）（溝上　瑛著）

國文天地　第12卷3期　頁32-38　1996年8月

15.近代日本漢學家（15）──新城新藏（1873-1938）（藪內　清著）

國文天地　第12卷4期　頁28-34　1996年9月

16.近代日本漢學家（16）──大谷光瑞（1876-1948）（上山大峻著）

國文天地　第12卷5期　頁44-50　1996年10月

17.近代日本漢學家（17）──鈴木虎雄（1878-1963）（興膳　宏著）

國文天地　第12卷6期　頁20-25　1996年11月

18.近代日本漢學家（18）──加藤　繁（1880-1946）（梅原　郁著）

國文天地　第12卷7期　頁18-23　1996年12月

19.近代日本漢學家（19）──濱田耕作（1881-1938）（小野山　節著）

國文天地　第12卷8期　頁30-35　1997年1月

20.近代日本漢學家（20）──羽田亨（1882-1955）（間野英二著）

國文天地　第12卷9期　頁21-27　1997年2月

21.近代日本漢學家（21）──諸橋轍次（1883-1982）（原田種成著）

國文天地　第12卷10期　頁14-19　1997年3月

22.近代日本漢學家（22）──武內義雄（1886-1966）（金谷　治著）

國文天地　第12卷11期　頁15-19　1997年4月

23.近代日本漢學家（23）──青木正兒（1887-1964）（水谷真成著）

國文天地　第12卷12期　頁16-20　1997年5月

24.近代日本漢學家（24）──石田幹之助（1891-1974）（和田久德著）

國文天地　第13卷1期　頁16-20　1997年6月

（十三）文獻學

讀書指導

1. 談國學及其入門書

　　書評書目　第43期　頁51-60　1976年11月

　　圖書文獻學研究論集　頁1-12　臺北市　文津出版社　1990年1月

2. 讀書答客問

　　東吳青年　第73期　頁77-79　1980年6月

　　圖書文獻學研究論集　頁57-63　臺北市　文津出版社　1990年1月

3. 談「同書異名」

　　書評書目　第44期　頁95-102　1976年12月

　　圖書文獻學研究論集　頁333-341　臺北市　文津出版社　1990年1月

4. 由研究生圖書利用引起的一些問題

　　中國論壇　第4卷1期（總37期）　頁25-26　1977年4月

　　圖書文獻學研究論集　頁353-358　臺北市　文津出版社　1990年1月

5. 如何開啟知識的寶庫──談圖書館的利用

　　幼獅月刊　第61卷4期　頁22-30　1985年4月

　　圖書文獻學研究論集　頁13-32　臺北市　文津出版社　1990年1月

　　圖書館情報學研究3──臺港及海外中文報刊資料專輯

　　北京圖書館文獻信息中心　北京市　書目文獻出版社　1986年10月

6. 文化中心的相關工作（圖書館問題）

　　幼獅月刊　第49卷9期（總503期）　頁39-43　1979年9月

　　圖書文獻學研究論集　頁453-467　臺北市　文津出版社　1990年1月

7. 大陸資料蒐藏與利用的困難及解決之道

　　國文天地　第10卷2期　頁99-102　1994年7月

8. 對研究生拓展學術空間的一些看法

　　國文天地　第9卷6期　頁13-15　1993年11月

9. 大學生與工具書

書評書目　第51期　頁94-101　1977年7月

圖書文獻學研究論集　頁33-42　臺北市　文津出版社　1990年1月

10.讀書與卡片

書評書目　第55期　頁143-148　1977年11月

圖書文獻學研究論集　頁43-51　臺北市　文津出版社　1990年1月

11.什麼是學術論文？

國文天地　第10卷4期　頁110-113　1994年9月

12.什麼是「摘要」？

國文天地　第4卷4期　頁29　1988年9月

圖書文獻學研究論集　頁53-55　臺北市　文津出版社　1990年1月

叢書研究

1.黃永武先生編纂叢書的貢獻

二〇一〇年黃永武先生學術研討會論文集　頁1-9　嘉義縣　南華大學文學系　2010年11月26、27日

文獻整理

1.略談翻印古書

書評書目　第47期　頁59-64　1977年3月

圖書文獻學研究論集　頁343-351　臺北市　文津出版社　1990年1月

2.知識的水庫──歷代對圖書文獻的整理與保藏

中國文化新論學術篇──浩翰的學海　頁521-585　臺北市　聯經出版事業公司1981年12月

圖書文獻學研究論集　頁409-451　臺北市　文津出版社　1990年1月

3.中央研究院中國文哲所整理古籍的現況

中國文哲研究通訊　第6卷2期　頁141-146　1996年6月

4.對當代文學史料整理的幾點意見

文訊月刊　第11期　頁113-124　1984年5月

圖書文獻學研究論集　　頁371-388　　臺北市　　文津出版社　　1990年1月

5. 作家與文學史料的整理

文訊月刊　　第19期　　頁6-8　　1985年8月

圖書文獻學研究論集　　頁367-370　　臺北市　　文津出版社　　1990年1月

偽禁書研究

1. 當代偽書問題

教育資料與圖書館學　　第22卷2期　　頁186-198　　1984年12月

圖書文獻學研究論集　　頁117-137　　臺北市　　文津出版社　　1990年1月

2. 如何整理戒嚴時期出版的偽書？

文訊月刊　　革新第6期　　頁10-13　　1989年7月

圖書文獻學研究論集　　頁173-180　　臺北市　　文津出版社　　1990年1月

3. 一本偽書──談朱自清的《語文通論》

書評書目　　第84期　　頁65-68　　1980年4月

圖書文獻學研究論集　　頁159-164　　臺北市　　文津出版社　　1990年1月

4. 誰幽林語堂一默？──談林著《世界文學名著史話》

書評書目　　第88期　　頁30-32　　1980年8月

圖書文獻學研究論集　　頁165-168　　臺北市　　文津出版社　　1990年1月

5. 偽書概觀──以華聯（五洲）出版社的文史書為例

書評書目　　第90期　　頁97-108　　1981年3月

圖書文獻學研究論集　　頁139-158　　臺北市　　文津出版社　　1990年1月

6. 胡適之先生編過白話詞選？

書評書目　　第95期　　頁137-138　　1981年3月

圖書文獻學研究論集　　頁169-171　　臺北市　　文津出版社　　1990年1月

7. 臺灣商務印書館篡改《東方雜誌》重印本

昌彼得教授八秩晉五壽慶論文集　　頁129-156　　臺北市　　臺灣學生書局　　2005年2月

偽書與禁書　　頁69-95　　新北市　　華藝學術出版社　　2012年11月

8. 當代文學「禁書」研究

五十年來的臺灣文學研討會　臺北市　文訊雜誌社主辦　1996年

台灣文學出版：五十年來臺灣文學研討會論文集（三）　頁193-216　臺北市　行政院文化建設委員會　1996年6月

偽書與禁書　頁41-68　新北市　華藝學術出版社　2012年11月

9. 戒嚴時期《國魂》所刊登的禁書（與黃智明合著）

書目季刊　第42卷1期　頁41-52　2008年6月

偽書與禁書　頁97-107　新北市　華藝學術出版社　2012年11月

10.誰剽竊朱自清的著作

偽書與禁書　頁161-163　新北市　華藝學術出版社　2012年11月

11.九本詩學入門書

偽書與禁書　頁165-168　新北市　華藝學術出版社　2012年11月

12.趙景深《中國文學小史》在臺灣的翻印本

偽書與禁書　頁169-174　新北市　華藝學術出版社　2012年11月

漢學機構

1. 揚我大漢天聲——漢學研究資料及服務中心

中央日報　第12版　1983年10月2日

圖書文獻學研究論集　頁469-472　臺北市　文津出版社　1990年1月

2. 中央研究院歷史語言研究所傅斯年圖書館的大陸藏書

國文天地　第4卷1期　頁36-37　1988年6月

圖書文獻學研究論集　頁473-476　臺北市　文津出版社　1990年1月

3. 中央研究院歷史語言研究所傅斯年圖書館的大陸藏書

國文天地　第4卷1期　頁37-39　1988年6月

圖書文獻學研究論集　頁477-480　臺北市　文津出版社　1990年1月

4. 國際關係研究中心圖書館的大陸藏書

國文天地　第4卷1期　頁39-40　1988年6月

圖書文獻學研究論集　頁481-484　臺北市　文津出版社　1990年1月

5. 期盼早日設立多功能的文學資料館

　　文訊月刊　第44期　頁14-15　1992年9月

書目、資料彙編

1. 賀《期刊論文索引》二十周年──兼論編輯其他書目、索引的必要性

　　國立中央圖書館館訊　第11卷3期　頁14-15　1989年8月

　　圖書文獻學研究論集　頁325-331　臺北市　文津出版社　1990年1月

2. 談目錄的編輯和利用

　　國文天地　第10卷11期　頁90-93　1995年4月

3. 專科目錄的編輯方法

　　書目季刊　第30卷4期　頁62-71　1997年3月

　　專科目錄的編輯方法　頁15-30　臺北市　臺灣學生書局　2001年9月

4. 現有專科目錄體例的檢討

　　專科工具書編輯研討會論文　嘉義縣竹崎市　香光尼眾佛學院主辦　2007年9月29、30日

5. 楊慎研究論著目錄（與賈順先合編）

　　國立中央圖書館館刊　第24卷1期　頁209-214　1991年6月

6. 熊十力關係書目

　　國立中央圖書館館刊　第24卷2期　頁243-264　1991年12月

7. 近年出版有關五四的著作

　　國文天地　第4卷12期　頁108-113　1989年5月

8. 有關大陸文字改革的著作

　　國文天地　第5卷2期　頁34-39　1989年7月

9. 楊慎研究資料彙編（與賈順先合編）

　　中國文哲研究通訊　第2卷4期　頁96-105　1992年12月（附　楊慎研究論著目錄　頁98-105）

10.顧夢麟研究資料彙編

　　詩經說約（顧夢麟著）　第5冊附錄　頁2133-2164　臺北市　中央研究院中國文哲研究所籌備處　1996年6月

11.李源澄著作目錄

中國文哲研究通訊　第17卷4期　頁61-74　2007年12月

李源澄著作集　第4冊　臺北市　中央研究院中國文哲研究所　2008年12月

12.我蒐集李源澄著作之經過

經學研究論叢　第15輯　頁288-314　2008年6月

李源澄著作集　第4冊　臺北市　中央研究院中國文哲研究所　2008年12月

13.談談「以書代刊」

國文天地　第24卷12期　頁47　2009年5月

圖書評論

1. 請多寫學術性書評

文訊月刊　第39期　頁72-73　1988年12月

2. 評介《中文參考用書指引》（張錦郎著）

中央日報　第11版　1979年10月17日

圖書文獻學研究論集　頁257-261　臺北市　文津出版社　1990年1月

3. 《中國文化研究論文目錄》評介

書目季刊　第17卷1期　頁27-32　1983年6月

圖書文獻學研究論集　頁263-272　臺北市　文津出版社　1990年1月

4. 《臺灣地區漢學論著選目》評介

東方雜誌　復刊第17卷4期　頁74-75　1983年10月

圖書文獻學研究論集　頁273-277　臺北市　文津出版社　1990年1月

5. 談《東洋學文獻類目》

中國文哲研究通訊　第1卷2期　頁132-135　1991年6月

6. 《四庫全書文集編目分類索引》出版的意義

中國書目季刊　第25卷3期　頁68-70　1991年12月

7. 檢索大陸期刊的必備工具書——談《臺灣地區現藏大陸期刊聯合目錄》

書目季刊　第30卷1期　頁60-63　1996年6月

8. 評鄭良樹編著《續偽書通考》

漢學研究　第2卷2期　頁727-752　1984年12月

圖書文獻學研究論集　頁65-116　臺北市　文津出版社　1990年1月

9.評《詩經研究文獻目錄》（村山吉廣、江口尚純編）

中國文哲研究通訊　第3卷2期　頁77-81　1993年6月

10.評《中國哲學史論文索引》（方克立、楊守義、蕭文德編）

鵝湖學誌　第9期　頁173-179　1992年12月

11.朱子學研究成果的總匯——談《朱子學研究書目》

國文天地　第8卷1期　頁39-41　1992年6月

12.評《中國歷代名人年譜總目》（王德毅著）——附補遺

　（上）書評書目　第74期　頁110-117　1979年6月

　（中）書評書目　第76期　頁128-135　1979年8月

　（下）書評書目　第77期　頁116-121　1979年9月

圖書文獻學研究論集　頁293-323　臺北市　文津出版社　1990年1月

13.一本兼具可讀性的書目——應鳳凰編《一九八○年文學書目》評介

文訊月刊　第5期　頁119-123　1983年11月

圖書文獻學研究論集　頁279-284　臺北市　文津出版社　1990年1月

14.三種韓國研究中國學的工具書

國際漢學論叢　第2輯　頁321-325　臺北市　樂學書局　2005年2月

15.談談《辭彙》（陸師成著）的錯誤

書評書目　第42期　頁16-23　1976年10月

圖書文獻學研究論集　頁237-245　臺北市　文津出版社　1990年1月

16.關於《東方國語辭典》增訂版

中華日報　第9版　1976年12月30日

圖書文獻學研究論集　頁233-236　臺北市　文津出版社　1990年1月

17.現有中小型辭典之檢討

書評書目　第57期　頁69-78　1978年1月

圖書文獻學研究論集　頁199-212　臺北市　文津出版社　1990年1月

18.中文辭典的源流與發展

書評書目　　第81期　　頁12-23　　1980年2月26日

圖書文獻學研究論集　　頁181-198　　臺北市　　文津出版社　　1990年1月

19.《大辭典》的一些疏失

國文天地　　第2卷5期　　頁24-31　　1986年10月

圖書文獻學研究論集　　頁213-232　　臺北市　　文津出版社　　1990年1月

20.論《國語活用辭典》

國文天地　　第3卷2期　　頁88-91　　1987年7月

圖書文獻學研究論集　　頁247-255　　臺北市　　文津出版社　　1990年1月

21.評介《大學論文研究報告寫作指導》（Kate L. Turabian著、馬凱南譯）

書評書目　　第90期　　頁25-31　　1980年10月

22.《中華常識百科全書》的「國學常識」

書評書目　　第59期　　頁104-110　　1978年3月

圖書文獻學研究論集　　頁285-292　　臺北市　　文津出版社　　1990年1月

23.近百年來國學入門書述評——書目類

圖書與圖書館　　第1卷1期　　頁49-79　　1979年9月

24.評《詩經評釋》（朱守亮著）

漢學研究　　第3卷1期　　頁361-374　　1985年6月

25.評徐復觀著《中國經學史的基礎》

漢學研究　　第1卷1期　　頁332-337　　1983年6月

26.提昇經學史研究的水平——《中國經學史論文選集》出版的意義

國文天地　　第8卷6期　　頁6-8　　1992年11月

27.評《王陽明傳習錄詳註集評》（陳榮捷著）

漢學研究　　第2卷1期　　頁331-342　　1984年6月

28.對陳榮捷先生一文（讀林慶彰先生書評後）的幾點說明

漢學研究　　第2卷2期　　頁665-670　　1984年12月（附陳榮捷先生的按語，頁670）

29.《中國文化基本教材》舉誤（第一冊）

國文天地　　第3卷7期　　頁31-33　　1987年12月

30.通向中華文化之路──推介《中華文化寶庫》

　　國文天地　第15卷4期　頁51-55　1999年9月

31.《火欲的自焚》到《火獄的鳳凰》──談現代作家作品評論集的　編輯

　　書評書目　第79期　頁77-82　1979年11月

　　圖書文獻學研究論集　頁359-366　臺北市　文津出版社　1990年1月

32.作家與讀者的橋樑──《作家與書的故事》讀後

　　文訊月刊　第22期　頁199-203　1986年2月

　　圖書文獻學研究論集　頁389-395　臺北市　文津出版社　1990年1月

33.《佛教相關博碩士論文提要彙編（2000-2006）》讀後

　　佛教圖書館館刊　第47期　頁124-126　2008年6月

34.評《敦煌經部文獻合集》

　　中國文哲研究集刊　第35期　頁204-208　2009年9月

35.評《二十世紀中國人物傳記資料索引》

　　中國文哲研究集刊　第38期　頁326-331　2011年3月

其它

1.我們的理想和期望

　　國文天地　第4卷1期　頁6-7　1988年6月

2.發揚傳統文化兩岸共譜新曲──本刊與文史知識合作會談紀實

　　國文天地　第4卷6期　頁96-97　1988年12月

3.點燈──賀國文天地關係企業的誕生

　　國文天地　第6卷4期　頁5-6　1990年9月

4.滄桑的十年，不變的理想──回顧「萬卷樓」的艱辛路

　　國文天地　第16卷7期　頁39-40　2000年12月

5.讓國文天地成為中文人的共同資產

　　國文天地　第20卷12期　頁4-5　2005年5月

6.大陸出版文淵閣四庫全書影印本

　　國文天地　第5卷6期　頁98-99　1989年11月

7. 大陸出版品對臺灣學術研究的意義

　　國文天地　第22卷1期　頁38-43　2006年6月

8. 我與《國文天地》的「天地書肆」和「學林人物」專欄

　　國文天地　第32卷8期（總380期）　頁9-11　2017年1月

（十四）學林人物

1. 活在卡片堆裡的人──張錦郎先生訪問記

　　書評書目　第80期　頁87-97　1979年12月

2. 經學在美國植根──訪漢學家艾爾曼（Benjamin A. Elman）教授

　　書目季刊　第20卷3期　頁43-50　1986年12月

3. 中國哲學研究的重鎮──訪辛冠傑教授

　　國文天地　第4卷9期（總45期）　頁70-72　1989年2月

4. 中國文學的耕耘者──訪北京大學中文系費振剛教授

　　國文天地　第9卷7期　頁124-128　1993年12月

5. 現代韓國中國學的開創者──金學主教授

　　中國文哲研究通訊　第8卷2期　頁97-110　1998年6月

6. 訪當代三禮學專家──彭林教授

　　經學研究論叢　第11輯　頁381-400　臺北市　臺灣學生書局　2003年6月

7. 訪旅美中國古典學專家──邵東方博士

　　國際漢學論叢　第2輯　頁291-320　臺北市　樂學書局　2005年2月

8. 望之儼然，即之也溫──追懷翼鵬師

　　雙溪文穗　新第6期　1979年5月30日

　　中央研究院院士屈翼鵬先生哀思錄　頁89-91　臺北市　屈萬里先生治喪委員會　1979年5月26日

　　屈萬里先生文存　第6冊　頁2295-2297　臺北市　聯經出版事業公司　1985年2月

9. 悼王熙元教授──兼悼李光第先生

　　國文天地　第12卷5期　頁20-24　1996年10月

10.啟功先生與萬卷樓

　　國文天地　第21卷7期（總247期）　頁23-26　2005年12月

11.探尋文明起源　重寫學術史──李學勤先生的經歷及其學術成果

　　國文天地　第21卷12期（總252期）　頁105-112　2006年5月

12.思想史研究與考據學方法──姜廣輝先生在中國思想史研究上的成績

　　國文天地　第22卷2期（總254期）　頁97-101　2006年7月

13.鐘鳴旦教授與中西文化交流研究

　　國文天地　第22卷8期（總260期）　頁97-101　2007年1月

14.利益眾生的佛學修行──自衍法師為佛教圖書所做的貢獻

　　國文天地　第23卷7期　頁108-112　2007年12月

15.民國時期學術研究的活字典──柳存仁先生專訪

　　中國文哲研究通訊　21卷3期（總83期）　頁3-16　2011年9月

16.何廣棪教授訪談錄

　　國文天地　28卷2期（總326期）　頁86-91　2012年7月

17.華東師範大學路新生教授的學思歷程

　　國文天地　第29卷4期（總340期）　頁2013年9月

18.臺日學術文化交流的志工──日本長崎大學連清吉教授的學思歷程

　　國文天地　第29卷7期（總343期）　頁92-96　2013年12月

（十五）時事與文化評論

1.河殤在臺日誌

　　國文天地　第4卷8期　頁38-41　1989年1月

2.學術會議與論文集

　　國文天地　第8卷1期　頁9-10　1992年6月

3.大陸學者看故宮

　　臺灣立報　第17版　1992年10月11日

4.國慶日放煙火的省思

　　臺灣立報　第17版　1992年10月16日

5. 平心看《全宋詩》的爭議

臺灣立報　第17版　1992年10月18日

6. 臺灣的招牌酒是什麼？

臺灣立報　第17版　1992年11月6日

7. 請掃除刺破車胎的兇手

臺灣立報　第17版　1992年11月8日

8. 臺灣為何不能開國際會議？

臺灣立報　第17版　1992年11月11日

9. 養兒立志當黑道

臺灣立報　第17版　1992年11月15日

10. 言論自由與汙衊栽贓

臺灣立報　第17版　1992年11月20日

11. 請阿港伯讀讀孔子傳

臺灣立報　第17版　1992年11月22日

12. 標點符號已被大陸統一

臺灣立報　第17版　1992年11月27日

13. 請取締搬家小廣告

臺灣立報　第17版　1992年11月30日

14. 誰來挽救紅磚道

臺灣立報　第17版　1992年12月7日

15. 中國人的歷史意識

臺灣立報　第17版　1992年12月16日

16. 請妥善保存蔣公銅像

臺灣立報　第17版　1992年12月21日

17. 民進黨應該做些什麼？

臺灣立報　第17版　1993年1月10日

18. 江澤民談過戀愛嗎？

臺灣立報　第17版　1993年1月11日

19. 交通裁決所與監理處

臺灣立報　第17版　1993年2月1日

20. 大學教授操賤業

國文天地　第8卷7期　頁8-9　1992年12月

21. 《全宋詩》爭議的省思

國文天地　第8卷8期　頁4-5　1993年1月

22. 請建立中南部學術資料中心

國文天地　第9卷1期　頁4-5　1993年6月

23. 誰願意申請國科會的人文研究計畫？

國文天地　第9卷2期　頁4-5　1993年7月

24. 文化中心出版品應廣為流傳

國文天地　第11卷1期　頁112-113　1995年6月

25. 當今國學研究的要務

廈門篔簹書院院刊　創刊號　2010年3月

26. 我看中國大陸的國學熱

國文天地　第25卷12期（總300期）　頁37-41　2010年5月

27. 中國大陸孔子熱的一些問題

國文天地　第33卷1期（總385期）　頁4-6　2017年6月

28. 中文博士悲歌

國文天地　第33卷4期　頁4-6　2017年9月

（十六）序跋

自著書

1. 《豐坊與姚士粦》序

林慶彰《豐坊與姚士粦》　卷首　臺北市　東吳大學中國文學研究所碩士論文　1978年5月

林慶彰《豐坊與姚士粦》　卷首　臺北市　萬卷樓圖書公司　2015年7月

2.《明代考據學研究》序

　　林慶彰《明代考據學研究》　卷首　臺北市　臺灣學生書局　1983年7月

3.《明代考據學研究》修訂本序

　　林慶彰《明代考據學研究》　卷首　臺北市　臺灣學生書局　1986年10月

4.《圖書文獻學研究論集》序

　　林慶彰《圖書文獻學研究論集》　卷首　臺北市　文津出版社　1990年1月

5.《清初的群經辨偽學》序

　　林慶彰《清初的群經辨偽學》　卷首　臺北市　文津出版社　1990年3月

　　林慶彰《清初的群經辨偽學》　卷首　上海市　華東師範大學出版社　2011年5月

6.《明代經學研究論集》序

　　林慶彰《明代經學研究論集》　卷首　臺北市　文史哲出版社　1994年5月

7.《學術論文寫作指引》序

　　林慶彰《學術論文寫作指引》　卷首　臺北市　萬卷樓圖書公司　1996年9月

8.《讀書報告寫作指引》序

　　林慶彰、劉春銀合著《讀書報告寫作指引》　卷首　臺北市　萬卷樓圖書公司　2001年11月

9.《清代經學研究論集》序

　　林慶彰《清代經學研究論集》　卷首　臺北市　中央研究院中國文哲研究所　2002年8月

10.《林慶彰著作集》總序

　　林慶彰《林慶彰著作集》　卷首　上海市　華東師範大學出版社　2011年5月

11.《學術論文寫作指引》第二版序

　　林慶彰《學術論文寫作指引》　卷首　頁5-8　臺北市　萬卷樓圖書公司　2011年9月

12.《學術論文寫作指引》自序

　　林慶彰《學術論文寫作指引》（大陸版）　卷首　北京市　九州出版社　2012年3月

13.《偽書與禁書》序

　　林慶彰《偽書與禁書》　卷首　新北市　華藝學術出版社　2012年11月

14.《中國經學研究的新視野》序

　　林慶彰《中國經學研究的新視野》　卷首　臺北市　萬卷樓圖書公司　2012年12月

15.《顧頡剛的學術淵源》序

　　林慶彰《顧頡剛的學術淵源》　卷首　新北市　華藝學術出版社　2015年8月

16.《當代臺灣經學人物》序

　　林慶彰《當代臺灣經學人物》　卷首　臺北市　萬卷樓圖書公司　2015年8月

自編書

經學書目

1.《經學研究論著目錄（1912-1987）》序

　　林慶彰主編《經學研究論著目錄（1912-1987）》　第一冊　卷首　臺北市　漢學研究中心　1989年12月

2.《朱子學研究書目（1900-1991）》序

　　林慶彰主編《朱子學研究書目（1900-1991）》　卷首　臺北市　文津出版社　1992年5月

3.《日本研究經學論著目錄（1900-1992）》序

　　林慶彰《日本研究經學論著目錄（1900-1992）》　卷首　臺北市　中央研究院中國文哲研究所籌備處　1993年10月

4.《乾嘉學術研究論著目錄（1900-1993）》序

　　林慶彰主編《乾嘉學術研究論著目錄（1900-1993）》　卷首　臺北市　中央研究院中國文哲研究所籌備處　1995年5月

5.《經學研究論著目錄（1988-1992）》序

　　林慶彰主編《經學研究論著目錄（1988-1992）》　第一冊　卷首　臺北市　漢學研究中心　1995年6月

6.《日本儒學研究書目》序

林慶彰、連清吉、金培懿合編《日本儒學研究書目》 第一冊 卷首 臺北市 臺灣學生書局 1998年7月

7. 《專科目錄的編輯方法》序

林慶彰主編《專科目錄的編輯方法》 卷首 臺北市 臺灣學生書局 2001年9月

8. 《經學研究論著目錄（1993-1997）》序

林慶彰、陳恆嵩合編《經學研究論著目錄（1993-1997）》 第一冊 卷首 臺北市 漢學研究中心 2002年4月

9. 《近現代新編叢書述論》序

林慶彰主編《近現代新編叢書述論》 卷首 臺北市 臺灣學生書局 2005年9月

10.《晚清經學研究文獻目錄（1912-2000）》序

林慶彰、蔣秋華合編《晚清經學研究文獻目錄（1912-2000）》 卷首 臺北市 中央研究院中國文哲研究所 2006年10月

11.《當代新編專科目錄述評》序

林慶彰主編《當代新編專科目錄述評》 卷首 臺北市 臺灣學生書局 2008年10月

12.《中國經學相關研究博碩士論文目錄》序

林慶彰、蔣秋華合編《中國經學相關研究博碩士論文目錄》 卷首 臺北市 萬卷樓圖書公司 2009年10月

13.《經學研究論著目錄（1998-2002）》序

林慶彰、蔣秋華合編《經學研究論著目錄（1998-2002）》 第一冊 卷首 臺北市 漢學研究中心 2013年12月

14.《國文天地300期第1-25卷總目暨分類目錄》序

林慶彰主編《國文天地300期第1-25卷總目暨分類目錄》 卷首 臺北市 萬卷樓圖書公司 2014年7月

15.《中國歷代文學總集述評》序

林慶彰主編《中國歷代文學總集述評》 卷首 臺北市 萬卷樓圖書公司 2007年10月

經學家文集

1. 《中國文化新論學術篇——浩瀚的學海》序
   林慶彰主編《中國文化新論學術篇——浩瀚的學海》 卷首 臺北市 聯經出版事業公司 1981年12月

2. 《詩經研究論集（一）》序
   林慶彰主編《詩經研究論集（一）》 卷首 臺北市 臺灣學生書局 1983年11月

3. 《屈萬里先生文存》編後記（與劉兆祐師合著）
   劉兆祐、林慶彰編《屈萬里先生文存》 第6冊 頁2385-2388 臺北市 聯經出版事業公司 1985年2月

4. 《詩經研究論集（二）》序
   林慶彰主編《詩經研究論集（二）》 卷首 臺北市 臺灣學生書局 1987年9月

5. 《蔡元培張元濟往來書札》序
   林慶彰主編《蔡元培張元濟往來書札》 卷首 臺北市 中央研究院中國文哲研究所籌備處 1990年6月

6. 《中國經學史論文選集》序
   林慶彰主編《中國經學史論文選集》 第1冊 卷首 臺北市 文史哲出版社 1992年10月

7. 《楊慎研究資料彙編》序
   林慶彰、賈順先合編 《楊慎研究資料彙編》 第1冊 卷首 臺北市 中央研究院中國文哲研究所籌備處 1992年10月

8. 《李光筠先生紀念集》跋
   林慶彰、邱元昌編《李光筠先生紀念集》 頁249-252 臺北市 萬卷樓圖書公司 1992年9月

9. 《姚際恆著作集》序
   林慶彰主編《姚際恆著作集》 第1冊 卷首 臺北市 中央研究院中國文哲研究所籌備處 1994年6月

10.《二十七松堂集》序

林慶彰、林子雄合編《二十七松堂集》　第1冊　卷首　臺北市　中央研究院中國文哲研究所籌備處　1995年6月

11.《姚際恆研究論集》序

林慶彰、蔣秋華合編　《姚際恆研究論集》　第1冊　卷首　臺北市　中央研究院　中國文哲研究所籌備處　1996年6月

12.《姚際恒研究論集》序

林慶彰、蔣秋華編《姚際恒研究論集》　卷首　臺北市　中央研究院中國文哲研究所　1996年6月

中國文哲通訊　第6卷4期（總24期）　頁375-377　1996年12月

13.《汪中集》序

林慶彰編審《汪中集》　卷首　臺北市　中央研究院中國文哲研究所籌備處　2000年3月

14.《朱彝尊《經義考》研究論集》序

林慶彰、蔣秋華合編《朱彝尊《經義考》研究論集》　第1冊　卷首　臺北市　中央研究院中國文哲研究所籌備處　2000年9月

15.《陳奐研究論集》序

林慶彰、楊晉龍合編《陳奐研究論集》　卷首　臺北市　中央研究院中國文哲研究所籌備處　2000年12月

16.《啖助新春秋學派研究論集》序

林慶彰、蔣秋華合編　《啖助新春秋學派研究論集》　卷首　臺北市　中央研究院中國文哲研究所　2002年9月

17.《通志堂經解研究論集》序

林慶彰、蔣秋華合編《通志堂經解研究論集》　第1冊　卷首　臺北市　中央研究院中國文哲研究所　2005年8月

18.《蘇輿詩文集》序

林慶彰、蔣秋華合編《蘇輿詩文集》　卷首　臺北市　中央研究院中國文哲研究所　2005年11月

19.《張壽林著作集》序

　　林慶彰、蔣秋華合編《張壽林著作集》　第1冊　卷首　臺北市　中央研究院中國文哲研究所　2011年12月

20.《日據時期臺灣儒學參考文獻》編者序

　　林慶彰編《日據時期臺灣儒學參考文獻》　上冊　卷首　臺北市　臺灣學生書局　2000年10月

21.《李源澄著作集》序

　　林慶彰、蔣秋華主編《李源澄著作集》　卷首　臺北市　中央研究院中國文哲研究所　2008年

22.《近代中國知識分子在臺灣》序

　　林慶彰、陳仕華合編《近代中國知識分子在臺灣》　第1冊　卷首　臺北市　萬卷樓圖書公司　2002年10月

23.《近代中國知識分子在日本》序

　　林慶彰主編《近代中國知識分子在日本》　第1冊　卷首　臺北市　萬卷樓圖書公司　2003年7月

24.《日治時期臺灣知識分子在中國》序

　　林慶彰主編《日治時期臺灣知識分子在中國》　卷首　臺北市　臺北市文獻委員會　2004年12月

25.《五十年來的經學研究》序

　　林慶彰主編《五十年來的經學研究》　卷首　臺北市　臺灣學生書局　2003年5月

26.《變動時代的經學與經學家——民國時期（1912-1949）經學研究》序

　　林慶彰、蔣秋華總策畫《變動時代的經學與經學家——民國時期（1912-1949）經學研究》　第1冊　卷首　臺北市　萬卷樓圖書公司　2013年12月

27.《經義考新校》序

　　林慶彰、蔣秋華等主編《經義考新校》　卷首　上海市　上海古籍出版社　2011年1月

28.《清領時期臺灣儒學參考文獻》序

林慶彰、蔣秋華主編《清領時期臺灣儒學參考文獻》　卷首　新北市　華藝
學術出版社　2013年11月

會議論文集

1. 《明代經學國際研討會論文集》序
   林慶彰、蔣秋華合編《明代經學國際研討會論文集》　卷首　臺北市　中央
   研究院中國文哲研究所籌備處　1996年6月

2. 《乾嘉學者的義理學》序
   林慶彰、張壽安合編《乾嘉學者的義理學》　第1冊　卷首　臺北市　中央
   研究院中國文哲研究所　2003年2月

3. 《清代揚州學術研究》序
   林慶彰、祁龍威合編《清代揚州學術研究》　第1冊　卷首　臺北市　臺灣
   學生書局　2001年4月

4. 《首屆國際《尚書》學學術研討會論文集》序
   林慶彰、錢宗武主編《首屆國際《尚書》學學術研討會論文集》　卷首　臺
   北市　萬卷樓圖書公司　2012年4月

5. 《第二屆國際《尚書》學學術研討會論文集》序
   林慶彰、錢宗武合編《第二屆國際《尚書》學學術研討會論文集》　卷首
   臺北市　萬卷樓圖書公司　2014年4月

6. 《經典的形成、流傳與詮釋》序
   林慶彰、蔣秋華合編　經典的形成、流傳與詮釋　卷首　臺北市　臺灣學生
   書局　2007年11月

7. 《嶺南大學經學國際學術研討會論文集》序
   李雄溪、林慶彰主編《嶺南大學經學國際學術研討會論文集》　卷首　臺北
   市　萬卷樓圖書公司　2015年4月

8. 《中日韓經學國際學術研討會論文集》序
   林慶彰、盧鳴東主編《中日韓經學國際學術研討會論文集》　卷首　臺北市
   萬卷樓圖書公司　2015年4月

9. 《正統與流派——歷代儒家經典之轉變》序

林慶彰、蘇費翔主編《正統與流派——歷代儒家經典之轉變》　卷首　臺北市　萬卷樓圖書公司　2013年1月

專門叢書

1. 揭開世界現存最大百科全書的奧秘——「《古今圖書集成・經籍典》的文獻價值」專輯緒言

中國文哲研究通訊　第16卷4期（總64期）　頁1-3　2006年12月

2. 《民國文集叢刊》序

林慶彰主編《民國文集叢刊》第一編　第1冊　卷首　臺中市　文听閣圖書公司　2008年12月

3 《民國時期經學叢書》序

林慶彰主編《民國時期經學叢書》第一輯　第1冊　卷首　臺中市　文听閣圖書公司　2008年

4. 《中國學術思想研究輯刊》總序

林慶彰主編《中國學術思想研究輯刊》初編　第1冊　卷首　2008年9月

5. 《晚清經學研究叢書》總序

蔡長林、丁亞傑主編《晚清常州地區的經學》　卷首　臺北市　臺灣學生書局2009年5月

6. 《西方學者詮釋中國經典叢書》總序

夏含夷著，黃聖松、楊濟襄、周博群等譯《孔子之前：中國經典誕生的研究》　卷首　臺北市　萬卷樓圖書公司　2013年4月

7. 林慶彰編《中國歷代經書帝王學叢書》（宋代編）序

林慶彰編《中國歷代經書帝王學叢書》（宋代編）　第1冊　卷首　臺北市　新文豐出版公司　2012年12月

8. 《晚清四部叢刊》序

林慶彰主編《晚清四部叢刊》第一輯　第1冊　卷首　臺中市　文听閣圖書公司　2010年11月

學術期刊

1. 《經學研究論叢》（第1輯）編者序
   林慶彰主編《經學研究論叢》（第1輯）　卷首　臺北縣板橋市　聖環圖書公
   司　1994年4月

2. 《經學研究論叢》（第2輯）編者序
   林慶彰主編《經學研究論叢》（第2輯）　卷首　臺北縣板橋市　聖環圖書公
   司　1994年10月

3. 《經學研究論叢》（第3輯）編者序
   林慶彰主編《經學研究論叢》（第3輯）　卷首　臺北縣板橋市　聖環圖書公
   司　1995年4月

4. 《經學研究論叢》（第4輯）編者序
   林慶彰主編《經學研究論叢》（第4輯）　卷首　臺北縣板橋市　聖環圖書公
   司　1997年4月

5. 《經學研究論叢》（第5輯）編者序
   林慶彰主編《經學研究論叢》（第5輯）　卷首　臺北市　臺灣學生書局
   1998年9月

6. 《經學研究論叢》（第6輯）編者序
   林慶彰主編《經學研究論叢》（第6輯）　卷首　臺北市　臺灣學生書局
   1999年6月

7. 《經學研究論叢》（第7輯）編者序
   林慶彰主編《經學研究論叢》（第7輯）　卷首　臺北市　臺灣學生書局
   2000年5月

8. 《經學研究論叢》（第8輯）編者序
   林慶彰主編《經學研究論叢》（第8輯）　卷首　臺北市　臺灣學生書局
   2000年9月

9. 《經學研究論叢》（第9輯）編者序
   林慶彰主編《經學研究論叢》（第9輯）　卷首　臺北市　臺灣學生書局
   2001年7月

10.《經學研究論叢》（第10輯）編者序

林慶彰主編《經學研究論叢》（第10輯）　卷首　臺北市　臺灣學生書局
2002年3月

11.《經學研究論叢》（第11輯）編者序

林慶彰主編《經學研究論叢》（第11輯）　卷首　臺北市　臺灣學生書局
2003年8月

12.《經學研究論叢》（第12輯）編者序

林慶彰主編《經學研究論叢》（第12輯）　卷首　臺北市　臺灣學生書局
2005年3月

13.《經學研究論叢》（第13輯）編者序

林慶彰主編《經學研究論叢》（第13輯）　卷首　臺北市　臺灣學生書局
2006年3月

14.《經學研究論叢》（第14輯）編者序

林慶彰主編《經學研究論叢》（第14輯）　卷首　臺北市　臺灣學生書局
2006年12月

15.《經學研究論叢》（第15輯）編者序

林慶彰主編《經學研究論叢》（第15輯）　卷首　臺北市　臺灣學生書局
2008年3月

16.《經學研究論叢》（第16輯）編者序

林慶彰主編《經學研究論叢》第16輯　卷首　臺北市　臺灣學生書局　2009
年5月

17.《經學研究論叢》（第17輯）編者序

林慶彰主編《經學研究論叢》（第17輯）　卷首　臺北市　臺灣學生書局
2009年12月

18.《經學研究論叢》（第18輯）編者序

林慶彰主編《經學研究論叢》（第18輯）　卷首　臺北市　臺灣學生書局
2010年9月

19.《經學研究論叢》（第19輯）編者序

林慶彰主編《經學研究論叢》（第19輯） 卷首 臺北市 臺灣學生書局 2011年11月

20.《經學研究論叢》（第20輯）編者序

林慶彰主編《經學研究論叢》（第20輯） 卷首 臺北市 臺灣學生書局 2013年1月

21.《經學研究論叢》（第21輯）編者序

林慶彰主編《經學研究論叢》（第21輯） 卷首 新北市 華藝學術出版社 2014年4月

22.《經學研究論叢》（第22輯）編者序

林慶彰主編《經學研究論叢》（第22輯） 卷首 新北市 華藝學術出版社 2015年4月

23.《國際漢學論叢》（第1輯）編者序

林慶彰主編《國際漢學論叢》（第1輯） 卷首 臺北市 樂學書局 1999年 7月

24.《國際漢學論叢》（第2輯）編者序

林慶彰主編《國際漢學論叢》（第2輯） 卷首 臺北市 樂學書局 2005年 2月

25.《國際漢學論叢》（第3輯）編者序

林慶彰主編《國際漢學論叢》（第3輯） 卷首 臺北市 樂學書局 2007年 6月

26.《國際漢學論叢》（第4輯）編者序

林慶彰主編《國際漢學論叢》（第4輯） 卷首 新北市 華藝學術出版社 2014年1月

27.《國際漢學論叢》（第5輯）編者序

林慶彰主編《國際漢學論叢》（第5輯） 卷首 新北市 華藝學術出版社 2016年1月

他著書

1. 《古籍知識手冊》序

   高振鐸編《古籍知識手冊》　卷首　臺北市　萬卷樓圖書公司　1997年

2. 《詩經圖注》序

   劉毓慶著《詩經圖注》　卷首　高雄市　麗文文化事業公司　2000年

3. 《論崔適與晚清今文學》序

   蔡長林著《論崔適與晚清今文學》　卷首　桃園縣　聖環圖書公司　2002年
   2月

4. 《長袍春秋：李敖的文字世界》序

   曾遊娜著《長袍春秋：李敖的文字世界》　卷首　臺北縣　INK印刻出版
   2003年

5. 《日治時期臺灣籍民在海外活動之研究》序

   卞鳳奎著《日治時期臺灣籍民在海外活動之研究》　卷首　臺北市　樂學書
   局　2006年7月

6. 《朱舜水與東亞文化傳播的世界》序

   徐興慶著《朱舜水與東亞文化傳播的世界》　卷首　臺北市　國立臺灣大學
   出版中心　2008年

7. 《楊復再脩儀禮經傳通解續卷祭禮》跋

   林慶彰校訂，葉純芳、橋本秀美編《楊復再脩儀禮經傳通解續卷祭禮》　下
   冊　卷末　臺北市　中央研究院中國文哲研究所　2011年9月

8. 《近代政治思潮下的馮友蘭》序

   李黃昌岳著《近代政治思潮下的馮友蘭》　卷首　臺北縣板橋市　聖環圖書
   公司　2009年6月

9. 《臺灣歷史辭典補正》序

   張錦郎主編《臺灣歷史辭典補正》　卷首　臺北市　臺灣學生書局　2009年
   10月

10. 《詩經修辭研究》序

    李麗文著《詩經修辭研究》　卷首　臺北市　萬卷樓圖書公司　2009年12月

11.序言：思想史研究與考據學方法——姜廣輝先生在中國思想史研究上的成績

　姜廣輝著《義理與考據——思想史研究中的價值關懷與實證方法》　卷首

　頁1-8　北京市　中華書局　2010年1月

12.《從文士到經生——考據學風潮下常州學派》序

　蔡長林著《從文士到經生——考據學風潮下的常州學派》　卷首　臺北市

　中央研究院中國文哲研究所　2010年5月

13.《中日典籍與文化交流史研究》序

　陳東輝著《中日典籍與文化交流史研究》　卷首　臺中市　文听閣圖書公司

　2010年11月

14.《佛光大學王雲五紀念圖書室線裝書目錄》序

　駱至中總編輯《佛光大學王雲五紀念圖書室線裝書目錄》　卷首　宜蘭縣

　佛光大學圖書暨資訊處　2012年7月

15.《考據斠讎與應世：儀徵劉氏經學與文獻學研究》序

　曾聖益《考據斠讎與應世：儀徵劉氏經學與文獻學研究》　卷首　臺北市

　文史哲出版社　2012年

16.《家學、經學和朱子學：以元代徽州學者胡一桂、胡炳文和陳櫟為中心》序

　史甄陶《家學、經學和朱子學：以元代徽州學者胡一桂、胡炳文和陳櫟為中

　心》　卷首　上海市　華東師範大學出版社　2013年4月

17.《趙杰選集》序

　趙杰主編《趙杰選集》　卷首　臺北市　經學文化事業公司　2013年8月

18.《論文選題與研究創新》序

　張高評《論文選題與研究創新》　卷首　臺北市　里仁書局　2013年10月

19.《江戶時代經學者傳略及其著作》序

　張文朝編譯《江戶時代經學者傳略及其著作》　卷首　臺北市　萬卷樓圖書

　公司　2014年3月

20.《中國近三百年疑古思潮史綱》序

　路新生《中國近三百年疑古思潮史綱》　卷首　上海市　復旦大學出版社

　2014年3月

21.《治學方法》序

　　楊晉龍《治學方法》　卷首　臺北市　萬卷樓圖書公司　2014年9月

22.《四書學史的研究》中文版跋

　　佐野公治著，張文朝、莊兵譯《四書學史的研究》　頁381-383　臺北市

　　萬卷樓圖書公司　2014年11月

23.《噶瑪蘭治經學記：春秋三傳研究論叢》序

　　簡逸光《噶瑪蘭治經學記：春秋三傳研究論叢》　卷首　臺北市　萬卷樓圖

　　書公司　2015年4月

24.《古典學集刊》發刊詞

　　石立善主編《古典學集刊》（第一輯）　卷首　上海市　華東師範大學出版

　　社　2015年5月

25.《經典詮釋與生命會通》序

　　丁亞傑著，林淑貞編《經典詮釋與生命會通》卷首

　　臺北市　萬卷樓圖書公司　2018年8月

翻譯

1.《經學史》序

　　安井小太郎等著，林慶彰、連清吉合譯《經學史》　卷首　臺北市　萬卷樓

　　圖書公司　1996年10月

2.《論語思想史》序

　　松川健二編，林慶彰、金培懿、陳靜慧、楊菁合譯《論語思想史》　卷首

　　臺北市　萬卷樓圖書公司　2006年2月

3.《近代日本漢學家（東洋學の系譜（一））》序

　　江上波夫編，林慶彰譯《近代日本漢學家（東洋學の系譜（一））》　卷首

　　臺北市　萬卷樓圖書公司　2015年8月

其它

1.《學術資料的檢索與利用》序

林慶彰主編《學術資料的檢索與利用》　卷首　臺北市　萬卷樓圖書公司
2003年3月

2.《老夫子圖說成語》序

林慶彰主編《老夫子圖說成語》　第一冊　卷首　新北市　華藝學術出版社
2013年6月

3.《書評寫作指引》編者序

林慶彰、何淑蘋主編《書評寫作指引》　卷首　臺北市　萬卷樓圖書公司
2014年2月

（十七）主編專輯

國文天地

1. 學術資料的檢索與利用專輯

國文天地　第18卷3期　頁4-30　2002年8月

2. 古典文學資料大搜查專輯

國文天地　第18卷8期　頁4-46　2003年1月

3. 經學行腳專輯

國文天地　第18卷11期　頁4-38　200年4月

4. 跨越時空與經書對話：研讀經典的現代意義

國文天地　第19卷12期　頁4-37　2004年5月

5. 經書的研讀方法專輯

國文天地　第21卷1期　頁4-35　2005年6月

6. 紀念啟功先生專輯

國文天地　第21卷7期　頁4-33　2005年12月

7. 青年學者談詩經專輯

國文天地　第22卷10期　頁4-44　2007年3月

8. 現有文史哲電子資料庫的利用與檢討專輯（一）

國文天地　第23卷2期　頁4-52　2007年7月

9. 現有文史哲電子資料庫的利用與檢討專輯（二）

國文天地　第23卷4期　頁4-50　2007年9月

10. 日本青年漢學家在臺灣專輯

國文天地　第23卷9期　頁4-49　2008年2月

11. 香港當代經學家專輯

國文天地　第24卷2期　頁4-44　2008年7月

12. 中文學門發展問題及對應之道專輯

國文天地　第24卷7期　頁4-29　2008年12月

13. 中青年學者談學術論文寫作經驗專輯

國文天地　第24卷9期　頁4-40　2009年2月

14. 以書代刊對學術的貢獻專輯

國文天地　第24卷12期　頁4-35　2009年5月

15. 現有年鑑工具書述評專輯

國文天地　第25卷3期　頁4-43　2009年8月

16. 我利用圖書館的經驗專輯

國文天地　第25卷9期　頁4-40　2010年2月

17. 中國大陸國學熱的省思專輯

國文天地　第25卷12期　頁4-41　2010年5月

18. 中文學門的人才出路問題

國文天地　第26卷3期　頁4-39　2010年8月

19. 漢學研究中心三十周年紀念專輯

國文天地　第26卷5期　頁4-31　2010年10月

20. 現有文史哲電子資料庫的利用與檢討專輯（三）

國文天地　第26卷9期　頁4-42　2011年2月

21. 現有文史哲電子資料庫的利用與檢討專輯（四）

國文天地　第26卷10期　頁4-44　2011年3月

22. 大陸孔子熱的省思專輯

國文天地　第30卷10期　頁39-74　2015年3月

23.請關注圖書資源南北失衡問題專輯

　　國文天地　第32卷9期　頁9-41　2017年2月

經學研究論叢

1. 姚際恆專輯（上）

　　經學研究論叢　第3輯　頁217-320　桃園縣中壢市　聖環圖書公司　1995年4月

2. 姚際恆專輯（下）

　　經學研究論叢　第4輯　頁133-270　桃園縣中壢市　聖環圖書公司　1997年4月

3. 民國經學家著作目錄專輯（二）

　　經學研究論叢　第15輯　頁1-153　臺北市　臺灣學生書局　2008年3月

4. 中國推動經學研究的學術機構專輯

　　經學研究論叢　第17輯　頁1-85　臺北市　臺灣學生書局　2009年12月

中國文哲研究通訊

1. 元代經學專輯

　　中國文哲研究通訊　第8卷2期　頁25-96　1998年6月

2. 揚州研究專輯

　　中國文哲研究通訊　第10卷1期　頁93-170　2000年3月

3. 日本學者論乾嘉學術專輯

　　中國文哲研究通訊　第10卷2期　頁1-135　2000年6月

4. 日本學者論群經注疏專輯

　　中國文哲研究通訊　第10卷4期　頁1-63　2000年12月

5. 日本學者論啖助學派專輯

　　中國文哲研究通訊　第11卷2期　頁1-131　2001年6月

6. 日本考證學研究專輯

　　中國文哲研究通訊　第12卷1期　頁1-110　2002年3月

7. 日本學者論公羊注疏專輯（一）

　　中國文哲研究通訊　第12卷2期　頁1-106　2002年6月

8. 日本學者論公羊注疏專輯（二）

　　中國文哲研究通訊　第12卷4期　頁79-176　2002年12月

9. 宋代經學研究專輯

　　中國文哲研究通訊　第12卷3期　頁1-104　2002年9月

10. 晚清經學研究——湖湘地區的經學專輯

　　中國文哲研究通訊　第14卷1期　頁1-136　2004年3月

11. 古今圖書集成經籍典的文獻價值專輯

　　中國文哲研究通訊　第16卷4期　頁1-181　2006年12月

12. 民國經學家著作目錄專輯（一）

　　中國文哲研究通訊　第17卷4期　頁1-84　2007年12月

13.〈柳存仁先生紀念專輯〉

　　中國文哲研究通訊　第21卷3期　頁1-115　2011年9月

國際漢學論叢

1. 日本學者論晚清湖湘學術專輯

　　國際漢學論叢　第3輯　頁1-96　臺北市　樂學書局　2007年6月

2. 松本雅明《詩經》學評論專輯

　　國際漢學論叢　第4輯　頁1-64　2014年1月

當代媒體評論林慶彰教授論文目錄

廖威茗　編

編輯說明

一、本評論目錄，是根據《經學研究三十年—林慶彰教授評論集》和《經學研究四十年—林慶彰教授評論集（二）》中具有學術價值之經學評論與文獻學評論之篇目編輯而成，可反映學術界對林老師的學術評價。

二、以上二書除經學評論和文獻學評論之外，另有媒體報導部分數十則，因篇幅較短，為節省篇幅，予以割愛。

一　經學評論

3. 臺灣學者林慶彰《詩經》學研究側記　趙茂林

　　江蘇文史研究　2003年第2期　頁10-18　2003年6月

（三）經學史

1. 林慶彰及其中國經學史研究　王俊義、趙剛

　　中國文化　第15、16期合刊　頁348-358　1997年12月

2. 林慶彰研究經學史的成果　陳恆嵩

　　五十年來的經學研究　頁313-318　臺北市　臺灣學生書局　2003年5月

3. 關於胡應麟研究的幾個問題——與林慶彰先生商榷　王嘉川

　　社會科學評論　2004年第4期　頁11-24　2004年4月

4. 〈中國經學史上的回歸原典運動〉簡評　楊晉龍

　　中國文哲研究通訊　第16卷3期　頁145-151　2006年9月

5. 林慶彰先生〈中國經學史上的回歸原典運動〉一文述評　劉柏宏

　　附：對楊、劉兩先生文評的回應　林慶彰

　　中國文哲研究通訊　第16卷3期　頁133-143　2006年9月

6. 晚明與晚清的回歸原典運動　曹美秀

　　黃宗羲與明末清初學術　頁75-125　新北市　華藝學術出版社　2011年9月

7. 〈明末清初經學研究的回歸原典運動〉評介　曾軍

　　經學檔案　頁73-77　武漢市　武漢大學出版社　2011年12月

8. 窺見清初經學堂奧的力作——評《清初的群經辨偽學》　王俊義、趙剛

　　中國文哲研究通訊　第4卷4期　頁97-105　1994年12月

9. 論清代學術思想特色與清初經學的復興——兼評《清初的群經辨偽學》　王俊義、趙剛

　　哲學研究　1995年第5期　頁64-71　1995年5月

10. 《清代經學研究論集》評介　川田健

　　中國古典研究　第48號　頁75-76　2003年12月

11. 《朱彝尊經義考研究論集》評介　川田健

　　中國古典研究　第46號　頁121-122　2001年12月

12.國內整理古籍的奠基石——簡介《姚際恆著作集》　張惠淑

國文天地　第10卷第8期　頁96-99　1995年1月

13.臺灣學者對姚際恆的研究（上）——關於姚際恆研究文獻的整理　林祥徵

閩臺文化交流　2008年第2期　頁21-24　2008年6月

14.《陳奐研究論集》評介　村山吉廣

詩經研究　第26號　頁48　2001年12月

15.中日儒學交會的亮光——記論語思想史刊行　楊菁

國文天地　第21卷11期　頁95　2006年4月

16.林慶彰經學史研究述論　徐道彬

古籍整理研究學刊　2017年第3期　2017年5月　頁108-113

（四）經學工具書

1. 評《經學研究論著目錄》（1912-1987）　邱德修

漢學研究通訊　第9卷2期　頁130-133　1990年6月

2. 為全天下作學問——中央圖書館漢學研究中心出版林慶彰教授主編《經學研究論著目錄》　連文萍

文化通訊　第25期　第3版　1995年7月

3. 事非經過不知難——編輯《經學研究論著目錄（1988-1992）》的幾點感想　侯美珍

國文天地　第11卷第4期　頁90-96　1995年9月

4. 搜羅詳備，嘉惠士林——評林慶彰《經學研究論著目錄》及其它　王俊義

炎黃文化研究　第4期　頁195-199　1997年12月

5. 評《經學研究論著目錄》初、續編　何淑蘋

專科目錄的編輯方法　頁129-153　臺北市　臺灣學生書局　2001年9月

6. 經學研究新方向——評林慶彰教授主編《經學研究論著目錄（1993-1997）》　丁原基

全國新書資訊月刊　民國92年9月號　頁15-18　2003年9月

中國索引　2007年第1期　頁38-41　2007年3月

7. 《經學研究論著目錄（1993-1997）》編後感　何淑蘋

　　經學研究論叢　第12輯　頁337-349　臺北市　臺灣學生書局　2004年12月

8. 《晚清經學研究文獻目錄》（1901-2000）評介　何淑蘋

　　書目季刊　第41卷1期　頁185-195　2007年6月

9. 晚清經學研究的明燈——《晚清經學研究文獻目錄》的學術價值　張晏瑞

　　國文天地　第22卷11期　頁95-98　2007年4月

10. 《晚清經學研究文獻目錄》與《乾嘉學術研究論著目錄》——瞭解清代經學研究的雙璧　丁原基

　　全國新書資訊月刊　民國96年11月號　頁20-22　2007年11月

11. 《經學研究論叢》評介　川田健

　　中國古典研究　第41號　頁489-91　1996年12月

12. 王紹曾教授談《點校補正經義考》　王紹曾

　　附：林慶彰教授的回應　林慶彰

　　中國文哲研究通訊　第10卷第1期　頁289-291　2000年3月

13. 《點校補正經義考》第六、七冊《孝經》部分標點疑誤　彭林

　　經學研究論叢　第9輯　頁287-294　臺北市　臺灣學生書局　2001年1月

14. 《點校補正經義考》《易》類標點商榷舉隅　張宗友

　　古典文獻研究　第12輯　頁462-474　南京市　鳳凰出版社　2009年7月

15. 《點校補正經義考》平議　張宗友

　　古典文獻研究　第13輯　頁356-376　南京市　鳳凰出版社　2010年6月

16. 《點校補正經義考》《孝經》類、《孟子》類標點指瑕　石立善

　　經學研究論叢　第18輯　頁205-254　臺北市　臺灣學生書局　2010年9月

17. 日本學者研究經學的總帳冊——編輯日本研究經學論著目錄之經過　馮曉庭、許維萍

　　國文天地　第9卷第8期　頁108-111　1994年1月

18. 《日本儒學研究書目》介紹　游均晶

　　漢學研究通訊　第17卷第4期　頁546-547　1998年11月

19. 評《日本儒學研究書目》　游均晶

　　國際儒學聯合會簡報　1998年3、4期合刊　頁30-33　1998年12月28日

二　文獻學評論

（一）治學方法

6. 一葉知秋：讀《書評寫作指引》　丁原基

　　全國新書資訊月刊　民國103年6月號第186期　頁56-59　2014年6月

7. 探索文學背景──文學系論文寫作　吳建隆

　　教育博覽家　第9期　頁33-35　2001年5月15日

（二）人物傳記

1. 評《蔡元培張元濟往來書札》　陶英惠

　　中國文哲通訊　第1卷第1期　頁96-100　1991年3月

2. 文化宏觀視野與政治褊狹對立──讀《近代中國知識份子在臺灣》的啟示
　　吳銘能

　　全國新書資訊月刊　民國91年12月號　頁17-19　2002年12月

3. 你知道嗎？所謂的知識份子──評《近代中國知識份子在臺灣》　李瓜

　　島語：臺灣文化評論　第3期　頁79-90　2003年6月

（三）專門叢書

1. 紬奇冊府，總前代之遺編──《民國時期經學叢書》簡介　陳惠美

　　國文天地　第24卷第4期　頁98-101　2008年9月

2. 《中國學術思想研究輯刊》簡介　陳顥哲

　　國文天地　第24卷第9期　頁94-97　2009年2月

3. 斯文延不墜，茂典振學風──專訪林慶彰教授談《民國時期經學叢書》　何
　　淑蘋

　　經學研究論壇　第1期　頁369-385　2012年11月

4. 民國時期經學文獻的保存與利用──評介林慶彰主編《民國時期經學叢書》
　　郭明芳

　　經學研究論叢　第22輯　頁95-121　新北市　華藝學術出版社　2015年4月

（四）學術期刊

1. 培育經學幼苗的園地──《經學研究論叢》簡介　何淑蘋

　　國文天地　第24卷第9期　頁90-93　2009年2月

2. 談《經學研究論叢》與《國際漢學論叢》——兼談「以書代刊」的學術價值
與困境　葉純芳

國文天地　第24卷第12期　頁29-31　2009年5月

（五）偽禁書

1. 臺灣戒嚴時期書商盜版大陸書的各種奇招　古遠清

鍾山風雨　2008年第6期　頁58-59　2008年

2. 傳承與開拓——介紹林慶彰先生《偽書與禁書》　涂茂奇

國文天地　第29卷第2期　頁83-86　2013年7月

3. 林慶彰著《偽書與禁書》評議及其他　朱傑人

歷史文獻研究　總第33期　頁384-393　上海市　華東師範大學出版社
2014年5月

（六）文獻整理

1. 臺灣中研院文哲所的古籍整理　林祥徵

閩臺文化交流　2011年第2期　頁145-151　2011年

三　退休紀念活動

（一）林慶彰教授榮退特輯

國文天地　第31卷第6期（總366期）　頁38-79　2015年11月　（車行健策
畫）

1. 黃文吉　體衰志不移——林慶彰教授的治學精神
2. 楊晉龍　師恩學術重於一切，氣度毅力非常人也——我眼中的林慶彰老師
3. 陳恆嵩　研經育才終不悔，一生甘為孺子牛——我所知道的林慶彰先生
4. 邱惠芬　玉在山而草木潤，淵生珠而崖不枯
5. 何銘鴻　一位小學老師與經學家——與林慶彰的一段緣分
6. 金培懿　大哉乾坤內，吾道長悠悠——記吾師林慶彰

7. 陳亦伶　望之儼然，即之也溫——恭賀林慶彰老師榮退

8. 汪學群　林慶彰先生二〇〇九年的大陸之行

9. 盧鳴東　林慶彰教授與香港經學研究

10. 林淑貞　林慶彰先生榮退紀念研討會論文述要

（二）經學史研究的回顧與展望——林慶彰先生榮退紀念研討會

京都市　京都大學大學院文學研究科中國哲學史專業主辦　2015年8月20、21
　　日本研討會在京都大學文學研究科第三講義室舉行，來自世界各地學者，博
　　士生一百餘人參加，發表論文近九十篇。

經學史研究的回顧與展望——林慶彰先生榮退紀念學術研討會　葉純芳

國文天地　第31卷第3期（總363期）　頁9-11　2015年8月

學術論文集叢書 1500009

林慶彰教授七秩華誕壽慶論文集

主　　編　蔡長林

責任編輯　楊婉慈、賴柏霖

特約校稿　林秋芬

發 行 人　陳滿銘

總 經 理　梁錦興

總 編 輯　陳滿銘

副總編輯　張晏瑞

編 輯 所　萬卷樓圖書股份有限公司

排　　版　林曉敏

印　　刷　百通科技股份有限公司

封面設計　菩薩蠻數位文化有限公司

發　　行　萬卷樓圖書股份有限公司

　　臺北市羅斯福路二段 41 號 6 樓之 3

　　電話 (02)23216565

　　傳真 (02)23218698

　　電郵 SERVICE@WANJUAN.COM.TW

香港經銷　香港聯合書刊物流有限公司

　　電話 (852)21502100

　　傳真 (852)23560735

如何購買本書：

1. 劃撥購書，請透過以下郵政劃撥帳號：

　帳號：15624015

　戶名：萬卷樓圖書股份有限公司

2. 轉帳購書，請透過以下帳戶

　合作金庫銀行　古亭分行

　戶名：萬卷樓圖書股份有限公司

　帳號：0877717092596

3. 網路購書，請透過萬卷樓網站

　網址 WWW.WANJUAN.COM.TW

大量購書，請直接聯繫我們，將有專人為您服務。客服：(02)23216565 分機 610

如有缺頁、破損或裝訂錯誤，請寄回更換

國家圖書館出版品預行編目資料

林慶彰教授七秩華誕壽慶論文集 / 蔡長林主編.-- 初版.-- 臺北市：萬卷樓, 2018.09

　面；　公分.-- (學術論文集叢書；1500009)

ISBN 978-986-478-212-3(精裝)

1.經學　2.文集

090.7　　　　　　　　　　　107015659

ISBN 978-986-478-212-3

2018 年 9 月初版一刷

定價：新臺幣 1600 元